JEAN M. A

AYLA UND DER CLAN DES BÄREN

Roman

WILHELM HEYNE VERLAG
MÜNCHEN

HEYNE TOP TEN
Nr. 01/8518

Titel der Originalausgabe
THE CLAN OF THE CAVE BEAR
Aus dem Amerikanischen
von Mechthild Sandberg

Der Titel erschien bereits in der Allgemeinen Reihe
mit der Band-Nr. 01/6734

8. Auflage
1. Auflage dieser Ausgabe

Wilhelm Heyne Verlag GmbH & Co. KG, München
Lizenzausgabe mit Genehmigung des S. Fischer Verlag GmbH,
Frankfurt/Main
Printed in Germany 1991
Umschlagzeichnung: Hiroko, New York
Autorenfoto: Thomas Fischer, Mühltal
Umschlaggestaltung: Atelier Ingrid Schütz, München
Gesamtherstellung: Elsnerdruck, Berlin

ISBN 3-453-05055-X

Ray gewidmet,
meinem schlechtesten Kritiker
und besten Freund

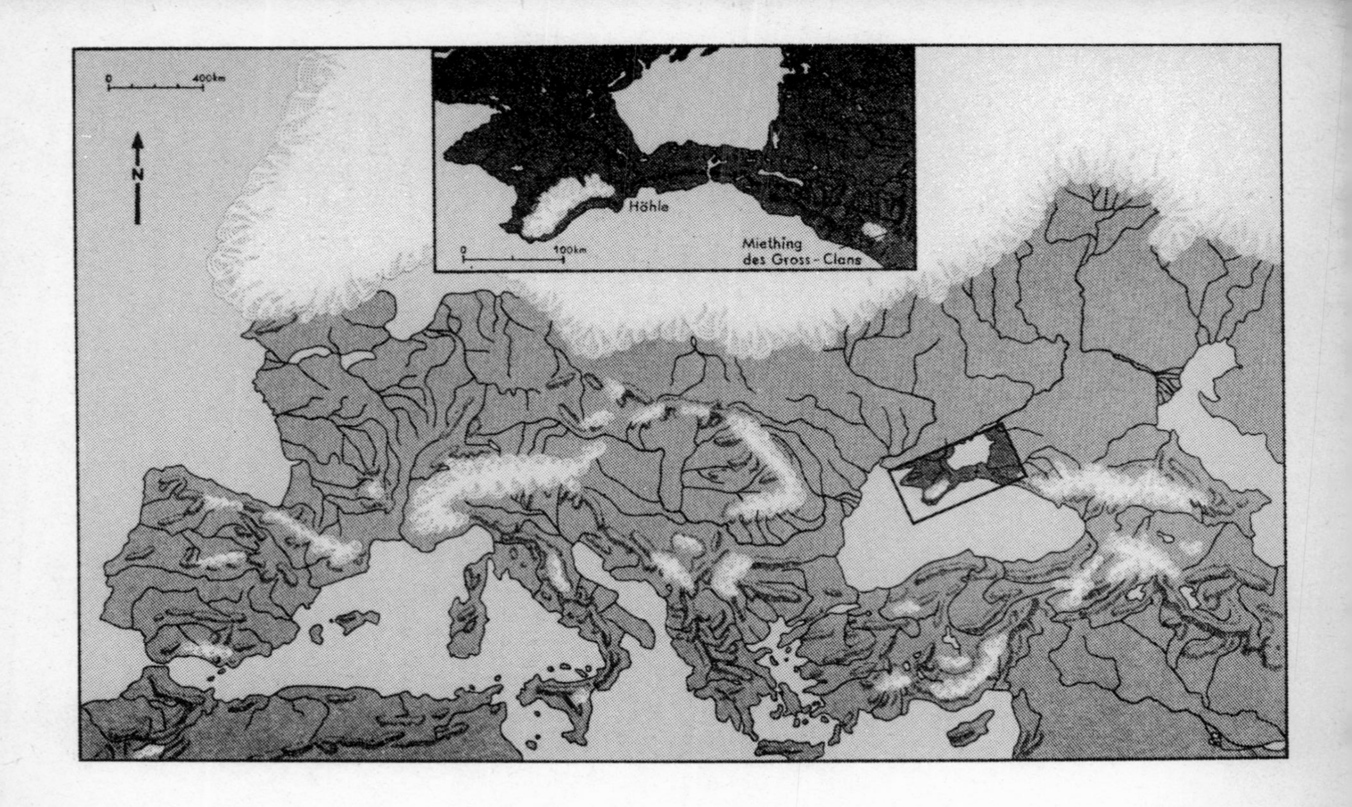
0
400km
N
Höhle
0
100km
Miething
des Gross-Clans

1

Nackt lief das Kind aus dem mit Fell überspannten Einschlupf der Felsenhöhle zu dem steinigen Stück Strand an der Biegung des kleinen Flusses. Es schaute nicht zurück. Niemals wäre es ihm in den Kopf gekommen, seine Behausung und deren Bewohner könnten verlorengehen.

Planschend watete es in den Fluß, spürte, wie Steine und Sand des steil abfallenden Betts unter seinen Füßen ins Rutschen kamen. Es tauchte ins kalte Wasser und kam prustend wieder hoch, schwamm dann mit sicheren, ausgreifenden Zügen das gegenüberliegende Ufer an. Noch vor dem Laufen hatte es Schwimmen gelernt. Wasser war sein Element, denn häufig kam es vor, daß ein Fluß nur schwimmend überquert werden konnte.

Eine Weile paddelte das kleine Mädchen von einem Ufer zum anderen und ließ sich dann von der Strömung flußabwärts tragen. Dort, wo das Gewässer breiter wurde und sprudelnd über Felsbrocken sprang, unterbrach es seine Fahrt, watete zur Böschung zurück und begann, Kieselsteine zu sammeln. Gerade hatte es ein Steinchen auf den Haufen besonders bunter Kiesel gelegt, als sich plötzlich der Boden bewegte.

Erstaunt sah die Kleine, wie der Stein ganz von selbst wieder herunterkollerte, starrte verwundert auf die kleine Kieselpyramide, die ins Wackeln geriet und in sich zusammenfiel. Erst da wurde sie gewahr, daß die schwankende Bewegung auch von ihr Besitz ergriffen hatte. Aber noch immer war sie mehr verwirrt als beängstigt. Mit großen Augen um sich blickend, suchte sie das, was ihre Welt auf einmal so veränderte. Der Boden durfte sich doch nicht bewegen!

Das Gewässer, kurz zuvor nur leicht gekräuselt, brodelte plötzlich. Ungestüme Wellen schwappten über die Böschung. Das Flußbett stemmte sich unter der Erschütterung gegen die Strömung, so daß vom Grunde Schlamm emporgerissen wurde. Wie von unsichtbarer Hand geschüttelt, erzitterten die Büsche an den Ufern flußaufwärts, und flußabwärts sprangen kopfgroße Steine in die Luft. Die himmelhohen Nadelbäume des Waldes, in den der Fluß sich hineingefressen hatte, taumelten, eine Riesentanne, nahe dem Ufer, deren Wurzeln von den Schmelzwassern kahlgespült waren und nichts mehr greifen konnten, neigte sich langsam zur anderen Seite hinüber. Ein sirrendes Pfeifen erfüllte die Luft, als sie dort aufschlug, eine zitternde Brücke über dem kochenden Fluß. Und noch immer schwankte der Boden.

Die Kleine steckte den Kopf zwischen die Schultern. Ihr Magen flatterte und krampfte sich zusammen. Angst kroch hoch. Sie wollte auf die Beine kommen, fiel jedoch wieder um, aus dem Gleichgewicht gebracht durch dieses gräßliche Schwanken. Noch ein Versuch, und sie schaffte es. Auf zitternden Beinen blieb sie stehen, wagte nicht, auch nur einen Schritt zu machen.

Als sie dann auf allen vieren zur Felsenhöhle kroch, die etwas oberhalb des Flusses lag, vernahm sie ein unterdrücktes Grollen, das in Windeseile zu einem ohrenbetäubenden Donnern anschwoll. Ein saurer Ruch von Feuchtigkeit und Fäulnis, ekelerregend wie der frühe Atem einer gähnenden Erde, stieg aus der Spalte auf, die sich plötzlich vor ihr im Boden auftat. Mit leerem Blick verfolgte das Mädchen, wie Erde, Steine und kleine Bäume in die gähnende Kluft stürzten, die unter gewaltigen Zuckungen aufgeplatzt war.

Der fellüberspannte Vorbau, nun am anderen Rand des Abgrunds, neigte sich, als ein Teil des Gesteins fortgerissen wurde. Die armdicke Astgabel schwankte unschlüssig; dann knickte sie um und verschwand in der Erdwunde, mit sich reißend die Fellplane und alles, was sich darunter befand. Zuletzt rutschte der ganze Felsen mit schrillem Getöse in die Tiefe. Zitternd, die Augen weit aufgerissen vor Entsetzen, sah die Kleine zu, wie das klaffende, stinkende Maul alles verschlang, was ihr bisher Nahrung und Wärme gegeben hatte.

Plötzliches Begreifen überwältigte sie, und im donnernden Tumult des berstenden Felsens war für sie nicht auszumachen, ob der Schrei, der in ihren Ohren gellte, wirklich ihr eigener war. Irgendwie schaffte sie sich an den Rand des Abgrunds, doch die Erde bäumte sich auf und schleuderte sie nieder. Verzweifelt krallte sie sich in den Boden, versuchte auf der lebendig gewordenen, sich umschichtenden Erde Halt zu finden. Dann schloß sich die Schlucht, das Donnern verebbte, die bebende Erde beruhigte sich.

Zitternd vor Angst lag das Kind bäuchlings in der weichen, feuchten Erde, die aufgewühlt war von den plötzlichen Stößen, die das Land aufgebrochen hatten, allein nun in einer Wildnis grasiger Steppen und verstreut stehender Wälder. Gletscher glänzten von weit her, sandten Eiseskälte aus. Tiere, unvorstellbar viele, durchstreiften die weiten Ebenen, auch räuberische waren darunter. Und Menschen? Die wenigen, die es hier gab, hatte die Erde gefressen. Nur das Kind war noch da, und niemand würde kommen, es zu suchen.

Wieder erzitterte der sich allmählich setzende Grund. Aus der Tiefe hörte das Kind ein dumpfes Grollen, als verdaute die Erde den hastig verschlungenen Fraß. Entsetzt sprang es auf, voller Angst, daß sich der Boden erneut öffnete. Ungläubig blickte es auf die Stelle, wo Felsen, Vorbau und Höhle gewesen waren. Aufgeworfene Erde und entwurzelte Sträucher – sonst nichts! Das Wasser schoß ihm aus den Augen, als es zurück zum Fluß rannte und sich aufschluchzend in den Schlamm wühlte.

Doch die durchweichte Böschung bot nicht den geringsten Schutz. Ein weiteres Beben, schwerer diesmal, erschütterte den Boden. Das kleine Mädchen krümmte sich, als eisiges Wasser auf seinen nackten Körper klatschte. Panik in den Augen, sprang es auf die Beine. Nur fort von hier! Aber wohin?

An dem steinigen Ufer gediehen keine Pflanzen, gab es keine Büsche; flußaufwärts jedoch waren die Ufer von Sträuchern überwuchert, an denen schon die ersten neuen Blätter sprossen. Wie schon immer in seinem Leben, suchte nun das Kind die Nähe des Wassers, doch das Geschlinge der dornigen Büsche war undurchdringlich. Aus tränenfeuchten Augen blickte es in die andere Richtung, hin zum Wald aus hohen Nadelbäumen.

Schmale Sonnenstrahlen fielen zwischen den sich gegenseitig bedrängenden Zweigen der dichtstehenden Bäume hindurch, die zum Fluß hin wuchsen. Fast kein Unterholz gab's in dem schattendunklen Wald, viele der Bäume hatten gelitten.

Einige waren umgestürzt, andere neigten sich gefährlich, gehalten von ihren Nachbarn, die noch fest verwurzelt waren. Jenseits von diesem Baumgewirr stand finsterer Wald, nicht einladender als der Busch stromaufwärts. Unentschlossen spähte das Kind zuerst in die eine, dann in die andere Richtung. Welche war wohl besser? Wo waren Wärme und Schutz?

Ein erneutes Zittern beendete die Unentschlossenheit des Mädchens. Es warf noch einen letzten Blick auf das zerschlagene Land und lief dann in den Wald.

Vom dumpfen Rumpeln der sich langsam beruhigenden Erde angetrieben, folgte die Kleine dem Lauf des Wassers und hielt nur kurz an, um hastig den Durst zu löschen. Die riesigen, stolzen Tannen, die das Beben aus dem Boden gerissen hatte, lagen niedergestreckt im Unterholz. Wieder und wieder mußten in weitem Bogen die Krater umgangen werden, die das gewaltige Wurzelwerk der stürzenden Bäume, das immer noch feuchte Erde und kleine Steine umschlang, aufgerissen hatte.

Gegen Abend verloren sich die Spuren der Zerstörung; kaum noch entwurzelte Bäume und versprengte Felsbrokken. Das Wasser floß klarer. Als man nicht mal mehr die Hand vor den Augen sehen konnte, hielt die Kleine an und sank erschöpft auf den Waldboden. Das dauernde Laufen hatte sie warmgehalten, jetzt aber begann sie zu zittern; viele winzige Höcker fühlte sie auf ihrer Haut. Die Kälte der Nacht. Schnell scharrte sie eine Mulde im weichen Waldboden, legte sich hinein, zog die Beine fest an den Bauch und nahm die Nase zwischen die Knie. Zuletzt warf sie noch mehrere Handvoll Tannennadeln über sich.

Doch so müde sie auch war, die Angst hielt sie wach, die jetzt hochkroch in ihr und sich auszubreiten begann. Mucksmäuschenstill lag sie da, die Augen weit offen, und mußte zusehen, wie die Finsternis rundum dichter wurde. Keine Regung, kaum zu atmen getraute sie sich.

Noch nie war sie nachts allein gewesen; immer hatte ein

Feuer gebrannt, um die bedrohliche Dunkelheit abzuwehren. Und plötzlich saß die Angst in ihrer Kehle. In Weinkrämpfen, schluchzend und schniefend, würgte sie dieses entsetzliche Gefühl heraus. Dann schlief sie erschöpft und erleichtert ein. Neugierig beschnupperte ein kleines Nachttier das Kind, das nichts davon spürte.

Die Erde aber hatte noch immer nicht zur Ruhe gefunden. Fernes Grollen aus gräßlichsten Tiefen setzte sich als Alptraum im Kopf des Kindes fort. Schreiend erwachte es, fuhr hoch, wollte fliehen, doch seine aufgerissenen Augen sahen ebenso wenig wie durch die geschlossenen Lider. Wo war sie denn? Das Herz schlug ihr bis zum Hals. Warum konnte man nichts sehen? Wieso waren da nicht die sorgenden Hände, die sie trösteten, wenn sie nachts erwachte? Langsam dämmerte ihr die Erinnerung an die Schrecknis ihrer Lage. Zitternd vor Furcht und Kälte kauerte sie sich zusammen und verkroch sich wieder unter der Nadeldecke des Waldes. Als die ersten schwachen Lichtstreifen des Morgens den Horizont markierten, schlief das Mädchen fest.

Nur mit Mühe drang der Tag in die Tiefen des Waldes vor. Als das Kind erwachte, stand die Sonne schon hoch am Himmel, durch das dunkle Laubdach der dickstämmigen Bäume jedoch nur schwer auszumachen. Gestern, als das Tageslicht verglüht war, hatte sich die Kleine weit vom Fluß entfernt. Und wieder regte sich die Angst, als sie sich jetzt umsah und ringsum nichts als Bäume erblickte, die sich breitbeinig ihr entgegenstellten.

Sie hatte Durst. Ihre geschärften Sinne vernahmen plötzlich ein leeres Plätschern, dem sie folgte und nach einer Weile voller Erleichterung als Stimme ihres Flusses lauthals Begeisterung zollte. Hier am Ufer war sie zwar nicht weniger verloren als im Wald, aber es verschaffte ein beruhigendes Gefühl, die Führung dem vertrauten Element zu überlassen. Sie konnte auch ihren Durst stillen, solange sie in seiner Nähe blieb. Doch gegen ihren Hunger half es nicht.

Sie wußte, daß es Grünpflanzen und Wurzeln gab, die man essen konnte, aber niemand hatte ihr gezeigt, welche davon schmackhaft waren. Das erste Blättchen, an dem sie knabberte, schmeckte bitter und brannte auf der Zunge. Schnell spie sie es aus und spülte sich den Mund. Nach dieser wenig ermutigenden Erfahrung hatte sie keine Lust, ein anderes Kraut zu versuchen und trank statt dessen nochmals reichlich, nur um sich den Magen zu füllen. Dann machte sie sich wieder auf, stromabwärts, immer dicht am Wasser, welches das Sonnenlicht gleißend zurückwarf. Als die Nacht kam, buddelte sich die Kleine im nadeligen Boden eine Kuhle und rollte sich darin zusammen.

Und wieder lag ihr eisige Furcht im Magen, an dem wütend der Hunger zerrte. Noch nie war sie so verängstigt, nie so hungrig gewesen, noch nie so allein. Diese Erfahrung war für das Kind so überwältigend, daß die Erinnerung an dieses Erdbeben und das Leben zuvor aus seinem Kopf verschwand. Dort saßen Angst und Verzweiflung, die sie nur dem Augenblick entgegenleben ließen, alle Sinne allein darauf gerichtet, das nächste Hindernis zu überwinden, den nächsten Seitenarm des Flusses zu überqueren, den nächsten Baumstumpf zu überklettern. Nur dem Fluß nach! war des Mädchens einziger Gedanke, nicht weil er es zu einem bestimmten Ziele führen sollte, sondern weil er der einzige war, der ihm eine Richtung gab, eine Möglichkeit zu handeln.

Irgendwann steigerte sich die Leere in seinem Magen zu einem dumpfen Schmerz, der das Hirn betäubte. Hin und wieder weinte es, während es vorwärtsstolperte, und die Tränen spurten weiße Streifen auf dem zerkratzten, grauen Gesicht des Mädchens, dessen Körper lehmüberkrustet war wie das Haar, das einmal beinahe weiß gewesen und so fein und weich, ihm aber jetzt, mit Tannennadeln, Ästchen und Dreck verfilzt, am Kopfe klebte.

Das Vorwärtskommen wurde schwieriger, als der Wald von lichterem Gelände abgelöst wurde. Den nadelübersäten Boden nahmen nun Grasflächen in Besitz, die von fast undurchdringlichem Gesträuch überwuchert waren, aus dem sich hochgewachsene kleinblättrige Laubbäume herausgeschafft hatten. Wenn es wieder einmal regnete, hockte sich das Kind in den Windschatten eines umgestürzten Baumes, eines Felsens, manchmal auch eines steinigen Überhangs, oder aber es trottete und stolperte einfach weiter durch

Schlamm und Gestrüpp und ließ die Regenflut über sich hinwegspülen. Nachts trug es haufenweise dürres, modriges Laub zusammen, das raschelte dann manchmal, wenn es sich darunter verkroch.

Immer schwächer wurde das Kind, in dessen Körper beharrlich die Kälte saß, das den Hunger nicht mehr spürte, nur noch einen stumpfen Schmerz im Magen und Schwindel im Kopf, aus dem es alles verdrängte und nur an den Fluß dachte, dem zu folgen war.

Sonnenstrahlen, die durch die Laubdecke drangen, weckten das Mädchen, das sich aus seinem behaglichen Nest wühlte und durstig zum Fluß lief, am ganzen Körper feuchte Blätter. Das beruhigende Blau des Himmels und die wärmende Helle taten wohl nach dem ewigen Regen. Es war noch nicht weit gekommen, als die Böschung allmählich anstieg, die sich nach einer Weile zu einem steilen Abhang aufformte. Vorsichtig mit Fingern und Zehen tastend, machte sich das Mädchen an den Abstieg, rutschte jedoch ab und kollerte bis zum Wasser hinunter.

Voller Schrammen und Beulen lag es im Schlamm, zu müde, zu schwach, zu elend, sich zu rühren. Das Wasser sprang ihm in die Augen und rann über sein Gesicht. Jammervolles Weinen wurde schließlich zum Wimmern, das um Hilfe flehte, aber niemand hörte es und kam. Warum denn noch aufstehen? Warum denn noch weitergehen?

Selbst als die Tränen schon längst versiegt waren, blieb die Kleine da liegen, wo ihr Sturz ein Ende gefunden hatte. Erst als sie den lästigen Druck einer Wurzel spürte, die sich von unten in ihre Seite bohrte, erst als sie den Schlamm schmeckte, der ihr in den Mund gekommen war, setzte sie sich auf, stemmte die Beine in den weichen Grund und stolperte todmüde zum Fluß, um zu trinken. Danach ging es wieder weiter. Mit stummer Verbissenheit schob sie die Zweige beiseite, die ihr den Weg versperrten, kroch über moosgepolsterte Baumstümpfe und watete, wenn es gar nicht anders ging, durch das seichte Wasser am Ufer des Flusses.

Dieser, durch das Schmelzwasser bereits angeschwollen, war durch den Zulauf seiner Nebenflüsse auf mehr als das Doppelte seiner Höhe angestiegen. Sein fernes Tosen hörte das Kind schon lange, bevor es ihn sah, den Wasserfall, der dort, wo ein noch größeres Wasser sich mit dem Fluß vereinigte, in Stufen die hohe Böschung hinunterschoß. Jenseits davon rauschte nun ein unbändiger, silbrig glänzender Strom triumphierend über mächtige Felsbrocken und bahnte sich, bald mit doppelter Kraft, seinen Weg in die grasbedeckte grenzenlose Weite der tieferliegenden Steppen.

Vogelschnell stürzten die Wassermassen über den Scheitel der Stromschnelle und ergossen sich donnernd und schäumend in ein tiefes Becken, das der Fluß aus seinem Felsenbett herausgeschliffen hatte. Dort, wo beide Gewässer sich vermischten, hing feiner Sprühnebel in der Luft, und die aufeinanderzuschießenden Strömungen verdrehten sich zu wirbelnden Strudeln. Lange, lange zuvor hatte der Fluß das harte Felsgestein dahinter unterhöhlt und einen Sims geschaffen, über den jetzt das Wasser herabströmte.

Vorsichtig näherte sich ihm die Kleine, spähte aufmerksam in den feuchten Durchgang hinein und kroch dann kurzerhand hinter den fließenden Vorhang. Schritt für Schritt klammerte sie sich an den nassen Fels, da ihr schwindlig wurde und das Tosen ihre Ohren betäubte, das sich an der Felswand hinter den donnernden Fluten brach. Furchtsam blickte sie aufwärts zum Strom, der über ihren Kopf hinwegsprang, und tastete sich langsam weiter.

Fast hatte sie die andere Seite erreicht, als der Durchgang immer schmaler wurde und schließlich ganz zu Ende ging. Die Unterhöhlung der Felswand erreichte nicht das andere Ufer. Sie mußte zurück! Enttäuscht machte sie kehrt und starrte, als sie wieder den Himmel über sich sah, wie gebannt auf die Wasserströme, die sich über den Sims wälzten, und schüttelte den Kopf. Da mußte sie durch!

Das Wasser war kalt, als sie hineinwatete, und die Strömung drückte mächtig. Sie schwamm bis zur Mitte und ließ, nun auf dem Rücken liegend, sich vom Sog des Wassers um die gefährlichen Wirbel herum tragen, drehte sich dann wieder auf den Bauch und hielt mit kurzen schnellen Stößen ihrer kleinen Arme auf das andere Ufer des breiter gewordenen Flusses zu. Das Schwimmen hatte sie ermüdet, aber ihre Haut glänzte wieder frisch und konnte atmen. Das klatschnasse Haar, noch verfilzt und zerzaust wie zuvor, wehrte sich trotzig gegen die ordnenden Finger der Kleinen, die sich aufraffte und die Füße in Gang brachte. Sie fühlte sich wohl.

Es war ungewöhnlich warm für die Zeit der Schneeschmelze, und anfangs, als Bäume und Büsche offenem Grasland wichen, tat dies der eifrig Ausschreitenden besonders gut. Als die Sonne jedoch höher stieg, verzehrten ihre sengenden Strahlen langsam die dürftigen Kräfte des Mädchens, und als die spärlichen Schatten wieder länger wurden, kam es nur noch mit schwankendem Schritt auf dem schmalen Streifen des Sandes vorwärts, der sich zwischen dem Fluß und einer steilen Felswand hinzog. Von der glitzernden Wasserfläche her traf seine Augen der Widerschein des grellen Sonnenlichts, und vom fast weißen Sandstein prallten Helligkeit und Hitze ab und warfen sich auf seinen Körper.

Vor ihr, auf der anderen Seite des Flusses, dehnte sich bis zum Horizont die Steppe aus, gesprenkelt mit kleinen Kräuterblumen in Weiß, Gelb und Violett, deren Farben sich mit dem lichten Grün des jungen Grases mischten, keines Blickes gewürdigt von der Kleinen, die, völlig geschwächt und ausgehungert nun, Fieberträume überwältigten, die ihre Mutter erscheinen ließen.

»Ja, ich hab's versprochen. Ich will vorsichtig sein. Ich bin weggeschwommen, nur ein kleines Stück. Aber wo bist du? ...Mutter, ich hab' Hunger... Es ist so heiß... Warum kommst du nicht mit? ...Bleib hier! Geh nicht weg! Warte doch! Laß mich nicht allein, Mutter!«

Mit ausgestreckten Armen stürzte es dem Trugbild nach, als dieses verblaßte, rannte verzweifelt am Fuß der Felswand entlang, doch der Fels wandte sich vom Ufer ab, entfernte sich immer weiter vom Fluß, und das Kind kam immer weiter vom lebenerhaltenden Wasser ab, lief blindlings vorwärts, stieß mit den Zehen gegen einen Stein und stürzte. Der jähe Fall riß es in die Wirklichkeit zurück, und während es da hockte und sich den Fuß rieb, versuchte es, seinen Kopf wieder klar zu bekommen.

Die Sandsteinwand vor ihm war von dunklen Löchern durchbrochen und durchzogen von schmalen Rissen und Spalten durch den grimmigen Widerpart, den sich seit ehedem glühende Hitze und Eiseskälte auf dem weichen Gestein lieferten. In eine kleine Öffnung am Fuß der Wand spähte das Kind hinein, doch die winzige Höhle hatte nichts Beeindruckendes.

Weit eher staunen machte sie da die Herde von massigen rotbraunen Tieren, die einträchtig auf dem üppigen Gras zwischen Fels und Fluß weideten; Rinder waren es, mit mächtigen gebogenen Hörnern, nochmal so hoch wie die Kleine, die sie in ihrer blinden Hast nicht bemerkt hatte, die jetzt, als sie die Tiere entdeckte, weiter zurückwich zur Felswand, den Blick unverwandt auf einen massigen Bullen gerichtet, der aufgehört hatte zu äsen und sie beobachtete. Rasch wirbelte das Mädchen herum und rannte auf und davon.

Als es noch kurz einen Blick über die Schulter warf, nahmen seine Augen ein verwischtes Bild blitzartiger Bewegungen auf, bei dem ihm der Atem stockte, so daß es wie angewurzelt stehenblieb. Eine gewaltige Löwin, doppelt so groß wie die Raubkatzen, die erst viel später die Savannen tief im Süden durchstreifen würden, hatte sich an die Herde herangemacht und sich ihr Opfer ersprungen.

In einem wilden Wirbel fauchend entblößter Fangzähne und raubgierig ausgestreckter Krallen vergrub sich die riesige Löwin in den massigen Körper der Kuh. Das angstvolle Gebrüll des Rindes erstarb unter dem Knirschen der kraftvollen Kiefer, als die Löwin ihm die Kehle aufriß. Blut spritzte auf, befleckte das Maul der vierbeinigen Jägerin und übergoß das lichtbraune Fell scharlachrot. In matter Abwehr schlugen noch die Läufe der Kuh, als die Löwin auch schon den Bauch des Tieres aufriß.

Blankes Entsetzen packte das Kind, das in wilder Flucht davonstob, aufmerksam beobachtet vom Gefährten der großen Löwin. Wie an und für sich üblich hätten die mächtigen Katzen ein solch schmächtiges und fleischloses Geschöpf wie dieses fünfjährige Mädchen als Beute glatt verachtet, da sie ihren Hunger gewöhnlich an einem Auerochsen, einem Bison oder einem großen Hirsch stillten. Doch das fliehende Kind kam der Höhle der Löwen gefährlich nahe, in der zwei neugeborene fiepende Junge lagen, die der zottig gemähnte Löwenvater bewachte.

Ein warnendes Grollen entrollte dem Riesenrachen. Jäh hielt das kleine Mädchen an und starrte angstverzerrt auf die Riesenkatze, die sprungbereit auf einem Felsvorsprung kauerte, schrie dann, strauchelte, stürzte, schrammte sich am losen Gestein unter der Felswand, rappelte sich hoch und rannte den Weg zurück, den es gekommen war.

Mit spielerischer Lässigkeit sprang ihm der Löwe hinterdrein, um sich den kleinen Eindringling zu schnappen, der so fürwitzig den engsten Familienkreis zu stören gewagt hatte. Nur langsam kam die Kleine vorwärts. Der geschmeidigen Leichtfüßigkeit des Verfolgers war nicht zu entgehen.

Nur der Instinkt war es, der die Kleine in ihrer kopflosen Flucht zu dem winzigen Spalt am Fuß der Felswand führte. Sie hatte ein fürchterliches Stechen in den Seiten und atmete keuchend, als sie sich durch die Öffnung zwängte, die kaum groß genug war, sie durchzulassen. Nur mit äußerster Mühe gelang es ihr, sich umzudrehen in dem engen Loch und hinzuknien, mit dem Rücken zur Wand, und sie wünschte, mit dem harten Felsgestein zu verschmelzen.

Der Höhlenlöwe brüllte wütend seine Enttäuschung gegen die Felswand, als er die Stelle erreichte und entdeckte, daß sein Spiel durchkreuzt war. Das Kind hielt sich die Ohren zu und starrte wie gebannt auf die Öffnung, als eine mit scharfen gebogenen Krallen bewehrte Riesenpranke hineinfuhr und immer näher kam. Und es schrie auf vor Schmerz, als die Krallen sich in seinen linken Oberschenkel schlugen und ihn aufrissen in vier tiefen, parallel laufenden roten Furchen.

Die Kleine wand sich, um der Pranke zu entkommen, da entdeckte sie in der finsteren Wand zu ihrer Linken eine kleine Einbuchtung, zog mühsam ihre Beine hinein, krümmte sich zusammen, so eng sie konnte, und hielt den Atem an. Beutesicher schob sich die Pranke erneut in die schmale Öffnung und verdunkelte die Nische; doch diesmal griff sie ins Leere. Lange Zeit tappte der Höhlenlöwe zornig und enttäuscht vor dem Loch auf und ab und stieß seinen heißen Atem in die Höhle.

Den ganzen Tag, die ganze Nacht und den größten Teil des darauffolgenden Tages verbrachte das Kind in dieser fürchterlichen Lage. Das Bein schwoll an, die schwärende Wunde schmerzte, und in der rauhwandigen Felsspalte war kein Platz, sich umzudrehen oder auszustrecken. Die Sinne verließen die Kleine, die, von Schmerzen und Hunger gequält, gräßliche Träume hatte von Erdbeben und scharfen Krallen. Nicht die Wunde, nicht der bohrende Hunger und auch nicht das Brennen auf der Haut drängten sie schließlich aus ihrem Fluchtloch. Es war der Durst.

Angstvoll spähte das Kind durch die kleine Öffnung. Vereinzelt stehende, vom Wind gekrümmte Weiden und Kiefern beim Fluß warfen lange, frühabendliche Schatten. Lange starrte es auf das grasbewachsene Land und das funkelnde Wasser dahinter und kroch zögernd aus der Höhle. Seine ausgedörrte Zunge fuhr über die rissigen Lippen, die zusammengekniffenen Augen gewöhnten sich allmählich an die ungewohnte Helligkeit. Kein Laut. Nur die Gräser, über die der Wind hinstrich, raschelten leise. Die Löwen waren fort. Besorgt um ihre Jungen und voller Unbehagen ob der unvertrauten Witterung des befremdlichen Geschöpfs, das ihnen so nahe gekommen war, hatte man sich auf die Suche nach einem neuen Unterschlupf gemacht.

Das Kind hatte sich aus der Höhle gezwängt und richtete sich auf. In seinem Kopf war ein ständiges Hämmern, und bunte Kringel tanzten wie irr vor seinen Augen. Wellen des Schmerzes überfluteten es bei jedem Schritt, und aus den blutigen Furchen quoll eine ekelhafte, gelblich-grüne schleimige Flüssigkeit und floß das geschwollene Bein hinunter.

Es war ihm völlig egal, ob der Fluß erreicht würde oder nicht, einzig und allein der Durst trieb das Kind vorwärts, das schließlich auf die Knie fiel und das letzte Stück auf allen vieren zurücklegte, sich dann bäuchlings ausstreckte und in hastigen Zügen das kalte Wasser in sich hineinsog. Als es endlich genug hatte und aufstehen wollte, waberten dunkle Flecken vor seinen Augen, der Kopf schwamm ihm und ringsum wurde es finster. Dann brach das Kind zusammen.

Ein Aasvogel, der träge am Himmel kreiste, erspähte den reglosen Körper, schoß herab und näherte sich hüpfend.

2

Mit Bedacht überquerten sie den Fluß gleich unter dem Wasserfall, dort, wo er breiter wurde und schäumend zackige Felsen umspülte, die aus dem seichten Wasser aufragten. Zweimal soviel, wie zwei Hände Finger haben, waren es, Junge und Alte. Vor dem Beben der Erde, das ihre Höhle zerstört hatte, waren sie noch sechs mehr gewesen. Zwei Männer schritten voraus, weit vor einer dichten Gruppe von Frauen und Kindern, auf jeder Seite zwei ältere Männer, hinten kamen jüngere Männer: der letzte Clan in dieser Gegend.

Sie folgten dem breiten Gewässer, das hier seinen gewundenen Lauf durch das flache Steppenland aufnahm, und beobachteten die gierig kreisenden Aasvögel. Da sich diese noch nicht niedergelassen hatten, mußte die Beute, die sie so aufmerksam umflogen, noch am Leben sein. Die Männer an der Spitze liefen hinzu und hofften, ein verwundetes Tier zu fangen.

Eine Frau, deren Bauch tropfenförmig hervortrat, als wenn sie etwas in ihm trüge, und die die anderen Frauen anführte, sah, wie vorne die beiden Männer zu Boden blickten, dann aber weitergingen. Also mußte dort ein Fleischfresser liegen, denn die Clan-Leute nährten sich nicht oft von fleischfressenden Tieren.

Die, welche den Frauen und Kindern vorausschritt, war knapp zwei Schritt groß, grobknochig und gedrungen, doch ging sie aufrecht auf ihren kräftigen, gebogenen Beinen mit den flachen nackten Füßen. Die übermäßig langen Arme waren, gleich den Beinen, leicht gekrümmt. Sie hatte eine großschlitzige Nasenplatte, ein stark vorgebautes Gesicht mit kräftigem Unterkiefer, jedoch kein Kinn. Die niedrige fliehende Stirn rundete sich zu einem langen, großen Kopf, der hinten einen knochigen Auswuchs hatte, einen Hinterhauptswulst, der die Länge des Schädels betonte und auf einem gedrungenen Hals saß.

Kurzer brauner Flaum, der sich leicht ringelte, bedeckte ihre Beine und Schultern und zog sich am oberen Teil ihres Rückgrats aufwärts. Das Haupthaar war schwer und lang und ziemlich buschig. Die winterlich blasse Haut hatte jedoch schon eine leichte Sonnenbräune angenommen. Große, runde, dunkelbraune Augen – Augen, die schon viel gesehen und verstanden hatten – lagen in tiefen Höhlen unter überhängenden Brauenwülsten. Neugier glimmte darin auf, als die Frau jetzt rascher ausschritt, um zu sehen, was die Männer hatten liegen lassen.

Bald würde sie ihr erstes Kind kriegen, zu alt dafür eigentlich, beinahe zwanzig Sommer schon. Die Clan-Leute hatten geglaubt, daß ihr Leib keine Früchte mehr trüge, bis man ihr ansah, daß neues Leben in ihr keimte. Dennoch hatte keiner ihr die Bürde erleichtert, die sie trug. Der große Korb auf ihrem Rücken war mit Bündeln beladen und behangen. Mehrere Beutel baumelten an einem Riemen, der sich um die geschmeidige Tierhaut schlang, mit der sie ihren Körper bedeckt hatte, und der so geschnürt war, daß Falten und Taschen entstanden, in denen manches getragen werden konnte.

Ein Beutel hing da auch, aus einem Otter geschickt gefertigt, dessen Fell, Füße, Schwanz und Kopf man unversehrt gelassen und dem man nicht, wie sonst üblich, den Bauch, sondern die Kehle aufgeschlitzt hatte. Durch diese Öffnung waren das Innere, Fleisch und Knochen, herausgeholt worden und somit ein feines Behältnis geschaffen, dem der Kopf des Tieres, durch einen Streifen Haut am Rücken gehalten, als Deckklappe diente. Durch Löcher rund um die Halsöffnung ging eine rotgefärbte Sehne, die straff zusammengezogen und an dem Riemen um die Mitte der Frau befestigt war.

Schon beim ersten Blick auf den Körper, den die Männer hatten achtlos liegenlassen, hob die Frau die Stirn. Ein Tier ohne Fell? Doch als sie näherkam, rang sie vor Schreck nach Luft und trat schnell einen Schritt zurück, umklammerte das Tierhautbeutelchen an ihrem Hals, befingerte zitternd die winzigen Dinge darin, die sie vor vielem schützen sollten, und beugte sich zögernd vor.

Fast gingen ihr die Augen über. Nicht ein Tier war es, das die gefräßigen Vögel angelockt hatte, es war ein Kind. Dünn und sehr befremdlich.

Suchend blickte die Frau sich um, gespannt und auf der Hut vor furchterregenden Geheimnissen, die in der Nähe lauern mochten, und umschritt den leblosen Körper. Da vernahm sie ein Stöhnen, blieb stehen, kniete, ihre Ängste vergessend, neben dem Kind nieder, berührte es und schüttelte es sachte. Sobald die Frau das angeschwollene Bein und die schwärende Wunde sah, als sie den Findling auf den Rücken rollte, löste sie die Schnur ihres Brustbeutels.

Vorn die Männer blickten zurück und sahen die Frau knien. Einer von ihnen kehrte um.

»Iza, komm!« befahl er. »Da sind Spuren eines Höhlenlöwen.«

»Es ist ein Kind, Brun. Verletzt, aber nicht tot«, wehrte sie ab.

Brun blickte auf die magere kleine Gestalt mit der hohen Stirn, der kleinen Nase und dem seltsam flachen Gesichtchen.

»Es gehört nicht zum Clan«, gab er mit einer schroffen Bewegung zu verstehen und wandte sich ab, nach vorne, zu seinen Leuten.

»Brun, es ist ein Kind. Es ist verletzt. Es stirbt, wenn wir's hier lassen.«

Izas Augen flehten, während sie beredt ihre Handzeichen machte.

Das Oberhaupt des kleinen Clans blickte auf die bittende Frau. Der Mann war um mehr als einen Kopf größer als sie, muskulös und kräftig mit einem stark gewölbten Brustkorb und dicken, gebogenen Beinen; ausgeprägter auch sein Gesicht, die Brauenwülste dicker, die Nase größer. Beine, Bauch, Brust und Schulterblätter bedeckte grobes braunes Haar; nicht dicht genug, um noch als Fell zu gelten. Ein struppiger Bart verbarg den kinnlosen hervorspringenden Kiefer. Auch sein Überwurf war ähnlich, jedoch nicht so weit und kürzer und anders geschnürt; er hatte weniger Falten und Taschen.

Auch trug er keine Lasten, nur seinen pelzigen Umhang, der, von einem breiten Band um den massigen Schädel gehalten, auf den Rücken herabfiel, und seine Waffen. Auf dem rechten Oberschenkel hatte er eine Narbe, geschwärzt wie eine Tätowierung, einem ›U‹ ähnlich, dessen Enden nach außen geschwungen waren. Es war das Zeichen des Bisons.

Seine Führerschaft bedurfte keiner besonderen Zeichen und Zierden; sein Gehabe und die Ehrerbietung durch die anderen ließen keinen Zweifel an seiner Vorrangstellung.

Bedächtig nahm er seine Keule, den langen Vorderlauf eines Pferdes, von der Schulter, und die Frau, die Iza genannt wurde, wußte, daß er ihre Bitte ernsthafter Betrachtung unterzog. Still wartete sie, verbarg ihre Erregung, um ihm Zeit und Ruhe zu lassen, der jetzt den schweren Holzspeer senkte und den Schaft mit der geschärften, im Feuer gehärteten Spitze nach oben an seine Schulter lehnte. Seine Finger zogen an der Schleuder, die er zusammen mit seinem Amulett um den Hals trug, um das Gewicht der drei rundgeschliffenen Steine besser auszugleichen. Dann zog er aus dem Gurt, um die Körpermitte geschnürt, einen Streifen geschmeidiger Hirschhaut, der sich an den Enden verjüngte und in der Mitte eine Vertiefung für die Steine hatte, die mit tödlicher Absicht ihre Opfer trafen. Nachdenklich glitten die haarigen Hände über die weiche Haut.

Brun, so hieß er, traf nicht gern rasche Entscheidungen, wenn es um Ungewöhnliches ging, das sich unmittelbar auf den Clan bezog, schon gar nicht jetzt, wo sie keine Höhle mehr hatten. Seine erste Regung, sogleich abzulehnen, unterdrückte er und ließ sich vieles durch den Kopf gehen. Er hätte voraussehen müssen, daß Iza dem Kind würde helfen wollen. Manchmal hatte sie sogar schon bei Tieren, besonders bei den jungen, ihre heilenden Kräfte angewandt. Er konnte sich schon ein Bild davon machen, wie erregt und bekümmert sie sein würde, wenn er ihr nicht erlaubte, diesem Kind zu helfen. Ob es nun zu diesem Clan gehörte oder zu irgendwelchen anderen, war für sie unwichtig, sie hatte nur das Kind im Auge, das verletzt war und ihre Fürsorge brauchte. Vielleicht war Iza deshalb eine gute Medizinfrau.

Medizinfrau hin, Medizinfrau her, sie war nur eine Frau, und war es da etwa von Bedeutung, wenn sie bedrückt war? Sie würde es nicht zeigen, und der Clan hatte auch ohne ein verletztes fremdes Kind Sorgen genug. Doch ihr Totem würde es sehen, alle Geister würden es sehen, und würden sie nicht noch zorniger werden, wenn Iza bekümmert war? Iza, die den Trank für die Feier zu bereiten hatte, wenn die neue Höhle gefunden war! Was würde geschehen, wenn sie außer sich geriet und dann etwas falsch machte? Zornige Geister konnten so etwas bewirken, und sie waren bereits zornig genug. Bei der Feier zur neuen Höhle aber durfte nichts falsch gemacht werden.

Soll sie das Kind doch mitnehmen, dachte er. Sie würde es bald leid sein, die zusätzliche Last zu tragen. Das kleine Mädchen war dem Tod schon so nahe, daß vielleicht nicht einmal der Zauber Izas, seiner Blutsschwester, stark genug sein würde, es zu retten.

Brun stopfte seine Schleuder wieder in den Gurt, nahm seine Waffen und zuckte die Achseln. Es war ihr überlassen. Iza konnte das Mädchen mitnehmen oder nicht, ganz wie sie wollte. Er wandte sich ab und ging davon.

Iza griff in ihren Korb und zog einen Umhang aus geschabter und getrockneter Haut hervor, in den sie die Kleine einhüllte, die sie dann vom Boden aufhob und sich auf die Hüfte band. Wie leicht sie war, trotz ihrer Größe! Das Mädchen stöhnte, als es hochgehoben wurde. Iza strich ihm beruhigend über das Haar und nahm dann wieder ihren Platz hinter den beiden Männern ein.

Die anderen Frauen hatten ehrerbietig angehalten, um die Begegnung zwischen Iza und Brun nicht zu stören. Als sie sahen, daß die Medizinfrau etwas aufhob, um es mitzunehmen, reckten sie neugierig die kurzen Hälse und machten mit ihren Händen rasche vogelartige Bewegungen, die sie mit kurzen kehligen Lauten begleiteten. Sie waren gekleidet wie Iza, bis auf den Otterfellbeutel, und ebenso schwer beladen mit dem übrigen der Habe, das nach dem Beben der Erde noch in Gebrauch zu nehmen war.

Zwei der sieben Frauen trugen Säuglinge in einer tiefen Falte ihrer Gewandung so geschickt am Körper, daß sie jederzeit die schwergefüllten Brüste reichen konnten. Wenn der Clan nicht umherzog, wurden die Säuglinge häufig in weiche Häute gewickelt und in das Vlies der Wildschafe gepackt, das von dornigen Sträuchern gezupft wurde, oder in Daunen vom Brustgefieder der Vögel oder in den Flaum faseriger Pflanzen, um die Ausscheidungen aufzusaugen. Doch wie jetzt, auf Wanderung, war es einfacher für die Frauen und weniger beschwerlich, die Kinder nackt zu tragen und sie einfach aus der Fellfalte zu nehmen, wenn sich die Kleinen entleeren mußten.

Als der Zug wieder aufbrach, hob die dritte Frau einen kleinen Jungen auf ihre Hüfte und hielt ihn dort mit einer Tragedecke. Doch lange dauerte es nicht, bis er zu strampeln anfing und auf den Boden wollte. Sie ließ es zu. Hinter der Frau, die Iza folgte, schritt ein Mädchen, deren Brust Knospen trug, das, noch nicht Frau, aber ebenso beladen, ab und zu einen Blick rückwärts auf einen sehnigen Jungen warf, der am Schluß der Frauengruppe ging und sich bemühte, den Abstand zu ihr so weit wachsen zu lassen, daß es aussah, als gehörte er zu den drei Jägern, die das Ende des Zuges sicherten, und nicht zu den Kindern. Gern hätte er auch ein Stück Wild getragen. Selbst der alte Mann war zu beneiden, der seitwärts von den Frauen ging, einen Hasen über der Schulter, den er mit einem Stein aus seiner Schleuder erlegt hatte.

Nahrung für den Clan beschafften jedoch nicht nur die Jäger; die Frauen waren es, die häufig den größeren Anteil hierbei hatten, und ihre Quellen waren zuverlässiger. So beladen sie waren, sie suchten und sammelten ständig Nährendes, während sie vorwärtswanderten, und waren dabei so behend, daß es den Zug kaum aufhielt. Flink wurden Knospen und Blüten der Taglilien abgemacht und zarte frische Wurzeln mit wenigen Stößen der Grabstöcke bloßgelegt. Leichter noch kam man an die Triebe der Katzenschwanzgewächse, die nur aus dem Erdreich sumpfiger Wiesen zu ziehen waren.

Wenn man dieses Gebiet nicht nur auf der Suche nach einer neuen Höhle durchzogen, sondern dort auch eine Bleibe gehabt hätte, so würden die Frauen sich diese Stelle eingeprägt haben, wo die hohen, langstieligen Pflanzen wuchsen, und dann später, wenn die Tage wieder kürzer wurden, zurückkehren, die zarten Wedel der Blütenstände pflücken und sie schmackhaft zubereiten. Und noch später konnte man aus dem gelben Blütenstaub, den man mit Stärke aus den Fasern alter Wurzeln mischte, teigige, ungesäuerte Fladen machen. Wenn dann endlich die Blütenstände vertrockneten, gaben sie Flaum, und aus den zähen Blättern und Stengeln konnten korbartige Behältnisse geflochten werden. Jetzt aber sammelten die Frauen nur, was sie gerade fanden, übersahen aber kaum etwas.

Neue Triebe und zarte junge Blättchen von Klee, Luzerne, Löwenzahn; Disteln, denen man die Stacheln abzog, ehe sie kleingemacht wurden; ein paar frühe Beeren und Früchte. Die spitzen Grabstöcke stachen ständig in die üppige Erde und wühlten sie um, gruben nach Zwiebeln, Knollen und Wurzeln. Nichts war vor ihnen sicher. Auch zum Hebeln dienten sie den Frauen, die auf der Suche nach Molchen und köstlichen dicken Würmern Baumstämme fortwälzten, sogar als Angelstöcke, mit denen sie Wasserschnecken aus den Bächen spießten und sie näher ans Ufer schoben, so daß dieses Weichgetier leichter zu erreichen war.

All das wanderte in die Faltenschlitze und Taschen ihrer Gewandung oder in ein freies Eckchen der Körbe. Große Blätter dienten zum Einwickeln; manche wohlschmeckende Blättchen, wie die der großen Klette, wurden gekocht. Auch dürres Holz, abgerissene Äste und Gras sowie der Kot weidender Tiere wurden gesammelt. Später im Sommer war dann die Auswahl größer, doch auch jetzt gab es Nahrung genug – wenn man nur wußte, wo man suchen mußte.

Iza blickte auf. Ein alter Mann hinkte zu ihr hin, sobald der Zug sich wieder in Bewegung gesetzt hatte. Er trug weder Lasten noch Waffen, nur einen langen Stock, auf den er sich beim Gehen stützen mußte. Das rechte Bein war verkrüppelt und dünner als das andere, und dennoch bewegte er sich mit erstaunlicher Behendigkeit. Schulter und Oberarm auf der rechten Seite waren verkümmert, und der eingeschrumpfte Arm war unterhalb des Ellbogens abgenommen worden. Die Glieder an der linken Körperseite des Mannes waren ebenmäßig, kräftig und muskulös, so daß er schief gewachsen schien, was durch seinen Schädel, massiger noch als bei den Clan-Leuten, besonders betont wurde. Unter großen Mühen und Schmerzen war er vor mehr als dreißig Wintern ans Licht gekommen und dann so geblieben.

Er war der Erstgeborene, Bruder von Iza und Brun, und er wäre das Haupt des Clans, wenn ihn die Natur nicht behindert hätte. Seinen Körper umspannte Tierhaut, und das warme Überfell, das auch als Schlafdecke diente, hatte er im Nacken wie die anderen Männer; von seinem Gürtel hingen jedoch mehrere Beutel herab, und auf dem Rücken trug er, sorgsam eingehüllt, einen großen unförmigen Gegenstand.

Häßliche Narben durchzogen die linke Gesichtshälfte des Einherhinkenden, dessen rechtes Auge klar und forschend die Schwester beschaute, während unter dem buschigen linken Brauenwulst eine leere Höhlung dunkel starrte. Es war der Mog-ur, der mächtigste Zauberer aller Clans, als Mann des Wunders und Gefährte der Geister gefürchtet und verehrt. Er glaubte felsenfest daran, daß ihm ein bresthafter Körper gegeben war, nicht um den Clan zu führen, sondern ihm als Kundiger der Geisterwelt zu dienen, wodurch er oft mehr Macht besaß als die Anführer, und er wußte das. Nur nahe Verwandte kannten seinen Namen und riefen ihn damit.

»Creb«, grüßte Iza und bedeutete ihm, daß sie sich freute, ihn neben sich zu sehen.

»Iza?« sagte er und deutete mit fragender Geste auf das Kind, das sie bei sich trug.

Die Frau schlug den Umhang auseinander, und Creb beäugte aufmerksam das kleine gerötete Gesicht. Sein Blick ruhte eine Zeitlang auf dem angeschwollenen Bein und der eiternden Wunde und wanderte dann wieder zurück zur Schwester. Das Mädchen stöhnte, und das finstere Gesicht des Zauberers verzog sich zu freundlichen Falten. Er nickte beifällig.

»Gut.« Es war ein rauher, kehliger Laut. »Es sind schon genug gestorben«, sagten seine flink sprechenden Hände.

Creb blieb an Izas Seite. Für ihn galten die stillschweigenden Regeln nicht, die Stellung und Rang jedes einzelnen fest bestimmten; er konnte sich jedem an die Seite gesellen, auch dem Anführer, wenn er wollte. Der Mog-ur stand über und neben der strengen Hierarchie des Clans.

Brun hatte sie inzwischen ein gutes Stück von den Spuren der Höhlenlöwen weggeführt, als er plötzlich das Zeichen zum Halten gab und forschend den Blick über das Land schweifen ließ. Jenseits des Flusses schwang sich, so weit das Auge reichte, das Gras in sanften welligen Hügeln, fern in einem Grünblau mit dem Himmel verschwimmend. Seine Augen passierten ungehindert die wenigen krüppeligen Bäume, die, vom ewig blasenden Wind in Zerrbilder erstarrter Bewegung verwandelt, die Tiefe der Sicht verstärkten und die Ödnis hervorhoben.

Eine Staubwolke am Horizont ließ vermuten, daß dort eine große Herde Huftiere in Bewegung war, und Brun wünschte aus tiefstem Herzen, er könnte seinen Jägern das Zeichen geben, daß sie ihnen nachstellten. Als er sich umdrehte, sah er den Wald, der in der Weite der Steppe schon fast verloren wirkte, und die Wipfel hoher Nadelbäume, die aus niederem Laubblattwerk hervorstachen.

Dort am Fluß, wo er stand, stellten sich dem flachen Grasland schroff die Felszacken entgegen, die immer weiter vom Fluß fortführten. Das steilwandige Felsenband zog sich hin bis zu den grauen Geröllhalden gewaltiger gletscherweißer Berge, die gewöhnlich das Land überschatteten, jetzt aber, im Glanz der untergehenden Sonne ihre eisverkrusteten Gipfel in Rosa, Rotgold, Violett und Purpur leuchten ließen, als krönten sie funkelndes Edelgestein. Selbst Brun, den sonst nur der Nutzen eines Dinges oder eines Ereignisses kümmerte, war von der Farbenpracht beeindruckt.

Dann wandte er sich vom Fluß ab und führte seinen Clan zu dem hochaufragenden Felsenband. Dort vielleicht gab es Höhlen. Sie brauchten endlich eine Heimstätte, genauso wie die Schutzgeister, die nach einem sicheren Ort und Feuer verlangten, wenn sie nicht schon längst den Clan verlassen hatten. Sie zürnten, das Beben der Erde war der Anfang gewesen, das sechs Clan-Leute und die Höhle als Opfer genommen hatte. Und wenn man ihnen nicht bald einen festen Wohnplatz verschaffte, dann würden sie den Clan den bösen Geistern übergeben, die Krankheit brachten und das Wild vertrieben. Keiner wußte, weshalb die Unsichtbaren so zornig waren, nicht einmal der Mog-ur, der sie allabendlich mit wunderlichen Gebärden und Verrichtungen beschwor, um ihren Zorn zu besänftigen und die Ängste des Clans zu mildern. Alle waren tief beunruhigt. Doch keiner war so starken Sinnes wie Brun.

Er hatte den Clan anzuführen, und es lastete schwer auf ihm; doch Geister, nicht sichtbar und auch nicht zu greifen, diese unergründlichen Mächte mit ihren sonderlichen Wünschen, konnten ihm nicht bange machen. Er hatte es lieber mit dem zu tun, was man fühlen, riechen, schmecken, hören und sehen konnte, wo es darauf ankam, ein guter Jäger und ein guter Anführer zu sein. Nicht eine der Höhlen, die er bisher erkundet hatte, wäre als Wohnort geeignet gewesen. Jede hatte irgendeinen Mangel.

Brun geriet in immer tiefere Sorge. Kostbare warme Tage, die sie hätten ausnutzen sollen, Nahrung für die kommende Kälte zu sammeln, waren schon verschwendet worden. Vielleicht würde er bald gezwungen sein, dem Clan einfach irgendeine Höhle zuzuweisen, auch wenn es nicht die richtige war, und die Suche nach der Schneeschmelze fortzusetzen. Aber das würde Unruhe und Verzagtheit fördern, und er hoffte zutiefst, daß es nicht so weit käme.

Während die Schatten sich vertieften, wanderten die Clan-Leute am Fuß der Felswand entlang. Als sie einen schmalen Wasserfall erreichten, dessen Gischt in den langen schrägen Strahlen der Sonne in den Farben des Regenbogens schimmerte, gab Brun Befehl anzuhalten. Müde setzten die Frauen ihre Lasten ab und schwärmten aus, um am Ufer des Beckens und an den Rändern des schmalen Baches nach angeschwemmtem Holz zu suchen.

Iza breitete ihren Fellumhang aus und legte das Kind darauf. Dann eilte sie davon, den anderen Frauen zu helfen. Sie machte sich Sorgen um das Mädchen, dessen Atem sehr flach war und das sich bis jetzt noch nicht gerührt hatte; selbst sein Stöhnen wurde immer seltener. Die ganze Zeit über hatte Iza nachgedacht, wie sie dem Kind wohl helfen könnte. Sie hatte die getrockneten Kräuter, die sie in ihrem Otterfellbeutel trug, durchgesehen und schaute sich nun, während sie Holz sammelte, aufmerksam die Pflanzen an, die in der Umgebung wuchsen. Jedes Gewächs hatte einen bestimmten Wert für sie, als heilendes oder als Nahrung, ob sie nun um seine Anwendung schon wußte oder nicht. Doch gab es kaum etwas, was sie nicht kannte.

Als sie am sumpfigen Ufer des Bächleins die langen Stengel knospender Iris entdeckte, griff sie sogleich zum Grabstock, um an die Wurzeln zu kommen, Die langen dreilappigen Hopfenblätter, die sich um einen der Bäume schlangen, schienen eine neue Möglichkeit zu bergen, doch lieber wollte sie das erprobte Pulver aus getrocknetem Hopfen verwenden, das sie bei sich hatte, die zapfenähnlichen Früchte würden ja erst später reifen. Sie schälte glatte, grau schimmernde Rinde von einem Erlenstrauch, der nahe beim Becken wuchs, und hielt die Nase daran. Die Rinde hatte einen starken Ruch. Iza nickte vor sich hin, als sie den Fund in einer Falte ihres Umhangs verschwinden ließ. Ehe sie zurücklief, pflückte sie noch ein paar Hände voll junger Kleeblätter.

Als das Holz gesammelt und die Feuerstelle vorbereitet war, enthüllte Grod, der Mann, der mit Brun die Spitze des Zuges gebildet hatte, ein Stück glühende Kohle, das, von Moos umschlossen, im hohlen Ende eines Auerochsenhornes verwahrt wurde. Zwar konnten sie Feuer machen, aber auf ihre Wanderungen durch unbekanntes Gebiet nahmen sie lieber Glut vom letzten Lagerfeuer mit, weil das viel einfacher war, als jeden Abend ein neues Feuer zu entzünden und vielleicht auch noch mit Mitteln, die dazu nicht taugten.

Während sie umhergezogen waren, hatte Grod die glühende Kohle mit ängstlichem Eifer genährt. Sie trug, da der Clan seit dem erzwungenen Aufbruch nur mit dieser Glut das Holz entzündet hatte, noch die Flammen der letzten Feuerstätte vor der alten Höhle in sich. Und das war gut so, denn der Brauch bestimmte, daß zur Weihe einer neuen Höhle das Feuer mit der gleichen Glut zu entfachen war, die ihren Ursprung in den Flammen vor der alten Behausung hatte.

Nur einem Mann von hohem Rang durfte die Aufgabe anvertraut werden, dieses wandernde Feuer zu nähren. Und wenn die Kohle ausglühte, so war das ein sicheres Zeichen, daß die Schutzgeister den Clan verlassen hatten. Dann verlöre Grod seine Stellung als Zweiter des Clans und käme auf die unterste Stufe der Männer, eine Erniedrigung, die er nicht erfahren wollte, denn sein Amt gereichte ihm zu hoher Ehre und lud ihm große Verantwortung auf.

Während Grod nun vorsichtig die Glut auf untergelegtes dürres Holz legte und hineinblies, bis die Flammen aufsprangen, machten sich auch die Frauen an die Arbeit. Mit rascher Hand häuteten sie das Wild, und wie das Feuer kräftig brannte, brutzelte auch schon das Fleisch, das, auf angespitzte grüne Äste gespießt, die quer über zwei Astgabeln lagen, unter der starken Hitze schnellstens schmorte, so daß es sehr gut den Saft hielt.

Mit den scharfkantigen Steinmessern, mit denen sie auch das Fleisch gehäutet und geschnitten hatten, schabten und zerkleinerten die Frauen nun Knollen und Wurzeln. Fest geflochtene, wasserdichte Körbe sowie rauhwandige Holzschalen wurden mit Wasser gefüllt, dann heiße Steine hineingegeben, die man, wenn sie abgekühlt waren, wieder ins Feuer legte und dann immer wieder aufs neue ins Wasser tauchte, bis es kochte. Dicke Würmer wurden geröstet und kleine Eidechsen im Ganzen gebraten, bis die zähe Haut sich schwärzte und aufsprang und das schmackhafte, gut durchgeschmorte Fleisch bloßlag.

Iza half natürlich überall mit, setzte jedoch nebenbei ein Kräftigungsmittel für das kleine Mädchen an, in einer Holzschüssel, die sie viele Jahre zuvor aus einem Klotz herausgeschnitzt hatte. Darin brachte sie Wasser zum Kochen. Sie wusch die Iriswurzeln, zerkaute sie gründlich und gab sie in das kochende Wasser. In einer zweiten Schüssel, dem muschelförmigen Teil vom Unterkiefer des Hirsches, zerdrückte sie Kleeblätter, schüttete etwas fein zermahlenes Hopfen in ihre Hand, riß die Erlenrinde in dünne Streifen und goß kochendes Wasser darüber. Danach zerfaserte sie zwischen zwei Steinen hartes Dörrfleisch aus dem Notnahrungsbestand des Clans und vermischte das Ganze in einer dritten Schüssel mit dem Wasser, in dem das Grünzeug gekocht hatte.

Die Frau, die während der Wanderung direkt hinter Iza gegangen war, warf ab und zu einen fragenden Blick zu ihr hinüber in der Hoffnung, Iza würde von sich aus eine Antwort geben, denn alle Frauen und auch die Männer, obwohl sich diese bemühten, es nicht zu zeigen, brannten vor Neugier, das Kind zu sehen, und jeder von ihnen schuf sich einen Grund, Izas Fell nahe zu sein. Einfach unerklärlich, wie das Kind dort an die Stelle gekommen war, wo man es gefunden hatte! Und wo waren die anderen, die zu ihm gehörten? Ebenfalls ein Rätsel war, weshalb Brun erlaubt hatte, daß Iza das Kind mitnahm, das nicht zu ihresgleichen gehörte.

Ebra spürte mehr als alle anderen das Gewicht der Verantwortung, das auf Brun lastete, und bemühte sich, mit kundigen Händen des Anführers Hals und Schultern knetend, wenigstens seinen Körper zu lockern. Denn sie war es letztlich, die die hitzige Gereiztheit ihres Gefährten auszuhalten hatte, wenn sie – selten zwar, aber dann mit Macht – von Brun Besitz ergriff, den eigentlich unerschütterliche Ruhe auszeichnete. Ebra fühlte, daß seine Raserei ihm leid tat. Doch zugegeben hätte Brun das nie, über den sie sich sehr wunderte, hatte er sogar Iza erlaubt, das Kind mitzunehmen, und das gerade jetzt, wo jede absonderliche Haltung den Zorn der Geister nur noch vergrößern könnte!

So neugierig Ebra auch war, sie ging nicht hin, um Iza zu fragen, denn niemand durfte die Medizinfrau stören, wenn sie ihre Zauberkräfte ausübte. Und Iza hatte keine Lust zu müßigen Gesten. Sie war mit dem Kind beschäftigt, das ihre Hilfe brauchte. Auch Creb nahm neugierig Anteil, was ihm von seiner Schwester jedoch gern gestattet wurde.

In stummer Dankbarkeit folgte Izas Blick dem Zauberer, der zu dem besinnungslosen Kind hinüberhumpelte und es eine Weile sinnend betrachtete. Dann lehnte er seinen Stock an einen großen Felsbrocken. Seine Hand beschrieb eine Folge fließender Bewegungen. Ein Bittgesuch an die guten Geister, bei der Gesundung des Kindes zu helfen. Waren doch sie es, die ihren Krieg und manchen Hader im Körper des Menschen austrugen, was dann als Krankheit oder Verletzung sichtbaren Ausdruck fand. Izas Heilkräfte waren der Schutzgeister Gabe, die durch sie handelten; der Zauberer jedoch konnte von sich aus mit ihnen in Verbindung treten und durfte somit bei keinem Krankenlager fehlen.

Iza hatte keine Ahnung, weshalb sie solche Sorge um ein Kind verspürte, das nicht zum Clan gehörte, aber sie wünschte, daß es am Leben bleiben möge. Als der Mog-ur zum Ende seiner Beschwörung gekommen war, nahm Iza das Mädchen in die Arme und trug es zu dem kleinen Becken am Fluß des Wasserfalls, tauchte es dort bis zum Kopf hinein und wusch den Schmutz und den verkrusteten Schlamm von dem mageren kleinen Körper. Das kühlende Wasser belebte das Kind, in dem immer noch Fieberträume rasten, so daß es wild um sich schlug und Laute ausstieß, die die Frau nie zuvor gehört hatte. Fest hielt Iza das Kind an sich gedrückt, als sie zum Lager zurückkehrte, und versuchte, es mit leisen, kehligen Murmellauten zu beruhigen.

Behutsam, doch mit der Gründlichkeit langer Erfahrung, wusch Iza die Wunden mit einem Stück weicher Kaninchenhaut, das sie in einen Sud tauchte, in welchem die Iriswurzeln gekocht hatten. Dann schöpfte sie das Wurzelfleisch ab, legte es auf die blutigen Stellen am Bein des Kindes, deckte Kaninchenhaut darüber und umwickelte das Ganze, damit nichts verrutschte, mit Hirschhaut, die in Streifen geschnitten war. Mit einem gegabelten Zweig holte die Medizinfrau dann den zerdrückten Klee, die zerfaserte Erlenrinde und zuletzt die Steine aus der Knochenschale, die neben die Schüssel mit der heißen Brühe zu liegen kamen, damit sie abkühlen konnten.

Creb deutete auf die Schüsseln, nicht um zu fragen, denn selbst ihm war das Wissenwollen über Izas Zaubermittel untersagt, sondern um zu zeigen, daß er ihr Tun achten wolle. Iza störte dies nicht, war der Bruder doch mehr als jeder andere imstande, ihr Wissen zu würdigen, gebrauchte er doch selbst einige der Kräuter, die auch sie verwendete.

»Das hier wird die bösen Geister vernichten, die Vergiftung bringen«, bedeutete ihm Iza und wies auf den reinigenden Sud aus Iriswurzeln. »Und hiervon die Wurzeln auf die Wunde gelegt, zieht das Gift heraus.« Sie nahm die knöcherne Schüssel, tauchte einen Finger hinein und prüfte, wie heiß der Aufguß noch war. »Schau, der Klee hier stärkt das Herz, damit die Kleine sich gegen die bösen Geister zu wehren vermag.«

Hin und wieder verwendete Iza Gesprochenes, um sich mitzuteilen, besonders aber dann, um dem, was sie meinte, Gewicht zu verleihen, denn die Clan-Leute waren nicht imstande, so unterschiedliche und fein abgestufte Laute oder Verbindungen von Lauten zu artikulieren, als daß man hätte sagen können, sie hätten eine Sprache, die, vom Ohr erhört, in ihrem Sinn entschlüsselt würde. Nein, diese nicht. Vielmehr drückten sie das, was sie mitteilen wollten, häufiger durch Gesten und Bewegungen aus, doch ihre Zeichensprache war umfassend und reich an Bedeutungsmöglichkeiten.

»Klee ist Nahrung. Wir essen ihn oft«, machte Crebs Hand.

»Ja«, nickte Iza, »auch heute. Des Zaubers Kraft liegt in der Zubereitung. Ein großes Büschel Klee wird in wenig Wasser gekocht. Ihm wird entzogen, was nötig ist. Die Blätter werden weggeworfen.«

Creb nickte bezeichnend.

»Erlenrinde«, deutete sie an, »reinigt das Blut und treibt die bösen Geister aus, die es vergiften.«

»Du hast aber etwas aus dem Beutel da genommen.«

»Ja, gemahlenen Hopfen; hier, die reifen Zapfen mit den feinen Härchen. Das beruhigt, und sie kann schlafen. Denn während die Geister miteinander kämpfen, braucht sie Ruhe«, machte Iza und deutete auf das Mädchen.

Creb nickte wieder bedächtig. Daß Hopfen schnellen und tiefen Schlaf brachte und – anders bereitet – auch milde Wirbel im Kopf, und den ganzen Körper leichter machte, wußte auch er. Obwohl auf Izas Zubereitungen immer neugierig, verriet er nur selten freiwillig etwas über die Art, wie er die Zauberkraft der Kräuter einsetzte. Dieses Wissen war geheim, nur den Mog-urs und ihren Gehilfen gestattet. Für Frauen war es nicht bestimmt, nicht einmal für Medizinfrauen. Zwar wußte Iza mehr über die wundersamen Kräfte von Pflanzen als er, und es stand zu befürchten, daß sie allzuviel erriet, aber es konnte auch nichts Gutes bringen, wenn sie sich zuviel über seine Kunst merkte.

»Und die andere Schüssel?« Sein Armstumpf hob sich in deren Richtung.

»Da ist nur Brühe drin. Das arme Kind ist ja halb verhungert. Was ihm wohl geschehen ist? Woher kommt es? Wo sind seine Leute? Es muß viele Tage allein umhergewandert sein.«

»Das wissen die Geister«, antwortete Mog-ur. »Glaubst du, dein Heilzauber wird bei ihr wirken? Sie gehört nicht zum Clan.«

»Ich glaube schon. Die Fremdlinge sind uns ähnlich. Mutter hat uns doch von dem Mann erzählt und seinem gebrochenen Arm, den ihre Mutter dann geheilt hat. Und bei ihm wirkte der Clan-Zauber auch, wenn es auch etwas länger dauerte, bis er nach dem Schlafmittel wieder die Augen aufschlug.«

»Es ist traurig, daß du sie nie gesehen hast, Iza, die Mutter unserer Mutter. Sie war eine gute Medizinfrau. Auch Leute anderer Clans sind zu ihr gekommen. Jammervoll, daß sie so bald von uns ging, nachdem sie unsere Mutter geboren hatte, und in das Reich der Geister kam. Sie und auch der Mog-ur vor mir haben selbst von diesem Mann erzählt, der eine Weile blieb, nachdem er wieder laufen konnte. Er jagte mit dem Clan; muß ein guter Jäger gewesen sein, denn er durfte sogar an einem Jagdfest tanzen. Ja, es ist wahr, es sind Menschen – Erdlinge wie wir – aber sie sind anders.«

Der Mog-ur ließ den Arm sinken. Iza war viel zu scharfsinnig, als daß er ohne Preisgabe seiner Stellung weitermachen konnte, denn für Iza wäre es leicht gewesen, sich ein Bild von den geheimen Ritualen der Männer zu machen.

Crebs Schwester prüfte noch einmal den Inhalt ihrer Schüsseln, dann legte sie den Kopf des Kindes in ihren Schoß und flößte ihm in winzigen Schlucken das Gebräu aus der Beinschüssel ein. Das Kind murmelte abgerissene Worte und versuchte, sich gegen das Bittere in seinem Munde zu wehren, aber sein ausgehungerter Körper gierte nach Nahrung. Iza hielt das Mädchen so lange im Schoß, bis es in einen tiefen Schlaf sank, tastete prüfend nach der Kleinen Herz, das jetzt gleichmäßiger schlug, legte ihr Ohr an den Mund des Kindes und hörte, wie die Luft ruhig ein- und ausging. Sie hatte getan, was in ihrer Macht stand. Wenn der Tod dem Kind nicht schon zu nahe war, gab es Hoffnung; nur noch die Geister konnten helfen.

Iza sah, wie Brun sich zu ihr auf den Weg machte. Mißvergnügt schaute er zu ihr, so daß sie hastig aufsprang und den Frauen zur Hand ging. Seit seiner Entscheidung hatte er nicht mehr an das fremde Kind gedacht, jetzt aber stiegen in ihm düstere Bilder auf. Zwar war es Sitte, die Augen abzuwenden, wenn andere miteinander sprachen, aber es war wirklich augenfällig, was den Clan bewegte. Die Verwunderung der ihm Anvertrauten über die Erlaubnis Iza gegenüber, das Kind mitzunehmen, weckte nun auch in ihm ein Gefühl der Unsicherheit, und es regte sich die Furcht, daß der Zorn der Geister durch den Findling noch genährt werden könnte. Dies wollte er seiner Schwester klarmachen und zu ihr hinübergehen, als Creb ihn zurückhielt.

»Was gibt's, Brun? Dein Gesicht ist voll Sorge.«

»Iza muß das Kind hierlassen, Mog-ur. Es gehört nicht zum Clan. Die Geister zürnen, wenn es bei uns ist und wir nach einer neuen Höhle suchen. Ich hätte Iza nicht erlauben sollen, es mitzunehmen.«

»Nein, Brun«, entgegnete der Mog-ur. »Schutzgeister werden durch Güte nicht erzürnt. Du kennst Iza. Sie kann es einfach nicht ertragen, ein Geschöpf leiden zu sehen, ohne zu versuchen, ihm zu helfen. Und die Geister kennen sie doch auch. Wenn sie nicht wünschten, daß Iza dem Kind hilft, dann hätten sie es ihr nicht auf den Weg gelegt. Das Kind mag vielleicht dennoch sterben, Brun, aber wenn der Große Bär es in die Welt der Geister rufen will, dann laß das seine Entscheidung sein. Rühre du jetzt nicht daran. Das Kind wird sterben, wenn wir es zurücklassen.«

Brun war noch nicht überzeugt; etwas an dem Kind machte ihn unruhig. Doch er unterwarf sich des Mog-urs größerem Wissen um die Geister und ihr Reich und gab Ruhe.

Nach dem Verzehr hockte Creb in Schweigen versunken da und wartete auf die anderen, bis auch sie fertig waren; erst dann würde er mit den allabendlichen Beschwörungen der Geister beginnen. Inzwischen richtete Iza für den Bruder den Schlafplatz und bereitete einiges für den nächsten Tag. Der Mog-ur hatte bestimmt, daß Männer und Frauen nicht Leib an Leib liegen durften, solange keine neue Höhle gefunden war, damit die Manneskraft den Ritualen gelte und allen das Gefühl gegeben wurde, sie leisteten etwas, das sie einer neuen Heimstatt näherbrachte.

Iza berührte das nicht sonderlich. Sie hatte einen Gefährten gehabt – er war bei dem Einsturz der Höhle ums Leben gekommen – und bei seiner Bestattung mit dem üblichen Schmerz um ihn getrauert; es hätte Unglück gebracht, anders zu handeln; aber sie war nicht betrübt über seinen Tod, denn er war grausam gewesen und nie zufriedenzustellen. Zuneigung hatte es zwischen ihnen nie gegeben, und sie wußte nicht, was Brun über sie beschließen würde, jetzt, wo sie allein war. Denn jemand würde für sie und das Kind, das sie in sich trug, sorgen müssen. Für Creb hätte sie gerne weitergekocht.

Er hatte von Anfang an ihr Feuer geteilt und zu verstehen gegeben, daß er ihren Gefährten ebenso wenig mochte wie sie, wenn er sich auch niemals in die Schwierigkeiten ihrer Verbindung eingemischt hatte. Schon immer galt ihr es als Ehre, für den Mog-ur zu kochen; aber es war noch mehr. Sie mochte ihren Bruder nach und nach so, wie die anderen Frauen ihren Gefährten mochten.

Iza bedauerte Creb manchmal, der eine eigene Gefährtin hätte haben können. Doch sie wußte, daß trotz seiner großen Zaubermacht und hohen Stellung im Clan keine Frau je seinen mißgestalteten Körper und sein vernarbtes Gesicht ohne Abscheu ansah, und sie war sicher, daß auch er es wußte. So nahm er niemals eine Gefährtin; auch nicht mit dem Körper, was ihm zusätzliche Achtung verschaffte. Jeder, vielleicht außer Brun, fürchtete den Mog-ur. Nur Iza nicht, die, seit sie da war, Crebs Sanftmut und Empfindsamkeit erfahren hatte, als eine Seite seines Wesens, die er selten offen zeigte.

Und eben diese Seite regte sich nun wieder; denn statt seinen Geist ganz auf die heilige Handlung zu richten, war der Mog-ur bei dem kleinen Mädchen. Schon immer war er begierig gewesen, etwas über die Leute dieser Art zu erfahren, aber die Clan-Gefährten gingen den Fremdlingen möglichst aus dem Weg, und nie zuvor hatte er eines ihrer Kinder gesehen. Er konnte nicht wissen, daß dieses Beben der Erde das Kind zur Waise gemacht hatte, doch es überraschte ihn, daß die anderen so nahe waren. Gewöhnlich hielten sie sich viel weiter unten im Land auf, dort, wo es in der warmen Zeit viel länger hell blieb als hier oben.

Er sah, wie einige Männer aufstanden, um den Lagerplatz zu verlassen. Er stemmte seinen Stock in die Erde und zog sich daran hoch; es galt, die Vorbereitungen zu überwachen, denn das Ritual war der Männer Vorrecht und Pflicht zugleich. Selten genug gab es für die Frauen Gelegenheit, an den Beschwörungen teilzuhaben, und von dieser waren sie gänzlich ausgeschlossen. Größtes Unheil wäre über den Clan gekommen, hätte eine Frau je die geheimen Handlungen der Männer beobachtet; die Schutzgeister wären vertrieben, der ganze Clan dem Tod geweiht.

Doch die Gefahr, daß dieses Ungeheuerliche geschehen würde, war gering. Niemals wäre es einer Frau in den Sinn gekommen, sich auch nur in die Nähe eines so bedeutsamen Ereignisses zu wagen. Davon abgesehen war die Abwesenheit der Männer eigentlich hochwillkommen, konnte man doch endlich einmal ausspannen und machen, was man wollte, ohne gleich von ihnen zu einer Arbeit oder der Vereinigung der Körper gezwungen zu werden, was besonders mühsam wurde, wenn die Männer in der jagdarmen Zeit beim Clan waren und dann, voller Unrast und äußerst reizbar, das Jagdpech die Gefährtinnen entgelten ließen. Auch die Frauen wünschten sich von Herzen, daß man endlich eine neue Höhle fände; sie hätten gerne geholfen, aber zu befehlen oder zu fordern, wohin es gehen sollte, war ihnen verwehrt. Brun bestimmte die Richtung.

Die Frauen wurden nicht um Rat gefragt. Sie vertrauten den Männern, die führten, die Verantwortung übernahmen und Entscheidungen trafen. Zu einer Veränderung dieser Aufteilung der Arbeit und der Macht war man schon seit langem nicht mehr fähig. Gepflogenheiten, die vor Tausenden von Sommern und Wintern angenommen worden waren, lagen jetzt im Körper beschlossen. Männer wie Frauen fanden sich kampflos damit ab; in Unvermögen erstarrt, würde es ihnen nie gelingen, aus ihrer Haut herauszukommen und sich an das Neue heranzumachen.

Nachdem die Männer nun gegangen waren, versammelten sich die Frauen um Ebra und hofften, auch Iza würde sich zu ihnen hocken, damit endlich ihre Neugier gestillt würde. Doch die Medizinfrau fühlte sich wie erschlagen; erschöpft blieb sie bei dem Kind, das sie nicht allein lassen wollte. Sie legte sich daneben und schlang zärtlich ihr Fell um das schlafende Mädchen, das sie im flackernden Licht des sterbenden Feuers wie gebannt beobachtete. Seltsam, dieses kleine Ding, fand sie. Recht häßlich eigentlich. So ein flaches Gesicht unter der hohen gewölbten Stirn, und die Nase nur ein kleiner Stumpf... Und dieser merkwürdige knochige Auswuchs unter dem Mund... Dabei bewegte Iza die Lippen, als spräche sie zu sich selbst. Wie alt sie wohl ist? Sie ist so groß, das täuscht. Und so mager. Man kann ja die Knochen fühlen, ging ihr durch den Kopf. Beschützend legte sie ihren Arm um den Findling.

Der Mog-ur trat etwas zurück, als die Männer eintrafen. Jeder suchte sich seinen Platz hinter einem der Steine, die ringförmig innerhalb eines größeren Kreises von Fackeln angeordnet waren. Sie befanden sich auf freiem Feld, fern vom Lagerplatz. Der Zauberer wartete, bis alle Männer sich gesetzt hatten. Nach einer Weile trat er in die Mitte des Steinkreises, in der Hand einen brennenden Stab wohlriechenden Holzes. An der Stelle, wo nur sein Stock im Boden stak, drückte er die kleine Fackel in die Erde.

Hochaufgerichtet stand er in der Mitte des Kreises. Über die Köpfe der sitzenden Männer hinweg sah er mit träumerischem, schwimmendem Blick in dunkle Fernen, als schaute er mit seinem einen Auge eine Welt, für die anderen nie zu erblicken. Mit seinem schweren Umhang aus der Haut des Höhlenbären war er eine fast beängstigende und seltsam unwirkliche Gestalt. Ein Mensch und doch kein Mensch, mit seinem zerschundenen Körper und dem entstellten Gesicht; nicht mehr und nicht weniger, einfach anders. Aber gerade seine Mißgestalt verlieh ihm etwas Übernatürliches, das niemals ehrfurchtgebietender wirkte als in solchen Augenblikken.

Plötzlich brachte er mit einer blitzschnellen Handbewegung einen Schädel zum Vorschein. Mit dem kräftigen linken Arm hielt er ihn hoch über seinen Kopf und drehte sich langsam im Kreis, so daß ein jeder die klobige, hoch aufgewölbte Form sehen konnte. Der Schädel des Bären! Die Männer starrten ihn an, der im flackernden Fackellicht weiß leuchtete. Der Mog-ur setzte ihn vor der kleinen Fackel auf den Boden, ließ sich dahinter nieder und schloß den Kreis.

Ein junger Mann, der neben ihm saß, erhob sich und griff nach einer Holzschale. Goov hieß dieser, der, man hatte kurz vor dem Erdbeben ihn feierlich zum Manne gemacht, schon als Junge zum Gehilfen des Mog-ur bestimmt war und diesem schon oft bei seinen Vorbereitungen geholfen hatte. Doch erst jetzt war es ihm erlaubt, an den Kulthandlungen selbst teilzunehmen. Bevor sie aufgebrochen waren, eine neue Höhle zu suchen, hatte er es zum ersten Mal gedurft.

Für Goov würde der Einzug in eine neue Höhle von besonderer Bedeutung sein, denn hierbei könnte er dem großen Mog-ur selbst über die Schulter sehen und sich die Feinheiten einprägen, die zu diesen selten vorgenommenen und schwer zu beschreibenden heiligen Handlungen gehörten. Als Kind war ihm der Zauberer furchtbar erschienen, wenn er auch gespürt hatte, daß es zur Ehre gereichte, erkoren zu werden. Seitdem hatte der junge Mann nach und nach erfahren, daß der Krüppel nicht nur der hellsichtigste Mog-ur war, den er kannte, sondern daß sich hinter seiner herben Strenge auch etwas Gütiges und Sanftes verbarg. Deshalb achtete Goov ihn als Vorbild und liebte ihn.

Vorhin, als Brun Befehl zum Halten gegeben hatte und ihm die untergehende Sonne gerade noch genügend Licht hinterließ, hatte der junge Mann den Trank zubereitet, der sich jetzt in der Kultschale befand. Zwischen zwei Steinen mußte man zunächst ganze Daturapflanzen zerstampfen. Und dann kam das Schwierige, nämlich Menge und Verhältnis von Blättern und Stengeln und zu Blüten richtig abzuschätzen. Danach war kochendes Wasser darüberzugießen, und dann hatte das Gebräu so lange zu ziehen, bis die heilige Handlung begann.

Unmittelbar bevor der Mog-ur in den Kreis getreten war, hatte Goov den starken Daturasud über seine gespreizten Finger gegossen und in die Kultschale fließen lassen und erhoffte ängstlich das zustimmende Nicken des Zauberers. Goov hielt die Schale, während der Mog-ur einen kleinen Schluck nahm, beifällig nickte und dann trank. Erleichtert und stolz vor Freude trug Goov, der Rangordnung der Männer folgend, die Schale reihum. Zuerst zu Brun. Jedem hielt er das Gefäß an den Mund, bestimmte die Menge, die zu trinken war, und leerte als letzter die Schale.

Der Mog-ur wartete, bis sein Gehilfe sich gesetzt hatte; dann gab er das Zeichen. Mit den stumpfen Enden ihrer Speere begannen die Männer rhythmisch auf den Boden zu klopfen. Das stetige dumpfe Pochen der Speere steigerte sich, bis kein anderes Geräusch mehr zu hören war. Das dröhnende Auf und Ab der Speerschäfte bannte die Hirne der Männer, die plötzlich aufsprangen und sich hin und her bewegten, bis auf den Zauberer, der unverwandt auf den Schädel starrte. Sein brennender Blick zwang die Augen der Männer auf den heiligen Bärenschädel. Als die Gesichter der Männer in zitternder Erregung sich verzerrten und auf ihren Körpern Wasserperlen funkelten, blickte Creb zu seinem Bruder, dem Mann, der den Clan führte, und jetzt vor dem Schädel niedersank.

»Geist des Bisons, Zeichen des Brun«, begann der Mog-ur und vollführte mit der einen Hand eine rasche Folge gewellter, verschlungener und zerhackter Bewegungen, ohne ein weiteres Wort als »Brun« hervorzustoßen, die überkommene und wesensmäßige Weise, in der mit Geistern, aber auch mit anderen Clans Verbindung aufgenommen wurde. Inständig beschwor er den Geist des Bisons, ihnen alles Böse zu vergeben, das sie vielleicht getan und welches ihn erzürnt hatte, und erflehte seine Hilfe.

Dieser Mann, er zeigte auf Brun, habe doch die Geister immer geehrt und stets die Gebräuche des Clans beachtet. Er sei ein starker Führer, klug und gerecht, ein guter Jäger, kümmere sich um alles, sei doch ein besonnener Mann, des mächtigen Bisons würdig. Er, der große Geist, solle sich nicht abwenden, sondern Brun zu einer neuen Höhle führen, zu einem Ort, wo auch er zufrieden sei.

Danach richtete der Mog-ur seine Augen auf den Zweiten des Clans. Als Brun wie betäubt auf seinen Platz zurückwich, sank Grod vor dem Schädel des Höhlenbären in die Knie und hob die Hand zur Beschwörung, die noch nie Frauen widerfahren war, da sie nicht zu wissen hatten, daß ihre Männer, die stets vermeinten, unerschütterliche Kraft zu zeigen, die Geister genauso flehentlich baten, wie die Frauen oft die Männer.

»Geist des Braunbären, Zeichen des Grod«, begann der Mog-ur von neuem und heischte behend um die Gunst dieses Geistes. Und so wurde das Zeichen des Geistes eines jeden Mannes angerufen. Als die Reihe um war, hielt der

Mog-ur den Blick wieder auf den Schädel gerichtet; die Männer stampften wieder mit ihren Speeren auf den Boden; ein neuerliches Zittern durchlief die gedrungenen Körper.

Alle wußten sie, was nun kommen würde. Nicht das Hirn, der Körper zeigte ihnen an, was Abend für Abend zu geschehen hatte und dennoch mit unverhohlener Begier erwartet wurde: Der Mog-ur würde den Geist des Bären rufen, sein eigenes Zeichen, jenen unter den Geistern, den sie am meisten verehrten.

Der Höhlenbär war nicht nur des Mog-urs Zeichen, er war das Zeichen aller; der mächtigste aller Geister, der höchste Beschützer, und mehr als das. Durch ihn fühlten die Clan-Leute sich eingebunden in die Gemeinschaft derer, die wie sie waren. Indem sie verehrten, was ihnen gemeinsam war, waren sie vereint und spürten die Kraft, welche all die kleinen, verstreut lebenden Clans zusammenfügen konnte, den großen Clan des Bären.

Mit einem Mal – und weit ausholend – gab der einäugige Zauberer das Zeichen. Schnell ließen die Männer ihre Speere sinken und setzten sich hinter ihre Steine, doch das schwere Gedröhn pulste noch durch ihre Adern und hämmerte in den Köpfen.

Der Mog-ur griff in einen kleinen Beutel und entnahm ihm getrocknete Bärlappsporen. Dann hielt er die Hand über die kleine Fackel, beugte sich vor und blies in die Flamme. Regengleich prasselten die Sporen in das Feuer, flammten auf und taumelten im grellweißen Lichtschein rings um den Bärenschädel zu Boden.

Der Bärenschädel leuchtete auf und gewann an Leben für die Männer, deren Sinne die Daturapflanze getrübt hatte. Die hohle Klage einer Eule trieb ihnen Schauer über den Rükken.

Machtvoll hob der Mog-ur an zu deuten und mit beredten Zeichen den Geist zu beschwören, seinem Clan eine neue Höhle zu geben, so wie einst der Höhlenbär den Groß-Clan gelehrt hatte, in Höhlen zu leben und Felle zu tragen. Auch schützen solle er den Clan, vor dem grimmen Geist des Winters und der weißen Berge, der Stürme und der Kältnis. Erhören möge er die Bitte seines Clans, jetzt, wo er ruhelos und ohne Schutz war, ihn vor dem Bösen zu bewahren und ihn nicht zu verlassen.

Er hätte sie doch immer schon geführt, von Anfang an, und alles sei durch ihn bestimmt. Und plötzlich legte der mächtige Mog-ur die gesunde Hand über die buschigen Augenwülste und versank in starrem Schweigen. Sein Hirn bewegte sich. Es sah. Zurück und nach vorne. Den Anfang und das Ende. Crebs Hirn schichtete Erfahrungen wie Steine so schwer und suchte sie zu verbinden. Es dachte in ihm. Eigentlich waren diese Erdlinge sehr einfach im Kopf. Sie hatten dort ein massiges Gehirn sitzen, größer als das aller anderen ihrer Art vor ihnen und noch Kommender. Sie waren einzigartig, die höchste Ausformung einer Hominidenart, deren Gehirn sich im Hinterhaupt entwickelt hatte, wo der Gesichtssinn sitzt, die Wahrnehmungen des Fühlens, Hörens und Schmeckens gebündelt werden, das Denken erfolgt und dort auch als Gedachtes gespeichert wird. Diese Fähigkeit machte sie zu außergewöhnlichen Geschöpfen, die hinter ihren flachen, fliehenden Stirnplatten das bewußte Wissen vom Urverhalten entwickelt und verfügbar hatten. Jedoch nicht nur die eigenen Erinnerungen lagen dort, sondern sie konnten auch die Erinnerungen derer, die vor ihnen da waren, in sich wachrufen. Und noch ein weiterer Gedankenschritt war möglich. Manche konnten auf gemeinsam Erfahrenes zurückgreifen, sich der Entwicklung ihrer eigenen Art erinnern, und wenn sie tief in sich hineinblickten, konnten sie diese Erinnerung, die bei ihnen allen die gleiche war, verschmelzen und geistig eins miteinander werden.

Und eben dieses Vermögen war im Gehirn des zernarbten, krüppligen Zauberers vollendet entwickelt. Creb, der sanfte, behinderte Creb, dessen übergroßes Gehirn im Kopf die Entstellung seines Körpers verschuldet hatte, hatte als Mog-ur gelernt, die Macht eben dieses Hirnes zu gebrauchen, das er einsetzte, um die Gefährten in der Runde, von denen doch jeder mit sich alleine war, zu einem Geist, zu einem Fühlen zu verschmelzen und dann zu lenken bis hin in die Vergangenheit ihrer Art, wo sie mit ihren Vorfahren eins werden konnten. Er war der Mog-ur. Er besaß wahre Macht – und nicht die Macht des Scheins, die sich nur auf Lichtzauberei oder durch berauschende Mittel erzeugte Verwirrung des Kopfes verstand. Für Creb war dieses nur Beiwerk, eine Einstimmung der Männer auf den Weg, den er sie führen würde.

Und dann durchlebten sie in dieser stillen, von fernen Himmelslichtern erleuchteten Nacht Visionen, die einfach nicht beschrieben werden können, denn sie sahen diese Bilder nicht nur, sondern sie fühlten sie auch in sich, wie sie aufstiegen aus dem Nebel der Erinnerung, der Ahnung und des Unbewußten, mählich zu Vorstellungen gerannen und faßbar wurden. In den Tiefen ihres Geistes fanden sie die unentwickelten Gehirne, sie sahen sich als Meeresgeschöpfe, die in ihrem warmen, salzreichen Lebenselement dahintrieben, sie durchstanden den Schmerz ihres ersten Atemzugs an der Luft, sie kämpften den Kampf der Zweielementigen, als diese sich zu Wasser und zu Land bewegen lernten.

Da der Höhlenbär das alle verbindende Zeichen war, beschwor der Mog-ur ein Urwesen, das beide Arten, die säugenden Tiere und die Menschen, und zahllose andere hervorgebracht hatte, und verschmolz die Sinne der Männer mit den Anfängen des Bären. Und indem sie die Zeiten durchlebten, als sich die Berge falteten und Feuer spieen, Kälte das Land umklammert hielt, das sich vom Wasser geschieden hatte, traten sie nach und nach in den Körper eines jeden ihrer Vorfahren und wurden jener gewahr, die sich abspalteten und andere Formen bildeten. Es war ihnen, als seien sie ein Teil allen Lebens auf der Erde; und die Ehrfurcht, die daraus erwuchs, selbst für die Tiere, die sie töteten und von denen sie sich nährten, legte den Grund für die geistige Einheit mit ihren Zeichen. Auf diese Weise durchmaßen sie die Zeiten, und erst als sie der ihren nahe kamen, spalteten sie sich auf und wurden ihre Ahnen und schließlich wieder sie selbst. Das alles dauerte eine ganze Ewigkeit, dabei war doch nur eine kurze Zeit verstrichen. Als die Männer – einer nach dem anderen – zu sich selbst zurückgekehrt waren, standen sie leise auf und gingen davon. Sie wickelten sich in ihre Felle und fielen in einen tiefen Schlaf ohne Träume, denn die waren schon verbraucht.

Der Mog-ur war der letzte. Einsam und versunken saß er

da. Ja, zwar waren sie fähig, die Leute des Clans, das Vergangene in seiner ganzen Tiefe zu erleben und zu versinken in die Bilder ihrer Abkunft. Doch war da eine Grenze, die Creb spürte, die andere aber nie sehen würden: Sie konnten nicht vorausblicken. Nur er allein hatte eine Ahnung dieser Möglichkeit.

Nur der Mog-ur war sich bewußt, daß das Gegenwärtige das Vergangene vom Kommenden unterschied. Nur er begriff, daß die Leute des Clans nichts Neues schaffen konnten, für das Übermorgen nicht zu planen, nicht vorauszusehen vermochten. All das, was sie im Kopf oder in ihren Händen hatten, war eine Wiederholung dessen, was schon früher getan worden war. Selbst das Vorratsammeln für die kargen Zeiten kam letztlich aus vergangener Erfahrung.

Doch einmal hatte es die Zeit gegeben – schon lange war es her –, als Neues weniger zögernd in die Köpfe kam. Da war ein Stein gefunden worden, zersprungen, scharfkantig und sehr wohl geeignet, das Weichere mit Leichtigkeit zu schneiden; man dachte sich, daß dieses auch mit Absicht herzustellen sei, und schlug das Steinzeug so in Form, daß man's als Werkzeug nutzen konnte. Da war das warme Ende eines Stocks, gezwirbelt zwischen flachen Händen, aus Neugier, ob's noch wärmer würde, noch rascher bewegt worden und noch länger, bis das trockene Gras drumherum sich kräuselte, zu rauchen begann und plötzlich brannte. Doch mit der Fülle der Erinnerungen, die ihre Hirne ausweiteten, nahm die Fähigkeit dieser Menschen zur Veränderung rasch ab. Es war kein Raum mehr für neue Einfälle, für Erfundenes, was man im Kopf hätte behalten müssen; auch waren ihre Schädel schon zu groß, und die Frauen taten sich schwer beim Gebären.

Das Leben der Clan-Leute war unveränderlich. Vom ersten Lichtblick an bis zum Eintritt in das Reich der Geister war alles durch die Vergangenheit bestimmt und eingegrenzt. Es war ein Versuch zu überleben, unbewußt und ungeplant, als letzte Kraftanstrengung der Natur, diese eine Art von Menschen nicht aus sich heraus sterben zu lassen. Doch eigentlich umsonst! Die Veränderung um sie herum war nicht mehr aufzuhalten; sie geschah einfach. Und Widerstand dagegen war tödlich, dem Überleben entgegengerichtet.

Es machte den Clan-Leuten Mühe, sich anzupassen. Erfindungen gab es nur zufällige, und häufig wurden sie nicht genützt. Und wenn man etwas erlebte, das neu war, konnte das zwar dem Hirn vermittelt werden, aber jede Veränderung hieran vollzog sich nur langsam und mühselig. War ihnen die Natur jedoch einmal aufgezwungen, so folgten sie starr der neuen Richtung. Und weil sie nicht lernen konnten, ließen sie sich leiten. Doch diese Art war nicht gerüstet für ein Überleben in der Welt um sie herum, die sich ständig wandelte. Sie hatten nichts im Kopf, was sie in eine andere Richtung hätte lenken können. Dieses würde einer anderen Art des Menschen vorbehalten bleiben, deren Hirn vielschichtiger wäre und auf das Zukünftige gerichtet.

Während der Mog-ur sinnend bei den Steinen saß und zusah, wie die letzte Fackel blaffend erlosch, entstand vor ihm das Bild des Findelkindes, das Iza mitgenommen hatte. Seine Unruhe wuchs sich zu einem körperlichen Unbehagen aus. Menschen seiner Art war man schon früher begegnet. Nicht viele dieser zufälligen Begegnungen waren gut verlaufen. Woher sie gekommen waren, diese Fremdlinge, war ihm unerklärlich. Was er wußte, war, daß sie Neulinge waren im Land und daß es seitdem anders war hier, wo der Clan sich befand. Und es schien ihm, daß sie die Veränderung mit sich brächten.

Creb schüttelte sich, als könne er loswerden, was ihn bedrückte, hüllte den Schädel des Bären sorgfältig in seinen Umhang, langte nach seinem Stock und hinkte davon.

3

Das Kind wälzte sich herum und stöhnte.

»Mutter«, schrie es und fuchtelte wild mit den Armen, und nochmals, lauter: »Mutter!«

Leise vor sich hinmurmelnd zog Iza das angstgepeinigte Wesen an sich. Die wärmende Nähe der Frau und die beruhigenden Laute durchdrangen seine Fieberträume und trösteten die Kleine, die sich bisher rastlos hin und her geworfen und Iza mit ihrem Gestöhn und fieberirren Geplapper immer wieder geweckt hatte. Diese Laute waren seltsam, so anders als das, was die Clan-Leute herausbrachten. Dem Kind kamen sie leicht über die Lippen, fließend, und ein Laut schwang sich zum nächsten. Iza hätte das nicht nachmachen können, denn ihre Ohren waren nicht darauf vorbereitet, diese feineren Schwingungen des Tons und seine Verschleifungen aufzunehmen. Doch was ihr auffiel, war die besondere Folge von Lauten, die immer wieder zu hören war. Iza war sicher, daß dies ein Name sei, der jemandem gehörte, der dem Kind sehr nahe gewesen war. Doch als sie spürte, daß durch sie die Kleine getröstet war, begann sie es zu ahnen.

Eigentlich kann sie noch nicht sehr alt sein, dachte Iza. Nicht einmal wie man Nahrung sucht, hat sie gewußt. Wie lange sie wohl schon alleine war? Was ihr denn zugestoßen sein mag? War's vielleicht auch das fürchterliche Beben der Erde gewesen? Ob sie schon lange so allein umherlief? Und wie war sie dem Höhlenlöwen entkommen, ohne mehr als diese Prankenhiebe abbekommen zu haben? Mächtige Geister müssen sie beschützen, dachte Iza.

Der Tagesanbruch näherte sich, und es war noch dunkel, als die Hitze im Körper des Kindes etwas absank. Iza drückte die schweißgebadete Kleine fest an ihre Brust und freute sich. Wenig später erwachte das Mädchen, verwirrt, und schaute auf und wußte nicht, wo es lag, denn ringsum war Finsternis. Sie spürte die weiche Fülle der Frau, die nach Milch roch und Kräutern, schloß wieder die Augen und fiel in einen ruhigeren Schlaf.

Als der Himmel erblaßte und der schwache Schimmer des Tages die Bäume scharf umriß, kroch Iza leise unter dem warmen Fell hervor, schürte das Feuer und legte Holz nach. Dann ging sie zu dem kleinen Bach, füllte eine Schale mit dem klaren Wasser und schälte Rinde von einer nahen Weide. Einen Augenblick lang verharrte sie, umfaßte ihr Amulett und dankte den Geistern, daß sie die Weidenbäume hatten wachsen lassen, so üppig gar, und ihnen eine heilende Rinde gegeben. Gegen Schmerzen kannte sie stärker wirkende Mittel, doch diese schläferten auch die Sinne ein. Die wohltätige Rinde der Weide jedoch betäubte nur den Schmerz und senkte das Fieber.

Einige Frauen und Männer fingen an, sich aus den Fellen zu schälen, als Iza schon am Feuer saß und kleine heiße Steine in die Schale mit dem Wasser und der Weidenrinde tauchte. Als der Trank fertig war, trug sie ihn zum Fell. Sorgsam stellte sie die Schale in eine kleine Mulde im Boden, die sie dort ausgehoben hatte, dann legte sie sich daneben und betrachtete das Kind aufmerksam, dessen Atem tief und regelmäßig war. Das ungewöhnlich feingestaltete Gesicht fesselte die Frau und ließ sie genauer hinsehen. Da war die Röte des Sonnenbrands einer leichten Bräunung gewichen, und nur auf dem Rücken der kleinen Nase schälte sich die Haut.

Schon einmal hatte Iza einen Erdling dieser Art gesehen, aber nur von weitem. Die Clan-Frauen waren immer vor ihm weggelaufen und hatten sich versteckt. Bei Zusammenkünften der Clans hatte man von häßlichen Zwischenfällen bei zufälligen Begegnungen zwischen den Clan-Leuten und den anderen erzählt, denen man tunlichst aus dem Weg ging. Frauen insbesondere war es nicht erlaubt, mit den Fremdlingen in Berührung zu kommen. Doch die Erfahrung ihres eigenen Clans war nicht ungut gewesen. Iza erinnerte sich, mit Creb über den Mann gesprochen zu haben, der vor langer Zeit mit einem gebrochenen Arm in ihre Höhle hereingetorkelt war, vor Schmerz beinah von Sinnen.

Ein wenig hatte er verstanden, sich ihnen mitzuteilen, aber sein Gebaren war sonderbar. Er unterhielt sich ebenso gern mit den Frauen wie mit den Männern und brachte vor allem der Medizinfrau große Achtung entgegen, beinahe Verehrung, was der Anerkennung durch die Clan-Gefährten keinen Abbruch tat. Während Iza so dalag und das Kind beobachtete, kamen ihr Fragen über Fragen. Langsam kroch die Sonne hier dem Horizont hervor und strich mit einem ihrer Strahlen über das Gesicht des Kindes, das plötzlich die Augen aufschlug und in ein Paar große braune Augen blickte, die in einem vorgebauten, schnauzenähnlichen Gesicht tief unter wulstigen Brauenbögen saßen.

Die Kleine schrie vor Entsetzen auf und drückte die Augen wieder zu. Iza zog sie noch näher an sich; sie spürte, wie der abgemagerte, kleine Körper vor Angst zitterte, und brummte beruhigend. Irgendwie waren diese Laute dem Kind vertraut, vertrauter aber war die tröstliche Wärme der Frau. Und so allmählich verlief sich das Zittern. Langsam öffnete das Mädchen die Augen einen winzigen Spalt breit und blickte auf Iza. Doch diesmal schrie es nicht, öffnete die Augen ganz und starrte auf das angsteinflößende, fremde Gesicht der Frau.

Auch Iza starrte voller Verwunderung auf das Kind. Nie zuvor hatte sie Augen von der Farbe des wolkenlosen Sommerhimmels gesehen. Einen Herzschlag lang glaubte sie, das Kind wäre blind, denn über den Augen der älteren Clan-Leute bildete sich manchmal ein Schleier, der die Farbe der Augen heller machte und ihr Licht trübte. Doch die Pupillen der Augen des Kindes weiteten sich beim Sehen wie bei Gesunden. Es konnte keinen Zweifel geben, daß sie Iza sah. Und wenn dem so war, dann mußte das lichte Blaugrau die Farbe ihrer Augen sein!

Die Kleine lang ganz still, die Augen weit geöffnet, und wagte nicht, sich zu rühren. Als Iza ihr aufhelfen wollte, zuckte sie vor Schmerz zusammen. Und mit einem Mal stürzten die Erinnerungen auf sie ein. Schaudernd sah sie wieder den fürchterlichen Löwen vor sich, spürte die scharfen Krallen, die ihr Bein aufrissen. Dann sah sie sich zum Wasser taumeln, vom Durst getrieben, der stärker war als Furcht und Schmerzen. Doch alles, was zuvor gewesen war, war wie weggeblasen aus dem Kopf der Kleinen. Die Qualen ihrer Einsamkeit, des Herumirrens, des Hungers und der Angst, die Schrecknis der bebenden Erde und die Erinnerung an die, die sie verloren hatte, waren ausgelöscht.

Iza hielt den Becher an den Mund des Kindes, das durstig war und trank, und das Gesicht verzog, weil es bitter schmeckte. Doch als die Frau ihm den Becher nochmals an die Lippen drückte, schluckte es folgsam. Iza nickte lobend, dann stand sie auf und ging zu den Frauen, die den Morgenverzehr bereiteten. Die Blicke des Mädchens folgten ihr, das plötzlich weit die Augen aufriß, als es eine ganze Schar von Erdlingen erblickte, die alle so aussahen wie die Frau.

Beim Geruch dessen, was da gekocht wurde, meldete sich bei ihm der Hunger, und als die Frau mit einer kleinen Schale Brühe zurückkehrte, die mit zerstoßenen Körnern zu einem Schleim gedickt war, schlang das Kind dieses gierig hinunter. Da die Medizinfrau wußte, daß das Kind noch nicht weit genug genesen war, um tüchtig essen zu können, gab sie ihm nur eine kleine Menge, die völlig ausreichte, den geschrumpften Magen zu füllen. Den Rest goß Iza in einen Wasserbehälter; das Kind konnte ihn auch unterwegs zu sich nehmen.

Als die Kleine satt war; legte Iza sie nieder und entfernte den Verband. Die Wunden näßten und die Schwellung war zurückgegangen.

»Gut«, machte Iza.

Erschreckt zuckte die Kleine bei dem harten, kehligen Laut zusammen. Es war das erstemal, daß sie die Frau sprechen hörte, und das klang nicht wie sonst in ihren Ohren, wenn sie von ihren Leuten angeredet wurde, sondern eher wie das Knurren oder Brummen eines Tieres. Während Iza gerade ein frisches Wurzelpflaster auflegte, humpelte ein mißgestalteter, schiefgewachsener Mann auf die beiden zu.

Der furchterregendste und abstoßendste Erdling, den sie je gesehen hatte! dachte die Kleine und schaute ihn genauer an. Die eine Seite seines Gesichts war voller Narben, und ein Hautlappen bedeckte die Stelle, wo das andere Auge hätte sein müssen. Doch irgendwie waren alle diese Leute so häßlich, daß sie den Hinkenden so erschreckend gar nicht fand und sich langsam an ihn gewöhnte. Zwar wußte sie nicht, wer die Fremden waren und wie sie zu ihnen gekommen war, aber sie hatte gespürt, daß die Frau sich um sie kümmerte. Sie hatte für Nahrung gesorgt, die Schmerzen in ihrem Bein gelindert und sie von tiefsten Ängsten erlöst. Nun war sie nicht mehr allein.

Der Verwachsene ließ sich auf dem Boden nieder und betrachtete das Kind, das seinen forschenden Blick mit einer Neugier erwiderte, deren Offenheit ihn überraschte. Die

Kinder seines Clans waren immer ein wenig ängstlich, wenn er sich ihnen näherte: Sie merkten schnell, daß selbst die Erwachsenen eine ehrfürchtige Scheu vor ihm hatten. Und fingen die Mütter erst einmal an, den Kindern mit dem Mog-ur zu drohen, wenn sie nicht folgten, dann vertiefte sich die Kluft noch zwischen ihm und ihnen; und wenn sie schließlich groß waren, fürchteten die meisten, besonders die Mädchen, ihn wirklich, und erst später wandelte sich die Angst in Achtung. In Crebs Auge leuchtete verwunderte Neugier auf, als er sah, daß ihn dieses fremde Kind ganz ohne Furcht beschaute.

»Es geht dem Kind besser, Iza«, stellte er fest.

Seine Stimme war tiefer als die der Frau. Auch die Laute, die aus seinem Mund kamen, klangen wie ein Knurren. Die beredten Handzeichen des Mannes sah das Mädchen nicht. Diese Art zu sprechen war ihm völlig fremd, aber es wußte, daß er der Frau etwas mitgeteilt hatte.

»Sie ist noch vom Hunger geschwächt«, erwiderte Iza, »aber die Wunde sieht besser aus. Sie war tief, aber das Gift läuft jetzt ab. Das war ein Prankenhieb des Höhlenlöwen, Creb. Was für ein Wunder, daß sie noch lebt. Sie muß einen mächtigen Schutzgeist haben. Aber was«, fügte Iza hinzu, »weiß ich schon von Geistern«, und deutete mit beiden Händen zum Himmel.

Keiner Frau, nicht einmal seiner Schwester, kam es zu, dem Mog-ur gegenüber von Geistern zu sprechen. Iza ließ die Arme in einer wegwerfenden Bewegung fallen, mit der sie auch um Verzeihung für ihre Anmaßung bat. Creb betrachtete das Kind mit noch größerer Aufmerksamkeit. Er hatte ähnlich empfunden wie Iza und gab viel auf ihr Wort, auch wenn er das nie bekundet hätte.

Bald danach brachen sie auf. Iza, mit Korb und Bündeln beladen, zog die Kleine auf ihre Hüfte und reihte sich hinter Brun und Grod ein. Voller Neugier blickte das Kind um sich, als man über das offene Land wanderte, und beobachtete alles, was Iza und die anderen Frauen taten. Seine Nasenflügel begannen zu flattern, immer dann, wenn die Frauen anhielten, um Nahrung zu sammeln. Oft steckte Iza dem Mädchen eine frische Knospe oder eine zarte junge Wurzel zu, in dessen Kopf dann ein undeutliches Bild erschien von einer anderen Frau, die das gleiche getan hatte. Jetzt aber achtete die Kleine genauer auf die Pflanzen, und ihre Besonderheiten von Farbe, Wuchs und Form fielen ihr auf. Die Hungertage hatten ihr beigebracht, wie wichtig es war, selbst für Nahrung sorgen zu können. Und wenn sie ab und zu auf eine Pflanze wies und die Frau stehenblieb und deren Wurzel ausgrub, klatschte sie in beide Hände. Auch Iza war erfreut. Das Kind begreift schnell, schoß es ihr durch den Kopf, denn vorher konnte es die Pflanzen nicht gekannt haben, sonst hätte es sich davon genährt.

Um die Tagesmitte machten sie Rast, während Brun eine Höhle erkundete. Als die Kleine den Rest der Brühe getrunken hatte, gab ihr Iza einen Streifen des Dörrfleisches, das sie immer bei sich trug. Brun war zurückgekommen; die Höhle taugte nicht zur Wohnstatt.

Später, als die Sonne schon ziemlich tief am Himmel hing, zogen im Bein des Mädchens wieder die Schmerzen hoch. Die Wirkung der Weidenrinde war geringer geworden. Iza tätschelte die Kleine, die nun recht verquengelt war, und schob sie ein wenig höher, so daß sie besser auf der Hüfte zu sitzen kam. Dankbar schlang das Mädchen die mageren Ärmchen um Izas Hals und legte den Kopf auf die breite Schulter der Frau, deren Herz plötzlich warm wurde und schneller schlug. Durch den wiegenden Gang der gleichmäßig ausschreitenden Frau wurde das Menschenbündel schnell in den Schlaf gebracht.

Als dann der Abend kam, wurde Iza diese zusätzliche Last, die sie schon den ganzen Tag mit sich herumgeschleppt hatte, immer beschwerlicher. Sie war froh, das Kind herunterlassen zu können, als Brun das Zeichen zum Haltmachen gab. Die Wangen der Kleinen waren heiß und rot, die Augen glänzten wie im Feuer. Als sie Holz sammelte, hielt Iza Ausschau nach heilkräftigen Pflanzen, mit denen sie das Kind behandeln würde. Sie wußte zwar nicht, wieso verletzte Hautstellen rot wurden und sich dann entzündeten, aber sie wußte sehr wohl, wie man sie und viele andere Leiden behandelte.

Hauptsächlich heilte man die Kranken durch Zauber und

mit Hilfe der Geister, was Izas Heilkunst jedoch nicht weniger wirksam machte, als im Laufe von Generationen durch Ausprobieren, Versuchen und die Hilfe des Zufalls angeeignet und verfeinert worden war. Pflanzen, Hölzer, Früchte, Wurzeln, Erde und Gestein bargen mannigfachen Nutzen in sich, wenn man wußte, wie sie zu behandeln waren. Und Iza wußte das. Und sie wußte noch mehr, zum Beispiel, das Innere der Tiere zu erklären und zu sagen, was die Teile taten. Ein Kind noch war Iza, als sie von der Mutter mitgenommen wurde, wenn man Tiere schlachtete und sie dann ausnahm, und ihr die Innereien gezeigt und ihre Aufgabe erklärt wurden.

Doch hatte sie ihrer Tochter damit nur etwas ins Gedächtnis gerufen, was diese bereits wußte. Denn Iza gehörte einem hochgeachteten Geschlecht von Medizinfrauen an, und es war so, daß das Wissen um die Kunst zu heilen auf geheimnisvollen Wegen, die mit Unterweisung nichts zu tun hatten, von der Medizinfrau auf die Töchter überging. Und eine noch unkundige junge Medizinfrau aus einem großen Geschlecht hatte einen höheren Rang als eine erfahrene von mittlerer Abstammung, und das aus gutem Grund.

Iza war mit einem Gedächtnis geboren worden, in dem alles Wissen beschlossen lag, das ihre Ahnen sich erworben hatten, jenes uralte Geschlecht von gewaltigen Medizinfrauen, aus dem Iza hervorgegangen war. Alles Gewußte war von Mutter zu Tochter bis zu ihrer Mutter und dann auf sie gekommen, das nun in ihrem Kopf lag und das sie immer, wenn sie es brauchte, abrufen konnte. Es war nicht viel anders als erinnerte sie sich an Erfahrungen, die sie selbst gemacht hatte; und wenn der Pfad zum Erinnerten einmal geschlagen war, dann wuchs er auch nicht mehr zu. Welche ihrer Erinnerungen aus eigener Erfahrung stammten, erkannte sie vor allem daran, daß sie sich des Ortes, der Zeit, als das Neue ihre Sinne getroffen hatte, entsinnen konnte. Sie vergaß niemals etwas. Aus ihrem Kopf waren jedoch nur Kenntnisse abzurufen, aber nichts war drin in ihm, was Iza sagte, wie sie diese erworben hatte. Und obwohl Iza und ihre Geschwister dieselben Eltern hatten, besaßen weder Creb noch Brun ihr heilkundiges Wissen.

Denn die Fähigkeit der Clan-Leute, sich an Dinge oder Geschehenes zu erinnern, war an das Geschlecht gebunden. Frauen brauchten zum Beispiel nicht auf die Jagd zu gehen und zu wissen, wie man Tiere fängt; und den Männern genügten schon oberflächliche Kenntnisse über Pflanzen. Diese Zweiteilung war naturbestimmt, was durch menschliche Gepflogenheit nur noch bestätigt wurde, und ein weiterer Versuch der Natur, die Hirngröße dieser Menschenart zu beschränken, um ihr Überleben zu verlängern. War nämlich ein Kind von Geburt aus mit Wissensfähigkeit ausgestattet, die eigentlich dem anderen Geschlecht zustand, so verlor es diese durch mangelnden Anreiz, sie einzusetzen – spätestens dann, wenn es das Erwachsenenalter erreichte.

Doch auch dieses Bemühen der Natur, die Clan-Leute vor dem sicheren Untergang, der in ihnen selbst beschlossen lag, zu retten, trug in sich schon die Elemente des Fehlschlags. Die Männer brauchten die Frauen ebenso, wie die Frauen die Männer brauchten. Und ohne die einen konnten die anderen nicht lange überleben; beide Geschlechter waren unfähig, die Fertigkeiten des anderen zu erlernen, weil ihr Kopf dafür nicht eingerichtet war. Statt dessen hatten die Clan-Leute scharfsichtige und aufmerksame Augen.

Im Verlauf ihrer Wanderungen hatte sich das Land um sie herum allmählich verändert. Und ohne sich dessen bewußt zu sein, hatte Iza jede Einzelheit in sich aufgenommen. Ihr besonderes Augenmerk richtete sie auf Bäume, Sträucher, Pflanzen, Gräser, Blätter. Schon aus großer Entfernung vermochte sie kleine Abwandlungen in der Form eines Blattes oder der Höhe eines Stengels auszumachen, und wenn es auch einige Pflanzen gab, die sie nie zuvor gesehen hatte, so waren sie ihr doch nicht unvertraut. Irgendwo in den Windungen ihres massigen Gehirns ergab sich ein Wiedersehen, eine Erinnerung, die ursprünglich nicht die ihre war. Dennoch – seit kurzem stachen ihr Pflanzen ins Auge, die sie wirklich noch nie gesehen hatte; sie waren so fremd wie das Land, durch das sie ging. Gern hätte Iza sie näher angesehen, denn unbekannte Gewächse weckten bei allen Frauen die Wißbegierde.

Vererbt war den Frauen auch das Wissen, wie man unbekannte Pflanzen auf ihre Eigenschaften prüft, und wie alle anderen probierte Iza deren Wirkung zuerst an sich selbst aus. Neue Pflanzen konnten auf Grund gewisser Ähnlichkeiten solchen, die bekannt waren, entsprechend zugeordnet werden; doch Iza wußte, wie gefährlich es war zu glauben, ähnliche äußere Merkmale wären ein Zeichen für gleiche Eigenschaften. Das Prüfen war denkbar einfach: ein kleines Stück abbeißen, und wenn es auf der Zunge brannte oder bitzelte, sofort wieder ausspucken. War es angenehm, so behielt sie den kleinen Bissen im Mund und wartete, ob sich doch noch ein Brennen oder Beißen einstellte oder der Geschmack sich veränderte. Wenn nichts dergleichen geschah, schluckte sie das Bißchen hinunter. Am nächsten Tag wagte sie dann einen größeren Bissen und machte es so wie beim ersten. Und wenn sich nach einer dritten Probe wieder keine ungünstige Wirkung einstellte, galt die neuentdeckte Pflanze als eßbar. Zunächst allerdings durften nur kleinere Mengen gegessen werden.

Mehr Beachtung schenkte Iza jedoch meist solchen Pflanzen, die beim Zerkauen oder nach dem Genuß eine auffallende Wirkung zeigten, was nämlich eine Verwendung bei der Krankenpflege nahelegte. Wenn die anderen Frauen etwas Ungewöhnliches bei ihren Pflanzenfunden feststellten, so brachten sie diese zu Iza; und sie kamen mit jedem Gewächs zu ihr, dessen Merkmale an bekanntermaßen ungenießbare oder giftige Pflanzen erinnerte. Iza untersuchte eine dann vorsichtig und nach ihrem eigenen Verfahren, was oft lange dauerte. Doch solange der Clan auf Höhlensuche war, hielt sie sich an Pflanzen, die sie kannte.

In der Nähe des Lagerplatzes fand Iza mehrere hoch und gerade gewachsene Malven mit großen leuchtenden Blüten und schlanken Stengeln. Die Wurzeln dieser in vielen Farben blühenden Pflanzen konnten, ähnlich denen der Iris, zur Behandlung von Verletzungen der Haut verwendet werden. Vor allem wirkten sie gegen Schwellung und Entzündung. Ein Aufguß der Blüten würde den Schmerz des Kindes stillen und es schläfrig machen. Kurz entschlossen nahm sie noch einige der hochgewachsenen Blumen mit, ehe sie vom Holzsammeln zurückkehrte.

Als die Kleine gegessen hatte, beobachtete sie, an einen großen Felsbrocken gelehnt, das Tun und Treiben der Leute ringsum. Satt nun und durch einen frischen Wurzelverband aufgemuntert, plapperte sie auf Iza ein. Manche Clan-Leute warfen mißbilligende Blicke in ihre Richtung, doch deren Bedeutung erkannte sie nicht.

Denn die Sprechorgane der Clan-Leute waren so unterentwickelt, daß sie zur Sprachbildung nicht taugten. Die wenigen Laute, die sie verwendeten, um ihren Handzeichen Nachdruck zu geben, hatten sich aus Schreien entwickelt, sei es, um zu warnen oder um Aufmerksamkeit zu erregen. Ihre Verständigung beruhte auf Gebärden, Handzeichen, Körperhaltungen und einem Vorverstehen, das aus nahem Beisammensein, festgefügten Gebräuchen und der scharfsichtigen Wahrnehmung von Mienenspiel und Körperhaltung gewachsen war. Sie war ausdrucksvoll, ihre Verständigung, aber die Möglichkeiten, sich einander mitzuteilen, waren beschränkt. So war es zum Beispiel äußerst schwierig für sie, bestimmte Dinge, die man wahrgenommen hatte, anderen zu beschreiben. Und noch schwieriger war es, etwas zu benennen, was man weder fühlen, sehen und riechen, schmekken und hören konnte, sondern nur als Bild im Kopf hatte. Das unbekümmerte Geplapper des Kindes verblüffte demnach diese Erdlinge und machte sie mißtrauisch.

Dabei waren Kinder doch so wichtig. Mit sanfter Freundlichkeit zogen die Clan-Leute die ihren groß, aber auch mit Strenge, wenn sie älter wurden. Solange man ihnen noch die Brust geben mußte, wurden sie von Frauen wie Männern liebkost, wenn sie dann krabbelten, meist nicht beachtet. So konnten sie sich sehr schnell in die strenge Ordnung feststehender Gebräuche einpassen; laut herumzutönen, wenn es nicht um des Nachdrucks willen nötig war, galt als ungezogen. Und so war im Augenblick nach Ansicht der Clan-Leute das Mädchen, das wegen seiner Größe älter wirkte, als es in der Tat war.

Nur Iza ahnte, daß es jünger war, und nahm seine Unbekümmertheit nachsichtiger hin, denn irgendwie spürte sie, daß die Fremdlinge, zu denen das Mädchen ja gehörte, sich wohl gewandter und häufiger besprachen und Worte sie mehr beeindruckten als Gebärden. Iza fühlte sich hingezogen zu dem Kind, das so vertrauensvoll seine dünnen kleinen Arme um ihren Hals geschlungen hatte und dessen Leben von ihrer Sorgfalt abhing, als wäre es das eigene.

Creb hinkte zu seiner Schwester hinüber, die gerade heißes Wasser über die Malvenblüten goß, und setzte sich neben das Kind. Erregte der kleine Fremdling doch wirklich seine Neugier! Er war noch nicht so weit mit seinen Vorkehrungen für die allabendliche Beschwörung und hatte noch ein wenig Zeit, nach dem Kind der anderen zu sehen. Aufmerksam blickten sie sich an, das Mädchen und der Krüppel, und musterten einander mit gleicher Eindringlichkeit. Noch nie war er jemandem ihrer Art so nahe gewesen und hatte nie zuvor überhaupt ein Kind von ihnen gesehen. Und das Mädchen? So etwas wie die Clan-Leute hatte es sich nicht einmal vorstellen können, bis es mitten unter ihnen erwacht war. Aber fesselnder noch als des Mog-urs Andersartigkeit war dessen zerschundenes Gesicht. Noch nie hatte es solche Narben gesehen. Und mit der ungehemmten Neugier eines Kindes hob sie die Hand und berührte das Gesicht des Zauberers, wollte spüren, ob die narbige Haut sich etwa anders anfühlte.

Creb war verdutzt, als die Kleine mit ihren Fingern leicht über sein Gesicht strich. Keines der Clan-Kinder hatte dies je getan, und auch die Erwachsenen vermieden es, ihn zu berühren, als hätten sie Angst, sich seine Mißgestalt zu holen, wenn sie ihn anfaßten. Nur Iza, die ihn pflegte, wenn ihn die Glieder schmerzten – es wurde jeden Winter schlimmer –, schien sich nichts daraus zu machen, wenn sie ihn berührte. Weder war sie abgestoßen von seinem krüppligen Körper und den häßlichen Narben im Gesicht, noch empfand sie Furcht vor Crebs Macht und Stellung im Clan. Die sanfte Aufdringlichkeit der tastenden kleinen Finger rührte den einsamen Mann, der sich gerne mit dem Mädchen verständigt hätte.

»Creb«, machte er und deutete auf sich selbst.

Iza, die gerade mit ihrem Trank beschäftigt war, sah stumm zu, heilfroh, daß der Bruder das Mädchen nicht abgewiesen hatte, und wohl fiel es ihr auf, daß er seinen Namen gebraucht hatte.

»Creb«, wiederholte dieser und tippte sich auf die Brust.

Die Kleine neigte den Kopf und versuchte zu erfassen, was der da wollte. Und noch ein drittes Mal brummte Creb seinen Namen. Plötzlich hellte sich das Gesicht der Kleinen auf. Sie richtete sich auf und lächelte.

»Creb?« echote sie und rollte und dehnte dabei den Laut, den dieser hervorgebracht hatte.

Der Mog-ur nickte heftig. Er freute sich. Dann deutete er auf sie, die ein wenig die Stirn krauste und sich nicht sicher war, was er jetzt wollte. Wieder tippte er sich auf die Brust, wiederholte seinen Namen und zeigte dann auf sie. Ein strahlendes Lächeln. Sie begriff. Das mehrlautige Wort, das da über ihre Lippen rollte, war nicht nur unaussprechlich, sondern auch kaum faßbar. Noch einmal machte er die deutenden Bewegungen und neigte sich näher, um besser hören zu können. Sie sagte ihren Namen.

»Aay-rr«, mühte sich sein Mund. Zögerte. Creb schüttelte den Kopf und versuchte es wieder. »Aay-lla, Ay-la?«

Noch näher konnte er der Lautfolge nicht kommen. Es gab nicht viele im Clan, die dieses geschafft hätten; sie strahlte und nickte mehrmals hintereinander. Es war zwar nicht genau das, was sie gesagt hatte, aber sie war bereit, es anzunehmen; sie spürte, daß er das Wort für ihren Namen nicht besser würde aussprechen können.

»Ayla«, wiederholte Creb, der sich nach und nach das Wort zu eigen machte.

»Creb?« sagte das Mädchen und zupfte ihn am Arm, um seine Aufmerksamkeit zu gewinnen. Dann deutete es auf die Frau.

»Iza«, machte Creb. »Iza.«

»Ii-sa«, wiederholte die Kleine, entzückt über das herrliche Zungenspiel.

»Iza, Iza«, rief sie und sah dabei die Frau an.

Iza nickte ernster. Namen waren sehr wichtig. Sie beugte sich vor und tippte dem Kind auf die Brust, wie zuvor Creb. Das Kind sollte sein Namenwort noch einmal sagen. Die Kleine wiederholte ihren Namen. Iza schüttelte hilflos den Kopf. Diese sirrenden, klingenden Töne, die der Kleinen so leicht über die Lippen kamen, konnte sie einfach nicht zusammenbringen und aneinanderfügen. Das Kind ließ bekümmert den Kopf sinken. Dann warf es einen Blick auf den Mog-ur und sagte seinen Namen so, wie er es getan hatte.

»Äii-cha?« stieß die Frau hervor.

Das kleine Mädchen schüttelte den Kopf und wiederholte nochmals das Wort.

»Äi-ja?« versuchte es Iza noch einmal.

»Ay-ay, nicht Äi«, verbesserte der Bruder. »Aay-lla«, wiederholte er sehr langsam, so daß Iza die unvertraute Tonfolge aufnehmen konnte.

»Ay-la«, formten die Lippen der Frau bedächtig, bemüht, das Wort so zu sprechen, wie es Creb ihr vorgemacht hatte.

Das Mädchen klatschte in die Hände vor Freude. Es war nicht schlimm, daß sein Name etwas verformt war, hatte sich Iza doch so hart bemüht, den Namen auszusprechen. Nun gut, dann hieß sie eben Ayla. Heftig umarmte sie die Frau.

Iza drückte die Kleine nur kurz an sich. Sie sollte spüren, daß Liebkosungen vor anderen sich nicht schickten. Aber dennoch war sie gerührt.

Ayla war glücklich, hatte sie sich doch anfangs unter diesen fremden Menschen so verloren und abgeschnitten gefühlt und sich dann wirklich abgemüht, mit der Frau, die sich um sie kümmerte, Verbindung aufzunehmen, und war so bitter enttäuscht gewesen, als ihr das nicht gelang. Es war zwar jetzt nicht viel herausgekommen, aber wenigstens hatte sie jetzt einen Namen für die Frau und diese einen für sie.

Ayla wandte sich wieder dem Mog-ur zu, der den ersten Schritt zur Verständigung gegangen war. Längst schien er nicht mehr so häßlich. Überschwenglich schlang sie dem Krüppel die Arme um den Hals und drückte ihre kleine Nase innig in dessen Bartgeflecht, wie sie das früher oft hatte tun dürfen, zog dann seinen Kopf zu sich herunter und legte ihre Wange an die seine.

Diese vertraute Zuneigung bewegte Creb aufs äußerste; mit Mühe widerstand er dem Wunsch, die Umarmung zärtlich zu erwidern. Es ging nicht an. Er konnte doch dieses fremdartige kleine Geschöpf nicht einfach vor aller Augen liebkosen! Eine winzige Weile lang ließ er es zu, daß Ayla ihre glatte weiche Wange noch ein wenig länger an seine bärtige drückte, ehe er behutsam ihre Arme herunternahm.

Entschlossen griff er zu seinem Stock und stemmte sich hoch. Und als er davonhinkte, waren all seine Gedanken bei der gelehrigen Kleinen. Er selbst würde ihr beibringen, wie sich die Clan-Leute verständigten. Dies dürfte nicht nur einer Frau überlassen bleiben. Tief in seinem Inneren wußte Creb jedoch, daß er einfach so oft wie möglich mit ihr zusammensein wollte. Ohne sich selbst darüber klar zu sein, sah er sie schon als Mitglied seines Clans.

Tatsächlich hatte Brun einfach nicht in Betracht gezogen, was es für Folgen haben würde, wenn er Iza erlaubte, das Kind der Fremdlinge mitzunehmen. Das war aber nicht ein Versagen als Anführer, sondern ein Versäumnis, das sich aus der Veranlagung seiner Art ergab. Niemals wäre es in seinen Kopf gegangen, daß man unterwegs ein verletztes Kind finden würde, das nicht zum Clan gehörte, und so war er unfähig gewesen, vorauszusehen, was geschähe, wenn die Kleine gerettet würde. Gut, man hatte sie dem Tod entrissen. Aber wenn er nicht wollte, daß sie beim Clan blieb, gab es nur eines: Sie mußte wieder ausgesetzt werden. Doch allein konnte sie nicht überleben. Das brauchte man nicht vorauszusehen. Das war Erfahrung. Aber wenn er sie jetzt erneut dem Tod preisgab, würde er sich zunächst Iza entgegenstellen müssen. Nun, diese hatte zwar selbst keine Macht, doch die Schar der Geister auf ihrer Seite und nun auch Creb, den Mog-ur, der mit den Geistern reden konnte. Brun hatte Angst, sich die mächtigen Unsichtbaren zu Feinden zu machen. Dieses Schreckbild verfolgte ihn, seit das fremde Mädchen beim Clan war, und ließ ihn noch ernster dreinschauen als sonst.

Als am folgenden Morgen die Medizinfrau Aylas Bein untersuchte, sah sie, daß die Rötung der Haut zurückgegangen war. Die vier tiefen Schrammen hatten sich geschlossen und Schorf gebildet. Die Narben würden dem Kind allerdings immer bleiben. Den Verband erneuerte Iza nun nicht mehr, machte ihr jedoch einen Trank aus Weidenrinde, und als sie Ayla vom Fell heben wollte, versuchte die Kleine zu stehen, wobei Iza ihr half und sie stützte. Es tat weh, als das kranke Bein belastet wurde, aber nach einigen achtsamen Schritten ging es schon viel besser.

Jetzt aufrechtstehend, war Ayla noch größer, als Iza geglaubt hatte. Ihre Beine waren lang und gerade und dünn wie die einer Spinne; die Knie klobig. Iza glaubte zuerst, sie wären mißgebildet, denn die Beine der Clan-Leute waren kurz und stark durchgebogen. Wenn es auch hinkte, das Kind hatte keine Mühe beim Gehen. Diesen Menschen schienen gerade Beine gegeben zu sein, genau wie die hellen Augen von der Farbe des Himmels im Sommer.

Da der Clan wieder aufbrach, hüllte die Medizinfrau die Kleine in ihren Umhang und hob sie auf die Hüfte, denn man mußte vorsichtig sein mit dem Bein und es noch nicht arg belasten. Unterwegs dann ließ Iza sie ab und zu herunter, um es leichter zu haben, denn zuletzt hatte Ayla so gierig gegessen, als wollte sie nachholen, was ihr in den Tagen des Hungers entgangen war, und der Frau das Gefühl gegeben, als sei sie schon schwerer geworden.

Vorwärtszukommen wurde jetzt zunehmend beschwerlicher, denn man hatte das weite, flache Grasland hinter sich gelassen, das wellige Hügelland durchquert, dessen Hänge immer steiler wurden, und befand sich nun am Fuß der Berge, deren glitzernde, eisige Gipfel von Tag zu Tag näherrückten. Die Hügel waren von dichten Wäldern überzogen; aber nicht die düsteren Nadelbäume der kälteren Gebiete wuchsen hier, sondern saftig-grüne Laubbäume mit handgroßen Blättern und massigen, knorrigen Stämmen umschlangen sich mit ihren Zweigen. Es hatte sich viel schneller erwärmt als sonst um diese Zeit frischsprossenden Grüns, und das verwirrte Brun. Die Männer tauschten ihre Überwürfe gegen kurze Schurze, so daß ihre haarigen Oberkörper in der Sonne dünsteten. Die Frauen zogen nichts aus, ihre Körbe und Bündel hätten die nackte Haut nur aufgerieben.

Die Gegend hier hatte nun gar keine Ähnlichkeit mehr mit dem kalten flachen Land, wo ihre alte Höhle gewesen war. Und während die Clan-Leute durch schattige Schluchten, über grasbedeckte Hügel und durch des morgens tropfnasse

Laubwälder wanderten, mußte Iza immer mehr auf ihre überkommenen Kenntnisse von den Dingen der Natur zurückgreifen. Neben den festwurzligen dunkelbraunen oder auch blaugrauen Stämmen von Eiche, Buche, Walnuß, Stechapfel und Ahorn standen biegsame, dünnrindige Weiden, Birken, Hainbuchen und Bergtannen, und dazwischen wucherten die vielzweigigen hohen Sträucher von Erle und Haselnuß. Die Luft war fast zum Greifen und durchmengt von einem besonderen Geflimmer, das auf dem sanften, weichen Wind, der Wärme herbeitrug, zu schweben schien, und dem Iza keinen Namen geben konnte. Flaumige Samenschwengel hingen noch an den vollbelaubten Birken. Hie und dort rieselte ein feiner Regen zartfarbener Blütenblättchen zur Erde. Die Clan-Leute zwängten sich durch sprödes Unterholz und dichtes Gestrüpp des Waldes, bis sie kahle Hänge erreichten. Rundum leuchtete das hügelige Land in vielfältigen Grüntönen. Und als sie höher stiegen, begegneten sie wieder der dunkleren Färbung von Fichte und Weißtanne; noch weiter oben schimmerten da und dort Blautannen auf. Die dunkelbraunen, grauschwarzen Schattierungen der Nadelbäume überlagerten an manchen Stellen das satte Grün der Laubbäume, wurden aber von der blassen, weißlich wirkenden Farbe der kleinblättrigen, gefiederten Gewächse in ihrer Dichte gemildert. Genügsame hartblättrige Kleinpflanzen klammerten sich fest an den nackten Fels; weiße Anemonen, gelbe Veilchen, zartrosa Hagedorn bestanden zuhauf die Bergwiesen. Und noch weiter oben war das blasse Grün des schütter werdenden Grases mit gelben Narzissen und blauem und gelbem Enzian durchmengt. An Schattenstellen erhoben späte Krokusse ihre gelben, weißen und lilafarbenen Köpfe.

Oben, auf einer steilen Anhöhe, machten die Wandernden Rast. Weit unter ihnen verliefen sich die Wellen bewaldeter Hügel rasch in der grenzenlosen Ebene, wo das Gras schon einen strohdürren Schimmer hatte. Weidende Wildherden waren als winzige wandernde Punkte auszumachen. Des Clans schnellfüßige Jäger könnten sie leicht in einem halben Tagesmarsch erreichen. Der Himmel über ihnen war klar. Doch von Mittag her wälzten sich dunkle Gewitterwolken heran. Und wenn sie nicht vorher zerstoben, würden sie an den hohen Berggipfeln hängenbleiben und ihr Wasser über den Clan ausgießen.

Brun und die anderen Männer setzten sich außer Hörweite der Frauen und Kinder zusammen; doch ihre besorgten Mienen und die zögernd geformten Handzeichen verrieten klar den Grund. Man beriet, ob es nicht besser wäre, umzukehren, denn dieses Gebiet hier war ihnen fremd, und man hätte sich schon allzuweit von den Steppen entfernt. Zwar gab es in den Wäldern der Vorberge viele Tiere, aber die riesigen Herden, die das Grasland der Ebenen bevölkerten, fehlten hier, und das Jagen in den fast baumlosen Steppen war nicht so beschwerlich; da waren keine Wälder, wo die Tiere sich verbergen konnten, wo auch räuberische hausten.

Iza ahnte, daß man umkehren würde. Und alle Mühe, aller Schweiß und alles Zittern, ob die steilen Hänge nicht doch zu schaffen seien, wären dann umsonst gewesen. Und wie die Clan-Frauen nach oben blickten und sahen, daß die dunklen, drohenden Regenwolken sich immer schneller auf sie zuwälzten, ließen sie verzagt die Arme sinken. In der Zwischenzeit hatte Iza sich ihrer schweren Lasten entledigt und Ayla zu Boden gelassen, die davonhupfte, froh darüber, sich jetzt, wo ihr Bein heilte, endlich wieder frei bewegen zu können. Iza sah ihr nach, wie sie hinter der scharfkantigen Nase eines vorspringenden Felsens verschwand, der unmittelbar vor ihnen aus dem Boden wuchs. Da die Beratung jederzeit enden konnte und Brun es nicht freundlich aufnehmen würde, wenn das Kind den Aufbruch verzögerte, lief sie ihm schnell hinterher. Als Iza sich durch das Gesträuch an der Felsnase hindurchgezwängt hatte, sah sie zu ihrer Beruhigung Ayla auf dem Boden hocken, die Nase in den Blütenkelch einer breitblättrigen Pflanze getaucht; aber das, was sie hinter dem Mädchen erblickte, versetzte sie in helle Aufregung. So schnell sie konnte, rannte Iza zurück. Da sie es nicht wagen durfte, Brun und die anderen zu stören, erwartete sie voller Ungeduld das Ende der Beratung. Brun sah das wohl, und wenn er es auch nicht zeigte, so hatte er doch gemerkt, daß irgend etwas seine Schwester bewegte. Sobald die Männer sich getrennt hatten, lief Iza zu Brun hin, setzte sich vor ihm nieder und blickte zu Boden, in der clangemäßen Haltung, die ihm sagte, daß man mit ihm sprechen wolle. Einem solchen Wunsch brauchte er nicht nachzukommen. Und wenn er sie übersah, dann durfte Iza ihm nicht mitteilen, was ihr im Kopf herumging.

Doch Brun war neugierig. Auch er hatte beobachtet, wie die Kleine hinter dem Felsen verschwunden war. Doch ihn beschäftigte anderes. Bestimmt wieder etwas mit diesem Kind dachte er; und seine Miene verdüsterte sich. Eigentlich war er versucht, Izas Bitte zu übersehen. Der Mog-ur mochte sagen, was er wollte, Brun erfüllte die Anwesenheit des Kindes in ihrer Mitte mit zunehmender Unruhe. Als er schließlich aufblickte, sah er, daß der Zauberer ihn beobachtete. Brun versuchte auszumachen, was dem Einäugigen wohl durch den Kopf ging, doch das ausdruckslose Gesicht des Bruders verriet ihm nichts.

Dann richtete er seine Augen auf die Frau, die zu seinen Füßen kauerte und deren Haltung gespannte Erregung verriet. Brun war zwar verschlossen, aber nicht hartherzig, und er achtete seine Schwester hoch. Obwohl sie es schwer gehabt hatte mit ihrem rauhen, unbeherrschten Gefährten, war sie ihm doch immer eine folgsame Frau gewesen und somit den anderen ein Vorbild und bedrängte ihn selten mit nebensächlichen Fragen. Ob er sie nicht doch anhören sollte? Bestimmt irgend etwas mit diesem Kind! Aber er brauchte ja ihrer Bitte nicht zu willfahren, wenn er sie für nichtig hielt. Brun beugte sich nieder und tippte Iza auf die Schulter.

Durch diese Geste aufgefordert zu sprechen, richtete Iza sich auf, blickte ihrem Bruder fest in die Augen, erhob sich, wies mit dem einen Arm in die Richtung der Felsnase und machte mit dem anderen: »Höhle!«

Brun drehte auf der Ferse um und schritt in die Richtung der angedeuteten Stelle. Als er dort angelangt war und die mannshohen Zweige des Gebüschs zerteilte, fielen ihm fast die Augen aus dem Kopf, der plötzlich mächtig zu dröhnen anfing, und höchste Erregung pulste durch sein Blut. Eine Höhle! Und was für eine Höhle! Und genau die Höhle, die er gesucht hatte! Mit Mühe kämpfte er das aufwallende Blut nieder und versuchte die kopfwärts sich ausbreitende Hoffnung niederzuhalten. Jetzt galt es, ruhig und sorgsam die Beschaffenheit der Höhle und ihre Lage auszumachen.

Selbst von da aus, wo er stand, war deutlich die efeuüberhangene keilförmige Öffnung im graubraunen Fels des Berges zu sehen, groß genug, um der Hoffnung Nahrung zu geben, daß der Raum hinter ihr dem ganzen Clan Unterkunft bieten möge. Das dunkle Felsenauge blickte nach Mittag, war also den größten Teil des Tages der Sonne ausgesetzt. Und dann geschah etwas, das so aussah, als wolle der Geist dieser Höhle Bruns Gedanken durch die Natur selbst bestätigen lassen, als ein Lichtstrahl, der ein schmales Loch in der Wolkendecke gefunden hatte, auf die rötliche Erde des Höhlenvorplatzes fiel. Der Clan-Führer, der eine Zeitlang offenen Mundes und mit bebenden Nasenflügeln den unwahrscheinlichen Fund auf sich hatte wirken lassen, nahm seine Keule von der Schulter und beäugte das umliegende Gebiet genauer. Ein hoher Buckel hinter der Höhle und ein ähnlicher Höcker auf der Seite, die der Morgensonne zugewandt war, schützten vor Wind und schräg peitschendem Regen. Und Wasser war auch in der Nähe, stellte Brun fest, als er den Bach sah, der sich am Fuß eines sanften Hangs wie eine Silberschlange um die üppigen Moospolster zur anderen Seite der Höhle wand. Beherrscht winkte Brun Grod und Creb zu sich.

Schnell liefen die beiden Männer zu ihrem Clan-Führer, gefolgt von Iza, die einen langen, eindringlichen Blick auf die Höhle warf und zufrieden nickte, ehe sie mit Ayla an der Hand wieder zu der Gruppe aufgeregt durcheinander fuchtelnder Menschen zurückging. Bruns mühsam niedergehaltene Erregung war auf alle Clan-Leute übergesprungen. Eine Höhle war gefunden! Und sie spürten, Brun glaubte, daß sie bewohnbar sei. Und wieder schien der Geist der Höhle ihnen den Ort zu weisen, denn ganze Bündel heller Sonnenstrahlen, die die tieffliegenden, dunkel geränderten Wolken durchstachen, deuteten jetzt, einer Lichthand gleich, auf die Öffnung im Fels.

Brun und Grod umfaßten ihre Speere, als die drei Männer sich vorsichtig der Höhle näherten. Vögel flogen zwitschernd und trillernd durch die große Öffnung aus und ein. Diese Fiederlinge sind ein gutes Vorzeichen, dachte der Mog-ur. Geduckt schlichen sie durch das schüttere, halbhohe Gras, arbeiteten sich heran, suchten nach jedem Sprung Deckung hinter einem der versprengten Steinbrokken, die jetzt aber immer weniger wurden, schlugen dann einen Bogen um die Öffnung und suchten zunächst sorgsam nach frischen Spuren. Ein Durcheinander verwischter Abdrücke und die bleichen, abgenagten Knochen eines Tieres, das von kräftigen Zähnen zermalmt worden war, ließen die Jäger erkennen, daß dort in der Höhle ein Hyänenrudel vorübergehend Unterschlupf gesucht haben mußte. So wie es aussah, hatten diese feigen Fleischfresser einen altersschwachen Damhirsch gerissen und den besten Teil in die Höhle geschleppt.

Etwas abseits von der Höhlenöffnung, umschlossen von einem Gewirr aus Schlingpflanzen und dichtem Gestrüpp, schimmerte ein kleiner, vermutlich von einer Quelle gespeister Teich; sein Abfluß, ein schwächliches Rinnsal nur, rieselte dünn den Hang hinunter zum Bach. Während die anderen warteten, suchte Brun die Quelle oben im schroffen Fels der steilen, überwachsenen Flanke der Höhle. Und dann sah er sie; und er sah auch, daß das glitzernde Wasser, das aus dem Spalt sprudelte, frisch war und klar. Schon wieder ein gutes Zeichen, dachte er und kehrte zu den anderen zurück. Alles um sie herum wäre günstig, teilte er ihnen mit, doch wie die Höhle innen sei, würde den Ausschlag geben, ob sie bleiben könnten oder umkehren müßten.

Als sie dann in sie eindrangen, blickten die beiden Jäger und der Zauberer leicht beklommen nach oben, wo die mächtigen Steinflanken unter einem üppigen Gebüsch zusammenwuchsen. Die Körper dicht an den Fels gepreßt, tasteten sie sich vorwärts, schoben dann die Nasen nach, die rasch und nach allen Seiten witterten, und bemühten die Augen. Als diese sich an das Dämmerlicht gewöhnt hatten, blickten sich die Männer voll Staunen um. Eine hohe, gewölbte, rissige Steindecke überspannte einen Raum, der groß genug war, um ein Vielfaches der Clan-Leute aufzunehmen. An der rauhen Felswand entlang schoben sie sich vorwärts und suchten nach weiteren Öffnungen, die vielleicht in tiefere Nischen führten. Nach einer Weile hörte man Wasser rauschen; eine zweite Quelle, die aus dem Fels hervorsprang und einen kleinen dunklen Teich füllte. Unmittelbar dahinter führte die Höhlenwand in scharfem Knick zurück zur Öffnung, vor der lediglich ein schwacher Schimmer auszumachen war. Als sie sich dorthin aufmachten, entdeckten sie im allmählich stärker werdenden Licht einen dunklen Riß im graugrünen Felsenband. Auf Bruns Zeichen verhielt Creb seinen Schritt, während Grod und der Clan-Führer sich an den Spalt herantasteten und hineinspähten. Schwärzestes Schwarz gähnte sie an und ließ sie betroffen zurückweichen.

»Grod!« Brun hatte sich zu dem Jäger gewandt, der ihm auch im Rang nachfolgte, und diesem schnellhändig einen Befehl erteilt, der Grod augenblicklich nach draußen hasten ließ.

Während Brun und Creb angespannt warteten, musterte der Ausgeschickte sorgfältig die Pflanzen, die vor der Höhle in Hülle und Fülle am Wachsen waren und strebte dann einer kleinen Gruppe von Weißtannen zu, an deren Stämmen Klumpen erhärteten Harzes, das durch die Rinde ausgetreten war, glänzende Flecken gebildet hatten. Mit einem spitzen Schaber zog Grod die Rinde ab. Frischer klebriger Harzsaft quoll aus der weißlichen Narbe. Seine kräftigen Finger knickten erstorbene dürre Äste ab, die noch unter den grünbenadelten Zweigen saßen, dann zog der Jäger aus einer Falte seines Überwurfs die Handaxt aus Stein, hieb mit raschen Schlägen einen grünen Ast ab und schälte ihn. Die harzige Rinde und die dürren Hölzchen wickelte er mit kräftigen Gräsern um das Ende des grünen Astes; mit Vorsicht nahm Grod dann die glühende Kohle aus dem Auerochsenhorn an seinem Gürtel, hielt sie an das Harz und begann zu blasen. Bald darauf rannte er mit einer brennenden Fackel wieder in die Höhle.

Hoch über seinen Kopf hob Grod die Flamme, während Brun die Keule schlagbereit in seinen Fäusten hielt. Nacheinander, Brun voraus, drangen die beiden Oberen des Clans in den dunklen Spalt ein, krochen lautlos durch einen schmalen Gang, der bald breiter wurde, plötzlich eine Biegung machte und sich durch den Fels wieder zum hinteren Teil der Höhle bohrte. Doch gleich hinter dem Knick mündete der Gang in eine zweite Höhle; kleiner als die anderen und beinahe rund. Im Schein der flackernden Fackel glomm an der hinteren Felswand weiß ein Beinhaufen. Zögernd trat Brun näher, ging leicht in die Knie, legte die flache Hand an die Brauenwülste und riß weit die Augen auf, als er das Unwahrscheinliche sah. Hastig winkte er Grod ab, der ebenfalls nach vorne kommen wollte; dann zogen sich beide Männer eilig zurück.

Schwer auf seinen Stock gestützt und voller Ungeduld hatte der Mog-ur vor dem Spalt gewartet. Als Brun und Grod nun so plötzlich aus der dunklen Öffnung traten, richtete sich der Zauberer rasch auf. Wie das wohl kam? Der sonst so ruhige Brun war richtig außer sich! Auf einen Wink folgte der Mog-ur den beiden Männern wieder in den dunklen Gang. Als sie die Seitenhöhle erreichten, hielt Grod die Fackel hoch. Der Mog-ur kniff die Augen zusammen, als er den fahlen Beinhaufen sah. Erregt stürzte er vorwärts. Krachend schlug sein Stock auf den Boden, als er auf die Knie fiel. Hastig durchwühlte seine Hand den beachtlichen Beinberg, erfaßte plötzlich ein riesiges Schädeldach. Hart griff der Zauberer zu und zog es unter den Knochen hervor. Kein Zweifel! Der Schädel mit dem hochgewölbten Stirnbein glich jenem, den der Mog-ur stets mit sich trug, der nun ehrfurchtsvoll in die Hocke ging, sich das nackte, mächtige Haupt vors Gesicht hielt, bis es fast seine Nase berührte, und dann gebannt in die dunklen, leeren Augenlöcher starrte. In dieser Höhle hatte der Bär gehaust! Der ausgebleichten Knochenfülle nach mußte er hier früher viele Male überwintert haben. Und jetzt begriff der Zauberer Bruns Erregung. Dies war das beste Vorzeichen, das es je geben konnte! Dieses war die Höhle des Großen Bären gewesen. Diese Felswände waren durchdrungen von der Kraft und der Herrlichkeit des gewaltigen Wesens, das der Clan vor allen anderen verehrte. Und denen, die hier lebten, war die Gunst der Geister sicher. Langsam wandte der Mog-ur seinen Blick vom Bärenschädel, in dessen Augenlöchern, wie ihm schien, plötzlich ein tiefes Feuer glomm, und schaute sich um. Ja, es mußte so sein! Seit langer Zeit war diese Höhle nicht mehr bewohnt gewesen; sie hatte nur darauf gewartet, von ihnen gefunden zu werden. Und es war eine Höhle, die alles hatte, was eine Erdbehausung haben sollte. Sie war günstig gelegen, geräumig, hatte Wasser und weit hinten einen Abzweig, wo man die geheimen Beschwörungen abhalten würde. Dieser Höhlenwinzling würde sein Reich sein! Ihre Suche hatte ein Ende und der Clan eine neue Bleibe gefunden. Nur die erste Jagd noch, die mußte Beute bringen.

Als die drei Männer ins Freie traten, schien die Sonne. Die Wolken waren von einem scharfen Wind auseinandergetrieben worden und hatten eilig den Rückzug angetreten. Auch dies sah Brun als ein gutes Zeichen. Aber selbst wenn die Wolken dem Wind getrotzt, sich geöffnet und unter Blitz und Donner prasselnden Regen über ihnen ausgegossen hätte, er würde es als gutes Zeichen angesehen haben. Nichts hätte seine Hochstimmung dämpfen oder das Gefühl freudiger Zufriedenheit in ihm vertreiben können. Auf dem terrassenförmigen Vorsprung blieb Brun stehen und betrachtetes das Bild, das sich ihm bot. Gerade vor ihm, durch eine Lücke zwischen zwei grünbelaubten Hügeln hindurch, konnte er das Flirren offenen Wassers erkennen. Und als er diese Entdeckung machte, hatte er eine Erinnerung, die sein Unwissen um die rasch steigende Wärme und die fremdartige Pflanzenwelt in ein überlegtes Erkennen wandelte.

Die Höhle befand sich nämlich im Vorgebirgsland einer Bergkette an der unteren Spitze einer halbinselähnlichen Landzunge, die breit in ein von allen Seiten umschlossenes Meer hineinleckte und an zwei Stellen mit dem Festland verbunden war; die erste bildete oben ein breiter, gebuckelter Erdhals; an der Seite jedoch war sie durch einen schmalen Streifen Schwemmlandes mit dem kaum gezackten Gebirgsland verknüpft, dessen Flanken halb oben dann ein kleineres Gewässer umschlossen.

Dieser Bergschild schützte das Küstenland vor Eis und Schnee und den grimmigen Stürmen, die von den Gletschern hoch oben herunterfegten. Milde Winde, vom Wasser her, die über die niemals gefrierende Fläche des Meeres strichen, hatten an der geschützten Spitze der unteren Landzunge einen schmalen Streifen gemäßigter Bedingungen geschaffen, um den dichten Laubwäldern, die dort in den Himmel wucherten, hinreichend Feuchtigkeit und Wärme zukommen zu lassen.

Es war die beste aller Höhlen! Und wenn er hierblieb, kam der Clan in den Genuß des Besten beider Naturen. Hier war es wärmer als sonstwo in den umliegenden Gebieten, und Holz, mit dem während der Kältnis das wärmende Feuer verhalten werden mußte, war in Fülle vorhanden. Ein großes Wasser, in dem sich Fische und Schalentiere tummelten, war nahe, und in den Felsklippen nisteten Seevögel vieler Arten. Die Wälder hielten Stechapfel, Quittenartiges, Nüsse, Beeren und Grünzeug im Überfluß bereit. Zum Wasser der Quellen und Bäche gab es leichten Zugang. Vor allem aber waren von der neuen Höhle aus die offenen Steppen leicht und schnell zu erreichen, wo die vielköpfigen Wildherden weideten, die nicht nur Fleisch hergaben, sondern auch für die Beschaffung von Kleidung und Werkzeug taugten.

Brun schritt dahin wie beflügelt, als er zu den Clan-Leuten zurückkehrte. Die Geister sind wieder mit uns, dachte er; aber vielleicht haben sie uns gar nicht verlassen, vielleicht wollten sie nur, daß wir zu dieser größeren, schöneren Höhle ziehen. Ja, so mußte es sein! Die Geister waren der alten Höhle müde geworden und wollten eine neue Heimstatt haben. Deshalb auch das Beben der Erde. Das Zeichen zum Aufbruch! Und die Gefährten, die getötet wurden? Das waren die Opfer, welche die Unsichtbaren sich ausbedungen hatten, wenn sie einem schon eine bessere Höhle zeigten. Und Brun fühlte, daß er auf die Probe gestellt worden war. Sie hatten sehen wollen, ob er zum Clan-Führer tauge. Gut, er hatte gezaudert und geschwankt, ob er nicht doch besser umkehren lassen sollte, aber dann war er fest geblieben. Die Geister hatten's ihm gelohnt.

Als die drei Männer in Sicht kamen, brauchte man keinem der ungeduldig Wartenden zu sagen, daß ihr Umherziehen zu Ende sei. Sie spürten es einfach. Keiner von ihnen, außer Iza und Ayla, hatte die Höhle gesehen, und nur Iza ahnte, daß sie die Höhle der Höhlen war.

Jetzt kann er Ayla nicht mehr wegschicken, ging es der Medizinfrau durch den Kopf. Denn wäre sie nicht gewesen, dann wäre Brun umgekehrt, ehe die Höhle gefunden war. Bestimmt müsse sie ein mächtiges und hilfreiches Schutzzeichen haben, das selbst dem Clan Gutes gebracht habe. Iza blickte auf das Mädchen an ihrer Seite, das in all der handgreiflichen Erregung rundum ganz ruhig war. So ein hilfreiches Totem und trotzdem so allein? Bedächtig schüttelte Iza den Kopf. Nie würde sie den Wegen der Geister folgen können.

Auch Brun blickte nun nachdenklich auf Ayla; denn als er, aus der Höhle tretend, beider ansichtig wurde, war ihm eingefallen, daß es Iza gewesen war, die ihm von der Höhle berichtet hatte, und die Schwester wiederum hätte sie niemals gesehen, wenn sie nicht Ayla nachgelaufen wäre. Er war verstimmt gewesen, als die Kleine sich so allein davonmachte; er hatte allen bedeutet zu warten. Und doch! Wäre sie nicht so ungehorsam gewesen, hätte er die Höhle nie entdeckt. Aber warum hatten die Geister zuerst ein Kind – und dann auch noch eins der Fremdlinge – zur Höhle geführt? Nun, der Mog-ur mochte recht haben, daß die Geister über Izas Mitgefühl nicht erzürnt waren und auch nicht unwillig darüber, daß Ayla beim Clan geblieben war. Sie schienen ihr sogar besondere Gunst zu schenken.

Brun schaute zu seinem krüppligen Bruder hinüber, dem eigentlich sein Platz angestammt wäre. Es ist gut, daß Creb unser Mog-ur ist, dachte er. Seit langer Zeit hatte er ihn nicht mehr als Bruder gesehen, seit ihrer Kinderzeit nicht mehr. Ja, als er jung gewesen war und um die Beherrschung seiner selbst gerungen hatte, die den Männern des Clans ein hohes Gebot war, da hatte er sich als Crebs Bruder gefühlt. Doch der mußte seinen eigenen Kampf führen, gegen Schmerz und Spott, weil er nicht recht laufen konnte, nicht jagen; aber schon damals schien Creb zu spüren, wenn Brun bekümmert und niedergeschlagen war.

Es hatte eine Zeit gegeben, da hatte Brun seinen Bruder bedauert; doch über der Achtung vor seiner Weisheit und seiner Macht hatte er Crebs Leiden lange vergessen. Er hatte beinahe aufgehört, ihn als seinesgleichen zu sehen, nur noch den großen Zauberer in ihm erblickt, dessen weiser Rat regelmäßig gesucht wurde. Zwar war ihm noch nie in den Sinn gekommen, daß sein Bruder darum trauerte, nicht der Clan-Führer zu sein, aber doch ging ihm schon einmal die Frage durch den Kopf, ob es Creb nicht schmerzte, keine Gefährtin zu haben und somit auch keine Kinder. Es stimmte schon, daß die Weiber einem ab und zu den Kopf voll machen konnten mit ihrem Geschnatter, aber genausooft brachten sie ihren Männern Wohlbehagen und die Wärme ihrer Körper. Creb hatte sich nie eine Gefährtin genommen und niemals zu jagen gelernt; er war kein Mann, aber er war der Mog-ur, der große Zauberer.

Brun kannte sich nicht aus im Zustandekommen und Zusammenwirken von zauberischen Kräften und wußte wenig über die Geister, doch er war der Clan-Führer, und seine Gefährtin hatte ihm einen Sohn geboren. Warmes Wohlgefühl wallte in ihm auf, als er an Broud dachte, seinen Jungen, der eines Tages seinen Platz einnehmen würde. Er könnte ihn doch schon auf die nächste Jagd mitnehmen, kam es Brun plötzlich in den Sinn, auf die Jagd für die Höhlenweihe. Und wenn Broud dabei sein erstes Wild erlegen sollte, dann konnte seine Mannbarkeit zusammen mit dem Einzug gefeiert werden. Das würde Ebra stolz machen. Groß genug dafür war Broud, und er war stark und tapfer; zu starren Sinnes bisweilen, aber er lernte schon noch, sein Blut nicht dauernd zu erhitzen und seinen Kopf kühl zu halten. Brun brauchte auch einen weiteren Jäger, denn jetzt, wo der Clan eine Höhle gefunden hatte, mußten sich viele Hände regen, um für die kommende Zeit der Kältnis vorzusorgen. Der Junge war kein Kind mehr; Broud war reif für das Leben eines Mannes. Es wird bestimmt eine gute Feier, befand Brun, denn Iza würde wieder den Trank bereiten.

Iza. Und was sollte mit Iza geschehen? Und dann noch dieses Kind, das Iza schon umsorgte, so fremdartig es war. Wohl, weil sie so lange keine Kinder hatte. Aber bald würde sie ihr eigenes bekommen und hatte keinen Gefährten, der ihnen Wärme, Schutz und Nahrung gäbe. Iza ist zwar nicht mehr jung, aber sie bekommt ein Kind, und sie hat Zauberkräfte und einen hohen Rang, ging es dem Bruder weiter durch den Kopf. Einem Mann brächte das Ehre. Und wenn sie nun einer der Jäger zur zweiten Gefährtin nähme? Und was wäre mit diesem fremdartigen Findling dort? Dieses Mädchen, das in der Gunst der Geister steht! Es könnte sein, daß er die Unsichtbaren erzürnte, wenn er das Kind jetzt aussetzte, und dann könnte es sein, daß sie die Erde wieder erbeben lassen. Brun fuhr sich mit der Hand über die Stirn, befingerte die flachen Flügel seiner knochigen Nase und begriff: Iza will das Kind behalten. Sie hat mir die Höhle gezeigt. Ihr ist die Ehre! Aber es dürfte nicht so offenkundig sein. Wenn er ihr das Kind ließe, würde ihr Ehre bezeugt, aber das Kind gehörte doch nicht zum Clan! Und würden die Geister des Clans es denn so haben wollen? Noch nicht einmal ein schützendes Zeichen war dem Kind gegeben. Und wie sollte es bei ihnen bleiben, ohne Totem?

»Creb!« Brun winkte dem Mog-ur.

Der Zauberer drehte sich langsam um, glaubte, sich verhört zu haben; Brun rief ihn mit seinem Geburtsnamen, und Creb humpelte zum Clan-Führer hinüber, als dieser ihm bedeutete, daß er mit ihm allein sein wollte.

»Das Mädchen, das Iza mitgeschleppt hat, du weißt, sie gehört nicht zum Clan, Mog-ur«, begann ihm Brun unsicher auseinanderzusetzen. Creb wartete. »Du hast mir bedeutet, der Große Höhlenbär sollte über ihr Leben bestimmen. Gut, sie lebt. Aber was sollen wir jetzt mit ihr? Sie gehört nicht zum Clan. Sie hat kein schützendes Zeichen!« Erregt hatte Brun den Bruder am Arm gepackt. Er wisse doch selbst am besten, daß ihre Totems keinem anderen, schon gar nicht von einem fremden Clan, erlaubten, an der Weihe einer neuen Höhle teilzunehmen. Und nur die Geister, die später in der Höhle leben würden, dürften dabeisein. Zwar sei das Kind noch jung und – zugegeben – könne sich nicht lange allein am Leben erhalten, und Creb wisse ja auch, daß ihre Schwester es zu behalten wünsche, aber was wäre dann mit der Höhlenweihe?

Creb hatte solches erwartet. Er entzog seinen Arm dem Griff des Bruders.

»Das Kind hat ein schützendes Zeichen, Brun, ein starkes Totem. Aber wir kennen es nicht. Ein Höhlenlöwe hat die Kleine angegriffen, sie aber ist mit ein paar Kratzern davongekommen.«

»Ein Höhlenlöwe? Noch nicht mal mit einem Jäger würde so glimpflich verfahren.«

»Und ist sie nicht lange Zeit umhergeirrt, dem Hungertod nahe, ohne daß die Geister beschlossen haben, sie zu holen? Sie legten sie uns in den Weg, damit Iza sie finden sollte. Und du hast es nicht verhindert, Brun. Ich glaube, ihr Schutzgeist hat sie geprüft; er wollte sehen, ob sie seiner würdig ist. Er ist nicht nur stark, er bringt auch Glück. Wir können alle an ihrem Glück teilhaben. Vielleicht tun wir das schon.«

»Die Höhle?«

»Ihr ist sie zuerst gezeigt worden. Wir waren nahe daran umzukehren. Du hast uns so nahe herangeführt, Brun...«

»Die Geister haben mich geführt, Mog-ur. Sie wollten eine neue Bleibe.«

»Ja, sie haben dich geführt, zuerst aber haben sie die Höhle dem Mädchen gezeigt, Brun, wir haben zwei Kinder im Clan, deren Totems wir noch nicht kennen. Bis jetzt habe ich sie noch nicht in Erfahrung bringen können; wir hatten erst eine neue Höhle zu finden. Ich möchte den Kindern das Totem zukommen lassen, einem jeden das seine, wenn wir die Höhle weihen. Es bringt ihnen Glück und ihren Müttern Freude.«

»Und das Mädchen?«

»Wenn ich die Geister anflehe, mir die schützenden Zeichen der Kleinen zu enthüllen, werde ich sie auch nach dem Totem des Mädchens fragen. Und wenn es sich mir zeigt, kann sie an der Feier teilhaben. Wir könnten sie in den Clan aufnehmen, und dann kann sie bleiben.«

Brun legte die rechte Hand an sein flaumbestandenes Ohr, formte sie muldenähnlich und wiederholte erregt: »In den Clan aufnehmen? Sie gehört nicht zum Groß-Clan. Sie ist ein Kind der anderen. Wie könnten wir sie je aufnehmen? Solches wird das freundliche Auge des Großen Bären verfinstern, glaube mir! Noch nie ist so etwas geschehen!« hielt Brun dem Zauberer entgegen. Er wollte sie nicht zu einer der ihren machen, er wollte nur wissen, ob die Geister nichts dagegen hätten, wenn das Mädchen beim Clan bliebe, bis es größer geworden sei.

»Iza hat ihm das Leben gerettet, Brun. Sie trägt jetzt etwas von dem Geist des Mädchens in sich. Und dadurch ist es mit dem Groß-Clan verbunden. Es war nahe daran, in die andere Welt hinüberzugehen, ist aber bei uns geblieben, hat ein neues Leben bekommen und wurde somit in den Clan hineingeboren.«

Creb, der mit ernsten, eindringlichen Bewegungen seinem Bruder bedeutet hatte, wie sich die Sache verhielt, sah, daß sich die Miene Bruns bei dieser Vorstellung umwölkte, und er gab eilig weiteren Hinweis, ehe Brun Einwendungen machen konnte.

»Leute von einem Clan verbinden sich mit denen eines anderen Clans, Brun. Das geschieht oft. Es gab eine Zeit, als die jungen Leute vieler Clans sich zusammentaten, um neue Clans zu gründen. Auch du warst auf der letzten Zusammenkunft des Groß-Clans. Hast du's nicht mehr im Kopf, daß sich da zwei kleine Clans zu einem verbunden haben? Denn beide waren geschrumpft, nur wenige Kinder waren geboren worden, und fast alle starben bald darauf.« Und demnach sei es wirklich nichts Neues, jemand anderen in den Clan aufzunehmen, war Crebs abschließende Vorhaltung gewesen.

Brun legte beschwichtigend die Hand auf des Bruders Schulter. Er gebe zu, manchmal gingen die Leute von einem Clan zu einem anderen. Und ob er, der Mog-ur, denn glaube, daß der Geist ihres Totems sich ihm mitteilen würde, und wenn es geschähe, wie er denn wissen wolle, ob er ihn auch richtig deute? Ihm, Brun, blieben Sinn und Verständnis der Sprache des Mädchens verborgen. Ob der Bruder denn wirklich glaube, ihr Totem zu entdecken, mit ihm sprechen zu können?

Hoch auf richtete sich der Mog-ur nun. Das eine Auge blitzte Brun an, als er vorschlug, es versuchen zu wollen; mit Hilfe des Großen Bären, denn die Geister hätten ihre eigene Sprache, und wenn sie es wollten, daß das Kind ein Kind des Clans würde, dann würde das Totem, das sie beschütze, sich auch erklären wollen.

Brun schluckte schwer. Doch dann trug er wieder seine Zweifel vor: »Aber selbst wenn du mit ihrem Schutzgeist sprechen kannst, welcher Jäger wird sie haben wollen?« Iza und ihr Kleines seien Bürde genug, und man habe nicht so viele Jäger, denn nicht nur der Verlust von Izas Gefährten sei zu beklagen, als die Erde wieder zur Ruhe gekommen war, auch der Sohn von Grods Gefährtin habe den Tod gefunden, ein junger, kräftiger Jäger, ebenso wie Agas Gefährte, und sie habe nicht nur zwei Kinder, sondern auch ihre Mutter am Feuer sitzen.

Schmerz trübte Bruns Augen, als er der Toten des Clans gedachte.

»Und Oga?« klagte Brun weiter; den Gefährten ihrer Mutter hätten die Hörner eines Auerochsen durchbohrt, und ihre Mutter sei zu Tode gekommen, als die Höhle einstürzte. »Ich habe Ebra befohlen, das Mädchen aufzunehmen. Oga ist fast eine Frau. Wenn sie groß genug ist, will ich sie Broud geben.« Einen Augenblick lang behielt Brun den Gedanken an seine eigene Familie im Kopf, schüttelte ihn jedoch ab und beendete seinen Vortrag: »Die Last ist schwer genug für die Männer, die noch übrig sind, Mog-ur. Wenn ich das Mädchen in den Clan aufnehme, wem kann ich dann Iza geben?«

»Du wolltest ihr das Mädchen lassen, bis es größer ist, Brun. Und wem wolltest du sie da geben?« fragte der Einäugige.

Brun kratzte sich im Nacken, und Creb fuhr fort:

»Du brauchst deinen Jägern nicht noch Iza und das Kind aufzubürden, Brun. Ich nehme sie an mein Feuer.«

»Du?«

Crebs Auge funkelte. Beredt unterstrich des Zauberers Hand den Vorschlag. »Ja. Sie sind Frauen. Jungen brauchen die Unterweisung eines Mannes, aber es sind keine Jungen da. Steht mir als Mog-ur nicht der Anteil einer jeden Jagd zu?«

Er habe ihn noch nie gefordert. Und habe ihn noch nie gebraucht. Nun aber sollten alle Jäger den Anteil abtreten, der des Mog-urs sei, dann hätte die Last auch nicht auf einem zu ruhen. Ja, in der neuen Höhle wolle er sein eigenes Feuer entzünden und Iza Schutz und Nahrung geben, wenn kein anderer Mann sie begehrte. Lange Zeit schon teilte er ihr Feuer, und es käme ihn hart an, wenn es jetzt anders würde.

»Iza kann mich pflegen, wenn die Schmerzen wieder in mir bohren; und wenn ihr Kind ein Mädchen ist, nehme ich es auch. Wenn es ein Junge ist...«

Creb zuckte mit den Achseln.

Sinnend betrachtete Brun das Bild, das der Mog-ur ihm entworfen hatte. Ja, es war gut. Eine Erleichterung für alle. Weshalb aber wollte Creb das tun? Iza hatte ihn immer gepflegt, ganz gleich, wessen Feuer sie teilte. Weshalb wollte ein Mann, der so viele Monde gesehen hatte wie er, plötzlich die Bürde kleiner Kinder auf sich nehmen? Weshalb wollte er sich abmühen, ein Kind von fremder Art großzuziehen und zu unterweisen?

Brun erfüllte die Vorstellung, das Mädchen in den Clan aufzunehmen, mit Unbehagen, das körperlich war, so, als hätte er Steine im Bauch. Er wünschte, diese Frage wäre nie aufgetaucht. Noch weniger gefiel ihm der Gedanke, daß ein Fremdling mit ihnen zusammenleben sollte, jemand, der nicht zum Clan gehörte und der nicht seiner Gewalt unterstand. Am besten war wohl, das Mädchen aufzunehmen und so zu erziehen, wie es sich für eine Frau gehörte. Und wenn Creb dazu bereit war, dann sah Brun keinen Grund, es ihm zu verwehren.

Brun senkte die geöffnete Hand.

»Gut, wenn du ihr Totem entdeckst, nehmen wir die Kleine in den Clan auf, Mog-ur. Beide sollen dein Feuer teilen, bis Iza ihr Kind bekommt.«

Und zum ersten Mal hoffte Brun nicht auf die Geburt eines Jungen. Als er die entscheidende Handbewegung gemacht hatte, war es Brun plötzlich sehr leicht ums Herz geworden. Daß Iza so allein war, hatte ihn gequält, aber zunächst war die Bleibe für den Clan vordringliche Sorge gewesen. Creb hatte mit seinem Vorschlag nicht nur Brun, dem Clan-Führer, einen Ausweg aus einer bedrückenden Lage gezeigt, sondern auch Brun, dem Familien-Vater. Denn seit dem Erdbeben, bei dem Izas Gefährte verschüttet worden war, hatte er es in sich hin und her bewegt, was mit Iza zu geschehen habe. Und stets hatte Brun nur den einen Gedanken fassen können: Iza und das Kind, das sie erwartete, und auch Creb waren an seinem eigenen Feuer aufzunehmen. Aber da saßen doch bereits Ebra, seine Gefährtin, Broud und Oga. Das waren einfach zu viele und zu verschiedene, als daß sich alle vertrügen. Es würde nur böses Blut geben.

Ebra verstand sich zwar recht gut mit Iza, aber wie würde es werden, wenn sie gemeinsam an einem Feuer lebten? Brun hatte schon verspürt, daß Ebra eifersüchtig war auf Izas höheren Rang, und Ebra war die Gefährtin des Clan-Führers; in den meisten Clans wäre sie die höchstgestellte Frau gewesen, doch Iza war der hohe Rang angeboren, sie hatte ihn nicht durch ihren Gefährten erworben. Als nun seine Schwester sich des Findlings angenommen hatte, war Brun die Befürchtung aufgestoßen, er müsse auch noch für diesen Sorge tragen. Aber daß es so kommen würde, wie es sich jetzt ergeben hatte, daß der Mog-ur sein eigenes Feuer entzünden und Iza und die Kinder unter seine Fittiche nehmen würde, das wäre früher nie in seinen Kopf gegangen.

Brun begab sich zu den Clan-Leuten, die schon ungeduldig von einem Fuß auf den anderen traten und darauf warteten, daß er ihnen bestätigte, was sie schon ahnten.

»Wir haben eine Höhle gefunden. Wir bleiben.«

»Iza«, sagte Creb und nahm die Schwester sachte am Arm, während sie den Trank aus Weidenrinde für Ayla bereitete. Heute würde er nichts essen.

Diese neigte zustimmend den Kopf, denn sie wußte, daß der Mog-ur mit den Geistern Zwiesprache halten wollte, und das mußte man mit leerem Magen.

Inzwischen begannen die anderen neben dem Bach, etwas unterhalb des sanft abfallenden Hanges, die Lagerstatt aufzuschlagen. Erst wenn die Höhle durch des Mog-urs heilige Handlungen geweiht worden war, konnte Einzug gehalten werden. Obwohl es eigentlich nichts Gutes verhieß, wenn man sich allzu ungeduldig zeigte, fand jeder einen Vorwand, sich nahe genug an sie heranzumachen, um vom Innern einen Blick zu erhaschen. Frauen, die Nahrung suchten, arbeiteten sich wie zufällig bis zur Öffnung vor, gefolgt von den Männern, die vorgaben, ihr Tun zu überwachen. Die Clan-Leute waren erregt, aber heiterer Stimmung. Die Ängste, die sie seit dem Erdbeben heimgesucht hatten, waren mit einemmal verflogen, denn das, was sie von der neuen großen Behausung sahen, sagte ihnen zu; zwar konnte man nicht sehr weit in das dämmrige, lichtlose Loch hineinblicken, doch immerhin erkannte man, daß sie weiträumiger war und viel luftiger als die frühere Höhle. Voll Freude wiesen sich die Frauen auf das moosbewachsene Becken hin, gleich neben der Höhle, welches das Quellwasser auffing; nicht einmal bis zum Bach würde man hinuntergehen müssen. Der Höhlenweihe sahen sie mit freudiger Erwartung entgegen; eines der wenigen heiligen Feste, an denen Frauen teilnehmen durften.

Der Mog-ur raffte seinen Fellumhang und humpelte noch eine Strecke Wegs. Er brauchte Ruhe jetzt und einen Platz, wo er in sich gehen konnte, ohne plötzlich gestört zu werden. Ein warmer Wind strich ihm um den Bart, während er dem eifrig springenden Bach folgte, der weiter unten schon nicht mehr so schnell lief, statt dessen aber immer breiter wurde und schließlich als kräftiger Fluß sich ins Meer ergoß. Creb schaute sich um. Nur ein paar ferne Wolken trübten die Klarheit des spätnachmittäglichen Himmels, und dicht und üppig sprossen Sträucher und Büsche, die er immer wieder zu umgehen hatte.

Ein Rascheln im nahen Gebüsch ließ ihn plötzlich innehalten. Das Land war ihm fremd hier, und sein einziger Schutz war der schwere Stock, auf den er sich beim Gehen stützte, der aber in seiner kraftvollen Hand eine fürchterliche Waffe war. Er hielt ihn schlagbereit, während das Rascheln näher kam und ein Schnauben und Grunzen anhob aus dem dichten Unterholz, begleitet vom Knacken brechender Äste.

Mit einemmal stieß das Tier durch das dichte grüne Laubwerk. Den mächtigen Körper trugen kurze, stämmige Beine, zu beiden Seiten des Rüssels sprangen spitz und scharf die unteren Eckzähne hervor. Ein Keiler. Angriffslustig funkelten ihn die kleinen, rotgeäderten Augen des graumassigen Tieres an, das aber dann zu scharren anfing, den Kopf schnüffelnd in die Erde bohrte und sich so seinen Weg zurück ins Dickicht grub.

Creb seufzte erleichtert und setzte seinen Weg am Bach entlang fort. An einem schmalen, sandigen Uferstreifen hielt er an, breitete seinen Umhang aus, legte den Schädel des

Höhlenbären darauf und setzte sich ihm gegenüber. Dann beschwor er den Geist des Großen Bären und bat ihn um seine Hilfe. Der Kopf fiel ihm auf die Brust, aus dem alle Bilder und Gedanken getilgt waren, in dem jetzt nur noch Platz war für die beiden kleinen Kinder, die erfahren mußten, welches ihr Totem war.

Kinder hatten Creb schon immer gefesselt. Oft, wenn er scheinbar in sich selbst vertieft inmitten der Clan-Leute saß, beobachtete er sie, ohne daß jemand dessen gewahr wurde. Das eine war ein Junge, kräftig und behend, der lauthals brüllte, als man ihn geboren hatte. Und noch immer nuckelte Borg an seiner Mutter herum, grub den Kopf in ihre weichen Brüste und suchte und saugte und stieß dabei leise, grunzende Laute aus. Er erinnerte Creb an den Keiler, dem er eben begegnet war. Der Keiler schien ihm ein Tier, das man achten mußte. Es war schlau. Beim Angriff konnte es auf den kurzen Beinen erstaunlich schnell über den Boden donnern, und die scharfen Hauer mochten böse Wunden reißen. Kein Jäger würde ein solches Totem gering schätzen.

Und Borgs Schutzgeist würde sich heimisch fühlen in der neuen Höhle; gut, ein Keiler also, erkannte Creb. Der Mog-ur war zufrieden mit der Wahl, bündelte wieder seine Sinne und richtete sie auf das andere Kind. Ona, deren Mutter ihren Gefährten bei dem Erdbeben verloren hatte, war nicht lange vor diesem Schrecknis geboren worden. Ihr Bruder Vorn, der noch nicht lange laufen konnte, war jetzt der einzige männlichen Geschlechts an diesem Feuer.

Aga brauchte bald einen anderen Gefährten, ging es dem Zauberer durch den Kopf, einen Gefährten, der auch ihre Mutter Aba beschützt. Aber das ist Bruns Sorge, ich muß an Ona denken.

Für gewöhnlich brauchten Mädchen sanftere Totems. Das Schutzzeichen einer Frau durfte nicht stärker sein als das eines Mannes, weil es sonst die Fruchtbarkeit spendenden Kräfte abwehrte, und dann trug die Frau niemals Kinder. Das Bild Izas entstand vor seinem Auge. Viele, viele Monde lang hatte sich ihr Totem, die Steppenantilope, dem ihres Gefährten überlegen gezeigt. Aber war es wirklich so stark? Dem Mog-ur ging die Frage oft durch den Kopf. Seine Schwester hatte mehr Wissen über zauberische Kräfte, als man gemeinhin annahm, und dem Mann, dem sie gegeben worden war, war sie höchst abgeneigt gewesen, was Creb ihr jedoch nicht verargen konnte. Hatte sie doch alles ertragen und nicht allzuviel nach außen dringen lassen; aber der Zwist zwischen ihnen war zu spüren gewesen. Jetzt würde er, der Mog-ur, sich um sie kümmern, wenn auch nicht als ihr Gefährte.

Niemals konnte Creb mit Iza, die seine Schwester war, zusammengegeben werden; es hätte gegen Brauch und Überlieferung verstoßen. Und schon lange war es her, seit er eine Frau als Gefährtin begehrt hatte. Iza war eine gute Frau. Sie kochte für ihn und besorgte sein Feuer. Und wenn jetzt noch Ayla hinzukäme? Als wenn er schon am Feuer säße, verspürte Creb den Anflug einer sanften Wärme, da er daran dachte, wie ihre dünnen Ärmchen ihn umfangen hatten. Später, ermahnte er sich und vertrieb das Bild, zuerst Ona.

Sie war ein stilles, doch aufmerksames Kind, das ihn oft aus großen, runden Augen anschaute. Alles beäugte sie mit stummer Wißbegierde. Nichts, so schien es, entging ihr. Das Bild einer Eule kam ihm vor Augen. Zu stark? Sie ist ein räuberischer Vogel, dachte er; jagt aber nur kleine Tiere, beschwichtigte er. Denn wenn eine Frau ein starkes Totem hat, dann muß ihr Gefährte ein viel stärkeres haben. Kein Mann, über den nur ein schwacher Schutzgeist wachte, konnte eine Frau mit dem Totem der Eule zur Gefährtin nehmen. Aber vielleicht brauchte sie einen Mann mit einem starken Schutzgeist. Also soll es eine Eule sein, beschloß der Mog-ur. Alle Frauen brauchen Gefährten mit starken Schutzgeistern. Habe ich darum niemals eine Gefährtin bekommen? fragte sich Creb. Wie groß ist der Schutz, den ein Reh geben kann? Izas Totem ist stärker. Viele Sommer waren vergangen, seit Creb das letztemal seines Totems, des sanften, scheuen Rehs, gedacht hatte, das, dem Keiler gleich, in diesen dichten Wäldern lebte. Der Zauberer war einer der wenigen, der zwei Totems hatte: Das Zeichen Crebs war das Reh; das Zeichen für den Mog-ur war der Höhlenbär.

Dieses Tier, ein mächtiger Pflanzenfresser, der seinesgleichen an Größe weit überragte, auf zwei Beinen beinahe doppelt so hoch stand wie sie und dessen gewaltiger, zottiger

Körper dreimal ihr Gewicht hatte, dieser größte Bär, den die Erde je gesehen hatte, geriet selten in Zorn. Doch einmal hatte es sich begeben, als eine erschrockene Bärin einen krüppligen Jungen angriff, der, in seine Träume vertieft, ihren Jungen zu nahe gekommen war, und ihn zu Boden schlug. Erst später fand man den Jungen, blutüberströmt, das halbe Gesicht zerfetzt, ein Auge herausgerissen. Seine Mutter hatte ihm unterhalb des Ellenbogens den nutzlosen gelähmten Arm abgenommen, den die riesige Bärin zermalmt hatte, und ihn gesundgepflegt. Nicht lange danach war das verwachsene und zerschundene Kind Gehilfe des Mog-urs geworden, der dem Jungen verriet, daß der Bär gerade ihn, Creb, erwählt, geprüft und würdig befunden hätte und ihm sein Auge genommen zum Zeichen, daß er von nun an unter seinem Schutz stünde. Creb sollte seine Narben mit Stolz tragen, sie wären das Zeichen seines neuen Schutzgeistes, seines Totems.

Niemals ließ der Große Bär es zu, daß sein Geist von einer Frau geschluckt wurde, die ein Kind gebären sollte. Und Schutz gewährte er erst nach einer Prüfung. Wenige waren hierzu auserwählt; und noch weniger überlebten. Creb hatte sein Auge verloren, doch es schmerzte ihn nicht mehr. Heute war er der große Mog-ur. Und kein Zauberer zuvor hatte je seine Macht gehabt; die Macht des Bären, den der Mog-ur jetzt um Beistand bat.

Die eine Hand um das Amulett geschlossen, das an seinem Hals hing, beschwor er den Geist seines großen Beschützers, ihm den Geist des Totems zu entbergen, der das Fremdlingskind beschützte. Gewaltig schwollen die Adern an seinen Schläfen, sein Auge saugte sich in die leeren Blicklöcher des Bärenschädels, der allmählich sich auflöste und Aylas Gestalt annahm. Und wieder sah er sie auf die Höhle zugehen, bar jeglicher Zagheit und Angst. Und vorher? Offen hatte sie sich zu ihm bekannt, hatte Furcht weder vor seiner Ungestalt noch vor dem Mißfallen des Clans gezeigt. Wißbegierig war sie, und ihr Kopf begriff rasch, als wäre sie ... Ayla begann zu verschwimmen, und statt ihrer entstand ein Bild, das Creb mit einemmal den Atem raubte. Nein, das konnte nicht sein! Sie wird doch eine Frau, hämmerte es in seinen Schläfen, das ist kein weibliches Totem! Er verdrängte das Geschaute und ließ Ayla wieder ihren Weg zur Höhle nehmen. Doch wieder zerfloß die Höhle mit dem Kind, und zum zweiten Mal begann sich das Unglaubliche zu bilden.

Er sah Höhlenlöwen, ein Rudel war es, das träge in der heißen Sonne der offenen Steppe lag, zwei junge darunter. Das eine Jungtier tollte tapsig durch das hohe Gras, beschnüffelte neugierig die Erdlöcher kleiner Nager und knurrte forsch. Später würde es bestimmt zur mächtigen Löwin werden, zur unerschrockenen Jägerin. Doch jetzt sprang es auf den zottiggemähnten Löwen, hob furchtlos seine kleine Tatze und schlug nach dessen mächtiger Schnauze. Bedächtig schob der herrisch Gemähnte das Kleine hinunter und hielt es mit schwerer Pranke; dann leckte er es mit langer, rauher Zunge.

Und wiederum versuchte Creb, dieses Bild zurückzustellen, von seinem Auge wegzuschieben, bis es wieder Ayla sah, das Mädchen, das aber nicht mehr zur Höhle ging, sondern bei den Löwen spielte.

Des Mog-urs Körper begann zu zittern, als er das Zeichen erkannte: ein Höhlenlöwe! Das Bild wirbelte wild in seinem Kopf. Plötzlich durchzuckte es ihn jäh und scharf. Das kann doch nicht sein. Keine Frau kann einen so mächtigen Schutzgeist haben. Und mit welchem Mann könnte sie sich je vereinigen?

Niemand im Clan hatte das Totem des Höhlenlöwen, kaum einer unter den Männern aller Clans hatte es. Und wieder sah er vor sich Ayla, das hochaufgeschossene, magere Kind mit den geraden Armen und Beinen, dem flachen Gesicht unter der hohen gewölbten Stirn; farblos und ausgebleicht, selbst die Augen. Sie wird eine häßliche Frau werden, dachte der Mog-ur. Und überhaupt, wird je ein Mann sie haben wollen? Aber hat je eine Frau mich haben wollen? Vielleicht wird sie auch nie ihr Feuer mit jemandem teilen können. Sie wird den Schutz eines starken Totems brauchen, wenn sie sich alleine durchbringen muß. Aber einen Höhlenlöwen? Tief grub Creb in seinem Kopf nach der Erinnerung, ob es im Groß-Clan jemals eine Frau gegeben hatte, deren Totem ein Höhlenlöwe gewesen war.

Aber sie gehörte ja nicht zum Clan, und alles deutete darauf hin, daß sie starken Schutz genoß, sonst wäre sie doch längst nicht mehr am Leben; sie wäre von jenem Höhlenlöwen getötet worden. Und dann stand es klar vor seinen Augen, das Bild, wie Ayla mit den Löwen spielt und der alte sie angreift. Angreift? Nicht doch, auf die Probe gestellt, geprüft mit der Macht seiner Pranke! Ein kalter Schauder des Begreifens kroch Crebs Rücken hinauf. Jetzt stand es fest und unerschütterlich in seinem Kopf, das Bild. Nicht einmal Brun kann da mißtrauen, dachte er. Der Höhlenlöwe selbst hatte sie mit seinen Krallen gezeichnet, wie bei der Weihe zur Mannbarkeit, wo dem Jüngling, dem der Höhlenlöwe als Schutzgeist gegeben ist, vier nebeneinanderliegende Linien in den Oberschenkel geritzt werden.

Doch Ayla war eine Frau, und das Mal war das gleiche! Creb war verwirrt darüber, daß ihm das nicht früher aufgefallen war. Bestimmt hatte der Löwe gewußt, daß sich die Leute im Clan sehr schwer tun würden, das Totem des Mädchens anzunehmen. Und deshalb hatte er selbst ihm das Zeichen mitgegeben, und zwar so deutlich, daß es niemand als etwas anderes ausgeben konnte, als es war: das Zeichen des Groß-Clans. Ja, der Höhlenlöwe will, daß sie unter uns lebt; er hat ihre Leute genommen, damit sie mit uns leben muß. Aber warum? Eine dumpfe Bedrückung legte sich auf das Herz des Zauberers, das gleiche Gefühl, das er verspürt hatte, als man das Kind fand.

Der Mog-ur schüttelte sich. Nie zuvor hatte sich ihm ein Schutzgeist mit solcher Klarheit enthüllt. Das, dachte er, war es, was ihm Angst machte. Der Höhlenlöwe ist ihr Totem. Er hat sie auserwählt, so wie der Höhlenbär mich auserwählte. Langsam löste der Zauberer seinen Blick aus den dunklen Augenhöhlen des Bärenschädels, vor dem er lange gehockt hatte. Er war erleichtert und bedrückt zugleich. Warum nur, warum brauchte dieses kleine Mädchen so mächtigen Schutz?

4

Schwarzbelaubte Bäume wiegten ihre Kronen sachte im kühlenden Abendwind, riesenhafte Schemen tanzender Zauberer vor einem blutroten Himmel. Im Clan-Lager war Ruhe eingekehrt. Der dämmrige Schein glühender Holzkohle half Iza bei der Durchsicht mehrerer kleiner Beutel, die in geordneten Reihen auf ihrem ausgebreiteten Umhang lagen. Hin und wieder warf sie einen Blick in die Richtung, in der Creb davongegangen war. Sie war in Unruhe um ihn, da er allein, ohne Waffen in unbekannten Wäldern weilte. Das Kind schlief schon. Fahrig zupfte sie an der Felldecke. Die Sorge der Frau wuchs, je mehr das Licht des Tages schwand.

Noch am Mittag hatte sie sich die Pflanzen angesehen, die rings um die Höhle wuchsen. Dort konnten ja welche sein, mit denen ihr Vorrat an Heilkräutern aufgefüllt und erweitert werden konnte. Unentbehrliches trug sie stets in ihrem Otterfellbeutel bei sich, aber das, was die kleinen Beutel an getrockneten Blättern, Blumen, Wurzeln, Knöllchen, Körnern und Rindenstückchen enthielten, war nur das Allernötigste. In der neuen Höhle war Platz für mehr.

Endlich erblickte Iza die hinkende Gestalt des alten Zauberers. Erleichtert sprang sie auf, um dem Bruder das Essen zu wärmen und Wasser heißzumachen für seinen Kräutertrank. Schlurfend kam er heran und ließ sich neben ihr nieder, als sie gerade ihre kleinen Beutel wieder wegsteckte.

»Was macht das Kind?« Creb deutete auf das Fellbündel, das sich regelmäßig hob und senkte.

»Sie hat einen ruhigeren Schlaf und kaum noch Schmerzen. Sie hat dich nochmal beim Namen genannt, Creb.«

Der Mog-ur brummte erfreut. »Mach bei Sonnenaufgang ein Amulett für sie, Iza.«

Die Frau neigte den Kopf. Dann sprang sie wieder auf, nicht nur, um nach Essen und Wasser zu sehen; die Freude, daß Ayla bliebe, ließ sie einfach nicht still sitzen bleiben. Creb hat mit ihrem Totem Verbindung aufgenommen, dachte Iza, und ihr Herz klopfte laut vor Erregung. Die Mütter der beiden anderen Kinder hatten heute Amuletts gemacht. Und jeder sollte es sehen. Bald, bei der Höhlenweihe, würde ihnen das Totem ihrer Kinder offenbart. Oh, alles ließ sich so gut an! War Creb deshalb so lange weggewesen? Es mußte schwer gewesen sein für ihn. Gerne hätte Iza gewußt, welchen Schutzgeist Ayla hatte, doch sie unterdrückte ihre Neugierde. Creb würde es ihr ohnehin nicht sagen, und sie würde ihn bald genug erfahren.

Sie brachte dem Bruder das Essen und stellte auch sich noch etwas zu trinken hin. Ruhig saßen die Geschwister beieinander. Zuweilen krachte es im Feuer, als ein Stück Holzkohle heraussprang, oder etwas Rauch quoll auf, als kleine, gelblichgrüne Flammen frischgebrochene Äste umzüngelten. Sie waren die einzigen, die noch wachten.

»Bei Tagesanbruch ziehen die Jäger aus«, meinte Creb. »Wenn sie gute Beute machen, wird die Höhle am Tag danach geweiht. Bist du bereit?«

»Ja, ich bin bereit.«

Iza hielt ihm einen Beutel vors Gesicht. Er war anders als die übrigen. Sie hatte ihn aus der Haut eines Höhlenbären gefertigt und in das Fett, mit dem die Haut bearbeitet worden war, feinzerstampften roten Ocker gemischt, so daß die Haut in einem tiefen Rotbraun glänzte. Keine der anderen Frauen nannte einen Gegenstand im heiligen Rot ihr eigen; jeder allerdings trug in seinem Amulett ein Stück des roten Ockers.

Und dieser Beutel war das Kostbarste, was Iza besaß.

»Ja, Creb, wenn die Nacht um ist, werde ich mich fertig machen.«

Der Bruder brummte zustimmend; die übliche Antwort der Männer auf die Bemerkung einer Frau, mit der bekundet wurde, daß man sie zwar gehört habe, aber auf eine Stellungnahme verzichte.

Eine Zeitlang verharrten beide stumm und reglos. Dann stellte Creb die kleine Schale nieder, aus der er getrunken hatte, wandte sein Gesicht langsam zur Schwester und blickte sie durchdringend an.

»Der Mog-ur wird dir und Ayla Schutz und Nahrung geben und auch deinem Kind, wenn es ein Mädchen wird. In der neuen Höhle sollst du mein Feuer teilen, Iza«, schloß der Zauberer, griff nach seinem Stock, stemmte sich hoch damit und humpelte zu seinem Schlafplatz.

Iza hatte sich erheben wollen, doch als sie Crebs Entschluß vernommen, sank sie wie vom Donner gerührt zusammen. Alles hätte sie erwartet. Aber daß ihr Bruder... Ja, sie hatte es hin und her gewendet im Kopf und wohl bedacht, daß nun, da ihr Gefährte vom Beben zermalmt und eine neue Höhle gefunden war, ein anderer Mann für sie sorgen mußte. Doch was sie fühlte, hatte nichts zu sagen. Brun hätte sich nicht mit ihr beraten, und er hätte sie jedem der Männer geben können.

Droog zum Beispiel; der war allein, seit Goovs Mutter bei dem Beben getötet worden war. Iza achtete Droog. Er fertigte das beste Werkzeug im Clan. Ein jeder der Männer verstand zwar, einen Brocken Flintstein zu behauen, um sich daraus eine grobe Handaxt oder einen Schaber zu machen, aber Droog besaß besonderes Geschick. Er wußte den Stein so vorzuformen, daß die Splitter, die er herunterhieb, genau die Form und Größe besaßen, die er wünschte. Seine Stichel, Schaber, Kratzer, Bohrer und Klingen wurden hoch gerühmt. Wenn Iza unter den Männern des Clans hätte wählen dürfen, dann hätte sie Droog genommen.

Aber Iza hatte es sich schon im Kopf zurechtgelegt, daß man Droog wohl mit Aga zusammengeben würde. Aga war jünger als sie und schon Mutter zweier Kinder, und ihr Sohn Vorn würde bald von einem Jäger in die Zucht genommen werden müssen, und Ona, seine Schwester, brauchte jemanden, der für sie sorgte, bis sie groß genug war, selbst einen Gefährten haben zu können, und Droog war sicher bereit, auch Agas Mutter, Aba, aufzunehmen, denn die alte Frau brauchte ebenso wie ihre Tochter einen Platz, an den sie gehörte. Diese Vermehrung der Zahl der Köpfe um sein Feuer würde das Leben des ruhigen, sorgsamen Werkzeugmachers gründlich verändern; Aga konnte so launenhaft sein wie das Frühlingswetter, und sie hatte nicht den feinen heiteren Sinn für andere, wie Goovs Mutter ihn gehabt hatte. Aber Goov würde bald sein eigenes Feuer entzünden, und Droog brauchte eine Frau.

Goov kam als Gefährte überhaupt nicht in Betracht. Er war zu jung, kaum ein Mann, und hatte noch nicht ein Mal mit einer Frau zusammengelegen. Brun würde ihm doch keine alternde Frau geben, und Iza hätte sich mehr als Mutter denn Gefährtin gefühlt.

Und mit Grod und Uka zusammenzuleben und dem Mann, welcher der Gefährte von Grods Mutter gewesen war, Zoug? Grod war ein in sich gekehrter Mann, aber niemals grausam, Brun treu ergeben. Es hätte ihr nichts ausgemacht, mit Grod zusammenzuleben, obwohl sie die zweite Frau gewesen wäre. Doch Uka, Ebras Schwester, hegte noch immer einen leisen Groll gegen Iza, die ihre Schwester um den höchsten Rang im Clan gebracht hatte; und seit dem Tod ihres Sohnes war Uka traurig und unzugänglich. Nicht einmal Ovra, ihre Tochter, konnte den Schmerz der Frau zerstreuen. Es ist zuviel Kummer an diesem Feuer; Iza schüttelte den Kopf.

Daß sie jemals Crugs Feuer teilen würde, war ausgeschlossen. Ika, seine Gefährtin und die Mutter von Borg, kannte Iza als offene junge Frau. Aber das war es ja: beide waren sie so jung. Und mit Dorv, dem alten Mann, einst der Gefährte von Ikas Mutter, der mit am Feuer der beiden saß, war Iza nie sehr gut zurechtgekommen.

So blieb nur Brun. Aber bei ihm hätte sie nicht einmal die Stellung einer zweiten Frau bekommen, da er ihr Bruder war. Es machte nichts; sie hatte ja den Rang, der ihr von Geburt gegeben war. Sie konnte ihr eigenes Feuer machen, nicht so wie die arme Alte, welche einem anderen Clan angehört, ihren Gefährten schon lange zuvor verloren und auch noch keine Kinder gehabt hatte und die von Feuer zu Feuer geschoben worden war, immer eine Last; eine Frau ohne Rang, ohne Wert, die froh sein durfte, daß sie seit dem Beben im Reich der Toten weilte.

Daß sie jedoch mit Creb das Feuer teilen, daß er für ihre Nahrung und ihren Schutz sorgen würde, war ihr niemals einer Überlegung wert gewesen. Es gab im ganzen Clan niemanden, dem sie sich enger verbunden fühlte. Und Creb mochte Ayla. Das spürte sie. Iza faßte sich an die schweren Brüste und strich sich über den tropfenförmigen Bauch. Aus tiefstem Herzen entstieg ihr der Wunsch, keinen Jungen zur Welt zu bringen. Denn ein Junge mußte mit einem Mann zusammenleben, der ihn zum Jäger zu machen hatte, und Creb – Creb war ein Krüppel.

Ich könnte den Trank nehmen, um das Kind zu verlieren, ging Iza durch den Kopf. Dann wäre ich sicher. Sie preßte beide Hände auf den Kinderhort über ihren Beinen und wußte, daß schon Leben in ihm war. Entschieden schüttelte sie den Kopf. Es war zu spät. Es hätte gefährlich werden können. Sie fühlte, daß sie das Kind haben wollte, und obwohl sie nicht mehr jung war, trug sie nicht sonderlich schwer an der Leibesfrucht, denn sie wußte, was für Frauen wie sie gut war.

Allen Kindern im Clan hatte Iza ans Licht geholfen; ihre Erfahrung, aber auch ihre Kräuter teilte sie großzügig mit den Frauen. Jedoch einen Zauber gab es, der, von der Mutter auf die Tochter gekommen, so geheim war, daß die Medizinfrau eher ihr Leben gelassen hätte, als ihn preiszugeben.

Und nur deshalb war es ihr gelungen, weil keiner, nicht Mann noch Frau, ihre Zauberkräfte befragen durfte. Was sie im Kopf hatte, konnte sie mitteilen, wenn einer Neugier bekundete, doch keiner durfte fragen.

Nie ließ Iza etwas von der Zauberhandlung ahnen, die sie selbst bei sich schon vorgenommen und mit der sie äußerst sicher die ungewünschte Empfängnis zu verhindern gewußt hatte. Niemals wäre es dem rüden Mann, der ihr Gefährte gewesen war, in den dicken Kopf gekommen, sie zu fragen, warum sie nicht endlich auch gebären würde. Er hatte geglaubt, ihr Totem wäre zu stark für eine Frau, und ihr das oft zu verstehen gegeben und bei den anderen Männern darüber geklagt, daß die Kraft seines Schutzgeistes die des ihren nicht zu überwinden vermochte. Iza setzte die Kräuter nur ein, weil sie Schande über ihren Gefährten bringen wollte und ihn und den ganzen Clan glauben machen, die zeugende Kraft seines Totems wäre zu schwach, die Kräfte des ihren zu brechen, obwohl er sie schlug.

Denn er schlug sie, wie er vorgab, um ihren Schutzgeist niederzuzwingen. Doch Iza spürte genau, daß er es mit Lust tat. Anfangs hoffte sie, ihr Gefährte würde sie einem anderen Mann geben, wenn sie keine Kinder hervorbrachte. Sie empfand schon glühenden Abscheu vor diesem Großmaul, noch ehe sie mit ihm zusammengegeben wurde. Und als sie es wußte, konnte sie nichts dagegen tun. Doch ihr Gefährte gab sie nicht fort. Iza war Medizinfrau, die höchstgestellte Frau im Clan, und es schmeichelte seiner Männlichkeit, ihr gebieten zu können. Als der Glaube an die Kraft seines Totems und an seine Männlichkeit ins Wanken geriet, weil seine Gefährtin kein Kind gebar, hielt er sich dafür schadlos und setzte die Kraft seines Körpers gegen sie ein.

Iza war, als würde sie noch heute die wunden und schmerzenden Stellen spüren, die er ihr geschlagen hatte.

Obwohl Knüffe, Püffe und auch Schläge erlaubt waren, weil man hoffte, dadurch würde die Empfängnis eines Kindes gefördert, hatte Iza gespürt, daß sie Brun mißfielen; wäre er schon zu jener Zeit der Clan-Führer gewesen, so wäre sie diesem Mann nicht gegeben worden. Das wußte sie. In Bruns Augen bewies ein Mann seine Männlichkeit nicht dadurch, daß er Frauen drangsalierte. Es war eines Mannes unwürdig, mit Schwächeren zu kämpfen oder sich von einer Frau aus dem Gleichgewicht bringen zu lassen. Es war einem Mann aufgegeben, den Frauen zu befehlen, zu züchtigen, wenn's nötig war, zu jagen und Nahrung zu beschaffen, Herr seiner Gefühle zu bleiben und den Schmerz nicht zu zeigen, wenn er litt. Der Mann durfte eine Frau stupfen und stoßen, wenn sie faul war oder dreist, aber nicht im Zorn und nicht aus Lust. Es gab Männer, die Frauen häufiger verprügelten als andere, aber kaum einer machte sich das Schlagen zur Gewohnheit. Nur Izas Gefährte tat das, und als Creb sich ihrem Feuer zugesellt hatte, war es ihm erst recht nicht eingefallen, sie fortzugeben.

Denn Iza war nicht nur die Medizinfrau, sie war auch die Frau, die für den Mog-ur kochte. Einige Zeit hatte Izas Gefährte die Clan-Leute glauben machen wollen, der große Zauberer enthüllte ihm seine Geheimnisse. Doch in Wahrheit war Creb sehr kühl zu dem Mann gewesen, wenn er auch die Formen des Umgangs beachtete, und oft hatte er ihn keines Blickes gewürdigt.

Iza hatte jedoch weiterhin ihre zauberkräftigen Kräuter angewendet, und als sie dann dennoch eines Tages sah, daß ihr Leib zu schwellen begann, es still hingenommen. Irgendein Geist war nun endlich doch über Totem und Zauber siegreich geblieben. Vielleicht der seine? Doch wenn die lebensspendende Kraft seines Totems obsiegt hatte, dachte Iza, warum war er ihrem Gefährten nicht zur Seite gestanden, damals, als die Höhle einstürzte? Eine letzte Hoffnung blieb ihr. Sie wünschte, eine Tochter zu gebären, ein Mädchen, das die neue Achtung, die er sich erworben hatte, mindern, aber auch das Wissen und das Tun der Mutter fortführen und erweitern würde. Wenn sie einen Sohn bekäme, dann wäre die Ehre ihres Gefährten wiederhergestellt; ein Mädchen hingegen ließ zu wünschen übrig. Aber nur, wenn sie ein Mädchen gebar, konnte sie mit Creb zusammenbleiben.

Mit einer raschen Bewegung riß sich Iza von diesen Gedanken an das Gewesene los, steckte ihren Kräuterbeutel, den sie immer noch in der Hand gehalten hatte, weg und kroch unter das Fell neben das ruhig schlafende Kind. Ayla hat das Wohlgefallen der Geister, sagte Iza zu sich. Sie hat die neue Höhle gefunden, und sie darf bei mir bleiben, und wir werden Crebs Feuer teilen. Vielleicht erreiche ich es auch, und sie lassen mich einer Tochter das Leben schenken. Behutsam legte die Frau ihren Arm um Ayla und schmiegte sich dicht an den warmen kleinen Körper.

Als es hell war – die Männer hatten sich schon längst aufgemacht –, und gegessen hatte man auch schon, winkte Iza dem Kind, wandte sich dem Wald zu und nahm den Bach als Richtungsweiser. Während sie am Wasser entlangwanderten, hielt die Medizinfrau Ausschau nach brauchbaren Pflanzen. Es dauerte auch nicht lange, da entdeckte Iza auf der anderen Seite eine sonnenbeschienene Lichtung. Auf moosbewachsenen Steinen übergingen sie das Wasser. Fußhohe Gewächse erwarteten sie. Die mattgrünen Blätter saßen an langen Stengeln, die Rispen kleiner, dicht zusammengedrängter grünlicher Blüten krönten. Iza grub eines samt seiner roten Wurzeln aus. Dann näherte sie sich mit sicherem Schritt einer sumpfigen Wiese, wo sie Wasserfarne fand und ein Stück weiter bachaufwärts Seifenkraut. Bei allem sah ihr Ayla voll Neugier zu, immer mit der Nase da, wo Iza gerade hantierte.

Sie kehrten zum Lager zurück, und Ayla beobachtete, wie die Frau einen festgeflochtenen Weidenkorb mit Wasser füllte und die Farnpflanzen und heiße Steine aus dem Feuer hineingab. Eng kauerte das Mädchen daneben, während Iza aus dem Umhang, in dem sie das Kind getragen hatte, mit einer scharfkantigen Steinklinge ein Stück herauszuschneiden begann. Die weiche, geschmeidige Haut, deren Brechen man durch eingeriebenes Fett verhindert hatte, war zäh, aber das Gerät durchtrennte sie mit Leichtigkeit. Mit einem anderen Stein, zu einer Spitze zugehauen, bohrte Iza Löcher in den Rand des gerundeten Fleckchens. Dann drehte sie zähe, dünne Stammholzfasern eines niedrigstehenden Gesträuchs zusammen, fädelte sie durch die Löcher und zog sie mit beiden Händen zu. Der Beutel war fertig. Mit einem raschen Hieb der Steinklinge – Droog hatte sie gefertigt – kappte sie ein Stück des langen Riemens, der ihren Umhang zusammenhielt.

Als das Wasser im Korb endlich heiß war, nahm Iza eine wasserdichte Binsenschale sowie die anderen Pflanzen, die sie vorher gesammelt hatte, und ging zum Bach. Ayla immer hinter ihr. Sie liefen so lange das Ufer ab, bis sie zu einer Stelle kamen, wo es sich in sanfter Neige zum Wasser abschrägte. Iza suchte sich einen runden Stein, den sie gut in der Hand zu halten vermochte, legte das Seifenkraut in die Mulde einer Felsplatte nahe dem Bach und gab Wasser dazu. Mit raschen, sicheren Bewegungen beklopfte sie das Seifenkraut mit dem Stein, so daß sich üppiger Schaum entwikkelte. Iza nahm ihr Steinzeug und anderes aus den Falten ihres Umhangs, löste den Gürtel und warf den Umhang ab. Sorgsam zog sie ihr Amulett über den Kopf und legte es obenauf.

Ayla jauchzte hellauf, als Iza sie bei der Hand nahm und in den Bach hineinführte. Ihr geliebtes Wasser! Doch nachdem Iza sie gründlich naß gemacht hatte, wurde sie herausgeschoben, auf eine Felsplatte gesetzt und von Kopf bis Fuß mit Seifenschaum gerieben. Nachdem Iza die Kleine dann noch getaucht und abgespült hatte, besah sie deren Kopf mit den verfilzten Haaren. Entschlossen machte sie eine Handbewegung und drückte dabei die Augen zu. Ayla verstand nicht, doch als sie die Frau nachahmte, nickte Iza. Da begriff sie, daß sie die Augen zu schließen hatte. Der Kopf wurde ihr nach vorn gedrückt, und schon rann die warme Flüssigkeit aus der Schale mit dem Wasserfarn darüber, und Izas Hände kneteten kräftig und wuschen das Haar aus. Nach einem zweiten Bad im kalten Bach zerstampfte Iza Wurzel und Blätter des Krautes von der Lichtung und rieb der Kleinen das Gemisch ins Haar, die sie dann ein letztes Mal ins Wasser tunkte. Anschließend wusch sich Iza selbst.

Während sie so am Ufer saßen und sich von der Sonne trocknen ließen, zog Iza mit den Zähnen kleine Zweige von einem Ast und entwirrte damit das zerzauste Haar des Kindes und ihr eigenes. Sie hob die schweren Brauen, als sie merkte, wie fein und weich Aylas helles Haar war. Heimlich betrachtete sie das Kind von der Seite, dessen Haut die Sonne gebräunt hatte, die aber noch immer heller schimmerte als ihre eigene. Iza fand das magere, hellhäutige kleine Mädchen mit den wäßrigen Augen eigentlich grundhäßlich. Armes Kind. Wie sollte sie da je einen Gefährten finden?

Iza legte den Finger an die Nase und schloß die Augen. Wenn sie keinen bekommt, ging es ihr durch den Kopf, wie soll sie dann Rang gewinnen? Später könnte es ihr so ergehen wie der Alten, die die Erde begrub. Wenn sie meine Tochter wäre, stünde ihr Rang und Ansehen zu. Und wenn ich sie in der Heilkunst unterweise? Das würde ihr Wert geben. Und wenn mein Kind ein Mädchen wird, kann ich sie beide unterweisen. Eines Tages würde der Clan eine neue Medizinfrau brauchen. Und wenn Ayla die Zauberkraft besitzt, nimmt der Clan sie vielleicht an. Und vielleicht findet sich dann sogar ein Mann, der sie zur Gefährtin nimmt. Sie wird doch in den Clan aufgenommen, warum kann sie dann nicht meine Tochter sein? In Izas Augen war das fremde Kind schon zu eigen Fleisch und Blut geworden.

Sie blickte auf, sah, daß die Sonne schon sehr hoch stand, und erhob sich, das Amulett fertigzumachen und den Wurzeltrank zu bereiten.

»Ayla«, rief sie dem Kind zu, das schon wieder zum Bach gerannt war.

Folgsam kam das Mädchen angelaufen. Iza befühlte ihr Bein und stellte fest, daß das Wasser den Schorf aufgeweicht hatte. Doch die Wunde heilte gut. Eilig hüllte sich Iza wieder in ihren Umhang. Nachdem sie am Lagerplatz ihren Grabstock und den neuen kleinen Beutel geholt hatte, führte sie das Kind zu der Felsnase des Berggrats. Von hier aus war ihr eine Erdschrunde aufgefallen, gleich auf der anderen Seite, deren Wände an manchen Stellen gerötet waren. Es war dem Ort nahe, wo sie angehalten hatten, ehe Ayla ihnen die Höhle gezeigt hatte. Als sie davorstanden, stocherte Iza mit ihrem Stock in der rissigen Erde herum, bis mehrere kleine Brocken roten Ockers herausbrachen. Sie hob ein paar kleine Stücke auf und hielt sie Ayla hin. Das Mädchen betrachtete sie, wußte nicht recht, was von ihr erwartet wurde. Dann berührte sie zaghaft einen der Brocken. Iza steckte einen kleinen Klumpen in den neuen Beutel, den sie wieder in einer Falte ihres Umhangs verbarg. Ehe sie kehrtmachte, blickte sie ins Land hinein, wo man eine Anzahl kleiner Gestalten sah, die sich weit unten über das flache Grün bewegten. Die Jäger. Sie waren früh am Morgen aufgebrochen.

Lange Zeit zuvor hatten Männer und Frauen, die weit einfacher gewesen waren in Regungen, Bewegungen und Gebärden als Brun und seine Jäger, die sich noch oft auf Füßen und Händen abstützten, wenn sie beschwerliche Strecken zu überwinden hatten, das Jagen auf Lebendes erlernt, indem sie ihre Widersacher, die räuberischen Tiere, beobachteten und nachahmten. So hatten diese Erdlinge, denen zwei scharfe, ausgeprägte Zähne in den vorderen Ecken ihres Gebisses gegeben waren, die sich aber bei den Clan-Leuten schon lange zurückgebildet hatten, erkannt, daß man, wie die Wölfe, gemeinschaftlich Beutetiere erlegen konnte, die weit größer und kräftiger waren als man selbst. Und nach und nach hatten sie erkannt, daß auch mit Hilfe von Geräten, Werkzeug und Waffen, anstelle der Klauen und Fangzähne, riesige Tiere zu erlegen waren.

Und weil Schweigen geboten war, wenn das Wild, dem sie auflauerten, nicht gewarnt sein sollte, hatten die grobknochigen, fingerfüßigen Erdlinge begonnen, sich durch Zeichen zu verständigen, die sich dann allmählich zu den vielfältigen und feinsinnigen Gebärden entwickelten, mit denen man heute sich im Clan mitteilte. Das Warngeschrei, ein rasches, jähes Ausstoßen der Luft aus dem aufgerissenen Mundschlund, hatte durch das Hinzuwachsen einer feineren Kehle die große Wandlung erfahren, sich zu einer buntlautigen Stimmungsäußerung entwickelt. Das Geschrei war zum Gerede geworden.

Beim ersten Lichtschimmer waren die Männer aufgestanden und hatten sich fertig gemacht. Sie rieben sich den Schlaf aus den Augen und sahen zu, wie die Sonne zunächst ihre Strahlen, Spähern gleich, vorausschickte, sich vorsichtig über den Rand der Erde hinterherschob und dann als stolze Siegerin über die Nacht den neuen Tag beschien. Dort, wo sie mühsam heraufgekrochen war, stand eine riesige Wolke braungelben Lößstaubs in der Morgenluft. Das Gewoge einer vielköpfigen Wildherde, die sich nickend, rupfend und schlingend durch das zarte Grün fraß und in ihrer ganzen Breite einen kahlen und zerstampften Boden, durchmengt mit Harn und Kot, zurückließ.

Als die Jäger die Vorberge durchstiegen hatten und das taufrische Steppengras unter den Fußsohlen und an den Schenkeln spürten, fielen sie in eine schnellere Gangart und machten sich gegen den Wind an die Herde heran. Als sie nahe genug waren, kauerten sie sich tief ins hohe Gras und beobachteten die mächtigen Tiere. Auf den massigen, von einem Höcker besessenen Schultern, die sich nach hinten zu schmalen Flanken verjüngten, saßen gewaltige zottige Schädel mit schweren schwarzen Hörnern, deren Spitzen bei den ausgewachsenen Tieren mehr als eine Armeslänge auseinander lagen. Die durchdringende Dünstung der dichtgedrängten Tiere stieg den Lauernden in die Nase. Die Erde zitterte unter den Tritten unzähliger Hufe.

Brun hielt eine Hand über die Brauen, um seine Augen zu beschatten, und betrachtete aufmerksam ein jedes der Tiere, das an ihm vorbeikam; er wartete auf ein jagdbares und den geeigneten Augenblick hierzu. Nichts, kein Muskel in seinem Gesicht verriet die übermäßige Spannung, die seine Brust zu zerreißen drohte. Nur das unmerkliche Auf und Ab der Schläfen über den wulstigen Augenbrauen zeugte vom rasenden Schlag seines Herzens. Dies würde die wichtigste Jagd seines Lebens. Noch nicht einmal seine erste, die ihn zum Mann gemacht hatte, war von solcher Tragweite gewesen. Vom Ausgang dieser Jagd hier hing es ab, ob die neue Höhle bewohnt werden konnte. Denn war er gut, so hatte man nicht nur Fleisch für das Fest zur Höhlenweihe, sondern auch die Gewißheit, daß die Schutzgeister des Clans an ihrer neuen Heimstatt Gefallen fanden; kehrte man aber mit leeren Händen zurück, so mußte der Clan zu neuer Suche sich aufmachen, denn dann warnten die Totems, daß die Höhle kein Glück bringe.

Als Brun nun Tier für Tier an sich vorbeitrotten sah, fühlte er, wie ihn Mut durchströmte, war doch der Bison gerade sein Totem.

Der Clan-Führer blickte auf seine Jäger, die niedergekauert seines Zeichens harrten. Für sie war das Warten immer das Härteste; doch ein zu frühes Losschlagen konnte schweres Unglück bewirken, und Brun wollte alles tun, was in seiner Macht stand, um ein Fehlschlagen zu vermeiden. Mißbilligend sah er eine zuckende Unruhe auf Brouds Gesicht und bereute schon fast seine Entscheidung, den Sohn die Beute machen zu lassen. Dann aber tauchten in seinem Kopf die strahlenden Augen des Jungen auf, die geblitzt hatten vor Stolz, als der Clan-Führer ihm befohlen hatte, sich auf seine erste Jagd vorzubereiten. Aber es ging ja nicht nur um Broud; von der Kraft seines Armes hing es ab, ob der Clan die neue Höhle würde seine nennen können oder nicht.

Der Junge gewahrte Bruns Blick und beherrschte sich mühsam. Sein Kopf hatte einfach nicht fassen wollen, wie groß und massig und stark so ein Steppentier war – selbst der Hökker auf den Schultern würde ihn, wenn er aufrecht gestanden hätte, noch um Fußeslänge überragen –, und auch nicht, wie überwältigend eine ganze Herde sein konnte. Das Donnern, Brüllen, Schaben und Zischen bedrohte seine Ohren, der faulig-scharfe Ruch stach ihm heftig in die Nase, die krausen, gehörnten Fellberge, die da vorbeizogen, schienen Broud fast zu erdrücken. Und wenn ihn eines entdeckte? Er mußte ihm wenigstens die erste, tiefe Wunde schlagen, schon um als Bezwinger eines erlegten Tieres gefeiert werden zu können. Und wenn der Stoß fehlging und der Bison entkäme? Brouds Herz war am Zerspringen.

Wie fortgeblasen war nun die forsche Überlegenheit, die ihn beflügelt hatte, als er Oga zeigte, wie er den Bison treffen würde. Voller Bewunderung war sie gewesen; es hatte ihm gefallen; aber er tat so, als gäbe es sie nicht; ein Kind war sie und noch dazu ein Mädchen. Bald würde sie seine Frau sein; keine schlechte Gefährtin vielleicht, wenn sie erst Brüste hätte, warmfeuchte Falten, flinke Hände und einen breiten Rücken. Broud umklammerte seinen Speer fester. Sie braucht einen starken Jäger, sagte er zu sich, einen, der sie beschützen kann, jetzt, da ihre Mutter und der Gefährte ihrer Mutter bei den Toten sind. Er fand Gefallen daran zu sehen, welche Mühe Oga sich gab, ihn zu bedienen, seit Brun sie aufgenommen hatte. Unermüdlich war sie bestrebt, jedem seiner Wünsche zu willfahren, und dabei war er nicht einmal ein Mann. Wie wird sie mich aber anschauen, wenn ich keine Beute mache? Wenn ich bei der Höhlenweihe nicht zum Mann gemacht werde? Wie würde Brun ihn ansehen? Der ganze Clan? Was wird, wenn wir die neue Höhle, die der Hort des Geistes des Großen Bären ist, verlassen müssen? Brouds Griff um den Speer ließ das Weiße an seiner Faust hervortreten. Die andere schloß er um sein Amulett und bat beim wollhaarigen Nashorn um Mut und Kraft.

Wenn es nach Brun ging, würde der Bison nicht entkommen; doch er ließ den Jungen weiterhin im Glauben, es hinge alles und allein an ihm, ob man nun endlich in die Höhle konnte oder wieder nach einer neuen Umschau halten mußte. Denn wenn er eines Tages der Clan-Führer werden wollte, konnte er ruhig jetzt schon erfahren, welche Last das Herz dabei zu tragen hatte. Brun wollte dem Jungen nicht vorgreifen, doch er gedachte, in der Nähe zu sein, um notfalls selbst den Todesschlag zu führen. Er hoffte um des Jungen willen, es nicht tun zu müssen. Der Junge war stolz, das wußte er, und er wußte auch, daß Broud sich tief erniedrigt fühlte, wenn es würde sein müssen. Doch Brun war nicht gewillt, die neue Höhle dem Eigensinn eines Kindes zu opfern.

Dann machte er sich wieder an die Beobachtung der wogenden Herde. Nicht lange, und Brun erspähte einen jungen Bullen, der sich wie eine vom Wind abgetriebene Woge seitwärts in die Büsche schlug. Das Tier war beinahe ausgewachsen, aber eben noch unerfahren. Brun wartete so lange, bis das Tier allein stand, ohne die Sicherheit der Herde. Dann gab er das Zeichen für »Ausschwärmen«!

Die Männer sausten augenblicklich auf ihre Plätze rings um das Tier, in gleichmäßigen Abständen voneinander, während Brun angespannt die nahe Beute im Auge behielt. Dann gab er das Zeichen zum »Angreifen«! Schreiend und rufend und mit wild wedelnden Armen stürzten die Männer auf die Herde los. Erschreckte Tiere am Rand drängten einwärts, schlossen auf zu den weiter innen trottenden und stießen diese zur Mitte hin. Gleichzeitig stürzte Brun los, um den jungen Bullen noch weiter von der Herde wegzuhetzen.

Während die verwirrten Tiere sich immer weiter in die schwankende und brüllende Masse hineinbohrten, setzte Brun dem Bullen nach, den er abgedrängt hatte, und trieb ihn in weitgreifendem, kräftigem Laufschritt vor sich her. Das Leibergeschiebe und Höckergewoge ergriff wellengleich die ganze Herde, und in der Luft wirbelte ein dichter Schleier feinkörnigen Staubs. Dunkler Schweiß rann Brun in Strömen an den Lenden herab; kaum noch atmen konnte er und sehen fast genauso wenig. Sein mächtiger Brustkorb hob und senkte sich hastig, seiner Kehle entrang sich ein gebrochenes Krächzen, als er Grod das Zeichen zum »Verfolgen« machte.

Augenblicklich schwenkte der Bulle um, als er sich von Grod bedrängt sah, doch die Männer bildeten einen großen Kreis, um das Tier zu Brun zurückzutreiben, der, noch immer keuchend und spuckend, herankam, um seinen Platz einzunehmen. Ein dumpfes, immer mächtiger werdendes Donnern erfüllte die staubverhangene Luft, als die riesige Herde in wildem Schrecken davonraste, die Köpfe tief nach unten gezogen, Schaum vor den Mäulern, die Augen weit aufgerissen und verdreht, so daß nur das Weiße zu sehen war. In die andere Richtung aber stob das junge Tier davon, in panischer Angst vor einem Geschöpf, das nur ein Winziges der Bullenkraft besaß, jedoch genug Kenntnis im Kopf und Entschlossenheit im Herzen, diesen Mangel auszugleichen.

Grod trieb ihn vor sich her, ließ nicht locker, obwohl sein hämmerndes Herz zu bersten drohte. Salziger Schweiß lief ihm über das staubbedeckte Gesicht und färbte seinen Bart graubraun. Schließlich kam Grod stolpernd zum Stehen, und Droog sprang für ihn ein. Die Ausdauer der Jäger war groß, doch der starke junge Bison preschte mit nicht erlahmender Kraft vorwärts. Droog war der größte unter den Männern. Schnellfüßig warf er die langen Beine nach vorne, setzte dem Tier nach, jagte es mit weitausschweifenden, federnden Schritten, schwenkenden Armen und schrillen Schreien vor sich her und drängte es ab, als es ausbrechen und den Spuren der fliehenden Herde folgen wollte. Als Crug den völlig erschöpften Droog ablöste, war ihre Beute schon sichtlich außer Atem. Weiter hetzte Crug das matter werdende Tier und stieß ihm den Speer mit der Steinspitze in die Flanke.

Als Goov übernahm, wurde das zottige Tier schon langsamer; doch in blinder Beharrlichkeit schlugen die Beine des Bullen den Boden, griff das Tier weit aus, dicht gefolgt von Goov, der es immer wieder mit der Speerspitze antrieb, um auch die letzten Kräfte aus ihm herauszuholen. Broud sah Brun herbeispringen, als er sich mit einem Schrei in das Rennen warf und die Verfolgung aufnahm. Er brauchte das Tier nicht mehr lange zu hetzen. Der Bison hatte sein Äußerstes gegeben; langsamer und langsamer wurde er und blieb schließlich einfach stehen, unfähig, auch nur einen Schritt von der Stelle zu machen. Mit schweißglänzendem Fell und hängendem Kopf stand er da, Schaum vor dem Mund. Den Speer stoßbereit in der Hand, näherte sich der Junge dem abgehetzten Tier.

Bruns erfahrene Augen prüften schnell den Zustand von Jäger und Gejagtem. War der Junge ungewöhnlich ängstlich oder war er übereifrig? War das Tier wirklich ganz erschöpft? Manch listiger alter Bison machte einen Verschnauf, ehe die letzten Kräfte aufgezehrt waren, und wagte noch einen Angriff, bei dem der Jäger – und besonders dann, wenn er unerfahren war – schwer verletzt oder getötet werden konnte. Sollte er mit seiner Schleuder das Tier zu Fall bringen? Der massige Kopf des Bisons hing fast am Boden, seine zitternden Flanken verrieten, daß er sich völlig verausgabt hatte. Wenn er jetzt seine Schleuder nahm, würde dem Jungen ein Stück Ruhm geraubt; Brun beschloß, ihn Broud ganz alleine zu lassen.

Rasch, ehe der Bison sich wieder erholte, trat der Junge an den vierfüßigen Fellberg heran und hob seinen Speer. Ein letzter Gedanke an sein Totem – dann stieß Broud zu. Tief fraß sich der lange, schwere Speer in die Seite des Tieres; die im Feuer erhärtete Spitze durchbohrte das dicke Fell und zersplitterte im rasch geführten Stoß eine Rippe. Jäh brüllte der Bison auf vor Schmerz und fuhr herum, seinen Angreifer aufzuspießen, als seine Beine unter ihm auch schon einknickten. Als Brun das sah, sprang er an die Seite des Sohnes. Mit beiden Händen packte er seine Keule, holte weit aus und ließ sie auf den Tierkopf niedersausen. Schwer fiel der Bison auf die Seite; seine hornbewehrten Hufe schlugen noch zaghaft in den letzten Zuckungen des Todes. Dann lag er still.

Im ersten Augenblick war Broud wie betäubt. Doch dann stieg ein schriller Triumphschrei ihm auf, der durch seine Kehle jagte und in der Luft einen gewaltigen Ton erzeugte. Er hatte es geschafft! Er hatte sein erstes Tier erlegt! Er war ein Mann!

Broud tanzte in wildem Überschwang. Er griff nach seinem Speer, der aus der Seite des Tieres herausragte, riß ihn mit einem Ruck hoch und spürte, wie ein scharfer Strahl warmen Blutes an sein Gesicht spritzte. Seine Zunge schmeckte Salziges. Brun schlug Broud auf die Schulter. Stolz blitzte in den Augen des Clan-Führers.

Es freute Brun, einen weiteren kräftigen Jäger unter seinen Leuten zu haben; einen kräftigen Jäger, der Stolz und Freude in seinem Herzen entflammte, den Sohn seiner Gefährtin, den Sohn seines Herzens.

Die Höhle blieb ihnen nun, und die Weihe würde das bekräftigen: Die Schutzgeister hatten Gefallen gefunden an der neuen Höhle.

Hoch in die Luft hielt Broud den Speer mit der blutigen Spitze, als die übrigen Jäger zu ihnen hinliefen, hüpfende Freude im Schritt beim Anblick des erlegten Tieres. Brun hatte schon seine Steinklinge gezückt, um ihm den Bauch aufzuschlitzen. Er trennte die Leber heraus, zerteilte sie und gab jedem der Jagdgefährten ein Stück. Dies war der edelste und köstlichste Teil der Tiere, allein den Männern vorbehalten, denen er den starken Arm und das scharfe Auge, unerläßlich für das Jagen, gab. Brun schnitt auch das Herz des Tieres heraus und begrub den Blutklumpen im Boden, wie er es einstmals seinem Totem gelobt hatte.

Broud kaute die noch warme Leber – ein erster Vorgeschmack auf das Mannsein – und dachte, das Herz müßte ihm zerspringen vor Glück. Bei der Höhlenweihe würde er endlich zum Mann werden; den Jagdtanz führte er nun an, und auch er säße des Nachts mit in der kleinen Höhle, wo des Mog-urs Beschwörungen zu folgen war. Diesen Stolz auf Bruns, seines Vaters Zügen zu sehen, dafür hätte er gern sein Leben gegeben. Das war sein Tag heute und seine Nacht morgen. Alles drehte sich um ihn. Nur ihm gehörte die ungeteilte Bewunderung und Achtung des ganzen Clans; nur von ihm und seiner Jagdbewährung würde die Rede sein. Und Ogas Augen würden leuchten, bewundernd und ergeben.

Unterdessen hatten die Männer je zwei Beine des Bisons oberhalb der Kniegelenke mit Riemen umschnürt. Grod und Droog banden ihre Speere zusammen, Crug und Goov taten das gleiche, so daß aus den vier Speeren zwei verstärkte Stangen entstanden. Die eine wurde zwischen den vorderen Beinen hindurchgeschoben, die andere zwischen den Hinterläufen. Brun und Broud stellten sich zu beiden Seiten des zottigen Kopfes auf, und jeder packte ein Horn. Mit der freien Hand hielten sie ihren Speer. Grod und Droog umfaßten die Stange mit den Vorderläufen, während Crug und Goov die hintere nahmen. Auf ein Zeichen des Clan-Führers hoben alle sechs Männer an und schleiften das massige Tier über das grasige Land. Der Weg zurück wurde lang und mühsam. Die Männer ächzten unter der Last ihrer Beute und schafften es nur unter Aufbietung aller ihrer Kräfte, den schweren Bison über die Steppe ins Hügelland hinaufzuschleppen.

Oga hatte sich die Hand vors Gesicht gehalten und schaute sich die Augen aus dem Kopf. Plötzlich ging ein Ruck durch den behenden Körper. Da, die Männer! Sie hatte die zurückkehrenden Jäger tief unten in der Ebene erspäht. Als die Männer sich der Felsnase näherten, erwarteten die Frauen sie bereits, liefen ihnen entgegen und begleiteten sie das letzte Stück zur Höhle. In stummer Huldigung schritten sie neben ihnen. Daß Broud mit an der Spitze ging, zeigte an, daß er die Beute erlegt hatte. Selbst Ayla wurde von der Erregung gepackt, die nun fast greifbar war.

5

»Der Sohn deiner Gefährtin ist tapfer«, bedeutete Zoug dem Clan-Führer, als die Jäger das mächtige Tier vor der Höhle niederlegten. »Du hast einen neuen Jäger, auf den du stolz sein kannst.«

»Er hat ein starkes Herz gezeigt und eine kräftige Hand.« Brun legte seinem Sohn die Hand auf die Schulter, und Broud reckte den Kopf, als wollte er sich sonnen.

Zoug und Dorv musterten das erlegte Tier mit großen Augen, die ganz winzig, aber doch sichtbar eine heimliche Sehnsucht nach der prickelnden Erregung der Jagd und dem berauschenden Hochgefühl des Beutemachens erkennen ließen, denn die Gefahren und Enttäuschungen, die Hauptteil ihres Lebens waren, hatten sie vergessen. Die beiden Alten konnten nicht mehr mit und die großen Tiere jagen; doch auch sie trugen ihren Teil zur Beschaffung der fleischlichen Nahrung bei. Schon früh waren sie in den Wald gepirscht und hatten den ganzen Morgen nach kleinem Wild gespürt.

»Wie ich sehe, habt ihr von euren Schleudern regen Gebrauch gemacht, du und Dorv«, merkte Brun an. »Bald müssen wir einen Platz zum Üben finden, denn nützlich wär' es für den Clan, wenn alle Jäger so geschickt die Schleuder zu gebrauchen wüßten wie du, Zoug. Demnächst muß auch Vorn zum Jäger herangezogen werden.«

Brun stand immer vor Augen, daß all dies, was die beiden Alten noch erjagten, dem Clan sehr nützlich und deshalb auch zu loben sei. Nicht immer war den Großwildjägern Glück beschieden, und häufig waren es die Älteren, die das nötige Fleisch herbeischafften, besonders während der kalten Zeit im Winter, wenn einem der Schnee bis über die Schultern ging, wenn man einsank, und nur leichte kleine

Tiere ihren Bau verließen. Es tat dann gut, ein bißchen frisches Fleisch zu haben, auch weil man mit der Zeit des kalten Dörrfleischs überdrüssig wurde und auch der Vorrat nicht so schnell zu Ende gehen sollte.

»Den jungen Bison wiegt es hier nicht auf«, erklärte Zoug und wies auf einen Biber und ein paar Kaninchen. »Auch sah ich eine Lichtung heute, nicht groß, doch sehr geeignet, einen Platz zum Schleudernüben anzulegen.«

Zoug, der seit dem Tod seiner Gefährtin bei Grod lebte, hatte, nachdem er aus den Reihen der Jäger ausgeschieden war, ständig geübt und gearbeitet, sein Geschick mit dem Umgang der Schleuder zu verbessern; Schleuder und Wurfschlinge waren die Waffen, die sich den Händen der Männer des Clans am meisten widersetzten. Und wenn Zoug einmal wieder nicht getroffen hatte, so schüttelte er wütend den Kopf und blickte sinnend auf seine muskulösen, grobknochigen und leicht gebogenen Arme hinab, die ungeheuer kraftvoll waren und dennoch Bewegungen ausführen konnten, die so viel Gefühl in den Fingern und Genauigkeit verlangten wie das Behauen von Flintstein. Denn in den Armgelenken, vor allem in der einzigartigen Verbindung von Muskeln und Sehnen mit den Knochen saß diese ungeheure Kraft, die sie hatten, die gepaart war mit der feinbeweglichen Fähigkeit der Finger. Doch dieses Gelenk hatte leider auch den folgenschweren Nachteil, daß Zoug und alle diese Menschen mit ihren Armen keinen vollen Rundschwung machen konnten und somit im Erlernen von Schleudern und Werfen durch die Natur selbst behindert waren.

Ihr Speer war kein Wurfgerät, das durch die Luft geschleudert, sondern eine Waffe, die aus dichter Nähe mit großer Wucht gestoßen wurde. Um Speer und Keule zu gebrauchen, war nur die Kraft des Körpers nötig; das Schleudern oder Werfen der Wurfschlinge zu erlernen, erforderte Geschick, ein gutes Auge und lange Übung der Gelenke und des Körpers. Ihre Schleuder stellten sie aus einem Streifen geschmeidiger Tierhaut her; sie wurde an beiden Enden zusammengehalten und mehrmals über dem Kopf herumgewirbelt, ehe der Kieselstein, der in der Vertiefung in der Mitte lag, durch Loslassen der Enden freigegeben wurde. Damit hatte es Zoug schon weit gebracht, und er war stolz auf seine Fähigkeit, bisweilen auch ein laufendes oder fliegendes Tier zu treffen. Es tat ihm wohl, daß Brun ihn berufen hatte, die jungen Jäger darin zu unterweisen.

Während Zoug und Dorv mit ihren Schleudern die Vorberge durchstreift hatten, waren die Frauen ausgezogen, Pflanzen und Früchte zu sammeln.

Nachdem die Bäuche voll waren, streckten sich die Männer gesättigt aus und ließen noch einmal gestenreich die aufregende Jagd entstehen, sowohl um der eigenen Freude willen, als auch, um Zoug und Dorv ins Bild zu setzen. Broud glühte vor Stolz, als er gewahr wurde, wie Vorn ihn mit unverhohlener Bewunderung anstarrte. Noch am Morgen waren sie gleich gewesen, zwei Jungen, die sich gerauft, geneckt, geschlagen und vertragen hatten.

Broud lächelte bei dem Gedanken, wie er selbst sehnsüchtig bei den Männern sich herumgetrieben hatte, wenn sie von der Jagd zurückgekehrt waren, genauso, wie Vorn das jetzt tat. Nun aber mußte er nicht mehr beiseite stehen und aushalten, daß er nicht beachtet wurde, während er begierig die Jagdschilderungen der Männer verfolgte. Nun aber war er nicht mehr den Anweisungen seiner Mutter und denen der anderen Frauen unterworfen, die ihn einfach weggeholt hatten, wenn sie bei ihrer Arbeit seine Hilfe brauchten. Nun war er ein Mann.

Zwar würde er zunächst der letztrangige der Männer sein, das aber machte ihm wenig aus. Es würde sich ändern. Sein Platz war vorbestimmt. Er war der Sohn der Gefährtin des Clan-Führers; und eines Tages würde er die Führung übernehmen. Broud sah, daß Vorn ihn immer noch anstarrte. Der kleine Kerl war manchmal eine rechte Plage gewesen, doch jetzt konnte man sich's ja leisten, großherzig zu sein! Broud schlenderte hinüber zu dem kleinen Jungen, und es tat ihm gut zu sehen, wie Vorns Augen erwartungsvoll aufleuchteten, als dieser den neuen Jäger auf sich zukommen sah.

»Vorn, ich glaube, du bist jetzt groß genug«, bedeutete Broud dem Kleinen und hob wichtigtuerisch den Finger, »daß ich dir einen Speer mache.«

Vorn hüpfte hoch vor Freude. Ehrfürchtig blickte er zu dem jungen Mann auf, der heute ein Jäger geworden war.

Der Angesprochene nickte eifrig. »Ich bin groß genug, Broud«, sagte er und bewegte zaghaft die Hände, die noch gestern unbarmherzig an des Jägers Haaren gezerrt hatten. Scheu wies er auf den schweren Speer mit der dunklen blutbefleckten Spitze.

Broud legte seinen Speer vor dem Jungen auf den Boden. Vorn streckte zaghaft die Hand aus und berührte das eingetrocknete Blut des mächtigen Bisons, der jetzt schlaff vor der Höhle lag.

»Hast du Angst gehabt, Broud?« wollte er wissen.

»Ich weiß von Brun, daß alle Jäger auf ihrer ersten Jagd Unruhe im Herzen tragen«, erwiderte dieser, der seine Angst nicht eingestehen wollte.

Plötzlich kamen von hinten eilige Schritte herbei.

»Vorn! Da bist du ja! Du sollst doch Oga beim Holzsammeln helfen!«

Mit festem Griff packte Aga ihren Sohn, der sich von den Frauen und Kindern weggeschlichen hatte, und zog ihn am Handgelenk in den schütteren Wald.

Brun hatte die Begegnung der beiden jungen Leute beifällig beobachtet. Er wird bestimmt ein guter Führer werden, ging ihm durch den Kopf; er hat den Jungen nicht mißachtet, nur weil er noch ein Kind ist. Eines Tages wird Vorn ein Jäger sein, und wenn dann Broud der Clan-Führer ist, wird Vorn sich dieser Geste gern erinnern.

Brouds Augen waren Vorn gefolgt, der sich jetzt im Unterholz verlor. Genauso war es ihm ergangen. Erst am Tag zuvor, fiel ihm ein, hatte Ebra ihn geholt, weil er helfen sollte. Unmutig blickte er auf die Frauen, die gerade eine Grube aushoben, und meinte, sich fortschleichen zu müssen, um dem Blick seiner Mutter zu entgehen. Dann aber entdeckte er die eifrig grabende Oga, und daß sie zu ihm herübersah. Schnell gab sich Broud einen Ruck und richtete sich auf. Meine Mutter kann mir nichts mehr befehlen; ich bin doch kein Kind mehr; ich bin ein Mann. Sie muß mir jetzt gehorchen; und Oga schaut zu dabei, stärkte er sich selbst den Rücken.

»Ebra, bring mir einen Schluck Wasser!« befahl er der Mutter, als er zu den Frauen hinüberstolzierte. Doch eigentlich erwartete er Scheltworte und daß sie ihm befehlen würde, Holz zu sammeln, denn erst nach der Höhlenweihe war er wirklich ein Mann.

Ebras Blick flog zu ihm, und Stolz spiegelte sich in ihren Augen. Dieser Junge, der so tapfer gejagt hatte, war ihr Sohn! Dieser Sohn, der nun bald ein Mann war, würde später Clan-Führer werden! Schnell sprang sie auf, lief zum Teich bei der Höhle und kehrte eilig mit dem Wasser zurück.

Die Beflissenheit seiner Mutter und der Ausdruck des Stolzes auf ihrem Gesicht, als sie an den anderen Frauen vorbeieilte, um ihm die Schale zu reichen, brachen den Trotz im Kopf des jungen Mannes auf und machten ihn fast verlegen. Noch stärker aber erwärmte ihn Ogas Benehmen, die den Kopf gesenkt hielt und ihm, wie er wohl gewahrte, einen Blick voll ehrfürchtiger Bewunderung nachwarf, als er sich zum Gehen wandte.

Das Mädchen Oga hatte den Tod ihrer Mutter und des Vaters, deren einziges Kind sie gewesen war, nur schwer verwunden. Bruns Gefährtin war gut zu ihr gewesen, seit sie am Feuer des Clan-Führers sein durfte. Doch der Oberste im Clan flößte ihr Angst ein, denn er war strenger als der Gefährte ihrer Mutter und ließ die anderen der Familie spüren, wie sehr die Last des Führens ihn bedrückte. Ebras Augen, Mund und Hände und ihr Leib waren dann nur für Brun da, und auch keiner sonst hatte viel Zeit für das verwaiste Mädchen, während sie auf der Wanderung gewesen waren. Doch eines Abends hatte Broud gesehen, wie sie allein am Feuer gekauert war, die Arme um die Knie geschlungen, und traurig in die Flammen starrte. Noch jetzt spürte Oga einen sanften Schauer den Rücken hinunterrieseln, als das Bild ihr wieder in den Kopf kam, wie der stolze Junge, beinahe ein Mann, der ihr zuvor nur selten Beachtung geschenkt hatte, neben ihr niedergesunken war, den Arm um ihre Schulter legte und wie sich seine Hand auf ihre junge Brust gesenkt hatte. Seit diesem Abend brannte auch in ihr ein Feuer: wenn sie zur Frau wurde, dann wollte sie von Broud genommen werden.

Warm durchflutete die Sonne des späten Nachmittags die Stille der Luft. Kein Hauch, der sich regte. Nur die buntschillernden Fliegen summten über den Fleischresten, und die Grabstöcke knirschten, als die Frauen auf Steine trafen, die sie dann aus der immer tiefer werdenden Grube warfen.

Ayla hockte neben Iza, die gerade in ihrem Otterfellbeutel nach dem roten Säckchen suchte. Den ganzen Tag über war das Kind ihr nicht von der Seite gewichen, das nun störte, da Medizinfrau und Mog-ur sich auf die Höhlenweihe und ihr feierliches Tun zu besinnen und vorzubereiten hatten. Sie brachte das Kind zu den grabenden Frauen, die schon eine tiefe Mulde gescharrt hatten. Später würde man sie mit Steinen auslegen und darauf ein großes Feuer entfachen, das die ganze Nacht zu brennen hätte. Am folgenden Morgen käme der gehäutete und zerteilte Bison, gut in Blätter gewickelt, in die Grube, wo man ihn mit einer weiteren Lage von Blättern und einer Erdschicht bedecken und dann bis zum späten Nachmittag in der Glut schmoren lassen würde.

Die Erdarbeiten waren mühsam und gingen oft langsam von der Hand. Doch heute hatten die zugespitzten Grabstöcke den Boden fast ungehindert aufbrechen können. Das gelockerte Erdreich wurde gewöhnlich mit den Händen auf eine Decke aus Tierhaut geworfen, aus der Grube hochgezogen und auf die Seite geschafft. War die Grube einmal fertig, so konnte sie immer wieder benützt werden; nur ab und zu mußte man die Asche von den Steinen holen. Während die Frauen noch gruben, sammelten Oga und Vorn unter den wachsamen Blicken von Ukas Tochter Ovra Holz und schleppten Steine vom Bach herbei.

Als Iza sich nun mit dem Kind an der Hand näherte, hielten die Frauen inne. »Ich muß zum Mog-ur«, bedeutete sie ihnen und schubste Ayla auf die Gruppe zu. Als sie sich zum Gehen wandte, wollte Ayla der Medizinfrau folgen, doch die Frau schüttelte den Kopf und schob sie wieder zu den anderen zurück. Dann entfernte sie sich eilig.

Es war das erste Mal, daß Ayla mit den anderen Clan-Leuten in Berührung kam. Wie angewurzelt stand sie da, die Hände auf dem Rücken, die Finger krampfhaft verknäult, den Kopf zu Boden gesenkt. Nur ab und zu wagte sie einen scheuen Blick von unten herauf. Obwohl es gegen den Clan-Brauch war, beäugten alle das magere, langbeinige Mädchen mit dem seltsam platten Gesicht und der hohen vorragenden Stirn. Zum ersten Mal war dieser Fremdling aus der Nähe zu sehen.

Ebra brach schließlich das neugierige Schweigen. » Sie kann mit euch Holz sammeln«, bedeutete sie Ovra, bückte sich und setzte wieder den Grabstock an.

Die junge Frau schritt auf eine Baumgruppe zu; doch Oga und Vorn konnten sich vom Anblick der kleinen Andersartigen nicht losreißen. Ungeduldig winkte Ovra den beiden Kindern, bedeutete dann auch Ayla, ihr zu folgen. Das Mädchen glaubte, verstanden zu haben, war aber nicht sicher, was von ihm erwartet wurde. Noch einmal winkte Ovra, wandte sich dann ab und verschwand hinter den Bäumen. Widerwillig trotteten die beiden Kinder hinterher. Ayla sah ihnen nach, dann setzte sie sich zögernd in Bewegung.

Als sie auch unter den Bäumen war, stand sie eine Weile untätig da und sah zu, wie Oga und Vorn dürre Äste vom Boden aufhoben, während Ovra mit der handlichen Steinaxt einen umgestürzten Stamm bearbeitete. Oga, die eben ein Bündel Holz bei der Grube abgelegt hatte, kam zurück, ergriff ein Stück des Baumstammes, das Ovra abgetrennt hatte, und versuchte, es zum Holzhaufen zu zerren. Wie Ayla sah, daß sich das andere Mädchen abmühte, lief sie rasch hinzu. Sie bückte sich, um das andere Ende des Klotzes hochzuheben; und als die beiden sich aufrichteten, blickte Ayla direkt in Ogas dunkle Augen. Einen Herzschlag lang hielten sie inne und starrten einander an.

Wer beide so gesehen hätte, der würde gemerkt haben, daß sie, so verschieden die Mädchen voneinander auch waren, sich doch irgendwie glichen. Denn beide waren sie Erdlinge und beider Art hatte vielfältige, wenn auch unterschiedliche, Fähigkeiten und Formen des Verhaltens entwickelt – entwickeln müssen. Trennendes war zwischen ihnen nicht allzuviel; doch in den feinen Unterschieden, die das Wechselseitige zwischen Körper, Kopf und Umland mit sich brachte, lag der Ursprung ihrer völlig unterschiedlichen

Entwicklung und ihrer darin unverrückbar festgelegten Schicksale.

Gemeinsam trugen nun Ayla und Oga den Baumbrocken zum anderen Holz. Als sie Seite an Seite zurückgingen, hielten die Frauen wieder in ihrer Arbeit inne und blickten ihnen nach. Beinahe gleich groß waren die Mädchen, doch zählte Oga fast doppelt so viel Jahre wie Ayla, die rank und hellhaarig war und gerade geformte Glieder hatte, während die andere stämmiger und dunkler erschien und auf gebogenen Beinen ging. Insgeheim verglichen die Frauen die beiden miteinander, doch die Mädchen hatten bald keinen Blick mehr für die Unterschiede zwischen ihnen. Gemeinsam war die Arbeit leichter, und ehe der Tag um war, hatten sie es geschafft, sich einander mitzuteilen und die Arbeit als vergnügliches Tun zu verrichten.

Als es dunkelte, taten sich die beiden noch mehr zusammen und hockten auch am Feuer eng nebeneinander. Es machte Iza froh, als sie sah, daß Oga die fremde Ayla angenommen hatte, und sie wartete, bis die Dunkelheit kam, ehe sie das Kind zu sich holte. Immer noch ein Staunen in den Augen, blickten die beiden Mädchen einander nach; dann wandte sich Oga ab und legte sich in ihr Fell neben Ebra. Männer und Frauen schliefen noch immer getrennt. Des Mog-urs Verbot würde erst aufgehoben werden, wenn sie die Höhle bewohnten.

Beim ersten Schimmer des frühen kalten Lichts schlug Iza die Augen auf. Still blieb sie liegen und lauschte dem vielkehligen Tun der Vögel, die zwitschernd und gurrend, quorrend, trällernd, pfeifend und zirpend dem neuen Tag entgegentönten. Bald dachte sie, würde ihr Blick wieder auf sichere Felswände treffen, wenn sie die Augen öffnete. Es machte ihr nichts aus, im Freien zu schlafen, solange das Wetter warm und trocken war, doch sie freute sich darauf, endlich im Schutz der Höhle liegen und leben zu können. Und sofort stand alles wieder vor ihr, was sie am heutigen Tag noch zu tun hatte; leise erhob sie sich.

Creb war schon wach. Man hätte meinen können, er hätte überhaupt nicht geschlafen. Noch immer saß der Mog-ur an derselben Stelle, wo sie ihn am Abend zuvor zurückgelassen hatte, und blickte starr in das glosende Feuer. Sie machte Wasser heiß, und als sie ihm den Trank aus Minze, Luzerne und Nesselblättern brachte, war auch Ayla auf und hockte neben dem Krüppel.

Am späten Nachmittag stieg Würziges von den Feuern auf und durchzog die Luft rings um die Höhle. Kochgeräte und Gerätschaften zum Essen, aus der alten Höhle gerettet und von den Frauen in ihren Bündeln mitgeschleppt, wurden ausgepackt. Feingearbeitete, festgeflochtene wasserdichte Körbe mit verschiedenen Mustern dienten als Töpfe und Wasserbehälter; ähnlich auch die Holzschalen. Rippenknochen erleichterten das Umrühren, flache große Beckenknochen wurden ebenso wie dünne Holzscheiben von Baumstämmen als Unterlagen beim Schneiden oder als Behältnisse für Flüssiges benützt. Markknochen und Schädelteile gaben Schöpfgeräte und Trinkbecher und Schüsseln ab.

Mit großen Augen sah sich Ayla um. In einer Tierhaut, die von einem mit Riemen zusammengebundenen Rahmen über dem Feuer herabhing, dampfte eine dicke, fettaugentriefende Brühe. Sorgsam wurde darüber gewacht, daß die Flüssigkeit durch die Hitze nicht zu wenig wurde; denn solange die Brühe oberhalb der Flammen stand, war das Behältnis noch so feucht, daß es nicht verbrennen konnte. Ayla sah zu, wie Uka Fleischbrocken und Knochen vom Hals des Bisons aufrührte, die mit Zwiebeln, salzigem Huflattich und anderem Grünzeug in der Brühe brodelten. Uka probierte und gab dann abgeschälte Distelengel, Waldpilze, Lilienknospen und auch deren Wurzeln, Brunnenkresse, Wolfsmilchblüten, unreife Yamswürzelchen, Preißelbeeren – noch von der alten Höhle – und welke Blüten von Taglilien dazu.

Die harten, faserigen alten Wurzeln von Katzenschwanzgewächsen waren inzwischen zerstoßen, die Fasern auseinandergerissen und entfernt worden. Getrocknete Blaubeeren, die sie mitgebracht hatten, und getrocknete und dann zermahlene Körner wurden dem Breiigen zugefügt, das sich auf dem Grund der mit kaltem Wasser gefüllten Körbe absetzte. Auf heißen Steinen nahe beim Feuer buken dann die flachen, dunklen, ungesäuerten Fladen. Wegerich, Lämmersalat, junger Klee und Löwenzahnblätter, mit Huflattich gewürzt, garten in einem anderen Behälter, und etwas Dickflüssiges aus getrockneten sauren Äpfeln, mit Blütenblättern wilder Rosen und Honig vermengt, dampfte über einem weiteren Feuer.

Iza leckte sich über die Lippen, als sie Zoug mit etlichen Schneehühnern aus der Ebene zurückkehren sah. Diese schwerfälligen Vögel, die mit den Steinen aus der Schleuder eines guten Schützen leicht aus der Luft zu holen waren, aß Creb besonders gern. Bald waren sie gerupft und mit Kräutern und Grünzeug gefüllt, und, in Blätter wilden Weins gehüllt, brieten die Federlinge in einer kleineren, mit Steinen ausgelegten Grube. Hasen und große Hamster, gehäutet und auf Spieße gesteckt, bräunten über glühender Holzkohle. Doch ein Häufchen frischer Waldbeeren hatte es Ayla am meisten angetan.

Den ganzen langen Tag war sie schon um die Feuer herumgestreunt und hatte hier und da zu gucken versucht. Iza und Creb waren die meiste Zeit fort, und wenn Iza da war, hatte auch sie alle Hände voll zu tun. Übereifrig half Oga den Frauen bei den Vorbereitungen und hatte keine Lust, sich um den plötzlich so vertrauten Fremdling zu kümmern.

Als die langen Schatten des späten Nachmittags die rotbraune Erde vor der Höhle einschwärzten, breitete sich unter den Clan-Leuten erwartungsvolle Ruhe aus. Alle versammelten sich um die größte Grube, in der des Bisons Keulen brieten. Ebra und Uka begannen, die warme Erde, die oben aufgeschichtet war, abzutragen, die welken, angesengten Blätter abzuheben. Als die heiße weiße Wolke, die emporstieg, abgezogen war, wurde das Fleisch, zart und saftig, wie man sah, vorsichtig aus der Grube gehoben. Ebra oblag es, das Fleisch zu schneiden und an die Leute zu verteilen. Stolz blitzte wieder in ihren Augen, als sie das erste Stück dem Sohn reichte.

Mit beherrschter Miene nahm Broud in Empfang, was ihm gebührte. Nachdem alle Männer bekommen hatten, erhielten die Frauen ihren Anteil und dann die Kinder. Ayla war die letzte, aber es reichte noch für viele Male.

Es wurde ein großes und langes Verzehren. Immer wieder

stand einer auf, um sich noch etwas von diesem oder jenem zu holen. Man sah, die Frauen hatten wirklich hart geschuftet. Es würde sogar noch für einige Tage reichen. Danach wurde geschlafen, um Kraft zu schöpfen für die lange Nacht.

Als die langen Schattenfinger über das graugrüne Zwielicht hinweggriffen und die Dunkelheit mit Macht herbeizerrten, begannen sich die Leute wieder zu bewegen, reckten sich und schauten sich gespannt um. Auf einen Blick des Clan-Führers schafften die Frauen eilig die Reste beiseite und scharten sich am Eingang der Höhle um eine Feuerstelle, die noch nicht entzündet war; jede an ihrem angestammten Platz. Die Männer, die sich auf der anderen Seite sammelten, hielten es ebenso. Nur der Mog-ur war nirgends zu sehen.

Brun, der ganz vorn stand, gab Grod ein Zeichen. Der trat langsam und gemessen vor und zog aus seinem Auerochsenhorn eine glühende Kohle. Dieses eine Stück, dessen Glut seinen Ursprung in dem Feuer besaß, das die Verschüttung der alten Höhle überlebt hatte, besaß die höchste Bedeutung, war doch ihr Fortbrennen greifbares und offensichtliches Zeichen für das Fortleben des Clans. Dem Brauche nach machte man sich mit dem Entzünden dieses Feuers am Eingang diese Höhle zu eigen, bestimmte sie zur neuen Bleibe.

Daß sie das Feuer beherrschten, war den Menschen des Clans unerläßliches Bedürfnis. Selbst der Rauch hatte Sinn; allein schon sein Geruch weckte ein Gefühl des Geborgenseins. Der Rauch, der von diesem Feuer vor der neuen Behausung aufstieg, um die Höhle bis zur hohen gewölbten Decke zu durchziehen, würde durch Spalten und auf Luftzügen, die durch die Öffnungen eindrangen, wieder den Weg ins Freie finden. Und er würde alle jene unsichtbaren Kräfte mitnehmen, die dem Clan vielleicht feindlich gesinnt waren. Er würde die Höhle reinigen und mit ihrem Geist durchdringen, dem Geist der Erdlinge.

An sich reichte das Entzünden des Feuers aus, um die neue Bleibe zu reinigen und in Besitz zu nehmen. Doch da die Clan-Leute schon des öfteren ihre Höhle hatten wechseln müssen, waren gewisse andere heilige Handlungen in die Weihe miteinbezogen worden; es galt, die Geister ihrer Totems mit der neuen Höhle vertraut zu machen, was durch den Mog-ur geschah und nur den Männern vorbehalten war; die Frauen waren unter sich.

Hatte die große Jagd den Clan-Leuten schon klar gezeigt, daß ihren Schutzgeistern die neue Wohnstatt genehm war, und war durch den großen Verzehr ihr Wille bekräftigt worden, die Höhle zu ihrer festen Bleibe zu machen – wenn sie auch zu gewissen Zeiten länger abwesend sein mochten, die Geister der Totems begaben sich auch an andere Orte, waren jedoch durch die Amulette zu erspüren, so daß sie zur Stelle waren, wenn man sie brauchte –, so konnte man auch die weiteren Feiern in die Weihe der Höhle miteinbeziehen.

Für gewöhnlich bestimmte der Mog-ur in Beratung mit Brun darüber, wie die verschiedenen Teile zur Gestaltung der ganzen Feier zusammengestellt werden sollten. Diese Weihe nun würde die Feier von Brouds Mannbarkeit miteinbeziehen und eine zweite Feier zur Benennung der Totems jener Kinder, die ihre Schutzgeister noch nicht kannten.

Mit bedächtiger Bewegung, wie sie der hohen Bedeutung der Handlung angemessen war, kniete Grod nun nieder, legte die glühende Kohle auf das dürre Holz und begann zu blasen. Gespannt beugten sich die anderen vor, und ein Seufzer, fast gemeinschaftlich ausgestoßen, entrang sich der Kehle eines jeden, als gelbrote Zungen die dürren Äste beleckten. Hoch loderte das Feuer auf. Und da stand plötzlich die erschreckende Gestalt. So dicht war sie am prasselnden Feuer, daß die Flammen sie einzuhüllen schienen. Dazwischen ein grellrotes Gesicht, auf dem ein riesiger weißer Schädel schwebte, umgeben vom Hitzekranz bläulicher Flammenspitzen.

Entsetzt schrie Ayla auf. Doch Iza drückte ihr beruhigend die Hand. Des Kindes Fußsohlen spürten, wie die Erde unter dem dumpfen Pochen der Speerschäfte erzitterte; schreiend fuhr es zurück, als plötzlich der jüngste der Jäger hervorsprang und vor dem Feuer sich in den Boden stemmte, während Dorv zur gleichen Zeit auf einem großen schüsselförmigen Holz, das mit der Öffnung nach unten auf einem Klotz ruhte, wie rasend gegen das Pochen der Speerschäfte anschlug.

Broud kniete nieder und beschattete mit der Hand seine Augen, die in weite Fernen blickten. Mit einem Satz sprangen nun auch die anderen Jäger herbei und beschworen die Jagd auf den Bison. Und das so mächtig, daß die Clan-Frauen, denen keine noch so feine Bedeutung entging, die heißen, staubigen Ebenen erlebten, das Erzittern der Erde unter den donnernden Hufen der fliehenden Tiere spürten, den erstickenden Staub von den Lippen leckten und den Triumph des Todesstoßes verkosteten.

Schon bald hatte sich Broud nach vorne getanzt. Er hatte den Bison erlegt, ihm gehörte diese Nacht. Er spürte, wie die anderen mitgerissen wurden, wie die Furcht sie schüttelte, und antwortete mit noch leidenschaftlicherer Eindringlichkeit seiner Darstellung. Auch sonst war Broud einer, der sich hervorragend zur Schau zu stellen wußte und der sich niemals wohler fühlte, als wenn er inmitten der Aufmerksamkeit aller stand. Jetzt aber peitschte er durch wilde Sprünge, Schleifen und Verdrehungen des Körpers und der Beine, die ausholten, innehielten, nach vorne schossen, herumwirbelten und plötzlich frei in der Luft waren, die Sinne der Zuschauenden aufs äußerste. Als hätten ihn das rasendhämmernde Pochen der Speerschäfte und die wirbelnden Gegenschläge des schüsselartigen Holzes in einem grausam-unbezwingbaren Griff, warf Broud wie außer sich seine Glieder, zuckte zurück, stieß wieder vor, schritt herum, wälzte sich, sprang und tobte sich durch den Kampf mit dem Bison. Ein Schauder durchzuckte die Frauen, als er noch einmal den Todesstoß beschwor. Auch der Mog-ur, der hinter dem Feuer stand, war beeindruckt. Häufig hatte er den Männern zugesehen, wenn sie ihre Jagd schilderten, doch nur jetzt, so und auf diese Weise, konnte er, der Krüppel, an dem Erlebnis in seiner Gänze teilhaben. Der Junge machte seine Sache gut, dachte der Zauberer, während er um das Feuer herum nach vorne ging. Er verdient wahrlich sein Totemzeichen. Mit einem letzten Sprung landete der junge Mann unmittelbar vor dem machtvollen Zauberer. Das dumpfe Klopfen der Speere und die erregenden Wirbel erstarben. Creb und der junge Jäger standen einander gegenüber. Auch der Mog-ur verstand es, seine Schau zu machen und wartete, damit die Erregung des Tanzes verklingen und gespannte Erwartung sich einstellen konnte. Dunkel hob sich seine klobige, schiefgeneigte Gestalt, in eine schwere Bärenhaut geschlagen, vor dem hell lodernden Feuer ab. Das ockerrote Gesicht war jetzt im Schatten, und in seinen verfinsterten Zügen glitzerte das eine Auge, unheilvoll wie das eines bösen Geistes.

Nur das Knistern des Feuers, ein leiser Wind, der durch die Bäume strich, und das Heulen einer Hyäne unten in der Ebene störten die Stille der Nacht. Keuchend stand Broud da. Seine Augen glänzten heiß vom Tanz, vor Erregung und vor Stolz, aber auch von einer wachsenden, sein Herz beengenden Furcht.

Er wußte, was nun kommen würde, und je länger es dauerte, desto erbitterter mußte er gegen die Eiseskälte ankämpfen, die in ihm heraufkroch und ihn zittern machte. Jetzt war der Augenblick gekommen, wo der Mog-ur ihm das Zeichen seines Totems in den Körper ritzen würde. Es sich vorzustellen, hatte er nicht wollen, jetzt aber, da es gemacht würde, fürchtete Broud mehr als nur den Schmerz. Der Mog-ur, dieser Zauberer, war es, der ihn mit einer viel größeren Angst erfüllte.

Er stand vor dem Einlaß zur Geisterwelt, wo Wesen wohnten, die weit schrecklicher waren als ein riesenhafter Bison. Denn so gewaltig und kraftvoll ein solches Tier auch sein würde, man konnte es sehen, riechen, hören, jagen und – wenn man Glück hatte – auch schmecken. Doch mit den unsichtbaren, weit mächtigeren Kräften, die selbst die Erde erzittern lassen konnten, war es etwas ganz anderes. Und Broud war nicht der einzige, der einen Schauder verspürte, als plötzlich Bilder vom jüngst erlebten Beben die Köpfe bedrückten. Nur Zaubermänner, die Mog-urs, wagten es, in diese körperlose Welt einzudringen. Der junge Mann wünschte, dieser größte aller Mog-urs wolle schnell machen.

Wie in Erfüllung Brouds stummer Bitte hob der Zauberer seinen Arm und blickte hinauf zum Mond, ein heller, schmalgekrümmter Span heute. Mit ruhigen fließenden Bewegungen seiner übriggebliebenen Hand begann der Mog-ur die Berufung, die Zwiesprache mit den Geistern. Als er zum Ende kam, hatten die Clan-Leute Gewißheit, daß nun der Hauch ihrer Totems und einer Schar anderer unbekannter Geister da war und sie umgab. Und sie fürchteten sich sehr.

Blitzartig dann, so schnell, daß einige erschreckt den Atem anhielten, riß der Zauberer aus einer Falte seines Umhangs eine große scharfe Steinklinge und hielt sie hoch über seinen Kopf. Als wollte er ihn peitschen, zog der Mog-ur das spitze, scharfkantige Gerät durch die Luft, um es Broud in die Brust zu senken. Doch jäh hielt er inne, vermied den todbringenden Stich und ritzte mit rascher Hand zwei Linien in den Körper des jungen Mannes, die sich, leicht gebogen, zu einer Spitze vereinigten.

Broud preßte die Augenlider zusammen. Er zuckte nicht, als die Klinge seine Haut aufschlitzte. Blut quoll aus der Wunde und rann in roten Bächen seine Brust hinunter. Goov erschien an der Seite des Zauberers. In den Händen hielt er eine Schale mit etwas Schmierigem, gewonnen aus dem ausgelassenen Fett des Bisons und gemischt mit der heilkräftigen Asche vom Holz einer Esche. Der Mog-ur rieb sie in die Wunde, um den Blutstrom zu stillen. Später würde sich eine schwarze Narbe bilden, die allen kundtat, daß Broud ein Mann war; ein Mann, der für immer im Schutz des Geistes des kämpferischen, unberechenbaren wollhaarigen Nashorns stand.

Der junge Mann kehrte an seinen Platz zurück. Aller Augenmerk war auf ihn gerichtet, und er fühlte sich wohl dabei, jetzt, wo das Schlimmste vorüber war. Felsenfest war Broud überzeugt, daß sein starkes Herz und sein guter Arm bei der Jagd, seine Fähigkeit, beim Tanz zu fesseln, und die Unerschrockenheit, die er bei der Offenbarung seines Totems gezeigt hatte, ihn auf lange Zeit zu dem Mann des Clans machten, über den viel und nur das Beste geredet wurde; während des langen kalten Winters vielleicht, wo der Clan die Höhle nicht verlassen konnte, würde man sich die Geschichte erzählen und sie bei den Zusammenkünften des Groß-Clans weitergeben. Wenn ich nicht gewesen wäre, diese Höhle wäre nie die unsere geworden, dachte er. Und wenn ich den Bison nicht getötet hätte, keine Feier hätte man jetzt abhalten können, sondern müßte noch immer nach einer Höhle suchen.

Ayla verfolgte die ihr unverständlichen Handlungen mit Angst im Herzen, und doch war sie wie gebannt. Sie hatte den Aufschrei nicht unterdrücken können, als dieser schreckliche, unförmige, bärenähnliche Mann Broud die Klinge auf die Brust setzte und ihm die blutige Wunde schlitzte. Nur widerstrebend ließ sie sich nun von Iza zu dem schrecklichen Zauberer ziehen. Auch Aga, die kleine Ona auf dem Arm, und Ika mit Borg näherten sich dem Mog-ur. Ayla war erleichtert, als die beiden Frauen vor ihr und Iza Aufstellung nahmen.

Mit beiden Händen hielt Goov jetzt einen festgeflochtenen Korb, der mit einem dunkelroten weichen Zeug gefüllt war, gewonnen aus feingestoßenem Ocker, über dem Feuer vermischt mit dem ausgelassenen Fett des Bibers. Über die Köpfe der Frauen hinweg blickte er zum nachtschwarzen Himmel und bat die Geister, sich nahe bei ihm zu versammeln und auf die Kinder zu blicken, deren Totems nun enthüllt werden sollten. Dann tauchte er einen Finger in das rote breiig Weiche und malte auf die Hüfte des kleinen Jungen einen Kringel, der aussah wie der Schwanz eines Wildschweins. Leises, raunendes Gemurmel erhob sich bei den Clan-Leuten, die beifällig kundtaten, daß sie das Totem gut fanden.

»Geist des Keilers, der Junge Borg ist in deinen Schutz gegeben«, sagte der Zauberer mit feierlicher Bewegung und zog dem Jungen einen Lederriemen über den Kopf, an dem ein kleiner Beutel hing.

Ika verneigte sich stumm. Das Totem gefiel ihr. Der Geist des Keilers war stark und ehrfurchtgebietend, der richtige Schutz für ihren Sohn. Dann trat sie zurück.

Und wieder rief der Mog-ur die Geister an, tauchte den Finger in den roten Korb, den Goov hielt, und zog auf Onas Arm eine runde Linie.

»Geist der Eule«, verkündete seine Hand, »das Mädchen Ona ist in deinen Schutz gegeben.«

Dann legte der Mog-ur dem Kind das Amulett um, das seine Mutter gefertigt hatte. Wieder war gedämpftes Gemurmel zu hören, und beredte Hände drückten ihr Erstaunen aus über das starke Totem, welches dem Mädchen beigegeben war. Auch Aga strahlte. Ihre Tochter war wohlbeschützt, und der Mann, dem sie gehören sollte, durfte kein schwaches Totem haben. Insgeheim hoffte sie, es würde der Tochter damit nicht zu schwer gemacht, Kinder zu gebären.

Neugierig reckten die Clan-Leute die Hälse, als Aga zur Seite trat und Iza sich bückte, um Ayla auf die Arme zu nehmen. Das Mädchen hatte keine Angst mehr. Jetzt, wo sie näher war, sah sie, daß die schreckliche Gestalt mit dem rotgefärbten Gesicht kein anderer war als Creb, dessen Auge warm leuchtete, als er Ayla ansah.

Doch dann redete der Zauberer anders als bisher mit den Geistern, die er gerufen hatte. Dieses, was er jetzt entstehen ließ, waren Handlungen, die er vornahm, wenn er einem neugeborenen Kind seinen Namen gab. Also würde diesem fremden Mädchen nicht nur das Totem gedeutet, es würde auch in den Clan aufgenommen werden! Ruhig tauchte der Mog-ur seinen Finger in den roten Korb und zog von der Mitte ihrer Stirn, jener Stelle, wo bei den Clan-Leuten die hervorspringenden Augenbrauenwülste einander trafen, bis zur Spitze ihrer kleinen Nase eine Linie.

»Der Name des Kindes ist Ayla«, verkündete er und sprach ihren Namen langsam und sorgfältig aus, damit sowohl die Clan-Leute als auch die Geister ihn verstehen konnten.

Iza drehte sich, um den Leuten ihres Clans in die Gesichter zu sehen. So wenig wie die anderen hatte sie geahnt, daß Ayla in den Clan aufgenommen werden würde. Das muß bedeuten, daß sie meine Tochter ist, mein erstes Kind, schoß ihr durch den Kopf. Nur eine Mutter hält das Kind, wenn es seinen Namen bekommt und als Mitglied des Clans erkannt wird. Sie muß meine Tochter sein. Wer sonst könnte jetzt ihre Mutter werden?

Alle zogen sie nun an Iza vorbei, und jeder nahm das Mädchen auf den Arm und wiederholte mühsam seinen Namen. Dann wandte sich Iza wieder dem Zauberer zu. Er blickte auf und rief die Geister an, noch einmal sich um ihn zu scharen. Die Clan-Leute waren voll gespannter Erwartung. Der Mog-ur war ihrer stieläugigen Anteilnahme gewahr und machte sie sich zunutze. Mit langsamen, gemessenen Bewegungen tauchte er wieder den Finger in den roten Korb und zog dann einen der allmählich verheilenden Kratzer auf Aylas Bein nach.

Was kann das wohl bedeuten? Was ist das für ein Totem? Die Clan-Leute schauten sie fragend an. Wieder tauchte der Zaubermann seinen Finger ein und zog den nächsten Kratzer nach. Das Mädchen spürte, wie Iza zu zittern begann. Keiner der anderen rührte sich mehr; nicht einmal der rasselnde Atem Zougs war zu vernehmen. Bei der dritten Linie versuchte Brun, mit einem grollenden Murren des Mog-urs Blick auf sich zu ziehen, doch der Zauberer mied das Auge des Clan-Führers. Als die vierte Linie gezogen war, war es offen vor aller Augen gedeutet, aber keiner wollte es glauben. Der Mog-ur drehte nun den Kopf und sah Brun ins Gesicht, als er die Hand erhob.

»Geist des Höhlenlöwen, das Mädchen Ayla ist in deinen Schutz gegeben.«

Damit war jeder Zweifel ausgeschlossen. Als der Mog-ur Ayla das Amulett um den Hals legte, flogen die Hände der Clan-Leute in ungläubiger Bestürzung hin und her, überschlugen sich beinahe. Konnte ein Mädchen, ein vorher fremdes Mädchen auch noch, eines der stärksten Totems der Männer haben, den Höhlenlöwen?

Crebs Blick, der sich in die zornigen Augen seines Bruders bohrte, war ruhig und fest. Einen Augenblick lang waren sie in stummem Zweikampf verklammert. Doch der Mog-ur wußte, daß dem Mädchen der Höhlenlöwe als Totem bestimmt war, auch wenn es noch so unannehmbar schien, daß eine Frau den Schutz eines so mächtigen Geistes genießen sollte. Der Mog-ur hatte nur bekräftigt und nachvollzogen, was der Höhlenlöwe selbst getan hatte.

Nie zuvor hatte Brun die Offenbarungen seines verkrüppelten Bruders in Zweifel gezogen; aus irgendeinem Grund jedoch fühlte er sich von dem Zauberer überlistet. Dennoch mußte er sich eingestehen, noch nie erlebt zu haben, daß die Offenbarung eines Totems so greifbare Bestätigung gefunden hatte. Er war der erste, der seinen Blick aus dem Auge des Bruders zurückzog.

Es war schwer genug gewesen, sich mit der Aufnahme des fremdartigen Kindes in den Clan abzufinden; doch daß es ein solches Totem hatte, das ging zu weit. Das war etwas Niedagewesenes; etwas, was nicht in sein Bild von einem wohlgeordneten Clan paßte, erzeugte ein Unbehagen in Brun. Knurrend biß er die Zähne aufeinander. Keine Ausnahmen mehr! Wenn das Mädchen also Mitglied seines Clans sein sollte, dann mußte es sich nach ihm richten, ob nun der Höhlenlöwe sein Totem war oder nicht.

Iza war wie vom Donner gerührt. Das Kind noch immer in ihren Armen, verneigte sie sich vor dem Mog-ur; wenn er es bestimmte, dann mußte es so sein. Sie wußte, daß Ayla ein starkes Totem hatte, aber den Höhlenlöwen? Dieses Bild machte ihr Angst. Eine Frau, deren Totem die mächtigste aller Katzenarten war? Für Iza lag es auf der Hand, daß das Mädchen niemals einen Gefährten bekommen würde. Und das festigte sie in ihrem Entschluß, Ayla in der Heilkunst zu unterweisen, damit sie sich aus eigener Kraft einen Rang erwerben konnte. Während sie das Kind gehalten, hatte Creb ihm einen Namen gegeben und ihm sein Totem offenbart. Und war es dadurch nicht auch ihre Tochter geworden? Also – sie konnten den Gedanken noch kaum fassen – was wäre, wenn weiter alles gutging und sie in kurzer Zeit schon wieder mit einem Kind in den Armen vor dem Zauberer stehen würde? Sie, die so lange kinderlos gewesen war, würde bald zwei Kinder haben!

Im Clan brodelte es. Stimmen und wirbelnde Hände verrieten hitzige Erregung. Befangen kehrte Iza an ihren Platz zurück, begleitet von den staunenden Blicken der Männer und Frauen. Sie bemühten sie, wie es der Brauch war, die neue Mutter und das Kind nicht anzustarren. Ein Mann aber machte sich keine Mühe, seinen Blick zu verhüllen.

Das Feuer des Hasses in Brouds Augen, als er das kleine Mädchen anfunkelte, erschreckte Iza. Sie versuchte, sich zwischen die beiden zu stellen, um Ayla vor dem stechenden Blick des jungen Jägers zu schützen. Broud mußte erleben, daß er nicht mehr Anlaß der Aufmerksamkeit aller war, keiner würdigte ihn denn auch nur eines Blickes. Verdrängt war seine große Tat, die den Einzug in die Höhle möglich gemacht hatte; verdrängt waren sein großartiger Kampf und seine unerschütterliche Tapferkeit, als der Mog-ur ihm das

Zeichen seines Totems in die Brust geritzt hatte. Die Schmiere brannte immer noch! Aber gab es auch nur einen, der erkannte, wie tapfer er den Schmerz aushielt?

Alle taten sie, als wäre er Luft. Der junge Jäger hatte seine Wichtigkeit um einiges zu hoch gedacht. Zwar war die Feier der Mannbarkeit nichts Gewöhnliches, aber so etwas Erstaunliches und Unerwartetes wie des Mog-urs Offenbarung über das Findelkind war noch nie dagewesen. Zähneknirschend sah und hörte Broud, wie die Leute sich erinnerten, daß es das Mädchen gewesen war, das sie zu der Höhle geführt hatte; es wollte nicht in seinen Kopf: dieses häßliche Gestell da hatte ihre neue Wohnstatt entdeckt! Aber hatte sie etwa den Bison erlegt? Seine Nacht hatte das werden sollen, ihm allein hätte die Bewunderung und die Ehrfurcht des Clans zu gelten! Doch diese Ayla hatte ihm die Schau gestohlen.

Mit zornfunkelndem Blick starrte er auf das staksige, fremdartige Mädchen, doch als er sah, daß Iza zum Lager am Bach lief, richtete sich sein Augenmerk wieder auf den Mog-ur. Bald, sehr bald würde es ihm erlaubt sein, an den geheimen Handlungen der Männer teilzunehmen. Er wußte nicht, was ihn erwartete; er hatte nie mehr darüber erfahren, als daß er dann zum ersten Mal entdecken würde, was Erinnerungen wirklich waren. Es würde sein letzter Schritt auf dem Weg in die Welt der Männer.

Am Feuer am Bach entledigte sich Iza rasch ihres Umhangs. Sie nahm eine Holzschale und einen roten Beutel mit getrockneten Wurzeln, den sie sich schon vorher zurechtgelegt hatte. Nachdem die Schale mit Wasser gefüllt war, kehrte sie zum großen Feuer zurück, dessen Flammen noch höher aufstiegen, als Grod frisches Holz auflegte.

Als die Medizinfrau wieder vor den Zauberer trat, war sie nackt, nur das Amulett hing ihr um den Hals. Ihr Körper war rot bemalt. Ein großer Kreis betonte die Fülle ihres Leibes. Auch die beiden Brüste waren mit Kreisen umgeben, und zwei Linien, die von den Schultern ausgingen, liefen im Kreuz zu einer Spitze zusammen. Rote Kreise umschlossen das Gesäß. Diese Zeichen, deren Bedeutung nur dem Mog-ur bekannt war, schützten sie vor den Männern und die Männer vor ihr.

Iza stand ganz nah bei dem Mog-ur. Dicht genug, um auf seinem Gesicht die zahllosen Schweißtropfen sehen zu können; so lange stand er schon in seinem schweren Bärenfell in der sengenden Hitze. Auf ein kaum wahrnehmbares Zeichen von ihm hielt sie die Schale hoch und wandte sich dem Clan zu. Es war eine Schale, die, von den Vorahnen übernommen, nun gehütet und nur bei diesen besonderen Anlässen in Gebrauch genommen wurde. Eine Ahnfrau Izas hatte in langer und sorgfältiger Arbeit die Mitte eines Baumstücks ausgehöhlt und das Äußere geformt und dann die Schale mit grobem Sand und einem runden Stein glattgeschmirgelt. Zuletzt hatte sie das Gefäß mit rauhen Farnstengeln bearbeitet und ihm dabei seinen schimmernden Glanz gegeben. Innen war die Schale vom vielmaligen Gebrauch mit einer weißlichen Schicht überzogen.

Iza schob sich die getrockneten Wurzeln in den Mund und kaute sie langsam. Sie achtete darauf, keinen Speichel hinunterzuschlucken, während ihre großen Zähne allmählich die zähen Fasern zerbissen. Schließlich spie sie den Wurzelbrei in die Schale mit dem Wasser und rührte die Flüssigkeit um, bis sie milchig wurde. Nur die Medizinfrauen von Izas Blut wußten um das Geheimnis der berauschenden Wirkung dieser Wurzel. Die Pflanze kam recht selten vor, wenn sie auch nicht unbekannt war, doch die frische Wurzel zeigte kaum benebelnde Wirkung. Das Gewächs war getrocknet und mindestens zwei Sommer gelagert worden; zum Trocknen hatte man es mit der Wurzel nach unten aufgehängt und nicht umgekehrt, wie das sonst bei den meisten Kräutern üblich war. Nur einer Medizinfrau kam es zu, den Trank zu bereiten; doch nur Männer durften davon trinken.

Es gab eine alte Geschichte, die gemeinsam mit den geheimen Anweisungen, wie die Wirkstoffe der Pflanze in der Wurzel gesammelt werden sollten, stets von der Mutter an die Tochter weitergegeben wurde. Sie besagte, daß es einmal eine Zeit gegeben hatte, wo die Frauen das berauschende Mittel zu sich nahmen. Die Rituale, die mit ihrem Gebrauch einhergingen, wurden jedoch von den Männern nachgemacht, und den Frauen war es fortan verboten, von dem Trank zu nehmen; doch das Geheimnis der Zubereitung hatten die Männer nicht rauben können. Die Medizinfrauen, die es kannten, hatten es mit keinem außer ihren eigenen Töchtern teilen wollen, und daraus wurde, daß es nun allein jener Frau bekannt war, deren Blutslinie bis in die Urtiefen der Vergangenheit reichte. Dem Brauch nach wurde der Trank den Männern nur gereicht, wenn sie eine entsprechende Gegengabe machten.

Als der Trank nun bereitet war, nickte Iza, und Goov trat vor. Er hielt eine Schale, die mit dem Trank der Datura gefüllt war, wie er sonst für die Männer bereitet wurde, diesmal aber für die Frauen. Mit beherrschter Gemessenheit wurden die Schalen ausgetauscht. Dann hinkte der Mog-ur den Männern voraus in die kleine Höhle.

Nachdem sie verschwunden waren, reichte Iza den Daturatrank unter den Frauen herum. Die Medizinfrau verwendete den Saft dieser Pflanze häufig zur Betäubung, zur Linderung des Schmerzes oder als Schlafmittel.

Bald darauf brachten die Frauen ihre schlaftrunkenen Kinder in die Felle und kehrten dann zum Feuer zurück. Iza ging zu dem schüsselartigen Holz, auf dem Dorv während des Jagdtanzes herumgeschlagen hatte, und begann, einen langsamen, gleichmäßigen Rhythmus zu klopfen, dessen Klangfarbe sie langsam veränderte, indem sie den Schlagstock von der Mitte aus allmählich zum Rand wandern ließ.

Anfangs saßen die Frauen reglos. So gründlich hatten sie gelernt, sich im Beisein der Männer keine Blöße zu geben. Unter der allmählich einsetzenden Wirkung des berauschenden Mittels jedoch und weil sie wußten, daß die Männer nicht kommen würden, begannen einige Frauen, sich in den Hüften zu der schleppenden Schlagfolge zu bewegen. Ebra war die erste, die aufsprang. In vielschrittigen Figuren tanzte sie im Kreis um Iza herum, und als die Medizinfrau das Trommeln noch schneller, noch wilder machte, wurden die Sinne der anderen Frauen in Bann geschlagen, und ihre Körper gerieten in Verzückung. Rasch sprangen sie auf und stampften, hüpften, sprangen und wiegten sich und bewegten die Arme, als wollten sie Regen einfangen.

Während das Geklopfe immer hektischer und die Abfolge der Schläge immer schwieriger wurde, warfen mit einemmal die sonst so fügsamen Frauen ihre Umhänge ab und tanzten sich frei. Sie bemerkten nicht, daß Iza aufgehört hatte zu trommeln und sich unter die anderen gemischt hatte; zu tief waren sie dem eigenen inneren Schwingen ihres Körpers ausgeliefert. All das Aufgestaute, all das, was sonst ständig unterdrückt werden mußte, machte sich Luft in ungehemmter, maßloser Bewegung. Die Spannungen in den Herzen und die in den Köpfen trafen aufeinander und entluden sich in einer gewaltigen sinnenhaften Bestätigung ihrer Körperlichkeit, die es ihnen möglich machte, die Grenzen anzuerkennen, die ihrer Entfaltung seitens der Männer gesteckt waren. In wirbelnder, stampfender Verzückung tanzten sich die Frauen durch die Nacht, bis sie schließlich gegen Morgengrauen zusammenbrachen und einfach liegenblieben.

Beim ersten Licht des neuen Tages verließen die Männer die Zeremonienhöhle, stiegen über die reglos übereinander liegenden Frauen hinweg und krochen in die Schlaffelle. Ihre aufgestauten Ängste, Ärgernisse und Bedrückungen hatten sie während der Jagd herausgeschrien, am Bison zerschlagen und in den Boden gerannt. Das wundgedachte Hirn hatte sich gereinigt. Deshalb war ihre Feier von anderer Art gewesen, verhaltener, nach innen gekehrt.

Als die Sonne über dem Felsgrat aufstieg, humpelte Creb aus der Höhle und ließ den Blick über die schlafenden Frauen gleiten. Einmal, es war schon lange her, hatte er es wissen wollen und das Fest der Frauen beobachtet, und als er sah, wie sie sich bewegten, und sich vor Augen hielt, wie sie lebten, hatte er begriffen, warum sie der Befreiung ihres Innersten bedurften. Er wußte, daß die Männer sich stets neugierig fragten, was die Frauen denn taten, um in eine solch tiefe Erschöpfung zu versinken; doch der Mog-ur gab ihnen niemals Auskunft. Die Männer hätten sich entsetzt über das haltlose Benehmen der Gefährtinnen, wie ebenso die Frauen entgeistert gewesen wären über das kindische Bitten ihrer sonst so unerschütterlichen Gefährten, wenn diese die Geister beriefen.

Hin und wieder hatte der Mog-ur darüber nachgedacht, ob er den Geist der Frauen vereinen und ebenso zu den Anfängen zurückführen könnte. Sie hatten andere Erinnerungen, ja, aber sie besaßen die gleiche Fähigkeit, sich des uralten Gewußten zu entsinnen. Hatten sie Erinnerungen an den Ursprung ihrer Art? Konnten sie an der Feier mit den Männern teilhaben? Oft gingen diese Fragen dem Mog-ur durch den Sinn, doch niemals hätte er es gewagt, die Geister zu erzürnen, und versucht, dieses Neue zu entdecken.

Creb hinkte hinüber zum Lager und ließ sich auf seinem Fell nieder. Sein Blick fiel auf das zerzauste blonde Haar auf Izas Fell, was ihn bewog, sich die Geschehnisse in den Kopf zurückzurufen, die sich ereignet hatten, seit er gerade noch rechtzeitig aus der einstürzenden Höhle hinausgestolpert war. Wie kam es, daß dieses fremdartige Kind so schnell den Weg in sein Herz gefunden hatte? Brouds Haß gegen Ayla bedrückte ihn, und die bösen Blicke, die der junge Jäger ihr entgegengeschleudert hatte, waren ihm nicht entgangen. Dieser Zwist in der englebigen Gruppe betrübte ihn schwer.

Die Schmach würde Broud nicht ruhen lassen, dachte Creb. Das wollhaarige Nashorn ist ein passendes Totem für unseren späteren Clan-Führer. Broud kann tapfer sein, aber er ist starrköpfig und allzu hohen Mutes. Er kann ruhig und bedächtig sein, sogar behutsam und freundlich; aber schon im nächsten Augenblick kann blinde Wut aus ihm herausschlagen. Er wird sich beherrschen müssen.

Ächzend legte der alte Mann sich nieder und spürte jetzt erst, wie müde er war. Seit dem Beben der Erde war sein Herz voller Unruhe gewesen, jetzt aber konnte es verschnaufen. Die Höhle war die ihre, und die Schutzgeister hatten eine neue Bleibe; die Clan-Leute konnten einziehen, wenn sie erwachten. Creb gähnte und streckte sich aus.

6

In stummer Ehrfurcht und zaghaft zuerst hatten sich die Clan-Leute in der breitgrundigen Höhle mit den porigen, baumhoch emporstrebenden Felswänden umgeblickt, als sie das erste Mal hineingegangen waren. Doch schon bald trugen sie die neue Umgebung auch in ihrem Inneren. Und immer seltener gedachten sie der Tage und Nächte in der alten Höhle und der Mühen ihrer Wanderung. Und je vertrauter sie mit all dem wurden, was ihr tägliches Leben begleitete, desto wohler fühlten sie sich und desto schneller verfielen sie wieder auf ihre altgewohnten Tätigkeiten, für die der kurze heiße Sommer gerade recht kam. Die Männer gingen jagen, und die Frauen machten sich auf, um zu sammeln.

Zu tun gab es genügend. Silberne Forellen fangen zum Beispiel, die teils durch das sprudelnde Wasser des Bachs schossen, teils unter überhängenden Wurzeln und Steinen standen; dann schob man mit unendlicher Geduld die Hand langsam und vorsichtig immer näher an sie heran, bis man sie zu fassen bekam. Größere Störe und Lachse, die oftmals den begehrten schwarzen oder leuchtend rosafarbenen Rogen in sich trugen, tummelten sich nahe der Flußmündung; der gefräßige Seewolf und der schwarze Kabeljau schwärmten in den tieferen Gründen des von Land umgebenen salzigen Meeres. Mit Schleppnetzen aus langen Tierhaaren, die mit der Hand zu Schnüren gedreht worden waren, fing man die großen Fische, wenn sie, im seichten Wasser laichend, vor den durch das Wasser watenden Menschen flohen, die sie mit Knüppeln auf die Netze zutrieben. Häufig unternahmen die Clan-Leute den Marsch zum Meer hinunter und hatten bald einen großen schillernden Berg dieser Flossentiere aufgehäuft, die sie dann nach und nach über rauchenden Feuern dörrten. Das saftige Fleisch der Schnecken, Muscheln und Krustentiere, die sich im Meer fanden, galt als besonders bekömmlich; die Schalen fanden als nützliche Gefäße oder Hebezeug für Flüssigkeiten Verwendung. Am Abbruch vom Land zum Wasser erklommen die Jäger gezackte Klippen, um sich die Eier der Seevögel zu holen, die dort ihre Nester angelegt hatten. Hin und wieder gelang es auch, einen der kurzhalsigen Tölpel, die in riesigen Familien zusammensaßen und sehr fluggewandt waren, oder eine Möwe mit einem wohlgezielten Stein aus der Luft zu holen.

Während die Sommersonne immer praller und leuchtender wurde, sammelten die Frauen Wurzeln, fleischige Pflanzenstengel und Blätter, Kürbisgewächse, Hülsenfrüchte, Beeren, Obstartiges, Nüsse und Körner, jedes zu seiner Zeit. Die Blätter und Blüten von Kräutern wurden getrocknet, später würzende oder heilende Beigaben für Getränke. Und sie schleppten sanddurchsetzte salzige Klumpen zur Höhle zurück, die sie finden konnten, wenn das riesige Gletscherkalb weit oben, wo die Kältnis herkam, das Wasser aus dem Meer sog und es weiter zurückdrängte.

Auch die Jäger zogen noch oft aus, denn zu jagen gab es vieles. Auf dem üppigen, kurzhalmigen Gelbgrün der Steppen, wo nur hier und dort eine Gruppe verkrüppelter Bäume sich mühsam aufrecht hielt, weideten die wilden Herden. Mächtige Hirsche, deren hornartiger Kopfputz nicht selten über zwei Manneslängen betrug, durchwanderten ebenso wie riesige Bisons die Ebenen. Steppenpferde kamen selten so weit ins Unterland, aber graubraune Wildesel und die mannshohen fahlgelben, bisweilen auch rotbraunen Pferdeesel zogen über die weiten Flächen der Halbinsel; das äußerst wachsame Waldpferd lebte allein oder in kleinen Gruppen in den Vorbergen. In den Steppen sichteten die Jäger hin und wieder auch kleine Rudel von Antilopen.

Das wogende, hochstehende Grün zwischen Prärie und Vorgebirge war die Heimat uriger Rinder, dunkelbraune oder schwarze weitgehörnte Tiere. Das dunkelhäutige, unbehaarte, besonders über den kurzen Beinen mit kuppelhornigen Erhebungen behaftete Waldnashorn kam, den kühl-erträglichen Waldgebieten angepaßt, nur selten einer anderen, breitmäuligen Art in die Quere, die das offene Grasland bevorzugte.

Beide unterschieden sich durch ihre kürzeren, aufrecht stehenden Hörner und die gerade Haltung des Kopfes vom Wollnashorn, das sich ebenso wie das wollhaarige Mammut nur zu gewissen Zeiten zeigte. Das wollhaarige Nashorn trug ein langes, schräg nach vorn geneigtes Horn im Gesicht, und sein Kopf bewegte sich dicht über der Erde, so daß es ihm ein leichtes war, den Schnee vom winterlichen Weideland wegzuschieben. Mit seinem dicken Fettgewebe, dem tiefroten, langhaarigen Überfell und dem weichen wolligen Unterfell war dieses laub- und grasfressende Tier bestens einem Leben in kalten Gebieten angepaßt, den froststarren, weit oben liegenden Lößsteppen.

Ein beständiges Drücken über den weiten Eisfeldern entzog der Luft die Feuchtigkeit, so daß in vergletscherten Gebieten kaum Schnee fiel; dadurch entstand jedoch ein ständig wehender Wind, der feinen Kalkstaub und Löß vom zermalmten Felsgestein an den Rändern der gewaltigen Eisströme emportrug und über weite Strecken verstreute. Gewöhnlich schmolz ein kurzer Frühling die dünne Schneedecke und die oberste Schicht ewigen Eises so weit, daß schnellwurzelnde Gräser und Kräuter aufsprießen konnten. Sie wuchsen rasch und vertrockneten zu riesigen Flächen stehenden Heus, Futter für eine Unzahl von Tieren, die sich der eisigen Kälte des Gebiets angepaßt hatten.

Die warmfeuchten Steppen der Halbinsel lockten die wollhaarigen Tiere nur im Spätherbst. Die Hitze des Sommers war ihnen zu sengend, der Schnee des Winters viel zu tief. Viele der Tiere wurden während der Kältnis in das obere Land getrieben, an die Ränder des trockneren Lößlands. Die meisten von ihnen wanderten im Sommer zurück. Nur die Waldtiere, die sich von Unterholz oder Baumrinde oder Flechten nähren konnten, blieben auf den mit Bäumen bestandenen Hügeln, die Schutz boten und großen Herden keinen Raum ließen.

Hier lebten außer dunkelhaarigen Pferden und den Waldnashörnern vor allem das Wildschwein, gar manche Arten von Hirschwild, Rotwild in kleinen Herden, scheue Rehe als Einzelgänger oder in Grüppchen, die etwas größeren, bräunlichweißgefleckten Damhirsche und einige Elche.

Weiter oben in den Bergen grasten auf hochgelegenen Wiesen breitgehörnte Schafe, Mufflons, und noch höher sprangen Steinbock und Gemse von Fels zu Fels. Rasch und wendig fliegende Vogelschwärme belebten die Baumkronen des Waldes und erfüllten ihn mit unerhörtem Getön. Eine

Mahlzeit lieferten diese Fiederlinge selten. Da war es doch einfacher, behäbige, tieffliegende Schneehühner oder Moorenten mit der Schleuder zu erlegen und dann, wenn das Laub sich färbte und abfiel, den Schwärmen der Gänse und Eiderenten mit Netzen aufzulauern, wenn sie auf den versumpften Bergseen niedergingen. Raubvögel und Aasgefieder segelten träge mit den Aufwinden und beäugten scharf das Leben unter sich.

Zahllose kleinere, vorwiegend nagende Tiere lebten in den Bergen und Steppen nahe der Höhle, und gar manche mußten, von Zougs Stein getroffen, dem Clan ihr Fell überlassen. Es gab da Nerze mit dichtem Fell und kleinen Schwimmhäuten zwischen den Zehen, den fischefangenden Otter, den plumpen Vielfraß, das flinke Wiesel, den langgeschwänzten Marder, den schlauköpfigen Fuchs, den weichbepelzten Zobel, den Waschbär, der sich von Wassertieren nährte, den langschnäuzigen, allesfressenden Dachs, die springkräftige Wildkatze, das sanfte Eichhörnchen, das widerborstige Stachelschwein, den langohrigen Hasen, das pfiffige Kaninchen, den Erdhügel häufenden Maulwurf, die das Ufer der Gewässer durchwühlende Bisamratte, den baukundigen Biber, das entsetzliche Stinktier, die spitzschnauzige Wühlmaus, die unverwüstliche Wasserratte, die wander- und todessüchtigen Lemminge, das höhlenliebende Erdhörnchen, den unersättlichen Hamster und andere, die niemals benannt wurden und für immer unbekannt blieben.

Große Fleischfresser sorgten dafür, daß dieses Kleingetier nicht überhand nahm. Es gab die reißenden Wölfe und die lauernden Katzen: Luchse, Tiger, Leoparden und in den Bergen den Schneeleoparden und den Höhlenlöwen. Aber überall schlich die gefräßige Höhlenhyäne herum, und ihr lachendes Bellen ließ einen erschaudern.

In diesem Land fühlte sich der Mensch fast als der geringste Teil des vielgestaltigen Lebens; er, dem die Natur nichts mitgegeben hatte als sein übergroßes Gehirn und die Möglichkeit, sich und das andere zubedenken, war die schwächste der jagenden Kreaturen, denn mittlerweile fehlten ihm Fangzahn und Klaue. Aber trotz minderer Schnelligkeit und Sprungkraft hatte sich der zweibeinige Jäger den Respekt seiner vierbeinigen Rivalen erkämpft, so daß es sich ergab, daß dort, wo Mensch und Tier über lange Zeit hinweg in dichter Nähe beieinanderlebten, selbst Kreaturen, die ihm an Kraft und Größe überlegen waren, die Flucht ergriffen, sobald sie seine Nähe witterten. Die kundigen Jäger des Clans waren jedoch im Angriff so geschickt wie in der Abwehr.

Es war ein strahlender sonniger Tag geworden, durchweht von den wärmenden Winden des Hochsommers. Die Bäume wiegten ihre dichtbelaubten grünen Blätterkronen, grünschillernde Fliegen schwirrten um liegengebliebene Knochen. Der leichte Wind, der vom Meer her wehte, brachte Salziges auf die Zunge, und auf dem sonnenbeschienenen Hang vor der Höhle flirrten Licht und Schatten.

Jetzt, wo eine neue Bleibe gefunden war, hatte der Mog-ur nicht viel zu tun, nur hin und wieder für eine gute Jagd die Geister zu beschwören oder die bösen Geister zu vertreiben, wenn jemand krank oder verletzt war. Heute früh waren die Jäger ausgezogen und mehrere Frauen mit ihnen. Sie würden viele Tage nicht zurückkehren. Die Frauen begleiteten die Jäger, um das Fleisch der erlegten Tiere gleich dörren zu können, es wurde dann leichter und ließ sich besser zur Höhle zurücktragen, wo es für den Winter gelagert wurde. Wenn man es in dünne Streifen schnitt, trockneten die warme Sonne und der beharrlich wehende Steppenwind das Fleisch schnell aus. Auch die stark rauchenden Feuer aus dürrem Gras und Kot mußten unterhalten werden, um die Fleischfliegen zu vertreiben, die sonst Eier in die frische Beute legten. Und dann, auf dem Rückweg, würden die Frauen natürlich den Großteil der Last tragen müssen.

Seit der Clan nun die Höhle bewohnte, hatte Creb fast jeden Tag einige Zeit mit Ayla zugebracht, um ihr beizubringen, wie die Clan-Leute sich verständigen. Die einfachen Laute, für die Clan-Kinder im allgemeinen das Schwierigere, nahm die Kleine mit Leichtigkeit auf, doch das feine Spiel von Gebärden, Zeichen und Bedeutung erfaßte sie nicht. Er hatte sich bemüht, ihr die Bedeutung gewisser Gebärden klarzumachen, aber für beide gab es keinen gemeinsamen Boden des Verständnisses, auf dem sie aufbauen konnten, und es war niemand da, der hätte vermitteln können. Der alte Mann zerbrach sich den Kopf, wie er die Kluft überbrükken sollte, aber es kam ihm keine Erleuchtung. Auch Ayla war hilflos.

Sie spürte, daß Creb etwas hatte, das ihr abging, doch sie wollte es auch haben, um Creb wieder davon zu geben. Ihr Kopf hatte erfaßt, daß die Leute des Clans mehr mitteilen und verstehen konnten, als die wenigen einfachen Leute besagten; aber wie, das wußte sie nicht, weil ihr die Zeichen nichts bedeuteten. Ihr schien es ein lästiges Gefuchtel und Wedeln der Arme, ein lustiges Drehen, Knicken und Wenden der Hände oder ein lachhaftes Spreizen, Schnippen und Krümmen der Finger zu sein. Allmählich ahnte Creb, was Ayla hinderte, das Bedeutete zu erfassen, wenn er es auch kaum glauben konnte. Sie weiß nicht, daß die Bewegungen etwas sagen, dachte er, oder ihr Hirn ist nicht groß genug, um dort deren Bedeutung erkennen zu können.

»Ayla!« rief Creb und winkte dem Mädchen.

So ähnlich muß der Stolperstein in ihrem Kopf sein, dachte er, als sie neben dem glitzernden Bach entlanggingen, wo sich ihnen ein grauer, glattgeschliffener Felsen in den Weg gelegt hatte. Aber einfache Gesten versteht sie doch. Er hatte geglaubt, er brauchte Ayla nur zu helfen, ihr Gebärdenspiel zu erweitern und zu verfeinern.

Viele Füße auf dem Weg zur Jagd, zum Fischfang oder zur Nahrungssuche hatten bereits das Gras und das Unterholz niedergedrückt und einen Pfad ausgetreten. Sie kamen zu einer Stelle, die den alten Mann besonders anzog, eine Lichtung vor einem mächtigen, dichtbelaubten Eichbaum, dessen hochliegende wulstige Wurzeln einen schattigen, leicht erhöhten Sitzplatz boten. Es kam ihn weniger beschwerlich an, sich dort niederzulassen als auf dem Boden.

Mit einem Stock deutete er auf den Baum.

»Eiche«, benannte ihn Ayla.

Creb nickte beifällig und richtete den Stock dann auf den Bach.

»Wasser«, sprach das Mädchen.

Wieder nickte der Mog-ur, der dann eine Bewegung mit seiner Hand machte und das Wort wiederholte. Ein fließendes Wasser ist gleich Bach, bedeutete beides; Wort und Gebärde zusammen.

»Wasser?« kam es zaghaft über des Mädchens Lippen. Es war verwirrt. Creb hatte doch zu verstehen gegeben, daß das Wort richtig war; und dennoch war er nicht zufrieden. Ihr Magen flatterte ängstlich. Der Kopf war einfach zu. Es ging nichts mehr hinein; es ging nichts mehr hinaus. Sie wußte, er wollte noch etwas, aber was? Sie begriff es nicht und wurde stutzig; zupfte sich krampfhaft an der Nase.

Creb schüttelte den Kopf. Wie oft hatte er dieses Sprechen und Zeigen dem Kind vorgemacht! Und noch einmal; er wies auf ihre Füße.

»Füße«, sprach Ayla.

»Ja«, nickte der Zauberer.

Ich muß ihr beibringen, daß sie nicht nur hinhört, sondern auch zusieht, ermahnte er sich, stand auf, nahm sie bei der Hand und ging noch einige Schritte mit ihr, ließ aber seinen Stock zurück. Hierzu sagte er das Wort »Füße«. Sich bewegende Füße ist gleich laufen, hatte Creb mit der Gebärde bedeutet. Sie lauschte aufmerksam, um zu hören, ob ein sinnveränderndes Schwingen in seinem Tonfall ihr entgangen war.

»Füße?« wiederholte das Kind und wußte, daß dies nicht die Antwort war, die er haben wollte.

»Nein, nein, nein! Laufen! Sie bewegende Füße!« machte Creb noch mal Ayla deutlich, sah ihr in die Augen, während er sein Auf-der-Stelle-Treten übertrieb. Dann zog er sie vorwärts und wies wiederum auf ihre Füße.

Ayla fühlte, wie das Wasser ihr in die Augen schoß. Füße! Füße! Das war es doch, was er hören wollte. Und warum schüttelte Creb denn den Kopf? Oh, wenn er doch nur aufhörte, mit der Hand immer vor ihrem Gesicht herumzuwedeln.

Und wieder zog der alte Mann sie vorwärts, wies auf ihre Füße, machte die Bewegung mit seiner Hand, sprach das Wort. Sie blieb stehen und beobachtete ihn. Nochmals machte er die Gebärde, übertrieb sie so sehr, daß sie beinahe eine andere Bedeutung bekam, und sprach erneut das Wort. Tief vornübergebeugt stand der Mog-ur und blickte ihr ins

Gesicht, während er die Hand im Gelenk locker ließ und damit genau vor ihren Augen eine wellenförmige Bewegung vollführte. Gebärde, Wort, Gebärde, Wort...

Was wollte er? Was hatte sie zu tun? Sie wollte ihn ja gern begreifen. Sie spürte, daß Creb ihr etwas zu verdeutlichen versuchte. Aber warum bewegte er dauernd seine Hand?

Dann dämmerte es ihr; seine Hand! Er bewegte dauernd die Hand. Zögernd hob sie ihre schmale Rechte.

»Ja, ja!« Creb nickte heftig. »Bewegen. Sich bewegende Füße. Laufen!« wiederholte er. Scharf beobachtete sie seine Gebärde und versuchte dann, sie nachzuahmen. »Ja!« machte Creb. Das war es also, was er wollte. Das sich bewegende Zeichen, mit den Füßen, mit den Händen; sie sollte durch Zeichen sprechen.

Nochmals führte sie es aus und sagte dazu die Lautfolge für Füße. Ayla begriff nicht, was es bedeutete, aber sie verstand, daß sie dieses Zeichen machen sollte, wenn sie das Wort aussprach. Creb drehte sich herum und kehrte schwer hinkend zu der Eiche zurück. Als sie sich in Bewegung setzte, deutete er wieder auf ihre Füße und wiederholte noch einmal die Doppelbedeutung aus Gebärde und Laut.

Und plötzlich begriff Ayla, stellte den Zusammenhang her. Füße, die sich bewegen, ist gleich laufen! Dann erinnerte sie sich, daß die Leute des Clans ständig ihre Hände bewegten. Und sie sah Iza und Creb vor sich, wie sie dastanden und einander ansahen und dabei ihre Hände bewegten und auch die Finger, ohne viele Worte zu machen. Redeten sie miteinander? Redeten sie mit ihren Händen?

Creb setzte sich. Ayla blieb vor ihm stehen. Sie glühte vor Aufregung, bemühte sich, ruhig zu bleiben.

»Füße«, sagte sie und deutete auf ihre eigenen Füße.

»Ja«, nickte er, gespannt jetzt.

Sie drehte sich um und ging von ihm weg. Als sie sich ihm wieder näherte, machte sie das Handzeichen, mit Daumen, Zeige- und Mittelfinger ruhig durch die Luft fahrend, und sprach dabei das Wort Füße.

»Ja! Ja! Das ist es!« machte Creb zu ihr. »Du hast es erfaßt. Ich glaube, du hast es erfaßt.«

Ayla wartete einen Augenblick, dann drehte sie sich wieder um und rannte nun von ihm weg, dann wieder über die kleine Lichtung zurück, blieb ein wenig außer Atem vor ihm stehen und sah ihn erwartungsvoll an. »Rennen«, zeigte er durch drei schnell durch die Luft gezogene Finger an, während sie aufmerksam zusah. Jetzt war es eine andere Bewegung, so ähnlich wie beim ersten Mal, aber anders. Und zaghaft ahmte ihre Hand sie nach. Sie hat es wirklich erfaßt! Creb rieb sich die Hände. Das Mädchen hatte Hirn. Die Handbewegung war zwar grob und ungelenk gewesen, doch der Sinn war gedeutet. Er nickte ihr ermutigend zu und wurde beinahe von seinem Wurzelsitz gerissen, als Ayla sich an seine Brust warf und ihn stürmisch umarmte.

Hastig und verhohlen sah der alte Zauberer sich um. Sie waren allein. Selig lächelnd zog der Krüppel das kleine Mädchen an sich und spürte die junge Wärme auf sich überfließen.

Für Ayla öffnete sich nun eine ganz neue Welt.

Mit Feuereifer machte sie sich daran, alle Bewegungen Crebs nachzuahmen. Da dessen einhändige Gebärden jedoch eigene Abwandlungen der normalen Handsprache waren, überließ er es Iza, sie die Feinheiten zu lehren.

Während Ayla von Tag zu Tag mehr verstand und wußte, was wie zu bedeuten war, wurde das verschwommene Bild, das sie vom Tun und Treiben der Leute um sie herum hatte, allmählich immer klarer. Gebannt beobachtete sie den Austausch von Gebärden und Zeichen und versuchte zu erfassen, was da behandelt wurde. Anfangs ließen die Clan-Leute sich diese Wißbegier noch gefallen; man behandelte sie eben wie ein kleines Kind; dann aber flogen die ersten unwilligen Blicke, und es war klar, daß man ihr ungezogenes Verhalten nicht länger duldete. Es gehörte sich einfach nicht, andere zu beobachten; dem Clan-Brauch nach hatte man die Augen abzuwenden, wenn andere sich unterhielten.

Es war, als die Clan-Leute nach dem Abendverzehr noch in der Höhle an ihren Feuern saßen. Über den Flammen des Feuers am Eingang der Höhle, deren lodernder Schein böse Geister, räuberische Tiere und die naßkalte Nachtluft vertreiben sollten, stieg dünner Rauch auf, und hinter der wabernden Hitzewelle schienen schattendunkle Bäume und Büsche in flirrender Bewegung zu zittern. Das flackernde Licht warf ständig wechselnde Muster von Hell und Dunkel auf die porige Felswand der Höhle.

Ayla saß in dem Steinkreis, der Crebs Bereich umgrenzte, und blickte hinüber zu Bruns Feuer. Broud hatte einen roten Kopf; eine Ader an seinem Hals trat dick hervor; er war verdrießlich und grob zu seiner Mutter und Oga. An diesem Tag, der nun zu Ende ging, hatte Brouds Stolz einen schlimmen Knacks erlitten. Endlos und mit mühsam bewahrter Geduld hatte er auf der Lauer gelegen, aber sein Schuß hatte verfehlt, und der Rotfuchs, dessen Fell Oga versprochen war, verschwand so schnell wie der Blitz im dichten Unterholz, gewarnt vom Sirren des sausenden Steins. Des Mädchens Blick war doppelt kränkend.

Die Frauen, die müde waren von dem langen Tagwerk, wollten endlich Ruhe haben; Ebra, die Brouds Benehmen störte, bedeutete dies Brun, der dessen aufsässiges Verhalten wohl bemerkt hatte. Zwar konnte ein Mann die Frauen drangsalieren, wenn er wollte, aber Brun verdroß es, weil dies sein Sohn tat, der doch später führen sollte und die Frauen zu achten hatte, wenn sie müde waren.

»Broud, laß jetzt die Frauen. Sie brauchen Ruhe«, tadelte er den Sohn.

Daß er zurechtgewiesen wurde, und noch dazu vor Oga, traf Broud so hart wie ein Keulenschlag. Niedergeschmettert und den Kopf gesenkt stampfte er davon und zog sich zornig und gekränkt an den äußersten Rand von Bruns Wohnkreis zurück. Plötzlich spürte er Aylas Augen und fühlte sich erkannt. Wenn nicht der Brauch gewesen wäre, er würde zu diesem häßlichen Eindringling hinübergeflogen sein und hätte sie abgestraft; drei, vier Schläge an den Kopf und sie würde wissen, daß man andern nicht in den Wohnkreis zu gucken habe und auch noch zusehen, wie man ihn gescholten hatte. Broud sandte dennoch einen finsteren Blick hinüber zu dem Mädchen.

Creb war des Unmuts an Bruns Feuer wohl gewahr geworden. Mit feiner Nase nahm er stets alles auf, was unter den Clan-Leuten vor sich ging. Er ahnte, daß nur ein tiefer Groll Broud hatte dazu treiben können, vor allen in den Wind zu schlagen, was Sitte war im Clan, und mit seinen Blicken in den Nachbarkreis zu dringen. Brouds Widerwillen gegen das Kind ist zu heftig, als daß sie hier im Clan nach ihrer Art sein kann, dachte Creb. Sie muß das lernen, was gebräuchlich ist bei uns, zu ihrem eigenen Guten.

»Ayla!« rief er sie scharf und rauh, die zusammenfuhr beim harten Klang der Stimme. »Laß deine Blicke weg von anderen Feuern!« machte er mit warnender Gebärde und hob den Zeigefinger.

Sie war verwirrt. »Warum denn nur?«

»Das ist der anderen Leute Bereich, und sie möchten nicht, daß man sie stört – auch nicht mit den Augen.« Der Mog-ur sah, wie Broud herüberblickte und helle Schadenfreude auf seinem Gesicht stand.

Sie steht noch viel zu hoch in der Gunst des Zauberers, dachte der junge Jäger. Wenn sie in unserem Wohnkreis lebte, würde ich ihr schon Beine machen, daß sie nicht mehr so lang und grade wären. Sie wüßte dann, wie eine Frau sich zu verhalten hat.

»Ich will wissen«, bedeutete Ayla, »was da drüben ist« und zeigte auf Bruns Feuer, noch immer verwirrt und ein wenig verletzt.

Creb wußte, weshalb sie hinübergesehen hatte; doch es war an der Zeit, daß sie sich anpaßte an das im Clan Gewohnte. Und Brouds Groll gegen sie würde bestimmt besänftigt, wenn er sah, daß der Mog-ur ihre Eigenart bestrafte.

»Du sollst die anderen nicht einfach anstarren«, bedeutete ihr Creb mit strengem Blick. »Das ist schlecht. Du sollst nicht dagegenreden, wenn ein Mann dir etwas sagt. Das ist schlecht, und du sollst vor allem nicht mit deinen Blicken stören, wenn andere in ihrem Wohnkreis sind. Das ist sehr schlecht.« In harten kantigen Bewegungen hatte Crebs Hand gesprochen, sogar zur Faust war sie geballt. Er war barsch und deutlich geworden. Er wollte sie spüren lassen, daß es ihm ernst war. Er sah, wie Broud aufstand und auf Bruns Wink zum Feuer zurückkehrte, unverkennbar Hohn in den Augen.

Ayla war niedergeschlagen. Noch nie hatte Creb sich so verhalten, noch nie sie so hart zurechtgewiesen. Sie hatte geglaubt, es machte ihm Freude, wenn sie die Sprache des Clans erlernte; jetzt warf er ihr vor, daß es schlecht war, den Leuten etwas abzugucken, nur um mehr zu lernen. Sein barsches Verbot bedrückte sie; plötzlich kam ihr das Wasser in die Augen, das als glitzerndes Rinnsal die Wangen durchzog.

»Iza!« rief Creb verstört. »Komm, Aylas Augen!«

Die Augen der Clan-Leute tränten nur, um einen Fremdkörper auszuschwemmen oder wenn sie sich erkältet hatten und die Augen krank waren.

Iza kam sogleich herbeigeeilt.

»Hier, schau! Ihre Augen sind voll Wasser. Vielleicht ist ein Funken vom Feuer hereingeflogen. Sieh es dir an!« bedrängte er die Schwester.

Auch Iza war erschrocken. Sanft zog sie Aylas Lider hoch und starrte suchend in die Augen des Kindes.

»Tut das den Augen weh?« machte sie. Entzündliches war nicht zu sehen. Den Augen schien nichts zu fehlen. Aber sie waren voll Wasser gelaufen.

»Nein.« Ayla schüttelte den Kopf und schniefte. Was hatten sie denn für ein Getue um ihre Augen, jetzt, nachdem Creb sie so gescholten hatte?

»Warum ist Creb böse, Iza?« wollte Aylas Hand wissen.

»Du mußt verstehen, Ayla«, gab Iza zur Antwort, »es ist nicht gut, andere mit Blicken zu belästigen. Es ist nicht gut, zum Wohnkreis anderer Feuer hinüberzusehen und dort zu stören. Nur die Kleinen reißen die Augen auf. Du bist groß. Und wenn du's dennoch tust, verärgerst du die Leute.«

»Auch Creb?« Und wieder glitzerte es auf Aylas hohen Wangenknochen.

Iza hatte immer noch kein klares Bild, was es war, das ohne Anlaß Aylas Augen wässerte; aber sie spürte die hilflose Verwirrung des Kindes. Sie kehlte die ausgestreckten Hände, so daß sie Schalen glichen, und legte sie an ihre Brust. »Schau, so trägt Creb dich in seinem Herzen. Und ich habe dich auch darin.«

Creb wollte sie doch nur lehren. Aber sie müsse sich mehr zu eigen machen als nur die Clan-Sprache; sie müsse sich dem unterwerfen, was Sitte und Brauch sei im Clan. Die Frau nahm das kleine Mädchen in die Arme und hielt es fest, während Ayla immer noch trostlose Tränen vergoß.

»Was ist mit ihren Augen?« fragte Creb. »Ist ihnen nicht gut?«

»Sie hat geglaubt, du bist ihr nicht gut. Sie hat geglaubt, du wärest böse auf sie. Vielleicht sind helle Augen wie die ihren schwach, ich kann jedoch nicht sehen, daß ihnen etwas fehlt. Und sie sagt, daß sie nicht weh tun. Creb, ich denke mir, Aylas Augen nässen, wenn sie Kummer hat.«

»Aus Kummer?«

Creb hob erstaunt die Brauen und legte seine Stirn in zwei tiefe verwunderte Falten. Noch nie war jemand krank geworden, weil er meinte, der Mog-ur wäre ihm nicht gut. Man hatte doch gewöhnlich Angst vor ihm und Ehrfurcht und Achtung; und niemand war ihm schon so zugetan, daß dem die Augen näßten, der sich des Mog-urs Gunst entschlagen mußte. Vielleicht hatte Iza recht; vielleicht waren Aylas Augen feiner als die ihren, wenn auch ungleich schärfer. Dennoch war ihr beizubringen, daß es zu ihrem eigenen Guten wäre, wenn sie begriff, sich nach der Clan-Art zu verhalten. Denn wenn sie nun die Bräuche willentlich verletzt, Brun könnte sie mit Recht verstoßen.

Den Blick ängstlich zu ihren Füßen gesenkt, näherte sich Ayla langsam dem Mog-ur, der seine Hand unter das Kinn gestemmt hatte und das Kind mit dem einen Auge freundlich ansah. Sie blieb vor ihm stehen, hob den Kopf und blickte aus roten verquollenen Augen zu ihm auf.

Ihr Zeigefinger beschrieb einen Kreis um die Höhle, kehrte wieder zurück und wies auf ihre Augen. Dann öffnete sie die Hand und machte eine Bewegung, als wollte sie das Gezeigte auswischen. »Ich will die anderen nicht mehr anstarren«, meinte sie und fragte: »Bist du mir böse, Creb?«

»Nein«, gab er zurück, »ich bin nicht böse, Ayla. Aber du gehörst jetzt zum Clan, du gehörst zu mir. Du mußt unsere Sprache lernen, aber auch die Art, wie Mädchen und Frauen sich zu fügen haben, und diese Unart lassen.«

»Ich gehöre dir? Du bist mir gut?« fragten die kleinen zitternden Finger.

»Ja, sehr gut, Ayla.«

Des Mädchens Gesicht hellte sich auf. Es umarmte Crebs Knie, kroch auf seinen Schoß und kuschelte sich dicht an ihn.

Schon immer hatte der Mog-ur gerne Kinder um sich gehabt, und es wäre ihm eine Freude gewesen, wenn man sie hätte zu ihm kommen lassen. Denn nur selten kam es vor, daß er das Totem eines Kindes offenbarte, das der Mutter als nicht zu stark gedeutet war. Der Mog-ur mußte lächeln. Was nach des Clans Vorstellung von seiner Kraft des Kündens der Teilhabe am Reich der Geister zugewiesen wurde, war doch letztlich Zeugnis seines Scharfblicks und des weiten Herzens, das seijn zerstörter Körper trug. Von dem Tag an, an dem man es geboren hatte, begleitete der Mog-ur jedes Kind mit seinem Auge, das dann, wenn etwas sich ereignen sollte, vorher gesehen hatte, was zu künden war.

Erschöpft vom heftigen Schluchzen war Ayla inzwischen eingeschlafen. Sie hatte sich in die weiten Falten von Crebs Umhang gekuschelt; war zum Zauberer gekommen, den alle fürchteten, der aber jetzt den Platz in ihrem Herzen innehatte, den früher einmal auch jemand besaß, von dem jedoch nicht mal ein schattenhafter Abdruck fühlbar war. Und als der Mog-ur nun auf den kleinen Fremdling blickte, deuchte ihn, daß er ihn schon lange vorher gesehen hätte, aber nicht mit seinen wachen Augen, sondern seinen Sinnen, tief im Hirn.

»Iza«, rief er leise und reichte der Frau das schlafende Kind.

»Ihr Weh hat sie müde gemacht«, bedeutete er, nachdem die Medizinfrau Ayla in das Schaffell gelegt hatte. »Morgen soll sie liegen bleiben. Und sieh ihr noch einmal ihre Augen nach.«

»Ja, Creb«, nickte sie.

In diesem Augenblick fühlte sich Iza ihrem Bruder nahe wie selten zuvor. Es ließ ihr Gesicht im verhaltenen Schein des glosenden Feuers aufleuchten, als sie das Glück spürte, das ihr Herz umfloß bei dem Gedanken, wie schön es für Creb sei, nun doch jemanden gefunden zu haben, der ihn liebte und dem er es entgelten konnte.

Seitdem sie ein erstes Mal dem drängenden Geschlecht geöffnet worden war, war ihr nicht mehr so wohl zumute gewesen. Bedrückend nur die Furcht, die auf ihr lag, daß das Kind, das sie trug, vielleicht ein Junge würde. Denn ein Sohn mußte zum Jäger erzogen werden. Auch war sie Bruns Schwester, und beider Mutter war die Gefährtin des vorigen Clan-Führers gewesen, und wenn Broud, Bruns Sohn, etwas zustieß oder wenn er mit der Frau, die er zu nehmen hatte, nichts Männliches zeugte, dann müßte ihr Sohn, wenn sie einen gebar, die Führung des Clans übernehmen. Brun hätte sie und das Kind einem der Jäger zu geben oder sie selbst aufzunehmen. Tag für Tag lag Iza auf den Knien und bat den Schutzgeist, ihrem Schoß möchte ein Mädchen entbunden werden.

Während an den Bäumen langsam die Früchte reiften, begann Ayla unter Crebs geduldiger Anleitung allmählich nicht nur die Sprache, sondern auch die Verhaltensweisen und Bräuche des Clans zu verstehen, der sie bei sich aufgenommen hatte. Sie gewöhnte sich daran, die Augen abzuwenden oder niederzuschlagen, um den Clan-Leuten das blickoffene Eigenleben im Wohnkreis nicht zu stören. Doch war dies nur der erste Schritt auf einem dornenreichen Weg.

Doch Creb und Iza lernten auch hinzu. Sie entdeckten, daß Ayla vergnügt war und nicht verstimmt, wenn sie bei klaffenden Lippen die Zähne zeigte und befremdlich helle Hauchlaute ausstieß; sie lernten, daß dieses Benehmen Frohsinn bedeutete. Die leicht das Hirn drückende Sorge aber über die merkwürdige Empfindlichkeit ihrer Augen, die sich mit Wasser füllten, wenn das Kind Kummer hatte, wurden sie niemals ganz los. Und Iza sagte sich, daß dieses wohl den wasserhellen Augen eigen sei; und gerne hätte sie gewußt, ob das bei allen anderen von Aylas Leuten auch so sei. Da es ja bestimmt nichts schadete, spülte sie Aylas Augen mit dem klaren Saft einer bläulichweißen Pflanze, die es tief in kühlen schattigen Wäldern gab, wo sie auf verfaulendem Holz und verrottendem Grün gedieh. Sobald man sie berührte, färbte sie sich schwarz. Und jedesmal, wenn Ayla weinte, träufelte Iza nun ein wenig davon in des Kindes himmelblaue Wasseraugen.

Es begab sich nicht oft, daß Ayla weinte, die, obwohl sie

merkte, daß ihre Tränen augenblicklich Zuwendung zur Folge hatten, sich bemühte, sie, so gut es ging, zu unterdrükken; denn für die Clan-Leute waren sie Ausfluß des Fremdartigen.

Allmählich lernte Ayla, mit den Erdlingen zu leben und sie so zu nehmen, wie sie waren. An den Männern fraß die Neugier zwar, doch war es offensichtlich unter ihrer Würde, dies auch noch kundzutun, vor allem gegenüber einem Kind, ganz gleich, wie ungewöhnlich es auch war. Ayla beachtete die Männer ebensowenig wie diese sie beachteten. Nur Brun zeigte etwas mehr der Anteilnahme; doch machte er ihr Angst, denn er schien streng und unnahbar. Hätte sie geahnt, daß nicht der Clan-Führer, sondern der Mog-ur als unzugänglich und furchteinflößend galt, so hätte sie es nie geglaubt. Und so gewahrte sie auch nicht das Kopfschütteln über die Vertraulichkeit, die sich zwischen ihr und dem Zauberer entspann. Doch einer im Clan war Ayla sehr zuwider, und das war der junge Jäger, der an Bruns Feuer saß. Stets machte Broud ein finsteres Gesicht, wenn er sie ansah.

Mit den Frauen wurde sie schneller vertraut, war sie doch fast den ganzen Tag um sie herum. Und wenn sie nicht im Wohnkreis von Crebs Feuer saß oder mit der Medizinfrau durch Wälder und Wiesen streifte, war sie ebenso wie Iza mit den Clan-Frauen zusammen. Sie sah zu, wie man Tiere häutete, Felle und Häute bearbeitete, Riemen straffte, die in Streifen aus der Haut herausgeschnitten wurden, Körbe, Matten oder Netze flocht, aus Baumstümpfen Schüsseln aushöhlte, Beeren und Früchte sammelte, den Verzehr vorbereitete und Fleisch und Pflanzen für die kalten Tage dörrte. Und als die Frauen gewahr wurden, daß das Mädchen sich willig zeigte, das Ihre anzunehmen, halfen sie ihm gern, das Zeichensprechen gründlicher zu lernen, und unterwiesen sie in manchen Fertigkeiten.

Aylas Knochen waren nicht so kräftig wie die der Frauen und Kinder des Clans; ihre feineren Gliedmaßen hätten auch kaum das schwere Muskelfleisch der Clan-Leute zu tragen vermocht. Doch sie war erstaunlich flink und behende. Verrichtungen, die Körperkraft verlangten, waren für sie schwer zu bewältigen, doch dafür, daß sie noch ein Kind war, zeigte sie sich beim Körbeflechten und beim Zuschneiden von Riemen gleicher Breite sehr anstellig. Und bald faßte sie eine Zuneigung zu Ika, die ihr erlaubte, Borg herumzutragen und mit dem kleinen Kind herumzutollen. Ovra hielt sich leicht zurück, doch sie und Ika warfen Ayla bei der Arbeit warme Blicke zu. Glich doch das Schicksal ihrer Leute dem Schicksal Aylas Leuten: die Höhlen hatten es beschlossen, als sie einstürzten und sie unter sich begruben.

Das erste feine Band der freundlichen Gefühle, das sich so bald zwischen ihr und Oga angesponnen hatte, riß jedoch kurz darauf entzwei. Denn Oga zog es mehr zu Broud; zwar Ayla zugeneigt, weil diese, wenn auch jünger, ein Mädchen war wie sie und später Frau, aber Brouds Gefährtin werden wollend, so daß sie Ayla mied, wo es nur ging.

Mit Vorn, dem kleinen Gernegroß, war nicht viel anzufangen. Obwohl er jünger war als Ayla, hatte er nur eins im Sinn, ihr mit gebieterischer Miene zu befehlen, wie es die Männer mit den Frauen hielten, das zu ertragen Ayla immer noch nicht recht gelingen wollte. Denn als sie sich dagegen wehrte, trug ihr das nur den Zorn der Männer wie der Frauen ein. Besonders Aga, die Mutter des Vorn, schalt laut und drohte mit den Fäusten, weil immer dann, wenn just ihr Sohn sich wie ein Mann benehmen wollte, ihm Ayla ihre kalte Schulter zeigte und sein Gezeter schnell ins Leere ging. Brouds Groll gegen Ayla war ihr so wenig wie den anderen verborgen geblieben. Der junge Jäger würde eines Tages Brun folgen und Clan-Führer werden. Und wenn ihr Sohn dann immer noch in seiner Gunst stand, würde er bestimmt zum Zweiten im Rang erkoren werden. Sobald sie Broud in der Nähe wußte, funkelte sie das fremde Mädchen an und schlug nach ihr und drängte sie, die Arbeit schneller fortzusetzen.

Von Tag zu Tag gelang es Ayla immer besser, die Clan-Sprache richtig zu beherrschen. Jedoch ein Zeichen eignete sie sich selbst durch eigene Beobachtung an, denn gänzlich war sie nicht des Blicks entwöhnt, den anderen die Augen aufzudrängen, die sich gerade lebhaft unterhielten.

So sah sie eines späten Mittags Ika zu, wie sie mit Borg ein Zeichen übte, der dann nach einigen Versuchen mit ungelenken Händen nachzudeuten wußte, was Ika lange und geduldig dem Sohne vorgemacht, und voller Freude ihn dann an sich drückte. Wenig später beobachtete Ayla, wie Vorn zu Aga hinrannte und sie mit der gleichen Gebärde ansprach. Und auch Ovra begann, wenn sie mit Ika etwas zu behandeln hatte, mit diesem Zeichen.

Als es Abend war, drängte sich Ayla etwas scheu an Iza heran, und als die Frau vom Feuer aufblickte, machte das Kind mit zaghaftem Finger einen Kreis und da durch eine Linienkerbe, von oben nach unten gezogen mit der flachen Hand und zeigte dann auf Iza.

Die riß die Augen auf.

»Creb«, rief sie. »Wann hast du das Kind gelehrt, mich ›Mutter‹ zu nennen?«

»Ich habe das nicht getan, Iza«, bedeutete ihr der Bruder.

Iza wandte sich wieder dem Mädchen zu.

»Hast du das von dir?« wollte sie wissen.

»Ja, Mutter«, machte Ayla eifrig. Ihr war zwar nicht ganz klar, was dieses Zeichen wohl bedeuten mochte, aber sie hatte gesehen, daß es stets von Jüngeren gebraucht wurde, wenn sie etwas von den Frauen wollten, die für sie zu sorgen hatten.

Iza, die Kinder zu bekommen aus gutem Grunde dem eigenen Körper untersagt hatte, war tief gerührt. »Kind«, machte sie und umarmte Ayla. »Mein Kind«, und umschlang den schmächtigen Findling. Und zu Creb gewandt, meinte sie, daß sie ihn durch die Geister empfangen hätte, die es so gewollt.

Creb sagte nichts. Doch er dachte ähnlich.

Nach diesem Abend wurde Ayla nicht mehr so oft von drückenden Träumen gequält, hatte nur hin und wieder Bangnis und Unruhe im Schlaf zu erleiden. Zwei Träume stellten sich noch ein; in dem einen versuchte sie voller Angst dem gierigen Schlag einer riesigen Pranke mit großen, spitz gebogenen Krallen zu entkommen; im anderen hatte sie Boden unter den Füßen, der schwankte; ihre Ohren erfüllte ein tiefes, donnerndes Grollen und den Magen drückte ein schreckliches Gefühl von Leere, und in ihrem Kopf raste ein verzehrendes Feuer. Sie schrie dann auf in fremden Tönen und klammerte sich hilfesuchend an Iza, wenn sie dann erwachte. War es in der ersten Zeit ihres neuen Lebens unter den Clan-Leuten vorgekommen, daß sie ungewollt auf die Sprache zurückgriff, die sie von ihrer Mutter hatte, so kehrten später, als ihr die Zeichen der Clan-Sprache und das, was diese bedeuteten, immer vertrauter wurden, die Laute von einst immer noch in ihren Träumen wieder. Und schließlich erstarben auch sie.

Der kurze heiße Sommer war verglüht und ging zu Ende. Leichte Morgenfröste brachten den ersten Hauch bitterer Kälte auf die Gräser, die weiß überstäubt waren mit winzigen Kristallen. Die einst grünen Wälder flammten rot und braun und golden auf. Dann breiteten erste Schneefälle eine weiße Decke über das Land, die bald darauf von schweren Regengüssen wieder zerfetzt und fortgeschwemmt wurde. Rauhe Winde raubten den Bäumen das farbenprächtige Blattwerk. Nur noch wenige hartnäckige Blätter klammerten sich an die sonst nackten Äste der Bäume und Büsche, als ein paar sonnenwarme Tage die Clan-Leute den letzten Schimmer des Sommers erleben ließen, ehe die eisigen Winde und klirrende Kältnis sie für lange Zeit in ihre Höhle sperrten.

Alle waren sie nun draußen und reckten die nackten Köpfe gierig der wärmenden, blaßgelben Scheibe hoch oben am Himmel entgegen. Auf dem breiten, festgestampften Vorplatz vor der Höhle worfelten die Frauen die Körner, die sie unten in der Grassteppe gesammelt hatten. Ein scharfer Wind wirbelte dürre Blätter auf und hauchte den rauschenden Kündern des vergangenen Sommers flüchtiges Leben ein. Aus großen, flachen Körben warfen die Frauen die Körner in die Luft und ließen den Wind das Unnütze davontragen.

Iza stand von hinten über Ayla gebeugt, ihre Hände auf denen des Mädchens, das den Korb hielt, ihr zur Hand gehend, wie sie es anstellen mußte, das Geerntete hoch in die Luft zu schleudern, ohne es mit den Hülsen und kleinen Strohhalmen ins Weite hinauszuwerfen.

Ayla spürte Izas harten, jetzt voll gerundeten Leib in ihrem Rücken und auch das heftige Zucken, das die Frau plötzlich innehalten ließ. Wenig später löste sich Iza von der Gruppe der Frauen und eilte, gefolgt von Ebra und Uka, in die Höhle. Ayla warf einen furchtsamen Blick hinüber zu den Männern, die in ihrem Getue innehielten und den Weggelaufenen mit großen Augen folgten, und glaubte, sie wollten die Frauen zurechtweisen, die sich zurückgezogen, obwohl es noch Arbeit gab. Doch die Männer waren ungewohnt nachsichtig und taten nichts. Ayla lief den Frauen nach.

Iza lag schon drinnen in der Höhle auf ihrem Fell. Ebra und Uka hockten sich zu beiden Seiten nieder.

Die Medizinfrau sah die Angst im Gesicht des Kindes und hob beschwichtigend die Hand, jedoch ohne Ayla wirklich zu beruhigen, deren Bangnis wuchs, als sie bei dem nächsten Stoß, der Izas Leib zusammenbog, das qualvolle Weh in Izas Augen schaute.

Ebra und Uka beredeten dabei die alltäglichsten Dinge; wo die Nahrung zu lagern sei, die man für die kurzen Tage gesammelt hatte, wann der Frost wohl wieder käme, wo zugige Stellen noch abgedichtet werden müßten. Doch Ayla konnte ganz genau den Mienen und der angespannten Haltung nach die Besorgnis der Frauen erkennen. Nichts, nahm sie sich vor, würde sie dazu bringen, von Iza wegzugehen, solange sie nicht wußte, was da geschah. Zu ihren Füßen ließ sie sich nieder und wartete.

Gegen Abend kam Ika mit dem kleinen Borg, dann auch Aga mit der stillen Ona. Beide setzten sich zu Iza, gaben den Kindern die Brust und taten nur durch ihr Hiersein Mitgefühl kund. Auch Ovra und Oga drängten sich um Izas Lager. Ukas Tochter hatte zwar noch keinen Gefährten, doch würde sie bald zur Frau, die zu gebären hatte.

Als Vorn bemerkte, daß Aba sich zu ihrer Tochter setzte, trottete er hinüber, dort, wo sich alle Frauen an des Mog-urs Feuer trafen, und kroch auf Agas Schoß. Die aber hatte Ona noch zu stillen. So hob die alte Aba den Jungen zu sich auf die Knie, der nach einer Weile, weil sich nichts tat, unruhig wurde und sich quengelnd davonmachte.

Nicht lange danach erhoben sich auch die Frauen, um mit den Vorbereitungen für den abendlichen Verzehr zu beginnen. Nur Uka blieb bei Iza; Ebra und Oga allerdings warfen immer wieder große Blicke zu ihr hinüber, während sie das Feuer unterhielten. Ebra versorgte Creb und Brun, dann brachte sie auch Uka, Iza und Ayla etwas zu essen. Ovra machte dem Gefährten ihrer Mutter das Essen, doch sie und Oga kehrten eilig an Izas Lager zurück, als Grod sich zu Brun und Creb ans Feuer setzte.

Iza schlürfte nur ein wenig von dem Kräutergebräu, das Ebra ihr gebracht hatte; und auch Ayla war nicht hungrig; die Angst um Iza hielt ihre Kehle so fest umklammert, daß sie kaum etwas hinunterbrachte. Was war mit Iza? Warum steht sie nicht auf wie gewöhnlich und macht Creb das Geschmorte, das er jeden Abend aß? Warum kommt Creb nicht her und bittet die Geister, sie wieder gesund zu machen? Warum bleibt er einfach mit den anderen Männern sitzen?

Izas Körper quälte sich jetzt noch stärker als zuvor. In den kurzen Rastpausen, die ihr vergönnt waren, holte sie hastig Atem und preßte dann wieder mit aller Kraft den Leib nach unten, während sie die Hände der beiden Frauen umklammert hielt, die sich in der Wache ablösten. Die Clan-Männer hockten um das Feuer von Brun, augenscheinlich in ernster Betrachtung vertieft. Doch die manchmal verstohlen zur Höhle gelenkten Blicke verrieten, daß sie Anteil nahmen.

Längst war es dunkel geworden. Und plötzlich hasteten alle herum. Ebra breitete schnell ein Fell aus, Uka stützte Iza, daß sie in Kauerhaltung kam, denn die Medizinfrau atmete jetzt hastig und keuchte, schrie immer wieder auf vor Schmerz. Am ganzen Leib zitternd, hockte Ayla zwischen Ovra und Oga, die ebenfalls stöhnten und wimmerten. Noch einmal holte die Frau tief Luft und preßte mit knirschenden Zähnen den unteren Leib, bis zwischen den Beinen ein Wasserschwall kam und ein Kopf, dann die Schulter und die Hand und ein Bein, bis alles heraus war vom neuen Erdenkind. Zuletzt kam noch ein rotes Geklump, das Aga etwas zur Seite legte. Erschöpft ließ Iza sich niedersinken; das neue Kind nahm Ebra in die Arme und zog ihm ein wenig Schleimiges vom Mund und legte es der Medizinfrau auf den Bauch. Als sie dem Kind leicht auf die Sohlen klopfte, riß es die Lippen auseinander, und aus dem Mund kam erste Lebenskunde. Schnell schnürte Ebra ein Stück der rotgefärbten

Sehne um die Körperschnur, die Kind und das nun unnütze Geklump miteinander verband, und biß sie ab. Sie hob das Kind nun etwas hoch, so daß es Iza sehen konnte, und stand dann auf und kehrte an ihr eigenes Feuer zurück, um Brun zu sagen, daß ein neues Clan-Kind angekommen und welchen Geschlechts es geworden sei.

7

»Es schmerzt mich, dir davon zu sagen«, machte Ebra, »daß Izas Kind ein Mädchen ist.«

Doch Brun war nicht enttäuscht, er war erleichtert, auch wenn er das nie zugegeben hätte. So war es gut gewesen für den Clan, daß Creb sein eigenes Feuer angezündet und Iza mit dem Fremdling unter seinen Schutz genommen hatte, und Brun war froh, daß sich daran nun nichts mehr ändern würde. Der Mog-ur hatte Ayla gut erzogen.

Und Creb war über die Geburt von Izas Tochter nicht nur erleichtert, sondern ganz erfüllt mit einer tiefen Freude. Seitdem man sich die neue Höhle zur Wohnstatt hergerichtet hatte, war ihm zum erstenmal das Wohlbehagen und die Wärme zugeflossen, die Mann und Frau und Kind entfachen können. Da Iza nun ein Mädchen geboren hatte, blieb alles, wie es war.

Auch Iza konnte seit der Zeit der Höhlenweihe wieder frei und ohne Bangnis atmen. Es kam ein Lächeln in ihr Gesicht, als ihr einfiel, daß sie schon viele Sommer zählte und dennoch ein Kind zum Leben brachte. Vielen Frauen hatte sie geholfen, denen es viel schmerzlicher ergangen war als ihr. Einige waren dem Tode nahe gewesen, etliche sogar gestorben, und oft hatten auch die Neugeborenen ihr Leben nicht länger behalten dürfen. Ihr schien, daß die Köpfe der Kinder fast zu groß waren für die Öffnungen der Frauen. Doch hatte ihre Angst weniger dem Gebären selbst gegolten als vielmehr der Vorstellung, daß ihr Kind ein männliches sein würde. Denn davon hing es ja ab, wie ihr Leben weitergehen würde, und die lange Ungewißheit war für sie fast schwerer zu ertragen gewesen als die Schmerzen.

Aus tiefstem Herzen atmete Iza auf und legte sich zurecht. Uka wickelte das Kleine in ein weiches Kaninchenfell und gab es der Mutter in die Arme.

Bei all dem hatte Ayla sich nicht ein bißchen gerührt. Sehnsüchtig und neugierig zugleich blickte sie auf Iza. Die Frau sah es und winkte ihr.

»Komm, Ayla. Schau!« machte die Medizinfrau mit matter Hand.

Scheu kroch Ayla hinzu. Iza sog die weichen Hüllen auseinander, so daß Ayla den winzigen Erdling betrachten konnte.

Mit braunem Flaum war der niedrigstirnige Kopf bedeckt, an dessen Hinterteil deutlich der knochige Wulst zu sehen war, der bald von dichtem Haar bedeckt sein würde.

Sacht hob Ayla die Hand, um das Neue anzufassen, das plötzlich die Hand ausstreckte und leise die Lippen bewegte.

In Aylas Augen stand immer noch das Staunen über das, was unfaßbar zuerst, dann ganz langsam faßlich werden sollte. »Will sie sprechen, Iza?« fragte sie und deutete auf den Mund des kleinen Kindes.

»Es geht noch nicht«, gab Iza zurück. Aber wenn es so weit wäre, dann müsse sie ihr dabei helfen, den Winzling zu unterweisen, setzte sie hinzu.

»Ja, das mache ich« beteuerte Ayla. Sie würde ihr zeigen, so sich auszudrücken, wie einst der Mog-ur und die Medizinfrau es mit ihr getan.

»Ja, Ayla«, bekräftigte Iza und deckte ihr Kind wieder zu. Und während sie tief und fest schlief, blieb Ayla getreulich an ihrer Seite.

Ebra hatte das rote Geklump in das Fell gewickelt, das zuvor Iza untergelegt worden war, und verbarg es an einem unauffälligen Ort, wo es liegenbleiben würde, bis die Medizinfrau sich erheben und die Höhle verlassen konnte, um es an einer Stelle zu vergraben, die nur ihr geläufig war. Wäre der Erdling tot geboren worden, man hätte es mit ihm zusammen irgendwo verscharrt, und keiner hätte jemals wieder darüber auch nur ein Wort gesagt. Der Mutter wäre der Schmerz nicht anzusehen gewesen, aber man würde ihr mit unaufdringlicher Behutsamkeit und sanftem Mitgefühl begegnet sein.

Wäre das Kind mit einer Mißgestalt zur Welt gekommen oder nach des Clan-Führers Ansicht dem wechselhaften Leben nicht gewachsen, so erwartete die Mutter eine schmerzliche Pflicht, das Kind zu nehmen, fortzuschaffen, zu begraben oder einfach irgendwo liegenzulassen. Nur selten wurde einem Kind, das mißgestaltet war, die Möglichkeit zum Weiterleben eingeräumt – und einem Mädchen gar fast nie. War das Kind ein Junge – vielleicht sogar das Erstgeborene – und gedachte der Gefährte der Mutter es anzunehmen, so konnte der Clan-Führer die Erlaubnis geben, daß es so viel Tage seines Lebens wie Finger an einer Hand und von der anderen zwei dazu bei der Mutter blieb. Und jedes Kind, das diese sieben Tage überlebte, war im Einklang mit dem seit ewig Überlieferten zu benamsen und in den Clan aufzunehmen.

Genauso hatte es sich auch vor langer Zeit mit Creb und seinem Leben zugetragen, das sieben Tage in der Schwebe hing. Auch seine Mutter hatte die Geburt beinahe nicht überlebt. Bei ihrem Gefährten, der Clan-Führer war, lag der Entscheid über Leben und Tod des Kindes, der weniger um dessentwillen als vielmehr um der Mutter willen und dennoch auch zugunsten dieses neuen Kindes getroffen wurde, dessen unförmiger Kopf und leblose Glieder bereits anzeigten, wie sehr es die Natur für Zukünftiges behindern würde. Die Gebärerin war zu sehr geschwächt und hatte mit dem Wasser auch viel Blut verloren, stand selbst am Weg zum Totenreich, als daß sie, wie es der Brauch war im Clan, das jämmerliche neue kleine Leben, das nicht lange währen würde, folgsam beiseite schaffte. Wenn eine Mutter selbst die Pflicht nicht übernehmen konnte, so fiel sie dann der Medizinfrau zu; das war in diesem Fall eines. Und deshalb ließ man Creb bei seiner Mutter, die ihn kaum nähren konnte mit der Brust. Und als er nach dem siebenten Tag sich immer noch am Leben hielt, bekam Creb seinen Namen zugewiesen, und eine andere Frau, die voller Nahrung war, gab sie ihm dann, und er gedieh in seinem hinderlichen Körper. Das war der Anfang dieses Mannes, der später Mog-ur wurde und heute nun der Heiligste der heiligen Männer war und der kundige und allmächtige Zauberer des Groß-Clans.

Der Krüppel und sein Bruder hatten sich Iza und dem Neugeborenen genähert. Auf Bruns wegscheuchende Bewegung seiner Hand sprang Ayla hastig auf und machte sich davon, blickte jedoch, in einiger Entfernung sich niederkauernd, verstohlen zu Izas Lager hinüber, die sich aufsetzte, den winzigen Erdling aus dem Fell grub und ihn Brun entgegenhielt, ohne die Männer anzusehen, die das, was ihnen da entgegengehalten wurde, mit scharfen Blicken beäugten. Das Kind fing laut zu wimmern an, als es der Wärme entrissen wurde und an die kalte Nachtluft kam.

»Es ist heil«, entschied Brun. Dann fügte er hinzu, das Mädchen dürfte bei der Mutter bleiben, und wenn es bis zum Tag der Benamsung das Leben in sich hielte, würde man es in den Clan aufnehmen.

Zwar hatte Iza nicht befürchtet, daß Brun ihrem Kind nicht das Leben beließ, und dennoch war es ihr leicht ums Herz, als dieses auch dem Clan-Brauch nach vollzogen war. Nur noch ein letztes Fünkchen Sorge glomm leise hinten in ihrem Hirn, ob es kein Unglück über ihre Tochter brächte, daß sie selbst keinen Gefährten hatte. Doch zu der Zeit, als sie das neue Leben in sich spürte, war er noch da gewesen, beruhigte sich Iza. Und jetzt gab Creb als ihr Gefährte für beide Schutz und Nahrung.

Während der nächsten Tage durfte Iza den Wohnkreis von Crebs Feuer nur verlassen, um sich zu entleeren und auch das nachgeburtige Geklump an einer ganz bestimmten Stelle zu vergraben. Und während dieser Zeit, in der sie vom Clan abgeschnitten war, galt Izas Kind noch nicht als Kind des Clans, und lediglich Creb und Ayla konnten bei ihr sein, mitversorgt von den anderen Frauen, damit Iza sich erholen konnte. Und wie es üblich war im Clan, stand sie über den siebenten Tag hinaus bis zu dem Tag, an dem das Blut versiegt war, das stets nach der Geburt kam, unter Bann und durfte nur mit Frauen Umgang haben.

Zunächst hatte sie auch alle Hände voll zu tun, ihr Kind zu hegen und zu pflegen. Und als sie wieder kräftig war und ausgeruht, begann sie den steinkreisig angelegten Wohnbereich, der mit zu Crebs Feuer gehörte, neu einzuteilen, Dörrfleisch, Fisch und Körner, Kräuter, Wurzeln, Schaber, Keile, Bohrer, Sichel, Stichel, Knochenschalen, Muschellöffel, Holz und Pilze, Beeren umzufüllen, einzuräumen, abzupacken und neu zu verstauen, den Feuerherd und die Schlafstatt zu vergrößern.

Da dem Mog-ur ein besonderer Rang zukam, befanden sich sein Feuer und der Wohnkreis drumherum an vorteilhafter Stelle in der Höhle; dem Eingang nahe genug, um Tageslicht und -wärme aufzufangen, aber doch nicht so nahe, daß später die eisigen Schneestürme die Bewohner treffen würden. Ein faltenreicher Felsvorsprung, der aus der Seitenwand herumschwang, bot weiteren Schutz vor Wind und Wetter, und Iza war froh darüber. Trotz des Windbrechers und dieser Wärmequelle, die Tag und Nacht mit großen Mengen Holzes gespeist wurde, spien rauhe Winde häufig frostklumpige Kälte in jene Feuerstellen, die nicht so geschützt gelegen waren. Im tiefsten Winter dann, wenn klammheimlich Feuchtigkeit die Höhle ganz durchkriechen würde, durchdrang sie auch die Menschen hier bis auf die Knochen und manchmal bis ins Mark.

Inzwischen hatten die Männer einen Windschutz am Eingang zur Höhle errichtet, hohe Pfosten in die Erde getrieben und an ihnen straff gespannte Häute aufgehängt und außerdem rings um den Eingang mit glattgeschliffenen Steinen ausgelegt, so daß die Regengüsse und Schmelzwasser den Vorplatz nicht in einen schlammigen Sumpf verwandeln würden. Im Innern der Höhle legte man dort, wo man saß und aß, einfach geflochtene Matten auf den nackten Boden.

Neben Crebs Lager waren zwei weitere flache Mulden mit trockenen Gräsern gefüllt und mit Fellen bedeckt; das zuoberst liegende wurde von dem, der hier schlief, auch als wärmender Umhang getragen. Neben Crebs Bärenfell lagen Izas Umhang aus der Steppenantilope und das neue weiße Fell eines Schneeleoparden, den Goov nicht weit von der Höhle erlegt hatte.

Die meisten im Clan trugen Felle oder auch ein Horn oder einen Zahn jener Tiere, die ihr Totem zeigten. Und Creb fand, daß der Schneeleopard das richtige Fell für Ayla wäre. Zwar war er nicht ihr Schutzgeist, doch ähnlich dem Höhlenlöwen, denn man würde wohl kaum dazu kommen, ein solches Tier zu erlegen. Selten genug verließ es die heimische Steppe und war für den Clan und die Höhle im waldigen Hügelland keine Gefahr. Er wurde nur gejagt, wenn sich die Clan-Leute vom Höhlenlöwen bedroht fühlten.

Iza hatte sich einen Wurmsamentrank bereitet, um das Einfließen der Milch in ihre Brüste anzuregen und die krampfigen Leibschmerzen zu lindern, die eine Zeitlang noch ertragen werden mußten. Die langen schmalen Blättchen und die kleinen grünlichen Blüten hatte sie schon früh im Jahr gesammelt und getrocknet.

Als ein herbfrischer Duft die Höhle durchzog, warf sie einen Blick nach draußen, um nach Ayla Ausschau zu halten, die kurz das Kind hüten sollte. Noch schnell hatte Iza nämlich den weichen Tierhautlappen zwischen ihren Beinen gegen einen neuen ausgetauscht, der das Blut aufsaugen sollte, und wollte hinaus, um den alten im nahen Wald zu beseitigen, wie sie es und auch die anderen Frauen taten, wenn sie an manchen Monden ihre Tage hatten, wo das böse Blut aus dem Körper floß.

Doch Ayla war nicht nah der Höhle; unten am Bach war sie und suchte Steine. Denn Iza hatte festgestellt, daß sie noch einige zum Wasserwärmen brauchte, ehe der Bach gefror, und Ayla wollte sie ihr bringen. Am steinigen Ufer lag nun das Kind auf den Knien und suchte nach Steinen, die ihr passend erschienen. Und wie sie einmal kurz das Haar aus dem Gesicht sich strich, erblickten plötzlich ihre Augen ein kleines weißes Etwas unter einem Busch. Schnell drückte sie das kahle Gezweig auseinander und entdeckte ein kleines Kaninchen. Schwach atmend lag es da, ein Beinchen häßlich nach hinten geknickt und krustig rot am Ende.

Ein Wolfsjunges hatte es in die Fänge bekommen, doch das Langohr war schnell genug gewesen, sich wieder daraus zu befreien. Neben dem rauschenden Wasser hatte es dann seine Kraft verloren und wund und durstig auf den Tod gewartet.

Ayla hob das weiche kleine Tier vom Boden auf und hielt es an sich gedrückt in ihren Armen, wie sie auch schon Izas Kind gehalten, in Kaninchenfell gewickelt, und das hier fühlte sich nicht anders an. Sachte hockte sie sich auf den Boden und wiegte das kleine, angstvoll klopfende Leben hin und her und sah dann plötzlich das Blut und entdeckte, daß ein Bein des Tieres nicht so war wie alle anderen. Vielleicht kann es Iza wieder richten, dachte das Mädchen; ihr Vorhaben, nach Kochsteinen zu suchen, hatte sie schon ganz vergessen. Schnell richtete es sich auf und sprang eilig hin zur Höhle.

Iza schlief, als Ayla kam, doch sie erwachte beim vertrauten Geräusch ihrer Schritte. Sie hielt der Medizinfrau das Tier hin und zeigte ihr das verletzte Bein. Hin und wieder hatte Iza Tieren geholfen, die sie verwundet irgendwo gefunden hatte, aber niemals eines in die Höhle mitgenommen.

»Ayla, Tiere gehören nicht hierher«, bedeutete sie, und ihr Finger zeigte vom Tier zum Ausgang der Höhle.

Ayla senkte enttäuscht den Kopf, drückte das Kaninchen an sich und wandte sich zum Gehen. Wieder schoß ihr das Wasser in die Augen.

Als Iza das sah, winkte sie Ayla zurück und bedeutete ihr, daß sie das verletzte Tier betrachten wolle.

Aylas Augen strahlten, als sie es ihr sorgsam reichte.

»Das Tier ist durstig, hol Wasser«, machte die Medizinfrau.

Eilig goß Ayla Wasser aus einem großen Beutel und brachte Iza vorsichtig einen Becher, der bis zum Rand gefüllt war. Von einem Holz hatte die Frau bereits einen Span gespalten. Neben ihr lagen frisch geschnittene dünne Riemen.

»Nimm den Beutel und hole frisches Wasser, Ayla, es ist nicht mehr viel da. Dann machen wir welches heiß.«

Iza schürte das Feuer und legte mehrere Steine hinein, während Ayla nach dem Wasserbeutel griff und zum Teich rannte. Als sie zurückkam, knabberte das Kaninchen bereits an einigen Samen und Körnern, die Iza ihm hingestreut hatte.

Creb, der einige Zeit später in die Höhle humpelte, machte, als er Ayla mit dem Kaninchen und Iza mit ihrem

Kind in den Armen einträchtig nebeneinander sitzen sah, die üblichen Falten in die Stirn, wenn er verwundert war. Er bemerkte das verbundene Bein, fing dann von Iza einen entsagungsvollen Blick auf, und während das Mädchen selbstvergessen das Kaninchen streichelte, versuchten die Geschwister sich ihre Ansicht zu bedeuten.

»Wieso hat sie dieses Tier überhaupt in die Höhle gebracht?« begann Creb.

»Es war verletzt. Sie hat es mir gebracht. Ich soll es heilen. Sie weiß doch nicht, daß wir keine Tiere in die Höhle bringen«, gab Iza zurück, und außerdem habe Ayla fein gefühlt, wie eine Medizinfrau fühlen sollte. Dann aber wurde Izas Hand eindringlich und gewichtig. »Creb, ich möchte mit dir über Ayla sprechen. Sie ist kein schönes Kind, das siehst du selbst.«

Creb warf einen Blick auf das Mädchen.

»Sie rührt einen an, trotz ihrer Häßlichkeit«, bekannte er. »Aber was soll das mit dem Kaninchen?«

»Glaubst du, daß sie jemals einen Gefährten findet?« bohrte Iza weiter. Kein Mann, der ein Totem besitze, das dem ihren gewachsen sei, würde sie haben wollen. Aber was würde mit ihr werden, wenn sie später eine Frau sei? Denn wenn sie keinen Gefährten fände, habe sie auch keinen Rang.

Das sei ihm auch schon durch den Kopf gegangen, meinte der Mog-ur; aber er habe noch keinen Weg gefunden.

»Wäre sie Medizinfrau, hätte sie Rang«, gab Iza zurück. »Und mir ist sie wie eine Tochter.«

»Aber sie ist nicht von deinem Blut, Iza. Deine eigene Tochter wird dein Geschlecht weiterführen.«

Iza nickte. Das wisse sie. Aber warum sei nicht auch Ayla im Pflegen und Heilen zu unterweisen? Sie, seine Schwester, habe das Kind doch in ihren Armen gehalten, als der Mog-ur ihr den Namen gab! Sie habe das Kind in ihren Armen gehalten, als der Mog-ur ihr Totem offenbarte! Und damit wäre sie ihre Tochter geworden, angenommen von den Geistern, und gehöre jetzt zum Clan. Iza legte die Hände an ihr Herz. »Hier spüre ich, daß sie es werden wird, Creb«, beteuerte sie, »denn immer will sie wissen, was ich mache, wenn ich mit dem heilenden Zauber beginne.«

»Ja«, gab ihr Creb zurück, »sie mischt sich überall hinein. Doch muß ihr Kopf auch mal begreifen, daß es bei uns nicht Sitte ist, so vieles wissen zu wollen mit den Augen, der Nase oder auch den Händen.«

Verstohlen wies die Schwester auf das Kind, das summend das Kaninchen wiegte.

»Ist das nicht Zeichen einer Medizinfrau?«

Creb legte einen Finger an die breite Nase. Daß sie nun Clan-Kind sei, das würde nicht vergessen machen, daß sie als Kind der anderen geboren sei, und woher wolle Iza wissen, wie dieses Kind all die Erfahrungen, die sie schon habe, sammeln sollte?

»Aber sie erfaßt das Neue schnell. Das hast du selbst gesehen. Du weißt auch, wie schnell sie unserer Sprache mächtig war. Und sie hat gute, sanfte Hände.« Iza beugte sich vor. »Wir haben beide schon viele Sommer und Winter gesehen, Creb. Was wird aus ihr, wenn wir ins Reich der Toten hingegangen sind? Soll sie von Feuer zu Feuer geschoben werden wie eine Last, die niemand haben will, und immer eine Frau, die ganz am Ende steht?«

Creb senkte den Kopf. Auch ihn hatte dieses Bild schon gequält. Doch da er nicht wußte, wie er es hätte ändern können, hatte er es immer wieder aus dem Hirn verdrängt. Sein Gesicht zeigte immer noch Zweifel, als er fragte: »Glaubst du wirklich, daß du sie zur Medizinfrau machen kannst, Iza?«

»Beginnen kann ich hier mit diesem Tier. Sie soll es pflegen, und ich zeige ihr, wie sie es machen muß. Ich fühle, Creb, daß sie es schaffen kann, auch ohne unsere Erfahrung. Ich zeige ihr alles, weise sie ein, denn sie ist jung; ihr Kopf kann lernen und behalten. Sie braucht nicht das, was wir erinnern können. Sie braucht nicht das erfahrene Wissen, sie kann es sich selbst beschaffen.«

Der Mog-ur nickte bedächtig. »Ich muß es mir noch einmal durch den Kopf gehen lassen«, deutete er an und machte mit dem Zeigefinger eine kreisende Bewegung um seinen mächtigen Schädel.

Ayla hatte, das Kaninchen immer noch in ihren Armen, gesehen, wie sich Iza und ihr Bruder miteinander eifrig unterhielten, und ihr fiel ein, daß es Creb war, der die Geister anrief, um Izas Heilzauber Kraft zu geben. Also stand sie auf und trug das Tier zum Mog-ur, legte es ihm zu Füßen und bat mit eindringlicher Gebärde: »Sage, daß die Geister dieses Tier hier heilen, Creb.«

Der Mog-ur blickte in ihr ernstes Gesicht. Noch nie zuvor hatte er den Bestand der Geister für ein Tier erfleht, und es lächelte in ihm, als er sich vorstellte, dies ausgerechnet jetzt für ein kleines Langohr tun zu sollen. Doch er brachte es nicht übers Herz, Ayla abzuweisen, und machte mit rascher Hand eine schwierige Gebärde.

»Jetzt wird es bald wieder laufen können«, machte Ayla und nickte voller Zuversicht. Als sie sah, daß Iza den neuen Erdling von der Brust genommen hatte, blickte sie die Frau bittend an.

Iza nickte, gab ihr das Kind und mahnte: »Aber sei sorgsam, so wie ich es dir gezeigt habe.«

Und Ayla wiegte summend das Kind.

Dann unterbrach sie sich und fragte Creb, welchen Namen er dem Kind wohl geben würde.

Auch Iza war neugierig, doch niemals hätte sie danach gefragt. Sie teilten Crebs Feuer. Er gab ihnen Schutz und Nahrung. Ihm allein stand es zu, dem Kind den Namen zu geben.

»Das weiß ich noch nicht«, wehrte des Mog-urs Hand ab, »und du mußt dir merken, nicht zuviel wissen zu wollen, Ayla.« Crebs Miene war streng, doch ihr Vertrauen in seine Zauberkraft tat ihm gut. Dann wandte er sich Iza zu. »Das Tier mag hier bleiben, bis sein Bein wieder heil ist«, gab er zu verstehen. »Es schadet nichts.«

Iza nickte zustimmend, und ein Gefühl froher Erleichterung bemächtigte sich ihres Herzens. Jetzt war sie sicher, Creb duldete, daß sie mit Ayla ihr Wissen teilte, auch wenn er es nicht ganz gebilligt hatte. Der Schwester genügte es zu wissen, daß er ihr dabei nichts in den Weg legen würde.

»Wie macht sie den Ton in ihrer Kehle?« fragte Iza und zeigte mit den Augen auf Ayla, die wieder zu summen angefangen hatte. »Es tut den Ohren gut.«

»Auch das unterscheidet den Groß-Clan von den anderen«, beschied sie Creb mit weiser Miene. »Sie haben nicht das Hirn, sich zu erinnern wie wir, aber wir haben nicht die Töne, um uns zu hören wie sie. Ayla macht sie nur noch wenig, seit sie unsere Sprechart begriffen hat.«

Schwerfällig setzte sich der Mog-ur nieder und starrte nachdenklich in die züngelnden Flammen.

Ovra trat mit dem Abendverzehr in Crebs Wohnkreis. Ihre Verwunderung beim Anblick des Kaninchens war nicht geringer als zuvor die des Zauberers. Und sie wuchs noch, als Iza dem jungen Mädchen das Neugeborene in die Arme legte, und Ovra sah, daß nun Ayla das Tier hochnahm und sanft hin und her bewegte, als wäre es auch ein Kind. Aus den Augenwinkeln blickte sie zu dem Mog-ur hinüber, doch der schien daran nichts Absonderliches zu finden. Hastig setzte sie die fette Brühe mit dem Grünzeug ab, die Aga für die Leute hier gekocht hatte, und konnte kaum erwarten, ihrer Mutter zu berichten. Vielleicht war diese Ayla nicht ganz klar im Kopf? Glaubte sie denn, ein Tier, das wäre wie ein Mensch?

Nicht lange danach kam Brun herangeschritten und forderte Creb auf, mit ihm zu kommen, da er mit ihm zu sprechen habe. Gemeinsam gingen sie zum großen Feuer am Eingang der Höhle.

»Mog-ur«, begann der Clan-Führer zaudernd.

»Ja?« machte Creb und hielt seine Hand hinter das Ohr.

»Ich habe es mir durch den Kopf gewälzt, Mog-ur. Die Zeit ist reif für eine Feier der Zusammengabe. Ovra will ich Goov geben und Droog ist bereit, daß Aga und ihre Kinder an sein Feuer kommen – und Aba dazu«, teilte Brun mit bedächtiger Gebärde mit. Als Eigentliches hatte er jedoch nach dem Kaninchen an Crebs Feuer fragen wollen.

»Ich habe lange schon darauf gewartet, daß du sie zusammengeben würdest«, antwortete der Bruder mit gemessener Hand, die auch nicht das Geringste zeigte, daß er sehr wohl im Bilde war, weshalb Brun dieses mit ihm sprach.

»Ich wollte warten, wollte nicht, daß mir zwei Jäger fehlen würden, solange die Jagd noch Beute brachte. Wann ist die beste Zeit, Mog-ur?«

Es bereitete dem Clan-Führer sichtlich Mühe, nicht zu des Zauberers Feuerstätte hinüberzustarren, und Creb verspürte fast ein wenig Schadenfreude, den Ersten im Clan so hilflos zu sehen.

»Bald werde ich Izas Kind benamsen; da könnten wir auch die Feier begehen«, war Crebs gelassener Vorschlag.

Brun nickte zustimmend, trat von einem Fuß auf den anderen, blickte zur hohen, schroff gewölbten Decke hinauf, dann wieder zu Boden, spähte in die flammendurchzuckten Tiefen der Höhle, ließ seinen Blick ins Freie wandern. Überallhin schwenkten seine Augen, nur nicht zu Crebs Wohnkreis, wo Ayla das Kaninchen in den Armen hielt, über das jedoch nicht zu verhandeln war, weil er bis jetzt davon doch nur gehört und selbst noch nichts gesehen hatte, weil es der Brauch ihm so gebot. Und Brun beschloß, das eine Mal dagegen zu verstoßen, indem er fragte, was dieses Tier, es sei wohl ein Kaninchen, an seines Bruders Feuer sollte.

Bedächtig drehte Creb sich um und blickte auf die Leute, die in seinem Wohnkreis saßen. Iza erkannte, was die Männer miteinander hatten. Sie machte sich an ihrem Kind zu schaffen. Sie wollte da nicht mit hineingezogen werden. Doch Ayla, die das ganze ausgelöst hatte, war völlig in ihr Spiel versunken.

»Das Tier macht doch nichts, Brun«, wich Creb aus.

Der Bruder wurde ungeduldig. »Warum ist es überhaupt in der Höhle?« machte Brun mit kurzer, harter Gebärde.

»Ayla hat es mitgebracht. Es hat ein wehes Bein. Iza sollte es heilen.« Und dabei machte Creb ein Gesicht, als teilte er dem Bruder mit, in seinem Wohnkreis würde augenblicklich fette Brühe und Grünzeug gegessen.

Brun entgegnete, daß noch nie jemand ein Tier in die Höhle gebracht hätte, und ließ verzagt die Arme hängen, als der Mog-ur ihm bedeutete, daß Ayla das Kaninchen nur solange behalten würde, bis daß sein Bein gesundet sei.

Am liebsten hätte Brun mit einem lauten Schrei den Ärger, der in seiner Kehle steckte, hinausgebrüllt und Creb befohlen, das Tier noch auf der Stelle fortzuschaffen. Doch leider war es in dem Wohnkreis seines Bruders, und Überlieferungen gab es keine, die einem untersagen, Tiere dorthin mitzubringen. Es war einfach so, daß niemand es zuvor getan hatte. Aber letztlich ging es ihm auch nicht um dieses Kaninchen, das er immer noch nicht gesehen hatte. Es war dieses Mädchen, diese Ayla, die ihm Hirn und Herz bedrängte. Seit Iza dieses Geschöpf vom Wege aufgehoben und mitgenommen hatte, war der absonderlichen Ereignisse, die ihn immer noch durcheinander brachten, kein Ende mehr gewesen. Alles an ihr war anders, war ihm neu und befremdlich; und dann war sie auch noch ein Kind. Wie würde es erst werden, wenn sie älter wurde? So sehr er auch in seinem Kopf all das Erfahrene durchkramte, er kam nicht darauf, wie er dem Fremdling gegenüber sich verhalten sollte. Dies machte ihn unruhig und war ihm unbehaglich. Er wußte nicht, wie er dem Bruder die Befürchtung dartun sollte.

Creb spürte die Not seines Bruders.

»Brun, der Clan, bei dem das große Miething abgehalten wird, hält auch ein Tier in seiner Höhle, den jungen Höhlenbären.«

Des Clan-Führers Hand durchschnitt die Luft.

»Das ist doch nicht dasselbe. Das ist der Höhlenbär. Das ist doch für das Bärenfest.« Und außerdem hätten Höhlenbären schon vor den Erdlingen in Höhlen gelebt. Und Kaninchen lebten zudem nicht in Höhlen.

Dem entgegnete der Mog-ur, daß das Junge des Höhlenbären aber auch ein Tier sei, das man in die Höhle gebracht hatte.

Darauf hatte Brun keine Erwiderung mehr, und Crebs Hinweis schien ihm wenigstens eine Erklärung, an die er sich halten konnte. Aber wieso hatte dieses Mädchen das Tier überhaupt in die Höhle bringen müssen? Wäre sie nicht so andersartig, er hätte diese mißliche Unterhaltung nie zu führen brauchen. Brun spürte, wie der feste Boden seiner Einwendungen unter seinen Füßen nachgab wie Grassoden im aufgeschwemmten Moor, und wagte sich nicht weiter vor.

Der Tag der Namensfeier war kalt, aber sonnig. Es hatte ein paar Schneeschauer gegeben. Crebs Glieder schmerzten schon seit Tagen. Sie ließen ihn fühlen, daß es bald einen Sturm geben würde. Die letzten klaren Tage vor dem gewaltigen Schneegestöber, das dann lange Zeit um die Höhle wüten würde, wollte er noch auskosten und humpelte gemächlich den Pfad am Bach entlang. Ayla an seiner Seite, die stolz war über die Füßlinge, die Iza ihr gefertigt hatte, aus Rinderhaut, der das feine, weiche Unterfell belassen und die besonders dick mit Fett behandelt worden war, damit das Wasser dagegen nichts vermochte. Hieraus hatte Iza zwei etwa runde Stücke herausgeschnitten und an den Rand, wie bei dem Beutel, genügend Löcher reingebohrt, sodann die Lappen mit dem Fell nach innen um Aylas Knöchel festgezogen.

Das Kind hob nun bei jedem Schritt die Füße hoch, fast wie ein Auerhahn. Auch fühlte sie sich wohl und warm, denn über ihrem Unterzeug lag schwer der Leopardenpelz, und auf dem Kopf trug sie – das Fell nach innen – ein ausgenommenes Kaninchen, das ihre Ohren ganz bedeckte und unterm Kinn, an beiden Zipfeln, die vormals wohl die Hinterläufe dieses Tieren überzogen hatten, gebunden war. Sie sprang ein Stück voraus und dann zurück, und manchmal ging sie neben Creb.

Der Mog-ur stützte sich schwer auf den Stock und zog wieder die Stirn in Falten. Er war der Schwester zugetan und wollte einen Namen finden, der ihr Freude machte; aber keinen von ihres Gefährten Seite, dachte er. Denn das, was er von diesem Mann erinnerte, der einst Izas Gefährte gewesen war, schmeckte bitter. Die Drangsal, die er Iza zugefügt, hatte Creb zornig gemacht, doch seine Bitternis lag tiefer und weiter zurück. Beide noch Kinder, war einst Creb von ihm ein Weib gescholten worden, weil er doch niemals würde jagen können. Und nur die Furcht vor des Mog-urs Macht hatte dieses Schandmaul wohl zurückgehalten, noch dreister sich ihm gegenüber zu gebärden. Creb war froh darüber, daß Iza ein Mädchen geboren hatte. Ein Junge hätte ihm zuviel der Ehre angetan.

Jetzt, wo dieser tot war, dessen Anblick stets bei ihm die alten Wunden aufgerissen hatte, konnte Creb das Wohlige und das Behagen am eigenen Feuer voll genießen, als Haupt der eigenen Familie. Dieser neue Zustand gab ihm ein Gefühl von Würde, das er bisher nie gekannt hatte, und er entdeckte, daß die anderen Männer ihm jetzt noch eine andere

Art von Achtung entgegenbrachten, und schließlich stellte er auch fest, daß es für ihn von größerer Bedeutung war als früher, ob sie beim Jagen Beute machten oder nicht; denn jetzt war ein Teil davon ihm.

Und bestimmt fühlte sich Iza auch wohler, seine Schwester, die ihm stets zur Hand gegangen war.

Und Ayla? Gerade daß sie anders war, hielt ihn so gefesselt, und sie zu unterweisen und zu fordern, war ihm ein ständig lockendes Erleben.

Auch dieses Neugeborene jetzt, es zog ihn an und ließ sich nicht aus seinem Kopf verdrängen. Als Iza es ihm das erste Mal in den Schoß legte, war er ängstlich gewesen; nun aber hielt er es manchmal in den Armen und machte große Augen, als er sich vorzustellen begann, wie es wohl käme, daß aus diesem Körper dereinst zwei schwere Brüste wachsen würden.

Sie ist ein neuer Zweig des Baumes, aus dem auch Iza einst hervorgesproßt; ein neuer Zweig des hohen Baumes mit tiefsten Wurzeln bis in die entfernteste Vergangenheit. Auch ihre Mutter war eine der geachtetsten Medizinfrauen des Groß-Clans gewesen, und oft waren die Leute anderer Clans gekommen und hatten Bresthafte mitgebracht, die zu heilen waren, oder heilende Kräuter von ihr mitbekommen. Iza selbst war von gleichem Rang, und ihre Tochter würde es auch werden.

Des Mog-urs Gedanken kehrten zurück zu der Frau, die die Mutter seiner Mutter gewesen war. Und plötzlich blieb er stehen und schlug sich an die Stirn und lachte und wußte, wie der Name war.

Alsbald nahm er wieder seinen Weg auf, sah, daß Ayla vorne an einer hohen Pflanze kniete, und sein Hirn wandte sich den jungen Menschen zu, die bald zusammengegeben werden sollten. Fast augenblicklich rief er sich das Bild des jungen Mannes in den Sinn, der sein ergebener Gehilfe war. Goovs Totem war der Auerochse, für Ovras Schutzgeist – es war der Biber – stark genug. Und Ovra war ein Mädchen, das unermüdlich ihre Hände regte und selten nur zurechtgewiesen werden mußte. Sie würde ihm eine gute Gefährtin sein und ihm Kinder gebären, dachte Creb. Und dann ist Goov auch noch ein guter Jäger; er wird es an nichts fehlen lassen. Und wenn er Mog-ur wird, dann hat er stets den Anteil an der Beute, wenn seine Pflicht ihn hindert, auf die Jagd zu gehen.

Und wird er ein mächtiger Mog-ur werden? Creb schüttelte den Kopf. Er war Goov zwar sehr zugetan, doch wußte Creb, daß sein Gehilfe niemals das Erfahrungswissen haben würde, das er sich selbst in seinen Kopf gebracht, und auch kein großer Künder werden würde. Denn dieses einst zu werden, hätte des Verzichts bedurft, den er geübt. Sein krüppelhafter Körper hatte ihn vieles zu tun gehindert, was zum Leben eines Mannes gehörte; niemals hatte er mit auf die Jagd gehen können, niemals mit Frauen zusammengelegen. So war ihm die Zeit und die Kraft geblieben, den Geist auf das Wissen von den Dingen zu richten, zu sehen und zu erfahren, es im Kopf zu bewegen und zu einem Bild zu fügen und schließlich von ihm zu künden. So war er der große Mog-ur geworden. Beim Miething des Groß-Clans war er der gewaltige Vormann, der bei der heiligsten aller Feiern den Geist aller anderen Mog-urs lenkte. Seine Gedanken wanderten zu der nächsten Zusammenkunft des Groß-Clans, die nur einmal alle sieben Sommer abgehalten wurde, und die letzte hatte man in den heißen Tagen vor dem Einsturz der Höhle gehabt. Wenn ich das nächste noch erlebe, ging es ihm plötzlich durch den Sinn, wird es gewiß mein letztes sein.

Creb nahm seine Gedanken wieder zusammen und lenkte sie auf die baldige Feier, bei der auch Droog und Aga zusammenzugeben waren. Droog war ein erfahrener Jäger; seine Fertigkeit als Werkzeugmacher galt nicht nur innerhalb des Clans als rühmenswert. Er war so ruhig und verhalten in seinem Gebaren wie der Sohn seiner toten Gefährtin und hatte das gleiche Totem wie Goov. Die beiden waren sich wirklich ähnlich, und Creb glaubte fest, daß Droogs Schutzgeist Goov erschaffen hatte. Es deuchte ihn jammerschade, daß Droogs Gefährtin ins Reich der Toten abgerufen worden war; das Band warmen Herzens, das sie mit Droog verbunden hatte, wird wohl mit Aga nicht zu knüpfen sein. Doch beide, Aga und Droog, hatten einander nötig und der Clan die Kinder, die durch Droog aus Aga kommen würden.

Plötzlich wurden Creb und Ayla, die wieder nebeneinander hergegangen waren, von einem Hasen in ihren Gedanken aufgescheucht. Ayla erinnerte er an das Kaninchen in der Höhle, und augenblicklich kehrte das in ihrem Kopf zurück, was ihr die ganze Zeit schon durch den Sinn gegangen war: das Neugeborene, Izas Kind.

Sie hielt den Schritt an und fragte, zu dem Mog-ur gewandt: »Creb, wie ist das Kind in Iza hineingekommen?«

»Eine Frau verschluckt den Geist des Totems eines Mannes«, machte Creb mit zerstreuter Gebärde deutlich, noch immer in eigenen Gedanken gefangen. »Er kämpft mit dem Schutzgeist der Frau. Und wenn er ihn besiegt hat, läßt er als Zeugnis einen Teil von sich selbst in ihr zurück, der neues Leben entbergen wird.«

Mit großen Augen sah sich Ayla um. Überall mußten da jetzt die Geister sein. Sie konnte keinen entdecken, doch wenn Creb das sagte, daß sie da waren, dann glaubte sie es.

»Und kann der Geist von jedem Mann in die Frau hinein?« bohrte sie mit raschen Bewegungen weiter.

Der Mog-ur seufzte leise. Die Gedanken ließen sich nicht halten, wenn das Kind sie immer wieder durch Fragen verscheuchte, und antwortete: »Ja, aber nur ein Geist, der stärker ist, kann den ihren bezwingen. Und oft bittet das Totem eines Gefährten einer Frau einen anderen Geist um Hilfe. Dann kann es sein, daß der andere Geist seinen Teil in der Frau zurückläßt. Gewöhnlich kämpft nur der Geist des Gefährten der Frau darum, in die Frau hineinzudringen, er ist der nächste, aber oft braucht er Hilfe, und ein anderer aus dem Clan tut's für ihn. Wenn ein Junge das gleiche Totem hat wie der Gefährte seiner Mutter, dann bringt ihm das Glück«, erklärte Creb mit sorgfältiger und langsamer Gebärde.

»Kommen nur aus Frauen Kinder?«

Der alte Mann nickte.

»Muß eine Frau einen Gefährten haben, damit ein Kind herauskommt?«

»Nein, es kommt vor, daß sie einen Geist verschluckt, ehe sie einen Gefährten hat.« Aber wenn sie zur Zeit des Gebärens immer noch keinen Gefährten habe, könnte das Unglück über das Kind bringen, schränkte der Mog-ur ein.

»Kann aus mir ein Kind kommen?«

Creb hob die schweren Brauen und dachte an Aylas mächtiges Totem, das auch mit der Hilfe eines anderen Geistes sich wohl kaum überwinden lassen würde. Doch das würde sie bald selbst erfahren.

»Dazu mußt du noch größer werden«, wich er aus und zeigte bis an seine Schulter.

»Wann ist das?«

»Wenn du eine Frau bist, so wie Ovra.«

»Und wann bin ich eine Frau?«

Creb befürchtete allmählich, daß ihr die Fragen niemals ausgehen würden, und beschloß, ihr genauer zu antworten, um zum Ende der Unterhaltung zu kommen.

»Das allererste Mal, wenn der Geist deines Totems mit einem anderen Geist kämpft, wird Blut aus dir kommen als Zeichen dafür, daß er dich verwundet hat. Und etwas von dem Geist, der mit deinem Totem gekämpft hat, bleibt in dir zurück, um dich bereit zu machen.« Der Mog-ur zeigte auf ihren schmächtigen, fellumhüllten Körper. Ihm würden Brüste entwachsen, wie sie Iza hätte, und noch anderes mehr veränderte sich an ihr. Und danach kämpfe der Geist ihres Totems zu bestimmten Zeiten immer wieder mit anderen Geistern. Und wenn dann die Zeit für das Zeichen der Unterwerfung käme und das Blut ausbleibe, dann bedeutet dieses, daß der Geist des Mannes, den sie empfangen, den ihren bezwungen habe und neues Leben in ihr fruchten würde.

Als Ayla beharrlich nachfragte, wann es denn bei ihr soweit sei, gab ihr der Mog-ur, indem er die Finger seiner Hand spreizte, zur Antwort: »Vielleicht, wenn du ab heute achtmal oder neunmal die Zeit der langen heißen Tage hinter dir hast«, und zeigte nochmals drei und dann noch vier Finger, »dann werden die meisten Mädchen zu Frauen.«

»Aber wie lange ist das bis dorthin?«

Der alte Zauberer stieß einen tiefen Seufzer aus und umfaßte Aylas Schulter.

»Gut, wir werden sehen, ob ich es dir zeigen kann«, bedeutete er ihr, bückte sich, hob vom Boden einen Ast auf und zog einen Flintsteinschaber aus seinem Beutel. Er glaubte nicht, daß sie verstehen würde, doch möglich wäre es, daß ihre Fragen dann ein Ende hätten.

Tatsächlich war es so, daß Zahlen für die Clan-Leute schwer zu erfassen waren. Sie hatten keine Vorstellung davon, was sie bedeuteten. Die meisten Erdlinge kamen über die Drei nicht hinaus: ich, du und noch einer; und hoben dabei stets die Finger. Mit Einsichtnehmen in das Reich des Unsichtbaren hatte dieses wirklich nichts zu tun; Brun beispielsweise merkte es sofort, wenn eines der einundzwanzig Clan-Mitglieder fehlte.

Er brauchte nur an jeden einzelnen zu denken. Doch aus diesem Greifbaren sich einen Begriff zu machen, bedurfte einer Anstrengung, derer nur wenige fähig waren. Wie könnte dieses ›eins‹ sein und ein anderes auch ›eins‹, wo jedes doch vom anderen zu unterscheiden war! Und beide auch noch ›zwei‹ zu nennen?

Das Unverständnis der Clan-Leute, Greifbares als Vorstellbares zu deuten und in einem Begriff auszudrücken und zusammenzufassen, erstreckte sich auf alle Gebiete ihres Lebens. Für alles hatten sie einen Namen. Sie kannten die Eiche, die Weide, die Fichte, aber sie hatten keinen Begriff; sie hatten kein Wort für Baum. Jede Art von Erde, jede Art des Gesteins, selbst die verschiedenen Arten des Schnees waren ihnen mit Namen bekannt, die sie fast nie vergaßen. Denn sie hatten ein großes Gedächtnis und die Fähigkeit, dort mehr zu speichern. Ihre Ausdrucksweise war beredt und bildreich. Aber wenn gezählt werden mußte, dann überließen sie das lieber dem Mog-ur, denn er konnte dieses und war ja auch der Zauberer.

Creb hockte sich also nieder, den Stock fest zwischen seinem Fuß und einem Felsbrocken eingeklemmt, und wandte sich zu Ayla.

»Iza glaubt, du bist ein wenig älter als Vorn. Und Vorn hat den Sommer seiner Geburt erlebt, dann den Sommer, in dem er zu laufen lernte, dann den Sommer, in dem er zu sprechen vermochte und dann den Sommer, an dem er die ersten Zähne bekam.«

In seiner Rede hielt der Mog-ur viermal inne, um für jeden Sommer, den er nannte, eine Kerbe in den Stock zu schlagen.

»Nun mache ich für dich noch einen Schnitt dazu. Denn so viele Sommer hast du dann gesehen. Und wenn ich meine Hand auf den Stock lege und jeden Finger in eine Kerbe gebe, dann sind sie alle zugedeckt. Schau!«

Ayla blickte angespannt auf die Narben im Holz und hielt die Finger ihrer Hand hoch. Dann leuchtete ihr Gesicht aus.

»So viele Sommer habe ich gesehen«, bedeutete sie Creb und hielt ihm ihre Hand hin, alle fünf Finger ausgestreckt. »Aber wie viele sind es noch, Creb, bis ein Kind aus mir kommt?«

Creb erstarrte wie vom Donner gerührt. Wie hatte dieses Kind das so schnell begriffen? Dabei hatte sie ihn noch nicht einmal gefragt, was Kerben im Holz mit Fingern und mit Sommern und mit ihr und mit ihrem Alter zu tun hatten! Vieler Wiederholungen hatte es bedurft, ehe Goov zu zählen vermochte. Creb hieb noch drei weitere Kerben in den Stock und legte drei Finger darüber. Da er nur eine Hand hatte, war es für ihn besonders schwierig gewesen, das Zählen zu beherrschen.

Ayla blickte auf ihre andere Hand und hielt augenblicklich drei Finger hoch, die anderen umgeknickt, und meinte: »Wenn es so viele Sommer sind?« und hielt acht Finger hoch.

Creb nickte.

Doch als er sah, was das Kind dann tat, blieb ihm fast der Atem weg, denn er selbst hatte viele Jahre gebraucht, das Hinzufügen und Wegnehmen bei den Begriffen, daß es auch stimmte, zu erlernen. Ayla ließ nämlich die eine Hand fallen und hielt nur noch drei Finger ihrer rechten hoch und verkündete, wenn sie noch so viele Sommer gesehen, dann sei sie groß genug, um zu einem Kind zu kommen. Gebärden und Gesicht drückten völlige Zuversicht aus und die Gewißheit, daß sie aus dem, was Creb ihr gezeigt, das Richtige gefolgert hatte.

Der alte Zauberer riß Mund und Auge auf vor staunender Verwunderung. Einfach nicht zu glauben, daß ein Kind, ein Mädchen noch dazu, mit einer solchen Leichtigkeit den Weg zu dieser Folgerung gefunden hatte! Er war so überwältigt, daß er beinahe vergessen hätte, das Vorhergesagte einzuschränken.

»Das ist das Früheste«, bedeutete er ihr. »Vielleicht müssen auch noch so viele oder so viele Sommer vergehen«, und schlug zwei weitere Kerben in den Stock. »Vielleicht auch noch mehr. Keiner weiß es gewiß.«

Ayla kniff die Augen zusammen, hielt ihren Zeigefinger, dann ihren Daumen.

»Wieviel sind mehr Sommer?« bedeutete die Frage.

Creb beäugt sie argwöhnisch, denn die näherten sich einem Zahlenbereich, wo selbst er noch Schwierigkeiten hatte. Und fast tat es ihm leid, mit der Unterweisung angefangen zu haben. Brun würde ganz schön finster gucken, wenn er erführe, daß dieses Kind so mächtige Zauberkräfte besaß, Zauberkräfte wie ein Mog-ur; gleichzeitig jedoch war seine Neugier geweckt. Konnte Ayla denn wirklich so hohes Wissen erfassen?

»Bedecke alle Kerben mit deinen Fingern«, bedeutete ihr der Zauberer. Nachdem sie sorgfältig auf jedes der Male einen ihrer Finger gelegt hatte, schlug Creb noch eine Kerbe und legte seinen kleinen Finger darauf. Dann hob er die Hand wieder und erklärte dem Kind mit langsam eindringlicher Gebärde, daß ihren Fingern seine Finger folgten, und wenn diese alle die weiteren Kerben bedeckten, dann der erste Finger von der Hand eines nächsten, zum Beispiel von Iza, und dann ihre zweite Hand und dann die erste Hand von Brun und seine andere dazu und dann noch eine und noch eine und noch eine. Gespannt sah er ihr dabei ins Gesicht.

Doch das Kind zeigte nicht einmal Verwunderung. Es blickte auf seine eigenen Hände, dann auf Crebs Hand, hob den Kopf und nickte heftig.

»Danach kommen die Hände von Leuten der anderen Clans«, zeigte sie an.

Creb hatte das Gefühl, der Boden schwanke unter ihm und er verlöre allen Halt. Mit Mühe konnte der alte Zauberer eine Anzahl bis zwanzig begreifen und benennen. Darüber hinaus verschwamm ihm alles zu einer unbestimmten, nebelhaften Menge, die bei ihm »viele« hieß. Selten genug hatte er nach tiefem Grübeln und einer gänzlichen Versenkung in die Gesamtheit seiner Art einen Schimmer des Begreifens mitbekommen von dem, was Ayla mühelos in ihrem Kopf erfaßte:

das Wissen um die Vielzahl. Von einem grellen Blitz erhellt, sah er die Kluft, die zwischen seinem Geist und dem des Kindes gähnte. Mühsam beruhigte er sein Hirn, das sich wie rasend drehte, und rang um Luft.

»Was hat das hier für einen Namen?« fragte er Ayla, um sie vom Zählen abzubringen, und hielt den Stock hoch, in den er die Kerben eingeritzt hatte.

Das Mädchen blickte mit zusammengekniffenen Augen auf das Holz.

»Weide.«

»Ist gut.« Creb hob den Kopf und sah ihr gerade in die Augen. »Ayla, es wäre besser, wenn du dieses hier für dich allein behältst«, bedeutete er dem Kind und strich mit der Hand über die Kerben, die er dem Stock geschlagen hatte.

»Ja, Creb«, kam es folgsam von Ayla.

»Und jetzt zurück zur Höhle«, machte der Mog-ur, der schleunigst allein sein wollte, um in sich zu gehen und das Unerhörte zu begreifen.

»Ich will aber noch nicht!« Ayla schüttelte den Kopf. »Es ist so schön hier draußen«, und zeigte um sich.

»Nein«, setzte der Mog-ur dawider. An seinem knorrigen Stab zog er sich hoch, »und du solltest dich nicht dagegenstellen, wenn ein Mann für dich entschieden hat, Ayla«, gab er ihr mit hart geführter Hand zu verstehen.

Ayla bejahte und senkte den Kopf.

Ein wenig bedrückt schritt sie an seiner Seite, als sie den Rückweg unter die Füße nahmen. Bald aber sprang sie wieder Creb voraus, kam mit Ästen und Steinen zurückgerannt, nannte Creb ihre Namen oder fragte danach, wenn sie sie nicht im Kopfe hatte.

Mählich hatte das erste Morgenlicht die Dunkelheit verscheucht, die die Höhle umschlang, und die Luft schien zu knistern und einer herben Frische, die Schnee versprach. Iza lag auf ihrem Fell und blickte zu den mächtigen Adern des steinigen Riesengebäuchs empor. Sie mußte an das Kind denken, das die schützende Leibeshöhle verlassen hatte. Heute war der Tag, an dem es einen Namen bekommen und in die Clan-Gemeinschaft aufgenommen werden sollte; der

Tag, an dem ihre Tochter als Clan-Kind Anerkennung fände. Iza war froh, daß nun die Beschränkung auf Crebs steinernen Wohnkreis ein wenig aufgehoben würde. Aber Umgang durfte sie nur mit den Frauen haben, bis das Nachbluten ein Ende hatte; den Männern hatte sie sich fernzuhalten, so wie alle Frauen, die in die blutenden Tage kamen, die Männer meiden mußten.

Es war der überlieferte Brauch im Clan, daß ein Mädchen, welches das erste Mal die blutenden Tage hatte, von allen ferngehalten wurde. Und wenn es Winter war, so wurde ihm ein Platz in den finstersten Tiefen der Höhle zugewiesen. Und wenn es Frühjahr war, so hatte es draußen während dieser Tag auszuharren, und ganz alleine. Es war dies eine Prüfung, die, ähnlich der ersten Jagd der Männer, die Wandlung des Mädchens zur Frau bedeuten sollte; nur, daß ihre Rückkehr in den Schoß des Clans als Frau nicht wie bei den Männern mit einem Fest gefeiert wurde. Und wenn die Mädchen auch Feuer hatten, das sie vor reißenden Tieren schützen sollte, so war es doch schon vorgekommen, daß sie niemals zurückkehrten. Manchmal wurde dann etwas gefunden, von den Jägern oder den Frauen, was an sie erinnerte. Nur den Müttern kam es zu, ihre während dieser Tage ausgestoßenen Töchter aufzusuchen, ihnen einen Verzehr und Trost zu bringen. Und wenn das Mädchen verschwand oder gar getötet wurde, mußten sie drei Nächte stille sein darüber und dann dem Clan-Führer und dem Mog-ur Kunde bringen.

Denn die Kämpfe, welche die Geister in ihrem Bemühen, die Körper von Mädchen und Frauen dem Stoß des Mannes zu entziehen und der Leibesfrucht den Weg zu bahnen, dieses Ringen im Innern der Frauen selbst war den Männern unergründliches Geheimnis. Und solange eine Frau die blutenden Tage hatte, besaß der Geist ihres Totems übermächtige Kraft, und er blieb Sieger, weil er das Männliche niederzwang und vertrieb. Und traf in dieser Zeit das Auge der Frau in das Blickfeld des Mannes, so konnte es geschehen, daß sein Geist in den für ihn aussichtslosen Kampf hineingezogen wurde. Dies war der eigentliche Grund, weshalb den Frauen schwächere Totems mitgegeben wurden als Männern; doch selbst ein schwacher Schutzgeist zog noch Stärke aus der Lebenskraft, die in den Frauen wohnte. Und die Frauen schöpften aus dieser Kraft, die Leben schafft.

In der Welt des Greifbaren war der Mann größer, kräftiger und weit mächtiger als die Frau; doch in der furchteinflößenden Welt der unsichtbaren Kräfte, die nur sie begreifen konnte, war die Frau die Mächtige. Die Männer glaubten, ihr kleinerer Wuchs und die geringere Körperkraft wären hierfür ein Ausgleich, der es ihnen erlaubte, die Frau zu beherrschen. Und niemals durfte sie der ganzen Fülle ihrer Macht gewahr und auf das Mögliche, was damit anzustellen war, gestoßen werden; das hätte den immerwährenden Kampf mit der Frau bedeutet.

Bei der Feier ihrer Mannbarkeit wurden die jungen Jäger vor der Verderbnis gewarnt, die darauf folgte, wenn eine Frau auch nur einen winzigen Blick von dem, was die Männer trieben, erhaschte. Man sagte sich, daß vor Zeiten die Frauen den Zauber besessen hätten, der die Erdlinge befähigte, mit Hilfe der Geister sich mit den Ahnen zu verbinden und wieder die Anfänge zu schauen. Den Zauber hatten ihnen dann die Männer weggenommen und ihnen untersagt, ihn auszuüben; doch ihre Möglichkeit zur Macht lag tief im Innern jeder Frau und konnte nicht entwendet werden.

Und da die Macht ihres Geistes während der blutenden Tage um vieles mächtiger war als sonst, wurde diese Frau in ihrem Leben beschränkt. Sie hatte unter den Frauen zu bleiben und durfte auch keinen Verzehr berühren, der womöglich einem Mann zugedacht war, sie mußte niedrige Arbeiten verrichten, wo man zu bücken, zu knien und zu hocken hatte, Holz sammeln etwa oder Häute behandeln, die dann auch nur von Frauen getragen werden durften. Und während dieser Zeit übersahen sie die Männer samt und sonders und wiesen sie nicht einmal zurecht. Und wenn der Zufall es dann wollte, daß sie dem Mann ins Blickfeld lief, dann tat er so, als wäre sie unsichtbar, und würde durch sie hindurchsehen.

Dieser Frauenfluch war dem Todesfluch ähnlich, der schlimmsten Art, einen Erdling zu strafen, wenn er sich einem heiligen Brauch des Clans verweigert hatte. Nur der Clan-Führer konnte dem Mog-ur befehlen, die bösen Geister herabzurufen und den Frevelnden mit dem Fluch des Todes zu belegen. Ein Mog-ur konnte die Verwünschung nicht verweigern, obwohl sie für den Zauberer so gefährlich war wie für den Clan. Denn war der Missetäter einmal verflucht, so nahm niemand im Clan ihn mehr zur Kenntnis. Er war einfach nicht mehr vorhanden. Er hätte auch ebensogut tot sein können, denn so beklagten ihn die Seinen. Man teilte mit ihm nicht mal den Verzehr. Manche hatten dann den Clan verlassen und wurden nie wieder gesehen. Die meisten aber hörten einfach auf zu essen und zu trinken, so daß der Fluch an ihnen sich erfüllte.

Es begab sich aber auch, daß ein Todesfluch nur für beschränkte Zeit zu gelten hatte, doch war selbst das oft tödlich für das Opfer; wenn der Bestrafte aber überlebte, so wurde er mit allen Ehren wieder in den Schoß des Clans zurückgenommen. Er hatte sich von seiner Schuld gereinigt, und sein Vergehen war vergeben und vergessen.

Obwohl auch die Frauen in der Zeit ihrer Tage von den Männern behandelt wurden, als wären sie mit dem Todesfluch belegt, sahen das die meisten nicht nur als eine Strafe, sondern auch als eine willkommene Zeit, sich auszuruhen, in der sie nicht ständig die fordernden Männer und deren scharfe Blicke bedrängten. Iza jedoch freute sich darauf, nach der Namensfeier endlich wieder nach draußen zu können, denn die Zeit war ihr lang geworden in der Höhle, und sie blickte mit gierigen Augen in das Licht des jungen Wintertags, der vor der Öffnung sich bemerkbar machte.

Gewöhnlich wurden die Namensfeiern häufig früh am Morgen abgehalten, kurz nachdem die Sonne ihre Strahlen verschoß und solange die Totems noch nah waren, die den Clan während der Nacht beschützten. Als Creb seiner Schwester winkte, eilte sie hinüber zu den anderen, die sich bereits versammelt hatten. Vor dem Mog-ur blieb sie stehen und senkte den Blick zu ihren Füßen, während sie das Kind aus den wärmenden Hüllen schälte. Hoch hielt sie das Kleine dem Zauberer entgegen, der über sie hinwegblickte und die Geister beschwor, den Feiernden beizuwohnen.

Er tauchte einen Finger in die rote Schale mit dem Flüssig-Weichen, die Goov in den Händen hielt, und zog von da aus, wo die buschigen Brauen des Kindes zusammentrafen, bis zu der Nasenspitze die heilige Linie und machte das Zeichen.

»Uba. Der Name des Mädchens ist Uba«, verkündete er.

Ein kalter Windstoß, der durch die Öffnung in die Höhle fuhr, fegte über das nackte Kind. Sein lautes Schreien verdrängte das beifällig Brummen der Clan-Leute.

»Uba«, wiederholte Iza und drückte das fröstelnde Kind fest an sich.

Ein treffender Name, dachte sie und wünschte, sie hätte die Uba, die Mutter ihrer Mutter, deren Namen ihre Tochter bekommen hatte, gekannt. Die Clan-Leute traten zu ihr, und jeder einzelne wiederholte den Namen ihrer Tochter, um sich und sein Totem mit diesem neuen Clan-Kind vertraut zu machen. Iza achtete darauf, den Kopf gesenkt zu halten, um nicht unbedacht einem der Männer den Blick zu bieten, die an ihr vorüberschritten, um die Aufnahme Ubas in den Clan zu bestätigen. Danach wickelte sie das Kind in warme Kaninchenfelle und nahm es unter ihren Umhang an ihre Brust. Iza trat zurück an ihren Platz unter den Frauen, denn die beiden Zusammengaben sollten nun folgen.

Hierbei wurde das heilige Flüssig-Weiche mit gelbem Ocker vermengt, und Goov reichte dem Mog-ur die gelbe Schale, der sie mit dem Stumpf seiner Linken fest an seinen Körper nahm. Dann trat der Gehilfe, dem die Feier galt, gemessenen Schritts vor den heiligen Mann und wartete, bis Grod die Tochter seiner Gefährtin zu ihm führte. Ukas Gesicht zeigte gemischte Gefühle – Stolz darüber, daß ihre Tochter einen so guten Gefährten bekam, und Trauer darüber, daß sie nun das Feuer der Familie verließ. Und Ovra, die einen frisch gesäumten Umhang trug, hielt die Augen zu Boden geschlagen, währenddessen sie Grod nach vorne folgte und mit gekreuzten Beinen sich vor Groov niederhockte.

Und wiederum rief der Mog-ur die Geister an. Dann tauchte er den mittleren Finger in die gelbe Schale hinein und zog über die Narbe von Goovs Totemzeichen langsam das von Ovra. Und nochmals senkte er den Finger in die Schale und übermalte ihr Zeichen mit dem von Goov. Sein

Finger folgte genau den Rändern der Narbe, als Ovras Zeichen sich zu verwischen begann.

»Geist des Auerochsen, Totem von Goov, dein Zeichen hat den Geist des Bibers, das Totem von Ovra, überwunden«, verkündeten des Mog-urs gewaltige Gebärden. »Möge der Große Höhlenbär geben, daß es immer so bleibt.« Und zu dem Gehilfen gewandt: »Goov, nimmst du diese Frau an?«

Goov antwortete, indem er Ovra einen leichten Schlag auf die Schulter gab und ihr bedeutete, ihm in die Höhle zu folgen. Dort brannte jetzt weit hinten in einem neu ausgelegten Wohnkreis Goovs Feuer.

Ovra sprang auf und folgte ihrem Gefährten, wie das Brauch war im Clan, ohne gefragt zu werden, ob auch sie bereit war, ihn anzunehmen. Sieben und nochmal sieben Tage hatten nun beide von den anderen abgesondert in ihrem Wohnkreis zu leben und durften sich nicht zusammenlegen. Danach würden die Männer in der kleinen Höhle eine Feier abhalten, um die Zusammengabe zu bekräftigen.

Zur Zeit der Erdlinge war auch das Körperliche genauso ein Bedürfnis, wie man den Durst und Hunger stillte. Schon früh erlernte man, den Leibeslüsten stattzugeben und wie man es zu machen hatte.

Bis auf die leiblichen Geschwister war jede Frau von jedem Mann zu nehmen, wann immer es ihn dazu trieb. Und wenn ein Mann und eine Frau einmal zusammengegeben waren, lagen sie im allgemeinen auch zusammen. Doch gereichte es dem Manne nicht zu Ehre, wenn er seine Lust unterdrückte, anstatt sich die nächstbeste Frau zu nehmen; und Frauen waren nicht abgeneigt, einem Mann, dem sie zu Gefallen sein wollte, das auch mit Gesten und Gebärden kundzutun.

In einer zweiten Feier wurden Droog und Aga zusammengegeben. Auch sie mußten nun für eine Weile abgesondert leben, wenn auch nicht von denen, die Droogs Feuer teilten. Nachdem das zweite Paar sich in die Höhle zurückgezogen hatte, umdrängten die Frauen Iza und ihr Kind.

»Sie ist schön, Iza«, lobten Ebras Hände. »Zu Anfang war mein Herz beschwert, als ich sah, daß du nun doch ein Kind bekommen würdest.«

»Die Geister haben mich beschützt. Ein starkes Totem

macht ein starkes Kind, wenn es einmal bezwungen worden ist.«

Und Aba meinte besorgt, daß sie zunächst Angst gehabt hätte, daß das Totem des fremden Mädchens Unglück über Iza bringen könnte, denn sie sehe so anders aus und ihr Schutzgeist sei so mächtig; er hätte dem Kind eine Mißgestalt geben können.

»Ayla hat mir nur Glückliches gebracht«, hielt Iza ihr mit hastig redenden Händen entgegen und warf einen Blick zu dem Mädchen hinüber, um zu sehen, ob seine Augen etwas aufgefangen hätten. Doch das Kind blickte unverwandt auf Oga, die das Kleine im Arm hielt.

»Hat sie uns nicht allen Glückliches gebracht?« fragte Iza mit weit ausgreifender Bewegung.

»Aber dir war es nicht vergönnt, einen Sohn zu gebären«, widersprach Aba.

»Ich habe gehofft, daß es ein Mädchen würde«, bedeutete ihr die Medizinfrau ruhig.

»Iza!« Die Frauen schlugen entsetzt die Hand vor den Mund. Selten gab eine unter ihnen zu, daß ihr ein Mädchen zu bekommen lieber war.

Sie könne es ihr nachfühlen, mischte sich Uka mit heftiger Gebärde ein. Eine Frau bringe einen Sohn zur Welt, sie pflege ihn und sie nähre ihn und ziehe ihn auf. Und kaum sei er ein Mann geworden, da gehe er von seiner Mutter fort, und wenn er nicht beim Jagen getötet werde, dann verlöre er sein Leben bestimmt auf andere Weise. So viele würden schon als junge Männer in das Reich der Toten abgerufen.

Alle fühlten sie mit der Mutter, die ihren Sohn beim Einsturz der Höhle verloren hatte, faßten sie an und streichelten sie. Denn alle hatten gesehen, wie groß ihr Schmerz gewesen war.

Ebra lenkte ab. »Wie wohl die Zeit der kurzen, kalten Tage in der neuen Höhle werden wird?«

»Die Jagd war gut, und wir haben viel Nährendes gesammelt. Wir haben reichlich vorgesorgt. Die Jäger ziehen heute noch mal aus, das letzte Mal vielleicht. Es wird uns an nichts fehlen.«

Iza blickte zu den Männern hinüber. »Ich sehe, sie wollen nicht länger warten. Sie wollen essen.«

Widerstrebend verließen die Frauen Iza und ihr Kind, um den Morgenverzehr zu bereiten. Ayla hockte sich neben Iza nieder, und die Frau legte ihren Arm um sie und im anderen hatte sie Uba. Ihr Herz schlug wieder ruhig und sicher. Es tat ihr gut, an diesem frischen, klaren, lichten Tag noch draußen zu sein. Es tat ihr gut zu sehen, daß das Kind, das sie geboren hatte, ein Mädchen war und heil. Sie war froh um die Höhle; froh, daß Creb sie an seinem Feuer aufgenommen hatte; froh um das magere, sonnenhaarige Mädchen.

8

»Feintrockener Schnee nahm Körnige Schneeflocke zur Gefährtin, und nach einer Zeit gebar sie ihm hoch oben, wo es die warmen Zeiten über einfach nicht mehr Nacht wird, einen Berg aus Eis. Doch die stolzstrahlende Sonne haßte das glitzernde Kind, das wuchs und wuchs und immer weiter über das Land gekrochen kam und ihre Wärme verschlang, so daß nicht einmal ein Grashalm sprießen konnte. Wütend geworden, wollte die Sonne den wandernden Wärmefresser vernichten, doch Sturmwolke, Schwester von Körniger Schneeflocke, wußte darum. Und in der Zeit der warmen Tage, wenn die Sonne am mächtigsten war, kämpfte Sturmwolke mit ihr, um des Eiskinds Leben zu retten.«

Mit Uba auf dem Schoß saß Ayla da, den Blick versonnen auf Dorv gerichtet, der mit breiter Gebärde und rauhen Tönen von früher erzählte. Er hatte es schon oft tun müssen, und Ayla wurde nie müde, seinen Schilderungen zuzusehen und sich die Bilder in den Kopf zu denken. Doch das Kind auf ihrem Schoß, mittlerweile einen und einen halben Sommer alt, fand Aylas langes sonnenhelles Haar aufregender als das Gefuchtel des alten Mannes und grapschte immer wieder hinein und zupfte daran. Sanft, aber bestimmt löste Ayla ihr Haar aus Ubas fest geballten Fäustchen, jedoch ohne die Augen von dem Erzählenden zu wenden, der am Feuer stand und von den Anfängen gewaltige Kunde gab.

»An manchen Tagen gewann die Sonne den furchtbaren Kampf und bohrte ihre glühend scharfen Strahlen in das klirrend harte Eis, so daß es zu Wasser zerfloß und sein Leben dahinschmolz. Aber an vielen obsiegte Sturmwolke und stand dann dunkel und drohend vor der Sonne, die nichts mehr sah und ihre sengenden Flammenspeere nicht auf das Eiskind werfen konnte, das in der Zeit der warmen Tage zwar hungern mußte und mächtig abmagerte, doch wenn die kurzen, kalten Tage kamen, von Feintrockenem Schnee und Körniger Schneeflocke gewaltig gefüttert wurde.

Und wenn er wuchs, der Eisberg, eilte ihm ein stürmisch kalter Wind voraus, der markerschütternd heulte; Körnige Schneeflocke raste und brachte immer neue Nahrung, die Feintrockener Schnee auf das Land legte, so daß Eiskind immer weiterkriechen konnte bis zu dem Ort, wo die Erdlinge lebten. Den Clan-Leuten schlugen die Zähne vor Kälte aufeinander, und sie drängten sich dichter um das Feuer.«

Als ein heftiger Windstoß an den Ästen der kahlen Bäume vor der Höhle rüttelte, daß es klang, als würden Gebeine zusammengeschlagen, rann Ayla ein kalter Schauder den Rükken hinunter. Dann sah sie wieder auf Dorv.

»Diese Clan-Leute damals wußten nicht mehr, was sie tun sollten und klagten laut: Warum beschützen uns die Geister unserer Totems nicht? Was haben wir getan, daß sie voll Finsterkeit sich von uns wenden? Dann machte ihr Mog-ur sich allein auf den Weg, um die Geister zu suchen und ihre Absicht zu erkunden. Lange war er fort, und viele wurden von Ratlosigkeit gepackt, während sie auf seine Rückkehr warteten, besonders die Jungen.

Und es war Durc, der ungestümer war als alle anderen, und aussprach, was manche dachten: der Mog-ur wird nie zurückkommen. Unsere Totems haben keinen Gefallen an der Kältnis in diesem Land. Und deshalb sind sie fortgegangen. Auch wir sollten es tun!

Auf das, was da gefordert wurde, entgegnete ruhig der Clan-Führer: Wir können den heimischen Boden nicht verlassen. Schon immer hat der Clan hier gelebt. Dies ist das Land der Ahnen. Dies ist die Heimstatt der Geister unserer Totems. Sie sind nicht fortgegangen. Sie sind zornig mit uns. Aber sie würden noch stärker zürnen, wenn sie durch fremde Orte müßten.

Als der Clan-Führer geendet hatte, sprang Durc auf und trat ihm entgegen. Unsere Totems haben uns schon längst verlassen. Wenn wir eine bessere Bleibe finden, kommen sie vielleicht zu uns zurück. Wir können gegen Mittag wandern, den Vögeln folgen, die vor der Kältnis fliehen, wenn das Laub sich färbt, und dorthin gehen, wo die Sonne früh ihr Haupt erhebt. Dort kann das Eis uns nicht erreichen. Es kriecht nur langsam vorwärts, wir aber können laufen wie der Wind. Und wenn wir länger noch hier bleiben, erstarren wir und werden zu Eis.

Aber Durc war blind gegenüber den Vorhaltungen des Clan-Führers, der riet, man solle auf den Mog-ur warten. Er bedrängte die Leute, und einige ließen sich auf seine Seite ziehen. Sie wollten mit Durc davongehen.

Die anderen flehten: Bleibt, bis der Mog-ur wiederkehrt. Bleibt um unserer Geister willen!

Aber Durc achtete nicht auf sie. Der Mog-ur wird die Geister nicht mehr finden können, denn er ist tot, und niemals wird er wiederkommen. Wir gehen jetzt fort. Kommt schnell mit uns. Sucht mit uns eine neue Bleibe, die dieses Eiskind nicht in seine Finger kriegen kann.

Mütter und ihre Gefährten trauerten um die etlichen jungen Männer und Frauen, die fortgingen, denn sie fühlten es in ihrem Innern, daß sie untergehen mußten, und warteten weiter auf den Mog-ur. Aber als viele Tage ins Land gezogen waren und der Mog-ur noch immer nicht zurückgekehrt war, erwachte Zweifel in ihren Herzen, und sie dachten insgeheim, ob sie nicht doch mit Durc hätten fortziehen sollen.

Eines Tages aber sahen die Clan-Leute ein seltsames Tier, das immer näher kam und keine Angst vor dem Feuer hatte. Und die Leute fürchteten sich sehr. Niemals zuvor hatten sie ein solches Tier gesehen. Und als es dann ans Feuer kam, da sahen sie, daß es kein Tier war. Nein, der Mog-ur war zurückgekehrt und hatte sich das Fell des Höhlenbären umgelegt! Der hob die beiden Hände hoch, als wollte er den Himmel stützen, und verkündete dem Clan, was ihm der Geist des Großen Höhlenbären aufgetragen hatte.

Der Höhlenbär lehrte nun die Leute vom Clan, in Höhlen zu leben, die Felle der Tiere zu tragen, in der Zeit der warmen Tage zu jagen und Nahrung zu sammeln, und zwar so viel, daß es auch noch für die kalten kurzen Tage reichte, die in der Höhle zu verbringen waren. So konnte das Eiskind mitnichten den Clan aus seiner Heimat vertreiben, so sehr es sich auch bemühte. Es konnte Kältnis und Schneeschauer schikken, so viel seine Eltern auch schufen, die Leute wichen nicht zurück.

Schließlich gab das Eiskind auf. Es war verdrossen und lustlos geworden und wollte nicht mehr gegen die Sonne kämpfen. Da wurde Sturmwolke zornig und half ihm nicht mehr. Und das Eiskind schmollte und wich zurück und kehrte hinauf in das Land der nächtlichen Sonne und zog die Kältnis hinterher. Da freute sich die Sonne ihres Sieges und jagte es immer weiter fort; da war kein Ort, an dem es sich verstecken konnte, die glühenden Speere zerstachen seinen eisigen Panzer. Und lange, lange gab es keine dunkle eisigkalte Zeit mehr, nur feuchte, warme Sonnentage.

Doch Körnige Schneeflocke war voller Schmerz um ihr verlorenes Kind, und schlimmer Gram schwächte sie. Feintrockener Schnee wünschte, daß sie wieder ein Kind gebären sollte, und bat Sturmwolke um Hilfe, die Mitleid mit ihrem Bruder hatte und Feintrockenem Schnee behilflich war, ihr die Nahrung zu bringen, die Körnige Schneeflocke erstarken ließ. Und wieder verdunkelte Sturmwolke das Gesicht der Sonne, während Feintrockener Schnee seinen Geist ausgoß, den aufzunehmen Körnige Schneeflocke sich bereitet hatte. Und ein neuer Eisberg sah das Licht der Welt, vor dem die Clan-Leute jedoch nicht mehr wichen.

Und was mit Durc und jenen geschah, die mit ihm fortzogen, das glaubten viele bald zu wissen; sie hätten Wölfe und Löwen aufgefressen; die großen Wasser verschlungen weit unten. Die Sonne sei zornig geworden, als Durc und die Seinen ihr Land erreichten. Und habe einen gewaltigen Blitz geschleudert, der alle und alles verbrannte.«

Aga seufzte tief auf. »Siehst du, Vorn«, bedeutete sie ihrem Sohn, wie sie das jedesmal tat, wenn Durcs Geschichte zu Ende war, »du mußt deiner Mutter und Droog und Brun und dem Mog-ur immer folgsam sein. Ihnen mußt du gehorchen und darfst niemals den Clan verlassen. Sonst wirst auch du verschwinden.«

»Creb«, wandte sich Ayla an den Mog-ur, der neben ihr hockte. »Glaubst du, daß Durc und seine Leute ein neues Land gefunden haben? Sie sind verschwunden, doch niemand hat sie sterben sehen. Kann es nicht sein, daß sie noch leben?«

Nachdenklich schüttelte Creb den Kopf. »Nein, niemand hat sie sterben sehen, Ayla. Aber die Jagd ist schwer, wenn nicht viele Männer zur Verfügung sind, die an den langen, warmen Tagen vielleicht ausreichend kleine Tiere töten konnten.« Doch schwerer und gefährlicher wäre es für sie gewesen, sich an die großen Tiere heranzumachen. Denn deren Fleisch war nötig, um die lange Zeit der Kälte zu ertragen und zu überleben. Und viele Male hätten sie durch Zeiten der Kältnis hindurchgehen müssen, ehe das Land der Sonne zu erreichen war. Schutzgeister wollten eine feste Bleibe und würden die Menschen, die nur umherziehen, bestimmt verlassen. Der Mog-ur blickte Ayla an: »Du würdest doch nicht wollen, daß dein Totem dich verläßt?«

Unwillkürlich griff Ayla an ihr Amulett.

»Aber mein Schutzgeist hat mich nicht verlassen, obwohl ich allein war und nicht wußte wohin.«

»Weil er dich geprüft hat, Ayla«, erklärte der Zauberer und wies auf die Narben, die sie trug. Und der Höhlenlöwe sei ein mächtiger Geist, der sie erwählt und immerdar beschützen würde. Doch alle Totems wollten einen festen Platz. Und wenn sie es beachtete, dann würde es auch hilfreich sein. Er sagte ihr, was gut sei oder nicht für sie.

Ratlos geworden fragte Ayla: »Aber wie kann ich sehen, daß der Schutzgeist da ist, Creb? Noch nie haben meine Augen den Geist des Höhlenlöwen erblickt. Und wie kann ich sehen, was er mir mitteilt?«

»Der Geist deines Totems ist unsichtbar, weil er ein Teil von dir ist, das in deinem Innern wohnt. Und dennoch wird er dir sich zeigen. Du mußt nur üben, ihn zu erspüren. Wenn du an einer Stelle angekommen bist, an der du dich allein zu entscheiden hast, dann hilft er dir. Er wird dir dann ein Zeichen geben, das zu beachten nur dein Bestes bringt.«

Ayla zog die Brauen hoch.

»Was für ein Zeichen?«

Creb stieß mit seinem Stock einen glühenden Ast, der aus dem Feuer gesprungen war, wieder in die prasselnden Flammen zurück und meinte, daß dieses niemand vorhersehen könne. Gewöhnlich sei es etwas, das dadurch auffalle, weil es besonders sei. Ein Stein vielleicht, den sie nie zuvor gesehen habe, oder eine Wurzel von ungewöhnlicher Form. Sie müsse begreifen, daß man nicht nur mit den Augen, sondern auch mit dem Herzen sehen könne. Der Mog-ur lehnte den Stock an sein Knie und verbarg seine Hand unter dem schweren Umhang. Dann zog er sie wieder vor: »Nur du allein kannst fühlen, was dein Totem dir rät; keiner kann dir zeigen, wie du es machen mußt. Aber wenn die Zeit kommt und du ein Zeichen entdeckst, das dein Totem dir in den Weg gelegt hat, dann verwahre es in deinem Amulett. Es wird dir Glückliches bedeuten.«

»Hast du Zeichen deines Totems hier in deinem Amulett?« Ayla blickte auf den Beutel, den der Zauberer am Hals trug.

»Ja.« Er nickte. »Das eine ist der Zahn von einem Höhlenbären. Er wurde mir gegeben, als ich zum Gehilfen wurde. Er steckte nicht in einem Kieferknochen. Er lag auf einem Stein zu meinen Füßen. Als ich mich niedersetzte, sah ich's nicht. Es ist ein schöner Zahn, ganz ohne braune Fäulnis. Es war ein Zeichen des Großen Bären, daß ich die rechte Wahl getroffen hatte.«

Ayla starrte den Beutel immer noch an. »Und mein Totem wird mir auch Zeichen geben?«

Das könne kein anderer vorhersehen, gab der Zauberer zurück. Vielleicht – wenn sie etwas Wichtiges zu entscheiden hätte. Sie würde es spüren, wenn die Zeit gekommen sei. Nur ihr Amulett müsse sie immer bei sich haben, damit ihr Totem sie zu finden wisse. Und besonders sei für sie zu merken, daß sie ihr Amulett niemals verlieren dürfe, das ihr gegeben worden sei, als er ihr Totem offenbarte. Denn dort befi ıde sich jener Teil ihres Geistes, den auch ihr Totem kennte, das ohne dieses Amulett den Weg zu ihr zurück nicht finden könnte, wenn es umherzuziehen hätte.

Creb nahm die Hand von seinem Beutel am Hals und schloß: »Es wird in die Irre gehen und seine Bleibe in der Geisterwelt suchen. Wenn du also dein Amulett verlierst und es nicht alsbald wiederfindest, dann wirst auch du ins Reich der Toten abgerufen.«

Fest legte Ayla die Hand um den kleinen Beutel, der, an einem starken Riemen befestigt, ihr um den Hals hing.

Dann kam sie auf Dorvs Geschichte zurück. »Glaubst du, daß Durc von seinem Totem ein Zeichen bekommen hatte, als er aufbrach, um das Land der Sonne zu suchen?«

»Das weiß niemand, Ayla.«

Das Kind ballte die kleinen Fäuste, als es bekannte: »Durc war mutig, sich aufzumachen, um eine neue Bleibe zu suchen.«

»Ja«, gab Creb zurück, »vielleicht war er mutig, aber er war auch ungestüm und blind.« Dann wurde des Mog-urs Miene sehr streng und sein Zeigefinger erhob sich warnend. »Durc verließ seinen Clan und das Land seiner Ahnen und wagte zu viel, dem Totem zuwider. Wofür? Weil er etwas anderes zu finden gedachte. Er wollte sich nicht damit begnügen zu bleiben. Im Groß-Clan gibt es junge Männer, die glauben – wie du – Durc wäre mutig gewesen; aber wenn sie älter werden und weise, dann sehen sie alles aus anderen Augen.«

»Ich glaube, er ist meinem Herzen nahe, weil er anders war«, bedeutete ihm Ayla.

Als das Kind sah, daß die Frauen aufstanden, um den Abendverzehr anzurichten, sprang es ebenfalls auf, um sich nützlich zu machen. Mit einem langen Kopfschütteln sah Creb ihm nach. Es war doch einfach nicht zu fassen: jedesmal, wenn er das Gefühl hatte, Ayla hätte nun verstanden, das Leben aus der Sicht der Clan-Leute zu sehen, so tat sie etwas oder zeigte ihm den Schimmer ihrer Art, der ihn fast blendete und ratlos machte.

Durcs Beispiel sollte allen zeigen, wie falsch es war, das Alte, das man hergebracht und wahren sollte bis in alle Ewigkeit, von sich aus einfach zu verändern. Ayla jedoch bewunderte das Wagemutige des jungen Jägers, der etwas Neues suchen wollte. Ob sie's wohl jemals schaffen würde, ihren Blick mit dem der Clan-Leute zu verschmelzen?

In der Regel wurde von dem Mädchen des Clans erwartet, daß sie, wenn sie den siebenten oder achten Sommer gesehen hatte, die Fertigkeiten der Frauen beherrschten. Viele hatten um diese Zeit das erste Mal ihre blutenden Tage und wurden bald darauf einem Mann gegeben. In der Zeit, die nun verstrichen war, seit der Clan das fremde Kind gefunden hatte, war Ayla nicht nur fähig geworden, Pflanzen und Früchte als eßbar auszumachen, sie wußte auch, wie man Nahrhaftes zubereitete und für die kurzen kalten Tage haltbar machte. Und auch anderes hatte sie sich angeeignet, was ihr mindestens ebenso gut von der Hand ging wie den jüngeren Frauen des Clans.

Sie verstand es, Tiere zu häuten und aus den Häuten und Fellen, die sie selbst zurichtete, Umhänge, Überwürfe, und Beutel jeglicher Art zu fertigen. Sie konnte Riemen von gleicher Breite in einer einzigen langen Windung aus einem Hautstück schneiden. Die Schnüre, die sie aus den Haaren der Tiere, auch Sehnen oder faserigen Baumrinden drehte, gerieten kräftig und dick oder dünn und fein, je nach Bedarf. Bewundert wurden die Körbe, Matten und Netze, die sie aus festen Gräsern, Wurzeln und Baumrinden flocht, von allen. Aus einem Brocken Flintstein konnte sie sogar sich eine grobe Handaxt schlagen oder ein kantiges Stück so zuspitzen, daß es sehr gut als Schaber taugte. Dieses machte sie so gut, daß selbst Droog die Brauen hob, als er ihr Werkzeug sah. Auch wußte Ayla, wie man aus einem Baumstrunk eine Schale oder eine Schüssel höhlte und sie auf feinen Glanz polierte. Ihre Finger konnten Feuer machen wie die der anderen im Clan, wobei man einen zugespitzten Stock zwischen den Flächen der Hände zu zwirbeln hatte, während er sich an einem zweiten Stöckchen rieb, bis schwelende Hitze entstand, mit der zunächst das dürre, dünne Holz mit Vorsicht angefeuert wurde. Und Creb überraschte vor allem, wie leicht es ihr fiel, Izas Wissen über die Heilkraft von Kräutern und Pflanzen in sich aufzunehmen und im Kopf zu behalten. Iza hat doch recht gehabt, dachte der Mog-ur.

Ayla schnitt Yamswurzeln auf, um sie in einen Beutel aus Tierhaut zu geben, der mit Wasser gefüllt über dem Feuer hing. Viel blieb davon nicht übrig, nachdem sie die verfaulten Teile angetrennt hatte. Hinten in der Höhle, wo die Nahrung gelagert wurde, war es kühl und trocken. Doch so spät im Winter fingen das Grünzeug und die Wurzeln an, weich zu werden und zu faulen. Und seit Ayla vor einigen Tagen ein erstes dünnes Rinnsal fließenden Wassers im eiserstarrten Bach entdeckt hatte, träumte sie sich in die näherkommende Zeit der Lichtwärme und der Fruchtblüte. Kaum konnte sie es erwarten, das erste frische Grün junger Gräser und Knospen zu sehen und zu fühlen, von dem süßen Saft des Ahorns zu kosten, der in den Bäumen aufstieg und aus den Kerben, die in die Rinden der Bäume geschlagen wurden, heraustroff. Die Clan-Leute sammelten ihn und kochten ihn so lange, bis er schwer und klebrig wurde oder aussah wie gekörnter Schnee, der süß schmeckte und in Behältnissen aus Birkenrinde aufgehoben wurde.

Ayla war die einzige, der der feuchtkalte Winter in der Höhle lang geworden war und die von einer Unruhe im Innern erfüllt wurde. Schon früh an diesen Tagen hatte der Wind für eine Zeit umgeschlagen und vom Meer her wärmere Luft zur Höhle gebracht. Das Schmelzwasser lief an den langen eisigen Zapfen herunter, die an der äußeren Rundung der Höhle hingen, und tropfte auf den Vorplatz und gefror wieder, wenn es erneut kälter wurde; und immer noch wurde es länger und länger, das glitzernde, spitze Gezack, das den ganzen langen Winter über ständig gewachsen war. Doch dieser erste Hauch milderer Luft gab neue Hoffnung.

Während sie den Verzehr bereiteten, sprachen die Frauen mit flink flatternden Händen miteinander. Gegen Ende der Kältnis, wenn die vorrätige Nahrung zur Neige ging, taten sie sich zusammen und kochten für alle gemeinsam das Essen, auch wenn man es, außer bei besonderen Zeiten, stets getrennt nach Familie zu sich nahm. Je länger allerdings der Winter sich behaupten konnte, desto magerer wurde die Kost. Doch die Clan-Leute hatten ausreichend vorgesorgt. Frisches Fleisch von kleinen Waldtieren oder einem alten Hirsch, den man, wenn nicht wieder ein Schneesturm kam, noch schnell in die Höhle zerren konnte, war willkommen, wenn auch nicht unbedingt notwendig. Es gab genügend gedörrtes Fleisch, getrockneten Fisch und Körner, Beeren, Pilze die Menge, die man aufweichen und kochen konnte.

Gerade war Aba eifrig dabei, mit lebhaften Händen zu erzählen: »...doch das Kind war mißgestaltet und seine Mutter brachte es fort, wie der Clan-Führer es befohlen hatte, aber sie hatte nicht das Herz, ihren Sohn sterben zu lassen. So kletterte sie mit ihm auf einen hohen Baum hinauf und band ihn an den obersten Zweigen fest, wo selbst die Wildkatzen ihn nicht erreichen konnten.« Man hätte meinen können, daß Aba selbst diese Mutter gewesen war, denn so flink und genau ging ihr die Rede von der Hand, daß die anderen dachten, sie müsse dabei gewesen sein, als sie schilderte, wie das Kind, nachdem es alleine war und bis zur Nacht so hungrig, daß es wie ein Wolf heulte, keinen im Clan zur Ruhe kommen ließ. Es hätte dann Tag und Nacht gebrüllt, und der Clan-Führer sei sehr zornig gewesen, aber so lange das Kind schrie und heulte, hätte die Mutter gewußt, daß es noch unter den Lebenden war.

Und dann kam die Stelle, bei der Ayla immer leuchtende Augen bekam, wenn Aba sie vortrug: »Am Namenstag kletterte die Mutter dann früh am Morgen wieder in den Baum. Ihr Sohn war am Leben. Aber das war nicht alles. Die Mißbildung war fort. Er war gesund und sah aus wie alle anderen. Der Clan-Führer hatte den Jungen nicht im Clan gewollt, aber da er noch lebte, war er zu benamsen und mußte aufgenommen werden. Später wurde er selbst Clan-Führer. Und er dankte es seiner Mutter, solange sie lebte, daß sie ihm ein zweites Mal das Leben gegeben. Selbst nachdem er sich eine Gefährtin genommen hatte, brachte er ihr von jeder Jagd einen Teil. Er knuffte oder schalt sie nie und behandelte sie immer mit Achtung«, schloß Aba.

»Wie kann ein Kind die ersten Tage seines Lebens überstehen, wenn es nicht genährt wird?« fragte Oga und bewegte ungläubig die Hand und schaute auf Brac, ihren eigenen heilen Sohn, der eingeschlafen war. Dann zeigte sie auf Aba und zweifelte weiter: »Und wie konnte ihr Sohn

Clan-Führer werden, wenn seine Mutter nicht die Gefährtin des Clan-Führers war?«

Oga war stolz auf ihren kleinen Sohn. Und noch stolzer war Broud, vor allem darauf, daß seine Gefährtin so bald, nachdem sie zusammengegeben worden waren, ihm auch noch einen Sohn geboren hatte. Selbst Brun, den sonst nichts erschüttern konnte, wurde weich, wenn er das Kind in seinen Armen hielt.

»Wer wäre denn als nächster dran, des Clanes Führer abzugeben, wenn du Brac nicht geboren hättest, Oga?« ereiferte sich Ovra. »Wenn du nun keine Söhne kriegen könntest, sondern nur Töchter? Vielleicht war diese Mutter, von der Aba uns bezeugt, die Gefährtin des Zweiten im Clan, und dem Führer war dann etwas zugestoßen.«

Sie neidete es ein wenig dieser jungen Frau, denn Ovra hatte noch immer kein Kind, obwohl sie dem Goov gegeben worden war, ehe Broud die Oga nehmen durfte.

»Und wie kann ein Kind, das als Krüppel geboren wurde, von selbst sich heilen und so sein wie alle anderen?« entgegnete Oga aufgebracht.

»Ich denke mir, das hat sich eine Frau mit einem mißgestalteten Sohn geträumt, die wünschte, daß er doch wie alle die anderen wäre«, deutete Iza.

Doch Aba meinte, daß schon ihre Mutter davon Zeugnis abgegeben hätte, und deren Mutter sei das Wunder auch bekannt gewesen. Sie hob die schrundigen Hände und beschwichtigte: »Es mag doch sein, daß im Leben unserer Ahnen sich manches begab, was es heute nicht mehr gibt und was wir nicht mehr wissen können.«

»Manches mag vor langer Zeit anders gewesen sein, Aba, aber Oga ist recht zu geben. Ein Kind, das krüpplig geboren wird, wird nicht aus sich heraus sich heilen können. Und ohne Nahrung kann es auch nicht lange leben. Doch recht hast auch du, die Geschichte ist alt, vielleicht ist etwas dran an ihr«, erwiderte Iza gelassen.

Als der Verzehr bereitet war, trug Iza ihn zu Crebs Feuer. Ayla hob Uba vom Boden hoch und folgte ihr. Die Medizinfrau war magerer geworden und nicht mehr so kräftig wie früher. Meist schleppte Ayla das kleine Kind herum. Nach dem Essen kroch Uba zu ihrer Mutter auf den Schoß, um an ihrer Brust zu trinken, doch bald wurde sie unruhig und quengelte. Iza begann zu husten, und das Kind schrie. Sichtlich gereizt schob Iza das schreiende, strampelnde Kind zu Ayla hinüber.

»Nimm sie. Sieh zu, ob Oga oder Aga Milch für sie haben.« Sie konnte kaum zu Ende deuten, als sie die Hände sinken ließ und ein heftiger Anfall trockenen Hustens sie schüttelte.

Auf Aylas Gesicht verbreitete sich Besorgnis.

Als die Medizinfrau das sah, beruhigte sie das Mädchen und erklärte ihr, sie sei nun eben mal eine alte Frau, zu alt für so ein kleines Kind. Ihre Milch sei versiegt und Uba sei hungrig. Sie solle das Kind zu Oga bringen.

Iza spürte, daß Creb sie scharf ansah, und wandte sich ab, als Ayla das kleine Kind zu Brouds Gefährtin hinübertrug.

Den Kopf gesenkt, wie es sich gehörte, näherte sie sich des Clan-Führersohns Wohnkreis. Sie wußte, auch nur beim geringsten Verstoß gegen die Sitte des Clans käme der Zorn des Jägers über sie, und das lähmende Gefühl verließ sie nie, wenn sie in seiner Nähe war, daß Broud danach trachtete, sie zurechtzuweisen oder zu schlagen, wenn sie sich eine Blöße gab. Oga übernahm es gern, Izas Tochter zu stillen, doch da Broud zugegen war, kam keine Unterhaltung auf. Als Uba gesättigt war, trug Ayla sie zurück, hockte sich nieder und wiegte das Kind sachte in den Armen und summte leise, bis die Kleine eingeschlafen war. Ayla hatte die Sprache, die sie in den Clan mitgebracht hatte, schon längst vergessen; doch immer, wenn sie das Kind hielt, kamen ihr plötzlich diese Töne hoch.

»Verzeih, Ayla, daß ich unmutig wurde«, entschuldigte sich Iza, als das Mädchen Uba niederlegte. Sie wäre wirklich zu alt, um Uba noch Milch geben zu können. Morgen würde sie ihr zeigen, wie man besondere Nahrung für die Kleine zubereite, denn sie wolle Uba nicht ständig zu anderer Frauen Brüste geben, wenn sie hungerte.

»Uba einer anderen Frau geben? Wie kannst du Uba fortgeben? Sie gehört zu uns!« machten Aylas Hände bestürzt.

Iza winkte matt ab. »Ach Ayla, ich will sie auch nicht

fortgeben, aber sie muß genug Milch haben, und ich habe sie nicht.«

»Und ich, habe ich denn keine Milch?« bot sich Ayla an.

Ein leises Lächeln trat auf der Medizinfrau Gesicht, als sie erklärte: »Du bist doch noch keine Frau, Ayla; und so, wie du aussiehst, wird es wohl noch eine Weile dauern. Nur Frauen können Mütter werden, und nur Mütter können Milch geben. Und jetzt fangen wir an, Uba andere Nahrung zu geben, und du wirst sehen, wie es geht. Alles muß ganz weich sein; die Körner müssen sehr fein gemahlen werden, ehe du sie kochst, und das gedörrte Fleisch muß man tüchtig zerstampfen und mit wenig Wasser zu einem Brei verrühren. Frisches Fleisch ist von den zähen Fasern zu schaben und Gemüse muß zerdrückt werden.« Iza legte ihre Hand in den Nacken und fragte: »Haben wir noch Eicheln?«

»Als ich das letzte Mal hinten war, war noch ein ganzer Haufen da, aber Mäuse und Eichhörnchen holen auch davon, und viele sind verfault«, berichtete Ayla.

»Such die heraus, die noch gut sind, dann wässern wir sie, damit die Bitternis in ihnen herauszieht, dann mahlen wir sie, und dann geben wir sie zum Fleisch. Yamswurzeln sind auch gut. Und gut ist auch, daß die kalte Zeit bald um ist. Wenn es wieder wärmer wird, gibt es wieder mehr zu tun, und wir kommen auf andere Gedanken.«

Iza sah wohl den Ausdruck banger Bestürzung auf Aylas Zügen. Wie oft war sie in letzter Zeit froh gewesen um Aylas willige Hilfe! Und beinahe beschlich sie das Gefühl, daß man Ayla ihr gesandt hatte, damit sie dem Kind, dem sie so spät das Leben hatte schenken können, die zweite Mutter werden konnte. Aber es waren nicht nur die wechselnden Jahre, die Iza langsam aushöhlten. Obwohl sie keinen etwas davon wissen ließ, daß ein ständiger Schmerz in der Brust sie quälte und daß sie manchmal nach einem besonders heftigen Hustenreiz Blut spie, sah sie ganz klar, daß es nicht gut um sie stand. Und Creb sah das auch, das spürte sie. Aber auch er wird alt, ging es Iza durch den Kopf. Auch für ihn waren die langen dunklen Tage der Kältnis hart zu ertragen gewesen. Und dann sitzt er zu viel in seiner kleinen Höhle. Nur mit einem Kienspan. Das ist nicht warm genug. Iza sorgte sich sehr um den Bruder.

Das zottige Haar des alten Zauberers war fast weiß geworden. Die Schmerzen zogen die Glieder hinauf und machten ihm auch die geringste Bewegung zur Qual. Seine Zähne, die er seit seiner Kindheit anstelle der fehlenden Hand dazu benutzt hatte, Dinge festzuhalten, waren abgenützt und schmerzten beständig. Doch auch Creb hatte schon vor langer Zeit gelernt, mit Schmerz und Leid zu leben und damit fertig zu werden. Sein Geist war so stark und lebendig wie immer, und jedesmal, wenn er Iza beobachtete, wie sie sich quälte, wurde ihm das Herz schwer. Mit Sorge umfing sein Auge ihren ausgemergelten Körper, der vor der Kältnis noch so prall und kräftig gewesen war. Ihr Gesicht war eingefallen, und die brennenden Augen lagen in tiefen Höhlen. Aus dem Fleisch an den Armen stachen ihre Knochen, ihr Haar wurde fahl; aber am meisten bedrückte ihn dieser beständige Husten, der sie hin und her schüttelte wie eine riesige Faust.

Endlich entließ der Winter das Land aus seiner froststarren Hand, und mit den sich langsam erwärmenden Tagen ergossen sich Ströme von Regen darüber. Eisschollen trieben noch lange, nachdem Eis und Schnee rund um die Höhle schon geschmolzen waren, den angeschwollenen Bach hinunter. Die Fluten des Schmelzwassers verwandelten den hartgetrampelten Platz vor der Höhle in einen zähen, glitschigen Morast, Nur dank der Steine, die den Eingang bedeckten, war der Boden dort etwas fester und blieb die Höhle einigermaßen trocken.

Doch die Schlammassen konnten die Clan-Leute nicht in der Höhle halten. Noch ehe der letzte Schnee geschmolzen war, tapsten sie mit nackten Füßen durch den wüsten kalten Schlamm oder schlurften im Fußzeug, das nach dem ersten Schritt völlig durchweicht war, durch riesige Wasserlachen. Und jetzt, wo es wärmer wurde, hatte Iza mehr damit zu tun, Erkältungen zu behandeln, als während der ganzen langen Zeit des Schnees und der Kälte.

Während die Luft sich langsam erwärmte, und die Frühlingssonne die Schmelzwasser aufsog, rührte sich das Leben im Clan immer mehr. Die Frauen zogen aus, die ersten grünen Triebe und Knospen zu pflücken, und die Männer gingen mit ihren Waffen hinaus, um für die erste große Jagd wieder Auge und Hand zu üben.

Uba wuchs und gedieh. An die Brust kam sie nur noch, um sich dort hinzukuscheln. Iza hustete nicht mehr schlimm; doch sie war schwach und besaß nicht die Kraft und den Drang, so weit herumzuschweifen wie vorher. Creb hatte seine Wanderungen am Bach wieder aufgenommen und konnte ein behagliches Grunzen nicht unterdrücken, als er mit Ayla an der Seite durch den matten Schein der Sonne humpelte.

Da nun Iza die meiste Zeit in Höhlennähe sich zu schaffen machte, übernahm es Ayla, durch das hügelige Land zu streifen und heilkräftige Pflanzen und Kräuter für Iza zu suchen. Die Medizinfrau war stets in Sorge, wenn das Mädchen allein unterwegs war, denn die Frauen sammelten meist in anderen Gebieten. Seltene Kräuter – und die heilsamen waren das – wuchsen nicht immer, wo Früchte und Beeren gediehen. Hin und wieder begleitete Iza das Mädchen, um es mit Pflanzen vertraut zu machen, die ihr noch unbekannt waren, und ihr die Orte zu zeigen, wo bestimmte Kräuter, die erst später gepflückt werden konnten, besonders gediehen. Und obwohl Ayla meist Uba trug, ermüdeten die wenigen Ausflüge Iza doch stark. Widerstrebend erlaubte sie dem Mädchen immer häufiger, allein loszuziehen. Ayla blühte richtig auf bei diesen einsamen Streifzügen. Fern den scharfen Blicken der Clan-Leute fühlte sie sich frei und unbeschwert. Oft begleitete sie auch die Frauen, wenn diese Holz sammelten; aber wenn es sich irgendwie machen ließ, erledigte sie die Arbeit, die von ihr erwartet wurde, so rasch wie möglich, um dann zu ihren Alleingängen aufbrechen zu können. Sie brachte nicht nur Pflanzen mit zurück, die sie kannte, sondern vieles, was ihr fremd war, und befragte Iza darüber.

Brun erhob keine offenen Einwände; er sah ein, daß einer vom Clan der Medizinfrau die Pflanzen beschaffen mußte, die sie für ihren Heilzauber brauchte. Auch ihm war Izas Krankheit nicht entgangen. Doch Aylas Eifer, mutterseelenallein in den Wald zu gehen, befremdete ihn. Die Frauen des Clans fürchteten sich. Auch Iza; immer, wenn sie sich allein aufgemacht hatte, besondere Kräuter und Pflanzen zu suchen, die sie brauchte, war ihr dabei beklommen zumute gewesen, und stets war sie so rasch wie möglich zurückgekehrt.

Ayla drückte sich nie vor irgendeiner Arbeit, verhielt sich stets so, wie es die Sitte des Clans verlangte, tat nichts, was Brun veranlaßt hätte, sie zurechtzuweisen. Und doch hatte der Clan-Führer das Gefühl, daß ihre Art, die Pflichten zu erledigen, ihre Haltung Creb und Iza gegenüber und ihre Einstellung zum Leben anders waren, fremd; und in Bruns Herz stieg die Unruhe. Doch jedesmal, wenn Ayla ausgezogen war, kehrte sie mit vollgesammelten Körben zurück, und solange dieses Ausschweifen notwendig war, konnte Brun nichts dagegen vorbringen.

Hin und wieder brachte Ayla nicht nur Pflanzen in die Höhle zurück. Immer wieder kam es vor, daß sie mit einem verletzten oder kranken kleinen Tier in den Armen heimkehrte, um es gesundzupflegen. Sie verstand sich darauf, mit Tieren umzugehen; sie schienen zu spüren, daß sie ihnen helfen wollte. Und da Brun damals, als Ayla mit dem verletzten Kaninchen angelaufen kam, dieses als neuen Brauch stillschweigend gestattet hatte, wollte er nun nichts mehr daran ändern. Nur einmal, als Ayla einen jungen Wolf mitbrachte, wurde ihr der Zutritt zur Höhle verwehrt. Reißende Tiere, die Gegner der Jäger, verdienten keine Hilfe. Zu häufig schon war es geschehen, daß ein vielleicht verletztes Tier, an das sich die Jäger mit viel Geduld herangepirscht hatten, ihnen von einem flinken Wolf oder Tiger vor der Nase weggeschnappt wurde. Nein, diesem Tier, das eines Tags vielleicht dem Clan die Beute stahl, dem durfte nicht geholfen werden.

»Hier, Ayla, schau, die Rinde der wilden Kirsche ist alt und nicht mehr gut«, bedeutete ihr Iza eines frühen Morgens und hielt ihr die graubraune Borke ihin. »Hol doch frische, wenn du heute dich aufmachst. Jenseits des Baches, gleich bei der Lichtung, ist ein Hain, da stehen die Kirschbäume. Und nimm die innere Rinde. Sie ist am besten.«

Ayla nickte hierzu.

Es war ein leuchtender Morgen. Weiß und lila schimmerten die letzten Krokusse neben den schlanken sonnengelben Narzissen. Noch locker geflochtene Matten von frischem Grün bedeckten die fruchtbergende braune Erde der Waldlichtung und der sanft geschwungenen Anhöhen. Am kahlen Geäst der Bäume und Büsche hingen die Knospen wie grüne Wassertropfen. Und vom wolkenfrei gefegten Himmel blickte milde und wärmend die Sonne herab.

Als Ayla die Clan-Leute außer Sicht wußte, lockerten sich ihre Glieder, und der sorgsam gemessene Gang wich freier Bewegung. Sich mit den Beinen kräftig abstoßend, hopste sie einen Hang hinunter und rannte auf der anderen Seite wieder hinauf und schnaufte und strahlte vor Freude. Fast beiläufig, so schien es, ließ sie den Blick über die ringsum sprießenden Pflanzen schweifen; doch tatsächlich prägte sie sich ein, wo sie standen und was Besonderes an ihnen war, um später, wenn sie dann gewachsen waren und gereift, zu wissen, wo sie was zu suchen hatte.

Alles mögliche ging ihr durch den Kopf. Da war Iza und ihr schrecklicher Husten, der sie die ganze Zeit gequält hatte. Langsam schien es ihr besser zu gehen, aber ihr Körper war so mager, richtig ausgezehrt und viel zu schwach, um Uba überall herumzutragen, die schon so groß war und schwer. Gut, daß sie die Kleine nicht hatten Oga geben müssen. Schon sah sich Ayla mit dem Kind zusammen durch die lichten Wälder streifen, um für Iza Pflanzen und Kräuter zu sammeln. Sacht ließ sie ihre Finger über die Kätzchen einer Weide gleiten. Wie weich sie waren, weich wie ein Kaninchenfell; und der Himmel über ihr so klar. Hörbar sog sie die Luft ein. Sie schmeckte nach Salz; von dem großen Wasser hergetragen, in das der Bach hineinfloß. Ayla stellte sich vor, wie sie fischte und schwamm. Bald mußte es warm genug sein. Seltsam, daß die anderen Clan-Leute sich nichts daraus machten, im Wasser zu toben, sich treiben zu lassen und sich mit der Strömung zu messen. Und wie gut die Fische schmeckten und die Eier aus den Felsennestern. Sie kletterte gern hoch oben in die Klippen. Wie der Wind da sauste und einem die Haare zu entführen drohte!

Bis zur Mitte des Tages durchstreifte Ayla das vielfältige

Grün. Als sie dann sah, wie hoch die Sonne schon am Himmel stand, machte sie sich auf zum Kirschbaum-Hain, um die Rinde für Iza zu holen. Als sie sich der Lichtung näherte, vernahm sie ein Schleifen und Pochen, hin und wieder eine rauhe Stimme. Die Männer. Hastig wollte Ayla umkehren, doch die Kirschrinde fiel ihr ein, die sie Iza zu bringen hatte. Sie zauderte. Gewiß würden die Männer unmutig werden, wenn man sie hier erblickte. Und es konnte sein, daß Brun zornig wurde und sie nicht mehr allein ausziehen ließ. Ayla legte den Finger an die kleine schmale und gerade Nase. Aber Iza braucht die Rinde, dachte sie. Vielleicht gehen die Männer bald. Ayla reckte den Hals. Und was tun sie denn da überhaupt? Leise schlich sie sich näher und versteckte sich schnell hinter einem grobborkigen Baum, von dem dürres Geschling herunterhing, durch das sie zur Lichtung hinüberspähte.

Die Männer übten sich mit ihren Waffen, um für die erste Jagd bereit zu sein. Ayla hatte selbst zugesehen, wie sie sich die neuen Speere gemacht; lange, schlanke junge Bäume waren gefällt und ihnen Äste und Zweige abgeschabt worden. Ein Ende hatte man dann ins Feuer gehalten, bis es zu einer dünnen Spitze verkohlt war, die dann mit einem Flintstein-Schaber noch geschärft wurde. Sie zuckte zusammen, und ihr Gesicht verzog sich schmerzhaft, als sie daran dachte, wie grimmig die Männer über sie hergefallen waren, nur weil sie es gewagt hatte, eines der spitzigen Hölzer zu berühren.

Frauen hatten Waffen nicht anzufassen, wurde ihr nach einer Tracht Prügel klargemacht, nicht einmal die Werkzeuge, die zur Fertigung von Waffen verwendet wurden. Der neue Speer, den sie durch ihre Berühung entweiht hatte, wurde verbrannt, und Creb und Iza mühten sich beide in langen, gestenreichen Vorhaltungen, ihr ein Gefühl für das verwerfliche Betragen zu vermitteln. Die Frauen waren starr vor Entsetzen gewesen, und Bruns finstere Miene zeigte überdeutlich seine Meinung. Aber am tiefsten traf sie die boshafte Freude in Brouds Gesicht, der keinen Hehl daraus machte, wie wohl es ihm tat, den Fremdling gedemütigt zu sehen.

Unbehaglich und beklommen äugte das Mädchen hinter dem Gestrüpp zu den Männern hinüber. Außer ihren Speeren hatten sie noch anderes Jagdgerät dabei. Dorv, Grod und Grug standen am anderen Ende der Lichtung. Ihren eifrigen Gebärden nach zu schließen, unterhielten sie sich über die Vorzüge ihrer Waffen, ob Speer oder Keule die bessere sei. Die anderen Männer übten sich mit der Schleuder und der Wurfschlinge. Auch Vorn stand dabei, wie Ayla jetzt sah. Zoug zeigte ihm, wie man zu schleudern hatte.

Vorn war gelegentlich schon früher mitgekommen und hatte dann meist nur mit seinem kleinen Speer geübt, ihn immer wieder in die weiche Erde oder einen verrotteten Baumstumpf hineingestoßen, um sich an die Waffe zu gewöhnen. Doch heute wollte man zum ersten Mal versuchen, Vorn den Umgang mit der Schleuder zu zeigen. Ein Pfosten war in den Boden gerammt, und nicht weit davon entfernt lag ein Häufchen glatter, runder Steine, die die Männer unterwegs am Bachufer gesammelt hatten. Gerade zeigte Zoug dem Jungen, wie man die beiden Enden des lederartigen Hautstreifens zusammenhalten und den Stein in die kuhlenartige Mitte hineinlegen mußte. Er hatte dem Jungen seine alte Schleuder gegeben, die er eigentlich wegwerfen wollte, für Vorn dann aber ein Stück verkürzt.

Ayla blickte genau hin. So aufmerksam und gespannt wie Vorn verfolgte sie jede Bewegung von Zoug. Als Vorn es das erste Mal versuchte, drehte sich die Schleuder, und der Stein fiel heraus. Er tat sich sichtlich schwer damit, die Schleuder so zu bewegen, um genügend Schwung zum Abschuß des Steines aufzubauen. Immer wieder fiel ihm der Stein heraus, ehe er ihn so schnell gedreht hatte, daß er in der Kuhle der Schleuder gehalten würde.

Broud stand etwas abseits und sah den beiden zu. Vorn war sein Schützling, und das versicherte ihn dessen Bewunderung. Er hatte ihm einen kleinen Speer gemacht, den der Junge nicht einmal nachts aus der Hand legte; er hatte Vorn gezeigt, wie er den Speer halten mußte, um höchste Kraft in den Stoß hineinlegen zu können. Jetzt aber richtete sich Vorns Bewunderung gänzlich auf den alten Zoug, und Broud ärgerte sich. Eigentlich wollte er dem Jungen zeigen, wie mit den Jagdgeräten umzugehen war, und es kränkte ihn, als Brun den alten Zoug angewiesen hatte, Vorn das Schleudern beizubringen. Nachdem es dem Jungen mehrmals mißlungen war, trat Broud dazwischen.

»Komm, ich zeige dir, wie du es machen mußt, Vorn«, bedeutete er mit knapper Gebärde und drückte den alten Mann kurzerhand zur Seite. Zoug trat zurück und schaute den jungen Jäger durchdringend an. Rundum hielten die Männer plötzlich inne und starrten zu Broud hinüber. In Bruns Augen zuckten feurige Blitze. Die Art, wie Broud seinen besten Schleuderer behandelte, war nicht die Art, die üblich war im Clan. Er hatte Zoug befohlen, Vorn zu unterweisen, und nicht Broud. Die Besten an jeder Waffe sollten Vorn unterweisen, und Broud war mit der Schleuder nicht so vertraut wie Zoug. Er muß begreifen, dachte Brun, daß ein guter Clan-Führer eines jeden Mannes Stärke kennen und nützen muß. Zoug handhabt die Schleuder wie keiner sonst und hat Zeit, mit dem Jungen zu üben, wenn wir anderen jagen. Broud wird hochnäsig. Wie soll ich ihm denn einen höheren Rang geben, wenn er sich wie ein Kind benimmt? Er muß bescheidener werden. Nachdenklich sah Brun auf seinen Sohn, der ihm einst folgen würde.

Gerade nahm Broud dem Jungen die Schleuder aus der Hand und hob einen Stein auf, legte ihn in die Kuhle des Lederbandes, das er wild herumwirbelte, und schoß ihn auf den Pfosten ab. Doch weit vor dem Ziel schlug der Stein auf den Boden. Broud lief rot an. Es ärgerte ihn, daß er nicht getroffen hatte, und er fürchtete den Spott der anderen. Rasch bückte er sich, hob einen Stein auf, schoß ihn hastig ab und fehlte wieder. Und der Stein flog wieder zu kurz, diesmal zur Seite in die Büsche.

»Willst du Vorn zeigen, wie es geht, oder selbst üben, Broud?« fragte Zoug spöttisch, als er hinzutrat, und wies mit harter Geste auf den Pfahl: »Ich kann ihn näher rücken.«

Mühsam kämpfte Broud seine aufsteigende Wut hinunter. Zougs Spott war schwer zu schlucken, und es giftete ihn mächtig, daß er zweimal gefehlt und sich selbst bloßgestellt hatte. Grimmig schleuderte er einen dritten Stein. Doch jetzt gab er ihm zuviel Schwung mit, und er schoß weit über das Ziel hinaus.

»Du kannst dich hier drüben hinstellen und warten, bis ich

mit Vorn fertig bin. Dann zeige ich dir, wie es geht.« Des alten Zougs höhnische Gebärden stachen Broud wie spitze Dornen.

»Wie kann Vorn mit so einer schlechten alten Schleuder lernen?« Hitzig warf Broud die Schleuder zu Boden. »Keiner könnte damit einen Stein schleudern. Vorn, ich mache dir eine neue. Diese hier ist zu abgewetzt wie der Alte, dem sie gehört, der hier großtun will und nicht einmal mehr mit auf die Jagd gehen kann.«

Da stieg auch Zoug dunkler Zorn ins Gesicht. Für jeden Mann war es bitter – und jeder mühte sich, so lange er konnte –, wenn er aus den Reihen der Jäger ausscheiden mußte; und Zoug hatte, um sich seinen Stolz zu bewahren und die Achtung der Jäger zu behalten, hart geschuftet, den schwierigen Umgang mit der Schleuder zur Könnerschaft zu steigern. Einst war er Zweiter im Clan gewesen, wie jetzt der Sohn seiner Gefährtin, und es war unverschämt, ihm solches vorzuhalten.

»Besser, ein alter Mann zu sein, als ein jagender Kindskopf«, gab Zoug heftig zurück und bückte sich, die Schleuder zu Brouds Füßen aufzuheben.

Broud starrte ihn an, mit offenem Mund und aus Augen, die fast nur das Weiße sehen ließen. In blinder Wut versetzte er dem alten Mann einen Stoß. Zoug fiel unsanft zu Boden und blieb liegen, wo er lag, und konnte es nicht fassen.

Niemals griff ein Mann einen anderen tätlich an; Püffe und Stöße setzte es nur bei den Frauen. Ihre übersprudelnden Kräfte loswerden konnten die jungen Männer, wenn sie unter Aufsicht miteinander rangen oder aber beim Lauf, Speerwerfen, Schleudern und dem Wurfschlingengebrauch. Geschickt die Jagdgeräte zu gebrauchen und sich selbst zu beherrschen, zeugte für die Würde eines Mannes, und wer es besser machte, war der Bessere im Clan, der nur durch den Zusammenhalt aller überleben konnte.

Verdattert blickte Broud auf den vor ihm liegenden Zoud. Das hatte er nicht gewollt! Alles Blut wich ihm aus dem Gesicht.

»Broud!« Ein unterdrücktes Brüllen kam aus der Richtung, wo der Clan-Führer stand.

Der Sohn blickte auf und zog den Kopf zwischen die Schultern. Noch nie zuvor hatte er Brun so fürchterlich erregt gesehen, der jetzt mit harten Schritten herankam und sich mühsam beherrschte.

»Du hast dich gehenlassen wie ein kleines Kind, Broud. Wärst du nicht schon der geringste unter den Jägern, so würdest du's jetzt werden. Nicht dir habe ich befohlen, Vorn zu unterweisen, es war Zougs Aufgabe.« Die Augen des Clan-Führers sprühten Funken. »Und du willst ein Jäger sein? Du bist nicht einmal ein Mann. Vorn bezwingt sich besser als du. Und eine Frau übt mehr Selbstbeherrschung. Vergiß nicht: Du solltest mir nachkommen. Willst du so deine Männer führen? Glaubst du, du kannst anderen befehlen, wenn du dir selbst nicht befehlen kannst? Zoug hat recht, Broud. Du bist ein Kind, das von sich denkt, es wäre ein Mann.«

Brouds Kopf war auf die Brust gesunken. Wenn sich doch nur eine Erdspalte öffnete und ihn verschlänge! Noch nie war er so gescholten, so tief gedemütigt worden, und das auch noch vor allen Männern – und Vorn. Am liebsten hätte er die Flucht ergriffen und sich in ein Mauseloch versteckt; und lieber einem Höhlenlöwen gegenübergestanden als diesem harten selbstbeherrschten Mann. Gerade weil Brun so selten Regungen zeigte, war es um so niederschmetternder, den offenen Zorn des Clan-Führers auf sich gezogen zu haben. Gewöhnlich genügte ihm ein durchdringender Blick, und jeder im Clan, ob Mann oder Frau, gehorchte. Broud wagte nicht, die Augen aufzuschlagen.

Brun hob kurz den Blick zur Sonne, dann gab er das Zeichen zum Aufbruch. Die anderen Jäger, die sich unbehaglich zurückgezogen und dennoch mit angesehen hatten, wie Brun den Jüngsten unter ihnen zurechtstutzte, reihten sich erleichtert und dem Rang gemäß hinter dem Clan-Führer ein, der schnellen Schrittes den Rückweg zur Höhle antrat. Broud als letzter.

Ayla kauerte immer noch reglos im dürren Geschlinge und wagte kaum zu atmen. Todesangst lähmte sie, daß die Männer ihrer gewahr werden würden. Niemals, das wußte sie, hätte eine Frau das Vorgefallene sehen dürfen. Niemals wäre Broud im Beisein einer Frau so schlimm gescholten worden.

Denn in Gegenwart der Frauen gaben sich die Männer als Felsblock der Einigkeit, die durch nichts ins Wanken zu bringen war. Doch jetzt hatte das Mädchen etwas erfahren, wovon es zuvor noch nichts geahnt: die Männer waren gar nicht die mächtigen, freien Beherrscher, die sich alles erlauben konnten. Auch sie mußten sich unterwerfen, auch sie konnten gedemütigt werden. Allein Brun schien Ayla allmächtig zu sein und nach eigenem Willen walten zu können.

Lange blieb Ayla in ihrem Versteck hocken, aus Angst, die Männer würden zurückkehren. Und immer noch schlug ihr Herz beklommen, als sie sich hinter dem Baum hervorwagte. Die volle Bedeutung dessen, was sie über die Männer des Clans erfahren hatte, ging ihr zwar nicht auf, aber eines war ihr klar: Broud war gescholten und gedemütigt worden wie eine Frau, und das gesehen zu haben war wie Balsam auf die Wunden ihres Herzens. Bitterer Haß war in ihrer Brust gegen den jungen Jäger gewachsen, der ständig auf ihr herumhackte und auch den kleinsten Anlaß wahrnahm, sie zu knuffen und zu schlagen. Nie konnte sie es ihm recht machen, sie mochte sich mühen, soviel sie wollte.

Die einzelnen Bilder des Vorfalls noch vor Augen, lief Ayla rasch über die Lichtung. Als sie sich dem Pfosten näherte, sah sie dort die Schleuder liegen, die Broud in seiner Wut weggeworfen hatte. Keinem war eingefallen, sie aufzuheben und mitzunehmen. Ayla blieb stehen und blickte auf die Schleuder, erkühnte sich aber nicht, sie anzurühren. Es war eine Waffe. Die Angst, Brun könnte mit ihr ähnlich umspringen wie mit Broud, wenn sie dies tat, hielt sie zurück. Reglos starrte sie das schlaffe Lederband an und stellte sich vor, wie sehr Zoug sich abgemüht hatte, Vorn den Umgang mit der Schleuder zu zeigen. War es wirklich so schwierig, mit dem Ding umzugehen? Und würde sie sich wohl anstelliger zeigen, wenn Zoug sie unterwiese?

Der Atem stockte ihr vor Entsetzen ob dieses tollkühnen Gedankens, und angstvoll blickte sie um sich, ob sie dabei auch niemand beobachtet hatte. Nicht einmal Broud, der sonst immer alles konnte, hatte den Pfosten getroffen. Sie sah ihn vor sich, wie er immer wütender geworden war, und noch einmal Zougs schneidende Bewegungen, wie sie Hohn und Spott auf Broud häuften, und flüchtiges, schadenfrohes Lächeln verzog ihre Lippen.

Gift und Galle würde dieser Angeber spucken, wenn ich könnte, was er nicht kann. Bei dieser Vorstellung, sich Broud überlegen zeigen zu können, wurde ihr richtig warm. Noch einmal äugte sie aufmerksam in die Runde, bückte sich dann und hob die Schleuder auf. Als Ayla die weiche Haut zwischen ihren Fingern fühlte, überfielen sie blitzartige Gedanken an die grausame Strafe, die ihr Tun nach sich zöge, wenn man sie mit der Schleuder in der Hand ertappte, die sich plötzlich anfühlte, als sei sie ein Stück glimmenden Holzes. Fast hätte das Mädchen die Schleuder wieder weggeworfen, doch dann fiel ihr Blick auf das Häuflein runder Steine.

Ob sie es wohl fertigbrächte? Noch immer hielt die Furcht vor Bruns Zorn Ayla zurück und der Gedanke an Creb, der ihr vorhalten würde, wie schlecht sie gehandelt hatte. Ayla schaute auf die Schleuder in ihrer Hand. Aber ich bin ja schon schlecht, dachte sie. Aber warum ist es verboten? Nur weil es eine Waffe ist? Ob Brun mich schlagen würde, wenn man mich erwischte? Broud, ja. Dem hüpfte das Herz bestimmt im Leibe vor Freude. Und alle würden mich finster anblicken. Aylas Augen wanderten zum Pfosten. Und wenn ich es versuchte? Wird die Strafe dann schlimmer? Schlecht ist schlecht. Es könnte doch sein, daß der Pfosten da zu treffen wäre. Keiner würde je davon erfahren. Und niemand ist hier, nur ich. Noch einmal blickte Ayla sich um, und dann ging sie zu den angehäuften Steinen.

Einen davon hob sie auf und hielt ihn eine Weile in der Hand. Wie hatte Zoug das gemacht? Sorgfältig faltete sie die beiden Enden des lederartigen Bandes zusammen und umfaßte sie fest. Schlaff hing die Schlinge herunter, in deren Kuhle sie mit ungeübter Hand den Stein zu legen versuchte. Mehrmals fiel er wieder heraus, sobald sie zum Schwung ansetzte. Ayla krauste mißmutig die Stirn, während sie sich nochmals an Zougs Gebärden erinnerte. Und wieder tat sie einen Stein hinein, holte weit aus, und der erste Schwung wäre wirklich geglückt, wenn sich die Schleuder nicht verdreht hätte, so daß der Stein herausfiel.

Beim nächsten Mal gelangen ihr schon drei Schwünge. Sie

ließ die Bandenden los, und der Stein plumpste einige Schritte vor ihr träge auf. Ermutigt griff das Mädchen zum nächsten. Und schließlich glückte ihr ein zweiter Wurf. Nach weiteren Versuchen, entweder verdrehte sie das Band, oder der Schwung reichte nicht aus, oder sie hatte die Enden zu früh losgelassen, flog ein Stein weit durch die Luft, ehe er in der Nähe des Pfostens zu Boden schlug.

Als die Steine aufgebraucht waren, sammelte Ayla sie wieder auf, was sie ein drittes und noch ein viertes Mal tun mußte, bis es ihr gelang, die meisten Steine auch wirklich abzuschleudern. Und wieder bückte sie sich, einen der Steine aufzuheben, von denen nur noch drei neben ihr lagen. Mit weiten Schwüngen drehte sie die Schleuderschlinge über ihrem Kopf; als sie sicher war, daß der kreisende Stein in des Pfostens Richtung wies, ließ sie die Enden los. Es gab einen krachenden Aufprall, als der Stein gegen den Pfosten knallte und wieder zurücksprang. Mit einem Jauchzer riß Ayla die Arme hoch und sprang in die Luft vor Wonne.

Schnell griff sie zum nächsten Stein, der jedoch weit über das Ziel hinausflog; und beim letzten verdrehte sich wieder das Band. Doch einmal wenigstens hatte sie es geschafft.

Als sie voller Eifer nochmals die Steine einsammeln wollte, sah Ayla, wie tief die Sonne schon stand. Und plötzlich kam ihr wieder in den Kopf, daß sie noch Iza etwas Rinde von der wilden Kirsche holen sollte. Erstaunt blickte sie auf die blutrote Sonne, die weit hinten von den Baumwipfeln aufgestochen worden war. Wie war es nur so spät geworden? Iza würde unruhig sein, und Creb auch. Hastig stopfte sie die Schleuder in eine Falte ihres Überwurfs, rannte zu den Kirschbäumen, schälte mit dem Flintsteinschaber die Außenrinde ab und kratzte lange, dünne Fasern von der darunter liegenden weichen Schicht herunter. Dann lief sie, so schnell sie konnte, zur Höhle zurück und verhielt erst den Schritt etwas, als sie zum Bach kam, wo sie wieder in die gebückt-ergebene Haltung verfiel, die von Mädchen und Frauen erwartet wurde.

Izas Hände waren außer sich, als sie des Mädchens ansichtig wurde. »Ayla! Wo warst du? Ich bin ganz krank vor Sorge. Mir war schon, als hätte ein wildes Tier dich überfallen. Gerade wollte ich Brun bitten, die Jäger auszuschicken, um dich zu suchen.«

Leicht betreten versuchte Ayla, die Medizinfrau zu beschwichtigen.

»Ich bin herumgelaufen und habe geschaut, was alles wächst, und dann bin ich zur Lichtung gegangen«, gab Ayla zurück, und es war ihr nicht wohl dabei. »Ich habe gar nicht gesehen, daß die Sonne schon so tief stand.« Es war zwar die Wahrheit, aber nicht die ganze Wahrheit. »Hier ist die Kirschrinde. Unten im Sumpf kommen die Moosbeeren wieder. Und hier – die Wurzeln – die sind doch gut für Crebs Schmerzen.«

»Ja, aber du mußt sie wässern, und nur der Saft wird eingerieben. Aus den Beeren wird ein warmer Trank bereitet. Aber vorher mußt du sie...«

Mitten in der Bewegung hielt Iza inne.

»Ayla«, machte sie und hob den Finger, »mit deinen Fragen willst du mich doch nur versöhnen. Nie wieder darfst du so lange wegbleiben und mir solche Angst machen.«

Ihr Zorn war verflogen, jetzt, wo das Kind zurück war. Aber Ayla sollte wissen, daß sie mit dieser Herumtreiberei nicht einverstanden war.

»Ich tue es nie wieder, Iza. Der Tag ist so schnell vergangen.«

Als sie in die Höhle traten, rannte ihnen Uba entgegen, die den ganzen Tag sehnsüchtig nach Ayla Ausschau gehalten hatte. Mit ihren stämmigen, kurzen, krummen Beinchen lief sie auf das Mädchen zu und stolperte, kurz, ehe sie es erreichte. Doch Ayla fing die Kleine auf, ehe sie fiel, und schwang sie durch die Luft.

»Kann ich Uba einmal mitnehmen, Iza?« bedeutete sie fragend, das Kind auf dem Arm. »Ich bleibe auch nicht lange fort. Aber ich kann ihr manches zeigen.«

»Sie ist noch zu klein«, gab Iza zurück. »Und verstehen tut sie auch noch nichts. Aber wenn du nicht allzu weit weggehst von der Höhle, kannst du sie ab und zu mitnehmen.«

»Gut!« Das Kind im Arm, drückte Ayla Iza kurz an sich. Hielt dann die Kleine hoch in die Luft und lachte ihre Freude laut heraus.

Welcher Geist ist nur über das Kind gekommen? zweifelte Iza. Sie ist so frei und so froh wie ein Vogel in der Luft. So habe ich sie lange nicht gesehen. Es scheint heute wirklich seltsam zu sein. Erst kommen die Männer vor der Zeit zurück und setzen sich nicht wie sonst zusammen, sondern jeder geht an sein eigenes Feuer, und die Frauen beobachten sie kaum; nicht einmal schelten tun sie. Sogar Broud war beinahe gutmütig zu mir. Und dann bleibt Ayla den ganzen Tag fort und kehrt froh und munter wie ein Reh zurück. Was für ein seltsamer Tag!

9

»Ja, was willst du?« Unwillig wandte Zoug den Kopf zu Ayla und wischte sich den Schweiß von der Stirn. Es war heute ungewöhnlich warm für einen frühen Sommertag. Zoug hockte in der heißen Sonne und bearbeitete mit einem stumpfen Schaber ein großes Stück Hirschhaut, das noch zu trocknen hatte, und wollte jetzt nicht gestört werden, schon gar nicht von diesem plattgesichtigen, häßlichen Mädchen, das sich neben ihn niedergelassen hatte und mit gesenktem Kopf darauf wartete, daß man ihm Beachtung schenkte.

Ganz sanft tippte Ayla ihn an und hielt ihm ein Gefäß aus Birkenrinde hin.

»Möchte Zoug einen Schluck Wasser haben?« fragte sie. »Ich war an der Quelle und habe gesehen, wie der Jäger in der feurigen Sonne arbeitet. Ich dachte, der Jäger wird durstig sein, aber ich will ihn nicht stören.«

Sie streckte die Hand mit dem Becher noch etwas weiter vor und hielt ihm das bauchige, kühle und tropfende Wasserbehältnis hin, das aus dem Magen einer Bergziege gemacht war.

Zoug knurrte zustimmend und wußte nur mit Mühe zu verbergen, daß er wirklich überrascht war über die Aufmerksamkeit dieses Mädchens, das ihm soeben kaltes Wasser in den Becher goß. Vergeblich hatte er versucht, das Augenmerk einer der Frauen auf sich zu ziehen, die ihm etwas zu trinken holen sollte, denn selbst zu gehen war ihm viel zu weit. Denn die Haut hier war fast trocken, und wenn sie als Fertiges so weich und geschmeidig sein sollte, wie er sie haben wollte, durfte er seine Arbeit nicht unterbrechen.

Sein Blick folgte dem Mädchen, das den Wasserbeutel zu einer nahen schattigen Stelle trug, ein Bündel zäher Gräser und in Wasser aufgeweichter holziger Wurzeln hervorzog und dann einen Korb zu flechten begann.

Zoug beschattete die Augen mit seiner rissigen und zerschundenen Hand und schaute in die Ebene. Seine verstorbene Gefährtin fehlte ihm. Uka begegnete ihm zwar achtsam und gehorchte ihm unverzüglich, seit er das Feuer mit ihr und dem Sohn seiner Gefährtin teilte, doch bemühte sie sich nicht, vorauszusehen, was ihm fehlte. Ukas ganze Hingabe galt Grod, und es gab Tage, da fühlte Zoug sich so, als ob er nicht zu ihnen gehörte.

Mitunter warf der Alte einen Bick auf das Mädchen, das nicht weit von ihm saß und sich ganz in seine Arbeit vergraben hatte. Der Mog-ur hat sie gut erzogen, dachte er und merkte nicht, daß Ayla ihn auch beobachtete – aus listigen Augenwinkeln.

Später, als es langsam dunkelte, hockte Zoug sich allein vor die Höhle. Die Jäger waren ausgezogen. Uka und zwei andere Frauen mit ihnen. Kurz zuvor hatte er noch mit Ovra an Goovs Feuer gesessen und gedacht, als er die starkknochige und wohlbebrüstete junge Frau betrachtete, die, wie ihm scheinen wollte, vor nicht zu langer Zeit noch ein Winzling in Ukas Armen gewesen war, wie schnell die Sommer und Winter verflogen. Und er hatte sich der Tage erinnert, als er noch selbst mit auf die Jagd gezogen war. Bei diesen alten Bildern hatte er schwer zu schlucken gehabt und war gleich nach dem Verzehr aufgestanden und ins Freie gegangen.

Da trat Ayla mit einer geflochtenen Schale hinzu und streckte sie ihm hin.

»Ich habe so viele Erdbeeren gepflückt, daß wir sie nicht alle essen konnten«, machte sie Zoug klar. »Möchte der Jäger sie haben?«

Zoug nahm die Schale, und das harte Braun seiner Augen wurde wie Bernstein, und er verbarg es nicht. In gebührendem Abstand blieb Ayla sitzen, während Zoug genüßlich schmatzend das süße Zeug verzehrte. Als er fertig war und sich die Finger abgeleckt hatte, gab er die Schale zurück, und sie eilte davon. Ich sehe nicht ein, warum Broud sie aufsässig findet, dachte Zoug, als er ihr nachblickte. Sie ist gut gezogen, aber leider grundhäßlich.

Am folgenden Tag brachte ihm Ayla wieder kühlendes Wasser, während Zoug arbeitete, setzte sich in seine Nähe, holte ihr Flechtwerk hervor und begann einen neuen Korb zu fertigen. Später, als Zoug gerade die weichgeklopfte Haut des Hirsches mit Fett einrieb, humpelte der Mog-ur zu ihm.

»Schweißtreibende Arbeit ist das«, machte der Zauberer und deutete auf Zougs beperlte Stirn.

»Ich mache neue Schleudern für die Männer, Mog-ur, und Vorn habe ich auch eine versprochen. Die Haut muß schmiegsam sein für die Schleudern. Sie muß ohne Unterlaß bearbeitet werden und hat das Fett ganz aufzusaugen. Das geht am besten in der Sonne«, bedeutete ihm Zoug.

»Die Jäger werden daran ihre Freude haben«, lobte ihn der Mog-ur. »Alle wissen, daß du am besten zu schleudern vermagst. Ich habe zugesehen, wie du Vorn unterwiesen hast; es ist zu seinem Glück, daß du es machst. Mit der Schleuder zu treffen ist ein hohes Können. Und wie ich sehe, ist die Gabe dir gegeben, sie auch noch selbst zu machen.«

Des Mog-urs Lob ließ Zougs Züge leuchten, als er mit wichtigen Händen auf das Gehäutete wies.

»Wenn die Nacht um ist, schneide ich sie aus. Eine Schleuder muß zum Arm passen, sonst wird der Wurf nie gut.«

Der Mog-ur nickte.

»Iza und Ayla bereiten das Schneehuhn, das du uns gebracht hast. Sie zeigt dem Mädchen, wie es zu rupfen ist. Willst du heute an mein Feuer kommen und es zusammen mit uns verzehren? Es war Ayla, die mich bat, dich zu fragen. Auch ich habe Freude, dich bei mir zu sehen. Manches Mal braucht der Mann einen Mann, um das, was im Herzen und Kopf gesammelt ist, sich gegenseitig auszutauschen. An meinem Feuer habe ich nur Frauen.«

Der ehemalige Jäger legte die Hand auf die Brust und bog sich leicht nach vorne.

»Zoug wird mit dem Mog-ur essen«, machte er, und man sah, wie er sich freute.

Im Clan wurde häufig gemeinsam gegessen, und oftmals teilten zwei Familien den Verzehr miteinander; der Mog-ur jedoch lud selten an sein Feuer. Für ihn war sie noch immer etwas ungewöhnlich, die eigene Feuerstätte. Zoug kannte er von Kindesbeinen an, hatte ihn stets geachtet und war ihm zugeneigt. Er hätte ihn eigentlich, ging es ihm durch den Kopf, schon früher an sein Feuer holen sollen. Er war froh, daß dieses Ayla so gewollt. Schließlich war es ja Zoug gewesen, der heute den frischen Verzehr besorgt hatte.

Iza war nicht gewöhnt, Gäste zu haben. Sie war in heller Aufregung und flatterte umher wie das Schneehuhn, das Zoug mit einem dicken Ast erschlagen mußte, weil ihm der Schleuderstein nur einen Flügel gebrochen hatte. Der Verzehr, über den man sich hermachte, war feinwürzig und äußerst schmackhaft.

Nachdem die Männer volle Bäuche hatten, streckten sie sich aus, rülpsten kräftig und ließen harte Winde streichen. Ayla brachte ihnen einen warmen Trank aus Kamille und Minze, der den Verzehr gut aufweichen würde. Umsorgt von zwei aufmerksamen Frauen, und das stämmige kleine Kind dabei, das auf ihnen herumkrabbelte und sie an den buschigen Bärten zupfte, fühlten sich die beiden Männer bärig wohl. Zoug stach es ein wenig ins Herz, daß soviel Wärme und freundliche Helle des Mog-urs Feuer umgab, und Creb deuchte, er habe noch nie einen so schönen Abend erlebt.

Am nächsten Morgen sah Ayla zu, wie Zoug dem jungen Vorn die neue Schleuder anpaßte. Scharfäugig wie eine Wildkatze beobachtete sie Zougs Handzeichen, mit denen dieser dem Jungen erklärte, warum die Enden des Bandes nach außen hin schmäler werden mußten und warum der Lederstreifen weder zu lang noch zu kurz sein durfte. Sie sah, wie er einen runden Stein, der im Wasser gelegen hatte, in die Mitte drückte und das Schleuderband dehnte und zog, bis sich eine kleine Kuhle formte. Später, als er das, was von seiner Arbeit abgefallen war, einsammelte, brachte ihm Ayla wieder Wasser.

»Braucht Zoug das Restliche noch?« fragte sie ihn. »Die Haut ist sicher weich.«

Zougs Herz öffnete sich dem Mädchen.

»Nein. Du kannst sie haben.«

»Schönen Dank. Manche Stücke sind so groß, daß aus ihnen noch etwas zu machen ist.«

Dem alten Mann fehlte das Mädchen, als er anderen Tags wieder an der gleichen Stelle saß wie gestern. Doch seine Arbeit war beendet. Die Waffen waren fertig. Er sah Ayla, wie sie, den Korb auf den Rücken gebunden und den Grabstock in der Hand, in Richtung auf die Wälder fortwanderte. Wird wohl für Iza Pflanzen sammeln, dachte er sich. Warum denn nur ist Broud zu ihr so feindselig? Zoug achtete den jungen Jäger nicht sehr, er hatte den schlimmen Zusammenstoß noch nicht vergessen. Warum hackte er immer auf dem Mädchen herum? Sie arbeitet gut und macht dem Mog-ur Ehre. Er kann sich glücklich nennen, daß er sie und Iza hat. Seinem Kopf entstieg das Bild vom gestrigen Abend, und es vermischte sich mit dem, was er sah: das aufgeschossene Mädchen mit den geraden Beinen und den sonnenhellen Haaren. Ein Jammer, daß sie so grundhäßlich war, wischte er das Bild aus; dann ging er zur Höhle zurück.

Aus dem Restlichen, das sie Zoug abgeluchst hatte, fertigte sich Ayla eine neue Schleuder, da die alte nicht mehr zu gebrauchen war. Dann machte sie sich auf die Suche nach einer freien Stelle fern der Höhle, wo sie das Schleudern üben konnte. Immer noch war ihr bang zumute, daß einer vom Clan sie ertappen könnte. Den Bach entlang lief sie ein ganzes Stück, bis sie zu der Stelle kam, wo dieser in das Flüßchen mündete. Dort bog sie ab und kämpfte sich durch Dickicht und Gestrüpp auf der anderen Seite wieder den Berg hinauf. Doch eine mächtig steile Bergwand, von der das Wasser in schäumendem Schwall herabstürzte, versperrte ihr den Weg. Felszacken, an die sich dunkelgrünes Moos geklammert hatte, teilten das Gewässer in lange, dünne und glitzernde Springbögen, die von Fels zu Fels eilten und feine Nebelschleier sprühten. Weißschäumend sammelte sich das Wasser schließlich in einem felsigen Becken am Fuß der

Wand, ehe es mit seinem raschen Lauf den Berg hinunter weiterkonnte.

Himmelhoch und unüberwindlich erhob sich die Wand, an deren Fuß der Bach verlief, den Ayla entlangging, und allmählich schien die Wand zu einem Buckel sich zu runden, der immer noch steil, aber zu erklimmen war. Schwer atmend kam Ayla oben an, das Gelände wurde eben, und nach einiger Zeit erreichte sie den oberen Lauf des Baches, dem sie wieder folgte.

Hier, in der Höhe, überwucherten feuchte, graugrüne Flechten die Fichten und Tannen. Braunrote Hörnchen huschten an den hohen Stämmen empor oder flitzten über das handspannendicke Moos, das Erde, Steine und gefallene Bäume wie grüner Schnee bedeckte. Vor ihr stach flirrender Sonnenschein durch die riesigen grünen Laubdächer. Allmählich lichtete sich der Wald, und schließlich kam Ayla auf eine kleine Wiese, die am anderen Ende vom graubraunen Bergfels begrenzt wurde. Und hier oben war auch die Quelle des Baches, der am Rand der Wiese entlanggurgelte. Sprudelnd kam sie aus dem Felsen, nahe einem dichten Haselnußgebüsch, das fast am Gestein zu kleben schien. Spalten, Risse, Schrunden und Löcher durchsetzten den Berg, durch die Schmelzwasser des Gletschers drangen, um wieder frisch und klar ans Licht zu kommen.

Ayla rannte über die Bergwiese und trank in gierigen Zügen das kühlende Naß. Als ihr Durst gestillt war, lief sie zum Haselstrauch hin und schaute nach den Nüssen, die noch fest in ihren grünen Bechern saßen. Einen Zweig brach sie ab, pulte die Nuß aus dem Becher und knackte die weiche Schale mit den Zähnen, und das Innere kam weiß zum Vorschein. Unreife Nüsse hatte sie lieber als die prallen, trockenen Dinger, die man zum Ende des Sommers überall finden konnte auf dem Boden. Und Ayla begann, sie eifrig zu pflücken.

Als sie in das Gesträuch eintauchte, entdeckte sie hinter Moosflechten und dem dichten Laub eine dunkle Öffnung. Langsam und vorsichtig bog Ayla die Zweige auseinander und sah, daß dahinter eine winzige Höhle war. Mit bebenden Händen drückte sie die Zweige noch weiter weg, spähte luchsäugig in die Höhle und trat hinein. Hinter ihr schlug das Gesträuch die schützenden Äste zusammen.

Auf der einen Wand tanzten flimmerlichte Sonnenkringel, die das Innere schwach erhellten. Die Höhle war gut zwei Manneslängen tief und breit wohl eine. Und wenn Ayla die Hand hob, konnte sie fast an die Decke über dem Eingang greifen, die sich nach hinten sachte abwärts neigte, um schließlich ganz zum trockenen Erdboden hin abzufallen.

Die Höhle war nicht mehr als ein kleines Loch in der Bergwand, für das Mädchen aber groß genug als Unterschlupf. Dem Einschlupf nahe entdeckte sie ein Versteck mit verfaulten Nüssen und Tannenzapfen. Bestimmt hatten größere Tiere die Höhle verschmäht. Ayla klatschte in die Hände und hüpfte in der Höhle herum. Sie hatte gefunden, was sie nie zu finden glaubte, einen eigenen kleinen Bereich. Summend tanzte sie wieder hinaus, zerteilte das Gesträuch und blickte über die Lichtung. Hand über Hand und Fuß über Fuß kletterte sie ein kurzes Stück hinauf zum kahlen Fels und schob sich vorsichtig hinaus auf einen schmalen Sims, der sich um einen Felsvorsprung herumzog. Geblendet von der Heftigkeit des flirrenden Lichts, kniff Ayla die Augen zusammen. Weit, weit unten in der Ferne glitzerte das landumschlossene Meer. Und genau unter sich, unweit des schmalen, sonnenfunkelnden Wasserlaufs, sah sie eine winzige Gestalt. Dort müßte die Clan-Höhle sein. Zufrieden stieg sie wieder ab und ging zur Lichtung hinüber.

Ayla machte große Augen und sah sich schon mit ihrer Schleuder auf der hellen Wiese üben. Und niemand störte sie dabei. Es gab Wasser in der Nähe, und Schutz vor Regen bot die Höhle. Dort war auch ihre Schleuder zu verstecken und ihre Angst umsonst, daß Iza oder Creb sie finden würden. Die Männer stiegen kaum so hoch hinauf, wenn sie zur Jagd gingen. Dies war ihr Platz, und nur für sie. Wie der Wind rannte das Mädchen über die Wiese zum Bach und suchte nach kleinen, glatten runden Steinen.

Wann immer sie konnte, kletterte Ayla zu ihrer Wiese hinauf. Und bald erkundete sie sich einen kürzeren, wenn auch steileren Weg zu ihrer Zuflucht und scheuchte anfangs wilde Schafe, auch Gemsen oder Rehe auf. Nach einiger Zeit gewöhnten sich die Tiere jedoch an sie und grasten einfach auf der anderen Wiesenseite weiter.

Und immer sicherer traf sie den Pfosten, so daß es langsam reizlos war und schwierigere Ziele gesucht werden mußten, die ihrer Fähigkeit entsprachen. Oft beobachtete sie Zoug, wenn er Vorn anwies, und machte das, was der alte Mann tat, mit ihrer Schleuder nach, wenn sie allein auf ihrer Wiese war. Daß ihr das Schleudern so trefflich gelang, machte ihr Freude und Vergnügen. Aber ein Gefühl des Stolzes schlich sich in ihr Herz, als sie sich fast daran gewöhnte, das, was sie konnte, mit dem, was Vorn zuwege brachte, zu vergleichen. Vorn fand keine rechte Lust am Umgang mit der Schleuder; auch sah er sie als eine Waffe alter Männer an, die als Jäger nichts mehr nutzten. Eifriger übte er sich mit dem Speer und hatte schon Schlangen und Stachelschweine erlegt.

Als Ayla sah, daß sie besser war als der Junge, wuchs ihr Stolz, und sie veränderte sich, kaum merklich zwar, aber dennoch so deutlich, daß Broud sich wieder getroffen fühlte.

Die Mädchen und Frauen im Clan hatten sich fügsam zu geben, demütig und in allem den Männern zu Willen zu sein. Und wenn Ayla nicht ständig kuschte und sich beugte, falls Broud in ihrer Nähe war, bedrohte dies seine Männlichkeit. Aufsässig war sie irgendwie und anders geworden, fand der junge Jäger heraus, und es reizte ihn, ihr einen Schlag oder Stoß zu versetzen, um die Furcht in ihren Augen glimmen zu sehen oder ihren Körper, wie er zusammenfuhr.

Ayla war bemüht, sich so zu betragen, wie es von ihr erwartet wurde; sofort kam sie seinen Befehlen nach. Doch wußte sie nicht, daß, wenn sie dieses eilends besorgte, in ihrem festen Schritt etwas Beschwingendes lag, was sie von ihren Wanderungen hatte durch die Wälder und Wiesen und durch das Gebirge. Sie verhielt ihren Stolz, ein schwieriges Können erübt zu haben und darin besser zu sein als Vorn. Doch schon an ihrer Haltung war abzusehen, wie ihr Selbstbewußtsein sich zu bilden begann. Ayla konnte sich nicht erklären, warum Broud mit ihr mehr schalt als mit allen anderen Frauen. Doch der wußte selbst nicht, was es war, das ihn an ihr so reizte. Es war nicht zu bestimmen und hätte so wenig geändert werden können wie die Farbe ihrer Augen.

Zum einen wurzelte sein Zorn in dem Erinnerten an die Feier seiner Mannbarkeit, wo Ayla ihn des Augenmerks der Clan-Leute beraubt hatte, zum anderen – und tiefer noch – in ihrer Andersartigkeit. Denn ihr war nicht, wie all den anderen Frauen, die Unterwürfigkeit in Fleisch und Blut gegangen und Zeichen der Person geworden. Sie gehörte zu den anderen, der neuen, jungen Art, die lebensfähiger und frischer war und nicht blockiert durch starre Überlieferungen, die in den Hirnen abgelagert hatten, was nur noch aus dem Gestern lebte. Das Denken in ihrem Kopf suchte sich andere Wege. Hinter ihrer hohen Stirn entwickelte sich die Fähigkeit, vorauszudenken, manches, was hieraus sich bedingte, zu bedenken und aus der Sicht des Gestern, Heute, Morgen zu begreifen. Das Neue konnte sie aufnehmen und nach ihrem Willen formen, konnte es zu Vorstellungen verschmelzen, die zu träumen die Leute des Clans nicht fähig waren. Und es war die Natur, die beschlossen hatte, daß die neue Art der Hominiden die uralte, absterbende der Erdlinge ablösen sollte.

Und tief in seinem Innern wurde Broud der Überlebtheit seiner Art gewahr. Nicht nur sein Mann-Sein war bedroht, er fühlte, daß dies fremde Mädchen sein ganzes Sein in Frage stellte. Der Haß gegen Ayla war der Haß des Alten auf das Neue, des Vergehenden auf das Kommende. Die Erdlinge waren in ihrem Sein zu festgefügt, zu unbeweglich. Einst hatten sie zu den Fähigsten gehört von denen, die sich nur auf zwei Beinen fortbewegten. Doch die Natur hatte Neues geschaffen, Wesen wie Ayla, denen die Zukunft gehörte. Doch allein und noch nicht fähig zum Überleben, versuchte sie, sich den Frauen des Clans in allem anzugleichen; doch das war wie ein Fell, das man umhängen konnte, wenn die Kältnis kam, und abschütteln, wenn die Sonne strahlte. Und es war die Zeit, da Ayla begann, sich aus dieser beengenden Hülle zu befreien. Sie gab sich zwar alle erdenkliche Mühe, dem jungen Jäger zu Gefallen zu sein, aber immer stärker wurde der Drang, sich aufzulehnen, gemäß der eigenen Art zu sein.

Es war an einem Morgen, als es besonders viel zu tun gab, und Ayla ging zum Teich hinunter. Die Männer hockten jenseits des Eingangs der Höhle und berieten sich für die kommende Jagd. Das Mädchen war froh, daß sie wieder auszogen; dann wäre sie Broud eine Weile los. Mit dem Becher in den Händen saß sie an dem stillen Wasser und hing selbstvergessen ihren Gedanken nach.

Unwillkürlich schrie sie heftig auf, als ein harter Schlag sie von hinten traf. Broud!

Aller Blicke flogen zu ihr hinüber, erstaunt und verärgert. Ein Mädchen, eine Frau beinahe, hatte keinen Mucks zu machen, nur, weil ein Mann ihr einen Schlag versetzte. Mit zornig rotem Gesicht schnellte Ayla herum und sah den jungen Jäger, der ihr höhnisch bedeutete: »Du sitzt hier herum, du faule Kröte, ich wollte dich ein wenig hüpfen sehen! Du solltest Wasser bringen und nicht hier verweilen!«

Flammender Zorn ließ Aylas Wangen noch tiefer erglühen. Zorn auf sich selbst, daß sie aufgeschrien und sich vor den Clan-Leuten eine Blöße gegeben hatte; und noch mehr Zorn auf Broud, der die Schuld daran trug. Folgsam stand sie auf, aber nicht wie sonst mit einem hastigen Sprung und gesenktem Kopf; aufreizend langsam erhob sie sich und durchbohrte Broud mit einem Blick eiskalten Hasses, ehe sie davonging, um den Trunk zu holen.

In blinder Wut rannte Broud ihr nach, wirbelte sie herum und schlug ihr mit der Faust ins Gesicht. Ayla torkelte und brach in die Knie. Und wieder traf sie ein schrecklicher Hieb. Sie zog sich zusammen und versuchte, mit verschränkten Armen sich zu schützen, während der Rasende wieder und wieder auf sie einschlug. Hart biß Ayla die Zähne aufeinander, so fest, daß es knirschte, nur, um nicht zu schreien. Und Brouds Wut steigerte sich mit seiner Enttäuschung, daß sie nicht endlich schrie und um Vergebung bat, und dichter und dichter fielen die Schläge mit beiden Fäusten aus verletzter Eitelkeit. Doch das Mädchen preßte die Lippen zusammen, bis sie weiß wurden und schmal wie die Klinge eines Schabers. Alles verschwamm in rötlichem Nebel.

Nach einer Ewigkeit spürte sie, wie Iza sie hochhob und ihr auf die Beine half. Schwer lehnte sie sich gegen die Frau, die sie stützte, und stolperte mühsam in die Höhle zurück. Wellen von Schmerz spülten über sie hin, während sie zwischen

Wachsein und Traumhaftem taumelte. Wie von ferne nahm sie wahr, daß Iza ihr Kühlendes auf die Haut legte und ihr den Kopf hielt, damit sie etwas Bitteres trinken konnte, das ihr zu einem tiefen Schlaf verhalf.

Als Ayla erwachte, hob das schwache Licht des neuen Tages die Umrisse alles Vertrauten aus der Dunkelheit. Im Feuer glomm trübe das letzte Holz. Mühsam versuchte sie aufzustehen. Muskeln wie Knochen ihres geschundenen Körpers wehrten sich schmerzhaft dagegen. Ein Stöhnen kam ihr über die Lippen. Und schon war Iza an ihrer Seite, deren Augen den Schmerz und die Sorgen zeigten, die ihr das Herz zerrissen hatten. Das war noch nicht dagewesen im Clan, daß so grausam und ohne Erbarmen gezüchtigt wurde. Noch nicht einmal sie. Iza glaubte fest, daß dieser Broud ihre Ayla getötet hätte, wäre ihm nicht Einhalt geboten worden.

Brun war voll Zorn, jenem eisigen, unbeugsamen Zorn, den alle im Clan fürchteten, so daß sie mit leisen Schritten einherschlichen und um den Clan-Führer einen möglichst großen Bogen machten. Daß Ayla aufmuckte, hatte ihn verärgert, doch daß Broud so aus der Haut gefahren war, hatte ihn zutiefst entsetzt. Gewiß, das Mädchen gehörte bestraft, aber der junge Jäger war dabei völlig außer sich geraten. Nicht einmal auf seinen Befehl hin hatte er von dem Mädchen abgelassen; Brun selbst hatte ihn wegzerren müssen. Schlimmer noch – er hatte wegen einer Frau die Beherrschtheit verloren, sich von einer Frau zu einem Ausbruch blind rasender Wut hinreißen lassen und sich damit der Würde, Mann zu sein, begeben. Noch vor zwei Tagen, nach dem Vorfall auf der Lichtung, war Brun ganz sicher gewesen, Broud hätte sich nun in der Gewalt und beherrschte seine Gefühle. Heute aber hatte er einen Ausbruch gehabt, der in Brun zum erstenmal ernstliche Zweifel erweckte, ob es ratsam war, dem Sohn dereinst die Führung des Clans zu überlassen. Und das traf tief.

Ehe er Broud zu sich kommen ließ, ließ Brun mehrere Tage verstreichen, denn er brauchte Zeit, um im Herzen zur Ruhe zu kommen. Dieses hatte der junge Mann voll banger Beklommenheit erwartet, sich kaum einen Schritt von seinem Feuer entfernt. Beinahe erleichtert folgte er Brun aus der

Höhle, auch wenn sein Herz vor Angst ihm bis zum Halse hämmerte.

Klar, einfach, hart und unerbittlich teilten Bruns Hände dem jungen Jäger mit, was ihm in der Zwischenzeit durch den Kopf gegangen war. Er beschuldigte sich, für des Sohnes Versagen durch seine Nachsicht verantwortlich zu sein. Als der Clan-Führer dieses ihm dartat, fühlte sich Broud so tief beschämt wie nie zuvor in seinem Leben. Auf eine ganz neue Weise offenbarte sich ihm Bruns Zuneigung und Qual. Ihm gegenüber saß nicht der unnahbare Führer, den Broud geachtet und gefürchtet hatte, sondern ein Mann, der ihn liebte und zutiefst enttäuscht von ihm war.

Doch dann sah Broud eine harte Entschlossenheit in Bruns Augen treten. Ein solcher Ausbruch noch, nur noch ein einziger, und Broud wäre nicht mehr des Clan-Führers Sohn. Auch sei er nicht bereit, den Clan der Führung eines Mannes zu übergeben, der nicht einmal fähig sei, über sich selbst zu herrschen. Ein solcher Ausbruch noch, und er würde ihn verstoßen und ihn mit dem Todesfluch beladen lassen. Wenn er ihm, Brun, nicht zeigte, daß ein Mann aus ihm geworden sei, so könnte er nicht glauben, daß Broud fähig wäre, den Clan zu führen und dessen Wohl zu wahren.

Brun deutete auf den vor ihm stehenden Broud: »Mein Blick wird dir folgen, aber auch den anderen Jägern. Ich muß erkennen können, daß du ein Mann bist, Broud. Und wenn ich einen anderen Jäger zum Clan-Führer machen muß, dann wirst du bis zum Ende deines Lebens der niedrigste der Jäger bleiben.«

Broud erstarrte. Verstoßen? Zum Tode verflucht? Clan-Führer würde ein anderer? Der niedrigste der Jäger? Lebenslänglich! Er sah in Bruns steinernes Gesicht und wußte, daß es so kommen würde.

Er nickte. Seine Züge waren grau wie Asche.

Brun deutete kurz zur Höhle. »Die anderen sollen nichts davon wissen. Sie würden nur unruhig in ihren Herzen. Du aber zweifle nicht. Es wird geschehen, was beschlossen ist. Und geh jetzt, Broud; ich will allein sein.«

Erst nach mehreren Tagen vermochte Ayla wieder aufzustehen, und noch länger dauerte es, ehe die blauen Flecken, die ihren Körper bedeckten, sich gelb färbten und langsam verblichen. Anfangs war sie so verängstigt, daß sie es nicht wagte, Broud auch nur in die Nähe zu kommen, und schreckhaft zusammenfuhr, wenn sie ihn sah. Doch nach und nach erkannte sie mit Staunen, daß etwas an ihm sich verändert hatte. Er gab sich anders, auch ihr gegenüber; vor allem ihr, das spürte sie. Er schlug sie nicht, er knuffte nicht, er hieß sie nicht einmal, ihm rasch zu Willen zu sein. Er ging ihr offensichtlich aus dem Weg. Und als Aylas Schmerzen abgeklungen waren, wuchs in ihr das Gefühl, daß auch dieses sein Gutes gehabt hatte.

Sie lebte leichter und unbeschwerter, seitdem Broud sie nicht mehr ständig quälte, und merkte erst jetzt, wie niedergedrückt sie unter des jungen Jägers Machtfülle gewesen war. Sie ging wie beflügelt mit leichtem Schritt, hielt den Kopf hoch, ließ ihre Arme schwingen und wagte sogar, laut herauszulachen. Iza lächelte in sich hinein, denn sie sah, daß Ayla sich wohl fühlte. Die anderen aber schüttelten befremdet die Köpfe und warfen mißfällige Blicke auf sie.

Daß Broud Ayla mied, sahen auch die anderen; sie verwunderten sich und führten bewegte Reden. Gebärden, die das Mädchen hier und da zufällig auffing, wenn die Männer oder Frauen des Clans beieinander saßen, bedeuteten nichts anderes, als daß Brun Broud schlimme Bestrafung angedroht hatte, wenn er sie noch einmal schlagen sollte. Und dieses wurde ihr zur Gewißheit, als sie gewahr wurde, daß der junge Jäger sie selbst dann nicht beachtete, wenn sie mit Bedacht ihn reizte. Anfangs war sie nur ein wenig nachlässig, ohne es heftig zu wollen. Doch dann versuchte sie, Broud herauszufordern, nicht, daß sie grob fahrlässig wurde, sondern mit Kleinigkeiten, die nur der Gegner bemerkte. Sie haßte ihn. Sie wollte Rache nehmen und fühlte sich von Brun geschützt.

Der Clan war klein und englebig, und so sehr sich Broud auch bemühte, diesem hochbeinigen häßlichen Fremdling aus dem Weg zu gehen, es ergab sich immer wieder die Notwendigkeit, ihr dann und wann Befehle erteilen zu müssen. Bewußt bewegte sich Ayla dann noch langsamer. Und wenn sie das Gefühl hatte, daß niemand hersah, hob sie den Blick und starrte ihm frank und frei mitten ins Gesicht, während der junge Jäger um seine Selbstbeherrschung rang. Waren aber andere in der Nähe oder gar Brun, so hielt sie sich zurück. Des Clan-Führers Zorn war noch immer zu fürchten; doch Brouds Unmut hatte für sie jeden Schrecken verloren. Und während der Sommer fortschritt, bot sie ihm immer offener die Stirn.

Unbehagen regte sich erst in ihr, als sie einen Blick von Broud bekam, der blanken Haß zu ihr herüberschickte. Denn sie war schuld an seiner mißlichen Lage. Wenn sie nicht so aufsässig gewesen wäre, dann hätte seine Wut ihn nicht überwältigen können. Wenn sie ihn nicht so gereizt hätte, dann brauchte er jetzt nicht zu fürchten, zum Tode verflucht zu werden und der niedrigste im Clan zu bleiben. So unbekümmert wie sie war, so unclanmäßig wie sie sich verhielt, das war doch gegen jeden Brauch! Und warum schritt dagegen niemand ein? Sein Haß häufte sich zu einem Scheiterhaufen, der heißer brannte als zuvor. Aber Broud achtete darauf, das Feuer Brun nicht sehen zu lassen.

Dieser Zwist wurde zwar nicht offen ausgetragen und wütete mit verstärkter Leidenschaft, doch so füchsingleich, wie Ayla sich dünkte, daß niemand es merkte, so war sie nicht. Jeder im Clan witterte die tödliche Spannung zwischen ihnen, und alle schüttelten verwundert die Köpfe, weil Brun dem Treiben kein Ende machte. Die Männer richteten sich nach dem Clan-Führer und taten nichts, auch wenn das Gebaren des Mädchens ihnen äußerst mißfiel. Doch wurden sie wie die Frauen die Ahnung nicht los, daß sich bald etwas ereignen würde, das ähnlich dem Beben der Erde wäre.

Auch Brun mißfiel Aylas Verhalten; ihm waren ihre kleinen Hinterhältigkeiten nicht entgangen, und es verdroß ihn, mit ansehen zu müssen, wie Broud ihr alles durchgehen ließ. Sich aufzulehnen gegen den Brauch, sei es von seiten eines Mannes oder einer Frau, war unerlaubt und wurde nicht geduldet. Er sah mit Unmut und Verdruß, daß dieses Mädchen sich erkühnte, sogar als Fremde einem Mann die Stirn zu bieten, was keiner Frau im Clan je eingefallen war. Denn weshalb sollte eine Frau darum kämpfen, zu verändern, was die

Natur gegeben hatte? Für Brun war es das gleiche, als wollte sie aufhören zu essen oder zu atmen. Und wäre er nicht sicher gewesen, daß Ayla eine Frau war, so wie sie ihre Art zu leben und sich zu betragen augenblicklich dartat, hätte er vermutet, daß sie männlich wäre. Und doch hatte sie sich die Fertigkeiten der Frau angeeignet und konnte sogar schon manches heilen.

So sehr Brun dieser verdeckte Kampf zwischen den beiden auch grämte, er trat nicht dazwischen, weil er sah, wie Broud täglich um die Beherrschung seiner selbst zu ringen hatte. Aylas trotzige Auflehnung half dem jungen Jäger, sich selbst gebieten zu lernen. Und wenn auch Brun ernstlich erwog, einen anderen zu seinem Nachfolger zu bestimmen, wenn Broud versagte, am liebsten würde er den Sohn seiner Gefährtin zum Clan-Führer gemacht haben. Denn Broud war ein unerschrockener Jäger, und Brun war stolz auf sein tapferes Herz. Wenn es dem jungen Mann nur gelang, diese Hitze in seinem Kopf zu bannen, so würde er, glaubte Brun, ein guter Clan-Führer werden.

Ayla spürte kaum etwas von der gequälten Spannung, die sie mit ihrem Verhalten auslöste. In jenem Sommer war sie froher und glücklicher als je zuvor. Daß sie nicht so zu sein brauchte wie die anderen Frauen, nützte sie dazu aus, häufiger allein umherzustreifen, Kräuter zu sammeln und mit ihrer Schleuder zu üben. Sie drückte sich zwar nicht vor der Arbeit, die ihr aufgetragen wurde, aber da es ihr oblag, Iza die Pflanzen zu bringen, die sie brauchte, war dies immer vorzuschieben, um sich davonzumachen.

So recht zu Kräften kam Iza nicht mehr, auch wenn der Husten, der ihr unter dem Brustbein saß, durch die sommerliche Wärme gemildert wurde. Sie und auch Creb sorgten sich um Ayla. Die Medizinfrau fand es einfach unerträglich, wie gespannt das Leben im Clan geworden war, und beschloß deshalb, zusammen mit dem Mädchen Kräuter zu suchen und ihm sein Verhalten klar zu machen.

Uba nahmen sie mit. Ayla hob die Kleine hoch und setzte sie auf ihre Hüfte.

Zusammen wanderten sie dann den Hang hinunter, querten den Bach und folgten jenseits einem schmalen Pfad, der durch die Wälder führte. Als sie zu einer sonnenbeglänzten Wiese gelangten, blieb Iza schnaufend stehen und sah sich um. Dann schritt sie auf eine Gruppe hochgewachsener Blumen mit gelben Blüten zu.

»Diese Blumen hier, Ayla«, erkärte Iza mit ausführlichen und feinen Bewegungen der schon leicht gekrümmten Finger, »wachsen auf Wiesen und an freien Stellen. Die Blätter sind groß und sehen aus wie eine geschlossene Hand, am Ende spitz. Oben sind sie dunkel, siehst du, und unten flaumig.« Iza kniete nieder und hielt eines der Blätter hoch. »Die Rippe in der Mitte ist dick und fleischig.« Iza brach das Blatt ab, um es Ayla zu zeigen, die fast mit der Nase darauf stieß und eifrig nickte.

»Verwendbar ist nur die Wurzel; aus ihr heraus wächst die Pflanze immer wieder. Bevor du sie ausgräbst, laß lieber eine Reifezeit vergehen. Dann ist sie fest und glatt. Du schneidest sie in kleine Stücke und legst so viel, wie du in deiner Hand behalten kannst, in das kleine beinerne Behältnis. Dann gießt du Wasser auf und kochst die Wurzeln. Der Sud muß kalt getrunken werden, zwei Becher jeden Tag. Er löst das Schleimige im Hals und in der Brust und hilft auch gegen Blutauswurf und treibt das Wasser aus dem Körper.« Mit dem Grabstock legte Iza eine Wurzel frei. Sie hockte auf dem Boden und zeigte alles genau, während sie erklärte. »Du kannst die Wurzel auch trocknen und zerstampfen.« Dann grub sie mehrere Wurzeln aus und legte sie in ihren Korb.

Sie wanderten weiter über die kleine Anhöhe. Dort blieb Iza wieder stehen. Uba, sicher und warm auf Aylas Hüfte, war eingeschlafen.

»Siehst du die kleine Pflanze mit den gelblichen Blüten, die wie kleine Becher aussehen und in der Mitte dunkel werden?«

Ayla berührte ein etwa fußhoch stehendes Gewächs. »Diese?«

»Ja. Sehr gut als Medizin, aber du darfst sie niemals essen. Sie ist giftig.«

»Welche Teile verwendest du? Die Wurzel?«

»Viele Teile. Wurzeln, Blätter, Samen. Die Blätter sind größer als die Blüten, und sie sitzen im Wechsel am Stengel. Eines hier, eines dort, siehst du? Schau, Ayla. Die Blätter sind blaß und ohne Glanz, und an den Rändern haben sie Zähne. Siehst du die langen Haare in der Mitte?« Iza berührte die feinen Härchen. Dann brach sie ein Blatt ab und zerdrückte es. »Riech!« bedeutete sie ihr.

Ayla hielt die Nase an das zerquetschte Blatt. Ein starker betäubender Duft ging von ihm aus.

»Wenn das Blatt getrocknet ist, verfliegt der Duft. Später kommen viele kleine braune Samenkörner.« Iza griff zu ihrem Grabstock und legte damit eine dicke, länglich gerippte Wurzel mit brauner Haut frei. Dort, wo sie abgebrochen war, schimmerte es weiß. »Viele Teile dieser Pflanze kannst du verwenden. Für viele Krankheiten. Alle lindern den Schmerz. Du kannst einen Trank machen – er ist sehr stark – oder einen Sud, um die Haut einzureiben. Es ist gut bei Krämpfen und macht ruhig, damit der Schlaf kommen kann.«

Iza brach mehrere Pflanzen ab und warf sie in ihren Korb. Dann schritt sie zu einer Gruppe hochstehender Malven und pflückte weiße, rosarote, violette und gelbe Blüten von den Stengeln.

Und wieder erklärten Izas Hände. Die Malven wären gut bei Schmerzen im Hals und kleinen Verwundungen. Aus den Blüten könne man einen Trank bereiten, der den Schmerz besänftige, jedoch mache er auch schläfrig. Ihr Bein habe sie mit Malvenwurzel behandelt.

Nachdenklich fuhr sich das Mädchen mit den Fingern über die vier langgezogenen schmalen Narben auf seinem Oberschenkel. Was wäre gewesen, wenn Iza sie nicht gefunden hätte?

Eine Weile liefen sie still nebeneinander durch die lichtüberflutete Hügelgegend und gaben sich dem beruhigenden Gefühl gegenseitiger Nähe hin. Golden leuchtete das brusthohe Gras; die Frau legte die Hand an die schweren Brauenwülste und blickte über das weite Gräsermeer hin, das in der warmen Brise eine sanfte Dünung hatte. Dann entdeckte sie Roggen, und daß dessen Körner eine schwarz-violette Färbung hatten. Bekümmert und freudig zugleich wies sie auf eines der Gräser.

»Schau, Ayla, so sehen die Samen aus, wenn es krank ist. Man nennt das Mutterkorn. Aber es ist gut, daß wir es gefunden haben. Riech!«

Ayla verzog die Nase vor Ekel.

»Wie alter Fisch.«

Fast feierlich erklärte Iza ihr die Wirkung. In den kranken Körnern wohne ein Zauber, der für Frauen, wenn sie Kinder kriegten, von großer Wohltat sei. Wenn eine Frau zu lange in ihrem Weh liege, dann könne das Korn bewirken, daß das Kind schneller komme; der Zauber in ihm ließe den Leib sich fest zusammenziehen. Doch könne er auch bewirken, daß eine Frau ihr Kind noch vor der Zeit verlöre, was besonders wichtig wäre, wenn sie bei früherem Gebären Beschwerden gehabt hätte oder wenn sie noch stillte. Keine Frau dürfe ihre Kinder in zu schneller Folge bekommen. Das zehre sie aus. Wer nähre sie dann, wenn ihre Milch versiege? Zu viele Kinder stürben gleich nach der Geburt oder in der ersten Zeit ihres kleinen Lebens. Ernst blickte die Medizinfrau auf das Mädchen. Eine Mutter müsse das Kind, das schon das Leben habe, hüten und pflegen, damit es heil bleibe und gedeihe. Als sie ein Fragen in Aylas Augen bemerkte, fügte Iza hinzu, daß es noch andere Pflanzen gäbe, die bewirken könnten, daß man sein Kind vor der Zeit verlöre. Aber Mutterkorn sei auch nach dem Gebären gut; die Zauberkraft vertreibe auch das alte Blut und lasse den Leib schrumpfen. Zwar schmeckte es faulig, wäre aber wohltätig, wenn Ayla es mit ernstem Sinn verwendete. Denn zuviel davon könnte Krämpfe bringen sowie Erbrechen oder gar den Tod.

»Wie das Kraut, das wir vorhin gefunden haben«, stimmte Ayla eifrig zu. »Es kann Gutes tun, aber auch viel Schlechtes.«

Die Medizinfrau hob den Finger. »Giftiges ist oftmals wohltätig. Aber man muß wissen, wie es anzuwenden ist.«

Auf dem Rückweg zum Bach blieb Ayla stehen und wies auf ein Gewächs mit bläulich-lilafarbenen Blüten, das etwa einen Fuß hoch stand, und meinte: »Ein Trank daraus bekämpft den Husten.«

»Ja, nimm welche mit«, bestimmte Izal

Ayla zog mehrere Pflanzen mit den Wurzeln heraus und

riß beim Weitergehen die schmalen Blätter ab, die sie brauchen würde.

»Ayla«, sagte die Frau und deutete auf des Mädchens volle Hände. »Aus diesen Wurzeln kommen immer wieder neue Pflanzen. Du hast sie mit herausgezogen. Im nächsten Sommer wächst hier nichts mehr. Pflück nur die Blätter von den Pflanzen, wenn du die Wurzeln nicht benötigst. Und selbst wenn du die Wurzeln brauchst, sollst du nicht alle haben wollen. Ein paar von vielen Stellen sich zu holen ist besser, weil dort wieder neue Pflanzen kommen können.«

Als sie auf dem Weg zurück zum Bach über eine sumpfige Wiese mußten, hielt Iza wieder an und deutete auf den Boden.

»Die Wurzeln dieser Pflanze hier, die ähnlich aussieht wie Iris, sie tun wohl und helfen gegen manchen Schmerz.«

Leicht ächzend ging die Medizinfrau in die Hocke, hob die Blätter hoch und legte die Wurzel frei. Wenn man sie kochte, bedeutete sie, könnten mit dem Sud Verbrennungen gelindert werden, und wenn man die Wurzeln kaute, helfe das gegen Schmerzen im Zahn. Auch gegen Leibschmerzen und Verstopfungen der Därme.

Im Schatten eines breitblättrigen Ahorns am Bach machten sie halt. Ayla pflückte ein Blatt ab, drehte es hornförmig zusammen, knickte das Ende um und hielt es mit dem Daumen fest. Dann tauchte sie das mundgerechte Behältnis in den Bach, schöpfte das erfrischende Naß und trank. Auch Iza brachte sie davon, ehe sie den Blattbecher wieder fortwarf.

»Ayla«, begann die Frau, nachdem sie getrunken hatte. »Du sollst das befolgen, was dir Broud befiehlt«, bedeutete sie mit bestimmter Gebärde. »Er ist ein Mann. Er hat dir zu befehlen.«

»Ich tue alles, was er mir befiehlt«, gab Ayla heftig zurück und warf ihr Haar in den Nacken.

Iza schüttelte verneinend den Kopf.

»Aber nicht so, wie es sich dem Clan-Brauch nach gehört. Du stellst dich gegen ihn, du zeigst ihm Trotz. Du wirst das eines Tages noch bereuen. Eines Tages, wenn Broud der Führer ist im Clan. Du mußt das tun, was Männer wollen.« Sie sei nur eine Frau und habe keine Wahl.

»Warum sollen die Männer den Frauen befehlen? Was macht sie besser? Sie können nicht einmal Kinder kriegen«, entgegnete Ayla hitzig und voller Trotz.

»So ist es nun einmal. Und so war es immer schon im Clan. Und du gehörst jetzt zu uns, Ayla. Du bist meine Tochter. Du mußt so sein wie alle Clan-Mädchen«, erklärte Iza müde.

Die so Zurechtgewiesene ließ den Kopf hängen. Es stimmte ja, sie trotzte Broud. Was wäre aus ihr geworden, hätte Iza sie nicht gefunden und mitgenommen? Was wäre aus ihr geworden, hätte Brun sie nicht bleiben lassen? Was wäre aus ihr geworden, hätte Creb sie nicht in den Clan aufgenommen? Ayla hob den Kopf und sah die Frau voll an. Iza war alt geworden, mager und ausgezehrt. Die Haut hing schlaff an den Knochen, und ihr vormals dunkles Haar war fast schlohweiß geworden. Zuerst war ihr Creb so alt erschienen, doch der hatte sich kaum verändert. Es war Iza, die jetzt gealtert war, stärker als Creb. Iza dauerte Ayla, doch immer, wenn sie es zeigte, wehrte die Frau entschieden ab.

Bekümmert gab Ayla dann der Medizinfrau recht: »Ja, ich muß Broud gehorchen. Ich will mir Mühe geben.« Und legte die rechte Hand auf ihr Herz.

Die Kleine auf Aylas Schoß wurde unruhig. Aus hellforschen Augen blickte sie zu dem Mädchen auf und nahm das Däumchen aus dem Mund und schrie.

Iza schaute hoch zum Himmel.

»Die Sonne steht schon tief, und Uba hat Hunger. Gehen wir.«

Ach, wenn Iza doch kräftig genug wäre, häufiger mit ihr zu gehen, seufzte Ayla in sich hinein, als sie zur Höhle zurückeilten. Sie weiß so viel und könnte es mir zeigen.

Ayla hatte sich wirklich zu Herzen genommen, was Iza ihr vorgehalten, und sie gab sich wirklich Mühe, es Broud recht zu machen, so schwer es ihr auch fiel. Es war ihr zur Gewohnheit geworden, ihn nicht mehr zu beachten. Sie wußte, er würde sie nicht schlagen und sich, wenn sie ihm nicht gehorchte, an einer anderen Frau entschädigen. Seine finsteren Blicke machten ihr keine Angst mehr; sie wußte, daß er seinen Zorn zu zähmen hatte. Zwar unterließ sie es, ihn mit Bedacht zu reizen, aber ihre Widersetzlichkeit war ihr zur zweiten Haut geworden. Zu lange hatte sie ihm trotzig ins Gesicht gesehen, anstatt ergeben ihren Kopf zu senken; zu lange hatte sie getan, als blickte sie durch ihn hindurch, anstatt so schnell wie möglich aufzuspringen und seinen Befehlen zu gehorchen. Die eigene Art war in ihr durchgebrochen. Sie war so, wie sie war, und nicht so, wie man sie haben wollte. Doch die Geringschätzigkeit, mit der sie Broud begegnete, reizte ihn mehr als ihre früheren mit Absicht vorgetragenen Herausforderungen. Der junge Jäger fühlte irgendwie, daß Ayla ihn nicht mehr als Mann begriff. Doch nicht die Achtung vor ihm hatte sie verloren, sondern die Furcht vor ihm als Mann.

Die Zeit, wo kalte Winde und schwere Regenfälle den Clan wieder in die Höhle verbannen würden, rückte näher und näher. Ayla sah es mit traurigem Herzen, wie die Blätter sich färbten, zu glühen schienen und dann wie tot zur Erde fielen. Die Frauen hatten alle Hände voll zu tun, die Früchte der Bäume und Sträucher zu ernten, so daß das Mädchen während dieser Tage eifriger Regsamkeit nicht einmal zu ihrer Zuflucht hinaufsteigen konnte.

Dann aber war das Vorrätige gelagert, und eine Mattigkeit legte sich über die Leute im Clan. Eines Abends band sich Ayla ihren Korb auf den Rücken, nahm den Grabstock und kletterte noch einmal zu ihrer Höhle hinauf. Kaum war sie oben angelangt, warf sie ihren Korb ab, rannte in die kleine Höhle und holte ihre Schleuder hervor. Ihre Zuflucht war wohnlicher geworden. Ein Fell zum Schlafen hatte sie heraufgeschleppt; auf einem abgeflachten Holz, in eine Felsenritze eingepaßt, lagen einige Muschelschalen, ein scharfer Flintsteinschaber, ein paar gerundete Steine und ein Behältnis aus Birkenrinde. Mit letzterem und ihrer Schleuder, die sie in einem Korb versteckt hielt, rannte sie zur Quelle, trank daraus in hastigen Zügen und lief dann am Ufer entlang, um Steine zu suchen.

Als Ayla einen ganzen Haufen beisammen hatte, stellte sie sich auf und zeigte sich, was sie noch mit der Schleuder konnte. Vorn trifft nicht so gut wie ich, ging ihr durch den Kopf, als sie sah, daß ihre Steine meist dort aufschlugen, wo sie auch hintreffen sollten. Nach einer Weile hatte sie die Lust verloren, trug ihre Schleuder und die letzten Steine in die Höhle, nahm ihren Korb und sammelte die Nüsse, die unter den knorrig-stämmigen Sträuchern lagen. Bilder von Uba und Iza und Creb traten ihr vor Augen, während sie flink die Finger greifen ließ. Uba, sah sie, war kräftig und groß geworden. Iza hatte sich in den letzten Tagen der sonnigen Zeit ein wenig erholt, und Creb war kaum noch von Schmerzen geplagt. Beim Anblick des Korbs kam ihr die Schleuder in den Sinn, und sie sammelte schneller und begann zu summen. Ja, schleudern – zu schleudern verstand sie gut! Beinah schon zu leicht war es, den Pfosten oder den Felsen oder die Äste zu treffen, die sie als Ziele für die Steine gedacht hatte. Ha, wenn Broud das wüßte! Nichts gab es mehr, was sie grämen konnte.

Sie füllte ihren Korb mit Nüssen bis zum Rand.

Fauchende Winde rissen gierig die braunen und spröden Blätter von den Bäumen, sie fielen taumelnd zur Erde und bedeckten die Nüsse, die noch ungesammelt unter Sträuchern und Büschen lagen. Reif und schwer hingen die letzten Früchte an kahlen Ästen. Die Steppe wogte im Wind wie ein weites fahlgelbes Meer; weiter unten peitschten zornige Stürme die grauen Wasser des landumschlossenen Sees. Die letzten prallen Beeren wilden Weins warteten darauf, gepflückt zu werden. Wie immer vor einer Jagd hockten die Männer dicht beisammen und berieten sich. Seit dem frühen Morgen schon machten sie ihre Pläne. Soeben war Broud beauftragt worden, eine der Frauen zu heißen, ihm Wasser zu bringen. Suchend blickte er sich um und sah Ayla nicht weit vom Eingang der Höhle sitzen, Stöcke und Riemen um sich ausgebreitet. Sie fertigte gerade Gestelle, an denen Weintraubenranken aufgehängt und die Beeren getrocknet werden sollten.

»Ayla! Bring Wasser!« befahl Brouds heischende Hand.

Das Mädchen hielt gerade ein Gestell an seinen Körper gepreßt, um es zu stützen, weil es noch nicht gebunden war. Wenn sie jetzt wegging, würde es auseinanderfallen, und sie würde wieder von vorne beginnen müssen. Ayla zögerte und schaute, ob nicht eine andere Frau in der Nähe wäre.

Flutwellengleich sprang Broud der Zorn an, als er sah, mit welcher Unlust sie gehorchte. Rasch schaute er nach einer anderen Frau, die ihm mit gehörigem Eifer zur Hand wäre. Doch plötzlich verebbte der Zorn, so schnell er gekommen war. Die Augen kniff er zusammen und blickte auf Ayla, die eben erst sich langsam erhob. Es war kein Zorn in ihm, nur klare Überlegung. Wieso durfte sie sich eigentlich erlauben, ihm gegenüber Aufsässigkeit und Überheblichkeit zu zeigen? War er nicht der Mann? Und mußte sie ihm nicht gehorchen? Brun hat mir nie befohlen, solch unverschämtes Treiben zuzulassen. Er kann mich doch nicht mit dem Todesfluch bedrohen, nur weil ich dieses widerliche Mädchen zwinge, das zu tun, was sie nach altem Brauch zu machen hat? Gab es je einen Clan-Führer, der es hinnahm, daß eine Frau ihm trotzte? Zu lange hat man ihre Eigenart geduldet! Ich lasse mir das nicht mehr bieten. Sie muß zurechtgestoßen werden.

Mit drei, vier schnellen Schritten sprang er zu ihr hin. Gerade wie sie sich erheben wollte, traf Ayla seine harte Faust und schleuderte sie wieder zu Boden. Dem Ausdruck der Bestürzung auf ihren Zügen folgte augenblicklich Zorn. Wütend blickte sie sich um und sah, daß Brun herüberschaute; doch kein Muskel in seinem Gesicht hatte sich verzogen. Und als sie Brouds Augen spürte, kalt und beherrscht, doch abgrundtief böse, zerfiel ihr Zorn und wurde Furcht.

Eilig kroch Ayla davon, damit der nächste Schlag sie nicht träfe. Dann rannte sie zur Höhle, um das Behältnis zu holen. Broud blickte ihr nach, mit geballten Fäusten abwartend, und kämpfte die Wut hinunter. Er drehte den Kopf und blickte zu den anderen Jägern hinüber und sah Bruns unbewegtes Gesicht, das sich einer Regung enthielt. Dann verfolgten seine Augen Ayla, die wie gehetzt zum Teich hinunterlief, den Behälter füllte und die schwere Blase auf den Rücken schwang. Broud war es nicht entgangen, wie eilig sie sich aufgerappelt hatte, als sie erkannte, daß er nochmals schlagen würde. Er stieß den Atem durch die Zähne und merkte, wie die Wut entwich.

Als Ayla, von der Last gebeugt, an dem jungen Jäger vorüberkam, versetzte dieser ihr einen ruhig geführten und gezielten Stoß, der sie beinah nochmals zu Boden geworfen hätte. Zorn flammte in des Mädchens Wangen. Es richtete sich auf, schoß einen haßerfüllten Blick auf ihn ab und lief langsamer. Und wieder schlug der Jäger zu. Ayla duckte sich, so daß sie schmerzhaft an der Schulter getroffen wurde. Jetzt waren die Augen aller Jäger auf das Geschehen gerichtet. Hilfesuchend blickte das Mädchen zu den Männern. Doch Bruns Blick trieb sie schärfer zur Eile an als Brouds Fäuste; sie rannte das letzte Stück zu den Männern hinüber, kniete nieder und begann mit gesenktem Kopf, das Wasser in einen Becher zu gießen. Broud kam ihr mit langsamen Schritten nach.

»Crug hat die Herde nach Sonnenuntergang ziehen sehen, Broud«, bedeutete ihm Brun mit ruhiger Hand, als der junge Jäger sich wieder in den Kreis setzte.

Also war der Clan-Führer nicht unmutig über sein Verhalten! Er hatte ja auch nur clanmäßig gehandelt. Eine widerspenstige Frau hatte gebührende Strafe verdient. Broud war erleichtert und wußte, daß er sich ab heute würde beherrschen können.

Als die Männer getrunken hatten, kehrte Ayla niedergeschlagen zur Höhle zurück. Die meisten der Clan-Leute waren wieder mit ihren Verrichtungen beschäftigt; Creb aber stand noch immer am Eingang, das Auge starr auf sie gerichtet.

»Creb! Broud hat mich wieder geschlagen«, beschwerte sich Ayla und lief zu ihm hin.

Als sie zu dem alten Mann aufblickte, erkannte sie auf seinem Gesicht einen Ausdruck, den sie dort noch nie gesehen hatte, der ihr aber das Herz zusammenzog.

»Du hast bekommen, was du verlangt hast«, gab ihr der Mog-ur mit grimmiger Miene zu verstehen. Er kehrte ihr den Rücken und humpelte zu seinem Feuer zurück.

Erst am Abend näherte sich Ayla wieder dem alten Zauberer und streckte die Arme aus, sie ihm um den Hals zu legen, hatte dies doch stets sein Herz gerührt. Doch diesmal blieb er unbewegt; nicht einmal ihre Arme schüttelte er ab. Reglos saß der Mog-ur da, kalt und verschlossen und unnahbar. Ayla zuckte zurück, als hätte sie einen Eisklotz umarmt.

Tief grollte der Mog-ur und schwer war seine Gebärde, als er ihr seinen Unmut dartat.

»Störe mich nicht. Geh und suche dir eine Arbeit. Der Mog-ur hat nichts übrig für eine aufsässige Frau.«

Ayla schoß das Wasser in die Augen. Daß er sie ablehnte, tat ihr weh, und plötzlich kroch eine Furcht in ihr hoch, eine Furcht, die ausging von dem alten Zauberer. Das war nicht der Creb, der ihr vertraut war. Das war der Mog-ur. Zum ersten Mal, seit sie unter den Clan-Leuten lebte, war Ayla klar geworden, warum die anderen es nicht wagten, sich diesem fürchterlichen Mann zu nähern, sondern ihm stets mit einer gewissen Furcht begegneten: Er hatte sich von ihnen – und jetzt von ihr – zurückgezogen. Mit seinem harten, schroffen Blick, der drohend abweisenden Gebärde und seiner tiefen fernen Stimme hatte er dem Mädchen kundgetan, daß ihm sein Tun mißfallen hatte, und in Ayla ein Gefühl der Zurückweisung ausgelöst, wie sie es bitterer noch nie empfunden hatte. Sie war aus seinem Herzen gestoßen. Tief getroffen trottete sie zu Iza hinüber.

»Warum ist Creb böse auf mich?« fragte sie bekümmert.

»Du weißt es, Ayla. Du mußt tun, was Broud dir gebietet. Er ist der Mann. Ihm steht es zu, dir zu befehlen«, bedeutete ihr die Medizinfrau.

»Aber ich tue doch alles, was er will.«

»Du zeigst dich widerspenstig, Ayla. Du bist zu bockig. Du weißt, daß du aufsässig bist. Das wirft ein schlechtes Licht auf Creb und mich. Creb fürchtet, daß er dich nicht gut gezogen hat, daß er dich zu ungestüm aufwachsen ließ. Mit Langmut hat er dich behandelt, und du glaubst nun, daß alle sich in Langmut mit dir üben müßten. Auch Bruns Blick hat sich schon verdunkelt, wenn er dich sieht. Du hüpfst und springst immer, Ayla. Das machen kleine Kinder, nicht aber Mädchen, die bald Frauen sind. Du machst diese Töne in deinem Hals. Du bewegst dich träge wie eine satte Schlange, wenn dir befohlen wird. Alle sehen dich mit Mißfallen an, Ayla. Du hast Schmach und Schande über Creb gebracht.«

»Ich wußte nicht, daß ich so schlecht bin, Iza«, gab Ayla zurück. »Ich wollte auch nicht schlecht sein. Ich hab' nur nicht auf mich geachtet.«

»Das mußt du aber! Du bist zu groß, als daß du wie ein Kind dich gehen lassen könntest!«

Aylas Hand setzte zaghaft dawider: »Aber Broud ist immer so hart gegen mich. Und er hat mich wieder geschlagen.«

Traurig blickte Iza auf das Mädchen.

»Er darf so hart sein, wie er will, Ayla. Es steht ihm zu. Er ist ein Mann. Er darf dich schlagen, so oft er will. Und er wird Clan-Führer werden. Du mußt gehorchen. Du mußt tun, was er befiehlt. Du mußt es.«

Ratlos blickte die Medizinfrau in das kleine gequälte Gesicht und dachte: Warum macht sie es sich denn so schwer?

Ayla legte sich auf ihrem Fell nieder. Doch lange Zeit verging, ehe sie einschlief. Rastlos wälzte sie sich die ganze Nacht hin und her und erwachte sehr früh. Dann nahm sie Korb und Grabstock und brach noch vor dem morgendlichen Verzehr auf. Sie wollte allein sein. Eilig kletterte sie zu ihrer Wiese hinauf und holte ihre Schleuder aus der Höhle. Lustlos ließ sie das Leder durch ihre Finger gleiten. Broud allein ist schuld, ging es ihr durch den Kopf. Was habe ich ihm denn getan? Er hat mich immer zurückgestoßen. Warum sind die Männer etwas Besseres? Nur, weil sie Männer sind? Broud ist kein großer Mann. Mit der Schleuder ist er nicht einmal so gut wie Zoug. Ich könnte ebensogut sein wie er. Ich bin schon besser als Vorn. Er fehlt viel häufiger als ich. Und Broud sicher auch. Er hat sogar gefehlt, als er dem kleinen Vorn das Schleudern zeigen wollte.

Zornig griff sie nach einem Stein. Als sie ihn abschoß, flog er in ein Gebüsch und scheuchte ein verschlafenes Stachelschwein auf, das sich jetzt über die Wiese trollte. Von allen wurde Vorn in den Himmel gehoben, als er sein erstes Stacheltier bezwang, dachte Ayla. Könnte ich auch, wenn ich nur wollte. Verbittert legte sie einen Stein in ihre Schleuder, zielte und schoß den Kiesel ab. Getroffen!

Unter jubelndem Freudengeheul rannte sie hin. Aber als sie die Beute berührte, spürte Ayla, daß das Tier nicht tot war, sondern nur betäubt. Sie fühlte den raschen Schlag seines Herzens und sah das Blut aus der Kopfwunde rinnen.

Plötzlich war sie gar nicht mehr so froh. Warum habe ich das getan? Ich wollte es doch nicht verletzen. Und ich kann es nicht einmal in die Höhle mitnehmen. Iza sähe sofort, daß es von einem Stein getroffen worden ist. Von meinem Stein.

Starr blickte das Kind auf das waidwunde Tier. Niemals werde ich jagen können, schoß es ihr durch den Kopf. Selbst wenn ich ein Tier töte, ich kann es doch nie in die Höhle bringen. Warum übe ich dann noch mit der Schleuder? Creb hat mich schon aus seinem Herzen gestoßen. Was würde er tun, wenn er wüßte, daß ich mich mit einer Waffe übte? Was würde Bruns Verhalten sein? Würde er mich fortschicken? Angst überkam Ayla. Wohin soll ich denn gehen? Ich kann doch Iza und Creb und Uba nicht verlassen. Ich will nicht fort. Ayla ballte die Hände. Ich war schlecht. Und Creb trägt mich nicht mehr in seinem Herzen. Er darf mich nicht hassen. Warum ist er nur so böse auf mich?

Tränen liefen ihr über das Gesicht. Ayla warf sich ins Gras, umfing es, als wäre es die Mutter Erde, und schluchzte ihre ganze bittere Not heraus. Als sie nur noch trocken zu schlucken vermochte, setzte sie sich auf und wischte sich mit dem Handrücken über das Gesicht. Nie wollte sie wieder schlecht sein. Sie wollte alles tun, was Broud befehle. Und nie wieder würde sie eine Schleuder auch nur anfassen. Wie um ihren Entschluß zu bekräftigen, warf sie das lederne Band weit ins Gebüsch. Dann packte sie ihren Korb und hetzte den Hang hinunter.

Iza hatte nach ihr Ausschau gehalten und sah sie kommen.

»Wo warst du? Du warst lange weg, und dein Korb ist leer.«

»Ich habe in mich hineingeschaut«, bedeutete Ayla der Medizinfrau und sah Iza aus geröteten und verquollenen Augen an.

»Ich war schlecht. Ich will es aber nicht mehr sein. Ich will alles tun, was Broud befiehlt und will so sein, wie ich sein soll. Glaubst du, Creb nimmt mich wieder in seinem Herzen auf, wenn ich gut bin?«

Iza strich dem Mädchen sanft über das sonnenhelle Haar.

»Ja, Ayla«, gab sie nachsichtig lächelnd zurück. Alles ist schwerer für sie; sie ist von anderer Art, dachte die Medizinfrau und wandte sich um.

10

Ayla hatte sich völlig gewandelt. Fügsam war sie geworden und untertänig und zeigte sich voller Eifer, Brouds Befehlen nachzukommen. Die Männer führten das auf Brouds strenge Hand zurück. Bedächtig nickten sie mit ihren Köpfen. Wenn der Mann zu nachsichtig war mit der Frau, dann wurde sie faul und widerspenstig. Frauen brauchten eine feste Hand. Sie waren schwach, halsstarrig und nicht fähig, sich selbst zu beherrschen. Sie hatten die Männer nötig, die ihnen geboten. Nur so waren sie arbeitsam und nützlich für den Clan.

Dies war unumstößlich. Und kein Mann wollte sich der Nachsicht zeihen lassen.

Von allen Männern machte Broud sich diesen Grundsatz am nachhaltigsten zu eigen. Nicht nur Oga faßte er nun strenger an. Er übte Ayla gegenüber seine männliche Gewalt mit gnadenloser Härte aus. Unentwegt setzte er ihr zu, hetzte sie, jagte sie, ließ sie für jede Kleinigkeit springen, schlug sie beim geringsten Anlaß und auch, wenn nicht der geringste vorhanden war. Sie hatte seine Männlichkeit bedroht. Und dafür sollte sie nun bluten. Sie hatte ihm die Stirn geboten. Jetzt hatte er das Faustrecht, die Eigenart aus ihr herauszuschlagen. Er hatte sie sich gefügig gemacht, und gefügig würde sie bleiben.

Und Ayla tat, was sie konnte, um es dem jungen Jäger recht zu machen. Sie versuchte sogar vorauszusehen, was er wünschte. Doch auch das trug ihr scharfe Zurechtweisung ein. Wie konnte sie sich anmaßen zu erkennen, was er wollen würde! Wenn sie aus dem Wohnkreis von Crebs Feuerstätte heraustrat, erwartete Broud sie schon; doch ohne einen besonderen Grund konnte sie nicht mehr zurück. Denn dies war die Zeit, wo die letzten Vorbereitungen für die kommenden Tage der Kältnis getroffen wurden; da durfte keiner fehlen oder die Hände in den Schoß legen. Von Izas Heilkräutern gab es Vorrat genug, so daß es für Ayla keinen Vorwand gab, sich aus der Nähe der Höhle zu stehlen. Broud ließ sie dann den ganzen Tag nicht zur Ruhe kommen, und abends sank sie erschöpft auf ihr Lager.

Iza war sicher, daß Aylas gewandelter Sinn nicht durch Brouds Strenge bewirkt worden war; des Mädchens tiefe Zuneigung zu Creb, dem Mog-ur, hatten es dazu bewogen, nicht die Furcht vor Broud. Die Medizinfrau ließ den Bruder wissen, daß Aylas Augen wieder krank geworden waren, weil sie glaubte, er hätte sich von ihr abgewandt.

Creb schüttelte bedächtig sein Haupt.

»Du hast gesehen, daß sie dem Brauch nicht nachgekommen ist, Iza. Ich habe dieses ganz bewußt getan. Und hätte Broud sie nicht gezüchtigt, so wäre Brun bald eingeschritten. Das hätte schlimmer werden können. Der junge Jäger kann sie quälen und schlagen, der Clan-Führer aber kann sie fortschicken.«

Danach war Creb mit Ayla wieder gut.

Die ersten dünnen Schneeschleier, die sich über alles legten, wurden von kalten Regengüssen fortgespült; doch gegen Abend, wenn es wieder kälter wurde, prasselten Graupelschauer herab. Morgens überzog dann die Wasserlachen eine feine Eisschicht, die stärkere Kältnis ankündigte und dann doch wieder auftaute, wenn der launische Wind aus dem unteren Land herüberfegte und die schwankende Sonne die Wolken verdrängte.

Während dieser ganzen Zeit des Übergangs vom Spätherbst zum frühen Winter bemühte Ayla sich unermüdlich, gehorsam zu sein, wie es von Frauen erwartet wurde. Ohne die Stimme zu erheben oder einen bösen Blick zu schärfen, ertrug sie einen launenhaften Broud, plagte sich, all seine Forderungen zu erfüllen, hielt stets den Kopf gesenkt und achtete darauf, wie sie sich hielt und wie sie ging. Sie lachte nie, nicht einmal lächeln tat sie mehr. Bot keinen Widerstand. Doch einfach war es nicht für sie. Obwohl sie sich dagegen wehrte, sich zwang, noch fügsamer zu sein, begann in ihrem Innern etwas sich zu regen, zu wachsen und sich schnell zu härten.

Immer magerer wurde sie, verlor die Lust am Essen, war selbst im Wohnkreis von Crebs Feuerstätte stets still und niedergedrückt. Nicht einmal Uba konnte sie zu einem Lächeln zwingen, obwohl sie häufig die Kleine in die Arme nahm, dann festhielt, bis sie beide einschliefen. Iza wurde das Herz schwer, wenn sie das Mädchen so ansah; und als auf einen Tag eisigen Regens ein strahlender, sonnenheller Morgen folgte, beschloß sie, Aylas Lage etwas zu erleichtern.

»Ayla«, rief sie, als sie aus der Höhle traten, laut, um Brouds erstem Befehl zuvorzukommen. »Hilf mir!« bedeutete sie. »Die Schneebeeren für Leibschmerzen sind ausgegangen. Du kannst sie leicht erkennen. Du weißt, die weißen Beeren, die an einem Busch wachsen; sie bleiben hängen, auch wenn die Blätter schon abgefallen sind.«

Mit keiner Miene verriet sie, daß sie noch andere Mittel hatte.

Brouds Gesicht verdüsterte sich, als Ayla wie der Wind in die Höhle rannte und ihren Sammelkorb hervorkramte. Doch er wußte, daß es Vorrang hatte und wichtiger war, Iza zauberkräftige Pflanzen zu beschaffen, als ihm einen Trank Wasser zu holen oder ein Stück Fleisch oder die Fußfelle, die er um seine Beine zu wickeln mit Absicht vergaß, oder seinen Umhang oder einen Apfel oder zwei Steine aus dem Bach zum Nüsseknacken. Finster stakste er davon, als Ayla mit Korb und Grabstock aus der Höhle kam.

Gelöst und dankbar, seit langem wieder einmal allein sein zu dürfen, lief Ayla in den Wald. Sie schaute zwar hin und wieder umher, während sie vorwärtsschritt, aber die Schneebeeren hatte sie schon völlig vergessen. Auch achtete sie nicht darauf, welche Richtung sie nahm, und merkte nicht, daß ihre Füße sie zu einem sprudelnden Gebirgsgewässer führten. Hängenden Kopfes und voller Gedanken kletterte sie den steilen Hang hinauf und stand plötzlich auf ihrer Wiese, die sie so lange nicht betreten hatte.

An der Böschung des Baches setzte sie sich aufatmend nieder und ließ Kiesel ins Wasser plumpsen. Es war kalt. Hier oben war gestern schon Schnee gefallen. Eine weiße Decke lag über der Lichtung. Die stille Luft war von einer spröden Klarheit, und das leuchtende Licht der Sonne brach sich im

Schnee, der funkelte. Doch Ayla hatte kein Auge dafür. Sie dachte daran, daß bald die große Kältnis kam, die den ganzen Clan in die Höhle verbannen würde, und daß sie Broud zu ertragen hatte, bis der Schnee zu schmelzen begann.

Düster und drohend – wie Riesenbäume – stand die lange Reihe feuchtkalter, finsterer Tage vor ihr. Und sie sah Broud vor sich, der sie ohne Grund und ohne Erbarmen durch diese endlose Reihe jagte.

Als sie so dahockte, fiel ihr Blick auf ein Fleckchen brauner Erde, und sie sah ein halbverfaultes Fell und ein paar verstreut liegende Stacheln. Das war alles, was vom Stachelschwein übriggeblieben war. Sicher eine Hyäne, dachte das Mädchen, oder ein Vielfraß. In Gedanken kehrte es zu dem Tag zurück, an dem sie das Tier geschossen hatte. Verzagt schüttelte Ayla den Kopf. Nie hätte ich eine Schleuder in die Hand nehmen sollen. Das war nicht recht. Creb würde mir zürnen, und Broud frohlocken, denn dann hätte er guten Grund, mich zu schlagen. Ayla ballte die Faust und schlug sich auf den Oberschenkel. Aber er weiß nichts davon und wird es nie wissen. Das Gefühl der Befriedigung, etwas getan zu haben, wovon dieser Angeber nichts wußte, ihn hinters Licht geführt zu haben, war eine köstliche Entdeckung.

Die Schleuder! Sie hatte sie doch weit in irgendein Gebüsch geworfen. Nur einen Stein schleudern! Nur mal sehen, ob sie es noch konnte. Das Mädchen machte einen Satz und fing zu suchen an und fand das Band ganz in der Nähe. Die Haut war feucht, doch nicht beschädigt. Andächtig zog sie das weiche, geschmeidige Band zwischen ihren Händen hindurch und sah sich, wie sie zum erstenmal eine Schleuder gehandhabt hatte. Ein Lächeln flog über ihr Gesicht, als sie sich Brouds erinnerte, wie er sich gewunden hatte unter Bruns zornigen Blicken, nachdem er Zoug zu Boden gestoßen. Es tat gut zu wissen, daß sie nicht die einzige war, die Brouds Jähzorn erregte.

Aber nur bei mir kann er seinen Unmut rasen lassen, dachte sie bitter. Nur weil ich eine Frau bin. Brun hatte ihn gescholten, aber mich kann er schlagen, wenn er Lust hat, und Brun bleibt unbewegt. Ayla blickte kurz hoch und schüttelte leicht den Kopf. Nein, ganz so ist es nicht, gestand sie sich ein. Von Iza weiß ich, daß Brun ihm befahl, mich nicht mehr zu schlagen. Auch schlägt er mich nicht mehr so arg in seiner Nähe. Er kann mich ruhig schlagen, aber mich nicht dauernd hetzen, daß ich kaum mehr zu Atem komme.

Ihre Finger drückten einen Stein in die Kuhle der Schleuder. Als sie sich umblickte, entdeckte sie ein letztes welkes Blatt, das verloren am kahlen Ast eines Busches hing. Sie zielte, schleuderte, schoß und traf. Herrlich! Rasch sammelte sie noch ein paar Kieselsteine und ging mitten auf die Wiese. Ich kann es noch, dachte sie befriedigt. Doch dann kamen zwei Falten auf ihre Stirn. Kann ich es denn auch gebrauchen? Auch habe ich noch nie versucht, etwas zu treffen, was sich schnell bewegt. Ob ich das könnte, weiß ich nicht. Wenn ich lernte, auf bewegte Ziele Jagd zu machen, was nützte es? Ich könnte die Beute niemals in die Höhle bringen. Und nur dem Wolf, dem Vielfraß oder einer Hyäne würde das Fressen leicht gemacht.

Ständig mußten die Jäger des Clans vor den reißenden Tieren auf der Hut sein, die ihnen die Beute streitig machen wollten. Nicht nur Katzenartige, auch Wölfe und Hyänen schnappten den Jägern ein Tier weg; gemein lauernde Hyänen oder hinterhältige Vielfraße trieben sich unablässig an den Stellen herum, wo Fleisch gedörrt wurde, oder aber versuchten, etwas von den Vorräten zu erbeuten. Und diesen Gegnern wollte Ayla nicht erlauben, durch ihre Hand sich leichter Beute zu erfreuen.

Brun hatte auch nicht erlaubt, daß ich den jungen Wolf mit in die Höhle brachte; und oft töteten die Jäger die räuberischen Tiere, auch wenn man nicht einmal die Felle brauchte. Die fleischfressenden Tiere sind uns immer eine Plage. Aber, schoß es ihr da durch den Kopf, man könnte sie auch mit der Schleuder erlegen. Nur die ganz großen nicht. Zoug hatte es Vorn erklärt und ihm bedeutet, daß es manchmal besser sei, eine Schleuder zu nehmen, weil dann der Jäger nicht so nahe an das Tier herangehen müsse. Aylas Wangen röteten sich.

Noch lebhaft erinnerte sie sich des Tages, an dem Zoug gelobt hatte, wie vielseitig eine Schleuder zu verwenden sei. Gewiß, eine Schleuder schuf Abstand zur Beute, und ein damit Jagender war sicher vor den scharfen Zähnen und den gefährlichen Pranken. Doch Zoug war nicht darauf eingegangen, daß man dann, wenn das Tier nicht getroffen war, schutzlos und alleine seine Rache zu erwarten hatte.

Und wenn ich nur fleischfressende Tiere jage? Wir essen sie nie; und es wäre nicht verschwendet, wenn ich sie den Aastieren übriglasse, so wie die Jäger.

Ayla schüttelte heftig den Kopf, um die unclanmäßigen Vorstellungen zu vertreiben. Ich bin ein Mädchen, sagte sie sich. Ich darf nicht jagen, nicht einmal eine Waffe berühren. Aber ich kann schleudern, auch wenn ich es nicht darf. Ich würde gern den Jägern helfen. Wenn ich einen Vielfraß oder einen Fuchs erlegte, dann könnten sie uns nicht ständig befehlen. Und eine Hyäne! Dieses häßliche Tier, wie gern würde ich eines mit meiner Schleuder erlegen. Ayla sah sich schon listig an die verschlagenen Räuber heranpirschen.

Den ganzen Sommer über hatte sie mit der Schleuder geübt. Es war vergnüglich gewesen und ohne äußeren Grund. Doch jetzt war ihr klar, daß eine Waffe nur einem Zweck diente – dem Jagen. Was Ayla nur ahnte, war, daß der Reiz, einen Pfosten oder ein Blatt zu treffen, bald verblassen würde, wenn ihr Geschick nicht neu herausgefordert würde.

Dem Mädchen hatte es Freude gemacht, sich zu erproben, sich im Zusammenspiel von Hand und Auge zu üben, und Ayla war stolz darauf, das Schleudern aus eigener Kraft erlernt zu haben. Jetzt war sie bereit zu Größerem. Sie war bereit zu jagen.

Von Anfang an, als alles noch zufällig und vergnüglich gewesen war, hatte sie sich schon als Jägerin gesehen, sich vorgestellt, wie sie mit ihrer Schleuder auszog, wilde Tiere zu erlegen. Ayla hatte sich die ungläubigen und entgeisterten Gesichter der Clan-Leute vor Augen gehalten, wenn sie mit der Beute zur Höhle zurückkehren würde. Doch als sie das Stachelschwein getroffen hatte, war ihr klargeworden, daß dieses alles eingebildet war. Denn niemals konnte sie ein Beutetier zur Höhle bringen und sich für ihre Kühnheit feiern lassen. Eine Frau hatte nicht zu jagen. Als ihr der Einfall wieder kam, nur räuberische Tiere zu erlegen, regte sich in ihrer Brust eine leise Hoffnung, daß vielleicht auf diese

Weise ihre Fertigkeit gewürdigt würde, auch wenn sie ein Geheimnis bleiben mußte.

Je länger sie diesen Gedanken von allen Seiten im Kopf bewegte, desto sicherer wurde sie, daß dies der Ausweg war. Und dennoch wurde ihr nicht wohl ums Herz.

Ayla wickelte gedankenverloren das Schleuderband um ihr Handgelenk. Creb und Iza hatten ihr wiederholt klargemacht, daß eine Frau Unrecht tat, wenn sie eine Waffe berührte. Aber ich habe ja schon viel Schlimmeres getan, gestand sie sich. Kann es noch schlimmer sein, als mit der Schleuder zu jagen? Sie wickelte das Lederband wieder los, nahm sie fest in ihre Rechte.

»Ich mache es doch!« sagten ihr Blick und ihre Gebärden, als sie trotzig in die Richtung der Höhle blickte und mit harter, rascher Bewegung sich erhob. »Ich werde jagen. Ihr fleischfressenden Tiere sollt mich kennenlernen!«

Mit hochrotem Kopf und wehenden Haaren rannte sie zum Bach und suchte neue Steine.

Als sie nach glatten, wohlgerundeten Kieseln Ausschau hielt, die auch die richtige Größe hatten, fiel ihr Blick auf etwas Merkwürdiges, und sie bückte sich tiefer herab. Es sah aus wie ein Stein, aber auch wie eine Muschel aus dem Sand des großen Wassers. Sie langte danach, hob es auf und hielt es nahe vor die Augen. Es war ein Stein, geformt wie eine Muschel.

Seltsam, dachte sie. Noch nie zuvor habe ich so einen gesehen. Dann kam etwas in ihren Kopf, was Creb ihr einmal erklärt hatte, und plötzlich wußte sie, was der Fund für sie bedeutete. Ayla fühlte, wie ihr Blut im Körper zu Eis erstarrte, ihre Knie weich wurden und so heftig zitterten, daß sie sich niedersetzen mußte. Wie gebannt blickte sie auf die versteinerte Schnecke.

Sie hatte noch genau im Kopf, was Creb ihr damals angedeutet hatte. Wenn sie sich entscheiden müßte, dann würde ihr das Totem dabei helfen. Es würde ihr ein Zeichen geben. Etwas Ungewöhnliches ereignete sich dann, und niemand könne sie beraten, ob es wirklich das Zeichen ihres Totems sei. Sie müsse lernen, mit dem Herzen zu sehen. Der Geist ihres Totems in ihr selbst würde sie sehend machen.

»Großer Höhlenlöwe, ist dies das Zeichen von dir?« formte sie zitternd die heiligen Fragen. »Läßt du mich wissen, daß ich mich recht entschieden habe? Tust du mir kund, daß ich auch als Mädchen das Jagen wie die Männer betreiben kann?«

Unbeweglich saß sie danach da und starrte auf den gemuschelten Stein in ihrer Hand und versuchte, in sich hineinzublicken. Sie wußte, daß sie bei den Clan-Leuten als etwas Besonderes galt, weil sie das Totem des Höhlenlöwen erhalten hatte, doch war ihr das nie als wichtig erschienen. Jetzt aber wurde ihr langsam klar, was es bedeutete. Feierlich schob sie die Hand unter ihren Umhang, und ihre Finger fuhren nachdenklich über die vier langen, schmalen Narben des Oberschenkels. Warum sollte ein Höhlenlöwe gerade mich erwählt haben? Er ist ein mächtiges Totem, Schutzgeist der Männer. Warum hat er sich ein Mädchen ausgesucht? Und was war der Grund? Sie dachte an die Schleuder und sah sich mit der Waffe üben. Warum habe ich die alte Schleuder aufgehoben, die Broud fortgeworfen hat? Nicht eine einzige der Frauen hätte sie auch nur angerührt. Wer hat mich dazu getrieben? Hat mein Totem es so gewollt? Will es, daß ich die Jagd erlerne? Nur Männer jagen. Ich bin eine Frau. Aber mein Totem ist das eines Mannes. Ja, ich habe einen mächtigen Schutzgeist, der mir gebietet, daß ich jage.

Aylas Augen hatten sich weit geöffnet, und langsam verschwand die Kerbe in ihrer Nasenwurzel. Sie drehte den Stein in ihrer Hand noch einmal herum, nahm das Amulett von ihrem Hals, zog den Riemen auf, der den kleinen Beutel geschlossen hielt, und steckte die versteinerte Schnecke zu dem roten Ocker.

Jetzt war sie ruhig und gelassen. Es war ihr also aufgegeben, auf die Jagd zu gehen; ihr Schutzgeist hatte es so gewollt. Und daß sie eine Frau war, hatte keine Bedeutung. Ich bin wie Durc, ging es ihr durch den Kopf. Er hat seinen Clan verlassen, obwohl alle meinten, es wäre nicht das Rechte, was er tat. Ich glaube, er hat wirklich einen besseren Ort gefunden, wo das Eiskind ihn nicht mehr erreichen konnte. Ich glaube, er hat einem neuen Clan zum Wachstum verholfen. Auch ihn mußte ein mächtiges Totem beschützt haben. Nach

Creb stellt ein mächtiges Totem den, der ihm anempfohlen ist, auf die Probe, um zu sehen, ob er seiner würdig ist. Deshalb wäre auch ich um ein Haar in die Totenwelt hinübergegangen, ehe Iza mich fand. Sicher hat auch Durcs Totem ihn auf die Probe gestellt. Der Höhlenlöwe – wird er mich nochmals prüfen?

Ayla stand langsam auf. So eine Probe kann hart und schmerzhaft sein, dachte sie und zuckte unwillkürlich zusammen. Was wird, wenn ich nicht würdig bin? Wie sehe ich, ob man mich auf die Probe stellt? Was wird mein Totem wohl von mir wollen? Schritt für Schritt spurte Ayla durch den Schnee und dachte darüber nach, was in ihrem Leben schwer für sie war. Und plötzlich wußte sie es.

»Broud! Broud!« Ayla riß die Hände zum Himmel. Was konnte eine härtere Prüfung sein als die lange, lange Zeit der kalten dunklen Tage Seite an Seite mit Broud in der Höhle harren zu müssen? Aber wenn sie es ertragen, wenn sie seiner würdig sei, dann würde ihr Totem sie auf die Jagd gehen lassen.

Eine neue Leichtigkeit lag in Aylas geschmeidigem Gang, als sie den Weg zur Höhle unter die Füße nahm. Iza wurde die Veränderung gewahr, aber sie konnte nichts daraus deuten. Aylas Haltung war so ergeben wie zuvor, doch ihre Bewegungen waren beschwingt, und auf ihr Gesicht trat ein neuer Ausdruck, als sie Broud nahen sah – nicht Ergebung, sondern ruhige Annahme dessen, was ihr beschieden war. Creb jedoch war es, dem auffiel, daß das Beutelchen an ihrem Hals um etliches dicker geworden war.

In den folgenden Tagen sahen die beiden Alten mit Erleichterung und Stolz, daß Ayla trotz Brouds demütigender Forderungen wieder wie früher wurde. Oft zwar kehrte das Mädchen todmüde in den Wohnkreis zurück, doch sein Lächeln leuchtete wieder, wenn es mit Uba spielte. Creb ahnte, daß Ayla eine Entscheidung getroffen und von ihrem Totem ein Zeichen erhalten hatte, und das Herz wurde ihm leichter, als er sah, daß es ihr nicht mehr so schwer wurde, ihre Art dem Clan-Brauch anzupassen. Der Mog-ur spürte ihren inneren Kampf, aber er wußte, daß sie sich nicht nur Brouds Willen beugen, sondern auch aufhören mußte, sich gegen ihn aufzulehnen. Auch sie mußte lernen, sich selbst zu bezwingen.

In dem Winter, der ihr achtes Lebensjahr einleitete, wurde Ayla zur Frau. Nicht äußerlich. Ihr Körper hatte noch immer die geraden, unentwickelten Formen des Mädchens und zeigte kein Anzeichen kommender Veränderung. Doch in diesen langen, finsteren Tagen der Kältnis und der drückenden Enge ließ Ayla das Wesen ihrer Kindheit hinter sich.

Manchmal war ihr das Leben eine so bedrückende Last, daß sie es am liebsten fortgeworfen hätte. Manchen Morgen, wenn sie die Augen aufschlug und über sich nach und nach den vertrauten, porigen Fels der Höhle sah, sie könnte wieder in tiefen Schlaf versinken und würde nie wieder erwachen. Aber immer, wenn sie glaubte, dieses Schuften, Rakkern, Bücken, Rennen und Ergebensein nicht länger ertragen zu können, umfaßte sie ihr Amulett. Dann fühlte sie den kleinen Muschelstein und hatte wieder Kraft, einen weiteren Tag durchzustehen. Und jeder Tag, den sie bewältigte, brachte sie dem Zeitpunkt näher, wo das tiefverschneite Land wieder grünen und die eisigen Stürme den milden Seewinden weichen würden. Dann endlich konnte sie wieder frank und frei die Wälder und Wiesen durchstreifen.

Genauso stur und unberechenbar bösartig wie das wollhaarige Nashorn, dessen Geist sein Totem war, konnte auch Broud sein. Mit der den Clan-Leuten eigenen engstirnigen Beharrlichkeit, auch nicht ein einziges Stück abzuweichen von dem Weg, den man einmal unter die Füße genommen hatte, war Brouds Sinnen und Trachten darauf gerichtet, Ayla fest im Griff zu halten. Alle konnten mit ansehen, wie sie täglich Püffe und Stöße und Schläge einzustecken hatte, gerechterweise. Aber nur wenigen gefiel die Art, wie Broud mit ihr umsprang.

Brun hatte immer noch den Eindruck, daß Broud sich von dem Mädchen allzusehr reizen ließ; da der junge Jäger jedoch seine Hitzköpfigkeit bezähmte, griff er nicht ein. Doch hoffte er, Broud würde mit der Zeit von selbst begreifen, daß diesem Mädchen einfach gelassener begegnet werden müsse. Denn nach und nach und auch höchst widerwillig war ihm eine Art der Achtung vor dem Fremdling zugewachsen, ein ähnliches Gefühl, wie er einst Iza gegenüber empfunden hatte, als diese klaglos die Schläge ihres Gefährten über sich hatte ergehen lassen.

Wie damals Iza, so gab jetzt Ayla ein vorbildliches Verhalten für die Frauen ab. Sie litt, ohne zu klagen. Und wenn sie hin und wieder innehielt, um die bebende Hand auf ihr Amulett zu legen, so sahen Brun und die anderen Leute darin ein Zeichen ihres Ehrerbietens den heiligen Mächten gegenüber, das ihr eine frauliche Würde verlieh.

Und es war wirklich das Amulett, das ihr Halt gab. Ayla glaubte ja an die heiligen Mächte auf eine Weise, wie sie sie selbst begriff. Ihr Totem prüfte sie. Zeigte sie sich würdig, so durfte sie jagen wie ein Mann. Und je härter ihr Broud zusetzte, desto fester wurde ihre Entschlossenheit, mit ihrer Schleuder auf die Jagd zu gehen, sobald die Schneeschmelze kam. Sie wollte so lange üben, bis sie besser war als Broud, besser sogar noch als Zoug. Sie würde die beste im Schleudern werden, auch wenn niemand je davon erfuhr.

Ohne sich dessen bewußt zu sein, begann sie schon jetzt, sich auf ihr Leben als Jägerin vorzubereiten. Sie fühlte sich unwiderstehlich angezogen, wenn die Männer beisammensaßen und sich die langen untätigen Tage damit vertrieben, auf der Jagd Erlebtes wiederzugeben. Stets fand sie dann Vorwände, sich in ihrer Nähe aufzuhalten; und es machte ihr nicht einmal etwas aus, wenn sie dadurch auch mit Broud in nähere Berührung kam. Am meisten fesselte es sie, wenn Dorv oder Zoug das Jagen mit der Schleuder schilderten. Sie brachte Zoug wieder mehr Aufmerksamkeit entgegen, und allmählich erwachte in ihr eine echte Zuneigung zu dem alten Jäger. In mancher Hinsicht war er wie Creb, stolz und unnahbar, und doch empfänglich für ein wenig Zuwendung und Wärme, auch wenn sie von diesem häßlichen Mädchen kamen.

Zoug gewahrte wohl ihr Interesse, wenn er mit bildstarken Gesten vergangene Ruhmestaten pries. Er sah ihre gespannte Aufmerksamkeit, auch wenn sie sich stets ergeben im Hintergrund hielt. Und immer häufiger holte er Vorn zu sich, um ihn über dies und jenes bei der Jagd mit der Schleuder zu unterweisen, weil er wußte, daß Ayla sich dann in die Nähe setzen würde, wenn es irgend ging. Dann tat er so, als bemerke er es nicht. Was konnte es schaden, wenn sie Anteil nahm?

Wäre ich jünger, ging es Zoug manchmal durch den Kopf, und könnte ich noch auf die Jagd gehen, so nähme ich sie vielleicht zur Gefährtin, wenn sie eine Frau wird. So häßlich wie sie ist, wird sie nicht schnell einen Gefährten finden. Aber sie ist jung und kräftig und gut erzogen. Zoug tippte sich an die Stirn. Ich habe doch Verwandte in anderen Clans. Wenn ich noch so weit bei Kräften bin, zum nächsten Miething des Groß-Clans zu gehen, werde ich etwas für das Mädchen tun. Kann sein, daß Ayla hier nicht bleiben will, wenn Broud Clan-Führer wird. Hoffentlich werde ich schon im Totenreich sein, wenn dieser Tag kommt. Zoug hatte Brouds ungestümen Angriff immer noch nicht vergessen. Er fand, Broud spränge äußerst hart mit dem Mädchen um, das ihm langsam ans Herz gewachsen war. Gewiß war sie, wie alle Frauen, von Zeit zu Zeit zu züchtigen. Doch Broud schoß dabei über jedes Maß hinaus. Ihm, Zoug, gegenüber war sie niemals aufsässig oder widerwillig. Alter und Erfahrung waren eben nötig, um Frauen richtig behandeln zu können. Der alte Schleuderer nickte bedächtig mit dem Kopf. Ja, ich will mich für sie verwenden. Wenn sie nur nicht so grundhäßlich wäre.

So peinigend die langen Wintertage für Ayla oft waren, als es dem Ende der Kältnis zuging, war die Stimmung in der Höhle etwas besser. Es gab immer weniger zu tun in dieser Zeit, und so sehr sich Broud auch bemühte, Ayla ständig in Atem zu halten, selbst er konnte Arbeit nicht aus dem Boden stampfen. Und allmählich verlor er die Lust. Sie setzte sich ja nicht einmal mehr zur Wehr.

Es hatte aber noch einen anderen Grund, weshalb Ayla der Winter erträglicher wurde. Iza nämlich, die dem Mädchen ermöglichen wollte, innerhalb des Crebschen Wohnkreises zu bleiben, begann ihr zu zeigen, wie die Kräuter und Pflanzen aufbereitet und angewandt wurden, die sie über das Jahr gesammelt hatte. Ayla war Feuer und Flamme. Und als Iza in des Mädchens wißbegierige Augen sah, beschloß sie, es regelmäßig zu unterweisen. Als die Medizinfrau merkte, daß Aylas Hirn ganz anders zu verstehen wußte, viel schneller auch und weit voraus die Dinge und die Folgen denken konnte, kam ihr der Gedanke, daß man schon viel früher ihre Unterweisung in die Hände hätte nehmen sollen.

Wäre Ayla ihres Körpers Kind gewesen, so hätte Iza ihr nur jenes Wissen in Erinnerung rufen müssen, das bereits in ihrem Hirn beschlossen war, und sie daran gewöhnen müssen, es freizulegen und zu gebrauchen. Ayla jedoch mußte mühsam das Wissen, mit dem Uba geboren war, ihrem Hirn eingeben; und ihr Vermögen, sich zu erinnern, war nicht so gut ausgebildet wie das der Clan-Leute. Deshalb mußte Iza mit ihr üben, viele Male Gleiches mit ihr durchgehen und immer wieder nachprüfen, ob Ayla auch alles richtig im Kopf hatte. Die Erkenntnisse der Medizinfrau kamen aus deren Gedächtnis und von den eigenen Erfahrungen, und sie war selbst erstaunt darüber, wie umfassend das Gewußte war. Nie hatte sie nachdenken müssen, um es sich gegenwärtig zu machen; immer war es einfach dagewesen, wenn sie es gebraucht hatte. Manchmal überkamen Iza beklemmende Zweifel, ob es ihr auch gelänge, Ayla alles zu vermitteln, was sie wußte. Doch Aylas Eifer, alles wissen zu wollen, erlahmte nie, und die Medizinfrau war fest entschlossen, dem Mädchen zu einem gesicherten Rang im Clan zu verhelfen. Täglich wurde unterwiesen, täglich wurde abgefragt, was hierfür und dafür geeignet sei, was wann und wo und wie zu machen wäre, und Aylas Wissen über heilige Kräuter und wie sie anzuwenden waren, vergrößerte sich ständig.

Zur gleichen Zeit begann Ayla unter Izas wachen Augen und tätigen, kundigen Händen den Verzehr vorzurichten und zu bereiten. Auch für Creb. Sie gab sich große Mühe, die Körner für ihn besonders fein zu zerreiben, ehe sie gekocht wurden, damit er sie mit seinen abgenutzten Zähnen leichter kauen konnte. Auch Nüsse wurden fein gehackt, ehe sie der Mog-ur vorgesetzt bekam. Iza zeigte ihr, wie man schmerzlinderndes Getränk und Umschläge bereitete, die gegen seine Schmerzen in den Gliedern halfen. In diesem Winter ging Ayla zum erstenmal der Medizinfrau zur Hand; und der erste Kranke, den sie gemeinsam behandelten, war Creb.

Mehrere Fuß hoch lag draußen der Schnee und versperrte den Eingang der Höhle. Zwar wurde durch die weiße Wand die Wärme der Feuer im Innern der Höhle gehalten, doch durch das große Loch oberhalb pfiff immer noch kalt und rauh der Wind. Crebs Stimmung schwankte in jener Zeit. Bald war er stumm und zurückgezogen, bald mürrisch und gereizt, bald wieder ganz zerknirscht. Sein Verhalten verwirrte Ayla, doch Iza ahnte, wer es hervorbrachte. Zahnschmerzen waren es, ganz besonders grimmige Zahnschmerzen.

»Creb, laß mich den Zahn doch mal sehen«, drängte sie ihn.

Creb preßte die Lippen fest aufeinander und schüttelte den Kopf.

»Es ist nichts. Nur ein kleiner Schmerz im Zahn. Glaubst du, ich kann dieses Schmerzlein nicht aushalten? Glaubst du, ich habe nicht schon früher und schlimmer gelitten?« gab Creb mit Unmut zurück.

»Doch, Creb.« Iza hielt den Kopf gesenkt.

Er war sogleich voll Reue und legte bittend die Hand aufs Herz.

»Iza, ich weiß, du willst mir helfen.«

»Wenn du ihn mich sehen läßt, den Zahn, kann ich dir vielleicht helfen. Aber wie kann ich wissen, was ich dir geben soll, wenn du mich den Zahn nicht sehen läßt?«

»Was gibt es da zu sehen?« fuhr der Mog-ur auf und deutete auf seinen welken Mund. »Ein schlechter Zahn sieht aus wie jeder andere. Mach mir einfach einen Trank aus Weidenrinde.«

Mürrisch ließ Creb sich auf seinem Fell nieder und starrte die rissige Felswand an.

Iza schüttelte den Kopf und ging ans Feuer, um den Trank zu bereiten.

»Frau!« brüllte Creb kurz darauf. »Wo ist der Trank?« forderte seine Hand ungeduldig. »Was treibst du denn so lange? Wie soll ich mich versenken können? Die Schmerzen lassen mich nicht los.«

Mit einem beinernen Becher eilte Iza zu ihm und bedeutete Ayla, ihr zu folgen.

»Hier, nimm. Ich wollte ihn dir gerade bringen. Aber glaube nicht, daß die Weide dir viel helfen wird, Creb. Laß mich den Zahn doch endlich einmal sehen.«

»Wie du willst, Iza. Dann sieh!«

Er öffnete den mäßig zahnbestandenen Mund und deutete weit hinein.

Iza winkte das Mädchen heran und zeigte auf den morschen Zahn.

»Siehst du, wie tief das schwarze Loch hinunterreicht, Ayla? Schon schwillt das Zahnfleisch an. Er ist verfault, der Zahn. Er muß heraus, Creb.«

»Heraus! Du wolltest ihn doch nur betrachten.«

»Ja, Creb. Hier ist der Trank.«

»Aber du hast mir doch gesagt, daß der Trank nichts nützt«, wies Creb den Becher zurück.

Iza stellte ihn beiseite und meinte: »Nichts hilft da. Du kannst eine Binsenwurzel kauen. Das lindert etwas. Aber lange nicht.«

Crab schaute sie hilflos wütend an und wurde fuchtig.

»Und du willst eine Medizinfrau sein? Nicht einmal einen Zahn zu heilen ist dir möglich!«

»Ich kann versuchen, dir den Schmerz herauszubrennen«, gab Iza ihm ruhig zu verstehen.

Creb zuckte zusammen und hielt mit der Hand seine Backe.

»Ich nehme die Wurzel.«

Am folgenden Morgen war Crebs Gesicht angeschwollen, sein Auge war rot gerändert, ihm hatte der Schlaf gefehlt.

»Iza«, stöhnte der Bruder. »Kannst du mir nicht helfen?«

»Hättest du mich dir den Zahn ziehen lassen, dann wäre der Schmerz jetzt fort«, beschied ihn Iza und rührte ruhig in ihrer Schüssel weiter.

Creb fuhr auf.

»Frau! Hast du kein Herz? Ich habe die ganze Nacht wach gelegen.«

»Ich weiß. Du hast meinen Schlaf gestört.«

»Dann tu etwas!«

»Ja, Creb. Aber ich kann dir den Zahn erst ziehen, wenn die Backe nicht mehr so geschwollen ist.«

»Weißt du nichts Besseres?«

»Eines kann ich noch versuchen, Creb, aber denke nicht, daß der Zahn zu retten ist«, gab ihm Iza mitfühlend zu verstehen und wandte sich zu dem Mädchen: »Ayla, bring mir das Bündel Splitter von dem Baum, den der Blitz getroffen hat.« Und dann zu Creb: »Wir müssen das Zahnfleisch aufstechen, damit das Geschwollene verschwindet. Wir werden versuchen, den Schmerz herauszubrennen.«

Creb schüttelte sich, als er die Anweisung sah, die Iza dem Mädchen gab.

Die Medizinfrau sah das Bündel verkohlte Holzspäne durch und wählte zwei davon aus und hielt ihrer Gehilfin eines hin.

»Ayla, mach die Spitze von diesem hier glühend. Das Ende muß wie Kohle sein, aber noch so kräftig, daß es nicht zerfällt. Aber erst sieh zu, wie ich das Zahnfleisch steche. Hier, faß an und halte Crebs Lippen offen.«

Ayla tat, wie ihr befohlen. Sie starrte in Crebs großen offenen Mund und auf die beiden Reihen scharfer, plumper und abgenutzter Zähne.

»Schau, so steche ich mit diesem harten, spitzen Splitter unter dem Zahn in das Fleisch hinein, bis das Blut zu fließen beginnt«, erklärte sie Ayla.

Crebs Hand war zur Faust geballt, an deren Knöcheln das Weiße erschien, doch nicht einen Laut gab er von sich.

Iza wies auf den kranken Zahn.

»Jetzt läuft das böse Blut heraus. Derweilen machst du mir den anderen Span heiß.«

Eilig rannte Ayla zum Feuer und kehrte wenig später mit dem glühenden Holz zurück. Iza nahm es ihr aus der Hand, besah es prüfend und bedeutete dem Mädchen, Crebs Lippen wieder hochzuschieben. Dann stach die Medizinfrau mit der glühenden Spitze in das Loch des faulen Zahns. Ayla spürte, wie Creb hochfuhr, hörte ein Zischen und sah, wie aus der großen dunklen Höhlung in Crebs Zahn ein dünnes Wölkchen emporkam.

Iza schmiß den Span ins Feuer.

»Fertig. Jetzt ist zu warten, ob der Schmerz vorbeigeht. Wenn nicht, dann muß der Zahn heraus«, bedeutete sie und betupfte die wunde Stelle mit einem Gemengsel aus zerstampften Geranien- und Nardenwurzeln.

Schließlich wandte sich die Medizinfrau wieder zu Ayla.

»Es ist ein Jammer, daß nichts mehr von dem Pilz da ist. Er ist besonders hilfreich. Manchmal tötet er den Lebensfaden des Zahns, oft treibt er ihn heraus. Wenn ich jetzt etwas davon hätte, dann müßte ich den Zahn vielleicht nicht ziehen. Am wohltätigsten ist er natürlich, wenn er frisch ist. Man muß ihn zur Reifezeit pflücken. Vielleicht finden wir bald ein paar davon, Ayla, dann zeige ich ihn dir.«

Am nächsten Morgen kam Iza zu ihrem Bruder und erkundigte sich nach seinem Befinden.

»Es ist schon besser, Iza«, gab Creb zur Antwort und strich über die noch immer geschwollene Backe.

»Tut er noch weh? Wenn der Schmerz noch nicht ganz weg ist, schwillt das Zahnfleisch wieder an, Creb«, warnte Iza mit eindringlicher Gebärde.

Creb sah sie an.

»Ja, er tut noch weh«, gestand er mit widerwilliger Hand. »Aber nicht mehr so schlimm. Könntest du nicht noch warten? Ich habe über den Zahn einen mächtigen Zauber verhängt. Ich habe den Großen Bären angerufen, den bösen Geist zu vernichten, der den Schmerz hervorbringt.«

»Hast du den Großen Bären nicht schon viele Male angerufen, dich von dem Schmerz zu befreien? Ich glaube, der Große Bär wünscht, daß du deinen Zahn opferst, ehe er dir den Schmerz nimmt, Mog-ur«, gab Iza zurück, und ein Glitzern erschien in ihren Augen.

»Frau, wie kannst du es wagen, den Begehr des Großen Bären zu deuten?« gab Creb zornig zurück.

»Ich habe mir erlaubt, was mir nicht zusteht. Verborgen sind mir die Wege der Geister«, entschuldigte sich Iza mit gesenktem Kopf. Dann aber blickte sie ihrem Bruder ins Gesicht. »Doch ich bin die Medizinfrau und vertraut mit der Kunst zu heilen. Und ich sage dir: Dieser Schmerz wird nicht weichen, ehe der Zahn gezogen ist«, erklärte sie entschieden.

Creb kehrte ihr den Rücken zu und humpelte davon. Lange hockte er mit geschlossenem Auge auf seinem Fell.

»Iza«, rief er dann.

»Ja, Creb?«

»Du hast recht gedeutet. Der Große Bär wünscht, daß ich ihm den Zahn zum Opfer gebe. Tu es. Zieh ihn heraus.«

Iza ging zu ihm hin.

»Hier, Creb, trinke das. Es läßt dich den Schmerz nicht so heftig spüren. Ayla, bei den Spänen liegt auch ein kleiner Keil und ein Stück Sehne. Bring mir beides.«

»Wie kommt es, daß du den Trank schon bereitet hast?« wollte Creb wissen.

»Ich sehe dem Mog-ur ins Herz«, eröffnete ihm die Schwester. »Es ist hart, einen Zahn zu verlieren, aber wenn der Große Bär es wünscht, dann gibt der Mog-ur ihn. Es ist doch nicht das schwerste Opfer, das er in seinem Leben dargebracht hat.«

Creb senkte den Kopf und schlürfte den Trank. Er ist aus der gleichen Pflanze bereitet, ging es ihm durch den Sinn, deren Saft ich den Männern reiche, um in vergangene Zeiten zurückzukehren. Aber Iza hat die Pflanze gekocht. So ist sie kraftvoller, als wenn sie nur gewässert wird. Ja, sie ist vielfach zu verwenden. Eine große Gabe des Großen Bären... Und schon begann das Betäubende des Tranks zu wirken.

Schnell wies Iza Ayla an, Crebs Mund mit beiden Händen offenzuhalten, während sie sorgsam den kleinen Keil am Schaft des schmerzenden Zahns anlegte. Creb zuckte zusammen, doch so schmerzhaft, wie er befürchtet hatte, war das Ganze nicht. Nun band Iza ein Ende der Sehne um den gelokkerten Zahn und bedeutete Ayla, das andere Ende an einem der Pfosten festzumachen, die, tief in die Erde gesenkt, das Gestell hielten, an dem Kräuter und Pflanzen zum Trocknen aufgehängt waren.

Iza wies mit der Hand hinter sich.

»Drücke jetzt seinen Kopf nach hinten, bis die Sehne straff gespannt ist, Ayla«, bedeutete sie dem Mädchen und riß wenig später mit einem schnellen Ruck daran.

»Da ist er.« Sie hielt die Sehne hoch, an welcher der Zahn baumelte.

Nachdem sie zermahlene Geranienwurzel in das blutende Loch gestreut hatte, tauchte sie einen Fetzen Kaninchenhaut in aufgelöste Balsamrinde und legte ihm die feuchte Haut um den Kiefer.

»Hier, nimm deinen Zahn, Mog-ur.« Iza drückte dem noch immer benommenen Zauberer den verrotteten Backenzahn in die Hand. »Es ist vorbei.«

Creb ballte die Hand zur Faust, streckte sich auf seinem Fell aus und drehte sich zur Wand.

Der ganze Clan wartete gespannt, ob Creb sich nach dem Eingriff, bei dem Ayla der Medizinfrau zur Hand gegangen war, erholen würde. Als die Wunde rasch und ohne Beschwerden verheilte, gab das allen neue Zuversicht, daß dieses fremdartige Mädchen die Geister nicht erzürnte. Und mußte Iza in der Folge einen von ihnen behandeln, so schlich sich jetzt nicht mehr Furcht in die Herzen der Clan-Leute, wenn sie sich von Ayla dabei helfen ließ.

Und mit der Zeit wandten sich die Clan-Leute, wenn ein Schmerz sie plagte, mit der gleichen Selbstverständlichkeit an Ayla wie an Iza. Sie wußten, daß Ayla die Kräuter für Iza gesammelt hatte, und sie sahen, daß die Medizinfrau sie täglich in der Heilkunst unterwies. Sie sahen aber auch, daß Iza alt und gebrechlich geworden und Uba noch zu jung war, um sie abzulösen. Ganz allmählich gewöhnten sich die Erdlinge an das fremde Mädchen, das in ihrer Mitte lebte. Und sich vorstellen zu können, daß ein Mädchen, das von den anderen stammte, eines Tages vielleicht sogar die Medizinfrau ihres Clans werden würde, gelang ihnen immer besser.

Während der kältesten Zeit, als die Tage aber schon wieder länger zu werden begannen, setzte bei Ovra das Geburtsweh ein.

»Es ist zu früh«, erklärte Iza Ayla mit bekümmerter Gebärde. »Das Kind sollte erst nach der Schneeschmelze kommen, und Ovra hat auch jüngst nicht mehr gespürt, daß sich in ihrem Bauch etwas regte. Ich habe Angst, daß das Gebären böse enden wird. Ich fürchte, daß ihr Kind als totes zu uns kommt.«

»O weh. Und Ovra hat es sich so arg gewünscht«, klagte das Mädchen. »Ihr Herz war voller Glück, und ihren Bauch trug sie fast wie ein Jäger seine Beute. Kannst du nichts tun?« fragte Ayla angstvoll.

»Wir wollen alles tun, was unserer Macht gegeben ist, Ayla. Aber gegen den Plan der Geister ist nichts auszurichten.«

Alle im Clan waren in Sorge um Goovs Gefährtin. Die Frauen bemühten sich, sie zu ermutigen. Die Männer saßen beunruhigt zusammen, um gemeinsam zu warten. Damals, bei dem Erdbeben, hatte der Clan mehrere Leute verloren. Und alle wünschten, daß ihre Zahl sich wieder vergrößern möge. Fortzubestehen in der Fülle des Clans war Grundvoraussetzung für das Überleben jedes einzelnen. Diese Erdlinge waren aufeinander angewiesen, und sie waren bekümmert darüber, daß Ovra wahrscheinlich nichts Lebendes zur Welt bringen würde. Goov war mehr in Sorge um seine Gefährtin als um das Kind. Er wünschte aus tiefstem Herzen, er könnte etwas tun. Es machte ihm die Brust eng, Ovra leiden zu sehen, zumal auf einen glücklichen Ausgang kaum zu hoffen war. Und Ovra wünschte sich das Kind; denn bisher hatte sie keines bekommen und sich im Clan wie eine Außenseiterin gefühlt. Selbst Iza, die Medizinfrau, hatte noch ein Kind geboren, so alt wie sie war! Und Ovra hatte sich vor Freude kaum noch fassen können, als sie dann endlich merkte, wie sie die blutenden Tage verließen und mählich ihr Bauch zu schwellen begann.

Droog schien sich besser als jeder andere in des jungen Mannes Herz hineinfühlen zu können. Er hatte ähnlich empfunden, als Goovs Mutter sterben mußte, wenn er auch froh war, daß sie Goov geboren hatte, und sich in seiner neuen Familie allmählich wohlzufühlen begann. Er hegte sogar die unbestimmte Hoffnung, daß Vorn mit der Zeit Gefallen daran fände, so gut wie er aus Steinen Werkzeuge zu schlagen. Ona, die jetzt der Brust entwöhnt war, hatte sich längst in sein Herz gelacht. Droog hatte nie ein Mädchen an seinem Feuer gehabt, und Ona war noch so klein gewesen, als Aga ihm zur Gefährtin gegeben wurde, daß ihm manchmal schien, als wäre ihm das Kind geboren worden.

Ebra und Uka hockten mit verspannten und bleichen Gesichtern bei Ovra, während Iza einen Kräutertrank bereitete. Auch Uka hatte sich auf das Kind ihrer Tochter gefreut und hielt jetzt fest deren Hand, um ihr Ermutigung zu geben. Oga war aufgestanden und gegangen, um den abendlichen Verzehr für Brun und Broud anzurichten. Auch Grod und Goov sollten an diesem Abend an Brouds Feuer essen. Ika bot sich an, Oga bei der Arbeit zu helfen; doch sie schlug das Angebot aus, als Goov ihr zu verstehen gab, daß er nicht mitessen wollte. Der Jäger hatte ein Gefühl, als wäre ihm der Magen zugeschnürt.

Oga war zerstreut und voller Unruhe. Sie wünschte jetzt, sie hätte Ikas Angebot der Hilfe nicht gänzlich abgelehnt. Sie wußte nicht, wie es geschah, doch als sie just den Männern heiße Brühe bringen wollte, kam sie ins Stolpern, und die Flüssigkeit ergoß sich über Bruns Schulter und Arm. Der brüllte auf, schoß hoch und sprang wie rasend um das Feuer. Die Zähne knirschten vor Schmerz. Alle sahen hin.

»Oga!« schrie Broud außer sich. »Du dummes, tolpatschiges Tier!« schimpfte er wütend und schämte sich, daß seine Gefährtin dies verschuldet hatte.

»Ayla, geh hin und hilf ihm«, bedeutete Iza dem Mädchen. »Ich kann jetzt nicht weg.«

Mit geballten Fäusten wollte Broud sich auf Oga stürzen, um sie zu bestrafen.

»Nein, Broud!« wehrte Brun ab, streckte seinen Arm aus und hielt den jungen Mann zurück. Das heiße Fett der Brühe glänzte auf seiner Haut und zischte leise. Und es kostete ihn Mühe, den Schmerz nicht zu zeigen. »Sie kann nichts dafür«, wehrte er ab.

Zitternd vor Furcht kauerte Oga demütig zu Brouds Füßen.

Ayla war beklommen zumute. Den Clan-Führer hatte sie noch nie behandelt. Immer noch flößte er ihr heftige Furcht ein. Hastig stürzte sie zu Crebs Feuer, packte eine hölzerne Schüssel, rannte zum Ausgang der Höhle und füllte etwas Schnee in das Gefäß. Dann eilte sie zu Brouds Wohnkreis und sank vor Brun zu Boden.

»Iza schickt mich«, bedeutete sie ihm. »Sie kann Ova jetzt nicht alleine lassen. Erlaubt mir der Clan-Führer, ihm zu helfen?«

Mit karger Gebärde gab ihr Brun zu verstehen, daß er einverstanden war. Zwar zweifelte er an Aylas Fähigkeit zur

Medizinfrau, aber so, wie es stand, war sie die einzige, die ihm helfen konnte. Mit bebenden Fingern legte sie den kühlenden Schnee auf die rote, aufgeplatzte, blasige Haut und spürte, wie Bruns Muskeln sich lockerten, als der Schmerz etwas nachließ. Sie rannte zu Crebs Wohnkreis zurück, suchte die getrocknete Minze heraus und goß heißes Wasser auf die Blätter. Sobald sie aufgeweicht waren, gab sie kalten Schnee dazu, um den Aufguß abzukühlen, und kehrte zu Brun zurück. Mit sicherer Hand trug sie das lindernde Mittel auf und fühlte, wie die Anspannung aus Bruns Körper wich; der atmete auf. Es schmerzte noch, aber es war erträglich. Beifällig neigte der Clan-Führer den Kopf.

Man könnte meinen, daß sie Izas Zauber bald beherrschte, ging Brun durch den Kopf. Und sie versteht es jetzt, dem Clan-Brauch nach sich zu betragen. Man könnte meinen, daß sie eine gute Clan-Frau würde. Wenn Iza etwas zustößt, ehe Uba erwachsen ist, sind wir ohne Medizinfrau. Es war weitblickend von Iza, sie darin zu unterweisen.

Nicht lange danach kam Ebra zu ihrem Gefährten und teilte ihm mit, daß Ovras Sohn tot geboren war. Brun war bekümmert. Und ein Junge dazu, dachte er. Das Herz muß ihr bluten. Hoffentlich wird es für sie bald leichter, Kinder zu kriegen. Wer hätte gedacht, daß ein Bibertotem so wehrhaft ist.

Obwohl der Clan-Führer den Schmerz der jungen Frau begriff, er zeigte es nicht. Keiner im Clan erwähnte das traurige Ereignis. Doch Ovra spürte den Grund, als Brun einige Tage später an Goovs Feuer kam und ihr mit ernster sorgenvoller Hand bedeutete, daß sie sich heilsame Zeit nehmen sollte. Nur selten besuchte der Clan-Führer die Wohnkreise seiner Jäger; und wenn er es tat, so zog er kaum je die Frauen in ein Gespräch.

Iza bestand darauf, daß Ayla Brun weiterhin behandelte. Die Clan-Leute sahen, wie die Haut unter ihrer Pflege wieder heilte, und öffneten sich ihr noch ein wenig mehr. Und Ayla hatte weniger Angst vor Brun. Auch er war verletzlich.

11

Als der lange Winter seinem Ende zu ging und in der fruchtbergenden Erde die ersten Keime sich regten, spürten die Erdlinge in der Höhle, wie ihnen das Blut wieder schneller durch die Adern strömte. Die Kältnis hatte sie zwar nicht in einen echten Winterschlaf getrieben, der dem Maulwurf oder Bär zukam, doch da sie in der Höhle kaum die Körper wie im Freien durchbewegen konnten, war alles, was in ihnen ihrem Leben diente, verhaltener geworden. Im Winter waren sie dann träge, schliefen lange und aßen mehr, so daß sie Fett ansetzten, was wiederum als Schutz vor Kälte günstig war. Sobald aber die Sonne den Schnee vor dem Ausgang wegleckte und die Tage wärmer wurden, drängte es die Clan-Leute, sich zu regen und zu bewegen. Sie mußten hinaus und freier atmen.

Diesem Hang zur Regsamkeit half Iza noch mit einem Zaubertrank nach, der aus zerstoßenen Triticumwurzeln, getrockneten Waldmeisterblättern und feingeschnittenem Ampfer gemischt war und Jungen und Alten verabreicht wurde. Mit frischen Kräften drängten die Clan-Leute dann aus der Höhle hinaus und begrüßten Luft und Licht.

Der dritte Winter in der Höhle hatte sich ihnen nicht allzu grimmig gezeigt. Außer Ovras totgeborenem Kind hatte man niemandes Hinscheiden zu beklagen. Und das Kind zählte nicht; es war ja nie benannt und in den Clan aufgenommen worden. Iza hatte den Winter gut überstanden. Creb hatte er nicht mehr zugesetzt als sonst. Aga und Ika hatten wieder dicke Leiber. Und da beide Frauen gute Gebärerinnen waren, sahen die Clan-Leute mit Freuden schon dem Tag entgegen, an dem sich ihre Zahl vergrößern würde. Die ersten Triebe und Knospen wurden gesammelt. Die Männer trafen Vorbereitungen zur Jagd, um frisches Fleisch zu beschaffen. Bei einem Festverzehr wollte man die Geister ehren, die das neue Leben erweckten, und den Geistern der Totems danken, daß sie den Clan den Winter über so behütet hatten.

Ayla hatte besonderen Anlaß, ihrem Totem zu danken. Der vergangene Winter war für sie sowohl bedrückend als auch sehr lehrreich und erregend gewesen. Die Flamme ihres

Hasses gegen Broud brannte jetzt noch heißer, aber zwischen festen Steinen; und in diesen langen, dunklen Tagen hatte sie erfahren, daß Broud ihr nichts anhaben konnte, wenn sie es nicht zuließ. Er war ihr schlimm gekommen, doch sie hatte es mit Gelassenheit hinzunehmen vermocht. Ihre Eigenart zog ihm eine Grenze, die Broud nicht überschreiten konnte. Und daß Iza sie in die Lehre nahm, um sie in die Heilkunst einzuweisen, hatte ihr oft über schwere Zeiten hinweggeholfen. Je mehr sie lernte, desto mehr wollte sie lernen. Ayla brannte darauf, endlich ihre Wanderungen wieder aufnehmen zu können; und das nicht nur, weil sie ihr ermöglichten, dem Clan zu entfliehen. Ein tiefempfundenes Wissenwollen trieb sie zu den Pflanzen und Kräutern, deren verschiedene Wirkungsweisen sie begeisterten. Solange die heulenden Winde und die bitterkalten Schneestürme bliesen, hatte sie sich in Geduld gefaßt. Doch jetzt war ihre Zeit gekommen. Die Zeit, die Kunst des Jagens zu erlernen.

Sobald die Schmelzwasser abgelaufen waren und der noch feuchte Boden dampfte, zog Ayla wieder hinaus in die Wälder. Ihre Schleuder versteckte sie jetzt nicht mehr oben in der kleinen Höhle über ihrer Bergwiese. Sie hatte sie immer bei sich, entweder in einer Falte ihres Überwurfs verborgen oder unter einer Blätterdecke in ihrem Sammelkorb versteckt. Es war nicht leicht für sie, sich ganz allein das Jagen beizubringen. Sie sah, daß Tiere flinker waren und sich nicht ruhig verhielten wie ein Pfosten oder ein Blatt. Wenn die Frauen unterwegs waren und sammelten, gaben sie von Zeit zu Zeit lautes Knurren oder schrille Schreie von sich, um lauerndes Getier zu vertreiben. Ayla tat sich schwer, das nicht zu tun, was sie gewöhnt war. Viele Male, wenn sie noch schnell einen Blick von einem flüchtenden Tier erhaschte, war sie voller Zorn auf sich selbst hinterher, daß sie es auch noch hatte warnen müssen.

Und ohne sich von ihren Mißerfolgen allzusehr entmutigen zu lassen, lernte sich doch durch unermüdliche Versuche, die Tiere aufzuspüren und sich an sie heranzuschleichen. Bald verstand sie es auch, die bruchstückhaften Kenntnisse zu einem Ganzen zu vereinen. Ihr durch das Erkennen von Pflanzen und Kräutern geübtes Auge hatte keine Mühe, nach einer Weile auch die Jagdzeichen zu verstehen: eine Tierlosung, ein schwacher Abdruck in der Erde, ein abgeknickter Grashalm oder ein gebrochener Zweig. Sie lernte, zwischen den Spuren verschiedener Tiere zu unterscheiden, spürte ihnen nach und schaute, wie und wo sie lebten. Die pflanzenfressenden Tiere ließ sie zwar nicht unbeachtet, aber vornehmlich setzte sie den reißenden Fleischfressern nach.

Ayla achtete auch stets darauf, welche Richtung die Männer einschlugen, wenn sie zur Jagd aufbrachen. Doch nicht Brun und seine Männer machten ihr Sorge. Sie zogen meist hinaus in die offene Steppe, wo Ayla gar nicht zu jagen wagte, weil sich dort außer wenigen Bäumen keinerlei Dekkung bot. In Sorge war sie vor allem wegen der beiden alten Männer. Denn beim Kräutersammeln war es früher ab und zu vorgekommen, daß sie Zoug und Dorv gesichtet hatte. Bei diesen beiden war am ehesten zu erwarten, daß sie im gleichen Gebiet jagen würden wie sie selbst. Ständig mußte sie auf der Hut sein, ihnen nicht in den Weg zu laufen. Selbst wenn sie die entgegengesetzte Richtung wie die beiden alten Jäger nahm, konnte sie nicht sicher sein, daß Zoug und Dorv nicht einen Bogen schlagen und sie mit der Schleuder in der Hand ertappen würden.

Doch als sie es endlich geschafft hatte, schlangengleich über das Gras und durchs Gebüsch zu gleiten, trockene Äste zu vermeiden und Ohren, Augen und Nase zu Frühwarnanlagen auszubilden, da folgte sie auch Zoug und Dorv, um sie zu beobachten und ihnen ihre Fertigkeiten abzuluchsen. Sie war dann immer besonders vorsichtig. Es war gefährlich, aber eine gute Übung. Lautlos, unsichtbar, überall wollte sie sein.

Es gab jetzt Augenblicke, wo Ayla sicher war, ein kleines Beutetier mit ihrer Schleuder erlegen zu können. Manchmal setzte sie zum Schwung an, es reizte Ayla, ihr Selbstgelerntes zu verwirklichen, doch sie gab der Versuchung nicht nach. Sie hatte gelobt, nur auf reißende Tiere Jagd zu machen, und nur dies hatte ihr das Totem gestattet.

Knospen öffneten sich zu Blüten und Blättern, Blüten welkten, und Früchte trieben aus ihnen hervor, hingen grün und bitter in Bäumen und Büschen, und noch immer hatte Ayla kein Tier erbeutet.

»Fort mit dir! Husch! Fort!«

Ayla lief aus der Höhle, um zu sehen, was dieser Stimmenlärm bedeuten sollte. Mehrere Frauen jagten mit wedelnden Armen einem niedrigen, plumpen, zottigen Tier nach. Der Vielfraß rannte auf die Höhle zu, schlug jedoch knurrend einen Haken, als er Aylas ansichtig wurde. Er tauchte zwischen den Beinen der Frauen hindurch und floh mit einem Fetzen Fleisch im Maul.

»Dieses hinterhältige, gefräßige Biest. Ich habe das Fleisch gerade zum Dörren hinausgelegt«, schalt Oga zornig. »Kaum hatte ich mich umgedreht, da kam er auch schon angerannt. Die ganze Zeit streunt er hier herum und jeden Tag wird er unverschämter. Wenn Zoug hier wäre, er würde ihn töten. Gut, daß du gekommen bist, Ayla. Fast wäre er in die Höhle gerannt.«

»Das ist ein Weibchen, glaube ich, Oga. Sie hat sicher in der Nähe einen Bau und Junge drin.«

»Auch noch Junge! Ein ganzer Wurf!« Harsche, zornige Laute begleiteten ihre aufgebrachte Gebärde. »Zoug und Dorv haben Vorn heute bei Sonnenaufgang mitgenommen. Warum jagen die nicht den Vielfraß, statt immer nur Hamster und Schneehühner? Vielfraße nützen nicht, sie schaden.«

»Doch, Oga. Ihr Pelz wird im Winter nicht starr und steif von deinem Atem. Aus ihrem Fell kannst du gute Mützen und Umhänge machen.«

Ayla kehrte zum Feuer zurück. Sie wußte, daß es dort nichts für sie zu tun gab; und hatte nicht Iza erst kürzlich geklagt, daß ihr einige Kräuter fehlten? Ein listiges Lächeln kam in des Mädchens Gesicht auf. Ayla beschloß, den Bau des Vielfraßes auszumachen. Eilig holte sie ihren Korb und lief wieder aus der Höhle. Nicht weit von der Stelle, wo das Tier im Wald verschwunden war, tauchte auch sie in das Grün der Büsche.

Die scharfen Augen tasteten über den Boden und entdeckten den leichten Abdruck einer Klaue mit langen, spitzen Krallen, ein Stück weiter einen geknickten Stengel. Ayla verfolgte die Spur. Wenig später hörte sie, erstaunlich nahe der Höhle, ein Scharren und Kratzen. Vorsichtig schlich sie weiter, streifte kaum ein Blatt und sah dann den Vielfraß mit vier Jungen, die sich fauchend und knurrend um das Dörrfleisch zankten. Sachte setzte sie den Korb ab, zog die Schleuder hervor und legte sich einen Stein zurecht.

Dann verharrte sie, und ihr Körper spannte sich. Der rechte Augenblick war abzupassen, um einen genauen Treffer zu erzielen. Der Wind schwang plötzlich um und trug dem listigen Vielfraß befremdliche Witterung zu. Schnüffelnd hob das Tier den Kopf in die Luft. Auf eine solche Gelegenheit hatte Ayla gewartet. Blitzschnell schleuderte sie den Stein ab. Das Tier gewahrte die Bewegung, doch schon zu spät. Vom Stein getroffen, wurde es ein Stück weit weggeschleudert und blieb dann reglos liegen. Die vier Jungen jagten erschreckt davon. Ayla trat aus dem Gebüsch und beugte sich hinunter, um sich das Tier näher anzusehen. Der marderähnliche Räuber war von der Schnauze bis zu der Spitze seines buschigen Schwanzes etwa drei Fuß lang und trug ein zottiges, schwarzbraunes Fell. Vielfraße waren unerschrockene Fleischfresser, so scharf, daß sie sogar reißenden Tieren, die größer waren als sie selbst, die Beute streitig machten, so furchtlos, daß sie den Erdlingen das Fleisch beinahe unter der Nase wegstahlen, so schlau, daß sie sogar die Vorräte zu entwenden mußten. Ähnlich wie Stinktiere konnten sie Übelriechendes versprühen und machten dem Clan noch mehr zu schaffen als die Hyäne. Der Stein aus Aylas Schleuder hatte das Tier genau über dem Auge getroffen, an der Stelle, auf die sie gezielt hatte. Dieser Vielfraß wird uns bestimmt nichts mehr wegholen, dachte Ayla befriedigt und frohlockte. Und das Fell schenke ich Oga. Sie griff nach ihrem scharfen Schaber, um den Vielfraß zu häuten. Doch augenblicklich hielt sie inne.

Was mache ich da? Ich kann Oga das Fell nicht schenken. Ich kann es keinem schenken. Nicht einmal behalten kann ich es. Ich darf nicht jagen. Wenn sie wüßten, daß ich den Vielfraß getötet habe! Ayla hockte sich neben das tote Tier und fuhr niedergeschlagen mit ihren Fingern durch das zottige Fell. Das Feuer der Freude in ihrem Herzen war erloschen.

Sie hatte ihr erstes Tier erlegt. Sicher, es war kein riesiger Bison, doch es war mehr als Vorns Stachelschwein. Doch ihr zu Ehren gab es keine Feier, ihre Aufnahme in die Reihe der Jäger zu bestätigen, auch kein Festessen, nicht einmal lobende Blicke und herzhafte Schulterschläge, wie sie Vorn zuteil wurden, wenn er seine lächerliche Beute zeigte. Und wenn sie mit dem Vielfraß zur Höhle zurückkehrte, empfingen sie nur entsetzte Blicke, und harte Bestrafung würde folgen. Daß sie dem Clan doch nur helfen wollte oder daß sie sich zur trefflichen Jägerin entwickelt hatte, das würde nichts gelten. Sie war eine Frau. Frauen jagten nicht. Frauen töteten keine Tiere.

Ayla ließ die Arme hängen und stieß einen tiefen Seufzer aus. Ich habe es gewußt; die ganze Zeit habe ich es gewußt. Schon bevor ich zu jagen anfing, bevor ich Zougs alte Schleuder vom Boden aufhob. Immer habe ich gewußt, daß ich nicht jagen darf.

Der mutigste der jungen Vielfraße kam aus seinem Versteck und beschnüffelte zaghaft das tote Muttertier. Diese Jungen werden uns genauso zu schaffen machen wie die Alte, ging es Ayla durch den Kopf. Sie sind fast ausgewachsen. Zwei werden bestimmt überleben. Ich muß das tote Tier beseitigen. Weit weg. Die Jungen folgen sicher dem Geruch. Ayla stand auf und zog den toten Vielfraß am Schwanz tiefer in den Wald hinein. Dann eilte sie davon, um nach Kräutern für Iza Ausschau zu halten.

Der Vielfraß war nur der erste Räuber, der ihrer Schleuder zum Opfer fiel. Marder, Nerze, Frettchen, Otter, Wiesel, Dachse, Hermeline, Füchse und die kleinen gräulichschwarz gestreiften Wildkatzen folgten nach. Ayla konnte nicht wissen, daß ihr Entschluß, nur auf reißende Tiere Jagd zu machen, sich bedeutsam für sie auswirkte. Sie lernte dadurch schneller, und ihre Geschicklichkeit wurde weit mehr gefordert, als wenn sie auf die Jagd nach sanften pflanzenfressenden Tieren gegangen wäre.

Bald übertraf sie Vorn im Umgang mit der Schleuder. Doch mit ihm verglich sich Ayla längst nicht mehr. Sie maß sich an

Zoug, und es dauerte nicht lange, bis sie fast so gut war wie der alterfahrene Jäger, denn sie lernte es allzu rasch. Und zurück blieb die Erfahrung. Sie neigte dazu, sich selbst zu überschätzen.

Begleitet von sengender Hitze und ungestümen Gewittern schritt der Sommer seinem Ende zu. Unerträglich heiß war heute der Tag. Nicht ein Lüftchen regte sich. Am Abend zuvor hatte ein Gewitter mit grellgelbem Wetterleuchten, das die Gipfel der Berge in ein Geisterlicht tauchte, und einem gewalttätigen Hagelschauer die Clan-Leute fluchtartig in die Höhle getrieben. Der Wald dampfte. Schwere weiße Schwaden hingen an Büschen und Bäumen. Buntschillernde Fliegen und Mücken sirrten über den schlammigen, von Wasserlinsen bedeckten Tümpeln, die sich im ausgetrockneten Bachbett gebildet hatten.

Ayla folgte der Spur eines Rotfuchses. Lautlos schlich sie am Rand einer kleinen Lichtung entlang durch den Wald. Ihr war heiß; der Schweiß rann ihr über das Gesicht, und ihre Lust, dem Fuchs zu folgen, verdampfte. Es wäre wohl besser, die Jagd aufzugeben und auf dem Rückweg zur Höhle im Teich zu baden. Als sie durch das bloße, felsige Bachbett sprang, hielt sie da an, wo zwei Felsbrocken das dünne Rinnsal in ein knöcheltiefes Sammelbecken zwangen, und trank in gierigen Zügen.

Als sie sich wieder von den Knien erhob und aufblickte, stockte ihr der Atem. Auf einem Felsvorsprung über ihr kauerte ein Luchs. Seine aufgestellten Pinselohren zuckten. Seine Sehschlitze links und rechts der stumpfen Nase beäugten sie mißtrauisch. Sein kurzer Schwanz schlug unruhig hin und her.

Obwohl der Luchs kleiner war als die meisten Großkatzen, besaß er in seinem etwa acht Fuß langen Körper und den kurzen behaarten Pfoten gewaltige Sprungkraft. Er nährte sich von Hasen, Kaninchen, großen Eichhörnchen und anderen nagenden Tieren, konnte aber auch ein Reh reißen, wenn es ihn lockte.

Als Ayla immer noch unverwandt auf die reglos daliegende Katze blickte, wuchs in ihr eine heiße Erregung, die sich vom Herzen bis zum Hirn emporschwang. Hatte Zoug nicht Vorn erklärt, mit der Schleuder wäre auch ein Luchs zur Strecke zu bringen? Auf größere Tiere, hatte er gewarnt, sollte kein Jäger mit der Schleuder gehen, aber mit einem Wolf, einer Hyäne oder einem Luchs könnte man es noch aufnehmen. Ich weiß genau, daß er ›Luchs‹ gesagt hat, bestärkte sich Ayla. Noch nie hatte sie auf diese reißenden Tiere Jagd gemacht. Jetzt lag eines vor ihr. Wenn Zoug einen Luchs erlegen konnte, dann konnte sie das auch, und hier lag die Gelegenheit, es zu beweisen.

Langsam und vorsichtig schob sie die Hand in eine Tasche ihres kurzen Sommerüberwurfs, ohne dabei die Katze aus den Augen zu lassen. Sie tastete nach dem größten Stein, den sie finden konnte. Ihre Hände waren heiß und feucht. Fest umfaßte sie die beiden Enden der Schleuder, während sie den Stein einlegte. Zum Ziel nahm sie sich die Stelle zwischen den Augen des Tieres und schleuderte schnell, ehe sie den Mut verlieren konnte, ihren Stein ab. Der Luchs sah das Wirbeln ihres Armes. Er drehte den Kopf, so daß der Stein ihn seitlich streifte, schmerzhaft, aber ohne ihn verletzt zu haben.

Ehe Ayla auch nur daran denken konnte, nach einem zweiten Stein zu greifen, sah sie, wie die Muskeln im Körper des Tieres sich spannten. Blitzartig, ohne Überlegung, warf sich das Mädchen zur Seite, als der Luchs lossprang. Längelang stürzte Ayla in den Schlamm, und ihre Hand klammerte sich an einen dicken Ast, der irgendwann von Wassern aus dem Gebirge herabgespült worden war. Strudel und Wirbel hatten ihm unterwegs Blätter und Zweige abgerissen. Rasch packte Ayla den schweren, wasserdurchtränkten Stock und schnellte genau in dem Augenblick herum, als das fauchende, zähnestarrende Tier nochmals auf sie lossprang. Mit aller Kraft, die ihr die Angst verlieh, holte Ayla aus und schlug zu. Der wuchtige Schlag traf den Luchs am Kopf; er sackte zusammen, blieb einen Augenblick benommen liegen, schüttelte sich, sprang auf die Beine und machte sich mit weit ausgreifenden, weichen Sätzen davon.

Ayla zitterte am ganzen Körper. Sie setzte sich auf. Ihr Atem ging keuchend. Die Knie waren ihr weich, als sie aufstand, um ihre Schleuder zu holen, und sie ließ sich wieder in den Schlamm fallen.

Das Mädchen war tollkühn gewesen. Zoug hätte es niemals für möglich gehalten, daß einer es wagen würde, nur mit einer Schleuder bewaffnet ein reißendes Tier zu jagen. Immer wurde ein zweiter Jäger mitgenommen, der einem in der Not zu Hilfe kommen konnte. Doch dieses Mädchen, das kaum noch fehlte, wenn es schoß, hatte nicht bedacht, was geschehen könnte, wenn ihr Stein bei einem reißenden Tier danebenging. Ayla war so verschreckt und im Kopf so durcheinander, daß sie beinahe vergessen hätte, ihren Korb aus dem Buschversteck zu holen, als sie zur Höhle zurückrannte.

»Ayla? Was hast du? Du bist ja voller Schlamm!« Besorgt schlug Iza die Hände über dem Kopf zusammen.

Des Mädchens Gesicht war aschfahl. Irgend etwas mußte ihr einen heillosen Schreck eingejagt haben.

Ayla schüttelte nur den Kopf und lief in die Höhle. Iza wußte, daß etwas geschehen war, was das Mädchen sie nicht wissen lassen wollte. Sie hätte gerne weiter in sie dringen wollen, aber dann ließ sie es doch sein und hoffte, Ayla würde sich von selbst ihr anvertrauen.

Iza wurde immer das Herz schwer, wenn Ayla allein unterwegs war, doch jemand mußte ja die Heilkräuter für sie sammeln. Sie selbst konnte sich diese weiten Gänge nicht mehr zumuten, Uba war noch zu jung, und keine der anderen Frauen war bewandert genug, um die richtigen Pflanzen zu finden. Sie mußte Ayla gehen lassen und hoffte inmer wieder, das Mädchen würde zeitiger kommen.

Am Abend war Ayla sehr still und legte sich früh nieder. Schlafen konnte sie nicht. Unablässig sprang der Luchs auf sie los, und wieder und wieder schlug sie auf ihn ein. Irgendwann umfing sie dann der Schlaf.

Ayla erwachte an ihrem eigenen Schrei.

»Ayla! Ayla!« rief Iza und wollte wissen, was ihr fehlte.

Mit zitternden Händen bedeutete Ayla, daß sie geträumt habe. Sie sei in einer kleinen Höhle gewesen, und ein Höhlenlöwe hätte sie packen wollen.

Zart strich die Medizinfrau über Aylas Haar.

»Du hast lange keine bösen Träume mehr gehabt, Ayla.

Warum jetzt? Hat dir etwas Angst gemacht, als du im Wald warst?«

Ayla nickte und senkte den Kopf. In der noch finsteren Höhle, die nur vom rot-trüben Schein des glosenden Feuers erhellt wurde, war der Ausdruck schuldbewußter Beklommenheit auf ihrem Gesicht nicht zu sehen. Seit sie das Zeichen ihres Totems gefunden hatte, war in ihr nie mehr das Gefühl gewesen, etwas Verbotenes zu tun, wenn sie auf Jagd ging. Jetzt zweifelte sie, ob es wirklich ihr Zeichen gewesen war. Vielleicht hatte sie es nur so gedeutet. Vielleicht sollte sie doch nicht jagen. Schon gar nicht so gefährliche Tiere. Wie hatte sie auch glauben können, ein Mädchen dürfte auf einen Luchs Jagd machen?

Iza nahm das Mädchen bei den Schultern.

»Mir ist nie wohl zumute, wenn du alleine fortgehst, Ayla. Du kommst immer so spät zurück. Ich weiß, du wanderst gern für dich; doch raubt es mir die Ruhe, weil der Wald voll lauernder Gefahren ist.«

Iza sah mit Erleichterung, daß Ayla sich ihren Rat zu Herzen zu nehmen schien. Sie hielt sich fast immer in der Nähe der Höhle auf, und wenn sie doch einmal auszog, um Kräuter zu sammeln, kehrte sie rasch zurück. Wenn Ayla keine Frau fand, die bereit war, sie zu begleiten, hetzte sie ständige Furcht. Bei jedem Schritt erwartete sie, ein lauerndes reißendes Tier zu entdecken, das sich augenblicklich auf sie stürzen würde. Jetzt konnte sie verstehen, warum die Clan-Frauen nicht allein auszogen, um zu sammeln, und warum sie immer von neuem verwundert waren über Aylas Verlangen, sich allein auf den Weg zu machen. Früher hatte sie nicht gewußt, daß überall so viele Gefahren lauerten; diese eine erlebt zu haben, ließ sie jedoch ihre Umgebung mit anderen Augen sehen. Selbst Tiere, die nicht reißend waren, konnten die Erdlinge bedrohen. Keiler mit spitzen Hauern, Pferde mit schlagenden Hufen, Hirsche mit wuchtigem Geweih, Bergziegen und Schafe mit todbringenden Hörnern, sie alle waren fähig zu töten, wenn sie gereizt waren. Ayla schüttelte bei diesem Gedanken den Kopf und wußte nicht, woher sie ihre Beherztheit genommen hatte, jagen zu gehen.

Da war niemand, dem Ayla sich hätte anvertrauen können; da war niemand, der ihr erklären würde, daß Furcht die Sinne schärfte und Angst den Körper lähmte; da war niemand, der sie ermutigte, die Schleuder wieder zur Hand zu nehmen, ehe die Furcht zur Angst wurde und sie für immer lähmte. Die Männer waren mit der Furcht vertraut. Viele Male in ihrem Leben begegneten sie ihr, am eindrucksvollsten bei der ersten großen Jagd, die sie zu Männern machte. Kleine Tiere jagte man, um sich an die Waffen zu gewöhnen; doch zum Mann wurde erst, wer die Furcht kennengelernt und überwunden hatte.

Für die Frauen waren die blutenden Tage eine nicht geringere Probe ihres Mutes. In gewisser Weise bedurfte es eines noch stärkeren Herzens, diese Tage und Nächte allein durchzustehen, in dem Wissen, daß keiner ihnen helfen würde, was auch geschah. Vom Augenblick seiner Geburt an war ein Mädchen ständig von anderen Erdlingen umgeben, die es beschützten. Doch wenn es zum ersten Mal seine Tage hatte, wo es vom Mädchen zur Frau sich voll entwickelte, war kein Mann in seiner Nähe, es zu beschützen; nicht einmal eine Waffe war ihr beigegeben, sich gegen die reißenden Tiere zur Wehr zu setzen. Mädchen wie Jungen wurden erst dann Frauen und Männer, wenn sie der Furcht ins Auge geblickt und sie bezwungen hatten, wenn sie der Angst entwachsen und somit dem Clan-Leben gewachsen waren.

Ayla hielt das Erlebnis immer noch in Bann; während der ersten Tage verspürte sie kein Verlangen, sich auch nur etwas weiter von der Höhle zu entfernen. Nach einer Weile jedoch regte sich wieder prickelnde Rastlosigkeit in ihren Gliedern. Im Winter hatte sie nichts dagegensetzen können; da nahm sie die Beschränktheit in der Höhle hin wie alle anderen. Aber Körper und Geist waren gewöhnt, frei herumzustreifen, wenn Schnee und Kältnis gewichen waren. Der Widerstreit ihrer Gefühle quälte sie nun. War sie allein im Wald, abgeschieden von der Schutz bietenden Höhle, so nagte beständige Angst an ihr; war sie aber bei den anderen, so war ihr arg danach, für sich zu sein und das befreiende Atmen im Wald genießen zu können.

Einmal, als sie sich alleine aufgemacht hatte, um Kräuter

zu sammeln, geriet sie unversehens in die Nähe ihrer Zuflucht. Sie stutzte und kletterte das letzte Stück zur lichten Bergwiese schneller hinauf. Ihr Herz beruhigte sich. Es tut gut, hier zu sein. Dies waren ihre Höhle, ihre Wiese. Sogar die Rehe, die hier häufig ästen, begriff sie als ihr Getier. Sie waren so zutraulich geworden, daß sie das Mädchen ganz nahe herankommen ließen, ehe sie davonsprangen. Und hier überkam Ayla ein Gefühl von Zuversicht und Stärke, das sich im Wald, wo überall wilde Tiere lauern konnten, nicht mehr einstellen wollte. Die ganze Zeit der hitzigen Tage war sie nicht mehr hier oben gewesen, und als sie jetzt im hohen Gras lag, die Arme im Nacken verschränkt, und in den Himmel starrte, stürzten die Erinnerungen auf sie ein. Hier hatte sie angefangen, mit der Schleuder zu üben; hier hatte sie auf ihr erstes Tier geschossen; und hier hatte sie das Zeichen ihres Totems gefunden.

Ihre Schleuder hatte Ayla bei sich, denn sie wagte nicht, sie in der Höhle zu lassen, wo Iza sie bestimmt finden würde. Nach einer Weile stand sie auf, suchte sich einige Steine zusammen und machte ein paar Würfe. Wieder wanderten ihre Gedanken zurück zu dem abscheulichen Luchs.

Hätte ich doch nur noch einen Stein in der Schleuder gehabt, dachte sie, dann hätte ich noch einmal schießen können und ihn vielleicht getroffen, ehe er auf mich springen konnte.

Zwei gerade, tiefe Furchen waren wieder zwischen ihren Brauen oberhalb der Nasenwurzel eingekerbt, als sie die zwei Steine in ihrer Hand betrachtete. Konnte man nicht einen Stein gleich nach dem anderen schleudern? Hatte Zoug dem jungen Vorn je so etwas gezeigt? Sie krauste die Stirn. Wenn ja, dann war ich nicht dabei, dachte sie. Hin und her wälzte sie nun den Gedanken in ihrem Kopf und machte sich Bilder, wie es gehen könnte. Sie sah sich mit der Schleuder in der Hand, wie sie nach dem ersten Wurf – noch während ihr Arm sich in der Abwärtsbewegung befand – blitzschnell einen zweiten Stein in die Kuhle drückte, den Arm, ohne innezuhalten, wieder hochschwang und einen zweiten Stein abschleuderte. Ob das wohl zu machen war? Sie versuchte es; und langsam, sehr langsam und nach zahllosen Versuchen fand sie eine ihr genehme Abfolge der Bewegung heraus: ersten Stein abschleudern; Schleuder im Abwärtsschwung leicht abfangen, zweiten Stein schon bereit; Stein in die Kuhle drücken, während die Schleuder noch im Schwung war; zweiten Stein abschießen. Häufig fielen ihr die Steine heraus, und selbst als es ihr gelang, sie abzuschießen, litt doch die Treffsicherheit bei beiden Würfen. Doch sie hatte den Bogen heraus.

Sie stieg von nun an jeden Tag zu ihrer Bergwiese hinauf, um zu üben. Noch immer hielt eine unbestimmte Angst sie davon ab, wieder zu jagen; doch der unbezähmbare Drang, die neue Wurfart zu erproben, belebte Aylas Lust, mit der Waffe zu üben.

Als die Zeit kam, wo die bewaldeten Hügel in rotgoldener Herbstlichkeit erglühten, war sie mit zwei Steinen ebenso treffsicher wie vorher mit einem. Ein heißes Gefühl des Stolzes und der Befriedigung durchrann sie jedesmal, wenn ein doppeltes, rasch aufeinanderfolgendes Krachen ihr meldete, daß beide Steine den Pfahl getroffen hatten.

An einem klaren Spätherbsttag beschloß Ayla, schon in aller Frühe zu ihrer Wiese hinaufzusteigen, um die Haselnüsse aufzusammeln, die von den Büschen gefallen waren. Als sie gerade den Bach übersprang, hörte sie das grelle Lachen und gierige Geschnüffel einer Hyäne; und als sie mit wenigen Sätzen die Lichtung erreichte, sah sie das häßliche Tier, halb vergraben in den Eingeweiden einer Rehkuh.

Wut und Empörung flammten in Ayla auf. Wie konnte dieses Scheusal es wagen, ihre Wiese zu beschmutzen, ihr Reh zu überfallen? Schon wollte sie auf die Hyäne losstürzen und dieses Biest verscheuchen, aber dann ließ sie es doch lieber bleiben. Hyänen waren reißende Tiere und ihre Zähne kräftig genug, die großen Beinknochen von Huftieren zu zermalmen. Und wenn sie ein Tier geschlagen hatten, so waren sie nicht so leicht von ihrer Beute zu vertreiben. Ohne sich noch lange zu besinnen, warf Ayla ihren Korb ab und holte ihre Schleuder heraus. Während sie sich Fuß vor Fuß zu einem Felsvorsprung schlich, der sie decken sollte, bis sie bereit war, suchten ihre Augen den Boden nach Steinen ab. Und schon hob das gefleckte Tier den Kopf, witterte und wandte sich dem Felsen zu.

Ayla sprang hervor, schleuderte den ersten Stein ab und ließ sogleich den zweiten folgen. Gleich hatte sie einen dritten und vierten Stein zur Hand, um, wenn nötig, einen zweiten Durchgang abzuschießen. Aber schon der erste Stein hatte getroffen. Die Hyäne brach zusammen, zuckte kurz und regte sich nicht mehr. Ayla blickte um sich; weit und breit war nichts zu sehen von anderen Hyänen. Dann näherte sie sich vorsichtig dem Tier und hielt die Schleuder bereit. Auf halbem Weg sah sie einen großen Rehschenkelknochen, den sie aufnahm. Mit einem unbarmherzigen Schlag sorgte sie dafür, daß die Hyäne sich nicht mehr erheben würde.

Ayla blickte auf das tote Tier und ließ die Keule fallen. Ihre Hand fuhr zum Mund, als wollte sie einen Schrei unterdrükken. Ich habe eine Hyäne erlegt, schallte es in ihrem Kopf. Ich habe mit meiner Schleuder eine Hyäne erlegt. Nicht ein kleines Tier. Nein, ein Tier, das mich töten könnte. Bin ich jetzt eine Jägerin? Eine richtige Jägerin? Doch kein freudiger Überschwang wollte sich einstellen, keine Erregung oder auch nur Befriedigung darüber, ein gefährliches Tier erlegt zu haben. Das, was sie verspürte, ging tiefer, nicht in den Kopf, sondern in ihr Herz und löste ein Gefühl von Demut in ihr aus. Es war die Erkenntnis, sich selbst bezwungen zu haben. Und mit tief empfundener Ehrfurcht bedeutete Ayla dem Geist ihres Totems: »Ich bin nur ein Mädchen, Großer Höhlenlöwe, und die Wege der Geister sind mir fremd.« Aber, und so fuhr sie mit feierlicher Gebärde fort, sie glaube, daß sie jetzt mehr sähe. Der Luchs hatte für sie eine Prüfung sein sollen wie Broud. Und Creb habe ihr immer erklärt, daß mächtige Totems Hohes forderten, aber er habe sie nie wissen lassen, daß die größten Gaben, die sie einem bescherten, im Inneren zu finden seien. Er habe sie nie wissen lassen, wie ihr ums Herz sein würde, wenn sie endlich begreife. Die Prüfung wäre nicht irgendeine schwere Aufgabe; das Wissen, sie bewältigen zu können, sei die Prüfung!

Ayla kniete nieder und hob die Hände gegen den Himmel. »Ich danke dir, daß du mich erwählt hast, Großer Höhlenlöwe. Ich will mich deiner immer würdig zeigen.«

Als das Herbstfeuer in den Baumkronen allmählich erlosch

und welke Blätter wie gelber Schnee zu Boden schwebten, kehrte Ayla in den Wald zurück. Sie verfolgte die Spuren der Tiere, die zu jagen und zu erlegen sie sich entschlossen hatte, und machte sich mit ihren Lebensgewohnheiten vertraut. Doch Ayla achtete sie jetzt sowohl als Geschöpfe der Natur als auch als nicht zu unterschätzende Gegner. Oftmals, wenn sie nahe genug war, um zur Schleuder zu greifen, ließ sie es und schaute nur. In ihr wuchs ein Gefühl dafür, daß es Verschwendung war, ein Tier zu töten, das den Clan nicht bedrohte und dessen Fell sie nicht verwenden konnte. Noch immer war sie entschlossen, im Schleudern die Beste des Clans zu werden; sie hatte keine Ahnung, daß sie es längst schon war. Ihr Können weiter verfeinern konnte sie nur, wenn sie jagte. Und sie tat es.

Der Erfolg blieb nicht unbemerkt. Unter den Männern des Clans breitete sich Unbehagen aus.

»Nicht weit von der Lichtung, wo wir immer schleudern, habe ich schon wieder einen toten Vielfraß gefunden«, berichtete Crug erregt.

»Und auf der anderen Seite vom Grat, unten am Hang, lagen Fellfetzen. Sah ganz nach einem Wolf aus«, fügte Goov hinzu.

»Immer sind es reißende Tiere, Fleischfresser, keine weiblchen Totems«, bedeutete Broud verwundert. »Grod möchte, daß wir den Mog-ur befragen.«

»Hirsche und Pferde, Schafe und Bergziegen, sogar Wildschweine werden immer von den großen Katzen, den Löwen und Hyänen gerissen. Aber wer macht Jagd auf die kleineren reißenden Tiere? Noch nie habe ich gesehen, daß so viele getötet wurden«, fuhr Crugs Hand dazwischen. »Wer tötet sie? Wir sind es nicht. Wird Grod den Mog-ur endlich befragen? Kann es ein Geist sein?« Broud unterdrückte einen Schauder.

»Und wenn es ein Geist ist, ist es dann ein guter, der uns hilft, oder ein böser Geist, der unseren Totems zürnt?« machte Goovs fragende Hand.

»Nur in deinem Herzen kann eine solche Frage sich erheben, Goov. Du bist des Mog-urs Gehilfe. Was glaubst du?« gab Crug zurück.

»Ich glaube, es wird nötig sein, uns tief in die Welt der Geister zu versenken, um auf die Frage eine Antwort zu bekommen.«

»Du zeigst schon das Gehabe eines Mog-urs, Goov. Niemals eine klare Antwort«, stellte Broud mit scherzhafter Gebärde fest.

»Wie sieht denn deine Antwort aus, Broud?« entgegnete Goov. »Ist sie klarer? Wer tötet die Tiere? Kannst du es deuten?«

»Ich bin kein Mog-ur. Mich darfst du nicht befragen.«

Ayla, die nicht weit von den Männern an der Arbeit war, unterdrückte ein Lächeln. Jetzt bin ich also ein Geist, aber sie wissen nicht, ob ein guter oder ein böser, dachte sie.

Creb näherte sich unbemerkt. Er hatte alles beobachtet.

»Auch ich habe noch keine Antwort, Broud«, bedeutete der Mog-ur. »Sie zu finden bedarf der Versenkung in die Tiefen der Geisterwelt. Aber eines will ich dich wissen lassen. Es ist nicht nach Art der Geister.«

Geister, dachte der Mog-ur bei sich, konnten glühende Hitze oder eisige Kälte schicken; zuviel Regen oder zuviel Schnee, konnten die Tierherden vertreiben oder Krankheit senden, Donner und Blitz oder Erdbeben bringen, doch sie gaben sich nicht damit ab, einzelne Tiere zu töten. Er ahnte die Hand eines Sterblichen hinter diesem Geheimnis.

Ayla stand auf und ging zur Höhle. Der Zauberer blickte ihr nach. Sie hat sich gewandelt, ging es Creb durch den Kopf. Er gewahrte, wie auch Brouds Blick ihr folgte. Haß blitzte in den Augen des jungen Jägers. Ihm ist es auch aufgefallen, erkannte der Alte und beschwichtigte sich: Vielleicht wird jetzt sichtbar, daß sie nicht eine von uns ist. Sie bewegt sich ganz anders; sie wird erwachsen. Doch irgend etwas Nebelhaftes trieb in Crebs Stirn, und er wußte, daß dies nicht die Antwort war.

Ayla hatte sich wirklich gewandelt. Das Jagderlebnis hatte sie sicherer gemacht und stärker im Geist. Auch hatte sich eine geschmeidige Anmut der Bewegungen herausgebildet, welche die Clan-Frauen nicht zustande brachten. Ayla hatte den lautlos weichen Schritt der erfahrenen Jägerin, beherrschte jeden Muskel des jungen Körpers und besaß Vertrauen zu sich selbst. Ein unerklärlicher, weitschauender

Blick stand in ihren Augen, die sich kaum merklich verhüllten, wenn Broud anfing, sie zu drangsalieren. Er hatte dann immer das Gefühl, als sähe sie ihn gar nicht. So eilfertig wie zuvor gehorchte sie seinen barschen Befehlen, doch Angst konnte er nicht mehr in ihr erwecken.

Ihr gelassenes Betragen und ihr Vertrauen zu sich selbst waren weit weniger greifbar, aber Broud spürte beides, und es wurmte ihn wie ihre bewußte Aufsässigkeit früherer Tage. Es war eben, als ließe sie sich herab, seinen Befehlen zu willfahren, als besäße sie ein Wissen, das ihm nicht zugänglich war. Er beobachtete sie, versuchte auszumachen, worin die Wandlung lag, hoffte, etwas zu entdecken, wofür er sie bestrafen konnte, doch nichts fiel ihm ein.

Broud hatte keine Ahnung, wie sie es anstellte, denn jedesmal, wenn er ihr seine Überlegenheit zeigen wollte, gab sie ihm das Gefühl, er stünde weit unter ihr. Es nagte und fraß an ihm und trieb ihn fast zur Raserei. Doch je mehr er Ayla zusetzte, desto unterlegener fühlte er sich, und er haßte sie dafür. Nach und nach ließ Broud seine Peinigungen bleiben und ging ihr sogar aus dem Weg. Sein Haß aber loderte heißer denn je. Es würde der Tag kommen, wo er sie in die Knie zwingen würde. Eines Tages müßte auch sie bluten für die Wunden, die sie seiner Selbstachtung schlug.

12

Und wieder näherte sich der Winter, und zum ersten Mal erwartete Ayla Kälte und Dunkelheit mit Ungeduld. Während der umtriebsamen Tage der warmen Jahreszeit hatte Iza das Mädchen nicht oft unterweisen können. Als die ersten Schneefälle einsetzten, nahm sie die Belehrung wieder auf. Und als Kälte und Finsternis endlich gewichen waren, hatte Ayla wieder viel dazugelernt.

Spät hielt der Frühling Einzug. Die schmelzenden Wasser, die das Gebirge herabrannen, und heftige Regengüsse ließen den Bach zu einem brodelnden wilden Wasser anschwellen, das sich über sein Bett hinwegsetzte und wirbelnd und strudelnd zum Meer hinunterstürzte, Bäume und Büsche mit sich reißend. Weiter abwärts zwang ihn ein Gewirr aus Ästen und Bäumen, die sich dort verfangen hatten, über die Ufer zu treten, so daß er den Fußpfad überschwemmte, den die Clan-Leute getrampelt hatten. Auf eine viel zu frühe kurze Wärme, die überall die Knospen verlockte, sich zaghaft zu öffnen, folgten niederträchtige Hagelstürme, die die zarten Blüten zerstörten und alle Hoffnungen auf eine reiche Ernte zunichte machten. Doch es war, als hätte die Natur doch ein Einsehen mit den Erdlingen und wollte die mißliche Ernte, die bei Baumfrüchten kommen würde, vergessen machen, denn im Frühsommer reiften Gemüse, Wurzeln, Kürbispflanzen und Hülsenfrüchte in Hülle und Fülle.

Die Clan-Leute machten lange Gesichter, als sie diesmal nicht, wie gewohnt, gleich zu Beginn des Frühjahrs zum Meer hinunterziehen konnten, um Lachse zu fangen. Brun jedoch versprach, daß man statt dessen gemeinsam Stör und Dorsch erbeuten wollte. Häufig zwar wanderten die Clan-Leute zum landumschlossenen Wasser hinunter, um Weichtiere zu fangen und die Eier der Seevögel zu sammeln, die in den Klippen nisteten; die mächtigen Fische an Land zu bringen war aber eine der wenigen Unternehmungen des Clans, an der Frauen wie Männer beteiligt waren.

Aber Droog wollte nicht nur der Fische wegen zum Meer hinunter. Regen und Schneeschmelze hatten aus der abgelagerten Kreide der hochgelegenen Gebirge frische Flintsteinbrocken zu Tal gespült und sie zum aufgeschwemmten Land an der Küste hinuntergetragen. Auf einem frühen Streifzug an die See hatte Droog mehrere Flintsteinbrocken liegen sehen, und er fand, es wäre an der Zeit, Werkzeug und Gerät des Clans durch neue Schaber, Bohrer, Klingen, Messer, Spitzen zu ergänzen. Es war einfacher, dort den Flintstein zu bearbeiten, wo man ihn fand, anstatt die schweren Brocken zur Höhle zurückzuschleppen. Es war schon eine ganze Weile her gewesen, als Droog das letzte Flintsteinmesser abgeschlagen hatte. Man wußte sich mit gröberen Geräten zu begnügen, die aber, der Stein war spröde und leicht brüchig, mitunter leicht zersprangen. Alle Männer im Clan konnten sich das Werkzeug selber schaffen, doch Droog war der beste unter ihnen.

Prickelnde Erwartung beflügelte die Erdlinge bei ihren Vorbereitungen für den geplanten Fischfang. Es ergab sich nicht häufig, daß der gesamte Clan die Höhle verließ, und die Aussicht, am Meer eine Lagerstätte aufzuschlagen, war prikkelnd und voller Reiz, besonders für die Kinder. Brun hatte bestimmt, daß jeden Tag ein Mann oder zwei zur Höhle zu laufen hatten, um dort nach dem Rechten zu sehen. Selbst Creb war guter Dinge und spürte keine Schmerzen in den Gliedern. Seine Wanderungen führten ihn selten aus der Nähe der Höhle.

Die Frauen nahmen sich das große Netz vor, ersetzten rissig und brüchig gewordene Maschen und knüpften ein zweites an. Die Schnüre drehten sie aus faserigen Wurzeln, sehniger Baumrinde, zähen Gräsern und langen Tierhaaren. Sehnen wurden nicht verwendet, obwohl diese kräftig und zäh waren; das Wasser machte sie hart und steif, und sie nahmen das Fett, das sie geschmeidig halten sollte, nicht gut auf.

Die mächtigen Störe, häufig über drei Manneslängen groß, wanderten im Frühsommer vom Meer, wo sie den größten Teil der Zeit lebten, in die Süßwasserflüsse, um dort zu laichen. Die Bartfäden an der Unterseite des zahnlosen Saugmauls gaben ihnen ein grimmiges Aussehen, doch sie ernährten sich von wirbellosen Tieren und kleineren Artgenossen, die sie vom Grund des Meeres aufstöberten. Die kleineren Dorsche, im allgemeinen schwerer als ein kleines Kind, machten sich jeden Sommer in die oberen Gewässer auf, die flacher waren. Meist hielten sie sich im schlammigen Grund, wo sie ihre Nahrung suchten, aber es kam auch vor, daß sie auf ihren Wanderungen in Süßwassermündungen hineinschwärmten.

Während der zweimal siebentägigen Laichzeit der Störe wimmelte es in den Mündungen von Flüssen und Strömen davon. Zwar erreichten die kleinere Gewässer wählenden Fische an Größe bei weitem nicht die Ungeheuer, die das Wasser der mächtigen Ströme aufwühlten, doch auch mit diesen würden die Clan-Leute alle Mühe haben, sie mit dem Netz ans Land zu ziehen. Als nun die Zeit der Störwanderung näher rückte, schickte Brun jeden Tag einen Mann zur Küste hinunter; und sowie der erste dieser großen Knorpelschmelzschupper den Oberlauf des Flüßchens erreicht hatte, wurde das vereinbarte Zeichen gegeben. Am nächsten Morgen wollte man aufbrechen.

Ayla erwachte mit klopfendem Herzen. Noch vor dem Morgenverzehr hatte sie ihr Schaffell zu einem Bündel gerollt, Essen und Gerätschaften in ihrem Sammelkorb gepackt und die große Tierhaut, die als Wetterschutz dienen sollte, obenauf geladen. Iza verließ die Höhle niemals ohne ihren Medizinbeutel. Sie war noch beim Einpacken, als Ayla aus der Höhle rannte, um zu sehen, ob alles bereit war zum Aufbruch.

»Schnell, Iza«, drängelte das Mädchen, als es wieder hereingelaufen kam. »Wir ziehen gleich los.«

»Nur mit der Ruhe, mein Kind«, beschwichtigte die Medizinfrau. »Das große Wasser läuft uns nicht fort.« Und zog die Schnur an ihrem Beutel zusammen.

Ayla schwang sich den Sammelkorb auf den Rücken und setzte sich Uba auf die Hüfte. Iza folgte ihr hinaus, kehrte aber noch einmal um, schnell nachzusehen, ob auch nichts vergessen war. Immer hatte sie das Gefühl, etwas zurückgelassen zu haben, wenn sie aus der Höhle ging.

Die meisten Clan-Leute hatten sich schon draußen versammelt, und kurz nachdem Iza ihren Platz eingenommen hatte, gab Brun das Zeichen zum Aufbruch. Kaum waren sie ein Stück gegangen, als Uba zu quengeln anfing und hinunter wollte.

Das kleine Mädchen, jetzt drei und einen halben Sommer alt, war schon dabei, die anderen nachzuahmen. Sie wollte auch sein wie diese. Noch vier, fünf Sommer, und sie würde eine Frau sein. In dieser kurzen Zeit des körperlichen Reifens hatte Uba vieles vom Clan-Brauch zu erlernen, und ein inneres Gespür trieb sie, dieses alsbald zu tun, um ihren Pflichten später vollauf zu genügen.

»Gut, Uba«, nickte Ayla, ließ das Kind hinunter und deutete auf ihre Fersen. »Aber bleibe dicht hinter mir.«

Sie folgten dem Bach, der noch immer mächtig angeschwollen war, den Berghang hinunter, schlugen dort, wo das Gewässer seinen Lauf verändert hatte und wo man nicht gehen konnte, einen Bogen und wanderten auf dem neuen Weg weiter. Es war nicht sonderlich beschwerlich, und noch vor Tagesmitte erreichten sie den breitflächigen Strand. Aus Ästen und Stämmen, die das Wasser angetrieben hatte, errichteten sie weit genug hinten, wo die Flut nicht hinlecken konnte, ihren Unterschlupf – jede Familie einen. Feuer wurde entzündet und das Netz noch einmal genau geprüft. Morgen wollten sie den ersten Fischzug machen.

Nachdem die Lagerstätten aufgeschlagen waren, lief Ayla zum Meer, hatte aber noch der Medizinfrau angedeutet: »Ich gehe jetzt ins Wasser, Iza.«

Die Medizinfrau schüttelte sorgenvoll den Kopf.

»Warum gehst du immer ins Wasser, Ayla? Und immer so weit hinaus? Das ist gefährlich!«

»Gut, Iza, ich bin vorsichtig.«

Immer wenn Ayla schwamm, schwitzte Iza vor Angst. Das Mädchen war die einzige im Clan, die gern schwamm. Denn sie war die einzige, die schwimmen konnte. Die Clan-Leute hatten fürchterliche Angst vor dem tiefen Wasser. Um Fische zu fangen, wateten sie zwar hinein, aber nur bis zur Körpermitte. Aylas Vorliebe für das tiefe Wasser war in ihren Augen eine der Eigenarten dieses Mädchens.

Ayla war jetzt im neunten Sommer und größer als alle anderen Frauen, so groß wie mancher Mann; aber noch immer zeigten sich an ihrem Körper keine Male, die merken ließen, daß sie fraulich würde. Manchmal drängte sich Iza die Frage in den Kopf, ob das Mädchen wohl je aufhören würde zu wachsen. Und bei manchen im Clan stieg der Verdacht hoch, ihr starkes männliches Totem verhindere, daß Ayla jemals erblühte.

Creb humpelte zu Iza hinüber, die am Ufer stand und Ayla nachschaute, die ungelenk und schlaksig wirkte mit ihrem langen, schlanken Körper und den hohen, geraden Beinen. Doch ihre Bewegungen waren fließend und geschmeidig. Sosehr sie sich auch bemühte, den tief ergebenen Schlurfeschritt der Clan-Frauen nachzumachen, es gelang ihr nicht. Ihre Beine wollten laufen, wie sie konnten.

Aber nicht nur durch ihren Körper und wie sie ihn hielt,

unterschied sich Ayla von den Clan-Leuten. Sie vertraute auf sich selbst, und das war ein Gefühl, das keine der Frauen je empfunden hatte. Sie war eine Jägerin. Kein Clan-Mann wußte besser mit der Schleuder umzugehen als sie. Ergeben zu sein und nicht einmal zu wissen warum, Schwäche zu zeigen, die sie nicht fühlte – beides war von ihr nicht vorzutäuschen. Ihr hochaufgeschossener, schlanker Körper, dem keine Knospen, geschweige Brüste kamen, und ihre arteigene Zuversicht machten sie in den Augen der Männer unansehnlich und abstoßend.

»Creb«, wandte sich Iza an den Zauberer, »Aba und Aga glauben, sie wird niemals eine Frau werden. Sie glauben, ihr Totem ist zu stark.«

»Gewiß wird sie eine Frau werden, Iza. Glaubst du denn, die Fremdlinge bringen keine Kinder hervor? Sie ist im Clan aufgenommen worden, aber sie ist geblieben, was sie war. Es kann sein, daß die Frauen der anderen später schwellen und reifen. Es gibt Mädchen im Groß-Clan, die erst spät zu Frauen werden«, erklärte der Mog-ur.

Iza war beruhigt. Dennoch wünschte sie inständig, des Mädchens Brust würde endlich zu knospen beginnen. Sie sah, wie Ayla ins Wasser hineinwatete, untertauchte, hochkam und mit den Händen das Wasser zerteilte.

Es war Ayla, als fiel alles Beengende von ihr ab, als sie sich wenig später von der schwachen Dünung des salzigen Wassers schaukeln ließ.

Und als sie noch etwas weiter hinausgeschwommen war, fiel der Grund unter ihr jäh ab. Das Wasser wurde dunkelgrün und plötzlich kälter. Ayla drehte sich auf den Rücken und ließ sich noch eine Weile auf den Wogen treiben. Ein salziger Wellenkamm fuhr ihr über das Gesicht, und sie hustete, spuckte, rollte sich wieder auf den Bauch und schwamm zurück. Die Ebbe hatte eingesetzt. Jetzt zu schwimmen war beschwerlicher. Ein wenig außer Atem erreichte sie schließlich das Seichte. Als sie sich im süßen Wasser des Baches abspülte, spürte sie, wie die kräftige Strömung gegen ihre Beine drückte und den sandigen Grund unter ihren Füßen abtrieb. Am Feuer vor dem Unterschlupf hockte sie sich hin – müde, aber erfrischt.

Nach dem Verzehr starrte Ayla in die Ferne, dahin, wo Wasser und Himmel sich trafen, als wolle sie erkunden, was jenseits davon lag. Schreiende, krächzende Seevögel kreisten am Himmel, schossen herab, als wollten sie sich zu Tode stürzen, zogen, bevor sie das Wasser berührten, den Körper nach oben und verschwanden, einen Fisch im Schnabel, für eine Weile in den Klippen. Die bleichen, verwitterten Stämme einst lebhaft rauschender Bäume stachen windverzerrt in den Abendhimmel. Das endlose blaugrüne Wasser funkelte und sprühte, als die Sonne langsam in ihm versank.

Als sich die Finsternis einer mondlosen Nacht herabgesenkt hatte, brachte Iza Uba in den Unterschlupf und hockte sich neben Ayla und Creb an das kleine Feuer, von dem dünne Rauchfäden zum sternbedeckten Himmel aufstiegen.

»Was ist das, Creb?« Ayla deutete nach oben.

»Das sind Feuer am Himmel. Jedes ist die Feuerstätte vom Geist eines Erdlings der anderen Welt«, erklärte der Mog-ur.

»Gibt es so viele Erdlinge?« fragte Ayla und sperrte die Augen auf.

»Es sind die Feuer aller Erdlinge, die in das Jenseits gegangen sind, und aller Erdlinge, die noch geboren werden. Es sind auch die Feuer der Geister der Totems, aber die meisten Totems haben mehr als eines. Siehst du die dort drüben?« Creb hob die Hand. »Das da ist die Feuerstätte des Großen Bären. Und siehst du die dort?« Creb drehte sich und wies nach hinten. »Das sind die Feuer deines Totems, Ayla, des Höhlenlöwen.«

»Ich schlafe gern im Freien, wo man die kleinen Feuer hoch da oben sehen kann«, sagte Ayla.

»Aber wenn der Wind bläst und der Schnee vom Himmel fällt, dann ist es nicht schön«, gab Iza zurück.

»Uba will auch sehen«, bat das Kind, das plötzlich aus der Dunkelheit im unruhigen Geflacker des Feuers auftauchte.

»Du schläft noch nicht?« wunderte sich Creb.

»Nein. Uba will die kleinen Feuer sehen«, beharrte die Kleine und setzte sich ihm auf den Schoß.

Iza stand auf.

»Es ist Zeit, daß wir uns schlafen legen. Vor uns liegt noch viel Arbeit.« Sie deutete auf das Netz, das an Pfählen aufgehängt war und wie eine schwarze Mauer sich zum Wasser hinzog.

Anderntags breiteten die Clan-Leute in aller Frühe ihr Netz über dem Bach aus. Schwimmblasen, die man den Fischen entfernt, dann sorgsam ausgewaschen und zu harten luftigleichten Gebilden getrocknet hatte, dienten als Auftrieb für die Oberkante des Netzes; Steine an der Unterkante dienten als Gewichte, so daß es aufrecht im Wasser stehen würde. Brun und Droog schleppten das eine Ende zum gegenüberliegenden Ufer. Dann gab der Clanführer das ersehnte Zeichen. Erwachsene und Kinder wateten ins Wasser. Auch Uba wollte mit.

»Nein«, bedeutete ihr Iza, »du bleibst draußen, Uba. Du bist noch nicht groß genug«, und wies zum Feuer.

Die Kleine schüttelte uneinsichtig den Kopf.

»Aber Ona hilft auch.«

Iza wurde ungeduldig.

»Ona ist größer als du, Uba. Nachher kannst du helfen, wenn wir die Fische an Land gezogen haben. Hier ist es zu gefährlich für dich. Sogar Creb bleibt am Ufer. Gehe jetzt zu ihm.«

Enttäuscht wandte sich Uba ab und trottete zurück.

Bedächtig wateten sie ins Wasser, damit es so wenig wie möglich aufgewühlt wurde, und bildeten einen weiten Halbkreis. Man wartete, bis der aufgewirbelte Sand und Schlick sich wieder gelegt hatten. Ayla stand mit gespreizten Beinen, um sich gegen die starke Strömung zu stemmen, und ließ Brun nicht aus den Augen. Sie hatte ihren Platz in der Mitte der Mündung, von beiden Ufern gleich weit entfernt, dem offenen Meer am nächsten. Nicht weit von ihr entfernt glitt ein großer dunkler Schatten durch das Wasser. Die Störe kamen!

Brun hob den Arm. Ein jeder hielt den Atem an. Und im selben Augenblick, als der Clan-Führer den Arm wieder nach unten schwang, fingen alle an zu schreien und auf das Wasser zu schlagen, bis es Schaum sprühte. Gleichzeitig rückten die Clan-Leute immer enger zusammen, verkleinerten ihren Kreis immer mehr, um die Fische ins Netz zu treiben. Vom anderen Ufer wateten Brun und Droog hinzu und schwangen das Netz herum, während die übrigen Clan-Leute mit Gebrüll und Gebärden die Fische daran hinderten, zurück ins offene Meer zu schwimmen. Immer enger zog sich das Netz zusammen, drückte das glitzernde Getümmel schwanzschlagender Fische auf immer kleiner werdendem Raum zusammen. Einige der großen Knorpelschmelzschupper preßten sich gegen die verknoteten Schnüre und drohten auszubrechen. Und noch mehr Hände griffen zum Netz, schoben es zum Ufer hin, während jene, die dort standen, nach Kräften an ihm zogen, um seine zuckende Fülle an Land zu bringen.

Ayla blickte auf und sah Uba, die knietief zwischen wild schlagenden Fischleibern stand und versuchte, zu ihr zu gelangen.

»Uba!« rief sie. »Zurück!« und wies gebietend zum Ufer.

»Ayla! Ayla!« schrie das Kind, auf das offene Meer deutend, »Ona!«

Ayla drehte sich um und sah gerade noch einen dunklen Kopf, der kurz aus dem Wasser emportauchte, ehe er wieder versank. Das Kind war ins Tiefe gekommen und wurde nun aufs Meer hinausgetrieben. Keiner von denen, die da begeistert die Beute zu bergen trachteten, hatte auf Ona geachtet.

Wie ein Otter tauchte Ayla in das aufgewühlte Wasser und strebte mit kräftigen Stößen zum Meer hinaus. Sie schwamm schneller als je zuvor in ihrem Leben. Die rückläufige Strömung half ihr, aber sie trug auch mit gleicher Kraft das kleine Mädchen hinaus. Wieder sah Ayla den dunklen Kopf auftauchen und zog die Arme noch stärker durch. Langsam kam sie Ona näher; Angst schloß sich um ihr Herz, es doch nicht mehr zu schaffen. Wenn Ona die Stelle erreichte, wo der Meeresgrund steil abfiel, dann würde sie von dem gewaltigen Sog unwiderstehlich in die Tiefe gezogen werden.

Das Mädchen war jetzt im Salzwasser. Die Lippen schmeckten das, und die Augen brannten. Zwei Manneslängen vor ihr tauchte der kleine dunkle Kopf noch einmal auf und versank dann. Ayla fühlte plötzlich die schneidende Kälte des Wassers, als sie verzweifelt sich bog und nach unten schnellte. Haarsträhnen kamen ihr in die Finger, die sich fest schlossen und das, was sie hielten, nicht mehr losließen.

Ihr war, als würde ihr die Brust zerbersten. Als sie untertauchte, war zu einem tiefen Atemzug nicht mehr genügend Zeit gewesen. Schwarze Kreise drehten sich in ihrem Kopf, als Ayla endlich den Wasserspiegel durchbrach und das Kind an den Haaren nach oben zerrte. Sie hob Onas Kopf aus dem Wasser, doch wie leblos schwankte der hin und her. Noch nie war Ayla mit einer Last im Arm geschwommen. Doch Ona mußte man so rasch wie möglich an Land bringen und darauf achten, daß ihr Kopf über Wasser blieb. Mit einem Arm ruderte Ayla vorwärts, während sie im anderen das Kind hielt.

Als das Mädchen endlich festen Boden unter den Füßen spürte, sah es, wie der ganze Clan ihr entgegenstürzte. Sie hob Onas schlaffen kleinen Körper aus dem Wasser und übergab ihn Droog. Und jetzt erst spürte sie, wie die Knie ihr zitterten und die schwarzen Kreise ihr Hirn durchrasten. Creb stand schon an ihrer Seite, und als sie mühsam aufblickte, sah sie mit Erstaunen, daß auf der anderen sich Brun befand. Droog rannte voraus, und als Ayla sich schließlich ermattet in den Sand fallen ließ, hatte Iza das kleine Mädchen schon niedergelegt und drückte ihm das Wasser aus dem Leib.

Iza wußte, was zu tun war. Dies war nicht das erste Mal gewesen, daß einer aus dem Clan beinahe ertrunken wäre; schon einige waren den gierig-kalten Fluten zum Opfer gefallen. Heute aber war ihnen ihre Beute wieder entrissen worden. Ona fing plötzlich an zu husten und zu spucken, Wasser rann aus ihrem Mund, und ihre Augenlider flatterten.

»Mein Kind! Mein Kind!« schrie Aga und warf sich zu Boden. Sie umklammerte das kleine Mädchen und hielt es fest.

Droog nahm das Kind aus dem Schoß der Mutter und trug es zur Lagerstätte zurück. Entgegen dem Clan-Brauch rannte Aga neben ihm her, und immer wieder fuhr sie über Wangen und Stirn ihres Kindes, das sie schon verloren geglaubt hatte.

Ungläubige, fragende Blicke folgten Ayla, als sie an den Clan-Leuten vorüberging. Niemand war jemals gerettet worden; wen die Fluten erfaßt hatten, den gaben sie nicht wieder her. Es war höchst wundersam, daß Ona lebend zurückgekehrt war. Nie wieder würde man Ayla bespötteln, wenn sie dieses befremdliche Schwimmen betriebe. Sie hat das Glück auf ihrer Seite, nickten sich die Leute zu. Hat sie nicht immer Glück gehabt? Hat nicht sie die Höhle entdeckt?

Die Fische lagen noch immer in einem zuckenden Haufen am Strand. Einigen war es gelungen, sich ins Wasser zurückzuschnellen, doch die meisten hingen noch im Netz. Schlugen mit den Schwanzflossen wild um sich, denn sie wußten, daß die Luft sie töten würde.

Jetzt machten sich die Clan-Leute daran, sie weiter heraufzuziehen. Mit ihren Keulen schlugen die Männer auf die Köpfe der Fische ein, bis diese sich nicht mehr rührten. Die Frauen begannen, sie auszunehmen und zu säubern.

»Ho!« schrie Ebra laut und deutete auf den Bauch eines riesigen weiblichen Störs, den sie gerade aufgeschlitzt hatte.

Alle rannten zu ihr hin.

Schon wollte Vorn sich eine Handvoll der winzigen, weichen, schwarzen Eier nehmen. Denn zum Brauch war es geworden, daß beim ersten weiblichen Stör, der im Frühling gefangen wurde, alle kräftig zulangten und sich am Rogen gütlich taten, bis sie nicht mehr konnten. Was dann noch übrig blieb und was aus späteren Fängen hinzukam, wurde eingesalzen und auf Vorrat genommen, aber so gut wie frisch aus dem Fisch schmeckte der Rogen nie mehr.

Ebra hielt die Hand des Jungen fest und winkte Ayla.

»Ayla, nimm du zuerst«, forderte sie das Mädchen auf.

Er sah sich unsicher um.

»Ja, Ayla, du zuerst«, bedeuteten ihr nun auch alle anderen.

Das Mädchen blickte auf Brun. Der nickte zustimmend. Scheu trat sie vor und nahm sich eine Handvoll von dem glänzenden schwarzen Rogen. Dann richtete sie sich auf und hob beide Hände an den Mund. Ebra gab ein Zeichen, und nun stürzten sich alle auf den Fisch, um sich ihren Anteil zu holen.

Langsam ging Ayla zurück zum Unterschlupf. Sie wußte, daß man ihr eine Ehre erwiesen hatte. In kleinen, bedächtigen Happen verkostete sie die winzigen Eier des großen Knorpelschmelzschuppers.

Die Frauen hatten die Fische nun zu säubern, einzusalzen und zu dörren. Außer den scharfen Flintsteinmessern, mit denen sie die Fische aufschlitzten und zerteilten, besaßen sie ein besonderes Gerät zum Abschaben der Schuppen. Es war ein Messer, am hinteren Ende abgestumpft, so daß man es gut in der Hand halten konnte, und an der scharfen Spitze mit einer Einkerbung versehen, in die der Zeigefinger zu legen war, um das Messer besser führen zu können. Auf diese Weise konnten die Schuppen entfernt werden, ohne daß die Haut des Fisches verletzt wurde.

Außer Stören hatten sich auch Dorsche, Karpfen, einige große Forellen und sogar Schalentiere im Netz gefangen. Angelockt vom Geruch der Fische segelten die Küstenvögel in Scharen herbei, stürzten sich auf die unnützen Eingeweide und schnappten sich hier und dort ein frisches Stück. Als die Fische dann zum Dörren ausgelegt waren, an der Luft oder über flachen Rauchfeuern, breiteten die Clan-Leute das große Netz zeltartig über ihnen aus. So konnte es trocknen, die Stellen, die geflickt werden mußten, wurden gut sichtbar, und die Vögel konnten dem Clan die hart erkämpfte Beute nicht mehr rauben.

In ein paar Tagen würde ihnen allen der Geruch und Geschmack von Fisch gründlich zuwider sein; an diesem ersten Abend jedoch ließen sie sich ihre Beute genüßlich schmekken. Den Fisch, größtenteils Dorsch, dessen zartes weißes Fleisch bevorzugt wurde, wickelte man in frisches Gras und große grüne Blätter und schmorte ihn.

So wie die Clan-Leute zu ihr waren, mußte Ayla annehmen, daß der Festverzehr ihr zu Ehren stattfand; denn immer wieder drängten die Frauen ihr besonders schmackhafte Bissen auf, und Aga brachte ihr sogar ein fein säuberlich entgrätetes großes Schwanzstück, das sie nur für Ayla zubereitet hatte.

Als die Sonne unterging, zogen sich die meisten an ihre eigenen Feuer zurück. Iza und Aba hockten noch an dem großen gemeinsamen Feuer, das nur noch glühte und die Umsitzenden in dunkles Rot tauchte. Die beiden alten Frauen hatten sich viel zu bedeuten, während Ayla und Aga ruhig dasaßen und Ona und Uba beobachteten, die miteinander spielten. Agas kleiner Sohn Groob schlief satt und zufrieden in den Armen seiner Mutter.

»Ayla«, begann Aga ein wenig zaghaft. »Ich habe dir nicht immer ein freundliches Gesicht gezeigt.«

»Du hast dich immer so gegeben, wie der Clan-Brauch es verlangt, Aga«, gab das Mädchen zurück.

»Aber nicht freundlich«, entgegnete Aga entschieden und holte zu langer Gebärde aus. Droog und sie hätten sich miteinander beraten. Er habe ihre Tochter in sein Herz aufgenommen, obwohl sie am Feuer ihres ersten Gefährten geboren worden sei, und sie wissen lassen, daß Ayla stets etwas von Onas Geist in sich tragen würde. Ihr, Aga, wären die Wege der Geister fremd. Droog kennte sie besser. Denn wenn ein Jäger das Leben eines anderen Jägers rettete, bewahrte er in seinem Inneren etwas von dem Geist des Mannes, den er gerettet habe. Sie würden dann Geschwister. Es machte sie froh, daß Ayla etwas von Onas Geist in sich trüge. In ihrem Herzen bewege sich tiefe Freude, daß Ona noch lebe. Wenn sie ein zweites Kind bekommen und es ein Mädchen sei, würde es Ayla heißen sollen. Das hatte Droog ihr versprochen.

Ayla verschlug es jegliche Gebärde. Sie wußte nicht, was sie darauf erwidern sollte.

Nach einer Weile wehrte sie ab.

»Aga, diese Ehre ist zu groß. Ayla ist kein Name des Clans.«

»Er ist es heute geworden«, gab die Frau zurück, neigte leicht den Kopf, stand auf, winkte Ona und machte sich auf den Weg zu ihrem Unterschlupf.

Dies war die Art der Clan-Leute, voneinander Abschied zu nehmen. Meist unterließ man die Gebärde und ging einfach davon. Ein Zeichen, um sich zu bedanken, gab es auch nicht. Die Erdlinge kannten Dankbarkeit, aber diese Dankbarkeit war meist das Sich-verpflichtet-Fühlen eines Rangniedrigeren dem Ranghöheren gegenüber. Sie halfen sich gegenseitig, weil sie aufeinander angewiesen waren, um überleben zu können. Dank wurde da nicht erwartet. An besondere Geschenke oder Gefälligkeiten war die Verpflichtung zur gleichwertigen Gegenleistung geknüpft, was sich von selbst verstand. Dank war nicht nötig. Und solange Ona lebte, würde sie in Aylas Schuld stehen, es sei denn, es böte sich eine Gelegenheit, Aylas Tat mit gleichem zu vergelten und etwas von Aylas Geist in sich hineinzuholen.

Kurz nachdem ihre Tochter gegangen war, erhob sich auch Aba.

»Iza meinte immer, daß dich der Glücksgeist besonders bedenkt«, bedeutete die alte Frau dem Mädchen im Vorübergehen. »Jetzt glaube ich es.« Aba schlurfte davon.

Ayla rückte zu Iza auf und tat ihr dar, daß Aga sie habe wissen lassen, daß ihrer stets etwas von Onas Geist teilhaftig sein würde. Aber sie habe Ona doch nur zurückgeholt, und Iza habe sie zum Atmen gebracht. Auch sie habe ihr das Leben gerettet. Ob sie nicht auch etwas von Onas Geist in sich trüge?

Die Medizinfrau setzte sich etwas auf, schaute kurz zum sternenübersäten Himmel und begann mit beredter Bewegung: »Unsereins trägt den Geist aller Männer und Frauen des Clans in sich, Ayla. Deshalb habe ich meinen eigenen Rang. Durch ihren eigenen Clan trägt die Medizinfrau sogar den Geist des Groß-Clans in sich. Sie hilft den späteren Männern und Frauen des Clans, das Leben zu erblicken, und ist für sie da, bis sie ins Reich der Toten gehen. Wenn eine Frau zur Medizinfrau wird, dann wird ihr etwas vom Geist aller zuteil.« Iza schaute das Mädchen ernst an und fuhr fort: »Und wenn ein Mann oder eine Frau gestorben ist, dann wird der Medizinfrau wieder etwas von diesem Geist genommen. Manche meinen, daß eine Medizinfrau nur deshalb so hart kämpft, um das Lebensfeuer in den Körpern zu bewahren; aber die meisten sorgen sich einfach darum, weil so sich zu verhalten ihnen einfach im Blut liegt. Nicht jede Frau kann Medizinfrau werden; nicht jede Tochter einer Medizinfrau kann es werden. Sie muß tief da drinnen etwas haben«, Iza zeigte mit der Rechten auf ihr Herz, »das sie treibt, anderen helfen zu wollen. Dir ist es gegeben, Ayla. Deshalb habe ich dich unterwiesen. Ich habe es gleich gemerkt, als du vor langer Zeit dieses Kaninchen in die Höhle brachtest. Und heute morgen hast du nicht daran gedacht, daß dich das große Wasser auch verschlingen könnte. Du wolltest nur Onas Leben retten. Wenn du eine Medizinfrau wirst, Ayla, dann bist du von meinem Stamm. Und die von meinem Blut haben den höchsten Rang im Clan.«

Das Mädchen glaubte, nicht richtig gesehen zu haben und deutete zurück.

»Aber ich bin doch nicht deine eigene Tochter, Iza. Wie kann ich denn da von den Deinen abstammen? Zurückzuschauen in die fernste Ferne der Vergangenheit vermag ich nicht. Ich weiß nicht einmal, was vorher war, bevor du mich gefunden hast.«

Mit ruhigem Ernst entgegnete Iza, daß ihr Stamm deshalb den höchsten Rang habe, weil die Medizinfrauen ihres Blutes immer die besten gewesen seien, ihre Mutter und deren Mutter und die Mutter von jener und wieder die Mutter davor. Die eine hatte der anderen, die folgte, weitergegeben, was sie wußte und gelernt hatte. Ayla gehöre zum Clan; sie sei ihre Tochter, von Creb, dem Mog-ur, benamst und von ihr unterwiesen. Und deshalb solle sie alles Wissen bekommen, das sie ihr geben könne. Es wäre möglich, daß es nicht alles sei, was sie wisse, aber es würde genügen, weil Ayla besonders begabt sei im Kopf. Sie, Iza, glaube, daß das Mädchen selbst ein neuer Zweig an einem Stamm von Medizinfrauen würde.

Sie habe zwar nicht die Gabe zurückzublicken, sie könne aber sehen und fühlen, was andere schmerzte. Und da sie wisse, wo das Weh wäre im Körper, könne sie helfen. Sie habe ihr auch nicht befehlen müssen, Schnee auf Bruns Arm zu legen, als Oga ihn verbrühte. Es könnte sein, daß sie, Iza, dies auch getan hätte. Aber Aylas Gabe, vorauszusehen und zu -deuten, sei wahrlich besser, als das innere Auge zurückzulenken.

Im Leben der Leute am Strand stellte sich nach und nach das gewisse Gleichmaß ein, wie oben in der Höhle. Morgens zogen die Clan-Leute aus und fingen Fische; den Rest des Tages verbrachten die Frauen damit, das Erbeutete zu säubern und zu dörren. Ona durfte nicht mehr ins Wasser hinaus, und ein weiteres Unglück gab es nicht. Gegen Ende der Laichzeit fielen die Fangzüge nicht mehr so reichlich aus, und die Frauen waren weniger belastet. Die Reihe der Gestelle, auf denen die Fische dörrten, wurde von Tag zu Tag länger.

Droog hatte das Schwemmland gründlich nach Flintsteinknollen abgesucht und mehrere Brocken zum Lagerplatz zurückgeschleppt. Oft hockte er am Nachmittag da und arbeitete an neuen Werkzeugen.

So sah Ayla zu, wie der Alte ein Bündel aus seinem Unterschlupf holte und es zu einem verwitterten Baumstamm hinübertrug, wo er sich, um sich von Zeit zu Zeit mit seinem Rücken anzulehnen, meist niedersetzte. Das Mädchen schaute ihm gerne zu und folgte ihm. Mit gesenktem Kopf setzte es sich vor ihm nieder.

»Ich möchte zusehen, wenn der Werkzeugmacher nichts dagegen hat«, bedeutete sie ihm.

»Hm.« Droog neigte zustimmend den Kopf.

Ayla suchte sich einen Platz auf dem Baumstamm und beobachtete ihn still.

Schon früher hatte das Mädchen ihm zugesehen. Droog wußte, daß es begierig war zu wissen, wie er die Werkzeuge machte, und daß sie ihn nicht von seiner Arbeit ablenken würde. Hätte doch nur Vorn dieses Verlangen gezeigt, ging es ihm durch den Kopf. Keiner der Clan-Jungen wollte Werkzeuge fertigen, geschweige es erlernen, und dabei hätte Droog doch sein Geschick und seine Kenntnis gern geteilt und jemandem weitergegeben.

Seine einzige Hoffnung war der kleine Groob. Es machte ihn froh, daß seine neue Gefährtin so bald nach Ona durch seinen Geist einen Jungen geboren hatte. Er war es jetzt zufrieden, Aga und ihre beiden Kinder an seine Feuerstätte genommen zu haben. Selbst ihre alte Mutter war so lästig nicht. Aba kümmerte sich um ihn, wenn Aga mit dem Säugling beschäftigt war. Anfangs hatte es Droog einigen Kampf gekostet, sie an ihren Platz zu verweisen. Doch Aga war jung und gesund und hatte ihm einen Sohn hervorgebracht, den Droog zum Werkzeugmachen auszubilden hoffte. Den Stein zu bearbeiten, hatte er vom Gefährten der Mutter seiner Mutter gelernt; und man konnte in Droog selbst die Freude nachfühlen, die damals der alte Mann im Herzen gehabt, als er für diese Fertigkeiten sich begeisterte.

Ayla war jedoch schon oft bei ihm gewesen, und er hatte die Werkzeuge gesehen, die ihre Hände aus dem Stein geschlagen hatten. Sie waren vielseitig im Schlagen, Spänen und Raspeln. Den Frauen war es zwar gestattet, Werkzeug anzufertigen, solange es nicht als Waffe verwendet werden sollte. Doch es hatte nicht viel Wert, darin ein Mädchen zu unterrichten; doch Ayla besaß einiges Geschick, machte brauchbares Werkzeug, und Ayla war ein Mädchen, das von ihm lernen wollte, lieber als niemand.

Der Alte öffnete das Bündel und breitete die Tierhaut aus, in die er sein Arbeitsgerät eingeschlagen hatte. Von unten warf er Ayla einen forschenden Blick zu und beschloß, ihr klarzumachen, woraus der Stein bestünde und wie er beschaffen sei. Er griff zu einem unbrauchbaren Stück, das er gerade gestern weggeworfen hatte.

Ayla beobachtete Droog mit gespannten Blicken, als er ihr mit Händen und Fingern und feinen oder auch ausgreifenden Gebärden Erklärungen gab.

Zunächst einmal, zeigte er ihr, muß ein Gestein hart genug sein, um das Benötigte tierischer und pflanzlicher Art zu schneiden, schaben oder zerteilen zu können. Viele der kieselsauren Steine aus der Erdkruste besaßen die nötige Härte; doch der Flintstein zeigte sich besonders eigen. Er war zerbrechlich oder zersprang unter Druck oder bei Erschütterung.

Ayla fuhr erschrocken zurück, als Droog den Stein fest mit einem anderen zusammenstieß. Der Stein zerbrach; in seinem glänzend dunkelgrauen Inneren zeigte sich ein andersartiges Gestein.

Droog wußte nicht recht, wie er ihr die dritte Eigenheit von Flintstein nahebringen sollte. Er selbst wußte nur um sie aus einem tiefen Gespür heraus, das sich durch das ständige Arbeiten mit dem Gestein entwickelt hatte. Die dritte Eigenheit zeigte sich in der Art, wie der Stein brach.

Da die meisten Steine in ebenen Flächen, gleichlaufend zu ihrem kristallinen Aufbau brachen – also nur in einer bestimmten Richtung –, waren sie nach des Werkzeugmachers

Willen nicht formbar. Manchmal, wenn er es finden konnte, verwendete Droog das schwarze glasige Gestein aus feuerspeienden Bergen, das viel weicher war und sich ohne Schwierigkeit rundum bearbeiten ließ.

Der kristallische Aufbau von Flintstein war so fein, daß es auch hier leicht möglich war, den Stein zu formen, wie man wollte, ohne dabei Unerwünschtes herauszubrechen, wenn der Bearbeiter es geschickt genug anstellte. Und doch war Flintstein so hart, daß man damit dicke Tierhäute oder zähe Pflanzen durchschneiden konnte, und andererseits so spröde, daß es scharfkantig brach.

Dies alles machte Droog dem Mädchen deutlich, als er eines der abgesprungenen Stücke des Steins aufhob und auf die Kante wies; Ayla brauchte sie nicht zu berühren, um zu wissen, wie scharf sie war. Häufig genug hatte sie mit Messern dieser Schärfe geschnitten.

Droog ließ das abgebrochene Steinstück fallen und breitete die Tierhaut auf seinem Schoß aus. Durch die Jahre hindurch hatte er seine frühen Kenntnisse durch Erfahrung und Wissen erweitert und geschärft. Schon bei der Auswahl eines Steins zeigte sich, wie fähig man war. Man brauchte ein geübtes Auge, um die geringen Farbabweichungen in der weißlichen äußeren Umhüllung wahrzunehmen, die auf feinkörnigen Flintstein von guter Beschaffenheit hinwiesen. Man brauchte Zeit, um das Gespür zu entwickeln, daß die Brokken und Knollen da oder dort besser und frischer waren und weniger Fremdes einschlossen. Während Droog dies alles Ayla deutlich machte, wünschte er, daß er eines Tages vielleicht doch einen richtigen Lehrling hätte, der es wie er verstehen würde, auf diese Feinheiten zu achten.

Ayla glaubte, der Alte hätte sie schon vergessen, als er seine Geräte ausbreitete, sorgsam die Steine musterte, schließlich die Hände sinken ließ, um ganz still dazusitzen und mit geschlossenen Augen sein Amulett zu halten. Es überraschte sie, als er die Arme wieder hob und sie in seine Arbeit einwies.

»Die Werkzeuge, die ich mache, haben hohe Bedeutung. Der Clan-Führer hat beschlossen, im Herbst das Mammut zu jagen. Wenn die Blätter fallen, werden wir dorthin ziehen, wo es niemals richtig warm wird und das Mammut lebt. Wir brauchen Glück für die Jagd und den Beistand der Geister. Die Messer, die ich mache, werden als Waffe dienen, und mit dem anderen Werkzeug und Gerät, das ich auch machen muß, werden neue Waffen für diese große Jagd gefertigt. Der Mog-ur wird einen mächtigen Zauber über sie verhängen, damit sie uns Glück bringen; und wenn mir die Arbeit leicht von der Hand geht, wird das ein günstiges Vorzeichen sein.«

Ayla war sich nicht sicher, ob Droogs bedächtige Handzeichen an sie gerichtet waren oder ob er mit sich selber redete. Sie wußte nur, daß sie sich still zu verhalten hatte und nichts tun durfte, was Droog bei seiner Arbeit stören konnte. Fast erwartete sie, von nun an fortgeschickt zu werden.

Sie wußte nicht, daß Droog, seit sie damals Brun die Höhle gezeigt hatte, des festen Glaubens war, sie trüge das Glück mit sich, und daß sie Ona das Leben gerettet, hatte ihn nur in dieser Überzeugung bestärkt. Das fremde Mädchen war ihm wie ein ungewöhnlicher Stein erschienen, den man von seinem Totem erhalten hatte und hinfort in seinem Amulett mit sich trug. Es dünkte ihn, es müßte sich günstig für ihn erweisen, wenn er sich von Ayla bei seiner Arbeit zusehen ließ. Aus dem Augenwinkel bemerkte Droog, wie sie nach ihrem Amulett griff, als er den ersten Steinbrocken vom Boden aufhob. Es war, als riefe sie ihr mächtiges Totem an, ihm eine glückliche Hand zu geben.

Droog hockte auf dem Boden, die Tierhaut über seinen Schoß gebreitet, in der linken Hand den Flintsteinbrocken. Er griff nach einem oval geformten Stein und wog ihn in der Hand, bis er den Fingern gut zum Greifen lag. Lange hatte er nach einem Schlagstein gesucht, der genau in seine Hand paßte und weich zurückprallte, wenn er aufschlug. Diesen besaß er nun schon seit Jahren. Die vielen Schrunden zeugten vom langen Gebrauch. Mit dem Schlagstein klopfte Droog die graue Kreidehülle ab und legte den dunkelgrauen Flintstein bloß. Als das getan war, hielt er inne, um das Gestein zu prüfen. Beschaffenheit und Farbe waren gut, Einschlüsse waren nicht vorhanden. Danach machte er sich daran, die Grundform einer Handaxt herauszuhauen. Die groben Splitter, die zu Boden fielen, hatten scharfe Kanten;

viele würden so, wie sie vom Stein gefallen waren, als Schneidezeug verwendet werden. Am Ende jedes Splitters, dort wo der Schlägel das Gestein traf, befand sich eine verdickte Stelle, die zum anderen Ende hin dünner wurde; und jeder Steinspan, der da absprang, hinterließ in dem Flintsteinknollen eine tiefe, geriffelte Schrunde.

Droog legte den Steinschlägel aus der Hand und griff zu einem Knochen. Nachdem sein Auge Maß genommen hatte, schlug er gegen den Flintstein, sehr nahe dem scharfen, geriffelten Rand. Unter dem weicheren Bein-Schlägel sprangen längere, dünnere Splitter ab, die gleichmäßige Ränder hatten. Mit dem Steinschlägel hätte er die dünne Kante, die er herausgearbeitet hatte, gröblich zerschlagen.

Und dann hielt Droog das fertige Werkzeug hoch. Das Handbeil war handspannenlang, an einem Ende zugespitzt; die Kanten waren scharf und gerade, die beiden Seiten glatt. Nur flache Schrunden zeigten, wo der Stein herausgehauen worden war. Holz war damit zu schlagen wie mit einer Axt; auch konnte man damit, einem Querbeil ähnlich, einen Holzklotz aushöhlen, um eine Schüssel herzustellen, oder den Stoßzahn eines Mammuts abschlagen oder die Knochen eines Tieres zerschlagen. Es war für alles zu verwenden, wozu ein scharfes Schlagzeug nötig war.

Droog sah den Splitterhaufen durch und suchte mehrere Splitter heraus, die breite, scharfe Schneidekanten hatten. Bedächtig legte er sie auf die Seite. Sie gaben Hackmesser ab beim Schlachten und taugten zum Aufschlitzen zäher Häute.

Nun wandte Droog sich einem anderen Flintsteinknollen zu, den er wegen des besonders feinen Korns mitgenommen hatte. Ihm war jetzt warm geworden, die Arbeit hatte ihn gepackt. Als Unterlage zog er sich den hornig-harten Fuß des Mammuts zwischen die Beine und legte den Flintsteinknollen darauf. Mit seinem Steinschlägel fing er an, ihn so aus seiner Kreideschicht zu lösen, daß eine abgeflachte Form verblieb, die Eierähnlichkeit bekam. Dann drehte er den Stein auf eine Seite, nahm den Beinschlägel und schlug von oben und von außen nach innen lange, dünne Splitter ab, bis der Stein oben glatt und abgeplattet war.

Dann hielt Droog inne. Er legte eine Hand um sein Amulett

und schloß die Augen. Glück mußte Geschicklichkeit begleiten, wenn die nächsten, alles entscheidenden Schläge gelingen sollten. Er streckte beide Arme aus, krümmte und streckte mehrmals seine Finger und griff wieder zum beinernen Schlägel. Ayla hielt den Atem an. Am einen Ende der eiförmigen Platte galt es, einen kleinen Splitter herauszuhauen, um eine Einkerbung zu schaffen, deren Fläche in gerader Richtung zu dem Splitter verlief, den er abschlagen wollte. Diese Schlagfläche mußte sein, um sicherzustellen, daß der Splitter sauber und mit scharfen Kanten abspringen würde. Droog musterte prüfend beide Enden der ovalen Oberfläche, entschied sich für eines, nahm genau Maß und schlug zu. Sein Atem, den er angehalten hatte, drang pfeifend und erlöst heraus, als der kleine Splitter krachend absprang. Er hielt den Stein fest auf der Unterlage, schätzte Entfernung und Aufschlag und hieb mit dem beinernen Schlägel in die Kerbe hinein. Ein nützlich geformter Splitter löste sich; lang und oval, mit scharfen Rändern, außen abgeflacht, nach innen zu ganz leicht gerundet.

Droog betrachtete nochmals prüfend den Formkern, drehte ihn und schlug am anderen Ende ebenfalls einen Splitter heraus, um eine zweite Kerbe zu erhalten. Dann hieb er wieder zu – ein neuer Splitter sprang zu Boden; nahm wieder Maß und hob den Arm. In kürzester Zeit hatte Droog auf diese Weise sechs Splitter aus dem Stein herausgemeißelt. Sie waren alle länglich oval und verjüngten sich an einem Ende fast zu einer Spitze. Er prüfte die Splitter genau, bevor er sie in eine Reihe nebeneinander legte. Jetzt war ihnen noch der letzte Schliff zu geben, damit sie zu Geräten wurden, die einen bestimmten Nutzen haben sollten.

Vorsichtig schlug Droog mit einem kleinen, etwas abgeplatteten runden Stein eine scharfe Kante des Splitters ab, damit die Spitze herausgearbeitet und die Oberseite abgestumpft war, so daß man das Messer halten konnte, ohne sich an der Klinge zu schneiden. Aus schmalen Augenschlitzen musterte er das Messer, hieb hier und da noch ein Winziges ab, legte es dann befriedigt aus der Hand und griff zum nächsten Splitter.

Dieser, den Droog wählte, war größer. Die eine Kante war

beinahe gerade. Droog stemmte den Splitter gegen die Unterlage und drückte mit einem kleinen Knochen ein winziges Stück aus dem Klingenrand heraus. Mehrmals wiederholte er dieses, bis die Klinge grob gezähnt war. Die Oberkante wurde abgestumpft und die Steinsäge war fertig. Droog nickte zufrieden und legte sie weg.

Mit demselben kleinen Knochen bearbeitete er dann die scharfe Kante eines kleineren, stärker gerundeten Splitters, bis eine steile Wölbung nach außen entstand, ein kräftiger Schaber mit nicht allzu scharfer Klinge, der nicht so leicht abbrach, wenn man Tierhäute oder Holz zu glätten hatte, und keine Schnitte in die Häute machte. Einen anderen Splitter versah er mit einer einzigen, tiefen Kerbung. Er würde besonders zum Formen von Speerspitzen taugen. Beim letzten Splitter, der am dünneren Ende zu einer scharfen Spitze zusammenlief, jedoch ziemlich gewellte Ränder hatte, stumpfte er eine Seite ab, ließ aber die Spitze. Das Werkzeug konnte als Ahle dienen, um Löcher in Tierhäute zu stechen, oder zum Bohren verwendet werden, um Holz oder Knochen mit Löchern zu versehen.

Noch einmal betrachtete Droog die Gerätschaft, die er gefertigt hatte. Dann winkte er Ayla. Er reichte ihr, die immer noch große Augen machte, den Schaber und einen der breiten scharfkantigen Splitter, die beim Fertigen der Handaxt abgefallen waren.

»Die kannst du haben«, bedeutete er ihr. »Du kannst sie vielleicht gebrauchen, wenn du mit uns das Mammut jagen gehst.«

Aylas Augen leuchteten. Sie hielt die Werkzeuge so behutsam in den Händen, als wären es die kostbarsten Geschenke. Werden die Männer mich wirklich auserwählen, sie auf die Mammutjagd zu begleiten, dachte das Mädchen. Denn gewöhnlich folgten nur Frauen den Männern auf die Jagd. Doch sie war schon so groß wie eine Frau und in diesem Sommer eh schon einige Male mit den Jägern ausgezogen. Vielleicht nehmen sie mich mit, wünschte sich Ayla und bedankte sich bei Droog.

»Dies hier will ich sorgsam aufbewahren, bis die Zeit der Mammutjagd gekommen ist. Und wenn ich ausersehen werde, die Jäger zu begleiten, dann will ich sie zum erstenmal zum Häuten und Zerlegen dieses Tiers benutzen.«

Droog brummte zustimmend. Dann schüttelte er die Haut aus, die über seinen Schoß gebreitet war, legte seine Unterlage, den Steinschlägel, den Beinschlägel und das übrige Werkzeug drauf, wickelte alles zusammen und band es sorgsam mit einer Schnur. Er sammelte die neuen Geräte auf und schlurfte hinüber zu dem Unterschlupf, den er mit seiner Familie teilte. Heute würde er nichts mehr tun, obwohl es noch nicht dunkelte. Es war ihm gut von der Hand gegangen; man sollte sein Glück nicht zu sehr versuchen.

Als Ayla zu Crebs Wohnkreis zurückkehrte, jubelte sie: »Iza! Iza! Schau, was Droog mir geschenkt hat! Ich durfte zusehen, wie er sie machte.«

Vorsichtig legte das Mädchen die Geräte ab und schilderte weiter: »Er hat mir bedeutet, daß die Jäger bald, wenn die Blätter fallen, das Mammut jagen wollen. Er macht ihnen Werkzeuge, damit sie sich neue Waffen fertigen können. Er meinte, ich könnte diese hier vielleicht gebrauchen, wenn ich die Jäger begleiten darf. Glaubst du, sie werden mir erlauben mitzugehen?«

Iza hob die Arme und meinte: »Kann sein, Ayla. Aber was freust du dich so? Es wird dort harte Arbeit geben. Man muß das viele Fett auslassen und das Fleisch dörren. Du ahnst nicht, wieviel Fleisch und Fett so ein Tier hat. Es ist ein weiter Weg, bis man auf Mammuts trifft. Und wenn eines erjagt ist und verarbeitet, muß alles zurückgetragen werden.«

»Das macht mir nichts aus, wenn es harte Arbeit ist. Ich habe noch nie ein Mammut gesehen. Nur einmal in der Ferne vom Grat aus. Ich möchte mit, Iza.«

»Diese Tiere kommen nicht oft so weit herunter nach Mittag. Sie mögen die Kälte. Und wenn es hier grün ist, dann ist es ihnen zu heiß. Und wenn hier Schnee liegt, dann ist es ihnen zu hoch«, erklärte die Medizinfrau.

»Glaubst du, die Jäger nehmen mich mit, Iza?« bohrte das Mädchen weiter.

»Brun sagt mir nicht, was er vorhat, Ayla. Ich wußte nicht einmal, daß die Männer das Mammut jagen wollen. Du weißt mehr als ich«, gab Iza zurück. »Aber Droog hätte dich wohl nichts davon wissen lassen, wenn keine Aussicht darauf bestünde. Du hast Ona aus dem großen Wasser gezogen. Droog will es dir danken. Deshalb hat er dir die Werkzeuge gegeben und hat dir die Jagd angedeutet. Droog ist ein guter Mann, Ayla. Freue dich, daß er dich seiner Gaben würdig findet.«

Ayla strahlte.

»Ich hebe sie auf bis zur Mammutjagd. Dann erst will ich sie benützen.«

13

Das Mammut zu jagen, so wie die Clan-Männer es für den Frühherbst sich vorgenommen hatten, war höchst gefährlich und gewagt. Im Clan summte es allenthalben vor Erregung, und eine große Geschäftigkeit hob an. Alle gesunden und kräftigen Männer und Frauen sollten am Jagdzug zum oberen Ende der Halbinsel, dort, wo sie sich mit dem Festland vereinigte, teilnehmen. Während der langen Tage des Wanderns und der Suche nach den Mammuts blieb keine Zeit mehr für die Jagd auf andere Tiere. Es war auch nicht sicher, daß die Clan-Leute überhaupt Mammuts vorfinden würden, wenn sie dort oben angekommen waren; und man konnte sich auch nicht darauf verlassen, daß es den Jägern gelingen würde, falls sie sie tatsächlich aufstöbern sollten, eines der riesigen Tiere zu erlegen. Erwägenswert war ein solches Unterfangen nur, weil, wenn es erfolgreich war, der Clan für lange Zeit Fleisch und Fett erhalten würde.

Viel häufiger als sonst zogen die Jäger in diesem Sommer hinaus, denn es galt, genügend Fleischvorrat für die kommende Kältnis anzulegen, um nicht durch einen schlechten Ausgang ihrer Jagd dem Hunger preisgegeben zu sein. Und das nächste Miething des Groß-Clans war nur noch zwei Sommer entfernt, und während dieser Zeit würde zur Jagd kaum Gelegenheit sein; die lange Wanderung zur Höhle des Nachbar-Clans, an dessen Feuern gefeiert werden sollte, und der mühsame Rückweg zur heimischen Höhle würden die

Tage auffressen. Brun kannte das aus Erfahrung und hatte deshalb beschlossen, jetzt noch verstärkt zu jagen, zu sammeln und zu lagern. Und wenn sie dann ausreichend Nahrung in der Höhle hatten und noch dazu ein Mammut erlegen konnten, dann hatten sie fast gänzlich ausgesorgt. Gedörrtes Fleisch, getrocknete Pflanzen, Früchte und Körner hielten sich gut zwei Sommer, wenn man wußte, wie sie richtig zu lagern waren.

Nicht nur die Flammen der Erregung schlugen hoch in den Herzen der Clan-Leute; es glühte auch ein tiefer Aberglaube mit. So sehr machte man den Jagderfolg vom Glück abhängig, daß schon im geringsten Tun und Lassen Vorgezeichnetes gesehen wurde. Ein jeder bedachte gründlich jede einzelne seiner Verrichtungen und ließ bei allem, was er tat, das auch nur im entferntesten die Geister auf sich beziehen konnten, besondere Vorsicht walten. Niemand wollte sich des Frevels zeihen lassen, er hätte einen der Geister so erzürnt, daß er dann Unglück über diese Unternehmung bringen würde.

Die Männer versammelten sich oftmals zu Feiern, um die Unsichtbaren günstig zu stimmen, und der Mog-ur half mit glückbringendem Zauber und magischen Gebilden, die er aus den Gebeinen in der kleinen Höhle fertigte. Ging etwas glatt, so wurde das als gutes Zeichen angesehen; lief etwas schief, so war das Anlaß zu Besorgnis und Beängstigung. Und Brun fand von dem Tage an, als er auf Mammutjagd zu gehen entschieden hatte, fast kaum noch einen ruhigen Schlaf. Manchmal wünschte er, der Befehl wäre nie gegeben worden.

Er berief die Männer in seinen Wohnkreis, um miteinander zu beraten, wer mitziehen und wer hierbleiben sollte, denn die heimische Höhle war zu schützen, während sie bar jeglicher Jäger war.

»Mein Herz rät mir, einen der Jäger zurückzulassen«, begann der Clan-Führer mit klarer Gebärde. »Einen vollen Mond werden wir fort sein, vielleicht auch zwei. Das ist zu lang, um die Höhle ohne Schutz zu lassen.«

Die Jäger schauten zu Boden. Keiner wollte von dieser Jagd sich ausgeschlossen fühlen. Sie hatten Angst, daß der, den des Clan-Führers Auge traf, ausgewählt werden würde zurückzubleiben.

»Brun, du brauchst alle deine Jäger«, bedeutete der alte Zoug. »Meine Beine sind zwar nicht mehr schnell genug, um das Mam-Mut zu hetzen, aber mein Arm ist noch kräftig und stark, einen Speer zu stoßen. Die Schleuder ist nicht die einzige Waffe, die ich gebrauchen kann. Dorvs Augen sind trübe geworden, aber die Kraft seiner Arme ist nicht geschwächt. Immer noch kann er eine Keule schwingen oder den Speer stoßen. Und solange vor der Höhle das Feuer lodert, wagt kein Tier sich allzu nahe heran. Hab keine Sorge um die Höhle. Wir können sie beschützen. Du mußt alle deine Sinne auf die Mam-Mut-Jagd richten. Es ist nicht an mir zu entscheiden, aber ich rate dir, alle Jäger mitzunehmen.«

»Ich denke wie er, Brun.« Dorv deutete auf Zoug, beugte sich vor und kniff ein wenig die Augen zusammen: »Zoug und ich wollen die Höhle schützen, während ihr fort seid.«

Bruns Blick wanderte von Zoug zu Dorv und wieder zurück. Eigentlich hatte auch er keinen seiner Jäger zurücklassen wollen. Denn die Jagd würde sehr schwer und gefährlich werden.

»Recht hast du, Zoug«, bedeutete der Clan-Führer schließlich dem alten Mann. »Du und Dorv, ihr könnt nicht mehr mit auf Mam-Mut gehen, ihr seid aber Manns genug, die Höhle zu bewachen. Es ist ein Glück für den Clan, daß ihr beide noch so kräftig seid, und es ist ein Glück für mich, daß du, Zoug, der du unter dem Clan-Führer vor mir der Stammeszweite warst, noch unter uns weilst und mir mit deinem Weitblick helfen kannst.«

Die bange Anspannung unter den Jägern löste sich. Jetzt würde keiner von ihnen zurückbleiben müssen. Sie fühlten mit den beiden Alten, die an der großen Jagd sich nicht beteiligen konnten; doch waren sie auch wieder froh, daß niemand von ihnen die Höhle zu bewachen hatte.

Fest stand auch, daß der Mog-ur nicht mit ihnen ziehen würde, er war kein Jäger. Doch Brun, der gelegentlich gesehen hatte, mit welcher Kraft der alte Krüppel seinen Stock zu schwingen wußte, reihte ihn im stillen unter die Beschützer ihrer Höhle ein. Und diese drei alten Männer würden sich zusammen so gut schlagen können wie einer seiner Jäger.

»Und nun zu den Frauen. Welche nehmen wir mit?« fragte Brun. Er hielt inne mit der Hand und sagte: »Ebra.«

»Uka auch«, bedeutete Grod. »Sie ist kräftig und erfahren und hat keine kleinen Kinder.«

»Gut«, nickte Brun und fragte: »Ovra?«, wobei er Goov mit einem strengen Blick bedachte.

Des Mog-urs Gehilfe gab seine Zustimmung.

»Was ist mit Oga?« wollte Broud wissen. »Brac läuft schon und braucht sie bald nicht mehr.«

Brun bedachte es einen Augenblick.

»Gut. Die anderen Frauen können auch mit helfen, sich um den Jungen zu kümmern. Und Oga ist flink bei der Hand mit allem. Wir nehmen sie mit.«

Brouds Rücken straffte sich. Es tat ihm wohl, daß seine Gefährtin beim Clan-Führer gut angesehen war; das hieß, daß er sie gut gezogen und soeben ein Lob dafür bekommen hatte.

»Doch einige müssen zurückbleiben und die Kinder versorgen«, entschied Brun. »Was ist mit Aga und Ika? Groob und Igra sind doch noch zu klein, um diesen weiten Weg zu schaffen.«

»Aba und Iza können sie versorgen«, bedeutete Crug. »Igra macht Ika nicht mehr viel Mühe.«

Die meisten Männer hatten auf einem großen Jagdzug gern ihre eigenen Gefährtinnen dabei, um nicht auf andere Frauen angewiesen zu sein.

»Soweit ich weiß«, mischte Droog sich ein, »möchte Aga diesmal lieber nicht mitziehen. Sie hat drei Kinder, und auch wenn sie Groob mitnimmt, würde Ona sich ohne sie verlassen fühlen. Aber Vorn möchte mit uns kommen.«

»Aga und Ika sollen bleiben«, entschied Brun. »Und auch Vorn. Er ist noch nicht alt genug zur Jagd und wird bestimmt nicht darauf brennen, ständig nur den Frauen zu helfen. Für ihn kommt auch die Zeit.«

Der Mog-ur, der sich bis dahin nicht gemeldet hatte, hielt den Augenblick für günstig, das, was er dachte, kundzutun.

»Iza ist zu schwach, um mit euch zu ziehen. Sie muß bleiben und für Uba sorgen. Aber Ayla kann euch begleiten.«

»Sie ist ja noch nicht einmal eine Frau«, fuhr Broud mit heftiger Hand dazwischen. »Und die Geister zürnen bestimmt, wenn diese Fremde uns begleitet.«

»Sie ist größer als eine Frau und ebenso kräftig«, hielt ihm Droog entgegen. »Sie kann hart arbeiten, hat geschickte Hände, und die Geister haben ihr immer ihre Gunst gegeben. Denk an die Höhle. Und an Ona. Mein Herz sagt mir, daß sie uns Glück bringen wird.«

Bruns Hand entschied: »Droog hat recht. Sie arbeitet flink und ist so kräftig wie eine Frau. Und Iza hat sie im Heilzauber unterwiesen. Das kann für uns von Nutzen sein. Wenn die Medizinfrau nicht so entkräftet wäre, ich würde lieber sie mitnehmen. So aber kommt eben Ayla mit.«

Ayla war so aufgeregt, als sie erfuhr, daß man sie auf die Mammutjagd mitnehmen wollte, daß sie unablässig Iza mit Fragen überschüttete, was mitzunehmen sei und wann es losgehen sollte. Und ständig war sie nur am Packen, kippte dann den Korb wieder aus und fing von vorne an.

»Nimm nicht zuviel mit, Ayla«, mahnte die Medizinfrau. »Auf dem Rückweg wirst du viel schwerer zu tragen haben, wenn die Jagd gelingt. Hier ist etwas für dich, was du auf alle Fälle bei dir haben solltest. Ich habe es eben fertig gemacht.«

Tränen der Freude sprangen Ayla in die Augen, als sie den Beutel sah, den Iza ihr hinhielt: Er war aus einem Otter gefertigt; Fell, Kopf, Schwanz und die Beine waren unversehrt. Iza hatte Zoug gebeten, ihr einen zu beschaffen, und das Geschenk in Droogs Wohnkreis versteckt gehalten.

»Iza!« rief das Mädchen. »Ein Medizinbeutel – für mich?« Stürmisch umarmte es die Frau.

Schnell hockte Ayla sich nieder, zog all die kleinen Beutel aus der Tasche und legte sie in Reihen vor sich hin, wie Iza das so oft gemacht hatte; öffnete jeden einzelnen, beschnupperte, was darin war, und verschloß sie schließlich mit genau den gleichen Knoten, die auch die Medizinfrau geschlungen hatte.

Es war recht schwierig, all die getrockneten Kräuter und Wurzeln allein nach dem Geruch zu unterscheiden, wenn auch besonders gefährlichen Mitteln häufig ein wirkungsloses, doch stark riechendes Kraut beigegeben wurde, um einen Irrtum zu vermeiden. Kenntlich gemacht wurden die einzelnen Kräuter durch unterschiedliche Schnüre und Riemen, mit denen die Beutel verschlossen wurden, und durch eine Vielzahl unterschiedlich geknüpfter Knoten. Bestimmte Kräutersorten befanden sich in Beuteln, die nur mit Schnüren aus Pferdehaar zugebunden waren oder mit den Haaren anderer Tiere, die auffallend gefärbt oder beschaffen waren. Andere Beutel verschnürten Sehnen oder Flechtwerk aus Rindenfasern, manche auch Riemen aus Haut bestimmter Tiere. Und wenn man nun die verschiedenen Kräuter auch richtig anzuwenden gedachte, so war nicht nur ihre Eigenschaft zu erkennen, sondern auch zu wissen, wie die Verschnürung des Beutels war, in dem sie aufbewahrt wurden.

Ayla stopfte die Beutelchen wieder in ihre Medizintasche und knotete diese dann an dem Riemen fest, der um ihre Körpermitte lag. Sie stellte sich auf, sah an sich herab und fand, daß sie zu bewundern sei. Dann nahm sie die Tasche wieder ab und legte sie zu ihrem Sammelkorb. Jetzt war sie bereit.

Nur eines bereitete ihr noch Kopfzerbrechen. Was würde mit ihrer Schleuder werden? Sie würde sie nicht gebrauchen können; sie zurückzulassen verbot sich von selbst, weil Iza und Creb sie entdecken könnten. Sie im Wald zu verstecken würde die Folge haben, daß ein Tier sie ausgrub oder daß sie in der feuchten Erde schnell verrottete. Schließlich beschloß Ayla, die Schleuder mitzunehmen, in einer Falte ihres Überwurfs versteckt.

Es war noch dunkel, als die Clan-Leute zur großen Jagd von ihren Lagern sich erhoben. Die vielfarbigen Blätter begannen gerade erst im frühen Morgenlicht zu leuchten, als der Zug sich in Bewegung setzte und in raschem Lauf den Grat seitlich der Höhle durchquerte. Dort erwartete sie die aufgehende Sonne in strahlender Laune. Die Clan-Leute wanderten frohen Mutes die bewaldeten Flanken der Hügel hinunter und erreichten die Steppe, als die Sonne noch immer tief auf dem Bergrücken saß. Brun legte eine zügige Gangart vor. Die Frauen, deren Bürden zwar leicht, die jedoch so schnelles Gehen nicht gewöhnt waren, mußten sich mächtig anstrengen, mit den Männern mitzuhalten.

Von Sonnenaufgang bis Sonnenuntergang war man auf

den Beinen. Und die Tagesstrecke war um ein Beträchtliches größer gewesen als jene, die man bei der Höhlensuche zurückgelegt hatte. Gekocht wurde nicht. Und die Frauen hatten wenig zu tun. Man nährte sich von vorher Zubereitetem, das die Männer stets bei sich zu führen pflegten, wenn sie auf Jagd gingen: flache Fladen aus Dörrfleisch, das grob zerstampft war und mit ausgelassenem Fett und getrockneten Früchten gemischt wurde.

Auf dem offenen, winddurchsausten Grasland war es kalt. Und je weiter die Jäger und die Frauen in das obere Land vorstießen, desto schneidender wurde die Kälte. Dennoch legten sie schon bald nach dem allmorgendlichen Aufbruch die dicken Umhänge und Überwürfe wieder ab. Denn durch das schnelle Gehen wurden ihre Körper wieder warm, und nur wenn sie sich setzten, um zu rasten, kroch ihnen die Kältnis in die Glieder. Und bald krampften sich auch nicht mehr die Waden zusammen, woran vor allem die Frauen gelitten hatten.

Im obersten Teil des Halbinsellandes erwartete rauheres Gelände die Clan-Leute. Breite Tafelberge stürzten jäh in steile Schluchten ab oder stießen gegen himmelhochragende Felswände, die eine ruhelose Erde in früheren Zeiten aufgeschichtet hatte. Felsröhren wurden von gezacktem Gestein umschlossen; manche endeten blind. Andere waren übersät mit scharfkantigen Felsbrocken, die aus dem sie umschließenden Steinwulst herausgebrochen waren. Dann gab es welche, die Wasser auf ihrem Grund führten, dünne Rinnsale oder brodelnde Flüsse. Und nur hier in der Nähe von Wasserläufen harrten windverzerrte Fichten und Lärchen, verkrüppelte Birken und Weiden aus. Nur dort, wo eine Schlucht sich zu einem bewässerten Tal geweitet hatte, erreichten die Nadel- und Laubbäume ihre natürliche Größe und Gestalt. Der Windschatten half ihnen dabei.

Während ihrer Wanderung wurden die Clan-Leute durch nichts aufgehalten. Zweimal so viel Tage wie Finger an einer Hand zogen sie nun schnellen, ausdauernden Schritts immer tiefer ins obere Land. Dann schickte Brun zum ersten Mal Späher aus. Heute, nach zehn Tagen, kamen sie immer langsamer vorwärts. Sie waren nicht mehr weit entfernt vom breitgeschwungenen Hals der Halbinsel. Wenn sich die Mammuts überhaupt hier aufhielten, dann mußte man bald auf sie stoßen.

Jäger und Frauen machten an einem kleinen Fluß Rast. Brun hatte gegen Mittag Broud und Goov ausgeschickt. Er stand jetzt etwas abseits von den anderen, hielt beide Hände über die Augen und spähte angestrengt in die Richtung, aus der sie zurückkommen mußten. Lange konnte der Entscheid nicht mehr hinausgeschoben werden, ob sie nun hier am Fluß ihr Nachtlager aufschlagen oder noch etwas weiter ziehen mußten. Der späte Nachmittag warf schon lange Schatten. Wenn die beiden Jäger nicht bald zurückkehrten, würde die Natur entscheiden; es würde Nacht werden, und sie mußten bleiben, wo sie waren. Brun kniff die Augen zusammen und hielt seinen Kopf dem scharfen Wind entgegen, der ihm den Umhang flatternd um die Beine schlug und den buschigen Bart ins Gesicht drückte.

Plötzlich meinte er, in weiter Ferne zwei Wandernde zu sehen, und allmählich konnte er die beiden Männer erkennen, die ihm im Laufschritt entgegenkamen. Brennende Erregung umzüngelte sein Herz.

Broud und Goov erblickten die einsam ragende Gestalt und liefen schneller, schlugen wild mit ihren Armen. Und lange bevor ihre Stimmen zu hören waren, wußte Brun, welche Kunde sie brachten.

»Mam-Mut! Mam-Mut!« brüllten die Männer außer Atem, während sie auf die Gruppe zurannten.

Alles umdrängte die jungen Männer, die keuchten und völlig in Schweiß gebadet waren.

»Eine große Herde gegen Sonnenaufgang«, frohlockte Broud.

»Wie weit?« fragte Brun.

Goov wies gerade aufwärts und bewegte dann seinen Arm in kurzem Bogen abwärts. Die Hälfte des Weges, den die Sonne bis Mittag zurücklegte.

»Zeigt uns den Weg«, bedeutete Brun seinen Spähern und gab den anderen das Zeichen zum Aufbruch.

Die Sonne hing schon tief am Himmel, als die Jäger endlich weit hinten dunkle Höckerberge erblickten, die sich bedächtig auf und ab bewegten. Die Mammuts. Es ist eine große Herde, dachte Brun, als er anhalten ließ. Sie würden mit dem Wasser auskommen müssen, das sie von der letzten Rast mitgenommen hatten; es war schon zu dunkel, um noch nach einem Bach oder Fluß zu suchen. Am anderen Morgen würde man einen besseren Lagerplatz finden. Wichtig war nur, daß sie die Mammuts gefunden hatten.

Als an einem stark gewundenen Bach, dessen Ufer struppiges Gebüsch überwucherte, ein neues Lager aufgeschlagen war, machte sich Brun mit seinen Jägern auf, um auszukundschaften, wie eines der mächtigen Mammuts zu erlegen sei. So ein Tier konnte nicht wie ein Bison bis zur Erschöpfung gehetzt oder mit Wurfschlingen zu Fall gebracht werden. Um diese wollhaarigen Dickhäuter zu stellen, mußten sich die Jäger anderer Mittel und Wege bedienen.

Der Clan-Führer und seine Jäger erforschten mit großer Sorgfalt die Schluchten und Klammen um sie herum. Brun suchte eine Schlucht, die leichten Zugang hatte, am anderen Ende jedoch keinen Ausgang bot; eine enge Schlucht, die einen Mammut gefangen halten konnte und die sich in der Nähe der Herde befand. Am nächsten Tag trat schon in aller Frühe Oga mit zaghafter Miene zu Brun und ließ sich mit gesenktem Kopf vor ihm nieder, während Ovra und Ayla aufmerksam in der Nähe warteten.

»Was willst du, Oga?« fragte Brun.

»Ich habe eine Bitte«, begann sie mit zögernder Gebärde.

»Ja?«

»Ich habe noch nie ein Mam-Mut gesehen. Ayla und Ovra ebenfalls. Erlaubt uns der Clan-Führer, näher zu gehen, damit wir sie genauer sehen können?«

»Und Ebra und Uka? Wollen sie auch das Mam-Mut sehen?«

»Nein, sie möchten nicht mitkommen«, gab Oga zurück.

»Das ist klug. Aber sie haben auch schon früher Mam-Muts gesehen. Merkt ihr's? Der Wind bläst von der Herde zu uns herüber. Die Mam-Muts werden euch also nicht wittern; geht, aber nicht zu nahe heran und versucht nicht, die Herde zu umrunden.«

»Wir werden uns hüten«, versprach Oga.

»Das glaube ich auch. Dann wenn ihr sie seht, dann werdet ihr wünschen, sie nie gesehen zu haben.«

Den drei jungen Frauen klopfte das Herz vor Erregung. Ayla war es gewesen, die Oga schließlich dazu gebracht hatte, Brun um Erlaubnis zu fragen. Auf dem langen Weg hierher waren sie einander nähergekommen. Sie waren enger zusammen und lernten sich besser verstehen. Ovra, die eigentlich still und zurückhaltend war, hatte Ayla bisher immer als eines der Kinder betrachtet und mit ihr nichts zu tun haben wollen. Und Oga scheute ein näheres Kennenlernen, weil sie wußte, wie Broud zu ihr stand. Früher hatten die beiden Frauen gedacht, mit dem Mädchen nicht viel gemeinsam zu haben. Sie hatten ihre Gefährten, die ihr Leben bestimmten.

Erst in diesem Sommer, als Aylas Fraulichkeit sich wieder um ein weiteres entwickelt hatte und man sie auch mit auf die Jagd genommen hatte, begannen die Frauen, das Mädchen mit anderen Augen zu sehen. Ayla überragte sie schon um Haupteslänge und wirkte dadurch wie eine Frau; so wurde sie aber auch von den Jägern behandelt. Besonders Crug und Droog ließen sich gern von ihr bedienen. Ihre Gefährtinnen waren in der heimischen Höhle zurückgeblieben, und Ayla war allein. Deshalb brauchten sie nicht erst einen anderen um Erlaubnis zu fragen, wenn sie Ayla einen Auftrag geben wollten. Wohl dadurch, daß sie das gleiche taten, und auch noch gemeinsam bei dieser Jagd, entwickelte sich nun zwischen den drei jungen Frauen eine freundliche Art, miteinander umzugehen. Eine solche Nähe hatte Ayla vorher nur bei Iza, Creb und Uba gefunden; jetzt genoß sie die Wärme der Gemeinsamkeit mit Oga und Ovra.

Kurz nachdem die Männer aufgebrochen waren, gab Oga ihren kleinen Jungen in die Obhut von Ebra und Uka, und die drei Frauen machten sich auf den Weg. Und bald wußten sie sich vieles zu bedeuten, was ihnen einige Kurzweil brachte. Doch als sie plötzlich diese Fellgebirge vor sich sahen, schlugen sie die eben noch so beredten Hände vor die Münder, standen still und starrten wie gebannt auf die gewaltigen Tiere.

Die wollhaarigen Mammuts hatten sich der rauhen Gegend, in der sie lebten, gut angepaßt. Unter dem zottigen, langbehaarten Fell schützten feiner, weicher Pelz und eine dicke Fettschicht ihren Körper vor der Kältnis, die auch den Körper selbst sich hatte verändern lassen. Die Kältesteppenmammuts waren gedrungener als die anderen ihrer Art. Bis zum Widerrist maßen sie etwa vier Manneslängen. Der mächtige Kopf, im Verhältnis zur Höhe des Körpers übergroß und mehr als halb so lang wie der fleischige Rüssel, ragte massig und gewölbt wie eine Spitzkuppel zwischen den Schultern empor. Sie hatten kleine Ohren und einen kurzen, quastenartigen Schwanz. Von der Seite gesehen hatten diese lebenden Fellgebirge zwischen der hohen Kopfwölbung und dem Fetthöcker eine scharfe Vertiefung. Der Rükken fiel zum Becken und zu den etwas kürzeren Hinterbeinen hin stark ab.

Wie angewurzelt waren die drei Frauen stehengeblieben.

»Schau dir den an!« Oga deutete auf den alten Bullen.

Seine Stoßzähne, am Nasenansatz dicht nebeneinander, führten zunächst steil abwärts, bogen sich dann nach außen, krümmten sich nach oben und am Ende nach innen. Sie waren so lang und so stark gebogen, daß sie sich über seinem Rüssel kreuzten, mit dem er Gras, Kräuter und Schilfrohr aus dem Boden riß und das zähe, trockene Zeug in sein Maul stopfte, um es mit seinen breitflächigen, rillendurchzogenen Zähnen zu zermalmen. Ein jüngeres Tier, dessen Stoßzähne nicht so lang und noch zu gebrauchen waren, entwurzelte eine Lärche und begann gierig, Zweige und Rinde abzureißen.

»Wie riesig sie sind«, stellte Orva fest und duckte sich tiefer. »Wie wollen die Jäger so ein Mam-Mut erlegen? Sie können ja nicht einmal mit dem Speer heran!«

»Ich weiß es nicht«, gab Oga beklommen zurück.

Zaghaft gab Ovra zu verstehen, daß sie sich fast wünschte, nie hierher gekommen zu sein. Es würde bestimmt eine gefährliche Jagd. Und wie leicht könnte da einer verwundet werden. Schon jetzt fürchte sie um Goov. Wie schrecklich, wenn ihm etwas zustieße!

»Brun ist sicher mit allem vertraut«, versetzte Ayla mit beschwichtigender Gebärde. »Er würde bestimmt nicht das

Mam-Mut jagen lassen, wenn er nicht glaubte, daß seine Männer ihm gewachsen sind.« Mit dem Daumen deutete sie auf sich: »Ich wünschte, ich könnte dabei sein.«

»Ich nicht«, wehrte Oga ab. »Ich möchte lieber weit fort sein. Mir wird das Herz erst wieder leicht, wenn alles vorbei ist.«

Oga hatte nicht vergessen, daß der Gefährte ihrer Mutter auf einer solchen Jagd sein Leben verloren hatte; kurz vor dem Erdbeben, dem ihre Mutter zum Opfer gefallen war.

»Ich glaube, wir kehren jetzt um«, schlug Ovra vor. »Brun will nicht, daß wir zu nahe an die Mam-Muts herangehen. Mir ist es jetzt schon zu nah.«

Sie wandten sich zum Gehen. Ayla drehte sich noch einige Male um, als sie davoneilten. Auf dem Rückweg wollte eine Unterhaltung nicht mehr so recht in Gang kommen. Jede der drei jungen Frauen hing ihren eigenen Gdanken nach.

Als die Männer zurückgekehrt waren, gab Brun den Frauen Befehl, das Lager am nächsten Morgen nach dem Aufbruch der Jäger abzubrechen. Er hatte eine geeignete Falle gefunden. Schon bei Sonnenaufgang wollte man losziehen, und es war Sorge dafür zu tragen, daß die Frauen weit genug vom Jagdgeschehen entfernt waren. Die Schlucht hatte er schon am Vortag entdeckt; sie war genau das, was er gesucht hatte – ein Felsenkessel, aus dem es kein Entkommen gab. Zwar war er zu weit entfernt von den Mammuts; aber als ein besonders günstiges Vorzeichen schien ihm, daß die Herde, die langsam auf das untere Land zu zog, sich der Schlucht am Ende des übernächsten Tages so weit nähern würde, daß Brun seinen Plan schon aufgehen sah.

Heftige Windböen trieben den Jägern, als sie sich aus ihren Fellen schälten und die Köpfe aus den Schlupflöchern streckten, leichten feintrockenen Schnee in die bärtigen Gesichter. Doch das bedrückende Grau des Himmels vermochte nicht die frohe Erwartung der Männer zu dämpfen. Heute würden sie das Mammut jagen. Flink legten die Frauen Hand an und hatten bald den warmen Kräutertrank bereitet. Nichts sonst würden die Jäger an diesem Tag zu sich nehmen, die herumsprangen und ihre Speere in die Luft stießen, um ihre Muskeln zu erwärmen und zu lockern.

Grod nahm ein Stück glühender Kohle aus dem Feuer und steckte sie in das Auerochsenhorn, das er an seinem Gürtel trug, und Goov tat ebenso. Die Jäger hüllten sich in warme Felle, doch nicht die gewohnten schweren Umhänge, sondern leichtere Überwürfe, die sie nicht hindern würden. Und keiner von ihnen spürte die Kälte; alle glühten sie vor Erregung und waren nicht mehr fähig stillzusitzen. Dann trat Brun unter die Männer und legte mit rascher Gebärde ein letztes Mal seinen Plan dar. Die Männer, die einen Kreis gebildet hatten, den Clan-Führer in ihrer Mitte, standen einen Augenblick alle mit geschlossenen Augen da, die Hände an ihren Amuletten. Dann nahm jeder einen Kienspan zur Hand, der noch nicht entzündet war. Und sie brachen auf.

Ayla sah ihnen wehmütig nach und gesellte sich zu den Frauen, die sich schon darangemacht hatten, dürres Gras, Dung, Laub und Holz zu sammeln. Sobald sie genug beisammen hatten, um neue Feuer entzünden zu können, würden sie – wie ausgemacht – das Lager abbrechen.

Zügig näherten die Männer sich der Herde. Die Mammuts hatten sich bereits wieder in Bewegung gesetzt. Stumm und starr kauerten die Jäger im hohen Gras und warteten, während Brun mit scharfem Auge die Tiere musterte, die an ihnen vorüberzogen. Er sah den alten Bullen mit den gewaltigen gekreuzten Stoßzähnen. Das wäre ein Fang! schoß es ihm durch den Kopf. Doch sogleich kämpfte er diese Regung seines Herzens nieder. Der Weg zurück zur heimischen Höhle war weit, und die schweren Stoßzähne wären ihnen nur belastende Bürde. Die Zähne eines jüngeren Tieres waren leichter zu tragen, und sein Fleisch würde zarter sein. Das war wichtiger, als nach einem mächtigen Jagdzeichen zu verlangen und damit Ehre und Bewunderung einzuheimsen.

Doch jüngere Bullen waren auch gefährlicher. Ihre kürzeren Stoßzähne konnten nicht nur Bäume entwurzeln, sie waren auch bösartige Waffen. Brun wartete ab, ruhig und besonnen. Man hatte die mühsame Wanderung und die langfristige Vorsorge nicht auf sich genommen, um jetzt Hals über Kopf zuzuschlagen und den Erfolg der Unternehmung zu gefährden. In seinem Kopf stand ein klares Bild von dem, was einen Jagderfolg bedingte. Lieber am Morgen noch einmal versuchen, das richtige Tier zu finden, als jetzt unbesonnen einen Angriff wagen. Die anderen Jäger warteten, nicht alle so geduldig.

Die hochsteigende Sonne hatte den trüben, verhangenen Himmel aufgehellt und die Wolkendecke zerrissen. Es schneite nicht mehr.

»Wann gibt er endlich das Zeichen?« fragte Broud den neben ihm kauernden Goov ungeduldig und zeigte zum Himmel. »Schau, wie hoch die Sonne schon steht. Warum früh aufbrechen und dann untätig hier herumlungern? Worauf wartet er?«

Grods Augen hatten Brouds deutlichen Unmut mitbekommen. Ruhig entgegnete der Jäger: »Brun wartet auf den rechten Augenblick. Möchtest du lieber mit leeren Händen zurückkehren? Halte deine Hast zurück, Broud. Eines Tages wirst du entscheiden müssen, wann der rechte Augenblick da ist. Brun ist ein guter Clan-Führer und ein tapferer Jäger. Du kannst froh sein, daß er es ist, dem du nacheifern kannst. Ein guter Clan-Führer braucht mehr als Mut.«

Broud senkte den Kopf und ärgerte sich. Grod wird nicht mehr Stammeszweiter, wenn ich Clan-Führer bin, dachte der junge Mann. Ihn schauderte, als ein eisiger Windstoß durch die Büsche fuhr, und er ging tiefer in die Hocke.

Die Sonne stand schon hoch am Himmel, als Brun endlich den Jägern befahl, sich bereitzumachen.

Inzwischen hatte sich ein trächtiges Mammut an den äußeren Rand der Herde hinausgedrückt und schien sich von ihr abzusondern. Das Tier war noch nicht alt, und mit seinem schweren Leib würde es nicht so schnell und wendig sein wie ein junger Bulle.

Auf schweren unerbittlichen Füßen näherte sich das Mammut einer hochstehenden, dichten Grassode, dicht vor den Männern, und war allein, ein einzelnes Tier, abseits der schützenden Herde. Das war der Augenblick, auf den Brun gewartet hatte. Er gab das Zeichen.

Grod hatte die glühende Kohle schon aus dem Horn gezogen. Und als Brun das Zeichen gegeben hatte, hielt er seinen Kienspan an die Glut und blies so lange, bis er Feuer fing; an ihm entzündete Droog zwei weitere und reichte einen Brun. Die drei jüngeren Jäger waren, sobald sie das Zeichen gesehen hatten, aufgesprungen und rannten aus Leibeskräften in Richtung Schlucht. Die Jäger fackelten nicht lange. Wie Wiesel schossen Brun und Grod hinter die Mammutherde und setzten das ausgedörrte Gras in Brand. Gewöhnlich hatten die ausgewachsenen Mammuts keine natürlichen Feinde; nur sehr junge oder auch sehr alte Tiere wurden manchmal Opfer des Säbelzahntigers oder des Höhlenlöwen. Doch alle fürchteten sie das Feuer. Denn es war keine Seltenheit, daß riesige Brände die Steppe durchtobten und alles verschlangen, was nicht rechtzeitig fliehen konnte. Und kaum witterte die Herde nun die Gefahr, so schloß sie sich auch schon enger zusammen. Brun und Grod hatten sich zwischen das Mammut und die Herde geschoben. Das Feuer mußte jetzt rasch um sich greifen, wenn verhindert werden sollte, daß das trächtige Tier zur Herde zurückkehrte. Von beiden Seiten konnten sie nun angegriffen oder niedergetrampelt werden, wenn die gewaltigen Tiere in panischer Angst fliehen sollten.

Als ihre Rüssel den Rauch gewittert hatten, verwandelte sich die bis dahin ruhig grasende Herde in ein wildes Gewoge massiger Fellgebirge. Ein angstvolles Trompeten aus hochgestreckten Rüsseln durchzitterte die Luft. Das Mammut wollte zur Herde zurück, doch es war schon zu spät. Eine lichterlohe Flammenwand trennte es von den anderen Tieren. Schrill schrie das Tier um Hilfe, aber das Feuer, vom scharfen Wind beflügelt, hatte die anderen eingeholt. In rasender, blinder Flucht donnerten die Mammuts davon, um der Feuersbrunst zu entkommen, die sich gierig hinterherwälzte. Die Männer kümmerte das nicht. Der Wind würde die Flammen nicht zur Schlucht treiben.

Brüllend vor Angst brach die Mammutkuh nach der anderen Seite aus. Droog hatte gewartet, bis die Flammen emporgeschossen waren. Dann stürmte er davon. Als er sah, daß das Tier ausbrechen wollte, hetzte er auf den bebenden Fellberg zu, schwang wild seine Fackel und drängte ihn ab.

Dann rasten Crug, Broud und Goov, die jüngsten und

schnellsten unter den Jägern, wie Wiesel vor der Mammutkuh her. Sie trieb die Angst, das schreckgepeinigte Tier würde sie einholen. Brun, Grod und Droog jagten hinterher, krampfhaft bemüht, dem Ungetüm dicht auf den Fersen zu bleiben. Inständig hofften sie, daß es nicht ausbrechen würde; doch das Tier donnerte blindlings geradeaus.

Schon erreichten die drei jungen Jäger den Felsenkessel. Crug lief auch mit hinein, während Broud und Goov an der unteren Wand ihren Lauf verhielten. Mit zitternden Händen und völlig außer Atem griff Goov zu seinem Auerochsenhorn und flehte seinen Schutzgeist an, daß die Kohle nicht erloschen sein möge. Sie glühte noch, aber niemand hatte Luft genug, um den Kienspan zu entfachen. So half der scharfe Wind. Nachdem die beiden Fackeln wieder brannten, traten Broud und Goov aus der Wand heraus, um dem Mammut den Weg zu verlegen. Es dauerte nicht lange, und schon raste das Tier mit ohrenbetäubendem Trompeten auf sie zu. Behend sprangen die jungen Jäger ihm entgegen und schwenkten wild schreiend ihre Fackeln und trieben es in den Kessel hinein.

Als der vorwärtsstürmende Koloß vor sich schon wieder Rauch und Feuer sah, warf er entsetzt den Kopf herum, um einen neuen Fluchtweg auszusuchen. Der Boden erzitterte, als er zur Seite hin ausbrach und, von Broud und Goov gejagt, in die Schlucht raste, die am oberen Ende des Kessels in die Felswand eingekerbt war. Steine und Staub wurden aufgewirbelt, brüchiger Fels zerbröselte unter den angstgehetzten Füßen, Gebüsche und Sträucher wurden unbarmherzig zermalmt, als das Tier durch die Klamm tobte, die immer enger und enger wurde, und der Rauch und das Feuer immer schlimmer. Und plötzlich erhob sich vor ihm das Ende der Schlucht, grau und unausweichlich. Brüllend bäumte sich das Mammut auf, doch hier gab es kein Entrinnen. Vorwärts und seitwärts starkes, graues Gestein, und von hinten rannten Broud und Goov herbei. Der junge Jäger hatte schon sein scharfes Flintsteinmesser gezogen, das Droog gefertigt und der Mog-ur mit dem glückbringenden Zauber versehen hatte. Schnell wie der Wind und geschmeidig wie eine Tigerkatze schoß Broud auf ein Hinterbein des Mammuts zu, das im Augenblick nicht stampfte und dick wie ein Baumstamm war, stieß tief hinein und durchtrennte mit einem raschen Ruck die Sehnen. Qualvoll hob das Tier den Rüssel und stieß schrill seinen Schmerz in die Luft. Zurück konnte es nun auch nicht mehr. Geschwind folgte Goov Brouds Beispiel und lähmte das andere Bein. Wie vom Blitz getroffen stürzte das mächtige Tier auf die Hinterhand.

Sofort sprang Crug hinter seiner Deckung hervor, holte weit aus und stieß seinen langen spitzen Speer tief in das angstoffene Maul des Tieres, das ihn mit seinem Rüssel zu umfassen suchte, dann aber Blut und Geifer spie. Schnell griff der Jäger zum nächsten Speer. Schon sprangen Brun und Grod und Droog hinzu, etwas höher im Fels zu beiden Seiten des zitternden Fellgebirges, in dessen massige Flanken sie nun ihre Speere bohrten. Brun stach ihm eines der kleinen Augen aus. Ein heißer Blutstrahl ließ ihn fast erblinden. Der Fellberg schwankte; ein Beben durchlief die einst schwarzfelligen Seiten, aus denen nun rote Quellen sprangen; ein letzter markerschütternder Trompetenstoß, mit dumpfem Krachen schlugen vorn die Zähne auf den Fels; der Rüssel ruschte noch ein Stückchen nach, und etwas Felsstaub wurde aufgewirbelt, als ihm das letzte bißchen Luft entströmte. Die Männer hielten keuchend inne. Wie angewurzelt blieben sie stehen, stierten auf das tote Tier und konnten es nicht fassen. Totenstille. Die Männer sahen sich an, spürten ihre Herzen rascher schlagen, und tief aus ihrem Innern schoß ein Gefühl der Überlegenheit empor, das sich mit einem wilden Siegesschrei gehörig Luft machte. Sie hatten es geschafft! Sie hatten das mächtige Mammut erlegt.

Mit Geschick und Schläue und dank ihres Willens, zusammenzuhalten und das Äußerste zu wagen, hatten diese Erdlinge das Riesentier getötet. Keiner der reißenden Vierbeiner, ganz gleich, wie schnell, wie kraftvoll oder listig er auch war, konnte ihnen das nachmachen.

Broud kletterte zu Brun auf den Fels hinauf und sprang von dort auf das gefällte Tier hinunter. Und gleich darauf war Brun an seiner Seite, schlug seinem Sohn mit Freude auf die Schulter, zog dann seinen Speer aus der leeren Augenhöhle des Mammuts und hielt ihn mit ausgestrecktem Arm hoch über seinen Kopf. Die anderen vier Männer kamen auch hinzu und gaben sich gemeinsam dem alten Tanz der Freude hin.

Schließlich sprang Brun herunter und ging einmal um die Beute herum, die die enge Spalte beinahe ausfüllte. Nicht einer seiner Männer war verwundet worden. Nicht einer hatte auch nur eine Schramme abgekriegt. Ihre Jagd war von großem Glück begleitet worden.

»Wir müssen den Geistern unseren Dank erweisen«, bedeutete der Clan-Führer den Männern. »Nach unserer Rückkehr soll der Mog-ur eine ganz besondere Feier machen. Jetzt nehmen wir uns nur die Leber – ein jeder von euch soll davon seinen Teil erhalten, und etwas für Zoug und Dorv und den Mog-ur. Was bleibt, geben wir dem Geist des Mam-Muts. So hat der Mog-ur mir geraten. Wir verbergen es hier, wo wir das Mam-Mut besiegten, und vergraben auch die Leber des Jungtiers, das da drinnen ist.«

Brun deutete mit der blutbespritzten Hand auf das aufgeschwollene Tiergebirge, um das sich mittlerweile ein dunkelroter See gebildet hatte. »Der Mog-ur hat mich geheißen, das Gehirn nicht anzurühren. Er muß bleiben, wo es ist, damit der Geist des Mam-Muts es behalten kann. Wer hat den ersten Schlag geführt? Broud oder Goov?« begehrte Brun zu wissen.

»Broud«, antwortete Goov.

»Dann kommt ihm das erste Stück der Leber zu. Aber allen gebührt der Ruhm, das mächtige Mam-Mut erlegt zu haben.«

Broud und Goov wurden ausgeschickt, die Frauen zu holen. Die Arbeit der Männer war getan. Nun hatten die Frauen die Hände zu rühren, das Tier zu zerlegen und das Fleisch zu dörren.

Inzwischen entfernten die Jäger noch das Innere des mächtigen Tierkörpers und hoben das fast voll entwickelte Ungeborene aus dem Leib.

Nachdem die Frauen eilfertig eingetroffen waren, halfen ihnen die Männer noch beim Häuten des Mammuts, denn das Tier war so riesig, daß alle mit anpacken mußten. Fleischstücke, die von Clan-Leuten besonders gern gegessen wurden, schnitten die Frauen heraus und verwahrten sie zum späteren Gefrieren in Steinkammern, die sie selbst errichten würden. Rings um das, was dann noch übrig war von dem Kadaver, wurden Feuer angezündet, die verhindern sollten, daß das Fleisch gefror und gierige Aasfresser sich daran vergriffen.

Erschöpft, müde, gesättigt und zufrieden wickelten die Clan-Leute sich in ihre Schlafpelze. Am anderen Morgen setzten sich die Männer etwas abseits zusammen, ließen noch einmal in weitschweifigen Gebärden die Gefahren der Jagd aufleben und bezeugten einander Bewunderung für eines jeden Tapferkeit, während die Frauen sich an die Arbeit machten. Zwar floß in der Nähe ein kleiner Bach, doch war es zu umständlich, jedesmal durch die ganze Schlucht zu laufen, um Wasser zu holen. Und nachdem die Frauen alles in einzelne Teile zerlegt hatten, rückte man näher an das Gewässer. Die Knochen ließ man den aasigen Tieren.

Fast alles war zu verwenden. Aus der dicken, zähen Haut des Mammuts konnte vielerlei gefertigt werden: Fußzeug, das kräftiger und haltbarer war als das aus den Häuten anderer Tiere, Einschlupfdecken, die man vor die Höhle hängen konnte, um den Wind abzuhalten, Kochgefäße, kräftige Riemen, Unterschlupfplanen, die vor Wind und Wetter schützten, wenn man – so wie zur Zeit – im Freien lagerte. Mit dem weichen, flaumigen Körperhaar konnte man Schlafsäcke und Matten ausstopfen. Das Zottelhaar und die Sehnen würde man zu festen Schnüren drehen. Blase, Magen und Gedärm waren als Wasser- und Vorratsbehältnisse verwendbar.

Besonders wertvoll war das Fett, das aus dem Gewebe des Tieres gewonnen wurde. Für die Clan-Leute war es eine wichtige Kraftnahrung, die sie im Winter widerstandsfähiger gegen die Kältnis machte und ihnen in den warmen Jahreszeiten nach körperlicher Anstrengung verbrauchte Energie zurückgab. Es fand aber auch vielseitige andere Verwendung: Mit Fett konnte man Tierhäute bearbeiten, so daß sie haltbar und geschmeidig blieben; Fett diente als Brennstoff für Steinleuchten, die Licht und Wärme spendeten; man rieb Felle und Häute damit ein, um sie wasserdicht zu machen; man mischte es als Bindemittel in Salben und Pasten; es war nützlich, wenn man mit feuchtem Holz ein Feuer machen wollte oder lang brennende Kienspäne brauchte; wenn nichts anderes zur Hand war, konnte man Fett statt Holz zum Heizen verwenden.

Während sie emsig bei der Arbeit saßen, blickten die Frauen immer wieder zum Himmel hoch. Blieb das Wetter so klar wie heute, so würde das Fleisch durch die unablässig blasenden Winde etwa in soviel Tagen wie Finger an einer Hand und zwei der anderen dazu gedörrt sein. Rauchfeuer brauchten nicht entzündet zu werden – für Fliegen, die das Fleisch hätten verderben können, war es sowieso zu kalt –, und das war gut so. Holz und anderes brennendes Zeug gab es hier im kalten, öden Steppenland viel weniger als in den Wäldern der Hügel, wo die heimische Höhle lag, oder auch in den weiter unten gelegenen Steppengebieten, in denen knorrigbucklige Bäume gediehen. Wenn der Himmel verhangen wäre oder wenn es regnete, würde das Trocknen der dünngeschnittenen Fleischstreifen wesentlich länger dauern. Der feintrockene Schnee, den die böigen Winde aufwirbelten, hatte nichts zu bedeuten. Nur wenn das Wetter umschlagen, warm und feucht werden sollte, würde das die Arbeit verzögern. Die Frauen hofften auf trocknes, klares, kaltes Wetter. Diese riesigen Fleischmassen konnte man nur dann zur Höhle zurückschleppen, wenn sie gründlich gedörrt, also leichter waren.

Mit großen Schabern rückten die Frauen der schweren, mit zottigem Fell bedeckten Haut des Mammuts zuleibe, lösten die wabbelige Fettschicht, entfernten die Blut- und Nervenstränge und den Haarbalg. Das in der Kälte sofort zu massigen Brocken erstarrte Fett taten sie in große Tierhautbehälter, die sie über den Feuern aufhängten, und gossen das ausgelassene Fett in die gesäuberten Gedärme, die sie zunächst an einem und, wenn sie gefüllt waren, am anderen Ende zubanden. Das Fell des Mammuts zertrennten sie in handliche Stücke und rollten sie fest zusammen. Später, wenn Schnee und Kältnis die Clan-Leute wieder in die Höhle verbannten, würde die Haut enthaart und bearbeitet werden. Selbstverständlich würden sie auch die Stoßzähne mitnehmen, die jetzt zum Zeichen ihrer Überlegenheit am Lagerplatz aufgestellt waren.

In jenen Tagen, an denen die Frauen ständig bei der Arbeit waren, machten die Männer Jagd auf kleineres Wild oder hockten beisammen und überwachten, wenn auch nicht allzu scharf, das Tun und Treiben im Lager. Als vor zwei Tagen die Jäger und Frauen der Bequemlichkeit halber sich näher zum Bach hin gelagert hatten, waren ihnen auch die aasigen Tiere gefolgt, so daß man die Fleischstücke, die zum Trocknen über ausgespannten Schnüren und Riemen hingen, unablässig im Auge behalten mußte. Besonders hartnäckig und ausdauernd war eine große, gefleckte Hyäne, die man schon oftmals verscheucht hatte, die aber immer wieder auftauchte und sich beständig am Rand des Lagerplatzes herumtrieb. Von den lässigen und halbherzigen Versuchen der Männer, sie zu töten, ließ sich das Tier nicht beeindrucken; mehrmals am Tag gelang es dem listigen Geschöpf, ein paar Happen Fleisch zu ergattern.

Mit geschwinden Händen waren Ebra und Oga gerade dabei, die letzten blutigen Brocken zu zerschneiden, um sie zum Dörren aufzuhängen. Uka und Ovra füllten flüssiges Fett in einen Darm. Ayla hockte am Bach und wusch ein Darmstück aus. Eine Eiskruste hatte sich schon an seinem Rand gebildet, doch das Wasser floß noch munter dahin. Die Männer standen bei den gewaltigen Stoßzähnen und berieten darüber, ob sie mit ihren Schleudern auf die Jagd gehen sollten.

Brac hatte bei seiner Mutter und Ebra gesessen und sich mit Kieselsteinen unterhalten. Doch bald war er der runden Dinger, die sich nicht bewegten, überdrüssig geworden, war aufgestanden und neugierig ins Gebüsch getapst. Die Frauen, die sich ganz der Arbeit zugewandt hatten, gewahrten nicht, wie der kleine Junge sich davonstahl. Nur ein Paar Augen beobachteten ihn scharf.

Aller Köpfe flogen herum, als ein markerschütternder Schrei die Stille zerriß.

»Brac!« schrie Oga. »Die Hyäne hat mein Kind!« Ogas jammervolle Hand stieß in die Richtung, in die das widerliche Tier, mit gierigem Gebiß das Kind am Arm packend, sich davonmachte.

»Brac! Brac!« schrie Broud, als er, gefolgt von den anderen

Männern, der Hyäne hinterherlief. Schnell griff er nach seiner Schleuder, um den Speer zu gebrauchen, war er viel zu weit entfernt, und bückte sich hastig, um einen Stein aufzuheben, schleuderte ihn ab und fehlte. Verzweifelt suchte er nach einem neuen.

Etwas seitlich von den Männern, aus dieser Richtung etwa, kam plötzlich das Sirren zweier Steine, die schnell hintereinander abgeschossen worden waren und genau den widerlichen Kopf des Tieres trafen, das wie vom Blitz getroffen zusammenbrach, kurz zuckte und die langen Läufe von sich streckte.

Wie versteinert blieb Broud stehen und riß den Mund auf vor Erstaunen und dann vor Unglauben die Augen, als er sah, wie Ayla, die Schleuder noch in der Hand, zu dem wimmernden Kind hinstürzte.

Es war dem Mädchen gelegen gekommen, daß es mondelang diese Tiere genau beobachtet hatte; es war damit vertraut, wie sie lebten, es wußte, wo sie verletzbar waren, hatte sich unermüdlich darin geübt, sie zu jagen und zu erlegen. Und wie sie Bracs gellendes Schreien hörte, hatte sie einfach zu ihrer Schleuder gegriffen, ohne daran zu denken, was das nach sich ziehen mußte. Sie hatte die Hyäne hindern wollen, das Clan-Kind mit sich fortzuschleppen.

Erst nachdem sie das Kind erreicht und aus den Zähnen der toten Hyäne befreit hatte, erst als sie sich umwandte und den fassungslosen Blicken der anderen begegnete, wurde ihr klar, was geschehen war. Ihr Geheimnis war bekannt. Sie hatte sich verraten. Jetzt wußten die Jäger, daß auch sie jagte. Eisige Furcht umschloß ihr Herz und Hirn, als sie an die Folgen dachte.

Fest drückte sie den kleinen Jungen an sich und mied die großäugigen Blicke der Clan-Leute, während sie zum Lagerplatz zurückrannte. Oga war die erste, die aus der Erstarrung erwachte. Sie lief Ayla entgegen, streckte die Arme aus und nahm dankbar ihr Kind von dem Mädchen entgegen, das ihm das Leben gerettet hatte. Sobald sie im Lager waren, untersuchte Ayla den Jungen, nicht nur, um zu sehen, wie verletzt er sei, sondern auch, um eine Weile den Blicken der anderen entgehen zu können. Bracs Arm und Schulter zeigten tiefe Bißwunden, und der obere Armknochen war gebrochen.

Noch nie hatte Ayla einen Arm geschient, aber Iza mehrmals dabei zugesehen. Und die Medizinfrau hatte ihr auch noch vor dem Aufbruch zur Jagd erklärt, was in so einem Notfall zu tun war. Izas Sorge allerdings hatte den Jägern gegolten; der Gedanke, daß dem Kind etwas zustoßen könnte, war ihr gar nicht erst in den Sinn gekommen. Ayla schürte das Feuer, machte Wasser heiß und holte ihren Otterfellbeutel heraus.

Die Männer standen still und stumm, noch immer wie benommen; es wollte ihnen nicht in den Kopf, was ihre Augen eben gesehen hatten. Zum ersten Mal in seinem Leben verspürte Broud dem Mädchen gegenüber ein Gefühl warmer Dankbarkeit. In seiner tiefen Erleichterung sah er nur, daß Ayla den Sohn seiner Gefährtin vor einem grausamen Tod errettet hatte. Brun jedoch sah weiter.

Der Clan-Führer hatte bald erkannt, was Aylas Tat bedeutete, und das Herz wurde ihm schwer, als er gewahr wurde, daß ihn das Mädchen vor eine ungeheuer harte Entscheidung gestellt hatte. Gemäß dem Brauch des Groß-Clans gab es für eine Frau, die eine Waffe gebrauchte, nur eine Bestrafung – den Tod. Nichts war dagegen vorzubringen. Mildernde Umstände, das Besondere des Handelns zu berücksichtigen, einzuwenden, daß dadurch ein Erdling gerettet worden sei – nichts gab es, was diese Strafe mildern konnte. Der Brauch war schon so alt und zu tief im Kopf der Leute verwurzelt; seit langer Zeit hatte diese Strafe nicht mehr angewandt werden müssen. Die Geschichten, die sie umrankten, waren eng verknüpft mit jenen Geschichten, die von einer Zeit kündeten, als noch die Frauen die Macht besessen hatten, sich Zugang zur Geisterwelt zu verschaffen.

Und als die Männer die Zaubermacht der Frauen gebrochen hatten, setzten sie diesen Brauch fest, der den tiefgreifenden Unterschied der beiden Geschlechter im Groß-Clan herbeigeführt hatte: Keine Frau, die das als unweiblich angesehene Verlangen, auf Jagd zu gehen, verspürte, durfte am Leben bleiben. Man machte eine gewaltige Auslese, bei der nur jene Frauen übrig blieben, die in Einstellung und Verhalten den Männern gegenüber die echte Weiblichkeit an den Tag legten. Doch folgte daraus, daß die Fähigkeit dieser Art der Erdlinge, sich an die feindliche Umwelt anzupassen – gerade das, was das Überleben möglich machte –, durch einen Machtmißbrauch zugrunde gerichtet war. Dieses durch den Groß-Clan Festgelegte galt noch immer, wenn es auch längst keine sich auflehnenden Frauen mehr gab. Doch Ayla war kein Kind des Groß-Clans.

Brun liebte den Sohn von Brouds Gefährtin. Nur Brac gegenüber öffnete sich der unnahbare Mann. Der kleine Junge durfte alles: ihn am Bart zupfen, neugierig an den Brauen befingern und auf seinen Knien herumhopsen, soviel er wollte. Nie war dem Clan-Führer das Herz so weich, wie wenn der Kleine sicher und geborgen in seinen Armen schlummerte. Für ihn war klar, daß Brac nicht mehr am Leben wäre, wenn Ayla nicht das Tier getötet hätte. Wie konnte er das Mädchen, das Brac das Leben gerettet hatte, zum Tode verdammen? Doch sie hatte das mit einer Waffe getan, für deren Gebrauch sie nun sterben mußte.

Brun hielt die Hand vor die Stirn. Wie hat sie das nur fertiggebracht? fragte er sich. Das Tier war schon ziemlich entfernt gewesen und sie noch weiter weg von ihm als die Männer. Brun blickte auf und ging hinüber zur toten Hyäne. Das Blut am Kopf begann schon zu verkrusten. Es gab zwei Wunden. Seine Augen hatten ihn also doch nicht getäuscht! Es war ihm, als hätte er zwei Steine fliegen gesehen. Wie war das möglich, daß es Ayla zu einem solchen Können mit der Schleuder gebracht hatte? Nicht einmal Zoug, nein, keiner, von dem er je gehört hatte, konnte in so rascher Folge, so genau und auch mit solcher Kraft zwei Steine hintereinander schleudern und mit einer Wucht, die eine Hyäne noch aus solcher Entfernung zu töten vermochte.

Soweit er sich zurückerinnern konnte, hatte noch nie jemand aus dem Groß-Clan mit einer Schleuder eine Hyäne erlegt. Schon wie Broud nach dem Stein griff, war er von dem Mißerfolg überzeugt gewesen. Zoug hatte immer behauptet, es wäre möglich, mit der Schleuder eine Hyäne zu erlegen, doch insgeheim hatte Brun seine Zweifel daran gehabt. Nur hatte er dem alten Mann nie widersprochen, weil er ihn nicht verstimmen wollte. Und Zoug war schließlich noch immer ein verdienter Mann des Clans. Nun aber war es offensichtlich, daß der alte Zoug doch recht gehabt hatte. Konnte man mit der Schleuder auch einen Wolf oder einen Luchs töten, wie Zoug felsenfest behauptete? Plötzlich schlug sich Brun kräftig an die Stirn, daß es klatschte, und kniff die Augen zusammen, wie geblendet von der unerwarteten Erkenntnis. Hier einen Wolf oder Luchs? Dort einen Vielfraß, eine Wildkatze? Da einen Dachs oder eine Hyäne? In einem wilden Wirbel stürzten die Bilder in sein Hirn. All die toten reißenden Tiere, die man in letzter Zeit in weitem Umkreis um die Höhle gefunden hatte!

Jetzt war es klar. Ayla hatte das getan. Das Mädchen jagte schon seit langem. Wie hätte es denn sonst dieses Schleudernkönnen lernen sollen? Sie ist doch aber eine Frau, ging es dem Clan-Führer durch den Kopf. Sie hat die Frauen-Fertigkeiten leicht begriffen. Wie konnte sie das Jagen lernen? Und wieso nur das reißende Getier? Und so gefährliches dazu? Warum denn überhaupt?

Brun fuhr sich ratlos durch das dichte Haar. Wäre sie ein Mann, so würde jeder Jäger sie beneiden. Aber sie ist es nicht. Ayla ist eine Frau. Sie hat sich an einer Waffe vergriffen und muß dafür sterben, sonst werden uns die Geister schrecklich zürnen. Wirklich? Zürnen? Sie jagt doch schon seit langem. Und wie kommt es dann, daß uns die Geister noch nicht zürnen? Es sieht so aus, als hätten sie gar nichts dagegen. Wie wir das Mammut jagten, haben sie uns doch beigestanden und alles zu einem glücklichen Ende gebracht. Und auch nicht ein Mann ist verletzt. Sie haben keinen Zorn gegen uns, die Geister. Sie sind uns freundlich gesinnt.

Verwirrt schüttelte Brun den massigen Kopf. Die Wege der Geister waren ihm fremd. Er wünschte, der Mog-ur wäre hier und Droog, dachte der Clan-Führer, der glaubte fest, daß sie das Glück mit sich trüge; könnte ja sein, daß er recht habe. Nie wäre es den Clan-Leuten so gut gegangen wie seit jenem Tag, an dem Ayla gefunden wurde. Aber wenn sie so hoch in der Gunst der Geister stünde, würde es sie erbittern, wenn man sie tötete? Das wollte doch der Brauch. Quälende Unsicherheit bohrte sich in Bruns Hirn. Warum mußte gerade sein Clan sie finden? Es könnte ja schon sein, daß sie das Glück mit sich trüge, aber ihm machte sie immer wieder das Leben schwer. Tief atmend schwang Brun seine Keule wieder auf die Schulter. Eine Entscheidung war jetzt nicht zu treffen, ohne vorher den Mog-ur zu Rate gezogen zu haben. Wenn man zurück war in der Höhle, dann würde man weitersehen.

Brun stampfte zum Lagerplatz.

Ayla hatte dem Jungen einen Trank eingeflößt, der die Schmerzen linderte und ihn schläfrig machte. Sie säuberte seine Wunden, renkte den Arm ein und verband ihn mit feuchter Birkenrinde, die starr und hart würde, wenn sie trocknete, so daß die Knochen sich nicht wieder verschieben konnten. Man mußte nur darauf achten, daß der Arm nicht zu stark anschwoll.

Ayla sah Brun zurückkommen und begann zu zittern. Doch er schritt an ihr vorüber, ohne sie zu beachten.

14

Es war, als drehte sich das Jahr rückwärts, als die Jäger und Frauen mit ihrer Beute auf das untere Land zu zogen. Denn hier war es Herbst. Drohende graue Wolken und Geruch von Schnee trieben die Clan-Leute zur Eile; hier wollten sie nicht in das erste Schneetoben des frühen Winters im oberen Teil der Halbinsel geraten. Das mildere Wetter im unteren Land weckte trügerisches Ahnen von nahendem Frühling, doch statt grünender Knospen und aufbrechender Blüten erwarteten sie das fahle Gelb ausgedörrten Grases und die fast nackten Äste der Laubbäume. Auch hier war der Winter nicht mehr fern.

Für den Rückmarsch zur Höhle brauchte man länger. Denn die Lasten drückten und machten einem das Atmen schwer. Viel schwerer jedoch als die prall gefüllten Körbe und sonstigen Behältnisse lasteten auf Ayla Angst und Niedergeschlagenheit. Keiner tat des Vorgefallenen auch nur die geringste Erwähnung. Doch es war nicht vergessen. Häufig, wenn das Mädchen zufällig aufsah, fing es die forschenden Blicke der anderen auf, bevor diese sich hastig abwandten. Kaum jemand wollte etwas mit ihr zu tun haben, wenn es nicht unbedingt nötig war. Sie fühlte sich einsam und ausgestoßen, und ihre Angst wuchs, je näher sie der Höhle kamen.

Schon seit Tagen hatten die in der Höhle Verbliebenen nach den Jägern Ausschau gehalten. Immer stand jemand, meist eines der Kinder, oben am Grat, wo man weit über die Ebene blicken konnte, und spähte aufmerksam in die Richtung, aus der sie kommen mußten.

Heute hatte Vorn schon in aller Frühe sich auf den Weg zum Grat gemacht und zunächst gewissenhaft in die dunstige Ferne geblickt; nach einer Weile jedoch begann ihm die Zeit etwas lang zu werden. Er stellte sich vor, auf der Jagd zu sein, und rammte seinen Speer so oft mit aller Kraft in den Boden, bis schließlich die Spitze splitterte. Und als er unmutig den Kopf hob und den langen Hang hinunterblickte, sah er die Jäger auftauchen.

»Stoß-Zähne! Stoß-Zähne!« schrie Vorn und rannte zur Höhle zurück.

»Stoß-Zähne?« fragte Aga. »Wieso denn das?«

»Sie sind zurück!« gab Vorn aufgeregt zu verstehen. Brun und Droog und die anderen. Er habe sie gesehen. Sie trügen Stoßzähne.

Sofort rannten alle in wildem Lauf den Jägern entgegen. Doch als man sie erreichte, verspürte man sogleich, daß Düsternis über den Männern hing und den Frauen, die sie begleiteten. Man sah, die Jagd war erfolgreich gewesen. Aber keiner frohlockte. Der Schritt der Heimgekehrten war schwer, und ihre Sinne verrieten Kümmernis. Bruns Gesicht zerfurchte grimmiger Ernst. Ein Blick auf Ayla, und Iza erkannte, daß etwas Schreckliches sich zugetragen haben mußte, an dem das Mädchen nicht unschuldig war.

Als die Jäger und die Frauen einen Teil ihrer Lasten absetzten, um sie den anderen zu übergeben, trottete Ayla mit gesenktem Kopf den Hang hinauf, ohne auf die verstohlenen Blicke zu achten, die ihr folgten. Iza war tief bestürzt, und Furcht umkrallte ihr Herz, als sie das Kind sah, das ihres war, wie es mit eingefallenen Schultern, die ein trockenes Schluchzen schüttelte, weiterlief.

Oben in der Höhle brachten Oga und Ebra den kleinen Jungen zur Medizinfrau, die die Birkenrinde aufschnitt und den Arm des Jungen untersuchte.

»Er wird ihn wieder wie früher gebrauchen können«, bedeutete sie. »Es werden Narben bleiben, aber die Wunden verheilen, und der Arm ist gut gerichtet. Ich verbinde ihn jetzt mit frischer Rinde.«

Die Frauen atmeten auf. Sie wußten, daß Ayla noch nicht so erfahren war, und hatten sich sehr gesorgt um den Jungen. Ein Jäger brauchte zwei kräftige Arme. Und wäre Brac nun behindert gewesen, als Krüppel hätte er niemals Clan-Führer werden können, wozu ihn seine Geburt bestimmte. Und hätte sich gezeigt, daß er zum Jagen nicht zu gebrauchen war, so wäre er niemals ein Jäger geworden und den Rest seines Lebens ohne Rang und Geltung gewesen.

Auch Brun und Broud waren erleichtert. Brun jedoch nahm die Nachricht mit gemischten Gefühlen auf. Sie machte es ihm noch schwerer, sich zu entscheiden. Ayla hatte nicht nur Bracs Leben gerettet, sie hatte auch dafür gesorgt, daß er hinfort ein würdiges Leben würde führen können. Das alles mußte jetzt bedacht und entschieden werden. Er gab dem Mog-ur ein Zeichen, und gemeinsam schritten sie langsam über den Vorplatz auf den Wald zu.

Die schlimme Kunde, die Brun ihm gab, stürzte Creb in tiefe Bekümmerung. Ihm oblag es, Ayla zu lehren und zu unterweisen. Es war offenkundig, daß er versagt hatte. Doch nicht nur das machte ihm zu schaffen. Schon als er das erste Mal von den toten Tieren erfahren hatte, die die Männer immer wieder im Umkeis der Höhle fanden, war ihm klar geworden, daß dieses nicht von Geisterhand gemacht war. Der Gedanke war ihm gekommen, ob nicht Zoug oder einer der anderen Männer dem Clan einen Streich habe spielen wollen, denn sein Gefühl sagte ihm, daß die Tiere von seinesgleichen getötet worden waren. Und zu gleicher Zeit hatte er diese Veränderung an Ayla wahrgenommen; Veränderungen, bei denen er hätte erkennen müssen, was sie bedeuteten. Clan-Frauen bewegten sich einfach nicht mit dem lautlos schleichenden Schritt des Jägers; sie machten Lärm, und das mit gutem Grund, weil sie Angst hatten. Mehr als einmal war er durch Ayla erschreckt worden, die sich ihm so leise genähert hatte, daß er sie nicht hörte, bis das Mädchen vor ihm stand. Und plötzlich erinnerte sich der Mog-ur noch an anderes, was ihn Böses hätte ahnen lassen müssen.

Doch weil er Ayla gegenüber eine solch tiefe Zuneigung gefaßt hatte, hatte er sie immer nur so gesehen, wie er sie sehen wollte. Sich vorzustellen, daß sie jagen gehen könnte, damit durfte gar nicht erst angefangen werden, weil er allzu gut wußte, was für Folgen das haben würde. Zweifel kamen in dem alten Zauberer auf an seiner eigenen Unbestechlichkeit, an seiner Fähigkeit, den rechten Weg der Geister aufzuzeigen, dem Clan-Brauch Geltung zu verschaffen und die Gemeinschaft aller zu vereinen. Über seiner Liebe zu dem Mädchen hatte er das Wohl des Clans vergessen. Besaß er noch das Vertrauen der Clan-Leute? War er noch des Großen Bären würdig? Konnte er noch weiterhin der Mog-ur sein?

Creb nahm alle Schuld auf sich. Er hätte sich um sie mehr kümmern müssen, sie nicht so frei umherstreifen lassen dürfen, sie mit mehr, mehr Strenge behandeln sollen. Doch all seine Herzensqualen über das, was zu tun er versäumt hatte, änderten nichts an dem, was er noch würde verrichten müssen. Bei Brun lag die Entscheidung; er jedoch würde sie ausführen; er würde das Kind, das er so fest in sein Herz geschlossen hatte, zu töten haben.

»Noch wissen wir nicht, ob sie es war, die die Tiere getötet hat«, deutete Brun an. »Sie ist darüber zu befragen. Doch wir haben gesehen, wie sie die Hyäne erlegte, und sie trug eine Schleuder in der Hand.«

Für den Clan-Führer war es klar, daß sie üben mußte, um so hohes Geschick zu haben. Ayla wisse mit der Schleuder besser umzugehen als Zoug. Und dazu noch eine Frau! Wie sie es wohl gelernt hätte? Ob es denn sein könnte, daß sie etwas von einem Mann in sich trüge? Wenn man sie anschaute, sie sei so hochgewachsen wie ein Mann und doch noch nicht mit den Formen einer Frau versehen. Ob es denn sein könnte, daß Ayla niemals eine Frau würde?

Fragend schaute Brun seinen Bruder an. Der Mog-ur antwortete: »Ayla ist ein Mädchen, Brun, und eines Tages wird sie eine Frau wie alle Mädchen – sie wäre es geworden«, schränkte er ein. »Sie ist ein Mädchen, das sich an einer Waffe vergriffen hat.«

Der Zauberer war hart zu sich selbst. Er wollte keinen falschen, täuschenden Trost.

»Sie soll uns zeigen, wo und wie lange sie schon jagt. Aber das muß bis zum Morgen warten. Wir sind alle müde, Mog-ur, die Wanderung war lang. Laß Ayla wissen, daß wir sie befragen werden«, endete Brun.

Creb humpelte zur Höhle zurück. In seinem Wohnkreis blieb er jedoch nur kurz, um Iza zu bedeuten, daß die Männer das Mädchen morgen befragen wollten. Dann zog er sich in seine kleine Höhle zurück. Die ganze Nacht verbrachte er dort.

Stumm und ohne jede Bewegung blickten die Frauen den Männern nach, die, von Ayla gefolgt, dem Wald zustrebten. Geteilte Empfindungen stritten in ihnen. Ayla selbst war gleichermaßen verwirrt. Sie hatte zwar immer gewußt, daß Frauen die Jagd verboten war, aber nicht, daß die Strafe der Tod sein sollte, falls der Mißbrauch offenkundig wurde. Und hätte ich es gewußt, so fragte sie sich, hätte ich mich dann davon abhalten lassen zu jagen? Nein! Ich wollte jagen. Dennoch hätte ich gejagt. Aber als Ayla sich vorstellte, daß die bösen Geister sie bald ins Reich der Toten schleppen würden, zuckte sie zusammen und lief langsamer.

Ihre Furcht vor den unsichtbaren bösen Mächten war so stark wie ihr Glaube an die Kraft schutzspendender Totems. Doch sie befürchtete, daß nicht einmal der Geist des Höhlenlöwen sie würde beschützen können. Ich muß es falsch gedeutet haben, schoß ihr durch den Kopf. Wie kann mein Totem mir ein Zeichen geben, das mir die Jagd erlaubt, wenn es weiß, daß ich dafür zu sterben habe? Es hat mich wohl schon damals verlassen, als ich das erste Mal nach einer Schleuder griff.

Die Männer gelangten zu einer Lichtung und ließen sich zu beiden Seiten von Brun auf Baumstümpfen und Felsbrocken nieder. Als Ayla herankam, sank sie zu Füßen des Clan-Führers nieder.

Brun tippte ihr leicht auf die Schulter zum Zeichen, daß sie zu ihm aufsehen durfte, und begann ohne Umschweife das Verhör.

»Hast du die Fleischfresser getötet, die wir immer wieder gefunden haben?« fragte er kurzerhand.

»Ja«, bedeutete das Mädchen.

Wozu jetzt noch etwas verbergen? Ihr Geheimnis war an den Tag gekommen, und die Männer würden es spüren, wenn sie versuchte, etwas für sich zu behalten.

»Wie hast du gelernt, eine Schleuder zu gebrauchen?«

»Von Zoug«, gab sie kurz und mit gesenktem Kopf zurück.

»Zoug?« echote Brun.

Alle Blicke richteten sich anklagend auf den alten Mann, der hastig bezeugte, daß er das Mädchen nie unterwiesen habe.

»Zoug wußte nicht, daß ich von ihm lernte«, erläuterte Ayla darauf. »Ich habe es von ihm abgeschaut, wenn er Vorn unterwies, und dann nachgemacht.«

»Wie lange jagst du schon?« wollte Brun wissen.

»Zwei Sommer«, gab Ayla zurück und streckte Daumen und Zeigefinger hoch. »Im Sommer davor habe ich nur geübt.«

»So lange übt auch Vorn«, warf Zoug ein.

»Ich weiß«, bestätigte Ayla. »Ich habe zusammen mit ihm angefangen.«

»Wieso bist du dir dabei so sicher, Mädchen?« Brun war neugierig.

»Ich war dabei. Ich habe zugesehen.«

»Du warst dabei? Wo?«

»Auf der Lichtung, da hinten.« Ayla wies über die Köpfe der Männer und wurde genauer. »Iza hieß mich, ihr Kirschrinde zu bringen. Als ich zu den Bäumen kam, wart ihr alle da, so daß ich sie nicht holen konnte. Da ich nicht wußte, wie lange ihr bleiben würdet, wartete ich und sah zu, wie Zoug zum ersten Mal Vorn das Schleudern zeigte.«

»Was? Das erste Mal?« mischte sich Broud mit hastiger Gebärde ein. »Bist du sicher, daß es das erste Mal war?«

Brouds Augen hatten wieder den alten, harten Glanz bekommen. Jenen Tag hatte er nur allzu deutlich noch im Kopf. Selbst jetzt stieg ihm eine leichte Röte ins Gesicht.

»Ja, Broud, ich bin sicher«, gab Ayla zurück.

»Was hast du noch gesehen?«

Der junge Jäger hatte die Augen zusammengekniffen; seine Hände redeten hart und kurz. Auch Brun erinnerte sich plötzlich an das für Broud beschämende Ereignis, daß ein Mädchen dieses hatte sehen können, bedrückte ihn.

Ayla zögerte. »Ich habe gesehen, wie auch die anderen Männer übten«, bedeutete sie in dem Bemühen, Brouds Frage auszuweichen. Doch dann fühlte sie Bruns harten Blick auf sich gerichtet und bekannte: »Ich habe gesehen, wie Broud Zoug zu Boden stieß, und wie du sehr zornig gewesen bist, Brun.«

Fast wäre Broud von seinem Sitzstein aufgesprungen.

»Das hast du gesehen? Alles!« Broud war flammend rot geworden. Warum hatte sie das mitansehen müssen? Wut schoß in ihm hoch. Sie war zugegen gewesen, wie Brun ihn gedemütigt und gestraft hatte. Broud stand immer noch vor Augen, wie schlecht er damals mit der Schleuder geschossen hatte, und plötzlich sah er sich selbst beim Mammut-Lager auf die Hyäne zielen und erlebte noch einmal, wie sein Schuß danebenging. Er hatte jämmerlich gefehlt. Sie hatte die Hyäne erlegt, das Biest zu Tode getroffen. Ein Mädchen, dieses Mädchen hatte ihn, der Tapfersten einer, auf der Mammutjagd ganz einfach bloßgestellt.

Eiskalter Haß verdrängte alle Wärme, die er nach Bracs Rettung für Ayla gespürt hatte. Ich werde erst froh sein, wenn sie tot ist, dachte er grimmig. Sie verdient nichts anderes. Dieses Mädchen, das den Augenblick seiner tiefsten Erniedrigung miterlebt hatte, durfte nicht am Leben bleiben.

Mit gerunzelter Stirn hatte Brun den Sohn seiner Gefährtin beobachtet. Brouds Gesicht verriet ihm deutlich, was hinter seiner Stirn vorging. Ein Jammer, dachte der Clan-Führer, gerade jetzt, wo das Feuer des Hasses zwischen ihnen erloschen war. Aber das galt nun auch nicht mehr. Er fuhr fort, das Mädchen zu verhören.

»Du hast am selben Tag wie Vorn zu üben angefangen. Bedeute Näheres.«

Ayla straffte den Rücken, blickte auf ihre Hände und begann zu schildern, wie es sich zugetragen hatte. Als die Männer gegangen waren, sei sie hinzugetreten und habe die Schleuder entdeckt. Broud hätte sie auf dem Boden liegen lassen. Und dann sei es über sie gekommen. Sie hätte sehen wollen, ob sie mit einer Schleuder umgehen könnte. Zougs Anweisungen noch vor Augen, habe sie es versucht. Es sei nicht leicht gewesen, sie habe aber bis Sonnenuntergang geübt. Und einmal den Pfosten getroffen und von da an gedacht, wenn sie weiter übe, müßte es ihr häufiger gelingen und die Schleuder einfach behalten.

»Und du hast es wohl auch Zoug abgeschaut, wie eine Schleuder gefertigt wird?« erkundigte sich Brun.

»Ja.«

»Und in jenem Sommer hast du geübt?«

»Ja.« Ayla nickte wieder.

»Und dann hast du begonnen zu jagen. Aber warum nur auf Fleischfresser? Das ist doch schwieriger, und sie sind auch gefährlicher. Wir haben tote Wölfe gefunden und sogar tote Luchse. Schon immer hat Zoug behauptet, Wölfe und Luchse könnten mit einer Schleuder getötet werden. Du hast gezeigt, daß er recht hatte.« Bruns Zeigefinger bohrte sich fast in Aylas Stirn, als er nochmals die Frage stellte: »Warum hast du nur Fleischfresser gejagt?«

»Ich wußte, daß ich niemals meine Beute zum Clan würde bringen können. Ich wußte, daß es mir verboten war, eine Waffe zu berühren. Ich wußte aber auch, daß in mir ein Verlangen war zu jagen. Mich trieb der Wunsch, es zu versuchen. Und die Fleischfresser schaden uns und sind auch zu nichts nütze. Ich wollte sie töten und auch damit helfen.«

Nun wußte Brun zwar, weshalb das Mädchen nur reißende Tiere gejagt hatte; doch wieso sie verlangte, sich als Jägerin zu versuchen, begriff er nicht. Sie war eine Frau; keine Frau trieb es je zur Jagd.

Er wandte sich wieder zu der vor ihm Sitzenden: »Du weißt, es war gefährlich, aus solcher Weite auf die Hyäne zu schießen; nicht sie, sondern Brac hättest du treffen können.«

Brun war selbst drauf und dran gewesen, zu seiner großen Wurfschleuder zu greifen, obwohl leicht einer der großen Steine das Kind hätte treffen können. Doch ein rascher Tod durch einen zertrümmerten Schädel wäre besser gewesen als das qualvolle Ende, das dem Jungen bevorgestanden hätte, wenn man ihn einfach der Hyäne überließ. Zudem hätte man wenigstens den Körper des Kindes begraben und seinen Geist mit angemessenen Weihgaben auf den Weg in das Reich der Toten schicken können.

»Ich wußte, daß ich sie treffen würde«, gab Ayla mit ruhiger Hand zurück.

Brun verbarg mit Mühe sein Erstaunen über diese Selbstsicherheit.

»Wie konntest du so sicher sein? Die Hyäne war außer der üblichen Reichweite der Schleuder.«

Aylas Lippen zuckten leicht.

»Nicht außerhalb meiner Reichweite. Schon früher habe ich Tiere aus dieser Entfernung getroffen. Ich fehle selten.«

Brun zog die Brauen zusammen und beherrschte sich.

»Ich habe die Wunden von zwei Steinen gesehen«, setzte er nach.

»Ja. Zwei Steine habe ich abgeschleudert«, bestätigte Ayla und hob zwei Finger hoch. »Das habe ich mir beigebracht, nachdem der Luchs mich angegriffen hatte.«

Den Clan-Führer riß es fast vom Baumstumpf. Er fragte ungläubig zurück: »Ein Luchs hat dich angegriffen?«

»Ja.« Ayla berichtete von dem schlimmen Geschehen und von dem glücklichen Ausgang.

»Wie weit kannst du schleudern?« fragte Brun dann. »Zeige es mir. Hast du deine Schleuder mit?«

Ayla nickte, griff in eine Falte ihres Überwurfs und stand auf. Sie gingen alle hinüber zum anderen Ende der Lichtung, wo ein kleiner Bach sich durch ein steiniges Bett ergoß. Ayla suchte einige Kiesel von der richtigen Größe und Form zusammen.

»Dort, der kleine weiße Stein da, neben dem großen Felsbrocken am anderen Ende«, bedeutete sie Brun und zeigte in die Richtung.

Der Clan-Führer neigte zweifelnd den Kopf. Keiner von ihnen war imstande, einen Stein so weit zu schleudern. Das Mädchen zielte sorgfältig, legte einen Stein in die Schlinge, schwang die Schleuder, schoß ihn ab und hatte schon im nächsten Augenblick einen zweiten Stein in die Kuhle gedrückt, noch einen kräftigen Rundschwung gemacht und auch diesen Stein abgeschossen. Flugs rannte Zoug hinüber, um nachzuschauen, ob sie ihr Ziel getroffen hatte.

»Aus dem weißen Stein sind zwei Splitter herausgeschlagen«, verkündeten seine Hände, als er zurückkam. »Sie hat den Stein zweimal getroffen.« Bewunderndes Staunen und ein Anflug von Stolz lagen in seinen Gebärden.

Nun gut, dachte Zoug. Sie war eine Frau; niemals hätte sie eine Schleuder anrühren dürfen. Aber sie war eine ausgezeichnete Schützin. Sie machte ihm Ehre, auch wenn er selbst es gar nicht gemerkt hatte, daß sie von ihm gelernt hatte.

Bruns Auge erhaschte eine flinke Bewegung auf der Lichtung.

»Ayla!« rief er und deutete auf die andere Seite. »Dort, das Kaninchen. Erlege es.«

Sie blickte schnell in die Richtung, in die sein Arm wies, sah das kleine Tier über die Wiese hoppeln und schoß. Keiner brauchte diesmal hinzulaufen, um nachzuprüfen, ob sie getroffen hatte.

Mit beifälligem Blick sah Brun das Mädchen an. Sie ist schnell wie der Wind, dachte er. Und flüchtig ging ihm durch den Sinn, von welch großem Nutzen ihr unvergleichliches Können für den ganzen Clan sein könnte. Aber gleich wehrte er wieder den Gedanken ab. Das ist dem Brauch zuwider, hielt er sich vor. Eine Frau jagt nicht.

Creb hatte keine Bewunderung für des Mädchens Können. In dem, was es tat, sah er nur bestätigt, was er befürchtet hatte, daß sie wirklich seit langer Zeit schon jagte.

»Warum hast du dich überhaupt verleiten lassen, eine Schleuder zur Hand zu nehmen?« grollte der Mog-ur mit düsterer Miene.

»Ich weiß es nicht.« Ayla senkte den Kopf. Mehr als alles andere schmerzte sie der Unmut des alten Zauberers.

»Du hast mehr getan. Du hast sie nicht nur berührt, du

hast mit ihr gejagt und getötet, obwohl du wußtest, daß dies verboten ist«, beschuldigte sie der Mog-ur.

Ayla sah ihn flehend an und griff zu ihrem Amulett.

»Mein Totem hat mir ein Zeichen gegeben, Creb.« Sie löste den Knoten ihres kleinen Beutels. »Als ich mich entschlossen hatte, doch zu jagen, fand ich dieses hier«, und reichte ihm die versteinerte Seeschnecke.

Ein Zeichen? Ihr Totem hatte ihr ein Zeichen gesandt? Bestürzung und Verwirrung breitete sich unter den Männern aus. Das warf ein neues Licht auf Aylas Tun. Warum aber hatte sie überhaupt beschlossen zu jagen?

Bedächtig drehte der Zauberer den Stein in der Hand. In der Tat. Es war ein ungewöhnlicher Stein, geformt wie ein Tier aus dem großen, salzigen Wasser; aber so, wie es sich anfühlte, war und blieb es ein Stein. Vielleicht war es wirklich ein Zeichen von Aylas Totem, doch das erhellte nichts. Kein anderer konnte die Zeichen verstehen, die ein Totem seinem Schützling sandte. Der Mog-ur reichte Ayla den Stein zurück.

»Creb«, sagte sie flehend. »Ich dachte, mein Totem wollte mich prüfen. Ich glaubte, alles, was Broud mir antat, sei nur mir bestimmt. Ich glaubte, wenn ich es schaffen könnte, die Drangsal zu ertragen, dann würde mein Totem mir erlauben, eine Waffe zu haben und zu jagen.«

Neugierige Blicke flogen zu dem jungen Jäger. Glaubte das Mädchen wirklich, sein Totem hätte sich Broud zum Werkzeug erkoren, um sie zu prüfen? Brouds Miene zeigte Unbehagen.

Aylas Hände beteuerten hastig: »Als der Luchs mich angriff, glaubte ich zuerst, das wäre auch eine Prüfung, und beinahe hätte ich aufgehört zu jagen. Ich hatte Angst. Doch dann kam mir, es mit zwei Steinen zu versuchen, um nicht wehrlos zu sein, wenn mein erster Schuß fehlte. Und von da an glaubte ich noch fester, daß mein Totem wollte, daß ich jagte.«

»Gut, du hast mir angedeutet, wie du es begreifst«, schnitt ihr der Zauberer die redeflinken Handbewegungen ab und wandte sich an den Clan-Führer: »Ich brauche Zeit, Brun. Und will darüber mit mir selbst zu Rate gehen.«

»Wir alle wollen dasselbe tun. Wenn die Nacht um ist, kommen wir hier wieder zusammen«, verkündete der Clan-Führer mit entschiedenen Gesten. »Ohne das Mädchen.« Und erhob sich.

»Was gibt es da noch länger zu beraten?« versuchte Broud die anderen mit heftigen Händen zurückzuhalten. »Wir wissen alle, welche Strafe sie zu bekommen hat.«

Verärgert wandte Brun sich um und meinte: »Sie zu bestrafen, kann den ganzen Clan in große Gefahr stürzen, Broud. Ich muß mit mir selbst im reinen sein, daß es so richtig ist, wie es ist, und sicher sein, daß wir nichts übersehen haben, ehe ich sie verdamme. Wir kommen bei Sonnenaufgang hier wieder her.«

Erregt die Hände schwingend, machten sich die Männer auf den Rückweg zur Höhle.

»Noch nie habe ich von einer Frau erfahren, die das Verlangen hatte zu jagen«, schüttelte Droog seinen Kopf und ließ die Hände reden. »Kann es sein, daß ihr Totem sie dazu treibt? Es ist doch ein Männer-Totem.«

»Kann es sein, daß in ihr etwas von einem Manne ist?« fragte Crugs Hand bedächtig.

»Dann wäre mir klar, warum sie so aus der Art der Frauen schlägt«, bedeutete Dorv.

»Sie ist eine Frau«, beharrte Broud und hieb mit der Faust durch die Luft. »Sie muß sterben, das weiß doch jeder.«

»Recht hast du, Broud«, stimmte Crug ihm zu.

»Und selbst wenn etwas von einem Mann in ihr wäre, so bleibt sie doch eine Frau. Und die darf nicht jagen.« Dorvs Miene war finster. »Es kann nicht gut gewesen sein, daß sie bei uns aufgenommen worden ist. Sie ist von anderer Art.«

»Ich sehe es wie du, Dorv«, erklärte Broud und zeigte auf den Jäger. »Was bewegt Brun, noch zu zögern? Wäre ich Clan-Führer, so würde sie sofort die Strafe zu erdulden haben.«

Grod schüttelte den Kopf.

»Ein solcher Entscheid läßt sich nicht mit leichtem Herzen treffen, Broud«, bedeutete ihm dieser. »Warum hast du es so eilig? Ein Tag mehr wiegt nicht schwer.«

Broud zog den Kopf ins Genick und beschleunigte seinen

Schritt. Immerzu muß der Alte mir gute Ratschläge geben, dachte er wütend. Immer stellt er sich auf Bruns Seite. Wie kommt es, daß Brun zögert, sich zu entscheiden? Ich bin fertig mit diesem Mädchen. Was nützt schon all das Hin und Her? Brun wird schon alt, vielleicht zu alt, um weiterhin den Clan zu führen.

Stumm stolperte Ayla den Männern hinterher. Sie lief in die Höhle zu Crebs Feuerstätte und hockte sich auf ihren Schlafpelz, den Blick starr geradeaus gerichtet. Iza wollte sie bewegen, etwas zu essen; doch das Mädchen wehrte ab. Die kleine Uba hatte keine Ahnung, was vorging, doch sie spürte, daß ein Kummer Ayla bedrückte und kroch ihr auf den Schoß und ließ sich sachte wiegen. Ganz ruhig blieb sie in Aylas Arme gekuschelt und schlief nach einer Weile ein. Iza nahm ihr das Kind ab, legte es in die Schlafmulde und deckte es zu. Dann streckte sie sich neben ihm aus. Lange blieb sie wach. Ihr war, als müßte ihr Herz bersten vor Kummer um das Mädchen, das sie ihre Tochter nannte und das stumm und starr am Feuer saß und unverwandt in die Glut der langsam ersterbenden Flammen blickte.

Klar und kalt kam der Morgen. Am Rand des Baches glitzerte das erste Eis, und über den kleinen Teich, nicht weit vom Eingang der Höhle, war eine durchsichtig-dünne Eishaut gezogen. Die Zeit war nicht mehr fern, wo Schneefälle und Kältnis den Clan wieder in die Höhle treiben würden.

Iza wußte nicht, ob Ayla überhaupt geschlafen hatte, die noch immer auf ihrem Fell hockte, als die Frau erwachte. Das Mädchen schien sich in einer fremden Ferne zu befinden, die nicht einmal die eigenen Gedanken ermessen konnten. Sie ließ sich wartend treiben.

Der Mog-ur war in dieser Nacht nicht an sein Feuer zurückgekehrt. Erst jetzt tauchte er aus der dunklen Spalte seiner Zauberhöhle auf.

Nachdem die Männer gegangen waren, brachte Iza dem Mädchen etwas Warmes zu trinken. Doch auf die behutsam fragende Gebärde gab Ayla keine Erwiderung. Als die Medizinfrau zurückkam, stand das Getränk kalt und unberührt dort, wo sie es hingestellt hatte. Es ist so, als wäre sie schon tot, fuhr es Iza durch den Kopf. Sie konnte kaum atmen, als die eisige Hand der Furcht ihr Herz zusammenpreßte.

Brun führte die Männer zu einem windschattigen Platz eines mächtigen Felsgesteins. Dort ließ er ein Feuer entzünden. Die klamme Luft hier oben sollte seinen Männern nicht Ruhe und Bedachtsamkeit rauben. Als die wärmenden Flammen züngelten und die Gesichter der Clan-Männer sich entspannten, eröffnete Brun die Beratung.

»Das Mädchen Ayla, ein Glied unseres Clans, gebrauchte eine Schleuder, um mit ihr eine Hyäne zu töten, die Brac ergriffen hatte. Drei Sommer schon gebraucht sie diese Waffe. Ayla ist eine Frau. Der Brauch des Clans bestimmt, daß eine Frau, die sich an einer Waffe vergreift, dem Tode verfallen ist.« Und nach einem kurzen Innehalten: »Wer unter euch will etwas dazu verkünden?«

»Droog wünscht zu sprechen, Brun.«

»Droog möge sprechen.«

»Als die Medizinfrau das Mädchen fand, waren wir auf der Suche nach der neuen Höhle. Die Geister zürnten uns. Sie hatten die Erde erzittern lassen, um unsere Feuerstätten zu zerstören. Es könnte sein, daß ihr Zorn gar nicht so heftig war. Es könnte sein, daß sie nur eine bessere Bleibe wünschten. Es könnte sein, daß sie uns hierfür dieses Mädchen schickten. Sie ist von anderer Art als wir; sie ist so ungewöhnlich wie ein Zeichen, das einer von seinem Totem bekommt. Denn seit wir sie gefunden haben, hat uns das Glück nicht mehr verlassen. Ich glaube, in ihr ist das Glück beschlossen. Ich glaube, es nimmt von ihrem Totem seinen Ausgang.«

Droog blickte kurz auf seinen Beutel am Hals und ließ dann seine Hände weiterreden. Es sei ein Zeichen ihrer Besonderheit, daß sie der Große Höhlenlöwe erwählt habe. Für sie, die Clan-Leute, sei es befremdlich, daß Ayla sich nicht fürchtete, in das große salzige Gewässer zu tauchen; aber hätte sie nicht dieses befremdliche Gefallen am Wasser gefunden, so wäre Ona jetzt im Reich der Toten. Ona sei zwar nur ein Mädchen und nicht an seinem Feuer geboren; aber sein Herz habe sich ihr weit aufgetan. Und es wäre dunkel darin geworden, wenn sie davongetragen wäre.

Droog wies den Hang hinunter zur Höhle.

»Ayla ist uns fremd. Aber wir wissen wenig über die anderen. Jetzt gehört sie zum Groß-Clan. Doch wurde sie nicht in ihn hineingeboren. Ich weiß nicht, was sie zum Jagen trieb. Den Frauen des Clans ist es verboten, aber den Frauen der anderen vielleicht nicht. Doch das gilt nicht viel; sie hat dennoch gegen den Brauch verstoßen. Hätte sie sich aber nicht im Schleudern geübt, so wäre auch Brac jetzt nicht mehr unter uns.«

Der Werkzeugmacher deutete auf den Clan-Führer, als er mit einer heftigen Bewegung der Hand unterstrich, daß Bracs Tod für den Clan ein schlimmer Schlag gewesen wäre, nicht nur für Brun und Broud. Denn wäre er von der Hyäne zerfleischt worden, so säße man bestimmt nicht hier, um zu beraten, wie dieses Mädchen zu bestrafen sei, das ihn gerettet habe. Man würde den Tod des Jungen beklagen, der eines Tages Clan-Führer hätte werden sollen. Er, Droog, empfehle, das Mädchen zu bestrafen. Doch nicht mit dem Tod, das sei zuviel.

»Zoug wünscht zu sprechen, Brun.«

»Zoug möge sprechen.«

»Das, was Droog uns vor Augen gehalten hat, ist richtig: Wie kannst du das Mädchen zum Tode verdammen, wenn es Brac vor dem Tode bewahrt hat? Es ist von anderer Art. Es wurde nicht in den Groß-Clan hineingeboren. Es empfindet nicht so, wie eine Clan-Frau empfindet. Es hat sich aber immer wie eine Clan-Frau betragen.«

»Das ist sie nicht«, fuhr Broud mit erregter Hand dazwischen. »Sie ist aufsässig und unverschämt.«

»Jetzt bin ich dran, Broud«, gab Zoug zornig zurück.

Brun warf dem jungen Jäger einen mißbilligenden Blick zu. Sich mühsam beherrschend, verschränkte dieser die Arme auf der Brust.

»Es ist richtig«, fuhr Zoug mit ruhigen Bewegungen fort, »als das Mädchen jünger war, zeigt es sich dir gegenüber aufsässig und unverschämt, Broud. Aber du selbst hast sie dazu gebracht. Und wenn du dich wie ein Kind beträgst, ist es dann verwunderlich, daß dich das Mädchen nicht wie einen Mann behandelt? Mir und auch jedem anderen Mann zeigte sie stets nur Gehorsam und Achtung.«

Wütend funkelte Broud den alten Mann an, doch hielt er sich zurück.

»Und selbst wenn all das nicht so wäre«, Zoug zeigte für Ayla fast so etwas wie Stolz, »ich habe noch nie einen Jäger gesehen, der mit der Schleuder so geschickt zu jagen weiß wie sie. Sie sagt, sie habe es mir abgeschaut. Ich habe das nie wahrgenommen. Doch will ich offen kundtun, daß ich wünschte, ich hätte einen Schützling von so hohen Gaben. Und noch etwas will ich bezeugen: Mit der Schleuder ist sie so geschickt, daß sogar ich noch von ihr lernen könnte. Sie wünschte, für den Clan zu jagen, als sie jedoch erkennen mußte, daß das nicht anging, suchte sie sich einen anderen Weg, um dem Clan zu helfen. Sie mag ein Kind der anderen sein. Aber in ihrem Herzen gehört sie zu uns. Immer hat sie das Wohl des Clans vor ihr eigenes gestellt. Als sie Ona rettete, ließ sie sich nicht von den Gefahren schrecken, die sie selbst bedrohten. Gewiß, sie kann sich durch das Wasser schlängeln wie ein Fisch; aber ich habe gesehen, wie kraftlos sie war, als sie Ona zurückbrachte. Das große Wasser hätte auch sie verschlingen können. Ayla wußte, daß es ihr verboten war, zu jagen; drei Sommer lang bewahrte sie sich ihr Geheimnis. Als aber Brac in Gefahr geriet, da zögerte sie nicht, es preiszugeben.«

Zoug zupfte sich an der Nase. »Und noch etwas: Sie zeigt im Umgang mit der Schleuder mehr Geschick als jeder andere. Ein Jammer wäre es, ihr Können zu verschwenden. Soll sie zum Wohl des Clans am Leben bleiben. Soll sie jagen!«

»Nein! Nein! Nein!« Wutentbrannt sprang Broud auf die Beine und stampfte mit den Füßen. »Sie ist eine Frau, und keiner Frau kann erlaubt werden, auf die Jagd zu gehen.«

»Broud«, wies der alte Jäger den Hitzkopf zurecht, »ich bin noch nicht am Ende. Du kannst Brun bitten, dich dran zu lassen, wenn ich fertig bin.«

»Ja, laß Zoug zu Ende sprechen, Broud«, mahnte der Clan-Führer. »Wenn du vergessen hast, dich wie ein Jäger zu benehmen, dann kannst du sofort gehen!«

Broud hockte sich wieder hin. An seinem Hals schlug heftig eine dicke Ader. Zoug hob die Hand und deutete auf sich.

»Die Schleuder ist keine Waffe von hohem Rang. Ich selbst

habe erst begonnen, mich in ihrem Gebrauch zu üben, als ich zu kraftlos war, um mit dem Speer zu jagen. Die anderen Waffen sind der Männer wahre Waffen. Ich aber sage: Laßt sie jagen, laßt sie mit der Schleuder jagen, laßt die Schleuder die Waffe der alten Männer und Frauen sein. Laßt diese Frau als erste mit der Schleuder jagen.«

»Zoug«, entgegnete Brun, »du weißt so gut wie ich, daß beim Schleudern mehr Geschicklichkeit vonnöten ist als beim Gebrauch des Speeres. Wie viele Male hast du den Clan mit Fleisch versorgt, wenn die Jäger mit leeren Händen aus den Steppen zurückgekehrt waren? Mach dich nicht klein um des Mädchens willen. Für den Speer braucht es nur einen kraftvollen Arm.«

»Und standhafte Beine und ein tapferes Herz und langen Atem und die Unbeugsamkeit eines Löwen«, gab Zoug ruhig zurück und zeigte auf seine Schleuder, die an seinem Gürtel hing. »Und hatte das Mädchen nicht ein tapferes Herz, als es ganz allein, nur mit solch einer Schleuder bewaffnet, wiederum dem Luchs entgegentrat? Ich bin für das, was Droog schon vorgeschlagen hat: Laßt sie mit der Schleuder jagen! Die Geister haben keinen Zorn gezeigt. Sie bringt uns Glück. Bedenkt die Mam-Mut-Jagd!«

»Aber ist es uns gestattet, den Brauch des Groß-Clans umzustoßen?« zweifelten Bruns Finger. »Ich sehe keinen Weg, der anderswohin führt als in den Tod. Wie können wir ihr da auch noch gestatten, weiter zu jagen? Du kennst den Clan-Brauch, Zoug. Noch nie zuvor ist einer Frau gestattet worden, auf die Jagd zu gehen. Glaubst du, die Geister würden dadurch freundlicher gestimmt, Zoug?«

»Es stimmt. Die Frauen des Groß-Clans jagen nicht. Doch dieses Mädchen ist viele Male auf die Jagd gegangen. Ich meine, laßt Ayla weiter tun, was sie ohne uns schon getan hat.«

»Wie siehst du es an, Mog-ur?« wandte sich Brun an den Zauberer.

»Was glaubst du wohl, wie er das ansehen wird, sie lebt doch an seinem Feuer!« mischte sich der junge Jäger wieder ein.

»Broud!« donnerte Brun und hob den Arm. »Willst du dem Mog-ur unterstellen, er ziehe das, was sein eigenes Herz bewegt, dem Wohl des Clans vor? Ist er nicht der Mog-ur? Der große Mog-ur? Und du vermeinst, er wird uns nicht bedeuten, was der Brauch gebietet?«

»Laß ihn, Brun. Was Broud uns da vor Augen hält, ist so falsch nicht. Ihr alle wißt, wie zugeneigt ich Ayla bin. Es ist nicht leicht für mich, sie meinem Herzen zu entreißen. Ich habe mich darum bemüht; doch kann ich nicht gewiß sein, ob es mir auch gelungen ist. Seit eurer Rückkehr habe ich gefastet und wieder und wieder in mich selbst geschaut. In der Nacht, die hinter uns liegt, ihr Männer, habe ich den Weg in die Tiefen ferner Zeiten finden können, die ich noch nie zuvor geschaut, vielleicht, weil ich sie nie gesucht habe.«

Der Mog-ur hob seinen Arm in die Höhe und wies in einem Bogen weit in die Ferne. »Vor langer, langer Zeit, lange bevor wir zum Groß-Clan wurden, gingen die Frauen den Männern bei der Jagd zur Hand.« Ein ungläubiges Knurren machte die Runde, als der Zauberer diese Ungeheuerlichkeit verkündete. »Ja, so war es. Wir wollen eine heilige Feier abhalten, und ich werde auch euch dorthin führen, in jene fernen Tage, als wir Erdlinge lernten, Werkzeuge und Waffen zu fertigen, als wir mit einer Gabe des Geistes geboren wurden, die war wie unsere Fähigkeit, uns zu erinnern und zurückschauen, und doch anders. In jene Tage werde ich euch führen, wo Männer und Frauen die wilden Tiere gemeinsam erlegten, um Nährendes zu beschaffen. Denn nicht immer sorgten in jener Zeit die Männer für die Frauen. Wie Bärinnen jagten sie selbst für sich und ihre Kinder. Und erst später begannen die Männer, für eine Frau und ihre Kinder zu jagen. Und noch viel mehr Zeit mußte vergehen, ehe die Frauen nur noch zu sammeln und die Kinder zu hüten hatten. Als die Männer anfingen, Frauen und Kinder zu beschützen, als sie begannen, Nährendes durch Jagen zu beschaffen, war das der Anfang des Groß-Clans, und nur so konnte er wachsen. Denn wenn eine Frau mit Kindern auf der Jagd ihr Leben verlor, dann mußten auch die Kinder sterben. Erst als die Männer und Frauen aufhörten, miteinander zu kämpfen, erst als sie lernten, zusammenzuhalten und miteinander zu jagen, fing der Groß-Clan an zu wachsen. Und selbst da gab es noch Frauen, die auf die Jagd gingen, jene nämlich, die mit den Geistern sprechen konnten.«

Der Mog-ur hielt inne und deutete auf den Clan-Führer.

»Brun, du glaubst, nie zuvor hätte eine Frau gejagt. So war es nicht. Es gab eine Zeit, da sind die Frauen des Groß-Clans auf die Jagd gegangen. Die Geister sahen es freundlichen Sinnes. Aber es waren andere Geister, Geister aus uralter Zeit, und nicht die Geister der Totems. Es waren die mächtigen Ahn-Geister, doch sie sind lange schon zur Ruhe gegangen. Die Clan-Leute haben sie nicht geehrt; sie haben sie gefürchtet. Sie waren nicht böse, diese Geister; sie waren einfach zu mächtig.«

Die Männer saßen da, wie vom Donner gerührt. Der Mog-ur kündete von Zeiten, die so weit zurücklagen, daß sie beinahe vergessen waren. Und doch wurde in ihnen eine uralte Furcht zum Klingen gebracht; die Furcht des Mannes, von der Frau beherrscht zu werden. Mehr als einen der Männer durchrann ein kalter Schauder.

»Ich glaube nicht, daß Frauen, die zu unserer Zeit in den Clan hineingeboren werden, den Trieb zu jagen verspüren«, fuhr der Mog-ur fort. »Es kann sein, daß sie gar nicht fähig wären, auf die Jagd zu gehen. Eine zu lange Zeit ist vergangen. Die Frauen sind andere geworden und die Männer auch. Aber Ayla ist von fremder Art; die anderen sind nicht so wie wir. Wenn du Ayla erlaubtest zu jagen, Brun, so würde das die anderen Frauen nicht verführen, glaube ich. Des Mädchens Verlangen zu jagen verwundert sie so sehr wie uns.«

Der Mog-ur ließ die Hand sinken und legte sie auf die Brust.

»Möchte einer unter euch noch etwas dazu sagen?« fragte Brun und wies mit der Hand in die Runde.

»Goov wünscht zu sprechen, Brun.«

»Goov möge sprechen.«

»Ich bin nur der Gehilfe. Mein Wissen ist geringer als das des Mog-urs, doch mich deucht, er hat etwas übersehen. Vielleicht, weil er sich so hart gemüht hat, seine Sinne nicht von der Zuneigung zu Ayla leiten zu lassen. Er hat seinen gewaltigen Blick in vergangene, ferne Zeiten gerichtet, nicht auf das Mädchen selbst. Und er hat darüber ihr Totem aus den Augen verloren.« Goov hob die Hände, zeigte auf die Männer und legte klar, was er meinte. »Ich frage euch: Warum erwählt ein mächtiges männliches Totem ein Mädchen? Gleich nach dem Höhlenbären ist der Höhlenlöwe das mächtigste aller Totems. Der Höhlenlöwe ist mächtiger als das Mam-Mut; er jagt es; zwar nur die Jungen und die Alten, aber er jagt es. Doch selbst tut er es nicht.«

»Das paßt nicht zusammen, Goov«, bedeutete ihm Brun. »Du meinst, der Höhlenlöwe jagt das Mam-Mut, und dann meinst du, er tut es nicht selbst?«

»Nicht der Höhlenlöwe jagt das Mam-Mut«, erklärte der Gehilfe, »die Höhlenlöwin jagt es. Das übersehen wir, wenn wir der Totems gedenken, die uns beschützen. Der Höhlenlöwe ist der Beschützer. Aber wer ist der Jäger? Der größte unter den Fleischfressern, der stärkste unter den jagenden Tieren ist die Höhlenlöwin! Sie bringt die Beute ihrem Gefährten. Er kann töten, aber seine Aufgabe ist es, zu schützen, während sie jagt.«

In vielgebärdiger Weise schilderte des Mog-urs Gehilfe seine Gedanken und fragte, ob es nicht sonderbar sei, daß ausgerechnet ein Höhlenlöwe das Mädchen erwählt haben sollte, und ob es nicht eher sein könnte, daß sein Totem nicht der Höhlenlöwe, sondern die Höhlenlöwin sei. Die Jägerin? Dann wäre klar, weshalb Ayla das Verlangen habe, auf die Jagd zu gehen. Dann wäre klar, warum ihr ein Zeichen gegeben worden sei. Es könnte die Löwin sein, die ihr das Zeichen gesandt habe. Er wisse nicht, ob es sich so verhielte, aber die Männer müßten zugeben, daß es so sein könnte. Ob nun ihr Totem der Höhlenlöwe oder die Höhlenlöwin sei – könnte man es ihr verwehren zu jagen, wenn es ihr Schutzgeist bestimmt habe? Wäre man befugt, gegen ihr mächtiges Totem vorzugehen? Und dürfte man es wagen, sie zu verdammen, nur weil sie das erfülle, was ihr Totem wünsche? Dann verschränkte auch Goov die Arme wieder über der Brust.

Brun schwamm der Kopf. Allzu rasch stürmten die Gedanken auf ihn ein. Er brauchte Zeit, alles in Augenschein zu nehmen, zu ordnen und zu prüfen. Gewiß, es ist die Löwin, die auf die Jagd geht; doch wer hatte je von einem weiblichen

Totem gehört? Wie er wußte, waren die Geister der Totems alle männlich. Brun blickte auf Goov. Nur einer, der lange Tage damit zugebracht hatte, die Wege der Geister zu erforschen, konnte eine solche Offenbarung machen, konnte künden, daß das Totem des Mädchens, das auf die Jagd gegangen war, die Jägerin der Tierart war, die ihr Totem verkörperte. Brun wünschte, Goov hätte ihnen nie die Augen dafür geöffnet, daß mit der Entscheidung über Leben oder Tod des Mädchens auch entschieden werden mußte, ob einem so mächtigen Totem die Erfüllung verwehrt werden dürfte.

Sich vorstellen zu müssen, daß eine Frau auf die Jagd gehen könnte, war so neu und so ungeheuerlich, daß fast ein jeder der Männer sich darüber den Kopf zerbrach und über die althergebrachten, eng gezogenen Grenzen, die das Denken seines Hirns beschränkten, sich hinwegzusetzen bemühte. Doch jedermann stellte es aus seiner eigenen Sicht dar, bezog sich nur auf das wahrgenommene Feld seines eigenen Erlebens und konnte nur innerhalb dieser Möglichkeit das Bewußtsein erweitern. Brun jedoch mußte all diese Sichtweisen bündeln, und das war für ihn schon fast zu viel. Er sah es als seine Pflicht, jeden einzelnen Blickpunkt in Betracht zu ziehen, ehe er ein Urteil fällte, und wünschte, er hätte die Zeit zu gründlichem Bedacht. Doch der Entscheid war nicht mehr viel länger hinauszuschieben.

»Möchte noch einer unter euch seine Ansicht kundtun?«

»Broud wünscht zu sprechen, Brun.«

»Broud möge sprechen.«

Anklagend hoben sich die Hände des jungen Jägers, der zugab, daß all das, was die Männer vorgebracht hätten, nachdenklich stimmte, daß aber der Brauch des Groß-Clans fest und klar bestehen bleibe. Es sei völlig unerheblich, ob das Mädchen die Fremdlinge geboren hätten oder nicht. Jetzt gehöre sie zum Clan. Und den Clan-Frauen wäre das Jagen verboten. Sie dürften noch nicht einmal eine Waffe berühren oder auch nur ein Werkzeug, mit dem eine solche gefertigt würde. Brouds Gebärde wurde schmal und hart, als er fortfuhr: »Wir alle wissen, welche Strafe darauf steht. Sie muß sterben. Wenn vor langer, langer Zeit einmal die Frauen auf die Jagd gegangen sind, so hat das nichts zu bedeuten. Wenn auch die Bärin und die Löwin jagen, so darf darin die Clan-Frau ihnen nicht gleichen. Sie ist weder Bärin noch Löwin. Wir sind Erdlinge, die sich einen Brauch geschaffen haben, der die Verschiedenheit von Mann und Frau bewahrt. Ihr sagt, daß sie ein mächtiges Totem hat; daß sie dem Clan Glück bringt; daß sie die Schleuder zu handhaben weiß. Aber das alles hat nichts zu bedeuten. Sie hat dem Sohn meiner Gefährtin das Leben gerettet; mein Dank gehört ihr. Aber auch das hat nichts zu bedeuten. Der Brauch des Groß-Clans erlaubt keine Ausnahme. Eine Frau, die sich an der Waffe vergreift, muß sterben.«

Broud lehnte sich zurück und sah jedem der Jäger ins Gesicht. Dann verschränkte er wieder die Arme vor der Brust.

»Broud hat recht«, erklärte sich Dorv damit einverstanden. »Es kommt uns nicht zu, den Brauch des Clans umzustoßen. Auf eine Ausnahme folgen andere. Und bald gäbe es für uns keine festen Überlieferungen mehr. Das Mädchen muß sterben.«

Einige Männer nickten zustimmend. Brun äußerte sich nicht sogleich. Broud hatte recht, ging ihm durch den Sinn. Wie könnte ich auch eine andere Entscheidung treffen! Ayla hat Brac das Leben bewahrt, aber sie nahm eine Waffe zur Hand. Einem Entschluß war Brun jedoch nicht nähergekommen und genauso unentschlossen wie an dem Tag, an dem Ayla ihre Schleuder herausgezogen und die Hyäne getötet hatte.

»Ich will mir all eure Ansichten vor Augen führen, ehe ich meine Entscheidung treffe. Jetzt aber wünsche ich, daß jeder von euch mir klar anzeigt, wie er selbst entscheiden würde«, wandte sich Brun schließlich an die Männer.

Sie hockten im Halbkreis um das Feuer. Und plötzlich ließen alle die linke Hand von der Brust fallen, behielten aber die rechte oben und ballten sie zur Faust, die genau auf jedes einzelnen Herzen lag. Ein geringes Auf und Ab der Faust bedeutete, daß derjenige zustimmte, eine geringe Bewegung zur Seite, daß derjenige ablehnte.

»Grod«, wandte sich Brun an seinen Stammeszweiten. »Soll das Mädchen sterben?«

Grod zögerte. Er fühlte mit dem Clan-Führer, der sich in einem so fürchterlichen Zwiespalt befand. Seit vielen Jahren war er Bruns rechte Hand. Er spürte, was in ihm vorging, und er hatte große Achtung vor dem Mann. Dennoch sah er keinen Ausweg. Er zog die Faust hoch und wieder abwärts.

»Es bleibt mir nichts übrig«, hieß Grods entschuldigendes Schulterzucken.

»Grod ist dafür. Droog?« Brun deutete auf den Werkzeugmacher.

Droog zögerte nicht. Mit rascher Bewegung fuhr er sich seitwärts über die Brust.

»Droog ist dagegen. Crug?«

Crug sah Brun an, dann den Mog-ur, schließlich Broud. Er schob die Faust aufwärts.

»Crug ist dafür, daß das Mädchen stirbt«, stellte Brun fest.

»Goov?«

Des Mog-urs Gehilfe fuhr sich sogleich quer über die Brust.

»Goov ist dagegen. Broud?«

Brouds Faust zuckte aufwärts, noch ehe Brun seinen Namen ausgesprochen hatte.

»Broud ist dafür. Zoug?«

Stolz richtete der alte Jäger sich auf und führte langsam und bedächtig die Faust quer über die Brust.

»Zoug will das Mädchen nicht sterben sehen. Was meinst du, Dorv?«

Die Faust des anderen alten Mannes hob sich, und noch ehe er sie wieder gesenkt hatte, richteten sich aller Augen auf den Mog-ur.

»Dorv ist dafür. Und was sagst du, Mog-ur?« Brun war aufs äußerste gespannt. Wie die anderen entscheiden würden, hatte er sich denken können. Doch bei dem alten Zauberer war er sich nicht sicher.

Creb quälte sich noch immer ab mit seinen Gedanken. Er kannte den Brauch des Groß-Clans. Er selbst war schuld an Aylas schwerem Vergehen. Er hatte ihr zuviel Freiheit gelassen. Er befürchtete, seine Zuneigung zu ihr würde ihn blenden und ihn verleiten, den Clan-Brauch hintanzustellen. Es war ganz klar: Sie mußte sterben. Schon wollte er die Faust heben, doch ehe er dazu auch nur ansetzen konnte, riß es ihm die Faust zur Seite, als würde sie von einer fremden, unsichtbaren Macht geführt. Er konnte es nicht über das Herz bringen, Ayla zu verdammen, wenn er auch, sobald die Entscheidung gefallen war, tun würde, was er tun mußte. Und die Entscheidung lag allein bei Brun.

»Die Meinungen gehen zu gleichen Teilen auseinander«, verkündete der Clan-Führer. »Aber der Entscheid war immer der meine. Es galt, erst zu sehen, wie ein jeder unter euch sich zu der Sache stellt. Ich brauche Zeit, um eure Gründe genauer zu betrachten. Der Mog-ur hat uns kundgetan, daß er heute abend die Geister beschwören wird. Das ist gut so. Ich brauche den Beistand der Geister, und wir alle brauchen ihren Schutz. Wenn die Nacht um ist, werde ich euch meinen Entscheid wissen lassen. Auch das Mädchen soll ihn dann erfahren. Geht jetzt und bereitet euch auf die Feier vor.«

Brun blieb allein am Feuer zurück, nachdem die Männer gegangen waren. Von scharfen Winden getrieben, jagten Wolken über den Himmel und gossen eisigen Regen über das Land, doch Brun saß da und spürte nichts. Die Dunkelheit nahte schon, als er sich schließlich erhob und langsam zur Höhle zurückging. Er sah Ayla, die immer noch dort saß, wo sie am Morgen gesessen hatte, als die Männer gegangen waren.

15

Früh versammelten sich die Clan-Leute draußen vor der Höhle. Ein kalter Wind blies von Sonnenaufgang her, doch der Himmel war klar, und die Morgensonne, die eben hinter dem Grat auftauchte, glänzte freundlich, als wollte sie der düsteren Stimmung spotten. Aller Blicke mieden einander; die Arme hingen schlaff herunter, zu traurig, um sich noch etwas zu sagen. Ihre Füße schleppten sie zu ihren Plätzen, wo sie erfahren sollten, was über dieses fremde Mädchen, das ihnen längst ans Herz gewachsen, beschlossen worden war.

Uba spürte, wie ihre Mutter am ganzen Körper zitterte. Sie hielt ihre Hand so fest, daß es schmerzte. Das Kind ahnte und wurde ganz still dabei, daß es nicht der Wind war, der Iza so schaudern ließ.

Creb stand am Eingang der Höhle. Noch nie hatte der große Zauberer so furchterregend ausgesehen wie heute. Aus Granit das Gesicht, hart und stumpf wie Stein das Auge. Auf ein Zeichen von Brun humpelte er ins Innere der Höhle hinein, langsam und müde, wie von einer unsäglichen Bürde niedergedrückt. Er hinkte zu seinem Wohnkreis und blickte auf das Mädchen, das auf dem Fell hockte. Seine Hand zitterte, als er Ayla bedeutete, ihm zu folgen. Doch das Mädchen nahm ihn nicht wahr.

»Ayla, Ayla«, sprach er sie behutsam an. Sie sah auf. »Es ist Zeit. Du mußt jetzt kommen«, machte Creb ihr klar. Ihre Augen blickten matt und leer. »Du mußt jetzt kommen, Ayla. Brun ist bereit«, wiederholte der Mog-ur geduldig.

Das Mädchen senkte den Kopf und stand mühsam auf. Die Glieder waren steif geworden vom langen Sitzen. Ayla gewahrte es kaum. Wie benommen folgte sie dem alten Mann, den Blick starr zur staubigen Erde gerichtet, die noch die Spuren jener trug, die zuvor diesen Weg gegangen waren – einen Fersenabdruck, die Eindrücke von Zehen, die verwischten Linien eines Fußes, den runden Abdruck von Crebs Stock, die Schleifspuren seines lahmen Beines. Sie hielt an, als der Blick auf Bruns Füße fiel, die in staubigen Hüllen steckten, und sank zu Boden. Leicht berührte des Clan-Führers Hand ihre Schulter, und sie zwang sich, den Kopf zu heben und ihm ins Gesicht zu sehen.

Die Begegnung ihrer Blicke riß sie plötzlich aus ihrer Benommenheit und weckte Furcht in ihr. Sein Gesicht war ihr vertraut – die niedrige, fliehende Stirn, die wulstigen Brauen, die große breite Nase, der buschige Bart –, doch jegliche Strenge und Unnahbarkeit waren aus Bruns Augen gewichen. Matt schimmerten Ayla Mitgefühl und Kummer entgegen.

»Ayla«, sagte der Clan-Führer laut und hob dann die Hände, um die Entscheidung zu verkünden: »Mädchen des Clans, unsere Bräuche sind alt. Von Anfang an haben sie das Leben des Clans bestimmt. Du wurdest nicht in unserer Mitte geboren, aber du bist eine vom Clan, und nach dessen

Brauchtum mußt du leben und sterben. Als wir hoch oben in den kalten Gefilden, wo die Sonne sich selten zeigt, das Mam-Mut jagten, hast du eine Schleuder zur Hand genommen, und du hast auch schon in früheren Tagen mit der Schleuder gejagt. Den Frauen des Clans ist verboten, eine Waffe zu führen. Und auch die Strafe, die darauf steht, ist durch den Brauch bestimmt. Sie steht fest. Sie kann nicht umgestoßen werden.«

Brun beugte sich vor, blickte in die verängstigten Augen des Mädchens, und seine Hände fuhren fort. »Ich weiß, warum du die Schleuder gebraucht hast, Ayla, wenn mir auch verborgen bleibt, warum du je angefangen hast, dich in ihrem Gebrauch zu üben. Brac wäre nicht mehr unter uns, wärst du nicht gewesen.« Der Clan-Führer richtete sich zu seiner vollen Größe auf, hob beide Hände in den Himmel und verkündete mit großer Gebärde: »Der Führer dieses Clans sagt dem Mädchen Dank, daß es dem Sohn der Gefährtin des Mannes, welcher der Sohn meiner Gefährtin ist, das Leben bewahrt hat.«

Unter den Clan-Leuten flogen ungläubige Blicke hin und her. Selten kam es vor, daß ein Mann öffentlich Dankbarkeit zeigte, noch seltener, daß ein Clan-Führer sich dazu herabließ, dies auch noch gegenüber einer Frau zu tun.

»Aber der Brauch erlaubt keine Ausnahmen«, machte Brun und gab dem Mog-ur ein Zeichen. Der Zauberer betrat die Höhle. »Ich kann nicht anders, Ayla. Der Mog-ur trifft jetzt die Vorbereitung und beschwört all jene Geister, deren Namen unaussprechlich sind und welche nur der Mog-ur kennt. Wenn er zu Ende ist, wirst du sterben. Ayla, Mädchen im Clan des Bären, du bist verflucht, du bist zum Tode verflucht.«

Ayla spürte, wie das Blut ihr aus dem Gesicht wich. Iza schrie auf, und der Schrei wurde zu einem langgezogenen Wimmern, einer jammervollen Klage um ein verlorenes Kind. Als Brun die Hand hob, brach ihr Wimmern ab, als wenn Iza eine Axt getroffen hätte.

»Ich bin noch nicht am Ende«, bedeutete der Clan-Führer.

In der plötzlichen Stille tauschten die Leute verwunderte Blicke. Was mochte Brun denn noch zu sagen haben?

»Nach dem Clan-Brauch ist dieses Mädchen zum Tode verflucht. Doch nirgends ist uns überliefert, wie lange es zu dauern hat.« Brun wandte sich zu dem Mädchen. »Ayla, du bist für einen vollen Mond zum Tode verflucht. Gestatten dir die Geister aus dem Jenseitigen zurückzukehren, wenn der Mond einmal all seine Wandlungen vollzogen hat und uns wieder sein Antlitz zeigt, mit dem er uns heute nacht bescheint, dann sollst du wieder unter uns leben.«

Heftige Erregung schüttelte die Clan-Leute. Das war völlig unerwartet.

»Richtig«, pflichtete Zoug mit verhaltener Gebärde bei. »Es gibt kein Gebot, das verlangt, daß der Fluch für immer gelten soll.«

»Aber wie kann denn einer so lange tot sein und dann wieder zu den Lebenden zurückkehren?« wollte Droog wissen. Wären es nur wenige Tage, könnte es noch angehen, meinte der Mann.

»Wäre der Fluch nur über wenige Tage verhängt, so erfüllte er nicht das Gebot der Bestrafung«, bedeutete ihm Goov. »Es gibt Mog-urs, die glauben, der Geist wandert nie hinüber in die nächste Welt, wenn der Fluch nur für kurze Dauer ausgesprochen wird. Er schwebt dann unter den Lebenden und wartet darauf, daß die Tage verstreichen, damit er zurückkehren kann. Wenn der Geist in der Nähe der Lebenden bleibt, dann bleibt auch das Böse. Brun hat einen Todesfluch verhängt, dessen Dauer bemessen ist; doch er erschreckt sich über so viele Tage, daß er ebensogut für immer ausgesprochen sein könnte. Das Gebot ist erfüllt.«

Broud schubste Goov etwas zur Seite, damit besser zu sehen wäre, was er dazu meinte.

»Warum hat er sie dann nicht einfach verflucht?« fuhr seine Hand zornig durch die Luft. »Der Brauch berichtet nichts über einen bemessenen Fluch für jene, die ein Vergehen wie diese da begangen haben«, und zeigte abschätzig auf Ayla. »Das Gebot will, daß sie dafür sterben soll. Der Todesfluch soll ihr den Tod bringen. Für immer.«

»Glaubst du denn, er wird ihn ihr nicht bringen, Broud? Glaubst du denn, sie wird zurückkehren?« fragte Goov, der sich dem jungen Jäger leicht entgegenstellte.

»Ich glaube gar nichts. Ich möchte nur zu gerne wissen, warum Brun sie nicht einfach verflucht hat. Kann er denn keinen klaren Entscheid mehr treffen?«

Goovs gezielte Frage hatte Broud durcheinandergebracht. Sie deutete das an, worüber sich alle insgeheim Gedanken machten: Hätte Brun einen bemessenen Todesfluch verhängt, wenn er nicht glaubte, daß das Mädchen wieder zum Leben käme?

Die ganze Nacht hatte der Clan-Führer um einen Entscheid gerungen. Ayla hatte das Leben des Kindes gerettet; es war nicht recht, daß sie dafür sterben sollte. Brun liebte den kleinen Jungen, und er empfand dem Mädchen gegenüber ein tiefes Dankgefühl. Doch der Brauch verlangte ihren Tod. Aber ein anderes Gebot wartete noch auf Erfüllung: das der Verpflichtung. Ein Leben für ein Leben. Denn seit dem Vorfall trug sie nun ein Stück von Bracs Geist in sich und hatte Anspruch auf eine Gegengabe, die ihr gliche – sie hatte Anspruch auf ihr Leben.

Erst als der schwache Schimmer des Morgens heraufgezogen war, hatte er endlich einen Ausweg gefunden. Es war schon vorgekommen, daß Männer oder Frauen, über die ein bemessener Todesfluch verhängt worden war, zu den Lebenden zurückgefunden hatten. Es war ein Hoffnungsfunke. Als Gegengabe für das Leben des Kindes schenkte er Ayla ein Fünkchen Hoffnung. Das war alles, was in seiner Macht stand. Es war nicht genug, doch mehr konnte er ihr nicht geben, und es war besser als gar nichts.

Totenstille hatte sich inzwischen ausgebreitet. Der Mog-ur stand an der Höhlenöffnung. Er sah aus wie der Tod selbst. Uralt, grau und ausgemergelt. Er brauchte kein Zeichen zu geben. Es war getan. Der Mog-ur hatte seine Pflicht erfüllt. Ayla war tot.

Izas Klageschrei zerschnitt die Luft. Dann hob Oga an zu jammern, dann Ebra, und schließlich stimmten alle Frauen in Izas Klage ein. Ayla sah die Frau, die sie liebte, vom Schmerz überwältigt, und lief zu ihr, um sie zu trösten. Doch als sie die Arme um sie schlingen wollte, wandte Iza ihr den Rücken zu und entzog sich ihnen. Es war, als sähe sie das Mädchen nicht. Ayla war verwirrt. Fragend blickte sie auf Ebra; die sah durch sie hindurch. Sie lief zu Aga, dann zu Ovra. Doch keine nahm sie wahr. Sobald sie sich auch nur einer näherte, drehten die Frauen ihr den Rücken zu oder entfernten sich. Nicht mit Bedacht, um sie vorüberzulassen, sondern so, als hätten sie schon, bevor das Mädchen kam, vorgehabt, wegzugehen. Ayla rannte zu Oga.

»Ich bin es, Ayla! Ich stehe vor dir. Siehst du mich nicht?« fuchtelte sie erregt und verzweifelt vor deren Augen.

Ogas Blick wurde trübe. Sie drehte sich um und ging weg, ohne auch nur ein Zeichen gegeben zu haben. So, als hätte Ayla gar nicht vor ihr gestanden.

Ayla sah Creb, der sich Iza näherte. Sie stürzte zu ihm hin.

»Creb! Ich bin es, Ayla! Ich bin hier«, bedrängte sie den Zauberer und versuchte, sich an ihn zu klammern. Doch der humpelte weiter, machte nur einen kleinen Schritt zur Seite, um dem Mädchen auszuweichen, das sich ihm jetzt zu Füßen geworfen hatte.

»Creb!« klagte sie wimmernd. »Warum willst du mich nicht sehen?«

Vom staubigen Boden sprang sie auf und rannte weiter zu Iza.

»Mutter! Mutter! Sieh mich an!« flehte sie und rang die Hände.

Die Medizinfrau blickte zum Himmel und erhob wieder ihr schrilles Klagegeschrei. Sie stieß die Arme in die Luft, als wollte sie den Himmel zerkratzen, und schlug sich dann wie wild gegen die matten Brüste.

»Mein Kind! Meine Ayla. Meine Tochter ist tot. Sie ist für immer fortgegangen!«

Ayla, der sich schon fast alles im Kreise drehte, erblickte Uba, die sich voller Angst und Verwirrung an die Beine ihrer Mutter klammerte. Vor dem kleinen Mädchen kniete sie nieder und hielt es am Kinn.

»Siehst du mich, nicht wahr, Uba? Hier bin ich.«

Schon wollte das Kind in Aylas sonnenhelles Haar fassen, wie es dies immer tat, doch da beugte sich schon Ebra herunter und trug das kleine Mädchen weg.

»Ich will zu Ayla«, wehrte sich Uba und strampelte heftig.

»Ayla ist tot, Uba. Sie ist fort. Das ist nicht mehr Ayla. Das ist nur ihr Geist. Du mußt ihn in Ruhe lassen, damit er den Weg in das Jenseits findet. Wenn du mit ihm sprichst, dann wird er versuchen, dich mitzunehmen. Und es bringt Unglück über dich, wenn du ihn siehst. Sieh ihn nicht an, diesen Geist. Möchtest du unglücklich werden?«

Ayla sank zu Boden. Sie hatte sich nicht vorstellen können, was es bedeutete, zum Tode verflucht zu sein. Alle möglichen Schrecknisse waren ihr vor Augen gestanden, aber die Wirklichkeit war weit schlimmer.

Für die Clan-Leute hatte Ayla aufgehört zu sein. Sie lebte nicht mehr. Die Ayla, die alle kannten, war tot. Was man von ihr sah, war eine Hülle, in die ein anderer Geist geschlüpft war. Der Tod war für die Clan-Leute eine Änderung ihres Zustandes, eine Wanderung zu einem anderen Sein, das jenseits von ihrem Sein lag. Die Lebenskraft galt als ein unsichtbarer Geist. Ein Mensch, der eben noch lebendig war, konnte im nächsten Augenblick tot sein, ohne daß eine sichtbare Veränderung eintrat; nur das, was Bewegung und Atem und Leben spendete, das war fort. Und jene Kraft, die die wirkliche Ayla war, gehörte nicht mehr zur Welt des Clans. Sie war gezwungen worden, in eine andere Welt hinüberzugehen. Und ob der Körper, der zurückblieb, kalt und starr oder warm war und sich bewegte, war gleichgültig.

Da war es leicht zu glauben, der Lebenshauch könnte fortgescheucht werden. Wenn der Kopf ihres greifbaren Körpers es auch noch nicht wußte, so würde er es doch bald genug wissen. Keiner glaubte ernstlich, daß Ayla je wiederkehren würde; nicht einmal Brun. Ihr Körper, eine leere Hülle, konnte niemals so lange lebensfähig bleiben, bis es ihrem Geist gestattet war, zurückzukehren. Ohne den Lebenshauch aber, diesen Willen zum Leben, zum Über-Leben, konnte der Körper nicht essen und nicht trinken, würde bald verfallen. Für einen Erdling, der fest an diese Vorstellung glaubte, und der erleben mußte, daß die anderen von seinem Sein keine Kenntnis mehr nahmen, gab es keine Hoffnung mehr, keinen Grund mehr zu essen und zu trinken; er hauchte sein Leben aus.

Doch solange der Geist in der Nähe der Höhle blieb und den Körper, dem er nun nicht mehr angehörte, belebte, so lange blieben auch die Mächte, die ihn forttrieben, in der Nähe. Und sie konnten jenen, die noch lebten, Schaden tun, konnten versuchen, noch ein Leben mit sich zu nehmen. Es war schon vorgekommen, daß einem Verfluchten die Gefährtin oder andere ihm Nahestehende bald in den Tod gefolgt waren. Es kümmerte die Clan-Leute nicht, ob der Geist den Körper mit sich nahm oder die unbelebte Hülle zurückließ. Jetzt aber wünschten sie, Aylas Geist möge fortgehen, rasch und weit fort.

Mit verständnislosen Augen betrachtete Ayla die vertrauten Leute um sich herum, die sich alle von ihr entfernt und die gewohnte Arbeit wiederaufgenommen hatten. Doch es war, als drückte sie alle eine schwere Last. Creb und Iza gingen langsam in die Höhle. Ayla stand auf und folgte ihnen. Keiner versuchte, sie daran zu hindern, nur Uba wurde ihr ferngehalten. Zwar glaubten die Clan-Leute, Kinder genössen besonderen Schutz, doch keine wollte die Geister versuchen.

Iza sammelte Aylas Habe zusammen, auch ihre Schlafpelze und das dürre Gras, mit dem die Erdmulde gepolstert war. Alles trug sie hinaus vor die Höhle. Creb begleitete die Medizinfrau und zündete am Höhlenfeuer einen Kienspan an. Neben einer Feuerstätte, die Ayla vorher nicht gesehen hatte, warf die Frau die Sachen nieder und eilte dann zur Höhle zurück. Creb zündete das Feuer. Mit schwerer Hand besprach er Aylas Habe und das lodernde Feuer.

Ayla blieb fast das Herz stehen, als sie sah, wie Creb ihre Sachen Stück für Stück in die Flammen warf. Eine Totenfeier würde es nicht geben für sie. Das war Teil der Strafe und Teil der Verfluchung. Und alles, was auf ihr Leben wies, mußte ausgelöscht werden. Nichts durfte bleiben, was ihren Geist zurückhalten konnte. Ihre Augen weiteten sich vor Schmerz, als sie sah, wie ihr Grabstock Feuer fing, dann ihr Sammelkorb, das dürre Gras ihres Lagers, ihre Umhänge und Überwürfe. Sie bemerkte das Zittern seine Hand, als Creb nach ihrem Pelzumhang griff, ihn flüchtig an seine Brust drückte und dann ins Feuer warf.

Hilflos stürzten Ayla die Tränen aus den Augen.

»Creb, ich habe dich lieb«, flehte sie.

Er schien es nicht zu sehen. Voller Entsetzen gewahrte das Mädchen, wie der Mog-ur zu ihrem Medizinbeutel griff.

»Nein, Creb! Nein! Nicht auch noch den!« bettelten ihre Hände. Doch es war zu spät. Der Beutel brannte schon.

Länger konnte es Ayla nicht ertragen. Blind und leer und ohne Gefühl stürzte sie den Hang hinunter in den Wald, schluchzte und schluckte vor Schmerz und hoffnungslosem Elend. Die Füße wußten nicht, wohin sie laufen sollten, es war ihnen auch gleichgültig. Gestrüpp und kahle Äste wollten ihnen den Weg versperren, doch sie rannten mittendurch, verschafften Ayla blutende Risse an Armen und Beinen, sie wateten durch kaltes Wasser und merkten nicht, daß die Sohlen vor Kälte erblaßten, schließlich stolperten sie über einen Baumstumpf – und Ayla stürzte zu Boden. Reglos blieb sie auf der frostfeuchten Erde liegen und wünschte, der Tod würde rasch kommen und sie aus ihrem Elend erlösen. Sie hatte nichts. Keine Familie, keinen Clan, keinen Grund zu leben. Sie war tot. Sie hatten ja gesagt, daß sie tot war.

Und so fern war das Mädchen der Erfüllung seines verzweifelten Wunsches nicht. Seit der Rückkehr von der Mammutjagd – es waren mehr als zwei Tage vergangen – hatte Ayla, eingekapselt in Not und Furcht, nichts mehr gegessen und getrunken. Auch trug sie keine warme Kleidung. Ihre Füße schmerzten vor Kälte. Sie war schwach und kraftlos, völliger Erschöpfung nahe. Doch in ihr bewegte sich etwas, das stärker war als ihr Sehnen nach dem Tode. Es war dasselbe, was sie schon einmal gerettet hatte, damals. Ein unbezwingbarer Wille zum Überleben ließ sie nicht aufgeben, solange auch nur ein Funke Leben in ihr glühte.

Allmählich kam Ayla wieder zur Ruhe und Besinnung. Fröstelnd setzte sie sich auf und schlug sich mit gekreuzten Armen auf die Schultern. Bei ihrem Sturz war sie mit dem Gesicht in einen Haufen feuchten Laubs gefallen. Sie leckte sich die Lippen, und ihre Zunge sog gierig die Feuchtigkeit auf. Sie war durstig. Sie konnte sich nicht erinnern, je in ihrem Leben so durstig gewesen zu sein. In der Nähe plätscherte Wasser. Sie sprang auf und tat einen tiefen Zug.

Dann lief sie weiter, zähneklappernd, und humpelte immer stärker, und die durchfrorenen Füße schmerzten bei jedem Schritt. Nebel in ihrem Kopf ließ sie oft an Steine und Bäume stoßen.

Sie hatte keine Ahnung, wo sie war, und auch kein Ziel vor Augen. Doch ihre Füße folgten einem Weg, den sie viele Male zuvor gegangen war. Wie blind tappte Ayla am Fuß der steilen Felswand entlang, vorbei an dem gischtsprühenden Wasserfall, bis plötzlich freundliche Vertrautheit sich in ihr regte. Und als sie aus dem lichten Wald trat, in dem Nadelbäume einträchtig neben Krüppelbirken und Weiden standen, sah sie vor sich ihre Bergwiese liegen.

Wie lange war es her, daß sie das letzte Mal hier oben gewesen war? Als sie richtig zu jagen begonnen hatte, war sie nur noch selten hier heraufgestiegen; nur damals, als sie den Doppelschuß geübt hate, war sie häufiger heraufgekommen. Stets hatte sie hier nur geübt und nie gejagt. War sie im letzten Sommer überhaupt hier gewesen? Sie konnte sich nicht mehr erinnern.

Ayla drückte das Gewirr nackter Äste und Zweige auseinander und schlüpfte in ihre Höhle. Sie schien ihr kleiner geworden. Da ist der alte Schlafpelz, dachte sie, und der Tag, an dem sie ihn heraufgeschleppt hatte, stand ihr plötzlich klar vor Augen. Hörnchen hatten sich ein Nest darin gemacht. Sie trug ihn ins Freie und schüttelte ihn aus. Er war noch recht gut – ein wenig steif, doch gut erhalten, weil es trocken war im Inneren der Höhle. Froh, etwas Warmes zu haben, hängte sie ihn um sich und lief wieder in die Höhle.

Da war ja die alte Haut! Sie hatte ihr, mit Gras unterlegt, als Liegematte gedient. Ob wohl das Messer noch da ist? schoß es ihr durch den Kopf. Das Holzbrett war heruntergefallen, doch das Messer mußte noch irgendwo liegen. Da war es! Ayla hob die Flintsteinklinge auf und wischte sie ab, um mit ihr die alte Tierhaut zu zerschneiden. Sie streifte sich das nasse Fußzeug von den Füßen und fädelte die Riemen durch die Löcher in den runden Stücken, die sie neu herausgeschnitten hatte. Dann stopfte sie die trockenen neuen Hüllen mit dürrem Gras aus und schnürte sie sich um die Füße. Die nassen breitete sie zum Trocknen aus.

Jetzt schnell ein Feuer machen! Ayla schaute sich um. Das dürre Gras gibt guten Zunder, dachte sie und fegte es mit den Händen zu einem Haufen an der Felswand zusammen. Das Holzbrett ist trocken; ich kann Späne davon abschlagen und ein Stück davon zum Feuermachen nehmen. Als sie sich nach einem Stock umschaute, den sie daran zwirbeln konnte, erblickte sie den alten Trinkbecher aus Birkenrinde. Den könnte ich auch für das Feuer nehmen, dachte sie erfreut. Doch nein, den hob sie lieber auf, um Wasser zu holen. Ayla bemerkte den Sammelkorb in der Ecke, ging hin und blickte hinein und traute ihren Augen nicht: Drinnen lag eine alte Schleuder. Das Mädchen hielt das Lederband hoch. Sie ist zu klein, stellte es enttäuscht fest, und die Mäuse haben an ihr genagt.

Ich bin verflucht worden. Wegen dieser Schleuder bin ich verflucht worden. Ich bin tot. Wie kann ich an Feuer und Schleudern denken? Ich bin tot. Aber ich fühle mich nicht tot. Ich fühle nur Kälte und Hunger. Spürt einer, der tot ist, Kälte und Hunger? Ist mein Geist schon im Jenseits? Ich weiß noch nicht einmal, was mein Geist ist. Ich habe nie einen Geist gesehen. Creb hat mir bedeutet, daß niemand die Geister zu sehen vermag. Aber er kann mit ihnen sprechen. Warum konnte dann Creb mich nicht sehen? Warum konnten die anderen mich nicht sehen? Ich muß tot sein. Aber warum denke ich dann an Feuer und Schleudern? Weil ich hungrig bin.

Ayla hatte sich auf den leicht gewellten trockenen Boden der Höhle gesetzt, die Beine an die Brust gezogen und das Kinn auf die Knie gestützt. Soll ich mit der Schleuder losziehen und mir etwas schießen? Warum denn nicht? Ich bin ja schon verflucht; was können sie mir noch antun? Aber die Schlappschleuder hier taugt nichts mehr. Ich brauche eine neue. Aus dieser alten Haut da? Nein, die ist zu steif, verwarf sie den Gedanken, die hat zu lange hier draußen gelegen. Ich brauche weiche, geschmeidige Haut. Ayla sah sich in der Höhle um. Wenn ich keine Schleuder habe, kann ich nicht einmal ein Tier töten, um mir aus seiner Haut eine neue zu machen. Mit flinken Augen suchte sie die Höhle ab. Nichts.

Mutlos starrte sie zu Boden. Und plötzlich sah sie, worauf ihre Hände lagen. Mein Überwurf! Ihr Überwurf war weich und geschmeidig. Da wird schon ein Stück aus ihm herauszuschneiden sein. Ermutigt blickte sich Ayla noch einmal in der Höhle um. Da sind ja mein alter Grabstock und Eßgefäße! Ach ja, ein paar Muschelschalen muß es hier geben, erinnerte sich das Mädchen. Es war hungrig. Und dann fielen ihm die Nüsse ein.

Ayla hatte wieder zu leben begonnen. Schnell lief sie hinaus und sammelte die Nüsse ein, trug sie in die Höhle und aß so viele davon, wie ihr geschrumpfter Magen aufnehmen konnte. Dann streifte sie den alten Pelz und ihren Überwurf darunter ab und schnitt ein Stück aus ihm heraus, um sich damit eine neue Schleuder zu machen. Dem Hautstreifen fehlte zwar die Kuhle für den Stein, aber sie glaubte, es würde auch so gehen.

Nie zuvor hatte sie gejagt, um sich Nährendes zu beschaffen, und das Kaninchen, das sie danach aufscheuchte, war flink, doch nicht flink genug. Sie glaubte, sich zu erinnern, daß sie an einem Biberdamm vorübergekommen war. Und beinahe wäre ihr das Tier entwischt. Auf dem Rückweg zur Höhle entdeckte sie einen kleinen, grauen, kreidigen Steinbrocken, der nicht weit vom Bach lag. Flintstein! Sie hob den Brocken auf und schleppte ihn ebenfalls mit zurück. Nachdem Kaninchen und Biber in der Höhle verstaut waren, ging Ayla los, um Holz zu sammeln und sich einen Steinschlegel zu suchen.

Als sie zurückkam und Feuer machen wollte, fiel ihr ein, daß sie kein Zwirbelholz hatte. Es muß richtig trocken sein, mahnte sie sich. Das Holz hier ist ein wenig feucht. Ihr alter Grabstock fiel Ayla ins Auge. Der müßte gehen. Es war schon schwer für das Mädchen, ohne Hilfe ein Feuer zu entfachen. Es war gewöhnt, sich beim Zwirbeln mit einer anderen Frau abzuwechseln. Endlich, ihr war schon richtig warm geworden, fiel von der Unterlage ein glimmendes Stück auf den trockenen Zunder darunter. Vorsichtig begann sie zu blasen und atmete erleichtert auf, als kleine, spitze Flammen aufsprangen. Nach und nach gab sie die dürren Späne zum Feuer, dann größere Scheite des alten Holzbretts. Als das Feuer kräftig brannte, legte sie die größeren Holzstücke auf, die sie gesammelt hatte, und bald erfüllte Wärme die kleine

Höhle. Ich muß mir ein Kochgefäß machen, dachte sie, während sie das gehäutete Kaninchen aufspießte und den Biberschwanz darauflegte, damit sein Fett das magere Fleisch durchtränken konnte. Ich brauche auch einen neuen Grabstock und einen Sammelkorb. Creb hat meinen Korb ja verbrannt. Alles hat er mir verbrannt, sogar meinen Medizinbeutel. Warum nur?

Tränen stiegen Ayla in die Augen und strömten über ihre Wangen. Sie war allein jetzt und würde sehr viel mit sich selbst reden müssen. Iza hatte gesagt, ich wäre tot. Ich habe sie angefleht, mich anzusehen, aber sie sagte nur, ich wäre tot. Warum hat sie mich nicht angeblickt? Ich stand doch genau vor ihr, vor ihren Augen. Das Mädchen weinte eine Weile, dann setzte es sich auf, wischte sich das leicht Salzige vom Gesicht und gab sich einen Ruck. Wenn ich mir einen neuen Grabstock machen will, dann brauche ich auch eine Handaxt, sagte sich Ayla und schlug, während das Kaninchen briet, sich aus dem Flintstein eine grobe Handaxt heraus und hieb damit mühsam einen grünen Ast vom Baum. Danach zog sie nochmals aus, um Holz zu sammeln, das sie ganz hinten in der Höhle aufhäufte.

Es war dunkel, als sie fertig gegessen hatte, und Ayla war froh um das Feuer. Sie legte noch einmal Holz nach und streckte sich dann aus, in ihren alten Pelz gehüllt. Doch der Schlaf wollte einfach nicht kommen. Sie starrte in die Flammen und durchlebte noch einmal die schrecklichen Ereignisse der vergangenen Tage. Sie hatte Angst. Aber schlimmer noch als dies war das Gefühl der Verlassenheit. Seit Iza es gefunden hatte, hatte das Mädchen keine Nacht mehr allein verbringen müssen. Die Erschöpfung drückte ihm schließlich die Augen zu. Schlimme Träume trieben durch seinen Schlaf. Laut schrie es nach Iza, und in Tönen, die fast vergessen waren, rief das Mädchen nach einer anderen Frau. Aber niemand war da, es zu trösten und ihm die heiße Stirn zu kühlen.

Aylas Tage in der kleinen Höhle waren angefüllt mit emsigem Tun. Sie war nicht mehr das unerfahrene, ahnungslose Kind, das sie damals gewesen war, als das Erdbeben sie heimatlos gemacht hatte. Während der Zeit im Clan hatte sie hart arbeiten müssen, aber dabei auch viel gelernt. Sie flocht nun wasserdichte Körbe, in denen sie Wasser holen konnte, und fertigte sich einen neuen Sammelkorb. Sie bearbeitete die Häute der Tiere, die sie jagte, fütterte das Innere ihres Fußzeugs mit Kaninchenfell, machte sich Wadenwärmer aus Pelz, die sie sich mit Riemen um die Beine wickelte, und wärmende Hüllen für die Hände. Aus Flintstein schlug sie sich grobes Werkzeug heraus und sammelte Gras, um ihre Lagerstatt weicher zu machen.

Die Wiesengräser boten Nährendes; ihre Ähren waren voll von Samen und Körnern. Ringsum im Wald gab es Nüsse, Preiselbeeren, kleine harte saure Äpfel, mehlige Wurzeln und eßbare Farne. Die kleinen, runden Früchte, die sie in den grünen Schoten der Vogelwicken fand, mischte sie mit den zerstampften Körnern und kochte sie zu einem Brei. Es gab viel Nährendes, doch nun mußte sie sich alles selber holen.

Und bald wurde Ayla auch klar, daß sie einen neuen Pelzumhang brauchte. Zwar hatte der grimmige Winter sich noch nicht gezeigt, doch es wurde merklich kälter, und Ayla wußte, daß der Schnee nicht mehr lange auf sich warten lassen würde. Zunächst war ihr der Luchs in den Sinn gekommen. Der Luchs hatte eine besondere Bedeutung für sie. Doch sein Fleisch würde nicht genießbar sein, und Nährendes war für sie so wichtig wie ein wärmender Pelz. Auch mußte ein Vorrat angelegt werden für die Zeit, wenn der Schnee sie in der Höhle halten würde. Und sie jagte nur noch und versorgte sich mit Fleisch.

Sich vorzustellen, eines der sanftblütigen, scheuen Geschöpfe töten zu müssen, die früher so lange die Stille und Einsamkeit ihrer Zuflucht geteilt hatten, war für Ayla qualvoll. Auch war sie sich nicht sicher, ob man ein Reh mit einer Schleuder erlegen konnte. Als sie das kleine Rudel sah, war sie überrascht, daß die Tiere doch noch so hoch herauf kamen, und sie wußte, daß sie die Gelegenheit nutzen mußte, so weh es ihr auch tat. Aus kurzer Entfernung schleuderte sie ab, und eines der Rehe brach in die Knie. Ein Schlag mit der Keule. Ayla atmete auf.

Das Winterfell des Tieres war dicht und weich, und das

Fleisch war zart. Einen Vielfraß, den der Geruch zu gierig gemacht hatte, tötete sie mit einem flinken Stein. Wie sie ihn so liegen sah, fiel Ayla ein, daß es ein solches Tier gewesen war, das sie mit der Schleuder als erstes getötet hatte. Ein Vielfraß, der den Clan-Leuten Fleisch entwendet hatte. Vielfraße, hatte sie damals Oga erklärt, haben auch ihr Gutes. Ihr Pelz wurde nicht hart und steif, wenn in kalter Luft warmer Atem ihn traf. Besonders gut eignete er sich für Kopfbedeckungen. Diesmal mache ich mir aus seinem Pelz eine Mütze, beschloß sie, während sie das tote Tier zur Höhle schleifte.

Rund um das in Streifen geschnittene Fleisch, das sie zum Dörren ausgelegt hatte, zündete sie Feuer an, um reißende und aasige Tiere abzuschrecken, und um es schneller haltbar zu machen. Ayla mochte den Geschmack, den das Fleisch durch den Rauch annahm. Hinten in der Höhle grub sie eine flache Mulde und legte sie mit Steinen aus. Später würde sie dort das gedörrte Fleisch aufschichten und alles mit schweren Steinen umbauen.

Ihr neuer Pelz, den sie schon bearbeitet hatte, roch nach Rauch; er war warm, und zusammen mit dem alten Fell machte er die Schlafmulde angenehm weich. Sie hatte den Magen des Rehs gesäubert und ausgewaschen und zu einem Wasserbehältnis umgearbeitet; Sehnen und Flechsen lieferten Schnüre. Das Fett ließ sie aus und verwahrte es. Solange das Fleisch zum Dörren noch im Freien lag, schaute Ayla öfters ängstlich zum Himmel und hoffte, daß der Schnee noch ausbleiben möge. Und nachts schlief sie draußen an den Feuern, um immer wieder Holz nachlegen zu können. Erst als das Fleisch gelagert war, wurde ihr leichter ums Herz.

Bangnis überfiel sie, als dichte Wolken den Mond verhüllten. Es stand ihr noch vor Augen, was Brun verkündet hatte: ›Gestatten dir die Geister, aus dem Jenseitigen zurückzukehren, wenn der Mond all seine Wandlungen vollzogen hat und uns wieder sein Antlitz zeigt, mit dem er uns heute nacht bescheint, dann sollst du wieder unter uns leben.‹ Ayla hatte keine Ahnung, ob sie sich schon im Jenseitigen befand. Sie wußte nur, daß sie da nicht hin wollte. Sie wollte zurück. Zwar war sie nicht sicher, ob sie wirklich zurück konnte und ob die anderen sie sehen würden, wenn sie zurückkehrte.

Doch Brun hatte versprochen, daß sie wieder unter den Clan-Leuten leben dürfte, wenn es ihr gelänge. Und daran klammerte sie sich. Er hatte es versprochen. Wie aber sollte sie wissen, wann sie zurückkehren konnte, wenn die Wolken das Antlitz des Mondes verdeckten?

Ein ferner Tag wurde lebendig und stieg vor Aylas Augen auf, der Tag, an dem Creb ihr gezeigt hatte, wie man die Zeit festhalten konnte. Man schlug einfach Kerben in einen Stock. Sie ahnte, daß die vielen genarbten Stöcke, die der Mog-ur in einer Ecke seiner Feuerstätte aufbewahrte, wo sonst niemand sich hinwagen durfte, die Reihen von Tagen zeigten, die zwischen bedeutsamen Ereignissen vergangen waren. Einmal hatte sie aus reiner Neugier beschlossen, ebenso wie er die Zeit festzuhalten. Da sie wußte, daß der Mond immer die gleichen Wandlungen durchmachte und nach einer Weile wieder das gleiche Gesicht zeigte, wollte sie sehen und begreifen lernen, wie viele Kerben man würde schlagen müssen, ehe das Mondgesicht wieder das gleiche war. Als Creb ihr auf die Schliche gekommen war, hatte er sie streng zurechtgewiesen und sie gemahnt, das nie wieder zu tun.

Nun saß das Mädchen also vor seiner Höhle, und plötzlich war ihm klar, wie es den Tag erkennen konnte, an dem die Wiederkehr zur Höhle gestattet war. Ayla beschloß, jeden Tag bei Sonnenuntergang eine Kerbe in einen Stock zu schlagen. Und jedesmal, wenn sie zu ihrem Messer griff, sprangen ihr die Tränen in die Augen, so sehr sie sich auch bemühte, sie zurückzuhalten.

In jenen Tagen mußte Ayla häufig weinen. Kleine Begebenheiten weckten Erinnerungen an Wärme und Geborgenheit. Als ein Kaninchen über den Weg hoppelte, mußte sie sofort an die langen, ausführlichen Wanderungen mit Creb denken und an sein zernarbtes, zerrissenes Gesicht. Wenn sie Pflanzen sah, die sie früher für Iza gesammelt hatte, brach sie in heilloses Schluchzen aus, und ein Weinkrampf schüttelte sie, wenn sie wieder vor Augen hatte, wie Creb ihren Medizinbeutel verbrannte.

Am schlimmsten aber waren die Nächte. Jahr um Jahr war das Mädchen bei Tag allein durch Wälder und Wiesen gestreift, des Nachts aber niemals allein gewesen. Und wenn es jetzt so einsam und verlassen in der kleinen Höhle hockte und ins Feuer starrte, dessen flackernder Schein unruhig an den Felswänden zitterte, weinte es sich die Augen aus nach jenen Menschen, die ihm Geborgenheit und Wärme gegeben hatten.

Eines Nachts kam heimlich und leise der erste Schnee. Ayla jauchzte vor Freude, als sie am Morgen aus der Höhle trat. Leuchtendes Weiß lag weich und schmeichelnd über dem vertrauten Land und verwandelte es in ein Traumland unvorstellbarer Formen und sagenhafter Pflanzen. Ayla blickte auf die Abdrücke ihrer Fußhüllen, die wie kleine dunkle Schatten im ungebrochenen Weiß lagen, dann rannte sie leichtfüßig durch den gleißenden Schnee und spurte ein wildes Muster von Kreisen und sich kreuzenden Linien in die weiße Decke. Plötzlich hob sie den Kopf und kletterte hinauf zum schmalen Sims des Felsvorsprungs, den ein eifriger Wind vom Schnee leergefegt hatte.

Die ganze Kette himmelhoher Berggipfel hinter ihr war in bläulich schimmerndes Weiß getaucht und stand funkelnd in der blitzenden Morgensonne. Auf dem großen blau-grünen Wasser zwischen den beiden Bergen tanzten weiße Schaumkronen. Die Steppen nach Sonnenaufgang zu dehnten sich noch in einem matten Graugelb. Direkt unter sich konnte Ayla winzige Gestalten ausmachen, die hin und her huschten. Auch dort, wo die Höhle des Clans liegen mußte, hatte es geschneit. Eine der Gestalten knickte beim Laufen immer ein. Und plötzlich war für sie alles Zauberhafte verschwunden. Hastig kletterte Ayla wieder zur Wiese hinunter.

Der zweite Schneefall hatte schon nichts Besonderes mehr. Über Nacht war es eiskalt geworden, und wenn sie die Höhle verließ, warf der Wind Ayla stechende Eiskristalle ins Gesicht, so daß sie lieber in der Höhle blieb. Vier Tage dauerte der Schneesturm und häufte so viel Schnee an der Felswand auf, daß der Einschlupf zu Aylas Höhle fast gänzlich verdeckt war. Mit beiden Händen und dem flachen Hüftknochen des Rehs grub sich das Mädchen einen schmalen Durchlaß nach draußen und sammelte den ganzen Tag Holz. Die Rauchfeuer zum Dörren hatten zu viel gebraucht. Nährendes war genug vorhanden, für eine ganze Weile noch, doch Holz war nötig. Das bißchen, das da hinten in der Ecke lag, würde bestimmt nicht ausreichen. Wenn es noch weiter schneite, würde sie die Höhle überhaupt nicht mehr verlassen können.

Zum erstenmal, seit sie ihre Zuflucht wiederentdeckt hatte, fürchtete sie um ihr Leben. Die Bergwiese war zu hoch gelegen. Und wenn die Höhle zuschneite, würde sie den Winter nicht überleben. Es war ihr keine Zeit gegeben, sich auf die lange, tödlichweiße Kältnis einzurichten.

Die Arme voller knorriger Äste kehrte Ayla erst am späten Nachmittag in die Höhle zurück und nahm sich vor, am nächsten Morgen noch mehr Holz zu sammeln.

Doch als sie erwachte, heulte draußen ein neuer Schneesturm, und der Einschlupf war völlig zugeschneit. Ayla rang nach Luft. Sie war eingesperrt. Gefangen. Und wieder packte sie die Angst. Lebendig begraben! Wie hoch der Schnee wohl war? Sie nahm einen langen Ast und bohrte damit zwischen den Zweigen der Haselnußbüsche nach oben. Schnee kam in die Höhle, doch es dauerte nicht lange, und Ayla verspürte einen Luftzug. Als sie durch das Loch spähte, sah sie Schneeflocken im scharfen Wind waagerecht dahintreiben. Den Ast ließ sie in dem Loch stecken und setzte sich wieder an ihr Feuer.

Ein Glücksfall war es gewesen, daß sie auf den Gedanken gekommen war, die Höhe der Verwehung zu messen. Denn durch das Loch, das vom Ast offengehalten wurde, konnte Luft in die Höhle gelangen. Wie schnell hätte es geschehen können, daß sie des Morgens nicht mehr erwacht wäre.

Das Mädchen merkte bald, daß ein so großes Feuer gar nicht nötig war, um die Höhle warmzuhalten. Der Schnee wies die Kälte ab.

Ob draußen Tag oder Nacht war, war nur an dem schwachen Lichtfleck auszumachen, der, wenn es draußen hell war, oben am Eingang matt glänzte. Und sobald dieser Fleck verschwand, schlug Ayla eine Kerbe in ihren Stock.

Vom Schnee in die Höhle verbannt, waren auch Finger, Hände und Füße gehindert, sich nutzbringend regen zu können. Es gab nichts zu tun für sie. Oft saß Ayla dann lange unbewegt am Feuer und starrte in die Flammen, sah zu, wie sie ein Holz nach dem anderen verzehrten und nur ein Häufchen Asche zurückließen. Hatte auch das Feuer einen Geist? Wohin wanderte er, wenn das Feuer starb? Creb hatte gesagt, wenn ein Mann oder eine Frau starb, dann wanderte der Geist in das Jenseitige. Ayla faßte sich an die Stirn. Bin ich schon dort? fragte sie sich. Nichts ist anders; nur einsamer ist es. Vielleicht ist mein Geist an einem anderen Ort. Wie soll ich das denn wissen? Auch fühle ich es nicht. Mein Geist ist bei Creb und Iza und Uba, denke ich. Aber ich bin verflucht. Ich muß tot sein.

Aber warum hat mein Totem mir das Zeichen gegeben, wenn es wußte, daß ich verflucht werden würde? Kann es sein, daß mein Herz mich betrogen hat? Kann es sein, daß der sonderbare Stein kein Zeichen meines Totems war? Ich glaubte, mein Totem wollte mich prüfen. Vielleicht ist auch dies eine Prüfung. Oder hat es mich verlassen? Aber warum hat es mich gewählt, wenn es mich dann verläßt?

Ayla blickte zur Decke. Vielleicht hat mein Schutzgeist mich gar nicht verlassen. Vielleicht ist er für mich in die Welt der Geister hinübergegangen. Vielleicht kämpft er für mich gegen die bösen Geister. Vielleicht sandte mein Totem mich hierher, damit ich warten soll, bis es gesiegt hat. Könnte es sein, daß mein Totem mich noch immer beschützt? Aber wenn ich nicht tot bin, was bin ich dann? Ayla senkte den Kopf und sah in die Flammen. Allein bin ich, dachte sie bekümmert, so schrecklich allein.

Aylas Augen kehrten sich wieder in die Wirklichkeit. Das Feuer war ziemlich heruntergebrannt. Ich will noch etwas nachschieben, dachte sie. Auch bin ich hungrig. Ayla holte ein Stück Holz und warf es in die Glut. Dann ging sie zu ihrem Luftloch und spähte hinaus. Es dunkelt, stellte sie fest. Ich muß wieder eine Kerbe schlagen. Wird dieser Schneesturm denn niemals aufhören? Sie nahm den Stock zur Hand und fügte ihm eine neue Narbe zu und legte dann ihre Finger in die Kerben; erst die eine Hand, dann die andere, dann wieder die erste. Und so fuhr sie fort, bis sie alle Kerben einmal zugedeckt hatte. Der heutige Tag, den ich hier auf meinem Kerbholz habe, war mein letzter. Ich kann jetzt zurückkehren, frohlockte es in dem Mädchen. Aber wie soll ich bei diesem Schneesturm aus der Höhle kommen? Ein zweites Mal ging Ayla zum Luftloch. Nur mit Mühe konnte sie in der rasch dichter werdenden Finsternis den dichten, vom Sturm gepeitschten Flockenschleier ausmachen. Verzagt schüttelte sie den Kopf und setzte sich wieder ans Feuer.

Als sie am nächsten Tag erwachte, war ihr erster Gang zum Luftloch. Der Sturm tobte noch immer mit unverminderter Gewalt. Wird er denn nie aufhören, flehte sie. Oh, wie gern wollte sie zurück. Was würde aus ihr werden, wenn Brun den Fluch für immer verhängt hätte? Was würde aus ihr werden, wenn sie niemals zur Höhle zurückkehren könnte? Und wenn sie nicht jetzt schon tot sei, so würde sie dann mit Sicherheit sterben. Es war ihr ja auch kaum Zeit geblieben, ausreichend Vorrat anzusammeln, um einen Mond durchzuhalten. Niemals hätte sie bis zur Schneeschmelze aushalten können. Was mochte Brun nur dazu bewegt haben, sie nicht auf immer zu verfluchen? Hätte sie wirklich zurückkehren können, wenn sie selbst in die Welt der Geister hinübergegangen wäre und nicht ihr Totem statt ihrer? Woher nahm sie denn die Gewißheit, daß ihr Geist nicht fortgegangen war? Könnte es nicht sein, daß ihr Totem ihren Körper beschützte, während ihr Geist fortging? Nichts war gewiß. Und sie wußte nichts, nur das eine, daß sie unrettbar verloren wäre, wenn Brun sie für immer verflucht hätte.

Ayla hatte wieder das Kinn zwischen die Knie genommen. Hatte Brun vielleicht ihre Rettung gewollt? Wie ein Blitz durchzuckte sie dieses Erkennen. Bruns Wille war reinen Herzens gewesen, als er ihr vor allen dankte, daß sie Brac das Leben bewahrt hatte. Er mußte sie verfluchen. Das Gebot des Clans verlangte es. Doch er hatte ihr eine Aussicht auf Rettung geben wollen. Ich weiß nicht, ob ich tot bin, dachte Ayla wieder. Kann einer essen und schlafen und atmen, wenn er tot ist? Ihr Herz gefror, als sie den Sinn des Clan-Gebots erkannte. Ich glaube, wenn einer verflucht ist, dann will er gar nicht mehr essen und schlafen und atmen. Und ich weiß auch, warum. Mit dem Zeigefinger rieb sie an der Nase und ließ ihn dort, genau zwischen den Brauen. Was aber hat mich dann getrieben, weiterzuleben? Es wäre so leicht gewesen, zu sterben, als sie aus der Höhle stürzte. Sie hätte nur liegenbleiben müssen. Wenn Brun nicht versprochen hätte, daß ich zurückkehren kann, so fragte sie sich weiter, wäre ich dann wieder aufgestanden? Wenn die Geister es gestatten, hatte Brun gesagt. Welche Geister? Meine? Die meines Totems? Ayla schüttelte ratlos den Kopf. Ganz gleich, irgend etwas mußte sie bewogen haben, überleben zu wollen.

Ayla brauchte eine Weile, bis sie begriff, daß sie wach war, und selbst dann mußte sie die Finger an ihre Augen führen, um sich selbst zu überzeugen, daß sie geöffnet waren. Das dichte, stickige Dunkel der Höhle hatte sie umschlossen. Mühsam unterdrückte sie einen Schrei. Ich bin tot! Brun hat mich verflucht. Nun bin ich tot. Ich werde niemals wieder Licht sehen, niemals hier herauskommen, niemals zur Höhle zurückkehren. Es ist zu spät. Die bösen Geister haben mich getäuscht und geblendet. Sie haben mich glauben lassen, ich wäre noch am Leben. Doch ich bin tot. Sie waren voll Zorn, daß ich unten am Bach nicht mit ihnen gehen wollte, und haben mich bestraft dafür. Sie haben mich glauben lassen, ich wäre am Leben, und die ganze Zeit war ich schon tot. Angstvoll umklammerte Ayla ihr Amulett.

Es war ein schlimmer Schlaf gewesen. Immer wieder war sie aufgewacht, gepeinigt von den gräßlichen Bildern böser Geister, von Luchsen, die sie ansprangen und plötzlich zu Höhlenlöwen wurden. Sie hatte von Schnee geträumt, der auf den Bäumen lag und schmolz und dann rot wurde wie Blut. In der Höhle hing ein dumpfiger Geruch; doch daß sie ihn wahrnahm, verriet ihr, daß ihre Sinne noch wach und lebendig waren, auch wenn sie nichts sehen konnte. Ayla fuhr hoch und schlug mit dem Kopf gegen den Felsen.

Ihr Stock? Wo war ihr Stock? Es war doch schon dunkel, und eine Kerbe mußte wieder hineingehauen werden. Ayla kroch in der Dunkelheit herum und tastete verzweifelt nach dem Kerbholz, als wäre es das Wichtigste in ihrem Leben. Es war an der Zeit, es mit einer neuen Kerbe zu zeichnen. Aber wie das tun, wenn es nicht zu finden war? Oder hatte sie die Kerbe schon gemacht? Wie war denn festzustellen, ob sie heimkehren konnte, wenn sie das Holz nicht fand? Brauchte sie den Zeitstock überhaupt noch? War die Zeit nicht schon um? Ayla schüttelte den Kopf und versuchte, die Nebelschleier zu vertreiben, die sie am Denken hinderten. Ich kann heimkehren! Jetzt wußte sie es. Die Zeit ist um. Aber sie war doch tot. Und es würde nie aufhören zu schneien. Es würde immer weiter schneien, immer weiter, und der Schnee würde immer höher liegen. Der Stock, der andere, oben am Einschlupf! Ich muß nach dem Schnee sehen!

Wie ein Maulwurf kroch Ayla in der Höhle herum, stieß hier an und dort, hustete, der Hals wurde ihr trocken, die Augen tränten, schließlich erreichte sie aber den Einschlupf. Und als sie dort angelangte, sah sie über sich, weit oben, einen schwachen Lichtfleck. Ihr Stock, er mußte dort oben sein. Mühsam zog sie sich an dem Busch hoch, der seine Äste in die Höhle hereinstreckte, bekam das Ende des langen Stocks zu fassen und stieß ihn aufwärts. Bald rieselte es auf sie herab, als das Holz die Schneedecke durchstieß. Das Loch für Luft war wieder offen. Ein kühler Windhauch fuhr herein, und anstelle des matten Lichtflecks war das ausgefranste Blau des Himmels zu sehen.

Die frische kalte Luft machte Ayla einen klaren Kopf. Es ist vorbei. Es hat aufgehört zu schneien. Endlich. Ich kann heim. Aber wie hier herauskommen? Sie stocherte und bohrte mit dem Stock und versuchte, das Loch zu vergrößern. Schnee fiel herab und bedeckte kalt und feucht Aylas Kopf und Körper, die sich schüttelte und ermahnte, daß sie sich begraben würde, wenn sie nicht achtsamer wäre. Vorsichtig kletterte sie wieder herunter, und ihr wurde froh ums Herz, als sie sah, daß die Helligkeit, die durch das Schneeloch hereinströmte, alles wieder sichtbar in der Höhle machte. Des Mädchens Finger zitterten aufgeregt. Ayla konnte es kaum erwarten aufzubrechen, doch sie zwang sich zu Ruhe und Bedacht.

Wenn doch nur das Feuer nicht ausgegangen wäre. Wie gerne hätte sie jetzt etwas Warmes getrunken. Aber etwas Wasser mußte noch im Beutel sein. Dem war so; und als sie trank, fühlte Ayla sich wieder lebendig, so lebendig, daß sie auch nach Dörrfleisch suchte, und, während sie davon abbiß, wieder und wieder zum Einschlupf ging, um sich zu vergewissern, daß der Himmel noch immer blau war.

Also, was nehme ich mit? überlegte das Mädchen und fuhr sich mit dem Handrücken über die fettigen Lippen. Für Nährendes brauche ich nicht zu sorgen. In der Höhle unten ist genug gelagert seit der Mammutjagd. Mitten in der Bewegung hielt sie inne. Mit einem Schlag brach alles wieder auf. Die Mammutjagd, der Schuß auf die Hyäne, der Todesfluch. Ayla strich sich das Haar aus der Stirn. Werden sie mich wirklich wieder aufnehmen? Werden sie mich auch wieder sehen können? Und wenn nicht?

Sie wußte nicht, wo sie dann hätte hin sollen. Aber Brun hatte versprochen, daß sie zurückkehren könne. Und versprochen war versprochen. Abschätzend blickte sie sich um. Sie schüttelte den Kopf, als sie die Schleuder sah. Nein, die würde sie gewiß nicht mitnehmen. Und den Sammelkorb? Den alten hatte Creb ja verbrannt. Nein, den brauchte sie erst nach der Schneeschmelze. Wieder ein Kopfschütteln. Bis dahin war vielleicht ein neuer zu fertigen. Und ihre Anziehsachen? Alles, Ayla nickte heftig, alles, was anzuziehen war, würde sie überstreifen und umhängen. Auch einiges Werkzeug mußte mit.

Ayla richtete alles her und zog sich an; um die Füße das Kaninchenfell, dann das erste Paar Fußhüllen und darüber das zweite; um die Beine die wärmenden Wadenwickel. Das Werkzeug verstaute sie in den tiefen Falten ihres Überwurfs. Den Pelzumhang zog sie fest um sich. Auf den Kopf kam die Vielfraßfellmütze. Zuletzt streifte sie sich die gefütterten Handhüllen über und ging zum Einschlupf. Dort drehte sie sich noch einmal um und umfing mit den Augen noch einmal die Höhle, die ihr während eines Mondes Zuflucht und Heim gewesen war. Bedächtig streifte sie die Handhüllen ab und lief zurück.

Ayla wußte selbst nicht, warum es für sie wichtig war, die kleine Höhle aufgeräumt zurückzulassen. Es gab ihr ein Gefühl des Abschlusses, als legte sie etwas endgültig aus der Hand, das sie nun nicht mehr brauchte. Dann zog sie die Handhüllen wieder über und ging vor zum Einschlupf. Sie würde herauskommen. Wie, das würde sich schon zeigen. Es wäre zu schaffen. Bald hätte der Clan sie wieder.

Ayla schaute hoch. Besser, wenn ich da oben durch das

Loch ins Freie krieche, entschied sie. Hier unten kann ich mich niemals durchgraben, da ist die Schneeverwehung viel zu dick. An dem Haselnußbusch kletterte sie hoch und stocherte mit dem Stock an der Öffnung herum, schob den Schnee beiseite, und ihr wurde warm dabei. Als Ayla schließlich auf den obersten Ästen stand, die im tiefen Schnee nur wenig unter ihrem Gewicht nachgaben, reckte sie sich noch ein bißchen und streckte den Kopf in das Blaue hinein. Der Atem stockte ihr. Die Wiese war nicht wiederzuerkennen. Von ihrem Ausguck aus war nichts zu sehen als Schnee. Nicht einen einzigen vertrauten Hinweis konnte sie entdekken. Alles war weiß. Wie sollte denn da ein Durchkommen sein? Einen Augenblick lang verließ Ayla der Mut.

Doch als sie sich aufmerksamer umschaute, fand sie nach und nach doch einiges Vertrautes wieder. Die Birken da drüben neben der hohen Fichte standen nicht viel höher als das Mädchen. Dort konnte der Schnee so tief nicht sein. Aber wie hinüberkommen? Ayla stützte die Arme auf den Rand des Lochs, trampelte den Schnee unter sich fest, daß er nicht nachgeben konnte, stemmte sich hoch, bis ihr Bauch die oberste Schneekruste berührte, senkte sich nach vorne ab, wühlte die Arme in den Schnee und zog die Beine nach über den Rand, so daß sie kaum einsinken konnte.

Ganz langsam brachte sie dann die Knie an den Bauch, hob den Oberkörper, stützte sich mit den Armen auf, ging in die Hocke und kam schließlich auf die Füße. So stand sie nur etwa eine Handspannenbreite tief im Schnee. Prüfend machte Ayla einige kurze Schritte. Ihre Fußhüllen waren weit geschnitten und sackartig um die Füße gebunden und verteilten ihr Gewicht besser, so daß sie in dem feintrockenen Schnee nicht allzu tief einsanken.

Dennoch war das Vorwärtskommen beschwerlich und anstrengend. Mit kurzen Schritten, manchmal bis zur Hüfte versinkend, arbeitete sie sich zum Bach hinüber. Auf dem gefrorenen Wasserlauf war der Schnee nicht so tief. An der Felswand, an deren Rückseite die kleine Höhle lag, hatte der Sturm hohe Wächten zusammengeblasen, an anderen Stellen jedoch den Boden freigelegt, daß man das graue Gestein und gelbbraune Flechten sehen konnte. Am Bach blieb Ayla stehen und überlegte. Sollte sie ihm bis zum anderen Bach hinunter folgen und dann den weiten Weg zur Höhle nehmen, oder sollte sie lieber gleich den steilen Hang hinunterklettern?

Sehr vorsichtig und bedachtsam machte sie sich auf den Weg – den kürzeren. Nur langsam und mit Mühe ging es hangabwärts. Bis zur Tagesmitte, als die Sonne schon hoch am Himmel stand, hatte Ayla erst die Hälfte der Strecke geschafft, die sie sonst immer zwischen Abenddämmerung und Einbruch der Dunkelheit hinuntergelaufen war. Es war kalt, aber die scharfstrahlige Sonne erwärmte etwas. Ayla wurde müde.

Als sie gerade den freigewehten Grat überquerte, der zu dem mächtigen Steilhang führte, glitt Ayla aus und trat einige Steine los, die sofort nach unten sausten, direkt auf ein gewaltiges Schneebrett zu, das im selben Augenblick, als Ayla wieder keuchend hochkam, weit oben abbrach und sich in einer stäubenden Wolke aus dem Hang löste. In eisiger Umarmung packten die Schneemassen das Mädchen und rissen es donnernd mit sich fort.

Creb lag noch wach, als Iza leise zu ihm trat.

»Ich habe gesehen, daß du die Augen offen hast«, begrüßte ihn die Schwester und hielt ihm einen der beiden Becher hin, die sie in den Händen hatte. »Hier nimm, Creb. Es ist warm und tut gut, bevor du aufstehst. Der Schneesturm hat sich in der Nacht gelegt.«

»Ja, ich weiß«, nickte Creb. »Ich sehe den klaren Himmel jenseits der Wand.«

Still saßen sie beieinander und schlürften den warmen Frühtrunk. Oft hockten sie in letzter Zeit stumm beieinander im Wohnkreis, der ihnen leer vorkam und ohne Leben. Sie rückten einander näher und gaben sich gegenseitig Wärme. Aber es war nur ein schwacher Trost. Uba weinte viel in der Nacht und quengelte oft den ganzen Tag. Keiner konnte ihr klarmachen, daß Ayla tot war. Immer wieder wollte sie wissen, wo das Mädchen sei. Sie hatte keine Lust zu essen, verschüttete das meiste von dem, was Iza ihr vorsetzte, fing dann an zu schreien und wollte mehr, bis die Medizinfrau schließlich die Geduld verlor und ihr ein paar hinter die Ohren gab und sie ausschimpfte, was sie sogleich bereute. Der Husten hatte Iza wieder gepackt und ließ sie manchmal nächtelang wach.

Seit Aylas Geist gegangen war, hatte Crebs Gesicht Falte auf Falte gelegt und jegliche Spannkraft verloren. In der Zauberhöhle war er nicht mehr gewesen seit dem Tag, an dem Ayla verflucht worden war. An jenem Tag hatte er dort in zwei gleichlaufenden Reihen die Gebeine des Höhlenbären angeordnet und den letzten Knochen der bösen Reihe so gelegt, daß er durch den Schädel des Bären hindurchging und aus der leeren Augenhöhle herausragte. Dann hatte er die bösen Geister beschworen und ihnen hinfort Anerkennung und Macht gegeben. Und seit jenem Tag brachte er es nicht übers Herz, an diesen Ort zurückzukehren, ja, er verspürte nicht einmal mehr das Verlangen, sich mit den guten Geistern zu vereinen, wie er es immer getan hatte. Täglich stärker war das Bedürfnis in ihm geworden, sich zurückzuziehen und die Pflichten des Mog-urs Goov zu übergeben. Brun hatte ihn gebeten zu warten, als der alte Zauberer ihm seine Absicht eröffnete.

»Was willst du tun, Mog-ur?«

»Was tut ein Mann, wenn er sich von seinen Pflichten entbunden weiß? Ich habe zu viel Tage auf dem Buckel, um noch lange in der kleinen Höhle zu sitzen. Mein Körper verlangt nach Ruhe.«

»Tu nichts Übereiltes«, bat Brun mit sanfter Gebärde. »Sieh noch einmal in dein Herz hinein, ob du es wirklich willst.«

Creb hatte genickt und das Vorhaben noch eine Weile mit sich herumgetragen. Nun aber hatte er sich entschlossen, ab heute nicht mehr länger Mog-ur sein zu wollen und seinen Rücktritt im Laufe des Tages zu verkünden.

»Goov soll Mog-ur werden, Iza«, bedeutete er der Frau, die neben ihm saß.

»Das kannst nur du allein entscheiden, Creb«, gab sie mit wissender Hand zurück.

Sie versuchte nicht, ihm seinen Entschluß auszureden. Sie spürte, daß der Bruder nicht mehr mit dem Herzen Mog-ur war, seit er Ayla mit dem Todesfluch hatte beladen müssen.

Iza schaute zum Himmel, da wo der Mond stand, der mählich verblaßte.

»Ist die Zeit um, Creb?« fragte Iza.

»Ja«, nickte Creb und schaute nur flüchtig hoch. »Die Zeit ist um, Iza.«

»Wie kann sie wissen, wann die Zeit um ist? Seit diesem Sturm war der Mond nicht zu sehen.«

Creb blickte hinaus, und seine Gedanken wanderten zurück zu dem Tag, an dem er einem kleinen Mädchen gezeigt hatte, wie es die Sommer und Winter zählen konnte, bis aus ihm eine Frau würde.

»Wenn sie lebte, sie würde es wissen, Iza«, gab der Mog-ur ruhig zurück.

»Aber der Sturm war so heftig. Da konnte keiner hinaus«, wandte die Schwester ein.

»Laß es ruhen, Iza. Ayla ist tot.«

»Ich weiß es, Creb«, erwiderte Iza und schlug die Hände vors Gesicht, und ihre Schultern zuckten.

Creb sah auf seine Schwester. Er spürten ihren Schmerz und wollte ihr etwas geben, ein Zeichen, daß er mit ihr fühlte.

»Ich sollte dir dies nicht kundtun, Iza. Aber die Zeit ist um. Ihr Geist ist von uns gegangen, aber auch das Böse. Wir haben nichts mehr zu fürchten. Ihr Geist hat sich mir mitgeteilt, ehe er floh, Iza. Er bedeutete mir, sie hätte mich lieb. Er schien so lebendig, daß ich beinahe glaubte, Ayla stünde vor mir. Aber die Geister der Verfluchten sind listig und schlau. Immer wollen sie dich glauben machen, daß sie die Lebenden sind, damit sie dich mit sich nehmen können. Beinahe wünschte ich, ich wäre mitgegangen.«

»Ähnliches ist auch mir widerfahren, Creb. Als ihr Geist mich Mutter rief, da...« Aufschluchzend vergrub Iza ihr Gesicht in den Händen.

»Ihr Geist flehte mich an, doch den Medizinbeutel nicht zu verbrennen, Iza. Das Wasser kam ihm in die Augen, genau wie bei Ayla, als sie lebte. Ich konnte es kaum ertragen. Hätte ich den Beutel nicht schon in die Flammen geworfen, ich glaube, ich hätte ihn ihm geschenkt. Doch das war seine letzte List. Dann ging er endlich hinweg.«

Creb war aufgestanden, hüllte sich in den mächtigen Pelz und griff zu seinem Stock. Iza blickte ihm nach. Nur noch selten verließ er die Feuerstätte. Er humpelte zum Eingang der Höhle und blieb lange Zeit dort stehen, die Augen unverwandt auf das funkelnde Schneeland gerichtet. Erst als Iza Uba zu ihm schickte, kam er zurück. Danach stand er schon wieder dort.

»Es ist kalt hier, Creb, und zugig.« Iza war zu ihm getreten, voll Sorge, er könnte sich erkälten. »Es ist nicht gut für dich, wenn du hier im Wind stehst«, bedeutete sie ihm.

Creb hatte sich an den Fels gelehnt und wies mit dem Stock nach draußen.

»Zum erstenmal seit Tagen ist der Himmel klar. Es tut den Augen gut, einmal etwas anderes zu sehen als dauernd tobendes Schneegestöber.«

»Ja, aber komm hin und wieder ans Feuer und wärme dich.«

Creb tat, wie Iza ihm geraten hatte, und immer wieder humpelte er zum Eingang und starrte lange in das Winterland hinaus. Als jedoch der Tag fortschritt, trieb es ihn immer seltener dorthin. Beim Abendverzehr, als das Zwielicht mählich der Dunkelheit wich, tat er Iza seinen Entschluß kund: »Wenn wir fertig sind, gehe ich zu Bruns Feuer hinüber. Ich will ihm sagen, daß fortan Goov der Mog-ur sein soll.«

»Ja, Creb«, gab sie mit gesenktem Kopf zurück. Es gab keine Hoffnung mehr. Jetzt war sie sicher, daß es keine Hoffnung gab, Ayla wiederzusehen.

Creb erhob sich. Plötzlich erscholl von Bruns Feuer her ein erschreckter Aufschrei. Iza riß den Kopf hoch. Eine schnee- und eisverkrustete, pelzige Erscheinung stand im Eingang zur Höhle, stampfte mit den Füßen und hob die Arme.

»Creb!« rief Iza furchtsam. »Was ist das?«

Angestrengt spähte der Mog-ur hinüber, mißtrauisch und auf der Hut vor bösen Geistern. Doch dann wurde das eine Auge riesengroß. Die Furcht darinnen und das Mißtrauen waren verschwunden, jubelndes Erkennen strahlte in ihm.

»Ayla!« rief er und hastete ihr hinkend entgegen; vergaß

seinen Stock, vergaß seine Würde, vergaß, daß es sich nicht ziemte, außerhalb des Wohnkreises Gefühl zu zeigen, riß das eisstarre Mädchen in seine Arme und drückte es an sich.

16

»Ayla? Ist es auch die Ayla, die lebt? Ist es nicht ihr Geist?« wehrten Izas Hände erschrocken ab, als der Mog-ur die Gestalt, die aus der Kälte kam, an sein Feuer führte. Die Medizinfrau wollte es nicht glauben; noch immer fürchtete sie, ihre Sinne hätten sie getäuscht.

»Es ist Ayla. Und sie lebt«, bestätigte Creb mit klar entschiedener Geste. »Die Zeit ist um. Sie hat die bösen Geister bezwungen und somit überlebt. Sie ist wiedergekehrt.«

»Ayla!« Mit ausgebreiteten Armen lief Iza dem Mädchen entgegen und drückte es stürmisch an ihr Herz. Nicht nur vom Schnee wurde sie naß. Ayla vergoß Freudentränen für beide. Uba zupfte und riß am Umhang des Mädchens, das Izas Arme noch immer umschlossen hielten.

»Ayla. Ayla ist wieder da. Ayla ist nicht tot!«

Die Heimgekehrte hob sie hoch vom Boden und preßte Uba so fest an sich, daß die Kleine zu strampeln begann, um zu Atem zu kommen.

»Du bist naß«, stellte Uba fest, als sie die Arme wieder frei hatte.

»Zieh die nassen Sachen aus, Ayla!« bedeutete ihr Iza und suchte nach einem trockenen Überwurf für das Mädchen.

Ayla nahm ihre Mütze und ihren Umhang ab, dann setzte sie sich hin und versuchte, die von der Feuchtigkeit aufgequollenen Riemen ihrer Fußhüllen zu lösen.

»Ich habe großen Hunger«, machte Ayla und führte die Hand zum Mund. »Ich habe den ganzen Tag nichts gegessen«, berichtete sie, nachdem sie einen von Izas Überwürfen angezogen hatte. Er war ein wenig klein und etwas zu kurz, aber trocken. »Ich wollte zeitig kommen, aber beim Abstieg vom Berg bin ich in einem donnernden Schneeschwall versunken, der sich den Berg hinunterwälzte und mich fortriß.

Er hätte mich fast verschlungen. Ich habe lange gebraucht, um mich auszugraben.«

Weit riß Iza die bestürzten Augen auf. Doch selbst wenn Ayla ihr kundtun würde, sie wäre durchs Feuer gegangen, sie hätte es geglaubt. Daß sie wiedergekehrt war, bezeugte an sich schon ihre Unbezwingbarkeit.

Die Frau griff nach Aylas Umhang, den sie zum Trocknen aufhängen wollte. Als hätte sie sich daran verbrannt, zog sie jedoch die Hand zurück und beäugte mißtrauisch das fremde Rehfell.

»Woher hast du das, Ayla?«

»Ich habe ihn gemacht.«

»Ist er – ist er von hier, wo wir leben?« fragte die Frau furchtsam.

Ayla lächelte. »Gewiß, er ist von hier, wo wir leben – und jagen«, fügte sie augenzwinkernd hinzu.

»Untersteh dich!« gab Iza mit erschreckter Gebärde zurück und wandte den Clan-Leuten den Rücken zu, da sie wußte, daß alle herüberschauten. Aber sie sollten ihre nächste Frage nicht beobachten können. »Du hast... hast du die Schleuder mitgebracht?«

»Nein, die habe ich zurückgelassen. Aber alle wissen, daß ich jagen kann, Iza. Ich brauchte etwas Warmes. Creb hatte ja alles verbrannt. Einen Pelz kann sich nur einer beschaffen, der jagen kann.«

Creb hatte den beiden still zugesehen. Er wagte noch immer nicht recht zu glauben, daß Ayla wirklich zurück war. Ja, es gab Geschichten, die davon berichteten, daß zum Tode Verfluchte unter die Lebenden zurückgekehrt waren. Aber sie ist anders geworden, stellte er fest. Sie hat sich gewandelt. Sie zeigt sich ihrer sicher. Sie ist erwachsen. Und sie erinnert sich. Sie weiß noch, daß ich ihre Sachen verbrannt habe. Wie mag es wohl aussehen in ihrem Kopf? Und wie in der Welt der Geister?

»Geister!« Er schlug sich an den Schädel, als erwachte er plötzlich. Der Fluch besteht noch. Ich muß gehen und ihn brechen.

Creb eilte in die kleine Höhle, um das fluchbringende Gelege zu zerstören. Er packte den Kienspan, der draußen vor der schmalen Spalte gelbgrün brannte, und hinkte hastig hinein. Sein Atem stockte, als er in die Zauberhöhle schlüpfte. Der Schädel des Höhlenbären lag nicht mehr an seinem Platz, auf den er ihn, dem Fluchgebot folgend, gestellt hatte, und auch der Knochen drohte nicht mehr durch die Augenhöhle. Der Fluch hatte sich selbst aufgehoben.

Creb machte ein mächtiges Schutzzeichen und trug die Knochen zurück zu dem Haufen an der hinteren Wand. Nur die listigen Augen einer Ratte waren Zeuge.

Als er sich aus der Spalte quälte, sah er Brun, der ihn erwartet hatte.

»Brun«, bedeutete der Mog-ur dem Bruder, »ich kann es nicht glauben. Du weißt, ich war nicht mehr in der Höhle seit dem Tag, an dem ich den Fluch verhängt habe. Und niemand war in der Höhle seither. Eben bin ich hineingegangen, um den Bann zu brechen. Doch er war schon gebrochen.«

Verwunderung und Ehrfurcht standen in Bruns Gesicht, als er fragte: »Was ist geschehen?«

»Ihr Totem muß es bewirkt haben. Die Zeit ist um, Brun. Ihr Schutzgeist hat den Fluch entkräftet, damit sie zu uns zurückkehren konnte«, erklärte der Zauberer.

»Ja, so muß es sein.« Bruns Hand deutete einen weiteren Gedanken an, zögerte aber.

»Willst du dich mir mitteilen, Brun?«

»Nur dir allein.« Der Clan-Führer zauderte wieder. »Vergib, daß ich zudringlich war vorher. Ich habe in deinen Wohnkreis gesehen. Des Mädchens Rückkehr kam unerwartet.«

Nicht nur Brun, alle Clan-Leute hatten diesen Brauch verletzt. Noch nie hatten sie erlebt, daß ein Toter auferstanden war.

»Heute ist eben ein besonderer Tag. Da braucht es dich nicht zu beunruhigen«, beschwichtigte der Mog-ur mit kurzer Gebärde den Bruder und wandte sich zum Gehen.

»Das ist es nicht allein, was ich mit dir behandeln wollte«, warf Brun ein und legte dem Zauberer eine Hand auf den Arm. »Ich will deinen Rat«, der Mog-ur wartete, sah zu, wie Brun nach den erhellenden Zeichen suchte, »zu einer Feier, jetzt, wo sie zurück ist.«

»Eine Feier ist nicht notwendig. Die Gefahr hat sich verzogen. Das Böse ist fort.«

»Nicht eine solche Feier.«

»Was für eine Feier?«

Wieder gerieten Bruns Hände ins Stocken, schlugen dann etwas anderes vor. »Ich habe zugesehen, wie sie sich dir und Iza mitteilte. Hast du bemerkt, daß sie sich gewandelt hat, Mog-ur?«

»Wieso gewandelt?« fragte der Mog-ur mißtrauisch zurück, denn er wußte nicht, was Brun im Sinn hatte, der nochmals anhob zu erklären: »Sie hat ein mächtiges Totem. Droog hat stets behauptet, daß sie das Glück mit sich trägt. Er glaubt, daß ihr Totem auch uns das Glück bringt. Es mag sein. Doch wäre sie niemals wiedergekehrt, hätte sie nicht Glück und mächtigen Schutz auf ihrer Seite. Ich spüre, daß ihr Herz das jetzt weiß. Sie ist sich beider Kräfte sicher. Das ist die Wandlung, die sie im Jenseitigen durchgemacht hat.«

»Ja, dieses habe auch ich wahrgenommen. Doch wieso kommst du auf eine Feier? Und was hat das damit zu tun?«

»Hast du noch vor Augen, als wir uns berieten? Seit dem Tag, an dem sie tot war, geht mir unsere Beratung unablässig durch den Kopf. Ich glaubte nicht, daß Ayla den Fluch überleben und zu den Lebenden zurückkehren würde. Aber jetzt ist sie da. Nun ist gewiß, daß sie einen mächtigen Schutzgeist hat, mächtiger noch, als wir glaubten. Seit dem Tag, an dem sie starb, hat mich Tag und Nacht die Frage gequält, was wir tun sollten, wenn sie wiederkäme.«

Creb sah den Bruder verständnislos an.

»Was wir tun sollten? Wir brauchen nichts zu tun. Der böse Geist ist fort, Brun. Sie ist zurückgekommen. Sie lebt wieder. Und sie ist so, wie sie immer war. Sie ist ein Mädchen geblieben.«

Brun blickte dem Mog-ur voll ins Gesicht.

»Was muß geschehen, wenn ich etwas ändern möchte im Clan? Gibt es dafür eine Feier?«

Der Mog-ur hob verwirrt den Arm.

»Eine Feier? Wofür? Du brauchst keine Feier, wenn du dich ihr gegenüber ändern willst. Was soll im Clan geändert werden? Ich kann dir keine der heiligen Feiern deuten, wenn du mir nicht zeigst, was sie bewirken soll.«

»Ihr Totem ist auch ein Clan-Totem. Wir müssen uns bemühen, die Totems freundlich zu stimmen. Ich wünsche, daß du eine Feier abhältst, Mog-ur, aber du mußt mir sagen, ob es eine solche Feier gibt.«

Der ältere Bruder wurde ungeduldig.

»Brun, ich weiß nicht, was du willst. Du solltest es dir noch klarer legen.«

Der Clan-Führer ließ hilflos die Hände fallen. Die vielen neuen Gedanken, die die Männer auf der Beratung vorgebracht hatten, waren ihm während Aylas Tod fortwährend durch den Kopf gegangen. Und er hatte alles gründlich bedacht. Was dabei herausgekommen war, bereitete ihm jedoch nagendes Unbehagen.

»Ich sehe selbst nicht klar, Mog-ur, wie kann ich dich da klarsehen lassen? Wer hätte erwartet, daß sie wiederkehren würde? Die Wege der Geister sind mir fremd. Ich kann nicht erfassen, was sie wünschen oder wozu sie da sind. Aber du bist mir nicht viel Hilfe. Ich muß noch einmal mit mir selbst zu Rate gehen.«

Brun machte auf der Ferse kehrt. Verwirrt blieb der Mog-ur zurück. Doch nach wenigen Schritten drehte der Clan-Führer sich um.

»Teile dem Mädchen mit, daß ich es zu sehen wünsche«, bedeutete er und ging dann weiter zu seinem Feuer.

Kopfschüttelnd kehrte Creb in den eigenen Wohnkreis zurück.

»Brun wünscht Ayla zu sehen«, machte er deutlich, als er dort ankam.

»Augenblicklich?« fragte Iza und schob Ayla noch etwas zu essen hin. »Er wird ihr nicht zürnen, wenn sie zuvor noch etwas verzehrt.«

Ayla sprang auf. Sie hatte plötzlich keinen Hunger mehr. Wie weggeblasen war er, als sie sah, daß sie zum Clan-Führer sollte.

»Ich kann nichts mehr essen, Iza. Ich gehe zu ihm«, bedeutete sie der Medizinfrau und lief hinüber und ließ sich mit gesenktem Kopf zu Füßen des Clan-Führers nieder. Sie sah, daß Brun dieselben Fußhüllen trug wie an jenem schrecklichen Tag, als er sie verflucht hatte. Damals hatte sie zitternd vor Angst auf diese Füße geblickt, jetzt aber sah sie nur, daß das Leder ziemlich abgewetzt war und er eigentlich neue bräuchte. Denn ihre Angst war einer Achtung gewichen, in die sich auch Sorge und Verständnis mischten. Ayla wartete. Schließlich fühlte sie seine Hand auf ihrer Schulter und hob den Kopf.

»Ich sehe, du bist wiedergekommen, Ayla«, begann er mit zaudernder Geste. Er wußte nicht recht, wie er es anpacken sollte.

»Ja, Brun«, nickte das Mädchen.

»Meine Augen sind erstaunt. Daß du zurückgekehrt bist von den Toten, kommt unerwartet und ist schwer zu begreifen.«

»Auch in meinem Herzen war wenig Hoffnung«, stimmte Ayla zu.

Bruns Hände zuckten hilflos. Er wollte sich ihr mitteilen, aber er wußte nicht, auf welche Weise, und er wußte auch nicht, wie er die Unterhaltung beenden sollte, nach der ihn verlangt hatte. Ayla wartete und hob dann bittend die Hand.

»Ayla wünscht zu sprechen, Brun.«

»Du magst sprechen.«

Sie verhielt den Redefluß ihrer Hände und begann mit bedächtiger Gebärde: »In meinem Herzen ist Freude, daß ich zurück bin, Brun. Viele Male fürchtete ich mich; viele Male glaubte ich, ich würde niemals wiederkehren.«

Brun brummte zustimmend.

»Schwer waren die Tage, aber mein Totem hat mich beschützt. Zu Anfang gab es viel zu tun. Da verblieb mir keine Zeit, in mich hineinzuschauen. Aber als ich gefangen war, da zog mir vieles durch den Sinn.«

Viel zu tun? Gefangen? Was war das für eine Welt, die Welt der Geister? Fast hätte Brun sie danach gefragt, doch er schluckte die Frage hinunter. Eigentlich wollte er die Antwort gar nicht wissen.

»Ich glaube, da öffneten sich mir für manches die Augen.«

Ayla ließ die Hände sinken. Sie wollte ein Gefühl bezeugen, das der Dankbarkeit verwandt war, aber nicht jener Art, wie sie unter den Clan-Leuten im allgemeinen empfunden wurde – nicht einer Dankbarkeit, die verpflichtet machte – und nicht die Dankbarkeit, die eine Frau dem Mann entgegenzubringen hatte. Sie wollte Brun wissen lassen, daß sie ihn verstand, und ihm dafür danken, daß durch ihn ihr Überleben möglich war. Aber sie wußte nicht, wie sie es ihm deutlich machen sollte. Langsam hob sie ihre Hände, als sie ihre Gedanken formte. »Brun, ich danke dir, so wie du mir gedankt hast für Bracs Leben. Ich sage dir Dank für mein eigenes.«

Der Clan-Führer lehnte sich zurück und betrachtete das Mädchen; hoch gewachsen, mit flachem Gesicht, sonnenhellen Haaren und Augen wie ein Sommerhimmel. Niemals hätte er von Ayla Dank erwartet. Er hatte sie ja verflucht. Aber dafür hatte sie ja nicht gedankt, sondern für ihr Überleben. Begriff Ayla, daß er für sie getan hatte, was in seiner Macht stand? Blickte dieses fremdartige Mädchen so viel tiefer als seine Jäger, tiefer sogar als der Mog-ur, in die Herzen und Hirne? Ja, dachte er, sie blickt durch; sie hat begriffen. Einen Augenblick lang regte sich in Bruns Herz ein Gefühl, wie er es nie zuvor für eine Frau empfunden hatte. Und in diesem Augenblick wünschte er, sie wäre ein Mann. Jetzt aber wußte er klar, worum er den Mog-ur bitten wollte.

»Ich tappe noch ganz im dunkeln«, beschwerte sich Ebra. »Nicht einmal die anderen Jäger wissen, was sie vorhaben. Aber eines weiß ich. Nie habe ich Brun so kribbelig und rastlos gesehen.«

Die Frauen hockten im Kreis beieinander und bereiteten alles für den Festverzehr vor und wußten nicht, wieso und warum. Brun hatte lediglich befohlen, für heute sich zu rühren und zu sputen.

»Der Mog-ur hat den ganzen Tag und einen großen Teil der Nacht in seiner Zauberhöhle zugebracht. Es muß heute eine Feier geben, denn solange Ayla tot war, suchte er sie niemals auf. Und jetzt ist er immerfort dort«, bedeutete Iza den anderen Frauen, und ihre Hand hängte noch eine kurze Bemerkung an: »Und wenn er herauskommt, ist er immer noch so versunken, daß er doch tatsächlich zu essen vergißt.«

»Aber wie kommt es, daß Brun von Sonnenaufgang bis zu ihrem höchsten Stand hinten in der Höhle herumgeschafft hat, um einen freien Platz zu machen?« warf Ebra mit behender Rede ein und zeigte weit ins Innere der Höhle. »Ich bot mich an, es für ihn zu tun, doch jagte er mich fort. Warum schuftet er wie eine Frau? Sie haben doch eine Stätte für ihre Feiern.«

»Nur eine Feier kann es sein«, entgegneten Izas kundige Hände. »Immer sehe ich den Mog-ur und Brun sich beraten; und werden sie meiner gewahr, so hören sie augenblicklich auf. Sie bereiten eine Feier vor, bestimmt. Und darum der Festverzehr heute abend. Des öfteren ist der Mog-ur aus seiner Zauberhöhle getreten und nach hinten gegangen, wo Brun Platz geschaffen hat. Und wenn mich meine Augen nicht betrogen, so trug er etwas im Arm. Da es so finster ist dort hinten, war jedoch leider nichts genau zu sehen.«

Und Ayla? Das Mädchen genoß es ganz einfach, wieder mit den Erdlingen zusammen zu sein. Obwohl seit ihrer Wiederkehr nun fünf Tage vergangen waren, konnte sie es noch immer nicht recht fassen, daß sie wirklich zurück war und im Kreis der Frauen saß, als wäre sie niemals fort gewesen. Dennoch war es nicht ganz so wie früher, denn die Frauen fühlten sich befangen in des Mädchens Gegenwart. Ayla war tot gewesen. Ihre Wiederkehr ins Leben war ein Wunder. Sie wußten nicht, wie sie sich zu ihr stellen sollten, die ins Reich der Toten getreten war und nun wieder unter den Lebenden weilte. Von diesem befangenen Verhalten ließ Ayla sich nicht im geringsten stören. Sie war's zufrieden, wieder beim Clan zu sein.

Gerade beobachtete sie Brac, wie er zu seiner Mutter hinüberkrabbelte und an ihr hochkroch, um bei ihr zu trinken.

»Was macht sein Arm, Oga?« fragte sie die junge Frau, die neben ihr hockte, und deutete auf Brac.

»Schau dir's doch selbst an, Ayla.« Sie zog des Jungen Fellkittel auseinander und zeigte Ayla Arm und Schulter. »Iza hat die Birkenrinde am Tag vor deiner Wiederkehr endgültig abgenommen. Sein Arm ist gut geheilt; er ist nur noch ein wenig dünner als der andere. Aber wenn er ihn bewegt, dann wird es sich schon geben.«

Ayla sah sich die verheilten Wunden an und betastete behutsam den Arm. Der Junge staunte sie aus großen Augen an. Sorgsam hatten die Frauen bisher darauf geachtet, nicht Dinge oder Ereignisse zu behandeln, die auch nur im entferntesten Aylas Verfluchung betrafen. Häufig war es vorgekommen, daß eine von ihnen eine Unterhaltung begann, dann plötzlich die Arme sinken ließ und völlig erstarrt war, da sie erkannte, womit es enden würde.

»Die Narben sind noch rot, aber nach und nach werden sie verbleichen«, befand Ayla. Dann schaute sie dem Kind in die Augen und fragte: »Bist du stark, Brac?« Als der Kleine nickte, forderte sie ihn auf. »Zeig es mir! Hier, kannst du meinen Arm herunterziehen?« und streckte ihn aus. Ayla schüttelte den Kopf. »Nein, nicht mit dieser, mit der anderen Hand«, bedeutete sie ihm, als Brac den gesunden Arm hob.

Der Junge packte ihren Arm also mit der anderen Hand und zog daran. Und Ayla leistete gerade so viel Widerstand, daß zu sehen war, wieviel Kraft in seiner Bewegung steckte. Dann gab sie nach.

»Du bist ein starker Junge, Brac. Eines Tages wirst du ein tapferer Jäger werden, genau wie Broud«, machte sie und sah zu Oga hin. Dann öffnete sie einladend die Arme. Zunächst wandte der Kleine sich ab, drehte dann den Kopf, beäugte Ayla aufmerksam, zögerte noch etwas, krabbelte dann auf sie zu und ließ sich hochheben. Mit ausgestreckten Armen hielt sie ihn hoch und setzte sich den Jungen dann auf den Schoß. Ein Weilchen ließ er sich von ihr kosen, doch als er merkte, daß bei Ayla nichts zu holen war, strampelte er sich frei und kroch zu Oga hinüber, die ihn an die Brust nahm.

Ayla wandte sich an die junge Mutter und deutete auf den Säugling.

»Das Glück ist dir gut gesinnt, Oga.«

Bevor sie eine Antwort gab, blickte Oga sich schnell um, zuckte dann mit den Schultern und bekannte: »Wärst du nicht gewesen, so wäre er jetzt nicht mehr bei mir, Ayla.« Endlich hatte Oga doch das Tabu gebrochen. »Ich habe dich nie wissen lassen, daß ich dir aus tiefstem Herzen dankbar bin. Zu Anfang hatte ich Angst um das Kind und wußte nicht, wie ich dir danken sollte. Und dann warst du tot. Nie wähnte ich, dich wiederzusehen. Es ist schwer zu fassen für mich, daß du wieder lebendig bist. Es war nicht recht von dir, eine Waffe zur Hand zu nehmen, und dein Verlangen zu jagen ist mir fremd. Aber ich bin froh, daß du es getan hast. Schmerzlich war mir zumute, als du dem Tod übergeben wurdest. Aber du hast ihn überlebt, du bist wieder da. Und es ist eine Freude in mir.«

»Und auch in mir«, bedeutete Ebra, und die Hände der anderen Frauen stimmten ihr zu.

Aylas Herz öffnete sich weit. Sie kämpfte gegen die aufsteigenden Tränen, sie wollte den Frauen kein Unbehagen bereiten, wenn sie sahen, daß ihr die Augen naß wurden.

»Es ist gut, wieder bei euch zu sein«, beteuerten ihre Hände, die sich dann noch um Aylas Augen kümmern mußten, aus denen Freudentränen rannen.

Inzwischen hatte Iza gelernt, daß Aylas Augen naß wurden, wenn das Mädchen stark bewegt war. Auch die Frauen hatten sich an diese Eigenheit gewöhnt und spürten irgendwie, daß in Ayla sich etwas löste. Mitfühlend wiegten sie die Köpfe.

»Wie war es, Ayla?« wollte Oga wissen.

»Einsam«, gab Ayla zurück. »Sehr einsam. Ständig hat mein Herz nach euch gerufen. Sogar Broud hat es herbeigewünscht.«

»Sehr einsam muß es da gewesen sein«, warf Aga dazwischen und blickte beschämt auf Oga.

»Ich weiß, es ist manchmal schwer mit ihm«, bekannte Brouds Gefährtin mit hastiger Gebärde. »Aber er ist nicht ungut zu mir.«

»Alle wissen, daß Broud dir gut ist, Oga«, bedeutete ihr Ayla freundlich. »Du sollst den Kopf hoch tragen dafür, daß er dein Gefährte ist. Eines Tages wird er der Clan-Führer sein, denn er ist ein kühner Jäger. Er war es ja, der als erster das Mam-Mut traf. Du kannst es nicht ändern, daß er mich ablehnt. Zum Teil habe ich das selbst verschuldet. Nicht immer habe ich mich so betragen, wie ich es hätte tun sollen. Ich weiß nicht mehr, wie es begonnen hat, und weiß auch nicht, wie es noch enden wird. Du solltest dich darum nicht grämen.«

»Immer schon zeigte er seinen Hitzkopf«, fuhr Ebra dazwischen. »Er ist nicht wie Brun. Als der Mog-ur verkündete, daß Brouds Totem das wollhaarige Nashorn ist, spürte ich in meinem Herzen, daß er wahr gedeutet hatte. Du, Ayla, hast geholfen, ihm die Hitze aus dem Kopf zu treiben. So wird er bestimmt ein besserer Clan-Führer werden.«

»Ich weiß nicht.« Ayla hob abwehrend die Hände. »Wäre ich nicht hier, so würde er gewiß nicht so oft außer sich geraten. Ich bin ihm wie ein Dorn, der ihn immer irgendwo sticht.«

Ein etwas gespanntes Schweigen setzte ein, denn gewöhnlich sprachen die Frauen nicht so offen über die Gefühle ihrer Männer. Doch das Gespräch hatte die Luft gereinigt. Iza fand, es wäre Zeit, zu anderem überzugehen.

»Weiß eine von euch, wo die Yamswurzeln sind?« fragte sie.

»Sie waren dort, wo Brun Platz geschaffen hat«, gab Ebra zurück. »Wir werden sie wohl nicht mehr finden.«

Broud, der Ayla beobachtete, hatte mit finsterer Miene wahrgenommen, wie sie Bracs Arm untersuchte und den Jungen dann auf ihren Schoß nahm. Die kleine Begebenheit ließ ihn wieder daran denken, daß sie es gewesen war, die Brac das Leben gerettet hatte, und das wiederum erinnerte ihn daran, daß sie Zeugin seiner tiefsten Erniedrigung geworden war. Der Jäger war vom Wunderlichen ihrer Wiederkehr so überwältigt gewesen wie die anderen und ihr am ersten Tag mit Ehrfurcht und einer gewissen Scheu begegnet. Doch daß sie sich verändert hatte – von Creb als Zeichen ihres Reifens gedeutet, von Brun als glückliches Erleben verstanden – faßte Broud als freche Anmaßung auf.

Während der langen einsamen Höhlentage hatte Ayla nicht nur die Zuversicht gewonnen, daß sie überleben konnte; sie hatte auch gelernt, den Widrigkeiten ihres Lebens mit Gelassenheit zu begegnen. Nach den bitteren und harten Kämpfen, die sie oben in den Bergen mit sich und mit der Welt um sich herum führen mußte, und wo sie eine unbeugsame Stärke, sich trotz allem zu behaupten, gewonnen hatte, konnte etwas so Nichtiges wie eine Zurechtweisung ihre Eigenart nicht mehr erschüttern.

Broud hatte Ayla tatsächlich gefehlt. In der völligen Einsamkeit und Abgeschiedenheit von den Erdlingen, die sie kannte, wären sogar seine Demütigungen und Quälereien ihr willkommen gewesen. Und in den ersten Tagen nach ihrer Wiederkehr tat ihr sein ständiges Nörgeln, Befehlen und Triezen direkt gut.

Und es dauerte nicht lange, da waren die alten Muster im Verhalten beider zueinander wieder sichtbar; doch mit einem Unterschied. Ayla bedurfte keiner Überwindung mehr, sich Brouds Willen zu beugen. Ihre Fügsamkeit war nicht mehr, wie zuvor, mit feiner Herablassung unterlegt; sie war ganz einfach ungerührt. Er konnte ihr Blut nicht mehr in Wallung bringen. Er konnte knuffen und puffen und schimpfen und sich in wildeste Wut hineinsteigern, es wirkte nicht. So, wie man sie als Geist behandelt hatte, den man nicht sehen konnte, so behandelte Ayla jetzt Broud, wenn auch ganz ohne Absicht. Denn Broud lechzte nach Aufmerksamkeit, er brauchte sie wie die Luft zum Atmen. Nichts war für ihn schwerer zu ertragen, als übersehen zu werden. Selbst wenn sie sofort seinen Anweisungen folgte, sie tat es dann so, als sei er Luft für sie, denn Ayla kannte des Jägers Grenzen seiner äußeren Macht über sie, hatte seine innere Stärke geprüft und herausgefunden, daß beides nicht reichte, ihr Achtung abzuverlangen. Und das Schlimmste für ihn war nicht nur, von ihr übersehen zu werden, sondern zu erleben, wie sie Aufsehen erregte.

Allein schon durch ihre eigenartige Erscheinung zog Ayla das Augenmerk aller auf sich. Was aber am schwersten wog, waren die Erfahrungen, die man mit ihr gemacht hatte: Sie hatte ein mächtiges Totem. Ihr gehörte die Zuneigung des gefürchteten Zauberers, dessen Feuer sie teilte. Sie ging bei der Medizinfrau des Clans in die Lehre, um selbst einmal Medizinfrau zu werden. Sie hatte Ona das Leben gerettet. Sie war im Gebrauch der Schleuder besser als alle Männer. Sie hatte die Hyäne getötet und damit Bracs Leben bewahrt. Und jetzt war sie sogar von den Toten auferstanden. Jedesmal, wenn Broud hohen Mut gezeigt hatte und eigentlich die Bewunderung des Clans verdient gehabt hätte, war es ihr gelungen, ihn in den Schatten zu stellen.

Mit mißgünstiger Miene betrachtete Broud das Mädchen. Warum hatte Ayla wiederkehren müssen? fragte er sich und stützte das Kinn auf die rechte Faust. Alle sehen nur sie! Immer sehen alle nur sie. Als ich den Bison erlegte und in den Mannesstand erhoben wurde, drehte sich alles nur um ihr Totem. Hat sie je einem Mammut die Stirn geboten? Ließ sie sich beinahe zu Tode trampeln, um diesem Tier die Sehne zu durchschneiden? Nein. Sie hat nicht mehr zu bieten, als mit dieser lächerlichen Schleuder zwei Steine abzuschießen. Und auch noch Brun mit seinen Beratungen! Und dann hat er es doch nicht richtig gemacht. Sie ist wiedergekommen. Und alles dreht sich nur um sie.

»Creb, warum bist du nur so zappelig? Nie habe ich dich so unstet gesehen. Du bist wie ein junger Mann, bevor er seine erste Gefährtin nimmt. Willst du, daß ich dir einen warmen Trank mache, damit du wieder zur Ruhe findest?« äußerte sich Iza besorgt, als der Zauberer zum dritten Mal vom Feuer aufsprang, drei, vier Schritte weghumpelte, dann aber anderen Sinnes wurde und sich wieder niederhockte.

»Du findest mich unstet? Ich bin nur dabei, mir alles ins Gedächtnis zu rufen und mich in mich selbst zu versenken«, gab er mit abwehrender Gebärde zurück.

»Was mußt du dir so eilig ins Gedächtnis rufen? Lange schon bist du der Mog-ur, Creb. Es gibt keine einzige Feier, die dir nicht klar vor Augen steht. Und nie habe ich gesehen, daß du herumhoppelst wie ein Hase, wenn du in dich hineinschaust. Ich mache dir einen warmen Trank.«

Schon wollte Iza sich erheben, als Creb abwehrte: »Nein, nein. Ich brauche keinen warmen Trank. Wo ist Ayla?«

»Da drüben, hinter der letzten Feuerstätte. Sie sucht die Yamswurzeln«, zeigte ihm die Schwester.

Creb ließ sich wieder nieder.

Nicht lange danach erschien Brun und gab dem Mog-ur ein Zeichen. Der Zauberer erhob sich wieder, und die beiden Männer zogen sich in den hinteren Teil der Höhle zurück. Kopfschüttelnd blickte Iza ihnen nach. Sie hatte keine Ahnung, was vorging.

»Ist es nicht bald Zeit?« fragte der Clan-Führer, als sie den Raum erreichten, den er frei gemacht hatte. »Ist alles bereit?«

»Es ist alles bereit. Aber die Sonne muß noch tiefer stehen, glaube ich.«

»Das glaubst du nur und weißt es nicht? Du hast mir doch bedeutet, daß du weißt, was zu tun ist. Du hast mich wissen lassen, daß du dich in ferne Zeiten versenkt und eine Feier gefunden hast. Alles muß so sein, wie es sein soll. Du mußt wissen, nicht glauben«, beschwerte sich Brun mit ungeduldiger Hand.

»Ich habe mich versenkt«, gab der Mog-ur zurück. »Und ich war in lang, lang zurückliegenden Zeiten, an einem fremden Ort. Dort gab es keinen Schnee. Ich glaube, nicht einmal in der kalten, dunklen Zeit gab es dort Schnee. Es ist nicht leicht, den rechten Stand des Tages zu erkennen. Ich weiß nur, daß die Sonne tief war.«

»Das hast du mir bis jetzt verborgen gehalten. Wie sollen wir wissen, daß alles so ist, wie es sein soll? Vielleicht ist es besser, die Feier nicht abzuhalten.«

»Ich habe mit den Geistern Zwiesprache gehalten. Die Steine sind ausgelegt. Die Geister erwarten uns«, beschied der Mog-ur.

Brun zerrte an seinem Hals.

»Mir ist nicht wohl dabei, daß wir die Steine hinausgetragen haben. Vielleicht hätten wir die Feier in der Zauberhöhle abhalten sollen. Werden die Geister nicht verstimmt sein darüber, daß wir sie herausgetragen haben, Mog-ur?«

»Darüber haben wir schon beraten, Brun«, gab Creb geduldig zurück. »Wir waren uns einig, daß es besser ist, die Steine hinauszutragen, als die Ahn-Geister zur Stätte unserer Totems zu lassen. Es kann sein, daß die Ahn-Geister bleiben wollen, wenn sie die Stätte unserer Geister sehen.«

»Wie wissen wir, daß sie wieder davongehen werden, wenn wir sie einmal geweckt haben? Es ist zu gefährlich, Mog-ur. Mir wäre lieber, wir ließen es sein.«

»Möglich, daß die Ahn-Geister eine Weile bleiben werden«, gab der Mog-ur mit bestimmter Gebärde zurück. »Aber wenn alles wieder an seinem Platz ist, und wenn sie sehen, daß es hier keine Bleibe für sie gibt, dann gehen sie fort. Die

Totems werden ihnen befehlen zu gehen. Aber du mußt entscheiden. Wenn du anderen Sinns geworden bist, will ich versuchen, dies den Ahn-Geistern mitzuteilen und sie zu beschwichtigen.«

»Nein. Halten wir die Feier ab. Die Ahn-Geister warten darauf. Aber es kann sein, daß die Männer mein Tun nicht freudigen Herzens aufnehmen werden.«

»Wer ist der Clan-Führer, Brun? Die Männer werden es annehmen, wenn sie sehen, daß es so sein soll.«

»Soll es denn aber so sein, Mog-ur? Jene Tage sind so fern. Nicht die Männer liegen mir jetzt am Herzen. Werden unsere Totems es annehmen? So viel Glück hat uns auf allen unseren Wegen begleitet. Zu viel Glück beinahe. Mir will die Furcht nicht aus dem Sinn, daß etwas Schreckliches geschehen wird. Ich will unsere Geister nicht erzürnen. Ich will tun, was sie wünschen.«

»Aber das tun wir ja, Brun«, entgegnete der Mog-ur. »Wir mühen uns zu tun, was sie wünschen. Alle.«

»Bist du sicher in deinem Herzen, daß auch die anderen es annehmen werden? Werden sie nicht unmutig werden, wenn sie sehen, daß wir nur einem unter ihnen gefällig sein wollen?«

»Nein, Brun, gewiß nicht.« Der Zauberer spürte die Bangnis und die Sorge des Clan-Führers. Er wußte, wie schwer dieser Entscheid für ihn war. Bedächtig schüttelte Creb sein Haupt.

»Keiner kann ganz sicher sein. Wir sind nicht die Unsichtbaren. Wir sind von Fleisch und Blut. Auch der Mog-ur ist von Fleisch und Blut. Wir können uns nur bemühen, uns mit ihnen zu verbinden, im Geiste eins zu werden mit ihnen. Du hast es eben selbst bezeugt – das Glück hat uns begleitet. Das kann nur ein Zeichen dafür sein, daß die Geister aller Totems uns freundlich gesinnt sind und in Eintracht miteinander. Glaubst du, uns wäre so viel Glück beschert, wenn sie miteinander uneins wären? Nicht viele Male ist es vorgekommen, daß ein Clan das Mam-Mut gejagt hat und niemand auch nur verletzt wurde. Auch hätte es geschehen können, daß man nach der langen Wanderung auf keine Herde gestoßen wäre. Viele gute Tage der Jagd wären umsonst gewesen. Du hast etwas gewagt, Brun, und du hast gewonnen. Selbst Brac ist noch am Leben.«

Der Clan-Führer sah in das von heiligem Ernst gezeichnete Gesicht des Zauberers, suchte dessen Auge und versenkte seinen Blick darin. Dann straffte er die Schultern; die Unsicherheit in seinen Augen wich felsiger Entschlossenheit.

»Ich hole die Männer«, bedeutete er.

Den Frauen war befohlen worden, dem hinteren Teil der Höhle fernzubleiben. Nicht einmal mit Blicken durften sie dort eindringen. Iza sah, wie Brun die Männer versammelte, doch so bedeutsam erschien ihr das nicht. Erst als zwei Männer, deren Gesichter mit rotem Ocker bemalt waren, zu Ayla hineilten, begann sie zu zittern vor Furcht. Was mochten sie nur von dem Mädchen wollen?

Ayla hatte nicht einmal bemerkt, daß die Männer sich mit Brun zurückgezogen hatten. Emsig wühlte sie in den Körben und Behältnissen hinter der letzten Feuerstätte nach den Yamswurzeln. Doch als sie unversehens das rotgefleckte Gesicht das Clan-Führers vor sich auftauchen sah, unterdrückte sie mit Mühe einen Schrei.

»Wehr dich nicht! Mach keinen Laut!« bedeutete ihr Brun.

Und als sie das Mädchen fast vom Boden hoben, um es fortzuzerren, erstarrte sein Körper.

Die Männer waren verwirrt, als sie Brun und Goov mit dem Mädchen kommen sahen. So wenig wie den Frauen war ihnen der Grund der Feier bekannt, die Brun und der Mog-ur vorbereitet hatten. Immerhin wußten sie aber, daß ihre Neugier bald befriedigt werden würde. Nachdem sich alle im Kreis hinter den Steinen, die aus der Zauberstätte herbeigeschleppt worden waren, niedergelassen hatten, warnte sie der Mog-ur, sich nicht zu bewegen und keinen Laut von sich zu geben. Grollend befahl ihnen der Mog-ur, indem er jedem der Männer zwei lange Knochen von den Gebeinen des Höhlenbären reichte, sie zu kreuzen und vor den Körper zu halten. Große Gefahr mußte im Verzug sein, wenn so mächtiger Schutz vonnöten war. Eine Ahnung, welcher Art die Gefahr war, dämmerte ihnen, als sie Ayla erblickten.

Brun hieß das Mädchen sich an dem freien Platz im Kreis

unmittelbar gegenüber dem Mog-ur niederzulassen, und hockte sich dann hinter sie. Auf ein Zeichen des Zauberers nahm Brun dem Mädchen die Binde von den Augen. Ayla zwinkerte mit den Lidern, um klaren Blick zu bekommen. Im Schein der Fackeln konnte sie den Mog-ur sehen, der hinter dem Schädel eines Höhlenbären kauerte, und die Männer, die mit starren Händen Knochenkreuze vor ihren Körpern hielten. Voller Furcht zog sie den Kopf tiefer zwischen den Schultern und duckte sich noch weiter zusammen.

Was habe ich getan? Ich habe keine Schleuder angerührt, dachte sie und zerbrach sich den Kopf, welch schweres Vergehen sie an diesen Ort gebracht haben könnte. Doch nichts fiel ihr ein.

»Rühr dich nicht. Mach keinen Laut«, warnte der Mog-ur auch sie mit strenger Gebärde.

Ayla war wie versteinert. Aus weit aufgerissenen Augen sah sie zu, wie der Zauberer sich hochzog, seinen Stock weglegte, seinen Arm hob, den Großen Bären und die Geister der Totems anrief, ihnen ihren Schutz zu gewähren. Viele der verschlungenen und gewundenen Zeichen waren ihr unbekannt, doch Ayla verfolgte die heiligen Gebärden mit gefesselter Aufmerksamkeit. Doch sah sie weniger die Bedeutung der Zeichen als den Zauberer selbst.

Sie kannte Creb; sie kannte ihn gut. Für sie war er ein krüppliger alter Mann, der sich nur hinkend fortbewegen konnte und sich bei jedem Schritt schwer auf den Stock zu stützen hatte. Er war das Zerrbild eines Mannes. Die eine Körperseite bresthaft, verwachsen, faltig; die andere, die lebte, kraftvoll und behende.

Schon früher war ihr die geschmeidige Anmut seiner Bewegungen aufgefallen, wenn eine Hand die heiligen Gebärden formte. Nun aber zeigte sich ihr dieser Zauberer, hoch aufgerichtet hinter dem Schädel des Bären stehend, von einer Seite, die sie nie gekannt hatte.

Fort waren da jegliche Behinderung und Schwere körperlichen Mangels. Wie traumhaft wiegender Tanz muteten des Mog-urs beredte Gebärden an, die in den Körper hinüberflossen. Doch der Mog-ur war kein Tänzer. Der Mog-ur war ein Künder, der wußte, wie man eindringlich zu schildern hatte. Nie war dieser Mog-ur, der Magier, kraftvoller und gewaltiger in seiner Fähigkeit sich auszudrücken, als wenn er mit den Unsichtbaren Zwiesprache hielt, die ihm manchmal näher waren als die Erdlinge, die vor ihm saßen. Und noch mächtiger zeigten sich die Zeichen des Zauberers, als er sich an die Ahn-Geister wandte, die er zu dieser Feier, die ihresgleichen im Clan nie gehabt hatte, herbeizurufen wünschte.

»Ahn-Geister, unsichtbare Mächte, die seit dem nebelhaften Ursprung unseres Seins nicht mehr gerufen wurden, schaut auf uns herab und kommt zu dieser Stätte. Wir flehen euch an. Wir ehren euch und bitten, uns beizustehen und zu schützen. Ahn-Geister! Ihr seid so alt, daß eure Namen nur wie ein Flüstern durch die Zeiten schweben. Erwacht aus eurem tiefen Schlaf, damit wir euch ehren können. Wir haben für euch eine Opfergabe, eure Herzen froh zu stimmen. Seid milde und gnädig und schaut auf uns herab.«

Der Mog-ur senkte die Hand, legte sie, zur Faust geballt, auf sein Herz, senkte den Kopf auf die Brust und blieb wie versteinert stehen. Dann stieß er plötzlich die Rechte in die Luft und rief die Unsichtbaren herbei: »Geist des Windes, Uuha!« Ayla rann ein eisiger Schauder über den Rücken, als der Mog-ur den Namen hervorstieß.

»Geist des Regens, Siina! Geist der Nebel, Iischa! Kommt zu uns. Blickt mit Wohlwollen auf uns Erdlinge nieder! Eine der euren haben wir hier unter uns, eine, die mit euren Schatten gegangen und gekommen, ist wiedergekehrt, wie der Große Höhlenlöwe es wünschte.«

Er redet von mir, ging es Ayla plötzlich auf. Dies hier ist eine Feier. Doch was hat das mit mir zu tun? Wer sind diese Ahn-Geister? Nie zuvor habe ich ihre Namen gehört. Sie sind weiblich. Und ich glaubte, alle Schutzgeister wären den Männern entsprechend. Ayla bebte vor Furcht, und doch war sie voller Neugier.

Auch die Männer, die starr vor ihren Steinen hockten, hatten von den Ahn-Geistern nie zuvor gehört; und doch waren sie ihnen nicht unvertraut. Als sie die uralten Namen hörten, regte sich in ihnen die Erinnerung.

Der Mog-ur hob wieder die Hand.

»Mächtige Ahn-Geister, die Wege der Unsichtbaren sind

uns fremd und verborgen. So wissen wir nicht, warum diese Frau von einem Geist erwählt wurde, der so mächtig ist wie ihr. Wir wissen nicht, warum er sie auf euren Weg geführt hat. Wir aber dürfen ihm nicht trotzen. Im Schattenland hat er für sie gekämpft. Er hat das Böse bezwungen und sie uns wieder zugeführt. Wir müssen ihm zu Willen sein und dürfen uns nicht seinem Wunsch verschließen. Mächtige Ahn-Geister aus den Tiefen der Zeit! Eure Wege sind nicht die Wege des Clans. Einstmals jedoch, da waren sie es und müssen es wieder sein für diese eine, die unter uns sitzt. Ahn-Geister! Wir flehen euch inständig an, laßt sie auf euren Wegen wandeln. Nehmt sie an. Schützt sie und gebt euren Schutz ihrem Clan.«

Der Mog-ur wandte sich Ayla zu. »Bringt die Frau zu mir«, befahl er.

Bruns kräftige Arme zogen Ayla vom Boden hoch und schoben sie vorwärts, bis sie vor dem alten Zauberer stand. Ein unterdrückter Schrei entrang sich ihrer Kehle, als Brun ihr in das lange sonnenhelle Haar griff und ihren Kopf nach hinten riß. Unter gesenkten, flatternden Lidern hervor sah sie, wie der Mog-ur ein scharfes Messer aus seinem Beutel zog und hoch über seinem Kopf schwang. Voller Entsetzen starrte Ayla in das Gesicht des Einäugigen, das immer näher kam, und der Atem stockte ihr, als die scharfe Klinge auf ihren entblößten Hals herabstieß.

Ein brennender Schmerz durchfuhr ihre Kehle, doch die Angst hinderte sie zu schreien. Der Mog-ur hatte das Messer in die Halsgrube gesenkt, nicht tief, aber so, daß das Blut eifrig und rot hervorquoll. Dann hielt der Zauberer einen Fellbausch an die Wunde und wartete, bis er sich vollgesogen hatte, und rieb den Schnitt mit einer scharfen Flüssigkeit ein, die ihm Goov in einer Schale reichte. Brun ließ das Mädchen los.

Verschreckt sah Ayla zu, wie der Mog-ur den roten Bausch in eine flach ausgestemmte Steinschale legte, die mit Öligem gefüllt war, und Goov dem Zauberer eine kleine Fackel reichte, der das Ölige in der Schale entzündete. Stumm und reglos wartete er, während der Fellbausch sich kräuselte, brannte, sich zusammenzog und schwarz und steifig wurde.

Als die Flammen erloschen waren, streifte Brun Aylas Überwurf zur Seite und entblößte ihren linken Oberschenkel. Der Mog-ur tauchte einen Finger in das schwarze Schmierige, das in der Schale zurückgeblieben war, und zog die vier Narben auf des Mädchens Oberschenkel nach. Entgeistert starrte es auf die Zeichnung. Sie sah aus wie ein Totemzeichen, das den Clan-Jungen bei ihrer Feier zur Mannbarkeit hineingeschnitten und geschwärzt wurde. Ayla spürte, wie Brun sie nach hinten zog und sah, daß der Mog-ur sich dann wieder an die Geister wandte.

»Oh, nehmt dieses Blutopfer an, ihr würdigen Ahn-Geister, und wisset, daß ihr Totem es war, der Geist des Höhlenlöwen, der sie erwählte, auf euren uralten Wegen zu wandeln. Hierfür haben wir euch geehrt und gehuldigt. Nehmt dieses an und kehrt nun um, da ihr gesehen habt, daß eure Bräuche nicht verloren und vergessen sind.«

Es ist vorbei, seufzte Ayla erleichtert, als der Mog-ur sich wieder niederhockte. Sie hatte noch immer keine Ahnung, warum man sie gezwungen hatte, an dieser außergewöhnlichen Feier teilzunehmen.

Doch nun trat Brun vor sie hin und bedeutete ihr aufzustehen. Rasch sprang Ayla auf. Der Clan-Führer griff in eine Falte seines Überwurfs, zog ein bohnengroßes Stück aus rotgefärbtem Elfenbein heraus, ein Stück von einem Stoßzahn des Mammuts, das die Jäger erlegt hatten.

»Ayla«, begann Brun, »dieses eine Mal nur, während wir unter dem Schutz der Ahn-Geister stehen, sollst du den Männern gleich sein.« Sie war nicht sicher, die Gebärde des Clan-Führers richtig erfaßt zu haben. »Wenn du aber diesen Ort verlassen hast, dann ist es dir für immer untersagt, dich den Männern gleich zu sehen. Du bist jetzt eine Frau und wirst es immer bleiben.«

Ayla hob die Hand zur Bestätigung. Aber gewiß war sie eine Frau. Das war doch klar.

»Dies ist Elfenbein aus dem Stoßzahn des Mam-Muts, das wir erlegt haben«, bedeutete ihr Brun weiter. »Großes Glück begleitete uns auf dieser Jagd. Keiner der Jäger wurde verwundet, und doch gelang es uns, das mächtige Mam-Mut in die Knie zu zwingen. Dieses Stück hier wurde dem Geist des

Großen Bären geweiht und vom Mog-ur in das heilige Rot getaucht. Es trägt einen mächtigen Zauber in sich, der den Jagenden Glück und Schutz bringt. Denn jeder Jäger des Clans trägt einen solchen Zauber in seinem Amulett, und jeder Jäger muß ihn haben.«

Bruns Augen blickten das Mädchen unverwandt an, als er ihr seine Absicht dartat.

»Ayla, ein Junge wird erst dann zum Mann, wenn er auf der Jagd getötet hat; wenn dieses geschehen ist, dann kann er kein Kind mehr sein. In lichtfernen Tagen, die weit hinter uns liegen, als noch die Ahn-Geister herrschten, die uns jetzt umgeben, gingen auch die Frauen des Groß-Clans auf Jagd. Niemand hat uns gezeigt, warum dein Totem dich auf den Weg der Ahn-Geister geführt hat. Wir aber können dem Geist des Höhlenlöwen nicht trotzen. Wir müssen uns fügen. Ayla, du hast auf der Jagd getötet. Du bist erwachsen geworden; aber eine Frau und kein Mann, und immer wirst du eine solche sein. Du darfst aber mit der Schleuder jagen, mit der Schleuder allein, Ayla. Hinfort bist du die Frau im Clan, die jagt.«

Ayla spürte, wie ihr das Blut ins Gesicht schoß. Hatte sie Bruns Gebärde auch richtig aufgefaßt? Dafür, daß sie die Schleuder gebraucht hatte, war sie ausgestoßen worden und für bemessene Tage tot gewesen. Und jetzt erlaubt man ihr, mit der Schleuder zu jagen, wieso denn?

»Dies ist für dich. Verberge es in deinem Amulett.«

Ayla nahm ihren Beutel vom Hals und öffnete ihn mit fliegenden Fingern. Sie steckte das rotgefärbte Elfenbein, das Brun ihr reichte, zu dem Ocker und der steinernen Seeschnecke, zog den Beutel wieder zu und hängte ihn sich um.

»Bedeute dieses niemandem, ich will es vor dem Festverzehr verkünden. Dir zu Ehren wird er sein, Ayla«, erklärte ihr Brun. »Dreh dich jetzt um.«

Sie tat, wie ihr geheißen. Wieder wurden ihr die Augen verbunden, und dann führten die beiden Männer sie zurück, nahmen ihr die Binde vom Gesicht. Sie blickte Brun und Goov nach, die zum Kreis der Männer zurückkehrten. Habe ich geträumt? Mit den Fingern betastete sie ihren Hals. Der Schnitt, den der Mog-ur dort getan hatte, brannte noch ein wenig. Dann ließ sie ihre Hand ein Stück herabgleiten und befühlte die drei Dinge in ihrem Amulettbeutel. Ayla schlug ihren Überwurf auseinander und blickte auf die leicht verschmierten schwarzen Linien auf ihrem Schenkel. Ich bin eine Jägerin! Ich darf für den Clan jagen! Mein Totem wollte es so, und der Clan konnte ihm nicht trotzen. Flüchtig hatte sie ihr Amulett berührt, schloß dann die Augen und teilte sich ihrem Schutzgeist mit: »Großer Höhlenlöwe, wie konnte ich nur in meinem Herzen an dir zweifeln? Der Todesfluch war für mich eine schwere Prüfung, die schwerste, die ich durchstehen mußte, aber ich habe etwas Außerordentliches dafür bekommen. Zutiefst bin ich dankbar, daß du mich wiederum deiner für würdig befunden hast. Jetzt weiß ich, daß Creb recht hatte – mein Leben wird niemals leicht sein, aber es wird ein reiches Leben sein, da du mich erwählt hast.«

Die gewaltige Feier hatte die Männer überzeugt, daß man Ayla die Jagd erlauben mußte, um die Ahn-Geister nicht herauszufordern. Nur einer hockte da und hatte eine schlimme Wut im Bauch: Broud. Und wäre ihm bei des Mog-urs strengem Warnzeichen nicht die Furcht in die Glieder gefahren, so hätte er die Feier schnurstracks verlassen. Mit finsterer Miene hatte er den Zauberer angefunkelt. Seine größte Erbitterung jedoch galt Brun.

Der hat das getan, dachte der Jäger. Immer hat er sie in Schutz genommen, ihr immer besondere Gunst geschenkt. Und mir hat er mit dem Todesfluch gedroht, nur, weil ich dieses Mädchen für seine Aufsässigkeit strafte. Mir, dem Sohn seiner Gefährtin! Und dabei hatte sie es ja nicht anders verdient; bis ans Ende aller Tage und noch weiter hätte er diese Ayla verfluchen sollen. Und jetzt gestattet er ihr, zu jagen wie ein Mann. Wieso? Broud schaute zum Clan-Führer. Aber Brun wird alt, dachte er. Eines Tages wird er nicht mehr der Clan-Führer sein, sondern ich werde es sein. Und dann werden wir sehen. Dann kann sie sich nicht mehr unter seine Fittiche flüchten. Dann werden wir sehen, ob sie nicht das bekommt, was sie schon längst bekommen sollte.

17

In dem Winter, der ihr zehntes Lebensjahr einleitete, wurde Aylas Körper fraulicher. Iza verspürte Freude und Erleichterung, als sie die ersten Zeichen äußerlichen Wandels an dem Mädchen wahrnahm. Ihre Hüften wurden breiter und ihrer Brust wuchsen zarte Hügel. Also war sie doch nicht dazu verdammt, bis an ihr Ende ein Kind zu bleiben.

Ayla hatte begriffen, daß sie wohl niemals ein Kind würde haben können. Ihr Totem war zu mächtig. Trotz alledem wollte sie ein Kind. Seit dem Tag, an dem Iza Uba geboren hatte, wollte sie, daß ihrem Körper sich ein Kind entringe, dem sie Wärme, Nährendes und Schutz geben konnte. Doch sie fand sich darein und fand Freude daran, sich um die Säuglinge und Kinder im Clan zu kümmern, wenn die Mütter zu sammeln und zu werkeln hatten. Aber stets stieß es ihr bitter auf, wenn sie sah, wie die Leiber anderer Frauen schwollen.

Mit Ovra, deren Schicksal dem ihren nahekam, fühlte Ayla sich tief verbunden. Auch Ovras Totem ließ sich nicht bezwingen. Es schien der jungen Frau beschieden, die jetzt schon viermal fehlgeboren hatte, kinderlos zu bleiben. Zwischen beiden hatte sich seit der Mammutjagd eine warme Freundschaft entwickelt. Ovra, die Stille, war niemals sehr mitteilsam, doch zwischen Ayla und ihr wuchs ein beiderseitiges Verstehen, das zu warmer Vertrautheit reifte, in die nach und nach auch Goov mit eingeschlossen wurde. Allen war die Zuneigung, die Goov und seine Gefährtin verband, offensichtlich. Um so größer war das Mitleid. Alle wußten sie, daß Ovras Verlangen nach einem Kind besonders brennend war, um ihrem Gefährten, der ihr mißliches Geschick mit sanfter Nachsicht hinnahm, dankbar sein zu können.

Oga hingegen ging schon wieder mit einem Kind; zu Brouds Stolz, der sich verhielt, als hätte er es selbst gemacht. Ihr Schoß war so fruchtbar wie der von Aga und Ika. Unterdessen wuchs in Droog das sichere Gefühl, daß aus Groob, Agas kleinem Sohn, doch noch der Werkzeugmacher werden würde, den er sich stets gewünscht hatte. Und Igra verhieß so gesellig und umgänglich zu werden wie Ika, ihre Mutter. Brun brauchte keine Sorge zu haben, daß der Clan verkümmerte. Er wuchs und gedieh.

Als dann der Schnee geschmolzen war und erstes Grün aufschoß, mußte Ayla gemäß dem Brauch den Clan für die Tage verlassen. Diese Zeit der Verbannung durch den Frauenfluch verbrachte sie hoch oben in ihrer kleinen Höhle. Obwohl es ihr keine große Mühe machte, sich mit Nährendem zu versorgen – sie zog oft mit ihrer Schleuder aus –, sehnte sie dennoch die täglichen Treffen mit Iza herbei, unweit der Clan-Höhle, die ihr nicht nur zu essen und zu trinken brachte, sondern tröstend ihre Einsamkeit teilte. Noch immer hatte Ayla Angst vor den Nächten, die sie hier wieder allein verbringen mußte.

Häufig blieben sie bis nach Einbruch der Dunkelheit beisammen, und Ayla mußte dann einen Kienspan anzünden, um zu ihrer Bergwiese zurückzufinden. Da Iza niemals die ablehnende Scheu vor Aylas Fellumhang überwand, den sich die junge Frau gemacht hatte, während sie tot gewesen war, ließ diese ihn hinfort in der kleinen Höhle zurück. So, wie andere junge Frauen von ihren Müttern, erfuhr Ayla von Iza alles, was eine Frau zu wissen hatte. Iza gab ihr die Streifen aus weichflauschiger Tierhaut, die zwischen die Beine zu binden waren, und zeigte ihr, welches Zeichen sie machen mußte, wenn sie die besudelten Binden in der Erde vergrub. Auch erklärte sie Ayla, was zu tun war, wenn ein Mann auf sie Lust hätte. Denn Ayla hatte endlich ihre Tage und war zu einer Frau geworden und mußte auf alles vorbereitet werden, was von einer jeden Clan-Frau verlangt wurde.

Auf etwas allerdings ging Iza überhaupt nicht ein: Ob Ayla einen Mann in Aussicht hatte. Denn die meisten jungen Frauen waren, wenn sie erwachsen wurden, schon auf einen ganz bestimmten jungen Mann versessen. Zwar hatten weder Tochter noch Mutter etwas zu melden, wenn ein Gefährte auszusuchen war; doch wenn Eintracht zwischen ihnen bestand, konnte die Mutter ihren Gefährten die Wünsche ihrer Tochter wissen lassen, der sie dem Clan-Führer weitergab, welcher allein zu entscheiden hatte, wen man mit wem zusammentat.

Zwischen Iza und Ayla wurde jedoch darüber nie eine Gebärde verloren. Im Clan gab es keine jungen Männer, die noch ohne Gefährtin waren. Und wären noch welche dagewesen, so hätte wohl keiner von ihnen, dessen war sich Iza sicher, Ayla zur Gefährtin haben wollen. Doch die junge Frau selbst hatte nie an solches gedacht.

An einem klaren Morgen, nicht lange nach ihrer Wiederkehr, lief Ayla zu dem kleinen Teich unweit der Höhle hinunter. Sie war allein. Die junge Frau kniete nieder und beugte sich über das Wasser, um das Behältnis einzutauchen. Doch mitten im Schöpfen hielt sie inne. Im Widerlicht der schräg einfallenden Sonnenstrahlen versilberte das stille Wasser und glänzte wie ein Spiegel. Erschrocken starrte Ayla auf das fremde Gesicht, das ihr aus dem Teich entgegenblickte; sie sah sich das erste Mal selbst. Stehende Gewässer gab es kaum in der Nähe der Höhle, und wenn Ayla sonst zum Teich hinunterging, war sie meist in Eile gewesen und hatte keinen Blick auf den Wasserspiegel verschwendet.

Aus großen Augen betrachtete jetzt die junge Frau ihr eigenes Gesicht: etwas kantig, mit einem ausgeprägten Unterkiefer, hohen Backenknochen. Der Kopf saß auf einem langen, glatten Hals. Das Kinn hatte eine winzige Kuhle in der Mitte. Atemlos schaute Ayla sich weiter an. Volle Lippen, die Nase fein und stupsig. Um die himmelblauen Augen saß ein langer Wimpernkranz, ein wenig dunkler als das sonnenhelle Haar, das ihr in weichen Wellen auf die Schultern fiel. Die Stirn war glatt und gerade. Verzweifelt schlug Ayla mit dem Behältnis auf ihr Spiegelbild ein, das sich sofort zu einem wirren Gewoge von Formen und Linien verzerrte. Schritt für Schritt wich Ayla dann zurück, machte plötzlich kehrt und rannte zur Höhle zurück.

»Ayla, was ist?« fragte Iza, als die junge Frau keuchend in den Wohnkreis kam.

»Iza! Ich habe mich eben im Teich gesehen. Es gibt nichts Häßlicheres. Ach, Iza, warum bin ich so häßlich?« klagte sie und stützte sich weinend in die Arme der Medizinfrau.

Soweit sie sich erinnern konnte, hatte Ayla immer nur die Clan-Leute gesehen. Jemand anderen als diese Erdlinge kannte sie nicht. Die Clan-Leute hatten sich an ihr Aussehen gewöhnt; sie selbst jedoch sah nur, daß sie mit den Erdlingen, die sie umgaben, von außen her nichts gemein hatte.

»Ayla, Ayla«, brummte Iza beruhigend und strich der jungen Frau über das Haar.

»Ich habe nicht gewußt, daß ich so grundhäßlich bin, Iza. Ich habe es nicht gewußt. Nie wird es einen Mann geben, der mich haben will. Nie werde ich einen Gefährten haben. Und nie werde ich ein Kind kriegen können. Keiner wird je zu mir gehören.«

»Häßlich?« fragte Iza. »Wieso solltest du häßlich sein, Ayla. Du bist nur anders.«

»Ich bin häßlich!« Ayla schwang abwehrend die Hände. Sie wollte sich nicht beschwichtigen lassen. »Sieh mich an, Iza! Ich bin zu hoch gewachsen. Ich reiche höher als Broud und Goov. Beinahe so groß wie Brun bin ich. Ich bin groß, grundhäßlich und mein Leben lang ohne einen Gefährten.«

»Ayla, hör auf!« schalt Iza und schüttelte sie an den Schultern. »Du siehst aus, so wie es dir gegeben wurde. Du bist nicht in den Clan hineingeboren, Ayla! Du bist ein Kind der anderen gewesen. Du mußt dich annehmen, wie du bist, jetzt auch dein Äußeres. Gewiß, es kann sein, daß du nie einen Gefährten haben wirst. Auch das mußt du annehmen. Aber sicher ist nichts, es gibt die Hoffnung. Bald wirst du Medizinfrau werden – von meinem Stamm.«

Iza setzte sich wieder hin und zog auch Ayla mit runter an die Feuerstätte.

»Im Sommer, der kommt, ist das Miething des Groß-Clans. Viele Erdlinge und ihre Clans werden dort sein. Wir hier bilden nicht den einzigen Clan; möglich ist, daß in einem von den anderen sich ein Gefährte für dich findet. Vielleicht ein junger und auch nicht von hohem Rang, aber einer sicherlich. Zoug ist dir sehr wohl gesonnen. Er hat Creb gebeten, auf dem Miething den Nachbar-Clan zu grüßen und sich bei diesem für dich zu verwenden. Er wünscht, daß diese Leute dir Beachtung schenken und ließ auch wissen, daß er dich selbst nehmen würde, wäre er noch jünger.«

Ayla blickte auf.

»Das alles hat Zoug geoffenbart? Und das, obwohl ich so häßlich bin?« Die junge Frau mußte lächeln.

»Ja, Ayla. Wenn seine Gunst dich begleitet und du den Rang einer Medizinfrau meines Stammes geltend machen kannst, so wird sich ein Mann finden, der dich nimmt, auch wenn du anders bist.«

Aylas Lächeln erlosch.

»Aber dann werde ich doch fort müssen von hier und irgendwo anders leben und dich und Creb und Uba zu verlassen haben.«

»Ayla«, gab die Medizinfrau zurück, »ich bin hochbetagt und auch Creb drückt die Last vieler Sommer. Bald wird Uba eine Frau sein und einem Gefährten gegeben werden. Was willst du dann tun? Eines Tages wird Broud der Clan-Führer sein. Dann aber solltest du nicht mehr dem Clan angehören. Du solltest fortziehen, und beim Miething des Groß-Clans wird dir ein Weg gezeigt.«

Ayla blickte die Medizinfrau dankbar an.

»So wird es wohl sein, Iza. Unbehagen beschleicht mich, bedenke ich den Tag, an dem Broud Clan-Führer wird. Aber Trauer zieht in mein Herz«, und Ayla senkte bedrückt die Hand auf die Brust, »daß ich dich verlassen soll.« Dann aber hellte ihre Miene sich auf. »Der Sommer, der kommt, ist noch fern. Bis dahin will ich fröhlich sein.«

Ach, Ayla, seufzte Iza für sich. Vielleicht mußt du so alt werden wie ich, um zu wissen, wie schnell der nächste Sommer da ist. Du willst mich nicht verlassen? Du kannst nicht ermessen, wie tief mein Herz um dich klagen wird. Sie schaute zur Höhlendecke hinauf. Oh, gäbe es in diesem Clan doch nur einen Mann, der sie nehmen würde! Und Broud? Wenn er doch nie Clan-Führer würde!

Izas Gesicht zeigte nichts von dem, was sie dachte. Ayla wischte sich die Tränen ab und lief mit ihrem Behältnis zurück zum Teich. Diesmal vermied sie einen Blick in den stillen, klaren Wasserspiegel.

Später, am Nachmittag, stand Ayla am buschbestandenen Waldrand und spähte durch das Unterholz zur Höhle hinüber. Einige der Clan-Leute waren draußen bei der Arbeit. Sie sah auf die zwei Kaninchen, die ihr über der Schulter hingen, und dann auf die Schleuder in ihrem Gürtel. Sie nahm die Waffe und stopfte sie in die tiefste Falte ihres Überwurfs.

Doch gleich zog sie das Lederband wieder heraus und hängte es an ihren Gürtel. Sie bückte sich und lugte wieder zur Höhle hinüber; ihre Füße traten unruhig auf der Stelle.

Brun hat es mir erlaubt. Die Ahn-Geister waren dabei. Ich bin eine Jägerin. Ich bin die Frau im Clan, die jagt. Ayla schob das Kinn nach vorne und trat aus dem dichten Grün hervor.

Als wären sie plötzlich versteinert, hielten die Leute vor der Höhle mit einemmal in ihrer Arbeit inne und starrten auf die junge Frau, die ihnen mit zwei Kaninchen über der Schulter entgegenkam. Sobald sie jedoch den ersten Augenblick ungläubiger Bestürztheit überwunden hatten und sich bewußt wurden, soeben dem Brauch entgegen sich verhalten zu haben, wandten sie wieder die Blicke ab. Aylas Gesicht flammte, doch sie schritt auf hartnäckigen Füßen vorwärts und übersah die verstohlenen Blicke, die ihr folgten. Ein Stein fiel ihr vom Herzen, als sie endlich die Höhle erreichte und ins Dunkle tauchen konnte. Hier war es leichter, die Neugier der anderen zu übersehen.

Auch Iza riß die Augen weit auf, als Ayla in Crebs Wohnkreis trat, doch sie faßte sich rasch und wandte sich ab, ohne irgendeine Andeutung über die Kaninchen zu machen. Denn sie war hilflos und wußte nicht, wie sie zu dem Vorfall stehen sollte. Creb hockte auf seinem Bärenfell, den Kopf gesenkt, die Augen fast geschlossen. Es schien, als sähe er Ayla nicht. Doch hatte er sie wohl erblickt, als sie in die Höhle getreten war. Keiner regte sich, als Ayla die Tiere von der Schulter schwang und an der Feuerstätte niederlegte.

Da stürmte Uba in die Höhle und sperrte Mund und Nase ganz weit auf, als sie die Tiere sah.

»Die hast du selbst gejagt, Ayla?« fragte sie und deutete auf die Kaninchen.

»Ja«, gab diese zurück.

»Schön rund und dick sind sie. Machst du sie für uns, Mutter?«

»Hm«, brummte Iza, noch immer unsicher.

»Ich häute sie«, bot Ayla sich rasch an und holte ihr Flintsteinmesser heraus.

Einen Augenblick sah ihr Iza zu, dann ging sie zu Ayla hin und nahm ihr das Messer aus der Hand.

»Nein, Ayla. Du hast sie erlegt. Ich häute sie.«

Ayla trat zurück, während Iza die Kaninchen häutete, auf grüne Äste steckte und auf die Astgabeln übers Feuer legte.

»Das war ein guter Verzehr«, bedeutete Creb und fuhr sich mit dem Handrücken über den Mund, ohne zu erwähnen, daß Ayla dafür gesorgt hatte. Uba jedoch empfand keinerlei Scheu.

»Die Kaninchen waren gut, Ayla«, lobte sie. »Das nächstemal hätte ich aber lieber mein Schneehuhn.« Sie teilte Crebs Vorliebe für die schwerfälligen Vögel mit den gefiederten Füßen.

Und als Ayla das nächstemal ihre Beute zur Höhle brachte, waren die Clan-Leute schon nicht mehr so entgeistert. Und bald sah man gar nichts Besonderes mehr darin, daß sie ständig auf die Jagd ging. Da Creb nun eine Jagende an seinem Feuer hatte, verlangte er nicht mehr seinen vollen Anteil an der Beute der anderen Jäger, es sei denn, sie zogen ohne Ayla auf Großwild aus.

In diesem Frühling hatte Ayla hurtig alle Hände voll zu tun. Wenn sie auch jagte, so mußte sie dennoch ihren Teil der Frauenarbeit leisten, und wie immer nach den langen Tagen von Dunkelheit und Kältnis galt es, frische Triebe und Wurzeln zu sammeln, aus denen Iza ihre heilenden Mittel bereiten konnte. Doch die junge Frau kannte keine Müdigkeit. Nie zuvor war sie so glücklich gewesen und so frei und so froh, jagen zu können, ohne Strafe befürchten zu müssen.

Ebra und Uka nahmen Ayla an, wie sie war, wenn auch die beiden älteren Frauen niemals ganz vergessen konnten, daß sie von den anderen stammte. Ika war offenherzig und ihr sehr behilflich, und Aga und Aba waren äußerst ehrerbietig. Zu Ovra hatte sie das meiste Vertrauen, und selbst Oga näherte sich ihr. Die heiße Bewunderung, die Oga für Broud gehegt hatte, war allmählich abgekühlt; mit ihm zusammenzuleben hatte sich zu einer gleichgültigen Gewohnheit gewandelt.

Broud haßte Ayla um so mehr, als sie nun auch noch zur Jägerin bestimmt war. Ohne Unterlaß suchte er nach Gelegenheiten, sie zu erniedrigen, um zu sehen, was sie darauf empfand. Doch die junge Frau hatte gelernt, mit dieser Drangsal zu leben; ihr Herz blockte sie ab, und ihr Hirn erhob sich darüber. Nie wieder, glaubte sie, würde sie durch Broud aus der Fassung geraten.

Die Knospen an Büschen und Bäumen waren schon aufgesprungen, als Ayla eines Tages beschloß, auf Schneehühner Jagd zu machen und nachzuschauen, was sich auf Wald und Wiese an frischen Kräutern für Izas Medizinbeutel finden ließ. Den ganzen Morgen streifte sie durch das Hügelland rund um die Höhle und wanderte schließlich zu einem Grasgebiet hinunter, das unweit der Steppe grünte. Dort scheuchte sie zwei Schneehühner auf und holte die schwerfälligen Fiederlinge mit flink geschleuderten Steinen aus der Luft. Im hohen Saftgras suchte sie dann nach dem Nest. Denn Creb mochte es am liebsten, wenn die gebratenen Vögel mit ihren eigenen Eiern gefüllt waren. Da war es ja! Fast wäre sie daran vorbeigelaufen; freudig beugte sich Ayla hinunter, nahm die Eier aus dem Nest, hüllte sie sorgsam in weiches Moos und schob sie in eine Falte ihres Überwurfs. Auf einer sanft geschwungenen Anhöhe hielt sie an und hockte sich nieder. Schaute erst mal nach, ob die Eier noch heil geblieben waren, und holte sich ein Stück gedörrten Fleisches heraus und biß daran. Von einem Borkenbaum herab, in dessen Schatten sie saß, trällerte laut ein leuchtender Wiesenpieper, und zwei Sperlinge mit dunkelbraunen Köpfen hüpften geschäftig in den Brombeerbüschen nicht weit von ihr am Saum des Grasgebiets umher. Ein paar schwarzhäubige, grau gefiederte Vögel machten sich mit pfiffigem ›Zizida Zizida‹ in einer Fichte zu schaffen, die in der Nähe eines kleinen, gewundenen Baches zu Füßen der Anhöhe stand. Lauthals schimpften die Zaunkönige, während sie Ästchen und trockenes Moos zu einer Nesthöhle in dem alten, knorrigen Stechapfelbaum schleppten, der über und über in Blüte stand.

Ayla liebte diese Augenblicke stiller Einsamkeit. Sie ließ sich von der Sonne umfassen und sog ihre Wärme auf und dachte an nichts. Erst als ein Schatten vor ihr den Boden verdunkelte, blickte sie auf und sah über sich Brouds finsteres Gesicht.

Der Jäger hatte beschlossen, heute allein auf die Jagd zu gehen, da Brun seinen Männern diesmal Ruhe gönnen wollte. Auf Beute sehr erpicht war er allerdings nicht. Zu jagen war ihm mehr ein Vorwand gewesen, um einfach so in der warmen Frühlingssonne herumzuwandern. Schon von weitem hatte er Ayla erspäht, wie sie so untätig auf dem Hügel hockte, und wollte es sich nicht verkneifen, die köstliche Gelegenheit, diese Ayla für ihre Faulheit zu schelten, am Schopf zu packen.

Die junge Frau sprang auf, als sie den Jäger über sich sah, was diesem nicht paßte, denn sie war größer als er, und es ging nicht an, zu einer Frau aufblicken zu müssen. Mit kräftig behaarter Hand, auf der sich dicke Adern schlängelten, bedeutete ihr Broud, sich wieder zu setzen. Dann wollte er sie lehren, am hellen Tag hier faul herumzuhocken. Doch als er dieses unerschütterliche Blau in ihren Augen sah, als sie sich niederließ, flammte jäh der alte Haß in seinem Herzen auf, und eine Begierde stieg aus seinen Lenden hoch, sie zu verletzen und diese Augen naß zu machen und ihre Ungerührtheit zu durchstoßen.

Er sah sich um und blickte auf Ayla, die gleichmütig vor ihm hockte. Seit sie eine Frau geworden ist, gibt sie sich herablassender denn je, ärgerte sich Broud. Die Frau im Clan, die jagt! Wie hatte Brun das tun können? Er sah auf die Schneehühner und dann auf seine eigenen leeren Hände. Selbst in ihren häßlichen Wasseraugen ist Frechheit und Spott, weil sie diese Vögel hat und ich nichts habe. Aber ich werde ihr zeigen, wo ihr Platz ist. Auch wenn wir beide jagen, sie ist die Frau, und ich bin der Mann.

Broud bedeutete Ayla sich hinzulegen; ungläubig riß sie die Augen auf, hatte Iza ihr doch erklärt, die Männer wollten das eigentlich nur von den Frauen, die sie mochten. Und Broud haßte sie.

Dem Jäger war Aylas bestürztes Gesicht gerade recht. Nochmals wies seine Haarhand Ayla an, sich bereit zu machen.

Sie fühlte sich plötzlich unwohl in ihrer Haut. Zwar war ihr klar, daß sie Brouds Befehl gehorchen mußte, doch war sie wegen seiner Forderung verwirrt und sah, wie Brouds Gesicht in Vorfreude sich verzog. Endlich hatte er es geschafft.

Endlich hatte er die harte Schale ihres Gleichmuts aufgebrochen! Und gleich würde er ihren Körper selbst durchstoßen. Er beugte sich dicht über sie, als sie aufstand und sich auf die Knie herunterließ. So nahe hatte Ayla noch nie einen Jäger gespürt. Brouds keuchender Atem erschreckte sie. Sie zögerte.

Broud verlor die Geduld. Er stieß sie zu Boden und öffnete seinen Überwurf. Worauf wartet sie denn noch? Sie ist so häßlich, daß es ihr eigentlich zur Ehre gereichte, mich auf sich gehabt zu haben. Niemand hat sie bisher haben wollen, dachte er zornig und packte ihren Überwurf, um ihn wegzureißen.

Doch als Broud sich auf Ayla niedersenkte, zerriß etwas in ihrem Innersten. Sie konnte es nicht. Sie konnte einfach nicht dem Clan-Brauch folgen und sich der Manneslust verfügbar halten und sich von diesem Widerling öffnen lassen. Blindlings rappelte sie sich hoch und rannte davon. Doch Broud war schneller. Er packte Ayla, schleuderte sie zu Boden und schlug ihr mit der Faust ins Gesicht. Es tat ihm wohl. Zuschlagen. Niederringen. Ihren Gleichmut bezwingen.

Ayla war völlig außer sich. Wieder wollte sie aufspringen, und wieder schlug er zu. Er war der Mann. Er hatte die Kraft, ihren Körper, der sich weigerte, ihm zu Willen zu sein, zu bezwingen.

Der Kopf schwamm ihr. Blut kam aus Nase und Mund. Ayla versuchte, sich aufzurichten, doch der Jäger drückte sie unbarmherzig nieder, auf dessen Brust sie wie rasend einschlug, ihn damit jedoch nur wilder erregend.

Fast schwanden der jungen Frau die Sinne, als er sie herumriß, so daß sie auf dem Bauch zu liegen kam. Mit fliegenden Fingern riß er Aylas Überwurf weg, drückte ihre Beine auseinander und rammte sein Geschlecht dazwischen. Die Frau unter ihm krümmte sich, bäumte sich auf und schrie, als er sich wieder und wieder in ihren Körper bohrte und sich am Ende in sie ergoß.

Erschöpft brach Broud über Ayla zusammen und blieb einen Augenblick reglos liegen. Dann entzog er sich ihr, die besinnungslos schluchzte. Im blutenden Gesicht brannten bittere Tränen. Das eine Auge war stark angeschwollen und fast ganz geschlossen. Ihre Oberschenkel waren wund, und Schmerzen durchwühlten immer noch ihren Leib. Broud zog sein Geschlecht zurück, stand auf und blickte befreit atmend auf sie herunter. Der Jäger fühlte sich gut. Er nahm seine Waffen und machte sich wieder auf den Rückweg zur Höhle.

Ayla weinte sich alles Wasser aus den Augen und blieb noch lange auf der Erde liegen, Gesicht und Hände ins Gras gewühlt. Schließlich drehte sie sich auf den Rücken und setzte sich auf. Ihre Hand fühlte die Schwellungen an Mund und Auge. Schmerz überschwemmte ihren Körper, innen wie außen. Sie sah das Blut zwischen ihren Schenkeln. Broud hatte sie verletzt. Er hatte ihrem Inneren weh getan. Aber den anderen Frauen tat es doch nicht weh! Warum nur bei ihr? War sie da auch anders?

Schwerfällig stand sie auf und schleppte sich zum Bach. Jeder Schritt bereitete ihr Schmerzen. Sie wusch sich, doch das linderte nicht die Pein und dämpfte nicht den Aufruhr in ihrem Herzen. Warum hat Broud mir das abgezwungen? Sie hatte geglaubt, das wollten Männer nur von Frauen, die ihnen gefielen. Aber sie war doch häßlich. Sie sah doch keiner gern.

Plötzlich packte Ayla blankes Entsetzen. Und wenn Broud es wieder von mir verlangt? Ich gehe nicht zurück. Ich kann nicht zurück. Wo aber sonst hin? Ayla blickte um sich. Zu ihrer Höhle? Nein, das war zu nahe und für den Winter keine Bleibe. Sie mußte zur Clan-Höhle zurück. Sie konnte nicht alleine leben. Wohin denn sonst gehen? Und Iza und Creb und Uba? Die mußten doch versorgt werden. Was soll ich nur tun, schrie es in ihr. Ayla preßte die Fäuste an die Schläfen. Wenn Broud mich wieder dazu zwingt? Ich darf es nicht verweigern. Mein Körper gehört ihm, weil ich eine Frau bin. Oh, wäre ich doch noch ein Mädchen, und bliebe es, bis ich stürbe! Ein Kind werde ich nie bekommen. Wozu dann Frau sein?

Die Sonne stand schon tief, als sie wieder zum Hügel hinaufging, um nach ihren Schneehühner zu sehen. Die Eier, die sie so sorgfältig eingepackt hatte, waren zerdrückt. Mit leeren Augen blickte sie zum Bach hinunter und dachte daran, wie frei und gelöst sie gewesen war, während sie die

Vögel beobachtet hatte. Das schien lange her zu sein. Und ihr war, als wäre es in einer anderen Zeit und an einem anderen Ort gewesen. Niedergeschlagen schleppte sie sich zur Höhle zurück, jeder Schritt eine Qual.

Als Iza die Sonne hinter den Bäumen versinken sah, hatte sich die Unruhe in ihr geregt. Sie war die Pfade abgegangen, die in die umliegenden Wälder führten, und eilte schließlich zum Grat hinauf und suchte sorgenvoll die Hänge und Hügel ab.

Auch Creb war unruhig, doch er mühte sich, es nicht zu zeigen. Und als es dunkel wurde, hatte Brun zwei Falten mehr auf seiner kurzen Stirn. Iza sah Ayla zuerst, als sie vom Grat her sich der Höhle näherte. Zuerst wollte sie schelten, doch mitten in der Schimpfgebärde hielt sie inne.

»Ayla! Hast du dich verletzt? Ist was geschehen?«

»Broud hat mich geschlagen«, bedeutete ihr die junge Frau mit reglosem Gesicht.

»Warum denn?«

»Ich habe mich geweigert, ihm zu gehorchen«, gab sie kurz zurück und ging weiter zur Feuerstätte.

Was war wohl geschehen? fragte sich Iza. Schon seit langem stellte sich Ayla nicht mehr gegen Broud. Und warum ausgerechnet heute? Merkwürdig war, daß der Jäger ihr nichts davon berichtet hatte, mit Ayla zusammengetroffen zu sein. Er mußte doch gesehen haben, daß sie voller Sorge gewesen war. Seit Mittag ist er zurück, ging es Iza durch den Kopf. Sie warf einen raschen Blick hinüber zu Brouds Wohnkreis und sah, daß er ganz unverhohlen über die Wohnkreissteine hinweg auf Ayla blickte. Etwas wie höhnische Befriedigung stand auf seinem Gesicht.

Creb hatte alles wahrgenommen: Aylas verschwollenes und verfärbtes Gesicht, die trostlose Verzweiflung in ihren Augen, Brouds hämische Miene. Er spürte genau, daß des Jägers Haß von Tag zu Tag gewachsen war. Nun aber sah es aus, als hätte sich etwas zugetragen, das Broud das Gefühl gab, Ayla zu beherrschen. Aber was hatte sich zugetragen?

Am nächsten Morgen hatte Ayla Angst davor, aus Crebs Wohnkreis herauszugehen. So lange es ging, zögerte sie den Frühverzehr hinaus. Broud wartete schon auf sie. Als er Ayla das Lustzeichen gab, wäre sie fast Hals über Kopf davongestürzt. Doch sie zwang sich, seinem Geschlecht entgegenzukommen, so daß er sie nehmen konnte. Ihre Schreie wollte sie unterdrücken, doch der Schmerz preßte sie ihr über die Lippen. Jene, die in der Höhle waren, warfen verwunderte Blicke auf beide. Es war ihnen unbegreiflich, daß Broud es mit ihr machte, und wie Ayla dabei so schrecklich schreien konnte.

Broud fühlte sich noch besser als damals, als er das Mammut zu Fall gebracht hatte. Er hatte Ayla, diese fremde Frau, bezwungen und endlich einen Weg gefunden, sie zu erschüttern. Mochte sie ihn hassen, er wollte sie geduckt, mit zitternden Flanken und voller Furcht sehen. Er weidete sich an ihrem Weh. Jeden Morgen, wenn er nicht mit den anderen Jägern auf der Jagd war, erwartete er, daß Ayla sich ihm darbot.

Die junge Frau verlor alles Frische und Frohe; sie war gedrückt und teilnahmslos. Nur ein einziges Gefühl brannte in ihr – Haß gegen Broud. Wie ein riesiger Gletscher, der dem Umland alle Feuchtigkeit entzieht, so verdrängten Abscheu und Bitterkeit alle anderen Gefühle in ihrem Herzen.

Sie hatte stets auf sich geachtet; hatte ihren Körper und ihr Haar an bestimmten Tagen im Bach gewaschen, im Winter dafür sogar große Schüsseln mit Schnee in die Höhle getragen, um ihn am Feuer schmelzen zu lassen. Jetzt aber hing das sonnenhelle Haar in verklebten Strähnen ihr auf den Rücken, und sie trug tagein tagaus denselben Überwurf, der weder gesäubert noch gelüftet wurde. Lustlos und fahrig tat sie ihre Arbeit, bis auch die Männer unwillig wurden, die nie zuvor etwas an ihr auszusetzen hatten. Ayla hatte jegliche Lust, ihr Wissen mehren zu wollen, verloren, auch teilte sie sich nicht mehr mit, ging nur selten auf die Jagd und kehrte häufig mit leeren Händen zurück. An nichts nahm sie Anteil. Ihr Verhalten hing wie eine dunkle Wolke über Crebs Feuerstätte.

Iza war fast krank vor Sorge. Daß Ayla sich so gewandelt hatte, ging ihr nicht in den Kopf. Sie dachte sich wohl, daß es mit Brouds unerklärlicher Vorliebe, seinen Körper immer nur an Ayla abzuregen, zusammenhängen müsse. Wie ein ängstliches Huhn flatterte sie um die junge Frau herum, ließ sie nicht aus den Augen. Und als sie bemerkte, daß Ayla sich morgens erbrach, packte sie die Furcht, daß der böse Geist, der von ihr Besitz ergriffen hatte, seine Klauen nun noch fester in Aylas Herz geschlagen hatte.

Als Medizinfrau fiel ihr jedoch auf, daß Ayla sich nicht absonderte, wie das von den Frauen verlangt wurde, wenn sie ihre Tage hatten, an denen die Totems miteinander kämpften. Von da ab beobachtete sie die junge Frau noch aufmerksamer. Doch als ein weiterer Mond vergangen war und an den Bäumen schon die Früchte reiften, war Iza sicher. Eines Abends, als Creb nicht am Feuer hockte, winkte sie Ayla zu sich. »Ich habe dir etwas mitzuteilen«, bedeutete sie.

»Ja, Iza.« Ayla stand von ihrem Fell auf und ließ sich auf dem Boden neben Iza nieder.

»Wie weit liegen die Tage zurück, an denen dein Totem gekämpft hat?«

»Ich weiß es nicht.«

»Ayla, blick zurück! Als die Blüten von den Apfelbäumen fielen, haben da die Geister in dir gekämpft?«

Die junge Frau runzelte die Stirn.

»Ich bin nicht sicher. Einmal vielleicht«, gab sie zurück.

»Das dachte ich mir«, bedeutete Iza. »Du fühlst dich morgens unwohl, ja?«

»Ja«, machte Ayla, die glaubte, die Übelkeit käme daher, daß Broud noch immer jeden Morgen auf sie wartete, wenn nicht gerade etwas zu jagen war.

Iza deutete auf Aylas feste Brüste.

»Tun sie weh?«

»Ein wenig«, nickte diese.

»Und sind sie größer geworden?«

»Ja, ich glaube. Warum fragst du das alles?«

Die Frau sah sie ernst an und deutete auf Aylas Schoß.

»Ayla, ich weiß nicht, wie es hatte kommen können, aber ich bin sicher, daß ich mich nicht irre.«

»Womit denn?«

»Dein Totem ist bezwungen worden. Du wirst ein Kind haben.«

»Ein Kind? Ich? Ich kann doch kein Kind haben«, wehrte Ayla mit heftiger Hand ab. »Mein Totem ist zu stark.«

»Das glaubte ich auch, Ayla. Aber du wirst ein Kind haben.«

Ungläubiges Staunen trat plötzlich in die stumpfen Augen der jungen Frau.

»Du irrst dich auch wirklich nicht? Ich werde ein Kind haben? Ach, Iza, welch eine glückliche Wendung!«

»Ayla, du hast keinen Gefährten. Ich glaube nicht, daß es im Clan einen Mann gibt, der dich nimmt, und sei es auch nur als zweite Frau. Ohne einen Gefährten kannst du kein Kind gebären. Ihm und dir könnte es Unheil bringen«, erklärte ihr Iza mit ernsthafter Gebärde. »Du mußt ein Mittel nehmen, damit du es verlierst. Die Mistel ist am besten, der rundliche Busch mit den kleinen weißen Beeren, der hoch oben in der Eiche wächst. Aus den Blättern mache ich dir einen Trank und gebe nur wenige Beeren hinein; das wird deinem Totem helfen, das neue Leben abzutreiben. Du wirst krank werden, ein wenig, aber...«

»Nein! Nein!« Hitzig wehrte Ayla ab. »Nein, Iza. Ich will den Trank nicht. Ich will das Kind nicht aus meinem Körper treiben. Ich will es kriegen. Ich habe nie geglaubt, daß ich gebären könnte.«

»Aber Ayla, das Kind wird vielleicht von Unheil begleitet sein. Es wird vielleicht mit einer Mißgestalt geboren werden«, warnte die Medizinfrau.

»Kein Unheil wird mein Kind bedrohen. Und ich will gut auf mich achten, damit es gesund meinen Körper verlassen kann. Hast du nicht selbst mir gesagt, daß ein starkes Totem gut ist für das Heil eines Kindes, wenn dieses Totem erst einmal bezwungen wurde? Iza, ich muß das Kind haben. Es kann sein, daß mein Totem nie wieder bezwungen wird.«

Die Medizinfrau blickte lange in die flehenden Augen der jungen Frau. Zum ersten Mal seit jenem Tag, an dem Broud sie geschlagen hatte, hatten sie wieder Glanz bekommen.

»Gut, Ayla«, willigte sie schließlich ein. »Da dich so heftig danach verlangt. Aber laß es noch keinen wissen; sie werden es bald genug sehen.«

»Iza!« rief sie und umarmte die Frau, erfüllt von dem Wundersamen des keimenden Lebens in ihrem Schoß. Ein Lächeln leuchtete aus ihrem Gesicht. Behend sprang sie auf. Sie hatte neuen Lebensmut gefaßt und einen neuen Wert an sich entdeckt.

»Iza, komm, ich werde dir helfen, den Abendverzehr zu richten.«

»Du kannst das Fleisch schneiden«, gab die Medizinfrau zurück, erstaunt und glücklich über diese plötzliche Änderung in Aylas Verhalten.

Welch eine Zuversicht Ayla um sich verbreiten konnte, dachte Iza, während die beiden Frauen nebeneinander arbeiteten. Ihre Hände flogen in angeregter Unterhaltung, und mit einemmal waren Aylas Wissensdurst und Anteilnahme an der sie umgebenden Welt zurückgekehrt.

»Das mit der Mistel wußte ich gar nicht«, bedeutete Ayla. »Ich weiß von Mutterkorn, aber ich hätte nicht gedacht, daß auch die Mistel dazu taugt, ein Kind, das nicht gewünscht wird, abzutreiben.«

»Immer wird es etwas geben, in das ich dich nicht eingewiesen habe, Ayla, aber du bist imstande, dein Wissen zu halten und auszuweiten. Und du weißt, wie du die Pflanzen prüfen mußt; du wirst immer weiter Neues erlernen können. Auch Rainfarn kannst du einer Frau geben, die das Kind, das sie trägt, nicht behalten soll; aber er kann gefährlicher sein als Mistel. Du nimmst die ganze Pflanze – Blüten, Blätter, Wurzeln – und kochst sie auf. Dann gibst du Wasser dazu bis hierher«, Iza deutete auf ein Strichzeichen am Rand eines ihrer Gefäße, »und kochst es noch mal so lange, bis nur noch so viel Wasser übrig ist, um ein solches Gefäß damit zu füllen.« Sie hielt einen Beinbecher hoch. »Davon ist einmal zu trinken.«

Die Medizinfrau stellte den Becher wieder hin.

»Und noch etwas mußt du wissen, Ayla.« Iza blickte sichernd ringsum. Noch war Creb nicht zu sehen. »Kein Mann darf je von diesem Wissen erfahren. Es ist ein Geheimnis, das nur Medizinfrauen besitzen. Auch anderen Frauen sollst du nichts mitteilen. Denn wenn ihre Gefährten sie fragen, dann müssen sie Antwort geben. Keiner aber fragt eine Medizinfrau. Wenn je ein Mann hinter das Geheimnis kommen sollte, wird er verbieten, daß diese Mittel angewendet werden. Das mußt du dir stets vor Augen halten.«

»Ja, Iza.« Ayla war verwundert über Izas Geheimnisgetue und nickte neugierig.

»Ich ahnte nicht, daß du jemals dieses Wissen bei dir selbst anwenden würdest, aber als Medizinfrau muß es dir vertraut sein. Weißt du, manchmal, wenn eine Frau schwer geboren hat, ist es für sie besser, daß sie nie wieder ein Kind kriegt. Eine Medizinfrau kann ihr dann das Mittel geben, ohne sie wissen zu lassen, was es ist. Es kommt auch vor, daß eine Frau gar kein Kind haben will. Es gibt Pflanzen mit einer besonderen Zauberkraft, Ayla. Sie machen das Totem einer Frau sehr stark, so stark, daß es das Keimen neuen Lebens verhindert.«

»Einen solchen Zauber kennst du?« Die junge Frau schaute Iza ehrfürchtig an. »Kann das Totem einer schwachen Frau denn so stark werden? Kann es so stark werden, daß es selbst das Totem eines Mannes niederkämpfen kann, dem der Mog-ur einen besonderen Zauber mitgegeben hat?«

»Ja, Ayla«, nickte die Medizinfrau bedächtig, »und darum darf niemand auch nur das geringste davon wissen. Ich selbst habe diesen Zauber angewendet, nachdem ich einem Mann gegeben worden war, dem ich weder Wärme noch Zuneigung entgegenbringen konnte. Ich glaubte, wenn ich keine Kinder kriegte, würde er mich nicht behalten wollen«, gestand Iza.

»Aber du hast ein Kind. Du hast Uba bekommen«, warf Ayla ein.

»Es kann sein, daß der Zauber nach langer Zeit an Kraft verliert. Es kann sein, daß mein Totem nicht mehr kämpfen wollte. Es kann sein, daß es wünschte, ich sollte endlich ein Kind kriegen. Ich weiß es nicht. Es gibt kein Mittel, das immer wirkt. Es gibt Kräfte, die stärker sind als aller Zauber. Keiner kann die Geister ganz durchschauen, nicht einmal der Mog-ur. Wer hätte geglaubt, daß dein Totem bezwungen werden kann?« Die Medizinfrau sah sich hastig um. »Ayla, du kennst doch die kleine, geble kletternde Pflanze mit den winzigen Blättern und Blüten?«

Ayla nickte.

»Sie tötet alles ab, woran sie sich emporrankt. Laß dieses Gewächs trocknen, zerstoße etwas in deiner Hand, koche es in ein wenig Wasser, bis der Sud die Farbe von reifem Gras hat. Trinke jeden Tag, an dem der Geist deines Totems nicht kämpft, zwei Schlucke.«

»Die Pflanze ist doch gut für Umschläge gegen die Stiche und Bisse von Mücken und Fliegen?« erinnerte sich Ayla.

»Ja«, stimmte Iza zu, »aber da befeuchtest du die Haut von außen mit dem Sud. Damit er deinem Totem Kraft gibt, mußt du ihn aber trinken. Und noch etwas mußt du zu dir nehmen, wenn dein Totem kämpft: Salbeiwurzel, getrocknet oder frisch. Koche sie und trinke den Aufguß. Jeden Tag einen Becher.«

»Ist das die Pflanze mit den gezähnten Blättern, die auch gegen die Schmerzen in Crebs Gliedern hilft?«

»Ja. Es gibt noch eine, jedoch habe ich sie nie gebraucht. Das Geheimnis stammt von einer anderen Medizinfrau. Es gibt eine Yamswurzel – anders als die, die hier im Umland wachsen. Später will ich dir zeigen, wie du sie erkennen kannst, jetzt aber will ich dir erklären, wie du sie zu einem Mittel machst. Du schneidest sie in Stücke, kochst sie auf und zerstampfst das ganze zu einem dicken Brei. Den läßt du trocknen und zerstößt ihn fein. Jeden Tag, an dem die Geister nicht kämpfen, nimmst du etwas davon, eine kleine Schale Feinzerstoßenes mit Wasser angerührt.«

Creb trat in die Höhle und sah die beiden Frauen am Feuer sitzen, sich mit lebhaften Händen unterhaltend. Sofort hatte sein Auge erkannt, daß Ayla sich verändert hatte. Sie hat es überwunden, dachte er, während er zu seinem Wohnkreis humpelte.

»Iza!« knurrte er. »Soll ich verhungern?« fragte seine Hand, die erst auf den Mund und dann auf den Bauch deutete.

Iza sprang auf, doch Creb achtete nicht darauf. Er war so froh und erleichtert, Ayla wieder munter und regsam zu sehen. Als er sich auf seiner Matte niederließ, kam Uba in die Höhle gelaufen.

»Ich habe Hunger«, bedeutete das kleine Mädchen.

»Du bist immer hungrig, Uba.« Aylas Gesicht strahlte, als

sie die Kleine hochhob und durch die Luft schwang, was sie schon lange nicht mehr getan hatte.

Als sie gegessen hatten, kroch Uba zu Creb auf den Schoß. Ayla summte leise vor sich hin, während sie Iza beim Aufräumen half. Creb seufzte zufrieden. Jungen braucht der Clan, dachte er, aber mein Herz ist mehr den Mädchen zugewandt. Sie brauchen nicht ständig tapfer und stark zu sein. Fast wünschte ich, Ayla wäre noch nicht Frau.

Besonnt von einer wunderbar wärmenden Vorfreude erwachte Ayla am nächsten Morgen. Ich werde ein Kind haben, jubelte es in ihr; sie umschlag ihre Brüste ganz fest mit beiden Armen und wühlte sich noch ein wenig tiefer in ihr Fell und schloß die Augen. Ich laufe schnell zum Bach hinunter, ging es ihr plötzlich durch den Kopf, und wasche mir das Haar. Mit einem Sprung war sie auf den Beinen, doch schon drehte sich ihr alles, und Übelkeit spülte wellengleich über sie hin. Ich muß etwas essen, dachte sie, wenn ich ein heiles Kind haben möchte.

Ayla konnte den Frühverzehr nicht bei sich halten; nachdem sie aber eine Weile auf gewesen war, aß sie nochmals etwas und fühlte sich wohler. Frohen Mutes lief sie aus der Höhle und schritt zum Bach hinunter.

»Ayla!« Höhnisch und mit aufragendem Gesicht vertrat ihr Broud den Weg.

Die junge Frau starrte ihn entgeistert an. Ihn hatte sie ganz vergessen gehabt. Aber von nun an konnte er ihr damit nichts mehr beweisen. Die schützende Schale um ihr Herz hatte sich wieder geschlossen, und es würde ihm nicht mehr möglich sein, sie noch einmal aufzubrechen, selbst wenn er noch so heftig in sie dringe. Still kniete Ayla hin und bot ihm dar, was er begehrte.

Broud fühlte sich betrogen und um seine Lust gebracht. Nicht eine einzige Regung zeigte dieser Häßling. Alles, was ihn früher erregt hatte, ihr glühender Haß, ihre ohnmächtige Wut und die wilde Abwehr ihrer Lenden, war verflogen. Sie tat, als wäre Broud nicht da, als spürte sie ihn nicht. Und in der Tat empfand sie wirklich nichts; Broud konnte sie nicht mehr erschüttern, mocht er sie schlagen, stoßen, kneifen oder ihr Gewalt antun, gelassen nahm sie alles hin.

Schnell war Brouds Lendenlust erloschen, die gelodert hatte, als er sich nehmen mußte, was ihm darzubieten war, und nun zusammensank, als es ihm wie ein Lästiges geboten wurde.

Oga war erleichtert, daß ihr Gefährte seine unerfindliche Begierde nach Ayla aufgegeben hatte. Sie war nicht eifersüchtig gewesen, wozu auch kein Anlaß war. Broud war ihr Gefährte, und er hatte ihr durch nichts gezeigt, daß er sie verstoßen wollte. Die Männer konnten sich die Frauen nehmen, wie sie wollten. Unbegreiflich war ihr nur, warum er es mit Ayla hatte machen müssen, die doch, das war genau zu sehen gewesen, sich nicht darüber freuen wollte.

18

Daß Ayla gebären sollte, nahm der ganze Clan mit höchstem Erstaunen auf. Einfach unglaublich, daß im Leib dieser Frau, die ein so mächtiges Totem hatte, der Keim neuen Lebens entstehen konnte. Welchen Mannes Totem mochte die Kraft besessen haben, den Höhlenlöwen zu bezwingen? Jedermann im Clan hätte nur zu gern diese Ehre für sich in Anspruch genommen. Einige meinten, hier müßten die Geister mehrerer Totems zusammengewirkt haben – vielleicht sogar die aller Männer im Clan.

Sich häufig geschlechtlich zusammenzutun war, so glaubten die Clan-Leute, eine entscheidende Voraussetzung dafür, daß die lebenbringende Kraft eines männlichen Totems in eine Frau eindringen konnte, weshalb die meisten Männer auch überzeugt waren, daß die Kinder ihrer Gefährtinnen der Geist des eigenen Totems gezeugt hatte. Und die beiden Männer, die Ayla, seit sie fraulich geworden war, am nächsten standen, waren der Mog-ur und Broud gewesen.

»Der Mog-ur war es«, behauptete Zoug mit entschiedener Gebärde. »Nur er hat ein Totem, das stärker ist als der Höhlenlöwe. Und Ayla teilt sein Feuer.«

»Der Große Bär gestattet niemals einer Frau, sich seine Kraft einzuverleiben«, entgegnete Crug. »Der Große Bär erwählt jene, die er unter seinen Schutz nehmen will, so, wie er den Mog-ur erwählt hat. Glaubst du, das Reh bezwang einen Höhlenlöwen?«

»Mit dem Beistand des Höhlenbären. Der Mog-ur hat doch zwei Totems. Ich will nicht behaupten, daß der Höhlenbär seinen Geist in ihr zurückgelassen hat. Ich sage nur, daß er geholfen hat«, widersprach Zoug hitzig.

»Warum schwoll ihr dann nicht schon im Winter der Leib? Sie saß doch schon die ganze Zeit an des Mog-urs Feuer. Nein!« fuhr Crugs Hand wuchtig durch die Luft und deutete auf den jungen Jäger. »Es geschah erst, als Broud anfing, ihr nachzustellen. Und erst, als er viel mit ihr beisammen war, regte sich das neue Leben in ihr. Auch das wollhaarige Nashorn ist mächtig und kraftvoll.«

»Ich glaube, die Totems aller Männer haben sich zusammengetan«, mischte Dorv sich ein. »Wer aber will die Frau nun zur Gefährtin nehmen? Brun will wissen, ob einer unter den Männern bereit ist, sie aufzunehmen. Wenn sie keinen Gefährten hat, wird das dem Kind Unheil bringen. Ich habe zu viel der Monde gesehen. Ich kann sie nicht nehmen.«

»Ich würde sie nehmen, hätte ich noch meine eigene Feuerstätte«, gab Zoug zurück. »Sie ist nicht schön, aber sie ist flinkhändig und fügsam. Sie weiß, wie für einen Mann zu sorgen ist.«

»Ich nicht.« Crug hob abwehrend die Hände. »Ich will die Frau, die jagt, nicht in meinem Wohnkreis haben. Mir wäre es arg, mit leeren Händen von der Jagd zurückzukommen und dann zu essen, was meine Gefährtin erbeutet hat. Auch sind der Mäuler genug, die ich zu versorgen habe – Ika und Borg und die kleine Igra. Ika ist noch jung. Sie wird vielleicht noch mehr Kinder haben.«

»Ich habe darüber nachgedacht«, meldete sich Droog, »aber auch bei mir sitzen zu viele am Feuer. Aba und Aga, Vorn und Ona und Groob. Wie könnte ich denn da noch eine Frau mit einem Kind aufnehmen? Was ist mit dir, Grod?«

»Nein. Es sei denn, Brun befiehlt es«, gab dieser mit unwirscher Hand zurück. Dem Zweiten im Clan war immer noch unbehaglich zumute, wenn man auf die Frau zu sprechen kam, die von den anderen stammte.

»Und Brun?« wollte Crug wissen. »Er war es doch, der sie in den Clan aufgenommen hat.«

»Manchmal ist es ratsam, daß ein Mann die erste Frau betrachtet, ehe er sich eine zweite nimmt«, warnte Goov. »Du weißt, Crug, es ist für Ebra schwer gewesen zu ertragen, daß die Medizinfrau von höherem Rang ist als sie. Und Iza hat Ayla in die Heilkunst eingewiesen. Wenn sie dann von Izas Stamm sein wird, will Ebra sicher nicht mit ihr an einem Feuer sitzen wollen, die jünger ist und von höherem Rang. Ich würde Ayla nehmen. Wenn ich einst der Mog-ur bin, werde ich nicht mehr so viel jagen können. Es wäre mir recht, wenn sie nährendes Kleinwild an mein Feuer brächte. Und ich glaube, Ovra hätte nichts gegen eine zweite Frau von höherem Rang. Ovra und Ayla sind sich gut. Doch Ovra möchte selbst ein Kind. Es wäre schwer für sie, das Feuer mit einer Frau und einem Neugeborenen zu teilen. Ich glaube, daß der Geist von Brouds Totem das neue Leben geweckt hat. Es ist ein Jammer, daß Broud gegen Ayla ist. Denn er müßte sie an sein Feuer nehmen.«

»So sicher bin ich nicht, daß es der Geist von Brouds Totem war«, bedeutete ihm Droog. »Was ist mit dir, Mog-ur? Du könntest sie zur Gefährtin nehmen.«

Der alte Zauberer hatte stumm und reglos zugesehen, wie er das häufig tat, wenn die Männer sich zankten.

»Ich habe es bedacht«, holte der Mog-ur aus. »Ich glaube nicht, daß der Höhlenbär oder das Reh das Leben in Ayla gepflanzt haben. Und ich bin nicht sicher, ob es Brouds Totem war. Aylas Totem ist umhüllt von den geheimnisvollsten Nebeln. Wer weiß, was geschehen ist. Aber sie braucht einen Gefährten. Nicht nur, weil ihr Kind sonst Unheil zu erwarten hat; sie braucht einen Mann, der ihnen Schutz und Nahrung geben kann. Ich bin zu alt. Wenn das Kind ein Junge sein sollte, kann ich ihn nicht in der Jagd unterweisen – und auch nicht Ayla. Sie jagt nur mit der Schleuder. Ich kann sie auch gar nicht zur Gefährtin nehmen, nimmt sie doch den Platz ein in meinem Herzen, den bei einem anderen Mann die Tochter seiner Gefährtin innehat. Sie ist ein Kind von meinem Feuer, aber nicht eine Frau, die ich zur Gefährtin nehmen kann.«

»Nur seine Schwester darf ein Mann nicht zur Gefährtin nehmen«, hielt Dorv ihm entgegen.

»Gewiß, es gibt kein Clan-Gebot, das mir verbietet, sie zur Gefährtin zu nehmen. Doch die Geister nehmen es nicht günstig auf. Auch habe ich noch nie eine Gefährtin gehabt. Ich bin zu betagt, um jetzt einen Anfang zu machen. Iza sorgt für mich, und sie besorgt es gut.« Einen Augenblick hielt des Mog-urs Hand inne, dann schloß sie sich zur Faust, öffnete sich wieder und kam dann zum Schluß: »Aber es kann sein, daß Ayla keinen Gefährten braucht. Von Iza weiß ich, daß es schwer werden wird für sie. Schon jetzt gibt es Zeichen, die Schlimmes befürchten lassen. Ich weiß, daß Ayla ihr Kind behalten möchte, aber es wäre besser für alle, wenn sie es verlöre.«

Langsam ließ der Mog-ur die Hand sinken, drehte sich um und humpelte davon. Stumm blickten sich die Männer an und gingen auseinander.

In der Tat wurde es eine schwere Zeit für Ayla. Iza befürchtete, daß das Kind nicht heil zu gebären sei. Ständig mußte sich die junge Frau erbrechen, und selbst, als die Blätter schon von den Bäumen fielen, kam es noch häufig vor, daß Ayla nichts im Magen behalten konnte. Als Iza bemerkte, daß Ayla immer noch blutig wurde, bat sie Brun, zu erlauben, Ayla von der Frauenarbeit zu befreien, und sorgte dafür, daß sie viel ruhte.

Izas Ängste wuchsen in dem Maße, wie das Leben in Ayla deren Bauch anschwellen ließ. Das Kind zehrte sie aus. Während ihr Leib sich immer mehr wölbte, wurden ihre Arme und Beine von Tag zu Tag dünner. Ayla verspürte keinen Hunger und zwang sich, das zu essen, was Iza nur für sie bereitete. Dunkle Ringe legten sich um die Augen der Trächtigen, und ihr dichtes, glänzendes Haar wurde strähnig und stumpf. Ständig war ihr kalt. Meist hockte sie in Pelze gehüllt zusammengekauert am Feuer. Doch als Iza ihr nahelegte, den Trank doch zu nehmen, der sie von dem Kindsweh befreien würde, wies das Ayla entsetzt zurück.

»Ich will es haben, Iza. Bitte, hilf mir!« flehte sie die Medizinfrau an und hob klagend die Arme. »Nur du kannst mir helfen. Und ich will alles tun, was du mir rätst, wenn du mir nur zur Seite stehst, daß ich ein Kind gebären kann.«

Iza brachte es nicht übers Herz, sich ihr zu verweigern. Seit langem schon war sie nicht mehr nach Heilkräutern ausgezogen. Das lange Herumwandern löste wieder den krampfartigen Husten aus tief drinnen in ihrer Brust. Und täglich nahm sie Getränk und Feinzerstoßenes ein, um ihr Leiden, das von Mal zu Mal schlimmer wurde, vor den anderen zu verbergen. Doch für Ayla würde sie sich aufmachen und jene wundersame Wurzel suchen, die einem Fehlgebären entgegenwirkte.

Früh am anderen Morgen brach sie auf, um in den Bergwäldern und auf feuchten Wiesen danach Ausschau zu halten. Die Sonne stand leuchtend am blauen Himmel, ein herrlicher Tag später Wärme im Jahr.

Sie nahm einen Waldpfad unweit der Höhle unter die Füße, wanderte dann an einem Bach entlang weiter und stieg die steilen Hänge hoch. Oft mußte sie anhalten, das Keuchen in der Brust beruhigen und warten, bis der heftige Husten sich wieder legte. Noch vor dem Mittag schlug das Wetter um. Ein kühler Wind trieb dunkle Wolken über das Land, die sich an den Hügeln abregneten. Im Nu war Iza bis auf die Haut durchnäßt.

Der Regen hatte etwas nachgelassen, als sie in einem Fichtenwald endlich die Pflanzen entdeckte. Kältezitternde Finger gruben die Wurzeln aus der durchweichten Erde. Auf dem Rückweg schüttelte ein fürchterlicher Husten ihren abgemagerten Körper ohne Unterlaß und trieb ihr blutigen Schaum auf die Lippen. Das Höhlenland war ihr nicht so vertaut, und sie verlief sich mehrere Male. Es fing schon an zu dunkeln, als sie sich schlotternd und auf wunden Füßen in die Höhle schleppte.

»Iza, wo warst du?« fragte Ayla mit erschreckter Gebärde. »Du bist ja völlig durchnäßt und zitterst am ganzen Körper. Komm ans Feuer. Ich hole dir etwas Trockenes.«

»Ich habe die Wurzel für dich gefunden, Ayla. Wasch sie ab und...« Mitten in der Anweisung mußte die Medizinfrau innehalten, als ein Husten sie packte. Ihre Augen hatten einen heißen Glanz und ihr Gesicht brannte. »...kaue sie roh, sie hat starke Zauberkraft und wird bewirken, daß du das Kind nicht verlierst.«

Ayla schüttelte den Kopf und rang die Hände.

»Nur um mir die Wurzel zu beschaffen, bist du bei diesem Wetter fortgegangen, Iza? Lieber das Kind verlieren als ohne dich leben!«

Ayla wußte, daß Iza schon seit langem nicht mehr recht gesund war; doch bis zu diesem Tag hatte die Medizinfrau noch verbergen können, wie schlimm es wirklich um sie stand. Ayla schob weg, was sie selbst bedrückte, achtete nicht darauf, wenn sie hin und wieder Blut verlor, und dachte kaum noch daran zu essen. Nur Tag und Nacht an Izas Seite bleiben wollte sie. Und Uba auch.

Merkäugig verfolgte die Kleine alles, was Ayla tat, ging ihr zur Hand, wenn sie benötigt wurde, und lernte so, ihr Ererbtes und ihre Bestimmung zu verstehen. Doch Uba war nicht die einzige, die Aylas Tun beobachtete. Der ganze Clan bangte um die Medizinfrau, und keiner traute dem Können der jungen Frau so recht. Doch Ayla beachtete nicht das Mißtrauen um sie herum; Herz und Sinne waren auf die Frau gerichtet, die ihr zur Mutter geworden war.

Alles, was Iza sie je gelehrt hatte, zog Ayla aus ihrem Gedächtnis hervor; doch um dieses Wissen anzuwenden, bedurfte es bei ihr der Überlegung. Begabt mit einer besonderen Fähigkeit, die schon Iza aufgefallen war, wußte sie die Ursache einer Krankheit zu erkennen und das Leiden entsprechend zu behandeln. Aus einzelnen Anzeichen vermochte sie ein ganzes grobes Bild zusammenzusetzen, dessen Leerräume sie mit Überlegung und Einfühlung ausfüllte. Diese Fähigkeit, auch Zeichen zu bedenken, insgesamt zu betrachten und danach zu handeln, unterschied sie von denen, die die Höhle mit ihr teilten. Denn vorausschauendes Denken kam nur ihr zu.

Ayla wandte die Mittel an, die sie von der Medizinfrau übernommen hatte, und versuchte, sie auf neue Weise einzusetzen. Gleich, was es war, die kundige Hand Aylas oder Izas Wille zum Leben, der Zustand besserte sich nach und nach. Als der Schnee vor der Höhle schon so hoch war, daß man den grauen Himmel kaum noch sehen konnte, hatte sich die Medizinfrau schon soweit erholt, daß Ayla sich selbst in Pflege geben konnte. Und keinen Tag zu früh.

Den ganzen Winter über hatte Ayla Blut verloren und mit ständigen Schmerzen im Rücken gelebt. Oft wachte sie mitten in der Nacht auf, weil ihr ein Krampf in die Beine gefahren war, und noch immer übergab sie sich häufig. Iza war sicher, daß sie das Kind verlieren würde. Es war nicht zu glauben, daß das Kind sich in Aylas Leib entwickeln konnte, wo die Mutter doch so geschwächt war. Aber es wuchs und stieß und strampelte so heftig in Aylas aufgetriebenem Leib, daß diese des Nachts kaum ein Auge zumachen konnte.

Ayla klagte niemals. Sie fürchtete, Iza würde darin ein Zeichen dafür sehen, daß sie bereit war, das Kind herzugeben. Doch dieses würde sie nie wollen. Ihr Leiden ließ sie überzeugend spüren, daß sie, sollte dieses Kind nicht geboren werden, niemals ein zweites haben würde.

Von ihrem Lager aus sah Ayla zu, wie die ersten Regengüsse den Schnee fortspülten. Es drängte sie hinaus, doch Iza ließ sie nicht einen Schritt aus der Höhle. Die Weidenkätzchen hatten ihren Flaum verloren, und die ersten Knospen sprangen auf, als Aylas schwere Zeit begann.

Die ersten Wehen waren leicht. Ayla schlürfte den Weidenrindentrank und glühte vor freudiger Erwartung. Und wenn morgen die Sonne aufgeht, dachte sie, halte ich mein Kind in den Armen. Iza hatte Zweifel, mühte sich aber, sie nicht zu zeigen.

»Iza, was war das für eine Wurzel, die du mir gebracht hast, kurz bevor es dir so schlecht ging?« bedeuteten Aylas matte Hände fragend.

»Sie besitzt eine ganz besondere Kraft und muß gekaut werden, solange sie frisch ist. Du kannst sie nur ausgraben, wenn die Zeit kommt, wo die Blätter fallen. Und trocknen darfst du sie nicht. Sonst verliert sie ihre Kraft.«

»Wie sieht die Pflanze aus?« wollte Uba wissen. Ihre Wißbegierde war geweckt, weil ihre Mutter so darnieder lag. Und Iza und Ayla unterwiesen sie ab jetzt gemeinsam, was wodurch zu heilen war. Doch Ubas Begreifen war ganz anders als Aylas. Die Kleine brauchte ihrem Hirn nichts Neues einzugeben; sie mußte nur an das erinnert werden, was sie schon im Gedächtnis hatte, und sehen, wie es angewendet wurde.

»Es sind zwei Pflanzen, eine männliche und eine weibliche. Das Gewächs hat einen langen Stengel, der aus einem Büschel von Blättern nahe am Boden herauswächst, und oben sitzen kleine Blüten. Die männlichen Blüten sind weiß. Die Wurzel kommt von der weiblichen Pflanze; ihre Blüten sind kleiner und grün.«

»Und die Pflanze wächst im Fichtenwald?« fragte Ayla.

»Nur dort, wo es feucht ist. Im Moor, auf feuchten Wiesen und in Bergwäldern.«

»Du hättest an dem Tag nicht hinausgehen sollen, Iza. Ich hatte große Angst um...« Mitten in der Bewegung brach Ayla ab und verzog das Gesicht, als eine Wehe ihren Leib zusammendrückte.

Iza beobachtete Ayla unaufhörlich. Sie merkte sich, wie lange der Schmerz jeweils andauerte.

»Es regnete ja nicht, als ich aufbrach«, beschwichtigte Iza. »Ich glaubte, es würde warm und sonnig bleiben. Ich habe mich getäuscht. Ayla, ich möchte etwas von dir wissen. Während ich darniederlag, hatte ich oftmals wilde Träume und war nicht bei euch, doch fühlte ich, wie du mir eine Kräuterbinde anlegtest, wie ich es tue, wenn Creb Gliederschmerzen hat.«

Die junge Frau nickte.

»Das habe ich dir nämlich nicht gezeigt.«

»Ich weiß. Du hast so arg gehustet und so viel Blut gespuckt. Ich wollte deine Brust entkrampfen und auch, daß sich der Schleim dort löst. Das Kräutergemisch dringt tief durch die Haut. Es bringt Wärme hervor und erhitzt das Blut. Ich dachte mir, es würde dich schleimfrei machen und du würdest nicht mehr so heftig husten müssen. Ich glaube, es hat geholfen.«

»Ja, das glaube ich auch.«

Iza fragte sich, ob sie jemals auf den Gedanken gekommen wäre, eine solche Anwendung zu versuchen. Ich habe es gewußt, sie ist eine gute Medizinfrau, und sie wird besser werden. Sie ist meines Stammes würdig. Ich muß mich mit Creb zusammensetzen. Es wird vielleicht nicht mehr lange dauern, bis ich ins Reich der Toten gehe. Ayla ist jetzt eine Frau. Sie soll Medizinfrau werden – wenn sie dieses Gebären überlebt.

Nach dem Morgenverzehr kam Oga mit Grev, ihrem zweiten Sohn, herbei und hockte sich neben Ayla nieder. Bald danach setzte sich auch Ovra zu ihnen, und die drei Frauen unterhielten sich mit kurzen Worten und regen Gebärden miteinander.

Den ganzen Morgen über war in Crebs Wohnkreis ein lebhaftes Kommen und Gehen. Einige Frauen blieben nur kurz, andere hockten beinahe den ganzen Vormittag bei Ayla. Creb jedoch hielt sich fern. Rastlos humpelte er bald in der Höhle, bald draußen herum, blieb hin und wieder stehen, um einiges Neue den Männern mitzuteilen, die um Bruns Feuer saßen. Die Jagd, die sie für heute vorgehabt hatten, wurde verschoben. Brun gab vor, es wäre noch zu naß; aber alle wußten um den wahren Grund.

Am späten Nachmittag wurde Aylas Weh heftiger. Iza flößte ihr etwas Schmerzlinderndes ein. Während der Tag sich dem Abend zuneigte, folgten die Wehen immer rascher, und die Körperwellen schlugen immer höher. Schweißüberströmt lag Ayla auf ihrem Lager und umklammerte Izas Hand. Sie biß sich auf die Lippen. Doch als die Sonne unterging, wand sich die Gebärende vor Pein und schrie auf bei jeder Schmerzwelle, die ihren Leib packte. Die umsitzenden Frauen hielten sich die Ohren und kehrten nach und nach an ihre eigenen Feuer zurück. Dort suchten sie sich irgendeine Arbeit und blickten doch jedesmal auf, wenn Aylas Schreie durch die Höhle gellten. Die Männer an Bruns Feuer saßen wie leblos, die Blicke zu Boden gesenkt. Nur Ebra und Iza waren bei Ayla.

Und wieder kam das Weh und noch mal, als wollte es sie zerreißen.

Ich darf mein Kind nicht sterben lassen, trieb sich Ayla an. Es muß heraus. Es muß leben. Als der Schmerz wieder anschwoll, holte sie tief Atem und krampfte Izas Hand. Dann preßte sie den unteren Leib, daß flirrender Nebel vor ihren Augen tanzte. Es war ihr, als müßten ihr die Knochen bersten und ihr Inneres würde nach außen gekehrt.

»Gut, Ayla, gut«, ermutigte sie Iza und strich der Keuchenden über die schweißnasse Stirn.

Mit gierigem Mund verschlang Ayla die Luft und preßte verzweifelt weiter. Und plötzlich spürte sie, wie es ihr feucht wurde zwischen den Beinen und sich etwas in ihr löste, dem sie den Weg nach draußen bahnen mußte. Noch einmal nahm sie alle ihre Kraft zusammen und gebar das Kind. Dann schwamm Ayla der Kopf, um den es dunkel wurde, und sie brach bewußtlos zusammen.

Iza schnürte ein rot gefärbtes Stück Sehne um die Nabelschnur des Neugeborenen und biß das andere Ende ab. Sie klopfte dem Winzling auf die Füße, bis aus zaghaftem Wimmern zorniges Schreien wurde. Das Kind lebte. Die Medizinfrau war tief erleichtert. Vorsichtig griff sie nach dem Kind und wusch es.

Und wie sie das tat, war ihr plötzlich, als drückte eine eisige Hand ihr das Herz ab. Warum? Warum auch das noch nach all dem, was sie erlitten und erduldet hat? Mit tiefgehaltener Stirn schaute Iza die Kleine an und wickelte es in das weiche Kaninchenfell, das Ayla gefertigt hatte. Dann drückte sie Ayla ein Heilgebinde zart zwischen die Beine. Ayla stöhnte und schlug die Augen auf.

»Mein Kind, Iza. Ist es ein Junge oder ein Mädchen?« fragte sie mit flacher Gebärde.

»Ein Junge, Ayla«, gab die Frau zurück. »Aber es ist mißgestaltet«, setzte sie eilig hinzu, um Ayla gar nicht erst Hoffnung zu machen. Das Leuchten, das sich auf Aylas Gesicht hatte ausbreiten wollen, gerann zu ungläubigem Entsetzen.

»Nein! Das kann nicht sein! Zeig ihn mir«, flehte Ayla und streckte die bebenden Arme aus.

Iza brachte das Kind.

»Ich habe so etwas befürchtet, Ayla. Es geschieht häufig, wenn eine Frau schwer an dem Kind zu tragen hatte. Es tut mir sehr leid.«

Die junge Gebärerin schlug das weiche Fell auseinander und betrachtete mit großen Augen ihren winzigen Sohn. Seine Arme und Beine waren dünner als die von Uba und auch länger. Aber er hatte alle Finger und Zehen an den richtigen Körperstellen, keine mehr oder weniger. Sein Kopf jedoch war zweifelsohne ungewöhnlich. Er war übermäßig groß und vom Gebären noch ein wenig verformt. An sich jedoch wäre dies kein Anlaß gewesen, sich zu beunruhigen. Iza wußte, daß sich das rasch zu geben pflegte. Doch der Schädel als solcher, der sich nie mehr ändern würde, war mißraten, und mißgestaltet war auch der dünne lange Hals, der den schweren Kopf des Kindes niemals würde tragen können.

Aylas Sohn hatte hervorspringende Brauenwülste wie die Clan-Leute, doch seine Stirn zog sich nicht nach rückwärts, sondern stand hoch und grade über den Wülsten, ehe sie sich nach rückwärts wölbte. Auch der Hinterkopf des Kindes war nicht ganz so lang, wie er clan-mäßig hätte sein sollen. Es sah aus, als wäre der Schädel zusammengedrückt, das Gehirn in die hohe, gewölbte Stirn geschoben worden, so daß das Hinterhaupt kürzer und rundlicher geraten war. Ein Hinterhauptswulst war kaum zu sehen, und die Gesichtszüge des Kleinen waren seltsam verzerrt. Er hatte große runde Augen, doch die Nase war um etliches kleiner als bei den Kindern des Clans. Ein großer Mund; der Unterkiefer war nicht ganz so stark ausgebildet wie bei den Clan-Leuten, und unterhalb des Mundes saß ein fürchterlich hervorspringender Knochenwulst, wie ihn nicht einer im Clan hatte, und der sein Gesicht aufs äußerste entstellte. Der Kopf des Kleinen kippte nach rückwärts, als Iza das Kind hochhob, so daß sie schnell ihre Hand darunter schob, um ihn zu stützen. Einfach unglaublich war es, daß dieser Junge jemals befähigt sein würde, den Kopf gerade auf den Schultern zu halten. Der Kleine stieß seinen Großkopf in den warmen weichen Körper der Mutter. Ayla gab ihm von sich zu trinken.

»Nein, Ayla«, schüttelte Iza milde den Kopf, »das solltest du nicht tun, sein Leben zu kräftigen, wenn es ihm doch bald genommen wird. Du machst es dir selbst nur schwerer, ihn loszuwerden.«

»Loswerden?« Entsetzt starrte Ayla die Medizinfrau an. »Wie kann ich ihn loswerden wollen! Er ist mein Kind.«

»Du kannst nicht, wie du willst, Ayla. Es wird so gehalten im Clan. Stets muß die Mutter ein mißgebildetes Kind, das sie geboren hat, loswerden. Und es ist besser, es bald zu tun, ehe Brun es befiehlt.«

»Aber Creb hatte doch auch eine mißliche Geburt. Er durfte leben«, setzte Ayla mit erregten Händen dawider.

»Seine Mutter war die Gefährtin des Clan-Führers. Er hat es erlaubt. Und du hast keinen Gefährten, Ayla, keinen Mann, der für deinen Sohn eintreten kann. Habe ich dich nicht gewarnt, daß Unheil dein Kind begleiten könnte, wenn es geboren wird, ehe du einen Gefährten hast? Zeigt seine mißliche Gestalt nicht, daß es wahr ist? Warum willst du ein Kind leben lassen, das bis ans Ende seiner Tage vom Unglück verfolgt sein wird? Es ist besser, jetzt mit ihm und dem Unglück ein Ende zu machen.«

Widerstrebend entzog Ayla ihrem Sohn die Brust, und Tränen strömten aus ihren Augen.

»Ach, Iza«, rief sie schluchzend, »ich wollte ein Kind wie die anderen Frauen. Ich dachte, daß ich nie eines kriegen würde. Und warum mußte ich so leiden, um ihn zu gebären, wenn es nun doch noch sterben soll? Ich will mein Kind behalten, Iza. Zwing mich nicht, es aufzugeben.«

»Ich fühle mit dir, Ayla«, gab die Medizinfrau mit zitternder Hand zurück, »aber es muß sein.«

Der kleine Säuger suchte die Brust der Mutter. Zuerst wimmerte er und fing dann an zu brüllen, als er nichts fand. Ayla konnte es nicht ertragen und legte ihn wieder an.

»Ich kann es nicht tun«, erklärte sie Iza mit heftiger Bewegung. »Ich tue es nicht. Mein Sohn lebt. Er atmet. Es kann ja sein, daß er mißgestaltet ist, aber er ist kräftig. Hast du ihn schreien hören? Hast du gesehen, wie geschwind er die Beinchen bewegt? Schau doch, wie er saugt! Ich will ihn behalten, Iza, und ich behalte ihn auch. Niemals werde ich ihn töten. Lieber gehe ich selbst fort von hier. Ich kann jagen. Ich kann Nährendes für uns beide finden. Ihn und mich kann ich durchbringen.«

Iza riß entsetzt die Augen auf.

»Ayla, das darfst du nicht! Wohin willst du dann gehen? Du bist zu schwach. Du hast sehr viel geblutet.«

»Ich weiß es noch nicht, Iza. Nur fort. Ich gebe mein Kind nicht auf.«

Aylas Entschluß war felsenfest, und Iza sah es ihr an. Aber sie war doch noch zu sehr geschwächt, um alleine fortzugehen; sie würde sterben, wenn sie versuchen sollte, ihr Kind zu retten. Aylas Drohung, sich wieder gegen Clan-Brauch und -Gebot zu stellen, jagte Iza Angst und Schrecken ein.

»Ayla, tue es nicht«, bat Iza und rang die Hände. »Gib mir das Kind. Wenn du es nicht kannst, dann will ich es für dich tun. Und Brun will ich erklären, daß du noch sehr schwach warst.« Die Frau streckte nach dem Kleinen die Arme aus. »Komm, laß mich ihn nehmen. Wenn er fort ist, wird es dir leichter, ihn aus deinem Herzen zu reißen.«

»Nein! Nein, Iza!« Heftig wehrte Ayla ab und drückte das neue Leben, das aus ihr gekommen war, noch fester an sich. Schützend neigte sie sich über ihr Kind.

Uba hatte alles mit angesehen; das Hin und Her zwischen den beiden Frauen und vorhin, wie quälend und schmerzlich Aylas Gebären war. Sie liebte die Frau mit dem sonnenhellen Haar. Sie war in großer Angst gewesen um Ayla, als diese so heftig gelitten und gekämpft hatte; jetzt aber war die Angst riesig geworden, als sie sich jener Zeit erinnerte, in der Ayla weg gewesen war und alle geglaubt hatten, sie würde niemals wiederkehren. Eine schreckliche Ahnung, daß sie Ayla niemals wiedersehen würde, wenn sie jetzt fortging, drückte Uba fast das Herz ab.

»Geh nicht, Ayla!« Mit einem Aufschrei stürzte das Mädchen zu den beiden Frauen. »Mutter, Ayla darf nicht wieder fort von hier«, flehte sie, wild mit den Armen schlagend, die Medizinfrau an. »Geh nicht wieder fort!«

»Ich will ja nicht fortgehen, Uba, aber ich kann doch mein Kind nicht sterben lassen«, warf Ayla ein.

»Binde ihn doch hoch oben in einem Baumwipfel fest wie die Mutter, von der Aba berichtet hat. Und wenn er dann die bemessenen Tage am Leben bleibt, dann muß Brun dir erlauben, ihn zu behalten«, schlug Uba flehentlich vor.

»Was Aba erzählte, hat sich nie so zugetragen«, bedeutete Iza dem Mädchen. »Kein Kind kann draußen in der Kälte ohne Nahrung überleben.«

Ayla achtete nicht auf Izas Erklärung. Was Uba vorgeschlagen hatte, ließ einen Funken Hoffnung in ihr glimmen.

»Aber es ist schon so, Iza. Wenn mein Kind nach sieben Tagen noch am Leben ist, dann muß es Brun annehmen.«

»Was fällt dir ein, Ayla? Du kannst das Kind doch nicht aussetzen und glauben, daß es nach sieben Tagen noch am Leben ist. Das wird es niemals überleben.«

»Ich will es auch nicht aussetzen, sondern mit ihm fortgehen. Ich weiß einen Ort, wo wir uns verbergen können, Iza. Dorthin werde ich gehen und das Kind mitnehmen. Und am Tag der Benamsung kehre ich zurück. Dann muß Brun mir erlauben, es zu behalten. Ich kenne eine kleine Höhle...«

»Nein!« Izas Hand unterbrach sie heftig. »Nichts mehr davon! Das ist gegen das Clan-Gebot. Mein Herz kann dich auf diesem Weg nicht begleiten. Bruns Zorn würde dich treffen. Er würde euch suchen und bald gefunden haben und euch zurückbringen. Es ist gegen das Gebot des Clans, Ayla.« Iza stand auf und ging zum Feuer. Doch nach ein paar Schritten kehrte sie wieder um. »Und gingest du fort, so würde er mich fragen, wo du bist.«

Niemals in ihrem Leben hatte Iza etwas getan, was gegen die Gebräuche des Clans oder gegen Bruns Befehl verstieß. Es wäre ihr nie eingefallen. Das, was Ayla vorhatte, war offene Widersetzlichkeit. Und das war schlecht. Doch sie verspürte genau, wie unbezwingbar Aylas Wille war, ihr Kind zu behalten. Es ist schon so, wie Ayla mir dargetan hat, dachte sie, als ihre Augen das Neugeborene umfingen. Er mag mißlich gestaltet sein, aber er ist kräftig. Auch Crebs Körper war mißgebildet, als er geboren wurde. Und jetzt ist er der Mog-ur. Und dies hier ist ihr erstgeborener Sohn. Hätte sie einen Gefährten, so würde er vielleicht zustimmen, dem Kind das Leben zu lassen. Nein, das würde er nicht tun, so wenig wie sie andere belügen konnte, konnte sie sich selbst belügen. Doch sie konnte für sich behalten, was sie wußte.

Iza war sich im klaren darüber, daß es ihr geboten gewesen wäre, dieses alles Creb oder Brun darzutun. Doch sie brachte es nicht übers Herz. Was Ayla vorhatte, konnte sie nicht gutheißen, aber sie würde es in sich verschlossen halten.

Sie legte heiße Steine in eine Schale mit Wasser und machte Ayla einen heißen Heiltrank. Die junge Frau schlief mit ihrem

Kind in den Armen, als Iza ihr den dampfenden Becher brachte. Sie schüttelte sie sachte an der Schulter.

»Trink das, Ayla«, bedeutete sie ihr und wies dann in eine abgelegene Ecke. »Ich habe das Nachgeburtige verhüllt und dorthin in die Ecke gelegt. Heute nacht kannst du noch ausruhen, aber wenn die Sonne wieder hochgekommen ist, mußt du es vergraben. Brun weiß um die mißliche Gestalt deines Sohnes. Ebar hat es ihm mitgeteilt. Der Clan-Führer erwartet, daß du ihn zusammen mit dem Nachgeburtigen wegschaffst.«

Auf diese Weise wollte Iza Ayla mitteilen, wieviel Zeit ihr noch blieb, alles nötige für die Flucht zu richten.

Lange lag Ayla wach und sann darüber nach, was sie mitnehmen sollte. Den Schlafpelz, Kaninchenfelle und Flaumfedern für das Kind, die Schleuder und einige Messer, Nahrung und ein Wasserbehältnis. »Wenn ich warte, bis die Sonne über mir steht, ehe ich mich aufmache, kann ich noch alles vorbereiten.«

Am nächsten Morgen bereitete Iza weit mehr zu, als für vier Erdlinge als Morgenverzehr gebraucht wurde. Creb war erst in tiefer Nacht in seinen Wohnkreis zurückgekehrt und hatte sich sofort schlafen gelegt. Er vermied es peinlichst, mit Ayla zusammenzutreffen. Er war ratlos und wußte nicht, wie er ihr gegenübertreten sollte. Ihr Totem ist zu stark, dachte er. Es ist niemals ganz bezwungen worden, darum hat sie immer wieder geblutet, während sie das Kind trug. Darum ist das Kind mißgestaltet. Es ist wirklich ein Jammer, sie verlangt so sehr nach einem Kind.«

»Iza, das ist ein reichlicher Morgenverzehr«, bedeutete er, als er sich niedersetzte. »Den ganzen Clan könnte man damit ernähren.«

»Es ist für Ayla«, gab Iza zurück und senkte hastig den Kopf.

Gewiß, Ayla mußte wieder zu Kräften kommen. Und sie würde Kräftigendes brauchen, um über das Unglück, das sie getroffen hatte, hinwegzukommen. Creb fragte sich, ob sie jemals ein gesundes Kind haben würde.

Als Ayla von ihrem Lager aufstand, vermeinte sie, der Boden schwankte unter ihren Füßen. Jeder Schritt wurde zur

Qual, und wenn sie sich bückte, stach es ihr in den Leib, als wenn sie spitze Pflöcke darin hätte. Heillose Angst ergriff ihre Gedanken, und für einen Augenblick erschien ihr alles sinnlos. Kann ich so zur Höhle hinauf? Ich muß es können! Wenn ich nicht fortgehe, nimmt Iza mir mein Kind und schafft es weg. Ich will es aber haben, schrie es in ihr, und sie verdrängte die Angst in ihrem Herzen. Es wird schon gehen. Und wenn ich den ganzen Weg kriechen muß.

Ein dünner Regen nieselte grau herab, als Ayla die Höhle verließ. Sie hatte einiges in ihren Sammelkorb gepackt und das Nachgeburtige darauf gelegt. Die anderen Sachen waren unter ihrem Pelzumhang versteckt. Das Kind lag in einem Tragfell an ihrer Brust.

Die Wogen der Nebel in ihrem Kopf teilten sich, als sie einen der Wege in die Wälder nahm, doch ein Gefühl von Übelkeit blieb. Nach einiger Zeit bog sie ab und schlug sich durch Büsche und Gesträuch tief in den Wald, ehe sie anhielt. Matt sank sie auf die Knie, zog ihren Grabstock hervor und stach die Erde auf. Nachdem sie das Nachgeburtige tief darin vergraben hatte, blickte sie auf ihren Sohn. Keiner wird dich in ein solches Loch legen, gelobte sie. Ayla schwang sich den Sammelkorb wieder auf den Rücken, stand auf und schritt auf die steilen Hänge zu, über denen ihre höhlige Zuflucht lag, und ward nicht gewahr, daß sie beobachtet wurde.

Kurz nachdem Ayla aufgebrochen war, hatte sich Uba aus der Höhle geschlichen. Sie wußte, wie schwach Ayla auf den Füßen war, und hatte Angst, die junge Frau könnte die Besinnung verlieren und eine leichte Beute der reißenden Tiere werden. Um ein Haar wäre Uba zurückgelaufen zur Höhle, um Iza zu holen; doch sie wollte Ayla nicht alleine lassen, deshalb war sie ihr gefolgt; hatte sie zwar aus den Augen verloren, als Ayla vom Pfad abgebogen war, aber wieder entdeckt, als sie gerade einen baumlosen Hang hinaufkletterte.

Ayla stützte sich beim Steigen schwer auf ihren Grabstock. Immer wieder blieb sie stehen, schluckte hart und schwer, um die Übelkeit niederzukämpfen, und wehrte sich gegen den Schwindel, der ihr die Augen zu verdunkeln drohte. Sie spürte, wie Blut an ihren Beinen hinunterlief, doch sie hatte nicht die Kraft, sich zu verbinden. Jene Tage kamen in ihr hoch, als sie noch leichtfüßig den steilen Hang hinaufgelaufen war, ohne daß ihr Atem schneller geworden wäre. Und jetzt war es für sie kaum zu glauben, wie weit der Weg zu ihrer Höhle war. Er wurde länger statt kürzer. Die Füße suchten sich selbst einen festen Tritt im gerölligen Hang. Sie stiegen mühsam und verzweifelt. Erst, als sie kaum noch konnten, gönnte Ayla ihnen eine Rast.

Spät am Nachmittag fing das Kind zu schreien an. Ayla hörte seine Stimme nur noch wie aus weiter Ferne. Sie hielt nicht an. Unerbittlich zwang sie ihre Füße, weiter zu steigen, ja nicht nachzulassen. Sie mußten die Wiese erreichen, sie und ihr Kind noch bis in die Höhle tragen.

Uba blieb weit zurück. Sie wollte von Ayla nicht gesehen werden. Sie ahnte nicht, daß die junge Frau kaum noch weit genug sah, um einen Fuß sicher vor den anderen zu setzen. Rötliche Schwaden umwallten sie, als Ayla endlich ihre Wiese erreichte. Nur noch ein kleines Stück, hämmerte es in ihr. Sie schleppte sich durch das Gras und hatte kaum noch Kraft, die Zweige zu zerteilen, hinter denen die Höhle sich verbarg. Sie zwängte sich hindurch, taumelte ins Innere und brach auf dem Rehfell zusammen.

Es war ein Glück, daß Uba die Wiese genau in dem Augenblick betreten hatte, als Ayla in der Höhle verschwand, sonst hätte sie denken müssen, die junge Frau hätte sich in Luft aufgelöst, denn die knorrigen Haselnußsträucheräste verbargen die Öffnung in der Felswand vorzüglich. Uba rannte zur Clan-Höhle zurück. Sie war länger weggewesen, als sie gewollt hatte, und fürchtete, Iza würde unruhig sein und sie schelten. Doch die Medizinfrau wollte gar nicht wissen, wo ihre Tochter gewesen war. Sie ahnte, woher Uba kam, wollte aber lieber nicht daran rühren.

19

»Sie müßte doch schon längst wieder zurück sein, Iza«, klagte Crebs Hand und verriet seine Unruhe. Den ganzen Nachmittag war er rastlos umhergehinkt und hatte immer wieder zur Höhle hinausgespäht, ob sie nicht endlich wiederkäme.

Iza nickte, ohne von der Hirschkeule aufzublicken, die sie gerade in Stücke schnitt. Plötzlich schrie sie auf, als die scharfe Steinklinge ihr tief in den Finger fuhr. Creb sah auf und runzelte die Stirn. Nicht nur, daß sie sich geschnitten hatte war verwunderlich, sondern auch ihr unbeherrschter Aufschrei. Denn gewöhnlich war Iza sehr geschickt mit dem Messer, und der Mog-ur konnte sich nicht erinnern, wann sie sich das letzte Mal damit verletzt hatte. Auch sie ist unruhig, dachte er.

»Ich war vor einer Weile bei Brun, Iza«, bedeutete er der Schwester. »Er will sie noch nicht suchen. Niemand darf wissen, wo eine Frau bei solcher Gelegenheit sich aufhält. Großes Unheil träfe den Mann, der sie so sieht. Aber sie ist schwach. Es wäre möglich, daß sie hilflos da draußen im Regen liegt. Du kannst nach ihr suchen, Iza. Du bist die Medizinfrau. Sie kann nicht weit fort sein. Warum bist du nicht schon auf den Beinen? Bald kommt die Dunkelheit.«

»Ich kann nicht«, wehrte Iza ab und steckte ihren blutenden Finger wieder in den Mund.

»Du kannst nicht?« wiederholte Crebs Hand fragend.

»Ich kann sie nicht finden.«

»Wie willst du wissen, daß du sie nicht finden kannst, wenn du sie nicht suchst?« Der Mog-ur legte den Kopf schief und sah seine Schwester an. Und plötzlich fiel ihm ein, wie ungewöhnlich es doch war, daß Iza nicht schon längst da draußen suchte.

»Iza, warum willst du Ayla nicht suchen?« fragte er mißtrauisch.

»Ich könnte sie nicht finden.«

»Warum nicht?« beharrte Creb.

Bange Angst stand in den Augen der Frau, als sie gestand: »Sie hält sich versteckt.«

»Versteckt? Vor wem?«

»Vor uns allen. Vor Brun, vor dir, vor mir, vor dem ganzen Clan«, gab Iza hilflos zurück.

Creb starrte sie entgeistert an und hob den Arm, der nicht verstehen wollte.

»Warum hält sich Ayla vor uns allen versteckt? Warum vor dir? Sie braucht dich doch.«

»Sie will das Kind behalten, Creb«, erklärte ihm Iza, und ihre Augen flehten den Bruder an, mitzufühlen, als sie mit zitternden Händen berichtete. »Ich habe ihr klargemacht, daß der Clan-Brauch einer Mutter gebietet, ihr mißgestaltetes Kind wegzuschaffen. Doch sie weigerte sich. Sie will es behalten. Sie wollte es fortbringen und bis zur Benamsung verstecken, weil Brun es dann annehmen muß.«

Mit scharfem Blick sah Creb die Frau an. Er wußte, was Aylas Eigenmächtigkeit bedeutete.

»Ja«, nickte der Mog-ur, »Brun wird nichts anderes übrigbleiben, als Aylas Sohn anzunehmen, Iza. Aber danach wird er sie für ihren Ungehorsam verfluchen, und diesmal bis ans Ende ihrer Tage. Wenn die Frau den Mann zu etwas zwingt, was er nicht will, aber dennoch muß, dann verliert er sein Gesicht vor allen anderen. Brun kann das nicht dulden, die Männer würden ihn dann nicht mehr achten. Selbst wenn er sie verflucht, wird die Schande auf ihm sitzenbleiben. Du weißt, in diesem Sommer werden alle Clans sich wieder zum Miething zusammenfinden. Glaubst du, daß er sich dann sehen lassen kann? Wir alle, der ganze Clan des Bären, würde für das, was Ayla angerichtet hat, mit Verachtung büßen müssen«, zürnte der Zauberer und schlug wütend die Hand durch die Luft. »Wie konnte sie uns das nur antun?«

»Sie handelte nach der Geschichte von der Mutter, die ihr mißgestaltetes Kind in den Kipfel eines Baumes gebunden hat«, gab Iza zurück.

»Wie konnte sie sich davon verführen lassen – gegen das Clan-Gebot!« entgegnete Creb verächtlich.

»Das war es nicht allein, Creb. Auch du hast dazu beigetragen.«

»Ich?« Der Mog-ur fuhr auf, als hätte ihn ein Skorpion gebissen. »Mit dieser Unbotmäßigkeit habe ich nicht das geringste zu tun!«

»Ich meine nicht, daß du etwas getan hast, Creb. Ich meine, daß du auch so bist. Auch du wurdest mit einer Ungestalt geboren, aber du durftest dein Leben behalten. Und jetzt bist du der Mog-ur.«

Was Izas Hände ihm da erklärten, machte den alten Zauberer tief betroffen. Er wußte um das glückliche Geschick, das ihn begünstigt hatte, doch noch vom Clan-Führer angenommen zu werden. Nur Glück hatte dem mächtigsten Magier aller Clans das Leben erhalten. Die Mutter seiner Mutter hatte ihm einst bedeutet, daß es wirklich wundersam gewesen war. Wollte auch Ayla jetzt ein Wunder für ihren Sohn? Doch niemals würde sie Brun zwingen können, ihren Sohn anzunehmen und dabei selbst am Leben zu bleiben; es sei denn, er wünschte es selbst und würde so entscheiden.

»Und du, Iza? Hast du sie nicht gewarnt, daß ihr Tun gegen das Clan-Gebot verstößt?«

»Ich habe sie beschworen, nicht zu gehen. Ich habe ihr angeboten, das Kind wegzuschaffen, wenn sie es nicht selbst tun könnte. Danach hat sie mich nicht einmal mehr in die Nähe des Kleinen gelassen. Ach, Creb, sie hat so viel um ihn gelitten.«

»Und da hast du sie einfach gehen lassen, leichtsinnig hoffend, es würde ihr schon nichts geschehen? Warum bist du nicht gleich zu mir gekommen oder zu Brun?«

Iza senkte stumm den Kopf. Creb hatte recht. Sie hätte es ihn wissen lassen sollen. Nun wird auch Ayla sterben, nicht nur ihr Kind.

»Wohin ist sie gegangen, Iza?« Crebs Auge war hart wie Stein.

»Ich weiß es nicht. Sie sprach von einer kleinen Höhle«, gab Iza voller Angst zurück.

Hastig wandte sich der Mog-ur ab und humpelte hinüber zum Wohnkreis des Clan-Führers.

Das Schreien des Kindes weckte Ayla schließlich aus ihrem Schlaf. Es war finster in der kleinen Höhle und feucht und kalt ohne Feuer. Blindlings zerwühlte sie den Sammelkorb nach einer frischen Binde, auf daß es ihr wohler würde zwischen den Beinen, und trockenem Pelzwerk für das Kind. Nachdem sie etwas Wasser getrunken hatte, hüllte sie sich fest in ihren Schlafpelz, legte sich wieder nieder und gab ihrem Sohn die Brust.

Als Ayla das nächste Mal erwachte, tanzten Sonnenlichtkringel auf der riesigen Felswand, und sie rieb sich die Augen, ob das auch wahr wäre und nicht nur freundliche Nebel im Kopf. Gierig verschlang sie den mitgebrachten Verzehr.

Durch Schlaf und Speise erholt, setzte Ayla sich auf und drückte das Kind an sich. Ich brauche Holz für uns, dachte sie, und der Verzehr wird auch nicht lange reichen. Ich brauche mehr. Sie schaute zum Einschlupf. Es müßten schon Luzerne sprießen und auch neuer Klee und frische Wickentriebe. Im Ahorn steigt jetzt neuer Saft auf und macht die innere Rinde süß. Nein, Ahorn wächst hier oben nicht. Aber es gibt Birken und Föhren. Meine Schleuder habe ich ja mitgenommen. Hörnchen, Biber und Kaninchen, aufgepaßt!

Eine ganze Weile gab sich Ayla ihren Träumen von Streifzügen durch das auflebende Land hin. Sie hielt sich an der Felswand fest und ließ den Kopf sinken. An ihren Beinen klebten dunkelrote Krusten, der Umhang war befleckt und eingerissen. Schnell wurde ihr klar, daß ihre Lage verzweifelt war.

Als sie wieder sicher gehen konnte, beschloß Ayla, sich zu säubern und Holz zu sammeln, wußte aber nicht, was so lange mit dem Kind geschehen sollte. Sollte sie es mit sich nehmen oder hier in der Höhle weiter schlafen lassen? Die Clan-Frauen ließen ihre kleinen Kinder niemals unbewacht. Ayla zog sich das Herz zusammen bei dem Gedanken, ihren Sohn alleine zu lassen. Doch sie mußte fort, sich reinigen und mehr Wasser holen; und ohne ihn konnte sie mehr Holz tragen.

Vorsichtig spähte sie durch das Astgewirr nach draußen. Dann drückte sie die Zweige auseinander und zwängte sich aus der Höhle. Die Erde war feucht und weich, am Bach glitschiger Schlamm. Wo es schattig war, glitzerte noch Schnee. Ayla fröstelte im kalten Wind, der Regenwolken vor sich her trieb. Zitternd zog sie sich aus und watete in den kalten Bach.

Die Umhänge waren klamm und wärmten nicht, als sie sie wieder überzog.

Mit Mühe erreichte Ayla den Wald, der ihre Wiese umgab, und riß an den dürren Ästen einer Föhre. Doch Schwindel fielen wieder über sie her, ihre Knie wurden weich und ihre Rechte griff hilflos in der Luft herum und suchte einen Halt. In ihrem Kopf hämmerte das Blut durch die Adern. Alle Entschlossenheit, Holz und Nährendes zu suchen, versank in einem Schwächewirbel.

Das Kind schrie, als sie sich zur Höhle zurückschleppte. Sie hob es auf und drückte es an sich. Dann fiel ihr das Behältnis ein, das sie am Bach hatte liegen lassen. Sie brauchte doch Wasser! Hastig legte sie ihren Sohn wieder hin und schleppte sich nochmals aus der Höhle. Die ersten schweren Tropfen fielen. Als sie zurück war, stellte sie das Behältnis in die Ecke, sank erschöpft in sich zusammen und zog den feuchten, schweren Pelz über sich und das Kind.

»Habe ich dir nicht ständig vorgehalten, daß sie aufsässig und eigensinnig ist?« machte Broud geltend und sah Brun triumphierend an. »Hat auch nur einer mir geglaubt? Nein. Alle haben sich auf ihre Seite geschlagen, haben sich ihrem Eigensinn gebeugt und sogar zugelassen, daß sie jagen geht wie ein Mann. Mag ihr Totem noch so stark und mächtig sein; es verstößt gegen das Gebot, daß eine Frau jagt. Nicht der Höhlenlöwe hat ihr diesen Weg gewiesen. Ihr Trotz hat sie diesen Weg geführt. Siehst du nun, Brun, was geschieht, wenn du einer Frau ihren Willen läßt? Siehst du nun, was geschieht, wenn du zu milde bist? Sie glaubt nun wahrlich, sie könnte dem Clan ihren mißgeburtigen Sohn aufzwingen. Aber diesmal darf es keine Milde geben. Sie hat gegen das Gebot aller Clans verstoßen. Willentlich.«

Endlich sah Broud sich gerechtfertigt. Mit erbarmungsloser Härte hielt er Aylas Tun dem Clan-Führer vor Augen, und dem tat es weh.

»Du hast mir sehr deutlich gezeigt, wie du alles siehst, Broud«, stellte dieser klar. »Doch es ist nicht nötig, daß du immer wieder in dieselbe Kerbe schlägst. Ich nehme mir Ayla vor, wenn sie zurückkommt. Keine Frau hat mich je gezwungen, daß ich gegen meinen Willen handle. Und das werde ich auch jetzt nicht zulassen. Wenn diese Nacht vergangen ist, suchen wir weiter«, bestimmte Brun und schaute die Männer an, die um ihn versammelt waren. »Wir suchen an solchen Orten, die uns wenig vertraut sind. Creb hat angedeutet, daß Ayla zu einer kleinen Höhle wollte. Gibt es einen unter euch, der eine kleine Höhle hier gesehen hat? Allzu weit kann sie doch nicht sein. Ayla war zu schwach, um weiter fort zu gehen. Wir wollen die Ebene und die Wälder außer acht lassen und nur dort suchen, wo es Höhlen gibt. Zwar hat der Regen ihre Spur verdorben, aber laßt uns so lange suchen, bis sie gefunden ist.«

Beklommen wartete Iza, bis die Männer auseinander gegangen waren. All ihren Mut hatte sie zusammengerafft und beschlossen, sich Brun mitzuteilen. Als sie die Männer sich erheben sah, kam sie mit gesenktem Kopf an die Feuerstätte des Clanführers und hockte sich zu seinen Füßen nieder.

»Was willst du, Iza?« fragte Brun.

»Ich wünsche, daß mich der Clan-Führer anhört«, bedeutete ihm die Medizinfrau.

»Du magst sprechen.«

»Ich habe nicht recht getan, daß ich den Clan-Führer überging und ihn nicht wissen ließ, was Ayla vorhatte.« Iza ließ alle Form beiseite, als ihre Gefühle sie überwältigten. »Aber, Brun, sie verlangte so brennend nach einem Kind. Keiner glaubte, sie würde je eines kriegen. Selbst sie nicht. Wie konnte nur der Geist des Höhlenlöwen bezwungen werden? Ihr Herz war voller Freude. Sie litt, aber klagte nie. Als das Kind dann endlich kam, wäre sie fast wieder ins Jenseitige gegangen, Brun. Nur weil sie das Kind haben wollte, hatte sie die Kraft, bis zum Ende durchzuhalten. Sie brachte es nicht übers Herz, ihren Sohn wegzuschaffen, auch wenn er mißgestaltet ist. Sie war sicher, nie wieder ein Kind gebären zu können. Sie war außer sich vor Schrecken und Schmerz und deshalb nicht mehr klar im Kopf und wußte nicht, was sie da tat. Brun«, flehte Iza ihren Bruder an, »ich bitte dich, laß ihr das Leben.«

»Warum bist du nicht früher zu mir gekommen, Iza? Wenn du jetzt glaubst, es hilft, um ihr Leben zu bitten, warum bist du nicht gleich gekommen? War ich so hart zu ihr? Meine Augen hatten sich ihrem Leiden nicht verschlossen. Es gibt keinen hier im Clan, der nicht um die Schmerzen weiß, die Ayla erlitten hat, um ihrem Sohn in die Welt zu helfen. Bin ich für dich ein Mann mit einem Herzen aus Stein? Traust du mir nicht zu, daß ich alles in Betracht ziehen würde, wenn du mir zur rechten Zeit bedeutet hättest, wie ihr zumute war? Ich hätte mir das Kind angesehen. Ich hätte ihm vielleicht das Leben gelassen, wenn es nicht allzu krüppelig gewesen wäre. Obwohl Ayla keinen Gefährten hat. Aber du glaubtest schon von vornherein zu wissen, was ich tun würde, Iza.«

Schwer ließ Brun die Hände sinken, schaute seine Schwester durchdringend an und teilte ihr mit, was er sie schon lange hatte wissen lassen wollen. Nie hätte sie ihre Pflichten vernachlässigt. Stets wäre sie den anderen Frauen zum Vorbild gewesen, und nur in ihrer Krankheit könne er den Ursprung ihres ungewöhnlichen Betragens sehen. Er wisse, machte Brun, und in seinen Augen leuchtete es warm auf, daß sie krank sei, auch wenn sie sich mühe, es zu verbergen. Er habe mit keinem darüber geredet – wie sie es gewollt hätte. Doch hätte er schon vor dem ersten Schnee gefürchtet, Iza würde in das Reich der Toten hinübergehen. Er wisse auch, daß Ayla glaube, nie wieder gebären zu können. Und auch er habe gesehen, wie sie ihr Selbst zurückstellte, als Iza krank gewesen sei. Wie die junge Frau sie wieder habe gesunden lassen, sei ihm ein Geheimnis. Es könne der Mog-ur sein, der die Geister beschwichtigte, die sie zu sich holen wollten; aber der Mog-ur allein sei es nicht gewesen. Er, Brun, hätte sich bereitgefunden, Crebs Bitte entgegenzukommen und Ayla in den Rang der Medizinfrau zu erheben. Er habe gelernt, sie zu achten, so wie er Iza achtete. Sie habe sich stets fügsam und gehorsam gezeigt, trotz der Drangsal, die sie durch Broud zu erdulden hatte. Sie, Iza, müsse wissen, daß er auch davor seine Augen nicht verschließe. Es wäre Brouds nicht würdig, zu glauben, sich mit einer Frau messen zu müssen. Er sei ein tapferer und kühner Jäger und brauche sich von keiner Frau bedroht zu fühlen. Doch, und Brun zog jetzt die Stirn in tiefe Falten, vielleicht habe der Sohn etwas wahrgenommen an ihr, das er übersehen hätte. Vielleicht habe Broud schärfere

Augen; vielleicht sei er Ayla gegenüber wirklich blind gewesen. Wäre Iza früher gekommen, so hätte er ihre Bitte wohlwollend prüfen können. Jetzt aber sei es zu spät. Wenn Ayla nach den bemessenen Tagen zurückkehrte, würden sie und ihr Sohn sterben.

Am zweiten Tag versuchte Ayla, ein Feuer zu machen. In der Höhle lagen noch einige dürre Äste. Sie zwirbelte zwischen ihren Handflächen den Stock, hatte aber – zum Glück – nicht die Kraft, so lange zu drehen, bis das Holz zu schwelen anfing.

Denn Droog und Crug hatten zur Bergwiese hinaufgefunden, während sie und das Kind schliefen. Sie hätten den Rauch gerochen und sie gefunden. So aber gingen die Jäger ahnungslos an der Höhle vorüber. Hätte das Kind auch nur im Schlaf gewimmert, ihre Ohren hätten es gehört. Doch alles war still, und der Einschlupf auch nicht für das schärfste Auge zu sehen.

Und noch einmal stand ihr das Glück zur Seite. Der milde Nieselregen, der beständig aus einem düsteren Himmel herabfiel und die Wiese in einen schmatzenden Sumpf verwandelt hatte, löschte alle Spuren aus. Die Augen der Jäger waren so geübt, daß sie den Fußabdruck eines jeden vom Clan erkennen konnten, und sofort hätten sie abgebrochene Äste entdeckt oder frisch aufgestocherte Erde, aus der Knollen oder Wurzeln geborgen worden waren. Doch Ayla war zu schwach gewesen, um solche zu sammeln.

Als Ayla später hinausging, um zu trinken, und in der Nähe der Quelle, wo die Männer angehalten hatten, die Fußspuren sah, stockte ihr der Atem. Und von da an wollte sie fast nicht mehr aus der Höhle gehen. Bei jedem Windstoß, der das Gebüsch vor dem Einschlupf schüttelte, fuhr sie zusammen und gefror vor Angst.

Der Verzehr, den sie mitgebracht hatte, war zur Neige gegangen. Sie durchwühlte die Körbe, die noch vom Winter her in der Ecke standen; nichts außer Nüssen und Hörnchenkot.

Dann aber kam ihr der Steinbau in den Kopf, unter dem sie – im hintersten Winkel – damals das gedörrte Fleisch gelagert hatte. So schnell es ging, lief sie nach hinten und nahm die

Steine weg. Das Fleisch in der Grube war noch unberührt und gut. Erleichtert seufzte Ayla auf. Doch plötzlich knackten die Zweige am Einschlupf. Wie sie erschreckt den Kopf in diese Richtung wandte, sah Ayla, daß das Gesträuch sich auseinandertat.

»Uba!« rief sie entgeistert, als das Mädchen sich in die Höhle zwängte. »Wie hast du mich gefunden?« fragte sie bestürzt.

»Ich bin dir gefolgt an dem Tag, an dem du fortgingst, Ayla. Ich hatte Angst, dir würde etwas zustoßen. Ich habe Nährendes mit herauf gebracht.«

»Weiß Iza, wo ich bin?«

»Nein. Aber sie ahnt, daß ich es weiß. Sie will es nicht wissen, weil sie es dann Brun offenbaren muß. Ach, Ayla, Brun ist voller Zorn gegen dich. Jeden Tag haben die Männer nach dir gesucht.«

»Ich sah ihre Spur an der Quelle, aber sie haben die Höhle nicht gefunden«, antwortete Ayla.

»Broud stolziert umher und verkündet allen, er hätte immer gewußt, wie schlecht du bist. Creb habe ich kaum zu Gesicht bekommen, seit du uns verlassen hast. Er hockt den ganzen Tag über in der Zauberhöhle, und Mutter zittert vor Angst und Sorge um dich. Sie rät dir, nicht zurückzukommen«, berichtete Uba mit lebhafter Gebärde.

»Wie kannst du wissen, daß sie mir rät, nicht zurückzukommen, wenn sie dir nichts gedeutet hat?« wollte Ayla wissen.

»Sie hat schon gestern abend und auch heute früh mehr Nahrung zubereitet als sonst. Nicht zuviel – ich glaube, sie hatte Angst, Creb würde ahnen, daß es für dich ist –, aber sie hat ihren Teil nicht gegessen. Später hat sie einen Trank bereitet, und dann begann sie mit den Händen zu klagen, als spräche sie mit sich selbst. Aber sie hat mich dabei angesehen. Ayla darf nicht zurückkommen, klagte sie. Niemals. Das arme Kind, sie hat nichts Nährendes, sie ist so schwach und ohne Kraft. Sie muß ihr Kind versorgen. So machte sie, und dann ging sie fort. Ich dachte mir, daß sie wollte, daß ich es dir brächte.«

Uba schaute sich aufmerksam in der Höhle um. Dann fuhr

sie fort: »Iza muß gesehen haben, daß ich dir folgte. Es hat mich verwundert, daß sie mich nicht schalt für mein spätes Heimkommen. Brun und Creb zürnen ihr, weil sie ihnen nicht mitgeteilt hat, daß du dich verstecken wolltest. Wenn sie ahnten, daß Mutter einen Weg zu dir kennt – ich weiß nicht, was sie tun würden. Aber keiner hat mich gefragt. Keiner achtet auf ein Kind. Ayla, ich weiß, daß ich Creb offenbaren müßte, wo du bist, aber ich will nicht, daß Brun dich verflucht, ich will nicht, daß du sterben mußt.«

Ayla spürte den angstvollen Schlag ihres Herzens. Was habe ich denn getan? Als sie gedroht hatte, den Clan zu verlassen, hatte sie sich nicht klargemacht, wie schwach sie noch war, wie schwierig es sein würde, allein mit einem Kind zu überleben. Sie hatte sich darauf verlassen, am Tag der Benamsung zurückkehren zu können. Was soll ich denn jetzt tun? Sie hob ihr Kind von der Erde auf und drückte es an sich. Ich kann dich doch nicht wegschaffen?

Zärtlich blickte Uba auf die junge Frau.

»Ayla«, begann sie zaghaft. »Darf ich ihn sehen? Ich habe dein Kind nie gesehen.«

»Aber ja, Uba! Hier, du sollst ihn sehen«, bedeutete Ayla.

Die junge Frau legte ihr das Kind in den Schoß. Uba begann, es aus seiner Umhüllung zu schälen.

»Er sieht heil aus, Ayla. Er ist nicht so verkrüppelt wie Creb. Er ist ein bißchen dünn, aber anders ist nur sein Kopf. Und doch sieht er nicht so andersartig aus wie du. Keiner im Clan sieht so aus wie du.«

»Das kommt, weil ich nicht im Clan geboren wurde«, gab Ayla zurück. »Iza fand mich, als ich ein kleines Mädchen war. Von ihr weiß ich, daß ich den anderen geboren wurde. Aber jetzt gehöre ich zum Clan.«

»Verlangt dein Herz nie nach deiner eigenen Mutter?« wollte Uba wissen.

Ayla strich sich die verklebten sonnenhellen Strähnen aus der Stirn und machte wieder die Kerbe in die Nasenwurzel.

»Ich kenne keine andere Mutter als Iza«, gab sie zurück. »Ich weiß nichts von jenem Tag, als ich noch nicht zum Clan gehörte.« Doch plötzlich erbleichte sie. »Uba, wohin soll ich denn gehen, wenn ich jetzt nicht mehr zurück kann? Mit wem soll ich leben? Iza und Creb werde ich wohl niemals wiedersehen. Und heute ist der letzte Tag, an dem du bei mir bist. Aber, glaube mir, ich wußte nicht, was ich hätte sonst tun sollen. Ich konnte doch mein Kind nicht sterben lassen.«

Uba griff nach der Hand der jungen Frau und streichelte sie sacht.

»Ich weiß nicht, Ayla. Mutter sagt, Brun wird das Gesicht verlieren, wenn du ihn zwingst, deinen Sohn anzunehmen. Darum ist er so zornig. Wenn eine Frau einen Mann zwingt, etwas zu tun, was er nicht tun will oder nicht von sich aus zu tun bereit ist, dann achten die anderen Männer ihn nicht mehr. Selbst wenn er dich verflucht, verliert er das Gesicht, weil du ihn genötigt hast, dies gegen seinen Willen zu tun. Ich wollte nicht, daß du weggehst von uns, Ayla, aber wenn du zurückkehrst, mußt du sterben.«

Verstört starrte die junge Frau in das gequälte Gesicht des Mädchens. Als ob sie sich gleichzeitig trösten wollten, streckten beide weit die Arme aus, umfingen sich und hielten einander fest.

»Du mußt gehen, Uba«, bedeutete Ayla schließlich. »Komm, mach dich wieder auf den Weg, sonst ziehst auch du den Zorn der Männer auf dich.«

Das Mädchen gab den kleinen Säuger wieder der Mutter zurück und stand auf.

»Uba«, rief Ayla, als diese schon den Haselstrauch auseinanderdrücken wollte. »Es hat mir sehr geholfen, daß du heraufgekommen bist. So habe ich dich wenigstens noch einmal sehen können. Laß Iza wissen, daß ich sie liebe.« Ihre Augen begannen zu tränen. »Und Creb auch.«

»Ja, Ayla.« Das Mädchen nickte und schlüpfte hastig durch die Büsche.

Als Uba fort war, packte Ayla das Bündel mit dem Verzehr aus, das diese mitgebracht hatte. Viel war es nicht, doch zusammen mit dem Dörrfleisch würde es für ein paar Tage reichen.

Aber was dann? Sie konnte einfach keinen klaren Gedanken fassen. Ihr war, als würde sie immer tiefer in den Schlund schwarzer Verzweiflung hineingezogen. Was sie vorgehabt hatte, war gescheitert. Nicht nur das Leben ihres

Kindes, sondern auch ihr eigenes war aufs äußerste gefährdet. Sie kaute, ohne etwas zu schmecken, und trank von dem Gebräu, das Uba ihr gebracht hatte. Dann legte sie sich mit dem Kind in den Armen wieder nieder und glitt in einen hilfreichen Schlaf, der für eine Weile alles Schlimme vergessen machte.

Es war Nacht, als Ayla wieder die Augen aufschlug und den letzten Rest des Izaschen Tranks hinunterstürzte. Jetzt gleich, solange es finster war und keine Gefahr drohte, von den Männern aufgespürt zu werden, wollte sie gehen und sich frisches Wasser holen. Fuß um Fuß tappte sie in der Finsternis umher, bis sie die verästelten Umrisse der Haselnuß entdeckte, die sich schwarz von dem bläulichen Dunkel draußen im Freien abhob. Eilig huschte sie hinaus.

Ein schmales Mondgesicht, das sich immer wieder mürrisch hinter dahinjagenden Wolken verkroch, gab wenig Licht; doch nach einer Weile konnten Aylas Augen Bäume erkennen, die sich geisterhaft aus dem trüben Schimmer der Nacht heraushoben. Im Quellwasser, das, leise vor sich hin murmelnd, über Felsen und Gestein sprang, betrachtete sich das Mondgesicht, verzog sich dort jedoch zu einer breiten unruhigen Fratze. Ayla war immer noch schwach, aber ihr wurde nicht mehr schwindlig, wenn sie aufstand, und das Gehen bereitete nicht mehr so starke Schmerzen.

Erdlingsaugen sahen sie nicht, als sich Ayla zur Quelle hinunterneigte, doch andere Augen waren auf sie gerichtet. Nächtliches Raubgetier und dessen Opfer tranken an derselben Quelle wie die junge Frau. Nie wieder – seit sie vor langer Zeit allein und schutzlos durch die Wildnis gewandert war – war Ayla so angreifbar gewesen; nicht so sehr ihres Körpers wegen als vielmehr wegen ihres unbedachten Sichbewegens. Sie dachte an vieles, nur nicht ans Überleben. Ihre Gedanken waren nach innen gekehrt. Für ein reißendes Tier wäre sie leichte Beute gewesen. Doch hier oben hatte Ayla unter den Vierbeinern sich Achtung verschafft. Schnell fliegende Steine, nicht immer tödlich, aber stets schmerzhaft, hatten die Vorsicht gelehrt.

»Es muß doch irgendeine Spur von ihr geben«, forderte Brun

zornig. »Wenn sie Nahrung mitgenommen hat, so kann es nicht viel gewesen sein und wird auch nicht lange reichen. Dann muß sie aus ihrem Versteck heraus. Jeder Ort, der abgesucht wurde, ist nochmals in Augenschein zu nehmen. Wenn sie tot ist, so will ich es wissen. Sie muß vor dem Tag der Benamsung gefunden werden. Und wenn nicht, so werde ich nicht zum Miething des Groß-Clans ziehen.«

»Jetzt hindert sie uns noch, das große Treffen zu besuchen«, höhnte Broud mit wilder Gebärde. »Warum wurde sie überhaupt in den Clan aufgenommen? Sie ist und bleibt doch eine von den anderen. Wäre ich Clan-Führer, ich hätte sie niemals aufgenommen. Wäre ich Clan-Führer ich hätte Iza niemals erlaubt, diesen widerlichen Findling mitzunehmen. Warum kann denn keiner von euch sie so sehen, wie sie wirklich ist? Nur ich! Schon immer hat sie gegen die Clan-Gebote gehandelt, und immer wieder ist sie ungestraft davongekommen. Hat einer sie je daran gehindert, Getier in die Höhle zu bringen? Hat einer sie je daran gehindert, allein umherzuziehen, wie das einer guten Clan-Frau niemals in den Kopf gekommen wäre? Es ist beileibe nicht wundersam, daß sie uns klammheimlich wie ein reißendes Tier belauert hat, als wir uns mit den Waffen übten. Und was begab sich, als sie mit der Schleuder in der Hand ertappt wurde? Man belegte sie mit einem Todesfluch, der nur bemessen war. Und als sie wiederkehrte, wurde ihr auch noch das Jagen erlaubt. Eine Frau, die jagt! Seht ihr denn nicht, ihr Blindläufigen, wie die anderen Clans diesen Frevel aufnehmen werden? Es kommt doch nicht von ungefähr, daß wir nicht zum Miething des Groß-Clans ziehen werden. Muß man sich denn da noch wundern, wenn sie glaubte, sie könnte uns, dem Clan des Bären, ihren Sohn aufzwingen?«

Broud war aufgesprungen und hin und her gerannt, als wenn er einen Jagdtanz zeigen wollte. Mit scharfen, harten und fast würgenden Bewegungen hatte er den Männern Ayla geschildert und wie sie den Clan immer mehr ins Unglück stürzen würde. Ein Jagdtanz war das wahrlich nicht gewesen, hatte aber viel mit Jagd zu tun – auf Ayla.

Wie aus Stein gehauen war Brun die ganze Zeit dagesessen; hielt die Arme auf der Brust verschränkt und starrte ins

Feuer, das, wäre sein Blick ein Wasserstrahl gewesen, zischend und fauchend hätte erlöschen müssen. Dann schaute er dem jungen Jäger ins Gesicht.

»Broud, das alles hast du uns schon viele Male dargetan«, meißelte seine Hand in den Flammenschein. »Ihr Ungehorsam wird gesühnt werden.«

Die lästige Unerbittlichkeit, mit der Broud immer wieder davon anfing, zerrte nicht nur an der Nerven des Clan-Führers; sie begann so nach und nach dessen Selbstsicherheit empfindlich zu erschüttern. Und Brun fing an zu zweifeln, ob das, was er entschieden hatte und noch entscheiden würde, im Einklang mit dem Clan-Brauch sei. Nährboden für seine Entscheidungen war das Überlieferte. Und doch hatte er, wie Broud ihm erbarmungslos vorhielt, Ayla einen Verstoß nach dem anderen durchgehen lassen; sie hatte ihn dazu gebracht, sich von eben diesem gesicherten Grund zu entfernen. Er hatte sich schon auf ein Gebiet begeben, das seine Füße nicht kannten und in das zu folgen seine Männer sich zunehmend sträubten.

Denn Brouds beständiges Bohren ließ auch die anderen Jäger nicht unberührt. Die meisten waren nun überzeugt, daß Ayla sie getäuscht und verblendet hatte und daß es Broud war, der sie durchschauen konnte. Und war Brun nicht in der Nähe, so enthielt sich Broud auch nicht der abwertenden Andeutungen, dieser wäre doch jetzt wirklich zu alt, den Clan des Bären länger zu führen. Brun spürte, wie die Männer ihm langsam die Achtung entzogen.

Ayla verließ die Höhle nur noch, wenn sie Wasser brauchte. In Felle und Pelze gehüllt, war ihr auch ohne Feuer warm genug. Die Nahrung, die Uba gebracht hatte, und das zähe Dörrfleisch reichten ihr. So brauchte sie nicht hinaus und Kräuter und Pflanzen sammeln oder auch zu jagen. So blieb ihr Zeit, sich auszuruhen und wieder Kräfte zu gewinnen. Bald schlief sie auch nicht mehr so viel, was ihr jedoch nicht unbedingt zur Freude gereichte. Lag sie nämlich wach in der Fellmulde, so wurde sie wieder und wieder von schlimmen Bildern gequält, die sich in ihren Kopf drängten, wenn sie an das Zukünftige dachte. Im Schlaf wenigstens konnte sie die Zukunft fliehen.

Zögernd gewärmt von der Nachmittagssonne, die ab und zu hinter rasch dahinfliegenden Wolken verschwand, hockte Ayla nahe am Einschlupf und hielt ihr schlafendes Kind in den Armen. Sie blickte auf den Sohn hinunter und drehte sachte seinen Kopf zur Seite.

Ja, du siehst anders aus, dachte Ayla. Du siehst wirklich anders aus, aber nicht ganz so anders wie ich. Ayla stellte sich ihr eigenes Gesicht vor, so wie sie es einst im Wasserspiegel hatte schimmern sehen.

Sie musterte ihr Kind, das sie mit dem Bild von sich verglich. Ja, nickte sie, so wölbt sich auch meine Stirn, hob die Hand und fuhr bei sich die hohe Wölbung nach, vom Haaransatz zur Nasenwurzel, dann über den Grat der Nase hinweg zum Mund bis ans Kinn. Und diesen Auswuchs unter dem Mund, den habe ich auch. Aber er hat die dicken Wülste über den Augen, die mir fehlen. Die Clan-Leute aber haben sie alle. Wenn ich anders aussehe, warum sollte er dann nicht auch anders aussehen? Er muß doch so sein wie ich, denn er ist von mir. Er sieht zwar aus wie ich, aber er sieht auch aus wie ein Erdling. Ich wurde den anderen geboren, und mein Kind wurde dem Clan geboren. Er hat etwas von beiden.

Glaube ja nicht, daß du mißgestaltet bist, mein Kind, nickte sie ihm zu. Wenn du mir und dem Clan geboren wurdest, dann mußt du von mir und dem Clan etwas mitbekommen haben. Wenn die Geister sich nämlich vermischten, dann muß das an dir sichtbar sein. So sieht's auch aus, und es ist richtig, daß du so aussiehst. Aber wessen Totem hat den Lebenskeim für dich gelegt? Welches auch immer es war, ihm muß beigestanden worden sein. Niemand von den Männern hat ein Totem, das stärker ist als meines. Nur Creb. Ayla mußte lächeln bei dem Gedanken. Hat der Große Bär dich zum Leben erweckt, mein Sohn? Ich lebe an Crebs Feuerstätte. Nein, das gibt es nicht. Denn niemals erlaubte der Höhlenbär einer Frau, daß sie sich seinen Geist einverleibte. Aber wenn es nicht Creb war, wer war es dann? Wer war in meiner Nähe? Angestrengt dachte Ayla nach.

Brouds hämisches Grinsen tauchte plötzlich vor ihr auf. Nein! Ungestüm dachte sie ihn weg. Nicht dieser Widerling. Sein Totem hat mein Kind nicht ins Leben gerufen. Sie schüttelte sich und verzog angeekelt den schrundigen Mund. Ich hasse ihn. Wie gern hätte ich geschlagen, gekratzt und gebissen. Doch das darf eine Frau nicht, wenn der Mann sie nimmt, obwohl sie nicht will. Rasch hob Ayla die Hand und führte sie zu ihrem Amulett am Hals und bat ihr Totem, sie vor Brouds gemeinem Geschlecht zu schützen. Dann ließ sie die Hand sinken und dachte an dessen Gefährtin. Wie hält Oga es nur aus mit ihm? Und die anderen Frauen? Warum müssen die Männer gerade da ihr Geschlecht hineinstoßen, woraus geboren wird? Da hat es doch nichts zu suchen, das ist den Kindern vorbehalten, dachte Ayla zornig und empört.

Doch plötzlich ging ihr ein seltsamer Gedanke durch den Kopf. Wenn es dort doch etwas zu suchen hätte? Wäre es möglich, daß das männliche Geschlecht mithilft, ein Kind ins Leben zu bringen? Nur Frauen können Kinder kriegen, aber sie bekommen Mädchen und Jungen, überlegte sie. Wäre es möglich, daß es das männliche Geschlecht dort hindrängt, woraus Kinder geboren werden, und dort den Samen legt? Wäre es also möglich, daß es nicht der Geist des Totems eines Mannes ist? Und würde dann das Kind nicht auch dem Mann gehören? Wieder hatte Ayla die Kerbe in der Nasenwurzel. Ich habe nie gesehen, daß die Frau einen Geist schluckt, wie immer gesagt wird. Doch ich habe oft erlebt, wie das männliche Geschlecht von ihr Besitz ergreift. Und keiner glaubte, daß ich je ein Kind haben würde – nur, weil mein Totem so stark ist. Und doch habe ich ein Kind bekommen, und sein Anfang liegt in jenen Tagen, als ich Brouds Lust zu ertragen hatte.

Nein! Entsetzt wies Ayla diesen Gedanken zurück. Denn dann würde das Kind auch Broud gehören. Creb hatte recht. Er hat immer recht. Ich habe einen Geist geschluckt, der mit meinem Totem kämpfte und es bezwang. Doch vielleicht war es nicht nur ein Geist; vielleicht waren es die Geister der Totems aller Clan-Männer. Mit einer wilden Bewegung drückte sie das Kind an sich. Du bist mein Sohn, nicht der von Broud. Das Kind, geweckt durch den raschen Ruck, begann zu schreien. Ayla wiegte es sachte hin und her, bis es sich beruhigt hatte und weiterschlief.

Vielleicht wußte mein Schutzgeist, wie groß mein Wunsch

nach einem Kind war und ließ sich deshalb bezwingen. Doch wieso hätte mein Totem zulassen sollen, daß ich ein Kind kriege, wenn es wußte, daß es würde sterben müssen? Ein Kind, in dem etwas von mir ist und etwas von den Clan-Leuten, wird eben anders aussehen als sie und ich, aber beiden ähnlich. Sie werden immer sagen, daß mein Kind mißgestaltet ist. Selbst wenn ich einen Gefährten hätte, es würde sich nichts daran ändern. Ich werde es nicht behalten können; es wird sterben müssen. Wir werden beide sterben, du und ich, mein Sohn.

Ayla hielt das Kind an sich gedrückt und wiegte es leise summend in den Armen, während ihr die Tränen über das Gesicht liefen. Was soll ich tun? Verzweifelt blickte sie in der Höhle umher und auf das schlafende Kind in ihren Armen. Wenn ich an deinem Namenstag wiederkehre, mein Kind, dann wird Brun mich verfluchen. Iza läßt mir raten, nicht zum Clan zurückzukehren; aber wohin denn sonst? Zum Jagen bin ich noch nicht kräftig genug; und selbst wenn, was würde ich mit dir solange tun? Mitnehmen könnte ich dich nicht. Du würdest vielleicht schreien und die Tiere warnen. Aber dich allein lassen, wäre niemals möglich. Vielleicht brauche ich gar nicht auf die Jagd zu gehen. Ich kann ja Pflanzen und Kräuter sammeln. Womit aber Umhänge, Schlaffelle und Fußhüllen machen?

Und wo soll ich eine Höhle finden, in der wir leben können. Hier kann ich doch nicht bleiben. Die hier ist zu nahe beim Clan; früher oder später würden die Männer mich finden. Gut, ich könnte fortgehen; aber möglich wäre es, daß keine Höhle zu finden ist und die Männer meine Spur entdecken und mich zurückbringen. Und selbst wenn ich eine fände und genug Nährendes ansammeln könnte, um uns beide über die lange Tage der Kältnis und des Schnees zu helfen, wir wären immer allein. Du brauchst noch andere um dich, mein Kleiner, nicht nur mich. Mit wem willst du spielen? Wer würde dich das Jagen lehren? Und was sollte aus dir werden, wenn mir etwas zustößt? Du wärst allein; so ganz allein, wie ich es war, ehe Iza mich fand.

Aber du sollst nicht allein sein, und ich will es auch nicht. Ich will zur Höhle des Clans. Ayla schluchzte und vergrub ihren Kopf in den Händen. Ich will Uba wiedersehen und Creb. Ich will zu Iza. Aber kann ich zurück? Brun zürnt mir, und er wird mich verfluchen. Ich wußte wirklich nicht, was ich ihm antat, als ich ging. Und wollte doch nur, daß du nicht sterben mußt, mein Kind. Brun war so gut zu mir; er ließ mich jagen. Und wenn er sich nicht gezwungen sähe, dich anzunehmen? Wenn ich ihn anflehte, dich am Leben zu lassen? Und wenn ich jetzt zurückkehrte, dann würde er sein Gesicht wohl nicht verlieren. Noch ist es Zeit; noch fehlen zwei Finger bis zu deinem Namenstag.

Und wenn ich seinen Zorn nicht zu besänftigen vermag? Und wenn er ablehnt? Wenn sie mir dich doch wegnehmen? Dann will ich nicht mehr leben. Wenn du sterben mußt, dann will ich's auch. Wenn ich zurück bin und Brun befiehlt, dich zu töten, dann will ich ihn bitten, mich zu verfluchen. Ich werde mit dir gehen ins Totenreich. Aber vorher laufe ich zu Brun und flehe ihn an, dich mir zu lassen.

Flinkhändig warf Ayla ihre Sachen in den Sammelkorb. Sie hüllte das Kind in das Tragfell und zog den Pelzumhang fest um sich. Sie ging zum Einschlupf und bog die schützenden Zweige auseinander. Als sie ins Freie kam, fiel ihr Blick auf einen grauen Stein zu ihren Füßen, in dem sich glitzernd das Sonnenlicht fing. Sie hob ihn auf und drehte ihn in der Hand, so daß er funkelte. Häufig schon war sie hier aus- und eingekrochen und hatte diesen Stein stets übersehen.

Fest schloß Ayla ihre Hand darum und machte die Augen zu. Kann dies ein Zeichen sein? Ein Zeichen, das mir mein Totem gesandt hat?

»Großer Höhlenlöwe«, machte sie. »Habe ich den richtigen Entscheid getroffen? Heißt du mich, jetzt zurückzukehren? Großer Höhlenlöwe, laß dies ein Zeichen sein, daß ich deiner würdig bin und wieder eine Prüfung bestanden habe. Laß dies ein Zeichen sein, damit mein Kind leben wird.«

Ihre Finger zitterten, als sie den kleinen Brustbeutel aufknüpfte und den wundersam geformten funkelnden Stein zu dem roten bohnengroßen Elfenbein, der steinernen Seeschnecke und dem Ocker steckte. Dann schritt sie zügig aus und ging zurück zum Clan.

20

Mit wildem Armgeschlenker stürzte Uba in die Höhle. »Mutter! Mutter! Ayla ist wieder da!«

Alles Blut wich aus Izas Gesicht.

»Nein! Das darf doch nicht wahr sein! Hat sie das Kind bei sich? Uba, warst du bei ihr? Hast du ihr meinen Rat überbracht?« fragte die Medizinfrau.

»Ja, ich war bei ihr. Ich habe ihr erklärt, wie zornig Brun ist. Ich habe ihr bedeutet, nicht zurückzukehren«, gab das Mädchen zurück.

Iza lief zum Eingang und sah Ayla, die sich zögernden Schrittes Bruns Wohnkreis näherte. Vor ihm ließ sie sich zu Boden fallen und neigte sich schützend über ihr Kind.

»Sie kommt zu früh«, bedeutete Brun dem Zauberer, der hastig aus der Höhle gehumpelt kam. »Sie muß sich in der Zahl der Tage geirrt haben.«

»Sie hat sich nicht geirrt, Brun. Sie weiß, daß es zu früh ist. Sie ist mit Absicht zu früh zurückgekehrt«, entgegnete der Mog-ur mit entschiedener Gebärde.

Der Clan-Führer blickte neugierig dem Zauberer ins Gesicht. Wie wollte der Mog-ur mit solcher Sicherheit wissen, daß die junge Frau mit Absicht vor der Zeit zurückgekehrt war? Dann blickte er auf Ayla und schließlich ein wenig unsicher wieder auf den Mog-ur.

»Wird der Zauber, den du über uns gemacht hast, uns auch wirklich beschützen? Sie sollte doch noch abgesondert leben. Die Tage des Frauenfluchs sind noch nicht um. Nach dem Gebären sind es immer mehr als sonst.«

»Der Zauber hat große Kraft, Brun. Du bist sehr wohl beschützt. Es ist dir erlaubt, sie zu sehen«, erklärte ihm der Zauberer.

Der Clan-Führer richtete den Blick wieder auf Ayla, die zitternd zu seinen Füßen hockte, den Kopf über ihr Kind geneigt. Verfluchen sollte ich sie, schoß es ihm zornig durch den Kopf. Aber noch ist nicht der Namenstag des Kindes. Warum ist sie nur zu früh zurückgekommen? Und auch mit dem Kind? Es muß noch am Leben sein, sonst hätte sie es nicht bei sich. Der Ungehorsam kann nicht ausgelöscht werden; aber warum ist sie vor der Zeit gekommen? Bruns Neugier ließ sich nicht länger unterdrücken. Er tippte Ayla auf die Schulter.

»Ich war ungehorsam«, begann Ayla mit verkrampfter Hand, ohne dem Clan-Führer ins Gesicht zu blicken. Sie wußte, sie hätte nicht versuchen dürfen, mit einem Mann zu sprechen, sich vielmehr weiter abgesondert halten müssen. Doch Brun hatte ihr auf die Schulter getippt. »Ich bitte, daß es mir gestattet sei, mich mitzuteilen.«

»Es kommt dir eigentlich nicht zu, aber der Mog-ur hat den Schutz der Geister auf uns herabgefleht. Wenn ich es dir gestatte, so werden die Geister es dulden. Ja, du warst ungehorsam. Und womit willst du dich entschuldigen?«

Ayla neigte dankend den Kopf noch tiefer und fuhr fort: »Ich kenne die Bräuche des Clans. Ich hätte das Kind wegschaffen sollen, wie die Medizinfrau es mir befahl. Aber ich bin fortgelaufen. Ich wollte am Namenstag meines Kindes zurückkehren, um den Clan-Führer zu zwingen, es im Clan aufzunehmen.«

»Du bist aber vorzeitig zurückgekehrt«, gab Brun triumphierend zurück. »Noch ist der Namenstag nicht angebrochen, und ich kann der Medizinfrau befehlen, dir jetzt dein Kind zu nehmen.«

Das Gefühl, sein Kopf müsse vor lauter Denken bersten, das er seit dem Tag gehabt hatte, an dem Ayla geflohen war, verschwand, als er dieses bedeutete und ihm mit einemmal die Augen aufgingen. Nur wenn das Kind sieben Tage lang am Leben blieb, zwang ihn das Gebot des Clans, es anzunehmen. Noch war die Frist nicht abgelaufen. Er brauchte das Kind nicht anzunehmen und hatte nicht das Gesicht verloren und Schande über sich und den Clan gebracht.

Aylas Arme schlossen sich einen Augenblick lang fest um das Kind, das in dem Tragfell an ihrer Brust lag, dann hob sie wieder die Hände und begann zu erklären: »Ich weiß, daß der Namenstag erst morgen ist. Ich weiß auch, daß es nicht gut war von mir, den Clan-Führer zwingen zu wollen, das Kind anzunehmen. Es steht einer Frau nicht zu, darüber zu entscheiden, ob ein Kind leben oder sterben soll. Nur der Clan-Führer kann diesen Entscheid treffen. Darum bin ich zurückgekehrt.«

Brun blickte aufmerksam in Aylas ernstes Gesicht.

»Wenn du das Clan-Gebot kennst, warum bist du dann mit einem Kind zurückgekehrt, das mißgestaltet ist? Bist du jetzt bereit, deinen Sohn herzugeben? Oder soll ihn die Medizinfrau für dich töten?«

Ayla zögerte, tief über ihr Kind gebeugt.

»Ich will ihn wegschaffen, wenn der Clan-Führer es befiehlt.« Quälend langsam kamen ihre Handzeichen zustande, und ihr war, als würde man wieder und wieder eine Klinge in ihr Herz stoßen. »Ich habe meinem Sohn gelobt, ihn nicht allein im Schattenreich zu lassen. Wenn der Clan-Führer entscheidet, daß mein Kind sterben muß, dann bitte ich ihn, mich zu verfluchen.« Ihre Hände ließen alles Ehrerbietige beiseite, als Ayla flehte: »Brun, ich bitte dich, meinen Sohn am Leben zu lassen. Und wenn er sterben muß, will ich auch nicht länger leben.«

Die Inbrunst, mit der Ayla diese Bitte vortrug, verwunderte den Clan-Führer. Er wußte, daß es auch Frauen gab, die ihre Kinder trotz mißlicher Gestalt und Krüppeligkeit behalten wollten; die meisten jedoch entledigten sich ihrer so rasch wie möglich. Ein mißgestaltetes Kind brachte Schande über die Mutter. Es war lebendes Zeugnis ihrer Unfähigkeit, heile Kinder zu gebären, und setzte den Wert der Frau herab. Selbst wenn das Gebrechen oder die Mißgestalt geringfügig war, galt es, das weitere zu bedenken. Brun wußte auch, daß die Liebe einer Mutter zu ihrem Kind gewaltig war; aber so gewaltig, daß sie eine Frau bewegen konnte, ihrem Kind in die nächste Welt zu folgen, wollte ihm doch nicht in den Sinn.

»Du willst mit deinem Krüppelkind sterben? Warum?« fragte er Ayla.

»Mein Sohn ist nicht mißgestaltet und auch kein Krüppel«, trotzten Aylas Hände. »Er ist eben anders. So wie ich anders bin. Ich sehe nicht aus wie die Clan-Leute. Und so ist es auch mit meinem Kind. Jedes Kind, das ich haben würde, würde aussehen wie er«, machte sie und zeigte auf ihren Sohn. »Sollte mein Totem jemals wieder bezwungen werden, dann würde ich niemals ein Kind haben, das leben darf. Und deshalb will ich auch nicht leben.«

Brun blickte auf den Mog-ur.

»Wenn eine Frau den Geist des Totems eines Mannes einnimmt, sollte das Kind dann nicht aussehen wie der Mann?«

»Ja«, gab der Zauberer zur Antwort, »so sollte das Kind aussehen. Aber übersieh nicht, Brun, daß auch sie das Totem eines Mannes hat. Darum vielleicht entspann sich so ein harter Kampf. Es kann sein, daß der Höhlenlöwe an dem neuen Leben teilhaben wollte. Es kann sein, daß das, was sie uns bedeutet hat, so abwegig nicht ist. Ich muß noch in mich gehen und mit den Geistern sprechen.«

»Aber das Kind ist dennoch mißgestaltet?« hob Brun fragend die Hand.

»So geschieht es oft, wenn das Totem einer Frau nicht klein beigeben will. Das bewirkt ein schwereres Gebären und ein mißgebildetes Kind«, gab der Mog-ur zurück. »Mich wundert mehr, daß das Kind männlich ist. Wenn das Totem einer Frau sich widersetzt, wird das Kind gewöhnlich weiblich. Aber wir haben das Kind noch nicht gesehen. Vielleicht sollten wir es uns anschauen.«

Brun zauderte. Warum die Frau nicht gleich verfluchen und das Kind wegschaffen lassen? Daß Ayla vorzeitig zurückgekehrt war und bitter bereut hatte, war Balsam für Bruns verletzten Stolz gewesen. Doch noch war der Zorn des Clan-Führers nicht beschwichtigt. Wegen dieser Frau hätte er fast das Gesicht verloren; und es war nicht das erstemal, daß er durch sie Schwierigkeiten mit der Überlieferung und mit Broud bekommen hatte. Und was würde sie als nächstes tun? Und das Miething des Groß-Clans stand nahe bevor.

In der letzten Zeit hatte Brun sich häufig vor Augen gehalten, was es wohl ausmachte, wenn sein Clan zum Miething mit einer Frau eintraf, die den anderen geboren war. Und rückblickend fragte er sich, wie es wohl gekommen war, daß er schon so viele unclanmäßige Entscheidungen getroffen hatte. Dann, wenn er sie getroffen hatte, war ihm, dem Clan-Brauch nach, noch alles vertretbar erschienen. Doch insgesamt gesehen sprengten sie die eng abgesteckten Grenzen der Gebräuche des Clans. Ayla war ungehorsam gewesen;

sie mußte bestraft werden. Und wenn er den unbefristeten Todesfluch über sie verhängte, würde er mit einemmal all seine Sorgen los sein.

Doch der Todesfluch bedrohte auch den Clan. Schon einmal hatte er seine Leute Aylas wegen den bösen Geistern ausgesetzt. Doch ihre vorzeitige Rückkehr aus freien Stücken hatte ihn vor großer Schande bewahrt; Iza mochte wohl recht haben: Ayla hatte vor Schreck und Schmerz vorübergehend den Kopf verloren. Und er selbst hatte Iza dargelegt, daß er eine Bitte, das Kind am Leben zu lassen, nicht rundheraus abgeschlagen hätte, wäre er früher mit einbezogen worden. Und nun hatte sich Ayla in seine Hände begeben. Sie war gekommen, obwohl sie wußte, was für eine Strafe ihr drohte, und sie hatte um das Leben ihres Kindes gebeten. Wenigstens ansehen sollte man es.

Brun traf nicht gern einen schnellen Entscheid. Er wies Ayla an, sich in Crebs Wohnkreis zurückzuziehen, stand auf und stampfte davon.

Ayla warf sich in Izas weit geöffnete Arme. Und wenn sie jetzt sterben mußte, wenigstens einmal noch hatte sie die Frau gesehen, die ihr zur Mutter geworden war.

»Ihr habt alle das Kind betrachten können«, bedeutete Brun. »Es liegt mir sehr am Herzen, zu wissen, wie ihr die Sache seht. Verhänge ich den Todesfluch über die Frau, wird der Clan wiederum den bösen Geistern preisgegeben, und das tue ich nicht gern. Findet ihr das Kind annehmbar, so kann ich die Mutter nicht verfluchen. Und ohne sie wird eine andere Frau es zu sich nehmen müssen. Es wird mit einem von denen unter euch leben müssen, dessen Gefährtin ein Kind hat, das noch nicht der Brust entwöhnt ist. Wird es dem Kind erlaubt, am Leben zu bleiben, so sollte die Strafe für Ayla weniger hart sein. Wenn diese Nacht hinter uns liegt, bricht der Namenstag an; ich muß bald einen Entscheid treffen, und der Mog-ur braucht Zeit, um alles für den Todesfluch zu richten, wenn das ihre Strafe sein sollte. Es muß getan sein, ehe die Sonne noch einmal aufgeht.«

»Es ist nicht nur der Kopf des Jungen, Brun«, begann Crug. Ika stillte ihr Jüngstes noch, und Crug hatte keine Lust, auch noch Aylas Kind an seinem Feuer aufzunehmen. »Der sieht schlimm genug aus. Aber er kann ihn nicht einmal aufrecht halten. Sein Kopf muß immer gestützt werden. Wie soll das werden, wenn er ein Mann ist? Wie will er jagen? Niemals wird er für sich Nährendes beschaffen können. Stets wird er dem ganzen Clan zur Last fallen.«

»Glaubst du, sein Hals könnte kräftiger werden?« fragte Droog mit unsicherer Gebärde. »Wenn Ayla stirbt, wird sie etwas von Onas Geist mit sich nehmen. Aga ist bereit, ihren Sohn anzunehmen – ihr Herz befiehlt es ihr. Aber ich glaube, es wird ihr schwerfallen, ein mißgestaltetes Kind im Wohnkreis zu haben. Wenn sie dazu bereit ist, so bin ich es auch; nicht aber, wenn das Kind Bürde für den ganzen Clan sein wird.«

»Sein Hals ist so lang und dünn, und sein Kopf ist so groß. Ich glaube nicht, daß er jemals kräftiger wird und ihn gerade tragen kann«, wandte Crug ein.

Broud hob die Hände. »Ich werde ihn gewiß nicht an mein Feuer nehmen. Ich werde nicht einmal Oga fragen, wie sie es sieht. Er paßt nicht als Geschwister ihrer Söhne; er würde ein Bruder von Brac und Grev werden, und das verbitte ich mir. Brac wird weiterleben, auch wenn sie etwas von seinem Geist mit sich nimmt. Ich begreife dein Zaudern nicht, Brun. Du warst bereit, sie zu verfluchen. Nun aber willst du sie wieder aufnehmen, weil sie vor der Zeit zurückgekehrt ist. Du bist sogar bereit, ihren mißgeburtigen Sohn anzunehmen.« Brouds Gebärden verrieten Bitterkeit und Zorn, als er fortfuhr: »Sie hat sich gegen dich aufgelehnt, indem sie floh. Gewiß, sie ist zurückgekehrt. Aber ihr Ungehorsam bleibt bestehen. Wie kannst du da noch zaudern? Das Kind ist mißgeburtig und muß weggeschafft werden, und sie gehört verflucht. Wäre ich Clan-Führer, so wäre sie schon längst verflucht. Sie ist ungehorsam, sie ist aufsässig, sie bringt die anderen Frauen vom Pfad der Clan-Tugenden ab. Merkst du nicht, daß auch Iza sich eigenmächtig verhalten hat?« Broud hatte eine flammende Wut in den Händen. »Sie muß verflucht werden, Brun. Wie kannst du davor die Augen verschließen? Bist du blind? Sie war nie zu etwas nütze. Wäre ich Clan-Führer, ich hätte sie niemals in den Clan aufgenommen. Wäre ich Clan-Führer...«

»Du bist es aber noch nicht, Broud«, zerhackte ihm Brun mit kalter Gebärde die Anklage. »Und nie wirst du Clan-Führer werden, wenn du weiter unfähig bist, dich zu bezwingen. Sie ist nur eine Frau, Broud. Wie kommt es, daß du dich von ihr bedroht fühlst? Was kann sie dir anhaben? Sie muß dir gehorchen, sie kann und darf nicht anders. Was ist das für ein Clan-Führer, der so heftig darauf brennt, einer Frau den Tod zu geben, daß er sogar bereit ist, dafür den ganzen Clan in Gefahr zu bringen?«

Mit Mühe hielt Brun seine Unbeherrschtheit zurück. Es war genug. Viel mehr konnte er vom Sohn seiner Gefährtin nicht hinnehmen.

Die Männer waren bestürzt und hatten die Köpfe eingezogen. Ein offener Zwist zwischen dem Clan-Führer und dem, der ihm nachfolgen sollte, war beunruhigend und ließ das schlimmste befürchten. Broud hatte seine Grenzen überschritten, gewiß, doch sie waren an seine Ausbrüche gewöhnt. Brun war es, der Beklommenheit in den Männern auslöste; nie zuvor hatten sie den Clan-Führer so ungehalten gesehen. Und nie zuvor hatte er so offen angezweifelt, daß Broud ihm als Clan-Führer folgen würde.

Einen ewigkeitwährenden Augenblick lang verkeilten sich die Blicke der beiden Männer. Dann senkte Broud die Lider. Nun, da die drohende Schande abgewendet war, ruhte Brun wieder fest in sich selbst. Er war der Clan-Führer und nicht bereit, diesen Platz zu räumen, solange es ging.

Broud kämpfte Ohnmacht und bittere Wut nieder und schluckte schwer. Er gibt ihr immer noch sein Wohlwollen, dachte er grimmig. Wie kann er das nur tun? Ich bin der Sohn seiner Gefährtin, und sie ist nur eine häßliche Frau. Als er nach einer Weile wußte, daß seine Hände eine ruhige Rede führen konnten, meldete er sich.

»Es schmerzt mich«, hob er an, »dem Clan-Führer meine Meinung so unklar dargelegt zu haben, daß es ihn verwirrte. Mir liegen die Männer am Herzen, die ich eines Tages führen soll, wenn du mich für fähig erachtest, sie zu führen. Aber wie kann ein Mann jagen, dessen Haupt wacklig auf seinem Hals sitzt?«

Scharf und zornig blickte Brun auf den jungen Mann. Das,

was seine Hände sagten, paßte nicht zu dem, wie er den Körper hielt und das Gesicht verzog.

Brouds ausnehmend unterwürfige Haltung barg bitteren Hohn; und das reizte den Clan-Führer weit mehr als offenes Aufbegehren, denn Broud bemühte sich, seine Gefühle zu verbergen, und Brun spürte das. Doch der Erste im Clan schämte sich, daß er selbst aus der Haut gefahren war, und sah klar, daß dieses die abschätzigen Angriffe hervorgerufen hatte, mit denen Broud sein Urteilsvermögen in Frage stellte.

»Du hast uns klar genug gezeigt, wie du die Sache siehst, Broud«, antwortete Brun hölzern. »Ich verschließe nicht meine Augen davor, daß das Kind für den Clan-Führer, der mir nachkommt, eine drückende Last sein wird. Dennoch liegt der Entscheid bei mir. Ich werde tun, was mir am besten dünkt zu tun. Ich habe nicht bedeutet, daß ich das Kind annehmen werde, Broud, und auch nicht, daß die Frau vom Fluch verschont sein wird. Meine Sorge gilt dem Clan, nicht dieser Frau oder ihrem Kind. Der Todesfluch kann alle in Gefahr bringen; verweilende böse Geister können Unheil stiften, um so mehr, als sie schon einmal in die Höhle gelassen wurden. In meinen Augen ist das Kind allzu mißgestaltet, um am Leben bleiben zu können. Aber das sieht Ayla nicht. Sie kann es nicht sehen. Es kann sein, daß ihr Wunsch, ein Kind zu haben, sie blind gemacht hat. Als sie zurückkehrte, flehte sie mich an, den Todesfluch über sie zu verhängen, wenn das Kind nicht angenommen wird. Ich habe euch zu Rate gezogen, weil ich wissen will, ob einem unter euch an dem Kind etwas aufgefallen ist, das mir entgangen sein könnte. Ich kann den Entscheid über den Todesfluch nicht leichten Herzens treffen.«

Brouds ohnmächtige Wut legte sich ein wenig. Vielleicht ist es doch nicht so, daß Brun ihr mehr Wohlwollen gibt als mir, dachte er.

»Du hast recht, Brun«, bereute er zerknirscht. »Der Clan-Führer sollte die Gefahren ins Auge fassen, die dem Ganzen drohen. Ich bin dankbar, von einem so weitsichtigen Clan-Führer lernen zu können.«

Brun spürte, wie das angespannte Herz sich dehnte und wieder ruhiger schlug. Niemals hatte er auch nur im Ernst daran gedacht, Broud zu verstoßen. Er war ja der Sohn seiner Gefährtin, das Kind seines Herzens. Es ist nicht immer leicht, sich selbst zu zwingen, dachte er, sich seiner eigenen Gereiztheit erinnernd. Broud fällt es nur ein wenig schwerer als den meisten, aber er bessert sich.

»Ich freue mich, daß du es auch so siehst wie ich, Broud. Wenn du der Clan-Führer bist, ist es an dir, für Sicherheit und Wohl des Clans zu sorgen.«

Damit ließ Brun den Sohn seiner Gefährtin nicht nur wissen, daß er ihn noch immer als Nachfolger betrachtete; er nahm vor allem den übrigen Jägern das unbehagliche Gefühl, die Clan-Führung könnte zerfallen. Sie waren nun sicher, daß alles so geschehen würde, wie der Clan-Brauch es vorschrieb.

»Gerade das Clan-Wohl ist es, das mir so sehr am Herzen liegt«, versicherte Broud. »Ich will keinen Mann in meinem Clan haben, der nicht jagen kann. Wozu wird Aylas Sohn jemals taugen? Ohne ihn und ohne sie sind wir besser dran. Ayla hat sich dem Clan-Gebot widersetzt. Ihr Sohn ist mißgeburtig. Beide sollten sterben.«

Rundum wurde knurrend zugestimmt. Brun merkte die Unaufrichtigkeit in dem, was Broud darlegte, aber er ging nicht darauf ein.

Und wie der Clan-Führer alle seine Männer ansah, spürte er, daß auch er jetzt hätte zustimmen müssen; doch irgend etwas hielt ihn davon ab. Es ist das Richtige, dachte er. Von Anfang an hat sie mich in Bedrängnis gebracht. Gewiß, Iza wird es schwer nehmen, aber ich habe nicht versprochen, die Mutter oder das Kind zu schonen. Ich habe ihr nur zugesagt, daß ich mit mir zu Rate gehen werde. Wer hätte denn erwartet, daß sie zurückkehrt? Denn das ist es ja gerade, was mich stets so in Verdrückung bringt, daß ich nie weiß, was man von ihr erwarten kann. Wenn der Schmerz Iza schwächt und krank macht, dann ist noch Uba da. Sie ist ein Zweig von Izas Stamm, und beim Miething des Groß-Clans können andere Medizinfrauen sie in die Lehre nehmen.

Brun starrte noch immer vor sich hin und hatte die Stirn in tiefe Falten gelegt.

Wenn jener Teil von Bracs Geist, den Ayla in sich trägt, mit ihr stirbt, verlieren wir dann wirklich so viel von ihm? Broud ist nicht bang davor; warum bedrückt es mich? Broud hat recht. Sie verdient die härteste Strafe. Allzu heftig ein Kind zu lieben ist nicht recht. Sie sieht nicht einmal, daß ihr Sohn mißgestaltet ist. Sie muß blind sein. Der Schmerz hat ihr den klaren Blick geraubt. Ist es möglich, daß zu gebären solche furchtbaren Schmerzen nach sich zieht? Männer haben schon Schlimmeres erlitten. Manche sind mit klaffenden Wunden von der Jagd zurückgekehrt. Wie weit sie wohl gegangen sein mag? Die Höhle, wo sie hinfloh, kann eigentlich so fern nicht sein. Ayla war ja viel zu schwach, als sie geboren hatte, um einen weiten Weg zu wandern. Aber wie kommt es, daß wir sie nicht fanden?

Und wenn ich ihr erlaube, am Leben zu bleiben, dann muß ich sie zum Miething mitnehmen. Was würden die Leute von den anderen Clans für Augen machen? Und noch schlimmer wäre es, würde ich dem Krüppelkind das Leben lassen. Also gut. Sie wird verflucht, und er wird weggeschafft. Das ist das Richtige. Alle sehen es so. Mag sein, daß auch das Leben mit Broud wieder leichter wird. Mag sein, daß er sich dann besser bezwingen kann. Er ist ein unerschrockener Jäger; er wird ein guter Clan-Führer werden. Schon um Brouds willen sollte er es tun. Es ist das Richtige, nickte Brun sich selbst zu, ja, es ist das Richtige. Dann hob er den Kopf.

»Ich habe meine Entscheidung getroffen«, teilte Brun mit. »Morgen ist der Namenstag. Beim ersten Licht, noch ehe die Sonne sich zeigt...«

»Brun!« unterbrach ihn der Mog-ur und fuhr mit der Hand zwischen des Clan-Führers Rede.

Er hatte an der Beratung der Männer nicht teilgenommen. Keiner hatte ihn seit der Geburt von Aylas Kind viel zu Gesicht bekommen. Die meiste Zeit hatte er in der Zauberhöhle gesessen, tief in sich versunken, und ergründet, was Ayla zu solchem Tun getrieben hatte. Er wußte, wie hart es sie angekommen war, sich in den Clan-Brauch einzufügen, und er glaubte, daß es ihr gelungen war. Der Mog-ur war überzeugt, daß es nicht Ungehorsam war, der Ayla hatte unclanmäßig handeln lassen, sondern etwas, das er noch nicht gesehen hatte.

»Ehe du dich festlegst, Brun, wünscht der Mog-ur zu sprechen.«

Brun starrte den Zauberer an, dessen Gesicht unergründlich war wie immer. Was kann er vorbringen, das ich übersehen habe? Ich habe mich entschlossen, sie zu verfluchen, und er weiß es.

»Der Mog-ur möge sprechen«, bedeutete er.

»Ayla hat keinen Gefährten, aber ich habe ihr stets Schutz und Nährendes zuteil werden lassen. Sie ist mir anvertraut. Wenn du gestattest, will ich als Gefährte für sie eintreten.«

»Tu das, Mog-ur, aber was kannst du noch dazugeben? Ich habe alles in Betracht gezogen. Aber was geschehen ist, ist geschehen und läßt sich nicht mehr ändern. Sie hat sich wiederum gegen den Clan-Brauch aufgelehnt. Und die Männer sind nicht bereit, ihr Kind anzunehmen. Broud hat uns klar vor Augen gestellt, daß Mutter wie Kind das Leben zu nehmen ist.«

Der Mog-ur stemmte sich mühsam hoch, richtete sich auf und warf seinen Stock zur Seite. Er war der große, bärenfellige Mog-ur, der mächtigste Zauberer aller Clans, der Mittler zwischen den Welten, der Ehrfurcht gebietende Beschützer der Erdlinge vor dem Bösen. Er war es, der mutig und selbstlos den Unsichtbaren entgegentrat, die weit furchtbarer waren als jedes reißende Tier, das man kannte, jenen Mächten, die den tapfersten Jäger in einen zitternden Feigling verwandeln konnten. Unter den Männern war keiner, der sich nicht sicherer fühlte in dem Wissen, daß er der Zauberer seines Clans war; keiner, der nicht irgendwann einmal in seinem Leben tiefe Furcht vor seiner Macht und seiner Zauberkraft gespürt hätte; und nur einer, Goov, der es wagen konnte, daran zu denken, eines Tages seinen Platz einzunehmen.

Der Mog-ur allein stand mächtiglich zwischen den Männern des Clans und dem schrecklichen Nichts, das nur zu ahnen war, und wurde durch den vertrauten Umgang mit dem Nichts, das nur er durchdenken konnte, zu einem Teil von ihm. Dies legte einen unheimlichen Schein um ihn, der auch zu strahlen schien, wenn er von seiner Zauberstätte in den Wohnkreis trat. Selbst dort, an seiner Feuerstätte, galt er den Clan-Leuten mehr als nur einer von ihnen. Er war der

Mog-ur, der das Wissen hatte, das ihnen auf ewig verschlossen war.

Als der Zaubermann nun seinen Blick von einem zum anderen wandern ließ, war nicht einer unter ihnen, dem nicht plötzlich mit quälender Bangnis zu Kopfe kam, daß die Frau, die sie alle für sich schon zum Tode verurteilt hatten, an seiner Feuerstätte lebte.

Sein Blick traf zuerst Brun und durchbohrte ihn. »Der Gefährte einer Frau darf für das Leben eines mißgestalteten Kindes sprechen. Ich bitte dich, Aylas Sohn das Leben zu lassen, und um seinetwillen bitte ich dich, auch ihr Leben zu verschonen.«

All das, was Brun sich vor kurzem erst als Grund, die beiden am Leben zu lassen, zurechtgelegt hatte, schien plötzlich weit mehr Gewicht zu gewinnen; all das, was für ihren Tod sprach, schien unbedeutend. Fast hätte er allein aufgrund von Crebs Bitte seine Zustimmung gegeben. Doch er war der Clan-Führer. So leicht konnte er vor all seinen Jägern nicht rückfällig werden. Obwohl es ihn stark verlangte, der bezwingenden Kraft des mächtigen Zaubermannes nachzugeben, blieb er fest.

Als der Mog-ur den Ausdruck steinerner Entschlossenheit gewahrte, der dem Augenblick der Unschlüssigkeit folgte, schien er sich vor den Augen aller zu verwandeln. Jäh fiel alles Zauberhafte von ihm ab. Er wurde ein verkrüppelter alter Mann in einem Bärenfell, der sich auf seinem heilen Bein nur mühsam aufrecht hielt. Und als er redete, tat er es mit den gewöhnlichen Gebärden und den kurzen, knurrenden Lauten des täglichen Umgangs. Auf seinem Gesicht lag ein Ausdruck der Entschlossenheit, und dennoch wirkte es seltsam verletzlich.

»Brun, seit dem Tag, an dem Ayla gefunden wurde, hat sie an meinem Feuer gelebt. Ihr werdet alle mit mir einig sein, daß Frauen und Kinder in dem Mann, dessen Feuer sie teilen, ein Vorbild sehen. So wie dieser Mann, glauben sie, müssen alle Männer sein. Und ich war Aylas Vorbild. An mir hat sich ihre Vorstellung, wie ein Mann sein muß, geformt. Ich bin mißgestaltet, Brun. Ist es so befremdlich, daß eine Frau, die am Feuer eines mißgeburtigen Mannes aufgewachsen ist, ihr eigenes Krüppelkind nicht als mißgestaltet sehen kann? Mir fehlen ein Auge und ein Arm. Die eine Seite meines Körpers ist verkümmert. Ich bin nur ein Zerrbild von einem Mann, aber Ayla hat mich immer als einen ganzen Mann gesehen. Der Körper ihres Sohnes ist wohlgebildet. Er hat zwei Augen, zwei heile Arme, zwei heile Beine. Wie sollte sie an ihm etwas Mißgebildetes erkennen?

Mir war es aufgegeben, sie zu unterweisen. Wenn sie fehlte, dann bin ich zu tadeln. Ich habe ihrer Eigenart, die sich dem Clan-Brauch stets entzog, nicht geachtet. Ich brachte sogar dich dazu, sie hinzunehmen, Brun. Ich bin der Mog-ur. Du vertraust darauf, daß ich dir die Wünsche der Geister übermittle, und du vertraust meinen Weisungen auch in anderen Dingen. Ich glaube nicht, daß wir falsch handelten. Manchmal war es schwer für Ayla, alles zu ertragen, und ich nahm an, sie wäre eine gute Frau geworden und hätte sich den Brauch des Clans zu eigen gemacht. Jetzt sehe ich, daß ich zu milde mit ihr war. Ich habe ihr nicht klar genug gemacht, was hier von ihr erwartet wird. Ich habe sie selten zurechtgewiesen, nie geschlagen und sie häufig ihre eigenen Wege gehen lassen. Jetzt muß sie durch mein Säumen sterben. Aber, Brun, ich konnte nicht härter zu ihr sein.«

Creb sah seinen Bruder scharf an, als er fortfuhr: »Nie habe ich eine Gefährtin genommen. Ich hätte eine wählen können, und sie hätte mit mir leben müssen, doch ich tat es nicht. Und wißt ihr, warum? Brun, hast du nur einmal bemerkt, wie die Frauen mich anschauen? Hast du gesehen, wie sie mir aus dem Weg gehen? Ich hatte auch meine Lendenlust, als ich jung war, aber ich lernte, sie zu bezwingen, denn die Frauen wandten mir den Rücken zu, um nicht sehen zu müssen, daß ich ihnen ein Zeichen gab. Niemals hätte ich meinen Krüppelkörper einer Frau aufgezwungen, die sich bei meinen Anblick voller Abscheu zeigte.

Aber Ayla hat sich niemals von mir abgewandt. Vom ersten Tag an kam sie mir entgegen und berührte mich. Sie hatte keine Angst vor mir und zeigte keinen Abscheu. Sie gab mir ihre Liebe und öffnete mir ihr Herz. Wie hätte ich sie schelten können, Brun?

Seit meiner Geburt habe ich in diesem Clan gelebt, doch

habe ich das Jagen nie gelernt. Wie könnte auch ein Krüppel jagen? Ich war eine Last, ich wurde verspottet, ich wurde eine Frau genannt. Jetzt bin ich der Mog-ur, und keiner spottet meiner, aber eine Feier zum Mann wurde für mich niemals gehalten. Ich bin nicht einmal das Zerrbild eines Mannes, Brun. Ich bin überhaupt kein Mann. Nur Ayla gab mir ihre Liebe – nicht dem Zauberer, sondern mir, dem Erdlings-Mann. Und mich sah sie als Ganzes. Sie nahm ich in mein Herz als das Kind der Gefährtin, die ich niemals hatte.«

Creb schüttelte den Umhang ab und streckte den Armstumpf aus, den er sonst niemals zeigte.

»Brun, sieh her, dies ist der, den Ayla als ganzen Mann sah. Dies ist der Mann, der ihr zum Vorbild wurde. Dies ist der Mann, den sie liebt und an dem sie ihren Sohn nun mißt. Sieh mich an, mein Bruder! Verdiente ich zu leben? Verdient Aylas Sohn weniger zu leben?«

Im trüben Zwielicht der Morgendämmerung versammelten sich die Clan-Leute vor der Höhle. Ein feiner Regen, der wie Dunst in der Luft hing, warf einen Schimmer über Felsen und Bäume und sammelte sich in den Haaren und Bärten der Leute. Zarte Wasserfäden, die von den nebelverhüllten Gipfeln herabkrochen, versponnen sich in den Hangmulden, und dicht wogende Schwaden verbargen die Ebene.

Ayla lag wach auf ihrem Schlafpelz in der düsteren Höhle und sah zu, wie Iza und Uba sich leise am Feuer zu schaffen machten, frisches Holz auflegten und Wasser wärmten für den Morgentrunk. Ihr Kind schlief noch. Sie aber hatte die ganze Nacht nicht geschlafen. Bald war die erste helle Freude, Iza nun doch noch wiederzusehen, finsterer Verzweiflung gewichen. Kein Mitteilen wollte zustande kommen, und so hatten die zwei Frauen und das Mädchen fast den ganzen langen Tag über dumpf und reglos am Feuer gehockt und das, was sie empfanden, einander nur mit angstvollen Blicken mitgeteilt.

Creb hatte den Wohnkreis seiner Feuerstätte den ganzen Tag nicht betreten; einmal jedoch fing Ayla einen Blick von ihm auf, als er aus der Zauberhöhle humpelte, um sich zu den Männern zu begeben, die in Beratung beieinander saßen. Er hatte sich hastig abgewandt, doch sie hatte den warmen Ausdruck von Liebe und Mitleid in seinem Auge wohl gesehen. Ayla und Iza tauschten einen ängstlich-ahnungsvollen Blick, als sie Creb in die Höhle der Geister eilen sahen, nachdem er weit hinten in der Höhle lang mit Brun zusammengesessen hatte. Der Clan-Führer hatte seinen Entscheid getroffen, und Creb mußte nun den Zauber richten.

Iza brachte Ayla den Morgentrunk in dem vertrauten Becher, der ihr nun schon so lange gehörte, und setzte sich still neben sie. Dann kam Uba, aber auch sie fand keine Zeichen der Ermutigung oder des Trostes.

»Fast alle sind draußen. Wir müssen gehen«, bedeutete Iza und nahm Ayla den Becher aus den Händen.

Ayla stand auf. Sie wickelte ihren Sohn in das Tragfell, nahm ihren Pelzumhang vom Schlaflager und warf ihn sich über die Schultern. Wasser schimmerte in ihren Augen. Sie sah erst Iza an, dann Uba. Verzweifelt schrie Ayla auf und umfaßte die beiden. Alle drei schmiegten sich in schmerzlicher Umarmung aneinander. Dann ging Ayla aus der Höhle.

Sie hielt den Kopf gesenkt, und als ihr Auge hier und dort den Abdruck einer Ferse oder die verwischten Umrisse von Füßen wahrnahm, beschlich sie das unheimliche Gefühl, es wäre wie damals. Und sie folgte Creb dem Tod entgegen. An jenem Tag hätte er mich für ewig verfluchen sollen, dachte sie. Ich wurde geboren, um verflucht zu werden. Warum denn sonst muß ich das noch einmal erleiden? Doch heute werde ich in die Welt der Schattengeister gehen. Ihren Sohn drückte sie fester an sich. Ich kenne eine Pflanze, die uns beiden den tiefsten Schlaf bringt, den es gibt, aus dem wir niemals wieder erwachen werden. Und gemeinsam wandern wir dann in der nächsten Welt.

Vor Brun ließ sie sich zu Boden sinken und starrte auf die Füße in den schmutzigen Hüllen. Es begann heller zu werden; bald würde sich die Sonne zeigen. Brun muß schnell machen, dachte sie und spürte kurz seine Hand auf ihrer Schulter. Langsam hob sie den Kopf und blickte in des Clan-Führers bärtiges Gesicht.

»Frau«, fing er an und hob streng die Hand, »du hast gegen das Clan-Gebot verstoßen und mußt dafür bestraft werden.«

Ayla neigte den Kopf. Was er da deutete, war richtig.

»Ayla, Frau dieses Clans und aller Clans, du bist verflucht. Keiner soll dich sehen, keiner soll dich hören. Du hast ab heute gesondert von allen zu leben und darfst einen vollen Mond lang nicht den Wohnkreis dessen, der dich schützt und nährt, verlassen.«

Ungläubig starrte Ayla in das unbewegte Gesicht des Clan-Führers. Das war der Frauenfluch, nicht der Todesfluch! Sie hatten sie nicht verstoßen; sie hatten sie nur auf einen Mond verbannt. Was tat es ihr, daß keiner im Clan während dieser Tage von ihrem Dasein Kenntnis nehmen würde. Hatte sie doch Iza und Uba und Creb. Und danach konnte sie in den Clan zurückkehren und war wieder wie jede andere Frau.

Doch Brun hatte noch nicht geendet.

»Des weiteren ist es dir verboten, auf die Jagd zu gehen, geschweige der Jagd auch nur mit Wort oder Geste Erwähnung zu tun, von nun an bis zu der Zeit, wo wir vom Miething zurückkehren werden. Bis zu jenem Tag, an dem die Blätter von den Bäumen fallen, ist es dir untersagt, nach eigenem Willen umherzustreifen. Ziehst du aus, um heilende Kräuter und Pflanzen zu sammeln, so läßt du es mich wissen und kehrst ohne Verzug zurück. Stets wirst du um Erlaubnis fragen, ehe du die Clan-Höhle verläßt. Und du wirst mir zeigen, wo sich die Höhle befindet, in der du dich versteckt gehalten hast.«

»Ja, ja, wie du es wünschst«, nickte Ayla eifrig.

Ihr war, als schwebte sie auf einer leuchtenden Wolke. So leicht und froh war ihr ums Herz geworden. Doch die harte Hand des Clan-Führers zerschlug schnell ihre hohe Stimmung.

»Noch offen bleibt die Frage nach deinem mißgestalteten Sohn, der dich in deinen Ungehorsam hineingetrieben hat. Niemals wieder sollst du versuchen, einen Mann oder gar einen Clan-Führer zu zwingen, gegen seinen Willen zu handeln. Keine Frau soll je versuchen, einen Mann zu zwingen«, schloß Brun und gab dann ein Zeichen.

Verzweifelt drückte Ayla ihr Kind an sich und blickte dorthin, wo Bruns Blick dem ihren vorausflog. Sie würde sich ihren Sohn nicht nehmen lassen. Da sah sie den Mog-ur aus der Höhle hinken. Als er sein Bärenfell zur Seite warf und sie die rote Schale erkannte, die er fest unter dem Stumpf seines Armes eingeklemmt hielt, gingen ihr fast die Augen über vor Freude und Erleichterung. Zögernd wandte sie sich Brun zu, als wagte sie nicht, ihren Augen zu trauen.

»Aber eine Frau kann bitten«, verkündete Brun mit ruhiger Geste. »Der Mog-ur wartet, Ayla. Dein Sohn muß einen Namen haben, wenn er ein Glied des Clans sein soll.«

Ayla sprang auf und stürzte zum Mog-ur hin. Sie nahm ihr Kind aus dem Tragfell, sank vor dem Zauberer zu Boden und hielt ihm das Kind entgegen.

Einen Namen! Sie hatte nicht einmal an einen Namen gedacht, hatte sich nicht einmal gefragt, was für einen Namen Creb für ihren Sohn wählen würde.

Mit den heiligen Zeichen rief der Mog-ur die Geister der Totems herbei, tauchte dann die Hand in die Schale.

»Durc«, verkündete er laut, um das Geschrei des Kindes zu übertönen. »Der Name dieses Jungen sei Durc«, und zog von der Stelle aus, wo sich die Brauenwülste des Kindes trafen, eine rote Linie bis zur Spitze der kleinen Nase.

»Durc«, wiederholte Ayla und zog das Kind an sich, um es zu wärmen. Durc, dachte sie, wie der Durc aus Dorvs Geschichte. Creb weiß, daß ich sie immer am liebsten gehabt habe.

Es war kein geläufiger Name, und viele waren verwundert. »Durc«, knurrte Brun. Er war der erste, der an ihr vorüberzog. Ayla glaubte, in den Augen des strengen, stolzen Clan-Führers einen Schimmer von Wärme zu sehen. Die meisten Gesichter verschwammen ihr hinter einem Schleier von Tränen. So sehr Ayla sich auch mühte, sie konnte sie nicht unterdrücken und hielt deshalb den Kopf gesenkt, ihre feuchten Augen zu verbergen. Ich kann es nicht glauben, dachte sie, ich kann es nicht glauben. Ist es denn wirklich geschehen? Du hast einen Namen, mein Sohn? Brun hat dich angenommen? Und ich träume auch nicht? Plötzlich sah sie den wundersam geformten funkelnden Stein vor sich, den sie an der kleinen Höhle gefunden hatte. Es ist ein Zeichen gewesen. Ein Zeichen des großen Höhlenlöwen.

»Durc«, hörte sie Iza sagen und blickte auf. Das Gesicht der Frau strahlte.

»Durc«, sagte Uba und fügte mit rascher Bewegung hinzu: »Ich bin so froh.«

»Durc«, das klang höhnisch. Ayla sah auf und erkannte Broud, der sich eben abwandte. Die seltsamen Gedanken fielen ihr ein, die ihr durch den Kopf gegangen waren, als sie in der kleinen Höhle gesessen hatte; die junge Frau begann zu zittern.

Das stumme Ringen zwischen Brun und Broud hatte sie in ihrer glücklichen Erregung nicht bemerkt. Der junge Mann war drauf und dran gewesen, dem jüngsten Clan-Glied eine Anerkennung zu verweigern. Erst ein scharfer Befehl aus Bruns Augen hatte den jungen Jäger dazu gebracht, sich zu beugen. Ayla sah ihm nach, als er mit geballten Fäusten und stürmischem Schritt sich davonmachte.

21

»Iza! Iza! Schnell! Schau dir Durc an!« Ayla packte die Medizinfrau am Arm und zog sie rasch zum Eingang der Höhle.

»Was ist?« wollte die Frau wissen, während sie hinter Ayla her rannte. »Ist ihm etwas geschehen?«

»Nein, nein. Schau doch!« Voller Stolz wies Ayla auf das Kind, als sie Crebs Wohnkreis erreichten. »Er hält seinen Kopf hoch.«

Der Kleine lag auf dem Bauch und sah aus großen ernsten Augen zu den beiden Frauen auf. Sein Kopf wackelte hin und her von der Anstrengung und fiel schließlich auf die weiche Pelzdecke zurück.

»Wenn er es schon so früh fertig bringt, dann wird er den Kopf gewißlich aufrecht halten können, wenn er groß ist«, wandte sich Ayla mit halb fragender, halb flehender Gebärde an Iza.

»Freu dich noch nicht«, gab Iza zurück. »Aber es ist ein gutes Zeichen.«

Creb humpelte in die Höhle. Sein Auge zeigte die große Leere, die es stets hatte, wenn er ganz in sich selbst versunken war.

»Creb!« rief Ayla und lief ihm entgegen. Beinahe erschrokken blickte der Mog-ur auf. »Durc hat seinen Kopf hoch gehalten. Iza hat es gesehen.« Die Medizinfrau bestätigte es freudig.

»Hrrm«, knurrte Creb. »Wenn er nun so kräftig wird, dann ist es wohl an der Zeit«, bedeutete er.

»An der Zeit?«

»Ich habe mich mit den Geistern zusammengetan. Ich glaube, wir sollten die Totemfeier für ihn halten. Er ist noch ein wenig jung, aber die Zeichen, die mir gegeben wurden, kann ich nicht übersehen. Sein Totem hat sich mir offenbart. Es wird gut sein, wenn wir nicht länger warten. Es muß getan werden, ehe wir zum Miething des Groß-Clans aufbrechen. Unheil kann über ihn kommen, wenn er fortzieht und sein Totem kein Heim hat.«

Als Crebs Blick auf die Medizinfrau fiel, brachte ihn das auf einen anderen Gedanken. »Iza«, wandte er sich fragend an sie, »hast du ausreichend Wurzeln für die Feier? Ich weiß nicht, wie viele Clans sich einfinden werden. Trage Sorge, daß du ausreichend Wurzeln bei dir hast.«

»Ich werde nicht mit euch ziehen, Creb«, bedeutete ihm Iza enttäuscht. »So weit kann ich nicht laufen. Ich muß hier bleiben.«

Nein, dachte er, Iza kann wirklich nicht mit uns ziehen. Wo habe ich auch nur meine Augen gehabt. Sie ist zu schwach. Wie mager sie ist und fast ganz weiß. Schon als das letzte Mal die Blätter fielen, schien es, als würde sie uns verlassen. Wie all das sie wohl wieder auf die Beine gebracht hat? Was aber wird aus der Feier? Nur die Frauen von Izas Stamm kennen das Geheimnis des Zaubertranks. Uba ist zu jung. Es muß eine Frau sein. Ayla! Ja, Ayla. Iza kann sie darin unterweisen, ehe wir aufbrechen. Es ist wirklich an der Zeit, daß sie zur Medizinfrau erhoben wird.

Creb musterte die junge Frau, als diese sich bückte, um ihr Kind hochzuheben. Und plötzlich sah er sie mit kühlerem Blick als vorher. Werden die Leute der Nachbar-Clans sie auch annehmen? Er versuchte, Ayla so zu sehen, wie sie die Nachbarn sehen würden. Das sonnenhelle Haar hing ihr lose um das flache Gesicht, seitlich hinter die Ohren gestrichen, so daß die gewölbte Stirn deutlich hervortrat. Ihr Körper war der einer Frau, doch groß und schlank, und ihre Beine standen hoch und gerade, und wenn sie aufrecht ging, überragte sie ihn um einiges.

Sie sieht nicht aus wie die Frauen des Clans, dachte er. Alle werden sie anstarren, die meisten, fürchte ich, mit Mißtrauen. Mag sein, daß wir die Feier gar nicht halten können. Mag sein, daß die anderen Mog-urs den Trank nicht annehmen wollen, wenn Ayla ihn bereitet. Aber versuchen will ich es. Wäre nur Uba ein wenig älter. Iza soll beide unterweisen, wenn ich auch nicht glaube, daß die anderen ein Mädchen eher annehmen als eine Frau, die nicht im Groß-Clan geboren wurde. Ich will mich mit Brun beraten. Wenn wir die Geister zu uns rufen, damit sie das Totem offenbaren, werden wir Ayla zugleich zur Medizinfrau erheben.

»Ich gehe zu Brun«, bedeutete Creb kurz und machte sich auf den Weg zum Wohnkreis des Clan-Führers. Er wandte sich noch einmal nach Iza um. »Zeige Ayla und Uba, wie der Trank bereitet wird«, befahl er mit knapper Gebärde. »Ob es Nutzen hat, weiß ich nicht.«

»Iza, ich finde die Schale nicht, die wir der Medizinfrau des Gastgeber-Clans mitbringen sollen«, gab Ayla der Medizinfrau verzweifelt zu verstehen, nachdem sie Nährendes, Pelze und Geräte durchwühlt hatte, die neben ihrem Schlafplatz aufgeschichtet waren. »Ich habe überall gesucht.«

»Du hast sie doch schon eingepackt, Ayla. Beruhige dich, Kind. Es ist noch Zeit. Brun wird erst aufbrechen, wenn er mit seinem Verzehr zu Ende ist. Setz dich zu mir und iß etwas. Und du auch, Uba.« Iza warf begütigend die Hände hoch. »Wir haben doch schon gestern alles durchgesehen, bevor wir uns schlafen legten.«

Creb hockte auf einer Matte, Durc auf dem Schoß, und verfolgte das aufgeregte Getue mit Erheiterung.

»Sie sind nicht anders als du, Iza.« Er hob den Jungen hoch und setzte ihn sich auf die Schulter. Von seinem neuen Ausguck aus blickte Durc sich neugierig um.

»Schau, wie kräftig sein Hals ist«, bedeutete die Medizinfrau. »Es macht ihm gar keine Mühe mehr, seinen Kopf aufrecht zu halten. Ich kann es kaum glauben. Seit seiner Totemfeier ist er von Tag zu Tag kräftiger geworden. Gib ihn mir. Ich kann ihn jetzt lange nicht mehr halten.«

»Mag sein, daß der Grauwolf mich deshalb drängte, die Feier abzuhalten«, erklärte Creb. »Bestimmt wollte er dem Kind helfen.«

Der Zauberer lehnte sich zurück und betrachtete die kleine Schar, deren Beschützer und Nährer er war. Wie oft hatte ihn der heiße Wunsch gequält, eine Familie zu haben wie all die anderen Männer. Jetzt, wo er alt wurde, war es ihm endlich vergönnt. Er hatte sich schon mit Brun darüber unterhalten, wer Durc später unterweisen sollte. Der Clan-Führer konnte es nicht zulassen, daß ein Clan-Glied aufwuchs, ohne das erlernt zu haben, was es später brauchen würde. Brun hatte das Kind in dem Wissen angenommen, daß es zunächst an Crebs Feuer aufwachsen würde; und er fühlte sich verantwortlich für den Kleinen. Bei der Totemfeier hatte er dann verkündet, daß der Clan-Führer selbst es auf sich nehmen würde, den Jungen zu unterweisen, sobald dieser kräftig genug war, mit auf die Jagd zu gehen. Ayla war voller Dankbarkeit. Einen besseren Lehrer hätte sie ihrem Sohn nicht wünschen können.

Der Grauwolf ist ein gutes Totem für den Jungen, sann Creb. Aber neugierig bin ich doch. Es gibt Wölfe, die mit dem Rudel laufen, und es gibt Wölfe, die für sich alleine bleiben. Welcher wohl mag Durcs Totem sein?

Als alles gepackt und gebündelt war, luden die junge Frau und das Mädchen sich ihre Lasten auf, und dann gingen sie alle zusammen aus der Höhle. Schnell drückte Iza den kleinen Jungen noch einmal an sich, half Ayla, ihn in die Tragdecke zu packen und holte etwas aus einer Falte ihres Umhangs.

»Das sollst du jetzt tragen, Ayla. Du bist die Medizinfrau des Clans«, bedeutete sie der jungen Frau und reichte ihr den rot gefärbten Beutel, in dem die Zauberwurzeln verwahrt waren. »Hast du auch noch jede Handreichung vor Augen? Du darfst keine einzige auslassen. Ich wollte, ich hätte es dir zeigen können, aber nur zum Üben darf der Zaubertrank nicht bereitet werden. Er ist zu heilig, man darf ihn nur bei hohen Feiern reichen. Behalte es im Kopf, nicht die Wurzeln allein bewirken den Zauber, du mußt dich selbst so sorgfältig vorbereiten wie den Trank.«

Uba und Ayla neigten die Köpfe, als die junge Frau die kostbare Gabe entgegennahm und in ihren Medizinbeutel steckte. Iza hatte ihr die Tasche aus Otterfell an dem Tage geschenkt, an dem Ayla zur Medizinfrau erhoben worden war. Doch wenn sie die sah, mußte sie an jene andere denken, die Creb verbrannt hatte.

Ayla griff zu ihrem Amulett und tastete nach dem fünften Zeichen, das sie jetzt darin trug: den kleinen Brocken lichtschwarzen Braunsteins. An dem Tag, an dem sie auserwählt war, einen Hauch vom Geist aller Clan-Glieder und – über den Höhlenbären – des gesamten Groß-Clans in sich aufzunehmen, war ihr Leib mit der schwarzen Salbe gezeichnet worden, die gemengt war aus zerstampftem Braunstein und heißem Fett. Nur zur Feier der höchsten Feste wurde der Leib der Medizinfrau mit diesen schwarzen Zeichen bedeckt; und nur sie durfte den schwarzen Stein in ihrem Amulett tragen.

Ayla wünschte sich von Herzen, Iza würde mit ihnen ziehen. Es machte sie unruhig, zu wissen, daß die Medizinfrau zurückblieb. Allzu häufig wurde ihr ausgemergelter Leib von heftigem Husten geschüttelt.

»Iza, achte gut auf dich«, mahnte Ayla mit bittender Gebärde, nachdem sie die Frau umarmt hatte. »Dein Husten ist schlimmer geworden.«

»Er ist immer schlimmer, wenn es kalt ist. Du weißt es doch, wenn die Sonne scheint, wird es wieder besser mit mir. Und du und Uba habt mir solche Berge von Alantwurzeln gesammelt, daß es hier gewiß keine Pflanzen mehr geben wird. Sorge dich also nicht um mich«, gab Iza mit beschwichtigender Hand zurück.

Doch Ayla wußte, daß Kräuter und Pflanzen die Schmerzen der Medizinfrau nur vorübergehend linderten. Über lange Zeit hinweg hatte Iza ihre Krankheit ständig damit behandelt; die Schwindsucht in ihr war zu weit gediehen, als daß sie noch eine starke Wirkung haben konnten.

»Geh hinaus ins Freie, wenn die Sonne scheint und gönne dir viel Ruhe«, drängte Ayla. »Es wird hier nicht viel Arbeit geben. Holz und Nährendes sind in Fülle da. Zoug und Dorv können das Feuer unterhalten, das Tiere und böse Geister abwehren hilft. Und Aba kann das Kochen besorgen.«

»Ja, ja«, stimmte Iza zu. »Macht jetzt schnell. Brun ist zum Aufbruch bereit.«

Ayla nahm ihren gewohnten Platz ganz hinten ein, während alle sie ansahen und warteten.

»Ayla«, rief Iza. »Sie können nicht aufbrechen, solange du nicht an deinem richtigen Platz bist«, mahnte sie.

Hastig eilte Ayla an die Spitze der Frauengruppe. Ihr war unbehaglich, als sie sich noch vor Ebra einreihte. Sie machte der Gefährtin des Clan-Führers ein Zeichen, das um Vergebung bat, doch Ebra hatte sich längst an ihren zweiten Platz gewöhnt. Dennoch mutete es sie seltsam an, nicht Iza, sonder Ayla vor sich zu sehen; die Frage ging ihr durch den Kopf, ob sie wohl auf dem Zug zum nächsten Miething des Groß-Clans noch dabei sein würde.

Iza und die drei Leute, die zu betagt waren, um die lange Wanderung mitzumachen, begleiteten den Zug bis zum Grat. Dort hielten sie an und blickten den Clan-Leuten nach, bis sie nur noch als kleine dunkle Punkte in der Weite der Steppe auszumachen waren. Dann kehrten sie in die öde gewordene Höhle zurück. Aba und Dorv waren schon zum letzten Miething nicht mitgezogen und waren beinahe verwundert darüber, daß sie noch am Leben waren und noch ein zweites Treffen versäumten. Iza und Zoug jedoch blieben das erste Mal zurück. Immer noch zwar streifte Zoug hin und wieder mit seiner Schleuder durch die Wälder, aber er kehrte jetzt häufiger mit leeren Händen zurück. Dorvs Augenlicht hatte sich so getrübt, daß er gar nicht mehr ausziehen konnte.

Obwohl der Tag warm war, drängten sich die vier Zurückgelassenen eng um das Feuer vor der Höhle. Aber keiner hob auch nur die Hand, um ein Gespräch in Gang zu bringen. Plötzlich wurde Iza von einem Husten gepackt, der ihren ganzen Körper schüttelte. Blutiger Schleim kam ihr von den Lippen. Sie lief in die Höhle und verkroch sich tief in die Schlafmulde. Bald trotteten auch die anderen herein und ließen sich stumm an ihren Feuerstätten nieder. Sie ahnten, daß es lange währen würde, bis die Abwanderer wieder zurückkehrten. Unerträglich lange.

Von der milden Frische des jungen Sommers, der oben im Bergland eben erst aufgeblüht war, konnten die Clan-Leute in den weiten, heißen Ebenen der Steppe nichts mehr spüren. Statt üppig belaubter Bäume und Büsche, statt Tannen und Fichten, deren neue Triebe noch im lichten Grün an Zweigen und Ästen leuchteten, dehnten sich hier bis ins Unendliche bereits brusthoch stehende Gräser und Kräuter, aus denen die Sonne das Grün schon herausgesogen hatte. Dicht verfilzte Matten vorjährigen Wachstums polsterten den Boden und dämpften den Schritt der Clan-Leute, deren kleiner Zug sich schlangengleich durch das grüngoldene Land wand. Selten trübten Wolken den grenzenlos weiten Himmel über ihnen, es sei denn, irgendwo in der Ferne ballte sich ein Gewitter zusammen. Wasser gab es kaum. An jedem Wasserlauf machten sie halt und füllten ihre Behältnisse. Man konnte nie sicher sein, ob des Abends, wenn das Nachtlager aufgeschlagen wurde, auch Wasser in der Nähe war.

Brun schlug eine Gangart ein, die auch jene mithalten konnten, die nicht so flink auf den Beinen waren, allerdings mit Anstrengung. Sie hatten einen weiten Weg bis zur Gastgeberhöhle, die hoch oben in den Bergen des Festlands lag. Besonders Creb fiel es schwer, Schritt zu halten, doch die Vorfreude auf das Miething und die heiligen Feiern, die er leiten würde, beflügelten ihn. Sein Körper mochte verkrüppelt und verkümmert sein; die Kräfte des Geistes des großen Zauberers beeinträchtigte das nicht. Die Wärme der Sonne und die wohltätigen Kräuter, die Ayla ihm reichte, linderten die Schmerzen in seinen Gelenken, und mit der Zeit kräftigte das ständige Bewegen die Muskeln selbst seines kranken Beines.

Einförmiges Gleichmaß von Aufstehen, Packen, sich auf den Weg machen, Rasten, Lagern, Schlafen und zwischendurch etwas essen bestimmte die Tage der Wanderer. Und mit der vorrückenden Jahreszeit steigerten sich ganz allmählich Trockenheit und Hitze. Die wärmende Sonnenscheibe erglühte zu einem sengenden Rundfeuer, das die Steppen ausdörrte und das Flachland unter dem staubverschleierten, gelblich trüben Himmel mit der lohfarbenen Eintönigkeit graubrauner Erde, strohiggelben Grases und bräunlicher Felsen überzog. Doch nach drei Tagen brannten den Clan-Leuten die Augen von dem Rauch und der Flugasche eines gewaltigen Steppenbrandes, die der Wind ihnen in die Gesichter blies. Von Ferne sahen sie riesige Herden von Bisons, Hirschwild, Pferden und Halbeseln vorbeiziehen.

Lange bevor sie sich dem Sumpfgebiet der Landenge näherten, die das Halbinselland mit dem Festland verband und immer wieder von der seichten Salzsee im Oberland überschwemmt wurde, konnte man weit hinten die mächtige Bergkette erkennen, deren gewaltige Gipfel, von ewigem Eis bedeckt, kalt und unangreifbar der Hitze der Steppe spotteten. Als das Flachland in sanft gewellte Hügel überging, in deren roter, eisenerziger Erde Federgras und Wiesenschwingel wuchsen, wußte Brun, daß das Sumpfland nicht mehr weit war.

Zwei Tage lang kämpften die Clan-Leute sich durch modrige, von Mückenschwärmen summende Sümpfe und durch trübes, brackiges Wasser, ehe sie das Festland erreichten. Auf einen Saum niedriger Buchen- und Eichenbüsche folgte schattiger Eichenwald. Dann durchzogen sie ein riesiges Baumgebiet mit Buchen, durchsetzt mit Kastanien, und gelangten zu einem gemischten Waldland aus Eichen, Buchsbaum und Eiben; an den Stämmen mächtiger Bäume rankten Efeu und Klematis empor. Schließlich tauchten die Erdlinge in ein großes Gewälde aus Fichten und Tannen, in dem hier und dort auch noch Buche und Ahorn ihren Platz behaupteten.

Sie sahen Waldbisons weiden, Rotwild davonjagen und Elche vorbeitrotten; auch Wildschweine, Füchse, Dachse, Wölfe, Luchse, Leoparden, Wildkatzen und eine Menge kleineres Getier kam ihnen unter die Augen; aber nicht ein einziges Hörnchen. Ayla hatte gleich das Gefühl gehabt, daß unter diesen Tieren der Festlandberge eines fehlte.

Und dann entdeckten die Clan-Leute ihren ersten Höhlenbären. Blitzschnell hob Brun die Hand, und alles hielt an. Weit streckte er den Arm aus und wies nach vorne auf den massigen, zottigen Bären, der sich den Rücken an einem

Baum rieb. Alle Erdlinge waren jetzt zusammengerückt, die Frauen und Kinder in der Mitte, die Männer im Ring außen herum. Selbst die Kinder spürten die Ehrfurcht, mit der die Clan-Leute den gewaltigen Herrscher des Waldes beäugten. Selbst im Sommer, wo er vergleichsweise mager war, wog dieser Pelzriese so viel wie über sechzig Männer. Im Spätherbst, wenn er sich sein Winterfett angefressen hatte, war er noch massiger. Die Männer des Clans überragte er um beinahe drei Manneslängen, und mit seinem mächtigen Kopf und dem zottigen Pelz wirkte er wie ein übermächtiger Dämon. Während der Bär immer noch an dem Baum lehnte und sich träge den Rücken an der rissigen Rinde schabte, schien er der Erdlinge, die so dicht vor ihm angehalten hatten und ihn atemlos anstarrten, gar nicht gewahr zu werden. Gab es doch kaum ein Geschöpf, das er wirklich zu fürchten hatte, und andere beachtete er einfach nicht. Schon oft hatten die Clan-Leute erlebt, wie der kleinere Braunbär, der in dem Hügelland um ihre Höhle hauste, mit einem einzigen Schlag seiner pelzigen Pranke einem Hirsch das Genick brechen konnte; nicht auszudenken, wozu dann dieses gewaltige Tier fähig war. Nur ein männliches Tier wagte es, während der Brunst den Kampf mit seinesgleichen aufzunehmen, oder eine Bärin, die um ihre Jungen fürchtete. Und sie siegte immer.

Doch nicht nur die ungeheuerliche Größe des Bären hielt die Erdlinge in Bann. Dies war der Höhlenbär, ihr Totem, dessen Geist alle Clans des Groß-Clans zusammenband. Er war ihnen verwandt; in ihm war ihrer aller Geist vereinigt. Allein seine Gebeine besaßen solche Kraft, daß sie alles Böse abwehren konnten. Das, was sie mit ihm verband, war ein Über-Denken der eigenen Herkunft und der eigenen Art, für die der Bär das Sinnbild war. Deshalb war auch das große Miething, zu dem zu gelangen sie schon viel Weg unter die Füße genommen hatten, von so hoher Bedeutung. Da sich diese Erdlinge den Höhlenbären als Einigendes vorstellten, waren ihre Clans durch ihn vereint, zum Groß-Clan nämlich – zum Clan des Bären.

Jetzt aber hatte der Pelzriese sich genug gekratzt. Er reckte sich auf seine volle Höhe, trottete ein paar Schritte auf den

Hinterbeinen daher und ließ sich dann auf alle viere nieder. Die Schnauze am Boden tapste er lautlos davon.

»War das der Höhlenbär?« fragte Uba mit zitternder Hand und weit aufgerissenen Augen.

»Ja, das war der Höhlenbär«, bestätigte Creb. »Und wenn wir zum gastgebenden Clan kommen, wirst du noch einen sehen.«

»Hat dieser Clan denn wirklich einen lebendigen Bären in seiner Höhle?« wollte Ayla wissen. »Er ist so riesengroß.«

Sie kannte den Brauch, der bestimmte, daß der Clan, der das große Miething ausrichten würde, einen jungen Höhlenbären einzufangen und in seiner Höhle großzuziehen hatte.

»Jetzt wird er wohl in einem mächtigen Pfahlverhau außerhalb der Höhle sein. Aber als der Bär noch klein war, lebte er mit den Nachbar-Clan-Leuten in der Höhle und wurde großgezogen wie ein Kind. Nahrung bekam er an jeder Feuerstätte, wann immer er hungrig war. Viele Clans behaupten, daß ihre Höhlenbären sogar ein wenig ihrer Zeichensprache erlernten. Aber ich war jung in den Tagen, als das große Miething in unserer Höhle abgehalten wurde. Ich weiß nicht mehr viel davon und kann euch nicht bedeuten, ob es auch wirklich so gemacht wird. Wenn dann der Bär größer geworden ist, wird er in einen Pfahlverhau gesteckt, damit er keinen verletzen kann; aber alle füttern ihn und streicheln ihn weiter, damit er spürt, daß man ihm wohlgesonnen ist. Auf dem Fest des Bären wird er schließlich geehrt, und er wird unsere Bitten in die Welt der Geister bringen«, erklärte der Mog-ur mit geduldiger Gebärde.

»Und wann halten wir das große Miething ab und ziehen bei uns einen Höhlenbären groß?« erkundigte sich Uba.

»Wenn wir an der Reihe sind. Es sei denn, der Clan, dem es zufällt, vermag es nicht. Dann können wir uns anbieten. Aber kein Clan will übergangen sein oder unfähig, ein solches Miething auszurichten, auch wenn die Jäger manches Mal weit durch das Land zu ziehen haben, um ein Bärenjunges aufzuspüren, selbst wenn ihnen von der Bärenmutter größte Gefahr droht. Der Clan, zu dem wir geladen sind, hat großes Glück gehabt. Wo er wohnt, da hausen noch Höhlenbären. Und seine Jäger haben schon anderen Clans geholfen, die heiligen Tiere zu finden. Bei unserer Höhle gibt es keine mehr; aber einst müssen sie dagewesen sein. Die Gebeine dieses uns durch den Geist Verwandten lagen ja in der Höhle, als wir sie entdeckten«, schloß Creb.

»Und was geschieht, wenn dem Clan, der ein Miething ausrichten darf, etwas zustößt? Unser Clan lebt ja auch nicht mehr in der gleichen Höhle wie in früheren Tagen«, ereiferte sich Ayla. »Wäre es an uns, so wüßten die anderen Clans bestimmt nicht, wo sie uns finden sollten.«

Creb schüttelte lächelnd den Kopf.

»Doch, Ayla. Wir würden Läufer zu unserem Nachbar-Clan schicken, dessen Höhle der unseren am nächsten ist. Und von dort würde die Kunde weiter verbreitet werden.«

Gerade hatte Brun das Zeichen zum Weitergehen gegeben, und der Clan setzte sich wieder in Bewegung. Als sie zu dem Baum kamen, an dem der Höhlenbär sich am Rücken geschabt hatte, musterte Creb die Rinde mit scharfem Auge und zog ein paar Haarbüschel heraus, die in der schrundigen Borke klemmten. Behutsam wickelte er sie in ein Blatt, das er mit den Zähnen hielt, und steckte das Röllchen in eine Falte seines Überwurfs. Das Haar eines lebenden Höhlenbären besaß einen gewaltigen Zauber.

Den hochstämmigen Nadelbäumen im Hügelland folgten bald kleinwüchsige, knorrige Arten, als die Clan-Leute höher stiegen. Die eisglitzernden Gipfel der himmelhohen Berge, die sie schon von der Steppe aus hatten funkeln sehen, rückten greifbar nah. Dann schlugen sie sich durch dichtes Birkengehölz und zogen gebückt unter den tiefhängenden Zweigen von Wacholderbüschen hindurch. Schließlich gelangten sie wieder auf Wiesen, deren Grün eine unglaubliche Farbenvielfalt wildwachsender Blumen sprenkelte; fleischrote Azaleen, orangerot gefleckte Tigerlilien, violette Akelei, wasserblaue Wicken, dunkelblauer Enzian, gelbe Veilchen, Primeln aller Art.

Ab und zu sprangen ihnen kecke Gemsen über den Weg, und an den Hängen weideten Mufflons, die schwer an ihren Hörnern zu tragen hatten. Die Clan-Leute waren schon fast im Gebiet struppig-krüppliger Nadelbäume, die an die Wiesen der Niedriggräser grenzten, als sie auf einen ausgetretenen Pfad gelangten, der sich mählich einen steilen Hang hochwand. Die Jäger des Clans, der hier oben lebte, hatten einen weiten, mühsamen Weg hinunter zu den offenen Steppen, aber sie waren bereit gewesen, das auf sich zu nehmen. Denn hier hauste noch der Höhlenbär, und das verhieß Glück und Wohlstand.

Als sie Brun und Grod an einer Wegbiegung auftauchen sahen, blieben die Leute, die dem ankommenden Clan entgegengelaufen waren, beim Anblick von Ayla wie angewurzelt stehen. Aller Anstand war vergessen. Ungläubig starrten sie Ayla an und begleiteten sichtlich erregt und heftig mit den Armen schwingend den Zug, der, mit Ayla an der Spitze der Frauengruppe, müde und matt das letzte Stück bis zum Vorplatz der Höhle zurücklegte. Creb hatte Ayla gewarnt, doch auf solches Aufsehen war sie nicht gefaßt gewesen; und auch nicht auf so viele Erdlinge, von denen es hier nur so wimmelte. Über zweihundert entgeisterte Clan-Leute strömten zusammen und begafften die befremdliche Frau. Noch nie in ihrem Leben hatte Ayla so viele Erdlinge beieinander gesehen.

Vor einem riesigen Pfahlverhau – die Hauptstämme waren tief in die Erde gerammt worden – blieben sie stehen. Hier drinnen war der Höhlenbär, noch massiger als der, den man unterwegs gesehen hatte. Träge räkelte sich das gewaltige Felltier, das drei Jahre lang gehätschelt und gepäppelt worden war. Hingebungsvoller Mühe des kleinen Clans hatte es bedurft, den gefräßigen Bären so lange zu unterhalten, und selbst die vielen Gaben an Nahrung, Werkzeug und Pelzwerk, die die Gast-Clans mitbrachten, konnten nicht für die Arbeit und Anstrengung entschädigen. Doch nicht einer war unter den Gast-Clan-Leuten, der die Angehörigen des gastgebenden Clans nicht beneidete, und jeder der Nachbar-Clans brannte darauf, diese schwere Aufgabe selbst zu übernehmen und dafür Ruhm und Ehre einzuheimsen.

Der Höhlenbär tapste neugierig zum Gitter. Uba schmiegte sich näher an Ayla; sie fürchtete sowohl das Gedränge als auch den Bären. Der Clan-Führer und der Mog-ur des heimischen Clans traten zu der Gruppe der

Neuankömmlinge, entboten ihnen den althergebrachten Gruß, dem jedoch rasch zornige Fragezeichen ihrer Hände folgten.

»Was fällt euch ein, eine der Fremdlinge zum Großen Miething mitzubringen, Brun?« schalt der andere Clan-Führer.

»Sie ist eine Frau unseres Clans und aller Clans, Norg, und eine Medizinfrau von Izas Stamm«, gab Brun mit ruhiger Gebärde zurück, die von seinem inneren Unbehagen nichts verriet.

Von den Leuten ringsum kam ungläubiges Gemurmel, Hände flogen und redeten in erregter Gebärde.

»Das kann nicht sein«, bedeutete der andere Mog-ur. »Wie könnte sie eine Frau eures Clans und aller Clans sein? Sie wurde den Fremdlingen geboren.«

»Sie ist eine Frau unseres Clans und aller Clans«, beharrte Creb so entschieden wie Brun, während er Norg einen harten Blick zuschoß. »Oder zweifelst du an mir, Norg?«

Unsicher sah dieser seinen Mog-ur an, doch das verwirrte Gesicht des Zauberers half ihm nicht weiter.

»Norg, wir sind von weither gekommen und sind müde«, lenkte Brun ein. »Dies ist nicht die Zeit, darüber zu streiten. Verweigerst du uns die Gastlichkeit eurer Höhle?«

Dies war ein Augenblick höchster Gespanntheit. Wenn Norg es ablehnte, sie aufzunehmen, blieb ihnen nichts anderes übrig, als den langen Rückweg zu ihrer Höhle anzutreten. Zwar verstieße er damit gegen alle guten Sitten; gestattete er jedoch Ayla den Zutritt zur Höhle, so bestätigte er sie damit als Glied des Groß-Clans.

Und wieder blickte Norg auf seinen Morg-ur, dann auf den mächtigen Einäugigen, welcher der große Mog-ur war, und schließlich auf den Mann, der den ersten aller Clans anführte. Was blieb ihm denn auch noch viel übrig, wenn der große Mog-ur diese Fremde als Frau seines und aller Clans vorstellte?

Norg gab seiner Gefährtin das Zeichen, Brun und seinen Clan zu ihrem Platz in der Höhle zu geleiten; doch wich er Brun und dem großen Mog-ur nicht mehr von der Seite. Sobald die Ankömmlinge es sich wohnlich gemacht hatten, wollte er herausfinden, wie eine Frau, die offenkundig von den Fremdlingen abstammte, ein Glied des Clans geworden war.

Der Eingang zur Höhle von Norgs Clan war kleiner als der mächtige Spitzbogen, durch den Bruns Clan-Leute ein- und ausgegangen waren. Auch die Höhle selbst schien zunächst kleiner. Doch wie sich zeigte, bestand sie nicht aus einem einzigen Raum; von ihm zweigten nämlich kleinere Höhlen ab, durch Gänge miteinander verbunden, die den Bauch des Bergs durchzogen. Platz gab es mehr als genug, um alle Clans unterzubringen, wenn sie auch das Tageslicht entbehren mußten.

Bruns Clan wurde in eine geräumige Felskammer geführt, die gleich hinter der Höhle lag, in der Norgs Leute ihre Feuerstätten und Wohnkreise hatten. Es war ein Vorzugsraum, der ihrem ersten Rang unter den Clans entsprach. Obwohl sich in den tieferen Höhlen bereits einige andere Clans niedergelassen hatten, hätte man ihnen diesen Platz bis zum Beginn der Feier des Bären aufgehoben. Erst dann, wenn man gewiß gewesen wäre, daß Bruns Clan nicht kommen würde, hätte man ihn dem rangnächsten Clan eingeräumt.

Der Groß-Clan hatte keinen Führer. Doch so, wie es in jedem einzelnen Clan eine rangmäßige Ordnung gab, so gab es diese auch unter den Clans, und brauchmäßig war der Führer des ranghöchsten Clans zugleich der oberste des Groß-Clans. Unumschränkte Macht jedoch ging damit nicht einher. Dazu waren die Clans zu sehr gewohnt, über sich selbst zu bestimmen. Jeder wurde von einem einzigen Mann in unumschränkter und alleiniger Herrschaft geführt, der nicht so leicht bereit war, sich anderen Mächten als denen der Überlieferung und der Geister zu beugen. Welcher Rang jedem einzelnen Clan innerhalb der Großen Ordnung zukam, wurde alle sieben Jahre auf dem Großen Miething aller Clans bestimmt.

Ansehen und Rang eines jeden Clans beruhten auf vielem; nicht nur Feiern wurden abgehalten; wettkampfartiges Kräftemessen war von gleicher, wenn nicht gar von größerer Bedeutung. Der Zwang, sich selbst zu beherrschen, der jeden einzelnen einband, um den für das Überleben notwendigen Zusammenhalt zu sichern, durfte in solchen Vergleichen mit den anderen Clans gelockert werden. Und die Angriffslust, die sie sonst womöglich gegeneinander gerichtet hätten, konnte dabei auf bemessene Weise abgelassen werden. Wettkämpfe gab es viele. Die Männer maßen sich im Ringen und Schleudern, lieferten Proben ihrer Muskelkraft mit der Keule, trugen Laufwettbewerbe mit und ohne Speer aus, suchten einander im Werkzeugmachen, im Jagdtanz und im Geschichtenkünden zu übertreffen.

Und die Frauen hatten das ihre beizusteuern, wenn auch ihren Fertigkeiten nicht so viel Gewicht beigemessen wurde. Der große Festverzehr bot den Frauen Gelegenheit, mit besonders schmackhaft zubereiteten Speisen zu glänzen. Die von ihnen gefertigten Gaben für den gastgebenden Clan wurden zunächst ausgestellt und dann von jenen Frauen bewertet, die nicht an ihrer Fertigung mitgewirkt hatten. Weiche, geschmeidige Häute wurden da zur Schau gestellt, prächtiges Pelzwerk, wasserdichte Körbe, durchbrochen geflochtene Tragkörbe, Matten von feinem Gewebe und Muster, Behältnisse aus fester Rohhaut oder Baumrinde, kräftige Schnüre aus Flechsen und Sehnen oder faserigen Pflanzen oder Tierhaar, lange Riemen von gleichmäßiger Breite, Holzschalen von schimmernder Glätte, Platten aus Knochenstücken oder Holz, Trinkbecher, Schalen und Schöpfer, Hauben, Mützen, Fuß- und Handhüllen, Beutel aller Arten. Sogar die kleinen Kinder wurden verglichen.

Mit von Bedeutung für das Ansehen eines Clans war auch die Stellung, die der Mog-ur und die Medizinfrau unter ihresgleichen einnahmen. Die hohe Achtung, die Iza und Creb genossen, hatte ebensosehr dazu beigetragen, daß Bruns Clan der erste Rang zuerkannt wurde, wie die Tatsache, daß sein Clan schon seit Generationen der erste gewesen war. Dies allerdings hatte Brun nur einen leichten Vorteil eingebracht, als er zum Clan-Führer ernannt worden war. So wichtig all diese Einzelheiten waren, das entscheidende lag in der Eignung des Clan-Obersten zum Führer. Und die Entscheidung wiederum, welcher Clan-Führer der fähigste unter allen war, hing von Verschiedenem ab.

Ein Teil war, wie gut die Männer jedes Clans bei den Wettkämpfen abgeschnitten hatten, denn das zeigte, wie gut ihr

Clan-Führer es verstand, sie zu leiten und anzuspornen; ein anderer Teil war, wie eifrig die Frauen bei der Arbeit sich regten, denn darin zeigte sich eines Clan-Führers feste Hand. Den größten Teil aber machte die Gesinnungsstärke eines Clan-Führers aus. Brun wußte, daß es diesmal schwer werden würde, die alte Stellung im Groß-Clan zu behaupten. Bereits dadurch, daß er Ayla mitgebracht hatte, hatte er beträchtlich an Boden verloren.

Das Miething bot auch Gelegenheit, alte Bande der Freundschaft fester zu knüpfen, mit Verwandten aus anderen Clans zusammenzukommen, Neues und Geschichten auszutauschen, die in der folgenden Zeit manchen trostlosen kalten Winterabend mit Leben und Lachen erfüllen würde. Junge Leute, die im eigenen Clan keinen Gefährten finden konnten, hielten unter den jungen Männern und Frauen der Nachbar-Clans Ausschau. Allerdings wurde ein Paar nur dann zusammengegeben, wenn der jeweilige Clan-Führer, der über den jungen Mann zu bestimmen hatte, mit der Gefährtin einverstanden war. Für eine junge Frau galt es allgemein als Ehre, erwählt zu werden, besonders, wenn sie dadurch in einen ranghöheren Clan kam. Trotz Zougs Empfehlung und trotz des hohen Ansehens, das Izas Sippe genoß, hatte diese nicht daran gedacht, daß Ayla auf dem Miething einen Gefährten finden würde. Daß sie ein Kind hatte, wäre vielleicht von Vorteil gewesen, aber nur wenn ihr Sohn nicht als mißgestaltet abgetan worden wäre.

Und Ayla war weit davon entfernt, an die Suche nach einem Gefährten zu denken. Sie hatte genug damit zu tun, ihren ganzen Mut zusammenzuraffen, um den neugierigen und mißtrauischen Erdlingen gegenüberzutreten, die draußen vor der Höhle auf sie warteten. Sie und Uba hatten die Bündel und Körbe ausgepackt und den Raum etwas eingerichtet. Norgs Gefährtin hatte dafür gesorgt, daß Steine für die Feuerstätten und die Begrenzung der Wohnkreise bereitlagen.

Ayla hatte sich größte Mühe gegeben, ihre Gaben für die Gastgeber so auszulegen, wie Iza ihr gezeigt hatte, und die Feinheit ihrer Arbeit war bereits aufgefallen. Sie wusch sich, kleidete sich frisch und stillte dann ihren Sohn, während Uba ungeduldig wartete. Das Mädchen war ganz versessen darauf, rasch die Umgebung rings um die Höhle zu erkunden und all die fremden Leute kennenzulernen; doch allein wagte sie sich nicht hinaus.

»Mach doch schneller, Ayla«, drängte sie mit hastiger Hand. »Alle sind schon draußen. Kannst du dich nicht später um Durc kümmern? Ich will hinaus in die Sonne. Hier ist es so finster.«

»Und ich will nicht, daß er gleich zu schreien anfängt. Du weißt doch, wie laut er das tut. Dann glauben die Leute vielleicht, daß ich keine Mutter bin«, gab Ayla zurück. »Ich will nichts tun, was mich in ihren Augen noch abstoßender macht. Creb hat mich darauf hingewiesen, daß die Leute hier verwundert sein würden, wenn sie mich sehen. Aber ich ahnte nicht, daß sie zaudern würden, uns überhaupt aufzunehmen.«

»Aber sie haben uns aufgenommen, und wenn Creb und Brun sich mit ihnen zusammengesetzt haben, dann werden sie sehen, daß du zum Clan gehörst. Komm, Ayla. Du kannst nicht noch länger in dieser Höhle bleiben. Du mußt ihnen in die Gesichter blicken. Nach einiger Zeit werden sie sich an dich gewöhnen, genauso wie wir. Ich sehe schon gar nicht mehr, daß du anders aussiehst.«

»Ich war da, ehe du geboren wurdest, Uba. Die Leute hier haben mich nie zuvor gesehen. Aber nun gut, gehen wir. Nimm noch einen Happen für den Höhlenbären mit.«

Ayla stand auf. Sie drückte Durc an ihre Schulter und tätschelte seinen Rücken, während sie hinausgingen. Sie grüßte Norgs Gefährtin mit achtungsvoller Gebärde, als sie an ihrem Wohnkreis vorbeikamen. Die Frau erwiderte den Gruß und wandte sich dann hastig wieder ihrer Arbeit zu, beschämt, daß sie die junge Frau so lange angestarrt hatte. Ayla holte tief Atem, als sie sich dem Ausgang näherten, und hielt ihren Kopf ein wenig höher. Sie war entschlossen, die Neugier der Leute nicht zu beachten; sie war eine Frau des Clans und gehörte genauso hierher wie alle anderen.

Als sie ins helle Sonnenlicht hinaustrat, wurde ihre Selbstsicherheit auf eine harte Probe gestellt. Viele hatten einen Vorwand gefunden, in Höhlennähe zu verbleiben und zu warten, bis die befremdliche Frau herauskam. Einige bemühten sich, ihre Neugier nicht offen zu zeigen; die meisten aber vergaßen oder mißachteten das Gebot des guten Anstands und starrten Ayla mit aufgerissenen Mündern und großen Augen an. Ayla spürte, wie ihr das Blut ins Gesicht schoß. Jetzt bin ich bestimmt ganz rot auf den Wangen, dachte sie und beugte sich über Durc, um den Gaffenden nicht begegnen zu müssen.

Gleich darauf richtete sich das Augenmerk der Leute auf Durc, den sie bisher ganz übersehen hatten. Die Gesichter und Gebärden verrieten deutlich, was die Umstehenden von ihrem Sohn hielten. Er hätte gar nicht wie eines ihrer Kinder auszusehen brauchen. Hätte er mehr Ähnlichkeit mit Ayla gehabt, so hätten sie ihn leichter annehmen können. Gleich, was Brun und der große Mog-ur behaupteten, Ayla war eine von den Fremdlingen. Es wäre wirklich nicht verwunderlich gewesen, hätte ihr Kind ausgesehen wie diese. Durc jedoch war den Clan-Kindern insoweit ähnlich, daß jenes, was er von seiner Mutter mitbekommen hatte, wie mißgebildet wirkte. In den Augen aller Clan-Leute war er eine Mißgeburt, die man nicht hätte am Leben lassen dürfen. Dadurch fiel nicht nur Aylas Wert noch weiter, sondern auch Brun verlor immer mehr an Boden. Ayla wandte den mißtrauischen Blikken und aufgerissenen Mündern den Rücken zu und ging mit Uba an ihrer Seite zum Pfahlverhau des Höhlenbären hinüber, um sich das riesige Tier anzusehen. Als der Bär die beiden kommen sah, tapste er an das Pfahlgitter, setzte sich auf und langte mit einer Pranke nach draußen, um sich den Leckerbissen zu holen, den er erwartete. Ayla und Uba fuhren beide zurück beim Anblick der riesigen Pranke mit den dicken, ziemlich kurzen Krallen, die mehr dafür geeignet waren, Wurzeln und Knollen auszugraben als Bäume hinaufzuklettern. Im Gegensatz zu den Braunbären waren bei den Höhlenbären nur die Jungen klein und wendig genug, um zu klettern. Ayla und Uba legten ihre Äpfel vor den dicken Pfählen auf den Boden.

Das Tier, das man als Tierkind großgezogen und das nie Hunger gekannt hatte, war gezähmt und den Erdlingen gegenüber voller Zutrauen. Es hatte bald herausgefunden, wie es bestimmt noch einen zusätzlichen Happen bekam. Also richtete der Bär sich auf und schlug in bittender Gebärde die schweren Pranken zusammen. Beinahe hätte Ayla gelacht; doch es gelang ihr gerade noch, den unbotmäßigen Frohlaut zu unterdrücken.

»Jetzt ist mir klar, warum die Clan-Leute behaupten, ihre Höhlenbären könnten sprechen«, wandte sich Ayla an Uba. »Er will mehr. Hast du noch einen Apfel?«

Uba gab ihr einen der kleinen, harten Äpfel, und diesmal trat Ayla an den Käfig heran und gab ihn ihm. Er schob ihn in sein Maul, kam dann näher an die Pfähle heran und rieb seinen zottigen Kopf an dem rauhen Holz.

»Du willst wohl gekrault werden, alter Honigfresser«, begrüßte ihn Ayla. Sie wußte wohl, daß man den Höhlenbären, wenn er selbst da war, nie beim Namen nennen durfte. Wenn das nämlich geschah, würde er sich daran erinnern, wer er war, und erkennen, daß er nicht einfach zum Clan gehörte, der ihn großgezogen hatte. Er würde wieder zum wilden Tier werden und das Fest des Bären zunichte machen.

Sie kraulte ihn hinter dem Ohr.

»Du bist ein Faulpelz«, bedeutete sie ihm, als er auch noch das andere Ohr hinstreckte.

Ayla kraulte und kratzte den großen, zottigen Kopf, doch als Durc den Arm ausstreckte, um ein Büschel Fell zu pakken, wich sie schnell zurück. Sie hatte die kleinen Tiere, die sie krank oder verletzt in die Höhle zu bringen pflegte, oft genug gestreichelt, um zu spüren, daß auch dieser mächtige Kerl gezähmt und zutraulich war. Ihre anfängliche Scheu vor ihm war rasch verflogen. Doch als Durc mit seinen Händchen in das Zottelfell greifen wollte, wurden das große Maul und die gebogenen Krallen plötzlich sehr gefährlich.

»Daß du es einfach wagst, ihm so nahe zu kommen!« Ubas Gesicht war voller Ehrfurcht. »Mir würde es angst machen, ihm so nahe zu kommen.«

»Er ist wie ein großes Kind. Aber für Durc ist er gefährlich. Er könnte ihn mit einem freundlichen Prankenschlag verletzen. Er sieht so harmlos aus, wenn er noch etwas will, aber ich möchte nicht wissen, was er tun kann, wenn er einmal zornig wird«, bedeutete Ayla nachdenklich, als sie davongingen.

Uba war nicht die einzige gewesen, die erstaunt war über Aylas Unerschrockenheit. Viele hatten den Vorfall beobachtet. Die meisten Neuankömmlinge scheuten zumindest zu Anfang vor dem Bären zurück. Die kleineren Jungen machten sich ein Vergnügen daraus, blitzschnell zum Pfahlverhau hinzustürzen, den Arm zwischen den Pfählen hindurchzustrecken und den Bären kurz zu berühren. Damit wollten sie ihren Mut zeigen. Die Männer waren zu stolz, um Furcht sehen zu lassen, gleich, ob sie welche verspürten oder nicht. Aber nur wenige Frauen, abgesehen von jenen des gastgebenden Clans, wagten sich jemals nahe an den Käfig heran, und noch nie war es vorgekommen, daß eine den Mut gezeigt hatte, den Arm durch das Gitter zu strecken und den Bären zu kraulen, und das gleich bei der ersten Begegnung. Zwar konnte dieses Geschehnis die Ablehnung der Leute gegen Ayla nicht auslöschen, aber nun sahen sie die fremde Frau doch mit etwas anderen Augen.

Jetzt, wo alle Gelegenheit gehabt hatten, Ayla gründlich in Augenschein zu nehmen, gingen sie auseinander. Immer noch aber spürte Ayla hier und dort verstohlene Blicke. Das offene Staunen der Kinder traf sie längst nicht so sehr. Es entsprang der Neugier der Jungen für alles, was ungewöhnlich war, und enthielt keinen Schimmer von Mißtrauen oder Mißfallen.

Ayla und Uba gingen auf eine schattige Stelle unter einem Felsvorsprung zu, der sich am äußeren Rand des großen freien Platzes vor der Höhle befand. Von dort aus konnten sie das Treiben der Leute beobachten, ohne gegen den Anstand zu verstoßen.

Ayla und Uba waren sich immer besonders nah gewesen. Doch seit Uba begonnen hatte, ernsthaft zu lernen, und seit dem Tag, an dem sie Ayla in die kleine Höhle hinauf gefolgt war, hatte sich ihre Beziehung gewandelt; sie war ausgewogener geworden. Sie waren sich gleich und jetzt enge Freundinnen. Uba hatte den sechsten Sommer hinter sich und das erste Mal etwas für Jungen übrig.

Im kühlen Felsschatten setzten sie sich nieder, das Tragfell mit Durc zwischen sich. Der Kleine lag auf dem Bauch und strampelte und hob immer wieder den Kopf, um sich neugierig umzusehen. Irgendwann auf der langen Wanderung hatte er angefangen, zu krabbeln und zu gurren und Laute von sich zu geben, was keines der kleinen Clan-Kinder konnte. Es beunruhigte Ayla und freute sie zugleich.

Uba beäugte die älteren Jungen und jungen Männer und tat mit kurzen Gesten kund, wie sie ihr gefielen. Sie waren beide froh, daß sie den langen Fußweg hinter sich hatten und unterhielten sich lebhaft darüber, wie wohl das Fest des Bären werden würde, als eine junge Frau sich ihnen näherte und scheu anfragte, ob sie sich zu ihnen setzen könnte.

Sie hießen sie mit Freude willkommen; war es doch das erste Zeichen von Freundlichkeit, das ihnen hier zuteil wurde. Sie sahen, daß die Frau einen Säugling in ihrem Tragfell hielt; doch das Kind schlief, und die Frau tat nichts, es zu stören.

»Mein Name ist Oda«, zeigte sie an, als sie sich niedergelassen hatte und hob fragend die Hand, weil sie beider Namen wissen wollte.

»Ich heiße Uba«, erwiderte Uba. »Diese Frau ist Ayla.«

»Aay... Aycha?... Ich kenne den Namen nicht.« Odas Gebärden waren ein wenig zerhackt, aber man verstand sie.

»Es ist kein Name des Clans«, bedeutete ihr Ayla.

Oda hob die Hände, als wollte sie etwas sagen, ließ sie dann aber wieder sinken. Sie schien unschlüssig. Schließlich wies sie auf Durc.

»Ich sehe, du hast ein Kleines«, begann sie mit zögernder Gebärde. »Ist es ein Mädchen oder ein Junge?«

»Ein Junge. Sein Name ist Durc. Wie der Durc aus der Geschichte. Kennst du sie?« fragte Ayla.

Ein seltsamer Ausdruck der Erleichterung trat in Odas Augen.

»Die Geschichte ist mir vertraut. Der Name kommt in unserem Clan nicht vor.«

»Auch in unserem Clan ist er nicht üblich. Aber der Kleine ist nun mal etwas Besonderes. Und der Name paßt zu ihm«, tat Ayla fast trotzig kund.

»Auch ich habe ein Kleines. Ein Mädchen. Ihr Name ist Ura«, gab Oda zurück.

Noch immer schien sie unschlüssig und voller Unbehagen. Eine Zeitlang saßen die drei Frauen reglos beieinander. Keine schien recht zu wissen, was sie tun sollte.

»Schläft die Kleine?« erkundigte sich Ayla schließlich mit fragender Gebärde. »Ich würde mir Ura gern ansehen, wenn du gestattest.«

Oda tat eine Weile gar nichts. Es war, als müßte sie sich die Frage durch den Kopf gehen lassen. Dann, als hätte sie ihren Entschluß gefaßt, nahm sie den Säugling aus dem Fell und legte ihn Ayla in die Arme. Die junge Frau riß weit die Augen auf. Ura war noch sehr klein – seit dem Gebären konnte nicht viel mehr als ein Mond vergangen sein –, aber sie sah aus wie Durc. Sie hatte so viel Ähnlichkeit mit Durc, daß sie seine Schwester hätte sein können. Odas Kind hätte das ihre sein können!

Ayla wollte es nicht glauben. Wie konnte eine Frau, die dem Groß-Clan angehörte, ein Kind haben, das aussah wie das ihre? Sie hatte geglaubt, Durc sähe anders aus, weil sich in ihm ein Teil von ihr und ein Teil vom Clan vereinigt hatten, doch Creb und Brun mußten wohl recht gehabt haben. Durc war nicht anders, er war mißgestaltet; so wie Odas Kind mißgestaltet war. Ayla war so außer sich, daß sie nur still und stumm dasitzen konnte.

Schließlich wandte sich Uba an die andere Frau.

»Dein Kind sieht aus wie Durc, Oda.«

»Ja«, bestätigte sie. »Ich war verwundert, als ich Aychas Kind sah. Das hat mich veranlaßt, zu euch zu kommen. Ich wollte sehen, ob das Kleine ein Junge oder ein Mädchen ist.«

»Warum wolltest du das sehen?« fragten Aylas Hände.

Oda blickte auf das Kind in Aylas Schoß.

»Meine Tochter ist mißgestaltet«, bedeutete sie, ohne Ayla anzusehen. »Ich hatte Angst, sie würde niemals einen Gefährten finden, wenn sie erwachsen wird. Gibt es einen Mann, der eine so mißgestaltete Frau zur Gefährtin nimmt?« Odas Augen blickten flehend, als sie Ayla endlich ansah. »Als ich dein Kind gewahrte, erwachte Hoffnung in mir. Auch für deinen Sohn wird es nicht leicht sein, eine Gefährtin zu finden.«

Ayla hatte an eine Gefährtin für Durc noch gar nicht gedacht. Oda hatte aber recht, es würde ihm gewiß schwerfallen, eine Gefährtin zu finden. Und jetzt war ihr klar, warum Oda sich ihnen genähert hatte.

»Ist deine Tochter heil?« wollte sie wissen. »Kräftig?«

Oda blickte auf ihre Hände nieder, ehe sie diese wieder hob, um zu antworten.

»Das Kind ist dünn, aber alles ist dran. Das Kind hat einen schwachen Hals, aber er wird jetzt kräftiger.«

Ayla sah sich das Kleine genauer an und warf dann der Frau einen fragenden Blick zu, ehe sie das Kind aus seinen Hüllen schälte. Es war stämmiger gebaut als Durc, den Kindern des Clans ähnlicher von der Gestalt her, aber die Knochen waren zarter. Es hatte die gleiche hohe Stirn, den gleichen zu kurz geratenen Hinterkopf; nur die Brauenwülste waren weniger stark ausgebildet; die Nase war klein, aber man konnte schon jetzt sehen, daß das Kind den kinnlosen Kiefer der Erdlinge bekommen würde. Der Hals des kleinen Mädchens war kürzer als der von Durc, aber länger als gewöhnlich bei den Säuglingen des Clans. Ayla hob das kleine Mädchen hoch und schob ihm die Hand unter den Kopf. Sie sah, wie der Säugling sich mühte, den Kopf zu heben, und machte zu Oda eine beruhigende Gebärde.

»Ihr Hals wird kräftiger werden, Oda. Durcs war noch schwächer, als ich ihn gebar, und sieh ihn dir jetzt an.«

»Glaubst du?« gab Oda zurück. »Ich bitte dich, die du die Medizinfrau des obersten aller Clans bist, dieses Mädchen als Gefährtin deines Sohnes anzunehmen.«

»Ich glaube, Ura wäre bestimmt eine gute Gefährtin für Durc.«

»Dann bist du bereit, dich mit deinem Gefährten zu beraten?«

»Ich habe keinen Gefährten«, antwortete Ayla.

»Dann steht Unglück über deinem Sohn«, gab Oda enttäuscht zurück. »Wer soll ihn unterweisen, wenn du keinen Gefährten hast?«

»Es steht kein Unglück über meinem Sohn«, widersprach Ayla mit Entschiedenheit. »Nicht alle Kinder, die gefährtenlosen Frauen geboren werden, sind vom Unglück verfolgt. Ich teile des Mog-urs Feuer. Er jagt nicht, aber Brun selbst hat gelobt, meinen Sohn zu unterweisen. Er wird ein guter Jäger werden und ein guter Nährer. Auch hat er ein Jagdtotem. Der Mog-ur hat uns offenbart, daß es der Grauwolf ist.«

»Ich wünsche von Herzen, daß du recht hast«, gab ihr Oda zu verstehen. »Unser Mog-ur hat Uras Totem noch nicht offenbart, aber ein Grauwolf ist stark genug, jedes Frauentotem zu bezwingen.«

»Nicht Aylas«, warf Uba mit rascher Gebärde ein. »Ihr Totem ist der Höhlenlöwe. Sie wurde erwählt.«

»Wie konnte es geschehen, daß du ein Kind bekamst?« Odas Gesten verrieten ihre Verwunderung. »Mein Totem ist der Hamster, doch er hat diesmal heftig gekämpft. Als ich meine erste Tochter trug, hatte ich es nicht so schwer.«

»Auch ich hatte es schwer, als ich Durc trug. Hast du noch eine Tochter? Ist sie heil und wohlgestaltet?«

»Sie war wohlgestaltet, ja. Aber nun ist sie im Schattenreich«, bedeutete Oda bedrückt.

»Und darum durfte Ura leben? Es verwundert mich, daß du sie behalten durftest«, gab Ayla zurück.

»Ich hatte nicht den Wunsch, sie zu behalten. Mein Gefährte befahl es so. Es ist meine Strafe«, bekannte Oda mit zögernder Hand.

»Deine Strafe?«

»Ja«, nickte Oda. »In meinem Herzen wünschte ich mir eine Tochter, aber mein Gefährte wünschte einen Sohn. Ich trug noch meine tote Tochter im Herzen. Ich wünschte mir ein Kind, das ihr gleich sein sollte. Mein Gefährte meinte, das Kind sei mißgestaltet, weil Unrecht in meinem Herzen war, als ich es trug. Er meinte, hätte ich einen Sohn gewünscht, so wäre das Kind wohlgestaltet geworden. Er zwang mich, das Kind zu behalten. Jeder sollte sehen, daß ich keine gute Frau bin. Aber er hat mich nicht verstoßen. Denn kein anderer wollte mich haben.«

»In meinen Augen bist du keine schlechte Frau, Oda.« Mitleid stand in Aylas Gesicht. »Iza wünschte sich ein Mädchen, als sie Uba trug. Sie hat mir anvertraut, daß sie ihr Totem an jenem Tag um ein Mädchen bat. Wie ist deine erste Tochter umgekommen?«

»Sie wurde von einem Mann getötet.« Odas Gesicht lief rot

an. »Er sah aus wie du, Aycha. Es war ein Mann, der zu den Fremdlingen gehörte.«

Ein Mann, der zu den Fremdlingen gehörte? dachte Ayla. Ein Mann, der aussieht wie ich? Kälte kroch ihr den Rücken hinauf und ihr war, als sträubten sich ihr die Haare. Sie sah in Odas schamrotes Gesicht.

»Iza hat mir gesagt, daß ich den Fremdlingen geboren wurde, Oda, aber ich weiß nichts mehr von ihnen. Ich kenne sie nicht. Ich gehöre jetzt zum Clan des Bären«, bedeutete sie ermutigend. »Wie ist es denn geschehen?«

»Wir waren auf der Jagd, einige Frauen und die Männer. Unser Clan hat seine Höhle in der rauhen, kalten Gegend, wo der Schnee früh kommt und spät schmilzt. Jenes Mal zogen wir weiter fort als je zuvor. Die Männer verließen bei Sonnenaufgang das Jagdlager. Wir blieben zurück, um Holz zu sammeln für ein Feuer. Da stürmten unversehens die fremden Männer in unser Lager. Sie wollten uns nehmen, aber gaben uns nicht das Zeichen, sondern stürzten sich sofort auf uns. Ich konnte nicht einmal mein Kleines aus dem Tragfell nehmen. Der Fremdling, der mich packte, riß mir alles vom Leib. Mein Kleines fiel zur Erde, aber er sah es nicht.«

»Nach ihm«, fuhr Oda erregt fort, »wollte mich noch ein anderer Mann nehmen, aber einer sah mein Kind. Der hob die Kleine auf und gab sie mir, doch sie lebte nicht mehr. Sie war mit dem Kopf auf einen Stein geschlagen, als sie herunterfiel. Da spie der Mann, der sie gefunden hatte, viele laute Geräusche aus seinem Mund, und sie gingen alle fort. Und als die Jäger zurückkehrten, zeigten wir ihnen, was geschehen war, und sie kehrten wie der Wind mit uns zur Höhle zurück. Mein Gefährte war gut zu mir; auch er trauerte um meine Tochter. Und in mein Herz zog wieder Freude ein, als ich sah, daß mein Totem so bald, nachdem ich das Kind verloren hatte, wieder bezwungen worden war. Ich mußte mich nicht einmal absondern, weil ich nicht die Tage hatte. Ich glaubte, mein Totem schmerzte es, daß ich mein Kind verloren hatte. Ich glaubte, es wollte mir ein anderes geben. Und darum bat ich um ein Mädchen. Aber das hätte ich nicht tun sollen.«

»Mein Herz leidet mit dir«, versicherte Ayla der anderen

Clan-Frau. »Niemals möchte ich Durc verlieren. Ich will mich an den großen Mog-ur wenden, was Ura angeht. Er wird sich mit Brun beraten. Er ist meinem Sohn zugeneigt. Auch Brun wird einverstanden sein, glaube ich.«

»Ich will es dir danken, und ich gelobe, sie gut aufzuziehen, Aycha. Sie wird eine gute Frau, nicht wie ihre Mutter. Bruns Clan hat den höchsten Rang; gewiß wird mein Gefährte sich nicht widersetzen. Wenn er weiß, daß Ura in Bruns Clan einen Platz findet, wird er mir vielleicht nicht mehr so heftig zürnen. Immer hält er mir vor Augen, daß meine Tochter nur eine Last sei und niemals Ansehen genießen wird.«

»Ich will zum Mog-ur gehen«, versprach Ayla nochmals.

Nachdem Oda gegangen war, war Ayla still und in sich gekehrt. Uba spürte, daß sie mit sich allein sein wollte, und störte sie nicht.

Die Fremdlinge, dachte Ayla, wer sind die Fremdlinge? Iza hat gesagt, ich wäre ihnen geboren worden, aber wie kommt es, daß ich nichts mehr von ihnen weiß? Ich weiß nicht einmal mehr, wie sie aussehen. Wo leben sie? Wie sehen die Männer der Fremdlinge aus? Ayla kam wieder das Wasserspiegelbild ihres eigenen Gesichts vor Augen. Sie versuchte, sich einen Mann mit diesem Gesicht vorzustellen. Statt dessen jedoch tauchte Brouds Gesicht vor ihr auf, und blitzartig sah sie klar.

Die Männer der Fremdlinge! So mußte es sein! Oda hatte berichtet, einer von ihnen hätte sie genommen. Und danach waren ihre blutenden Tage ausgeblieben. Diese Frau hatte Ura zur Welt gebracht, so wie sie selbst Durc geboren hatte, nachdem es Broud mit ihr gemacht hatte. Jener Mann, dachte sie, war einer der Fremdlinge, und auch ich wurde den Fremdlingen geboren; Oda und Broud aber wurden dem Clan geboren. Ura ist sowenig mißgestaltet wie Durc. So wie in Durc, so sind in ihr Teile der Fremdlinge und Teile des Clans vereint. Dann hat also doch Brouds männliches Geschlecht meinen Sohn in mich gelegt und nicht der Geist seines Totems.

Aber die anderen Frauen von Odas Clan hatten keine mißgeburtigen Kinder bekommen. Und würde jedesmal ein

Kind gezeugt, wenn die Männer bei den Frauen sind, so gäbe es ja dauernd Kinder. Mag sein, daß auch Creb recht hat: Das Totem einer Frau müsse bezwungen werden. Aber bestimmt ist es nicht so, daß die Frau die lebenspendende Kraft des Totems schluckt; diese dringt durch das männliche Geschlecht in sie ein, und dann vermischt sie sich mit der lebenspendenden Kraft des Totems der Frau. Nicht die Männer allein machen ein Kind; auch die Frauen geben das ihre dazu.

Ayla vergrub das Gesicht in ihren Händen. Aber warum gerade Broud? Mein Herz schrie nach einem Kind, mein Höhlenlöwe wußte es, aber Broud ist voller Haß gegen mich. Und gegen mein Kind. Aber wer sonst hätte sich mit mir vermischt? Die anderen Männer finden mich ja häßlich. Broud hat es nur getan, weil er sah, wie heftig ich ihn dabei haßte. Wußte mein Höhlenlöwe, daß Brouds Totem siegen würde? Seine Lebenskraft muß mächtig sein; Oga hat schon zwei Söhne. Auch Brac und Grev müssen durch Broud ins Leben gerufen worden sein wie Durc.

Sind sie somit Geschwister? Brüder? Wie Brun und Creb? Brun muß Broud in Ebras Leib gepflanzt haben. Es kann auch ein anderer Mann gewesen sein. Nein, wohl nicht. Selten geben die Männer der Gefährtin des Clan-Führers das Zeichen. Denn eigentlich ist das unanständig.

Ayla spreizte die Finger und blickte durch die Lücken. Aber wenn Brun Broud gepflanzt hat und Broud Durc gepflanzt hat, wohnt dann in Durc auch etwas von Brun? Und von Brac und Grev? Brun und Creb sind Brüder; sie wurden derselben Mutter geboren. Ist dann Durc auch ein Teil von Creb? Und von Iza? Sie ist Crebs Schwester. Ayla schüttelte plötzlich heftig den Kopf. Das alles war zu verwirrend.

Doch Broud hat Durc in mich gepflanzt, beharrte sie. Hat wohl mein Totem Broud dazu bewegt, mir jenes erste Mal das Zeichen zu geben? Mag sein, daß auch das eine Prüfung war; mag sein, daß es einen anderen Weg nicht gab. Mein Totem muß es vorhergesehen haben. Es wußte, wie brennend mein Wunsch nach einem Kind war und hat mir ein Zeichen gesandt, um mich wissen zu lassen, daß Durc leben würde.

»Ayla«, sagte Uba, die Freundin aus ihren Gedanken reißend. »Ich habe eben gesehen, daß Creb und Brun in die

Höhle gegangen sind. Die Sonne steht schon tief. Wir müssen den Abendverzehr bereiten. Creb wird hungrig sein.«

Durc war eingeschlafen. Er erwachte, als Ayla ihn hochhob, schlief aber bald wieder ein, als er, in sein Fell eingehüllt, an der Brust seiner Mutter lag. Gewiß wird Brun gestatten, daß Ura und Durc zusammengegeben werden, dachte sie, als sie zur Höhle zurückwanderten. Aber was wird aus mir? Werde ich je einen Gefährten finden?

22

Noch einmal mußte Ayla Blicke der Bestürzung und des Mißtrauens über sich ergehen lassen, als die letzten beiden Clans eintrafen. Die hochgewachsene, hellhaarige Frau war immer noch eine Sehenswürdigkeit für die nahezu zweihundertfünfzig Erdlinge, die sich mittlerweile zum Großen Miething eingefunden hatten. Wo Ayla ging und stand, fiel sie auf; jede ihrer Handreichungen wurde mehr oder weniger verstohlen beobachtet. Doch so fremd sie auch wirkte, an ihrem Verhalten war nichts, was gegen die Sitten verstieß. Ayla bemühte sich nach Kräften, niemandem Anlaß für Unmut zu geben.

Sie lachte nicht und lächelte nicht. Sie vergoß keine Tränen. Sie zeigte keinen Frohsinn und kein Wehleiden. Sie erlaubte sich weder weit ausholende, weichfedernde Schritte noch freien lockeren Armschwung. Sie bot ein Bild clanmäßiger Frauentugend, und allmählich gewöhnten sich die Clan-Leute an sie und wandten ihre Augen wieder anderen Dingen zu.

Es war nicht einfach, innerhalb des bemessenen Raums rings um die Höhle eine so große Erdlingsschar in Ruhe und Frieden einträchtig beieinander zu halten. Das gelang nur mit Gemeinschaftsgeist, gleichgerichteter Zusammenarbeit und gegenseitigem Entgegenkommen. Für die Clan-Führer der zehn Clans war hier viel mehr zu tun, als wenn sie nur für ihren eigenen Clan Sorge zu tragen hatten. Je mehr Erdlinge zusammen waren, desto schwieriger wurde das Zusammenleben.

Um alle satt zu bekommen, mußten Jagdzüge unternommen werden, und schon war man im Engpaß der Ratlosigkeit, wenn zwei oder mehrere Clans zusammen jagten. Gut, die Führung, das war klar, oblag dem Führer des ranghöchsten Clans. Wer aber sollte zweiter und dritter Mann sein? Und wie sollten die Jäger eingeteilt werden? Man versuchte es mit wechselnder Einteilung, um ja keinen vor den Kopf zu stoßen, und man zog niemals aus, ohne zuvor geklärt zu haben, was Aufgabe eines jeden Mannes sei.

Auch bei der Sammelarbeit der Frauen drohten Reibereien. Zwar ging es da nicht um Rang oder Aufgabe; es war einfach so, daß allzu viele Frauen die besten Pflanzen und Kräuter pflücken wollten. Rasch war dann ein Gebiet abgegrast, und doch hatte keine wirklich genug. Getrocknete Nahrung war ausreichend vorhanden für alle Clans, aber Frischzeug war eben viel begehrter. Schon lange vor einem Miething pflegte der Clan, bei dem es ausgerichtet wurde, weiteste Streifzüge zu unternehmen, um das Gebiet in der Umgebung seiner Höhle unberührt zu lassen; doch selbst dieses Entgegenkommen konnte nicht sicherstellen, daß die Bedürfnisse aller befriedigt wurden.

Der von dem Gletscherwasser gespeiste Fluß in der Nähe lieferte genug Wasser, Brennholz jedoch war knapp. Gekocht wurde im Freien, wenn es nicht gerade regnete; den Verzehr bereiteten die Clan-Frauen am großen Gemeinschaftsfeuer und nicht an ihren eigenen Feuerstätten. Dennoch wurde der größte Teil des dürren Holzes, das sich in den Wäldern fand, aufgebraucht, und viele grüne Bäume fielen den Äxten zum Opfer.

Zur Versorgungsschwierigkeit kamen noch die leidigen Fragen, wie denn Abfälle und Unrat zu beseitigen seien und wo der Platz für all die vielen Erdlinge hergenommen werden konnte. Das alles war nicht leicht zu lösen. Es galt nicht nur, Wohnraum im Höhleninnern zu schaffen, sondern auch Platz zum Kochen, Platz für Versammlungen, für die verschiedenen Wettkämpfe, für Festlichkeiten und Feiern. Und all dieses vorzubereiten barg eben mannigfaltige Schwierigkeiten. Ein Clan suchte den anderen zu übertrumpfen oder um den Vorteil zu bringen, und nur durch endloses Beraten konnte das gespannte Seil der Eigensucht zwischen den Gruppen gelockert werden. Brauch und Überlieferung trugen viel dazu bei, dem Gezänk die Schärfe zu nehmen, und Brun besonders zeigte hier seine Gabe, sich einzufühlen und zu vermitteln.

Creb war nicht der einzige, der bei dem Miething des Groß-Clans eine besondere Befriedigung erlebte, mit seinesgleichen zusammenkommen zu können. Auch Brun reizte die Herausforderung, sich mit Männern zu messen, die ihm an Macht gleichgestellt waren. Seinen Wettkampf sah er darin, die Vormacht über die anderen Clan-Führer zu erringen. Die von altersher geübten Bräuche und Gebote richtig anzuwenden verlangte einen klaren Durchblick und die Fähigkeit, einen Entscheid zu treffen und an ihm festzuhalten, und dennoch zu erkennen, wenn um ein Geringes nachzugeben ratsam war. Brun war nicht grundlos der erste unter den Clan-Führern. Er wußte, wann er hart sein mußte und wann entgegenkommend, wann er Einmütigkeit bewahren mußte und wann er sich alleine zu behaupten hatte. Wenn die Clans sich versammelten, war es meist so, daß der starke Mann in Erscheinung trat, der die selbstbewußten Clan-Führer zumindest für die Dauer des Miethings zu einer wirksamen Einheit zusammenbringen konnte. Und dieser Mann war Brun. Er war es schon, seit er das Oberhaupt seines eigenen Clans geworden war.

Hätte er durch Ayla das Gesicht verloren, so wäre er durch seinen Selbstzweifel um eben diesen Vorteil gebracht worden, wäre sein Glaube an sein sicheres Urteil erschüttert gewesen. Und so hätte seine eigene Zaghaftigkeit Zweifel an seinen Entscheidungen aufkommen lassen. Dann wäre er den anderen Clan-Führern nicht mehr unter die Augen getreten. Doch Bruns Gespür dafür, innerhalb der fest abgesteckten Grenzen von Brauch und Überlieferung den rechten Weg zu finden, hatte ihn befähigt, Ayla gegenüber Milde walten zu lassen. Und als für ihn keine Bedrohung mehr bestand, konnte er die junge Frau mit anderen Augen sehen.

Ayla hatte versucht, einen Entscheid zu ihren Gunsten zu erzwingen, aber nicht wahr haben wollen, daß ihr das dem Brauch nach nicht zukam. Doch sie hatte es nicht um einer

Nichtigkeit willen versucht. Gewiß, sie war eine Frau und mußte sich darüber im klaren sein, wo ihr Platz war, aber sie war noch zur rechten Zeit zur Besinnung gekommen und hatte erkannt, daß sie auf dem falschen Weg gewesen war. Als Ayla ihm ihre kleine Höhle gezeigt hatte, war er insgeheim mächtig erstaunt gewesen, daß die Gebärerin, noch ziemlich geschwächt, es geschafft hatte, dort hinaufzuklettern. Er fragte sich, ob das ein Mann vermocht hätte. Brun bewunderte mutige, entschlossene und ausdauernde Erdlinge. Und obwohl Ayla kein Erdling war und obendrein noch eine Frau – er mußte sie bewundern.

Brun hatte seine Männer um sich versammelt und ging mit ihnen den Stand der Wettbewerbe durch.

»Wäre Zoug mit uns gekommen, so hätten wir bestimmt im Schleudern gesiegt«, bezeugte Crug mit entschiedener Gebärde. »Keiner hätte ihn bezwungen.«

»Nur Ayla«, antwortete Goov vorsichtig. »Es ist ein Jammer, daß sie nicht zum Kampf antreten durfte.«

»Wir brauchen keine Frau, um zu siegen«, prahlte Broud. »Der Schleuderkampf hat nicht so hohen Rang. Brun wird mit der Steinschlinge alle anderen bezwingen. Und dann kommt noch Speerlaufen.«

»Aber Voord war schon ohne Speer der schnellste. Er kann auch im Speerlauf siegen«, wandte Droog ein. »Und Gorn hat mit der Keule gut geschlagen.«

»Wartet, bis wir ihnen unsere Mam-Mut-Jagd zeigen. Da kann nur unser Clan siegen«, versicherte Broud.

Jagdabenteuer darzustellen war Bestandteil vieler Feste. Broud war stets mit Feuereifer bei der Sache. Er spürte genau, wie gut es ihm gelang, den Zuschauenden Erregung, Gefahr und Spannung des Jagens zu vermitteln, und er sonnte sich nur allzu gern in der allgemeinen Aufmerksamkeit.

Doch diese lebenden Bilder hatten noch einen anderen Sinn, als den Darstellenden Ehre und Bewunderung zu bringen. Sie belehrten. Ausdrucksvoll und recht genau wurde hier den jungen Männern und anderen Clan-Leuten vorgeführt, wie man mit List und Schlauheit auch die gefährlichsten und stärksten Tiere überwinden konnte, und somit Erfahrung weitergegeben, die für das Überleben der einzelnen Clans von Nutzen war.

»Wir werden siegen, wenn du den Jagdtanz anführst, Broud«, machte sich Vorn eifrig bemerkbar. Noch immer hing der Junge mit Bewunderung an dem zukünftigen Clan-Führer. Und Broud sorgte dafür, indem er seinen Verehrer, wann immer er konnte, in den Kreis der Männer zog.

»Es ist ein Jammer, daß dein Wettlauf noch nicht gilt. Ich habe zugesehen. Du hast mit großem Abstand geführt. Aber das ist eine gute Übung für das nächste Mal«, lobte ihn Broud.

»Es sieht gut aus für uns«, stellte Droog fest. »Aber es kann sich noch alles gegen uns wenden. Gorn ist stark. Er hat es dir im Ringen nicht leichtgemacht, Broud. Für eine Weile glaubte ich, du könntest ihn nicht bezwingen. Norgs Stammeszweiter muß stolz sein auf den Sohn seiner Gefährtin; er ist gewachsen seit dem letzten Miething. Ich glaube, er ist der größte unter uns allen hier.«

»Er hat Kraft, gewiß«, bestätigte Goov. »Das zeigte sich vor allem, als er mit der Keule siegte. Aber Broud hat flinkere Füße und beinahe ebenso starke Arme.«

»Und Nouz zeigt großes Geschick mit der Schleuder. Er hat wohl nach dem letzten Miething, wo er mit Abstand Zoug unterlag, unermüdlich geübt, weil er sich nicht noch einmal von einem älteren Mann bezwingen lassen wollte«, stellte Crug anerkennend fest. »Wenn er auch mit der Steinschlinge so sicher geworden ist, wird er Brun einen harten Kampf liefern. Voord ist schnell wie der Wind, aber ich glaube, du würdest ihn einholen, Broud. Du warst am Schluß nur noch einen Schritt hinter ihm.«

»Droog fertigt die besten Werkzeuge«, warf Grod ein.

»Es ist nicht schwer, die besten Werkzeuge, die einer gemacht hat, auszuwählen und hierherzubringen, Grod; aber das Glück wird mir zur Seite stehen müssen, wenn ich hier vor aller Augen gleich gute fertigen soll. Dieser junge Mann von Norgs Clan besitzt hohe Fingerfertigkeit«, schwächte Droog Grods Siegessicherheit ab und ließ durchblicken, daß er von seinem Sieg nicht überzeugt war.

»Aber du bist doch im Vorteil, Droog, der andere ist jünger. Er hat noch nicht die Ruhe und die Erfahrung im Wettbewerb wie du. Er wird sich durch die Blicke der anderen leicht stören lassen.«

»Dennoch werde ich Glück brauchen«, beharrte Droog.

»Alle, die siegen wollen, brauchen Glück«, nickte Crug. »Und so, wie ich es sehe, gibt der alte Dorv noch immer die besten Darstellungen der Uralt-Geschichten.«

»Das siehst du nur so, weil du an ihn gewöhnt bist, Crug«, schränkte Goov ein. »Bei diesem Wettbewerb ist es sehr schwer zu entscheiden. Sogar unter den Frauen gibt es manche, die uns mit ihren Schilderungen in Atem halten können.«

»Aber niemals können sie so packen wie die Jagdtänze. Wenn meine Augen mich nicht betrogen haben, dann haben die Leute von Norgs Clan darüber beraten, ob sie die Jagd auf ein Nashorn zeigen sollen. Sie brachen jedoch ab, als sie mich gewahrten«, berichtete Crug.

Oga näherte sich zaghaft den Männern und zeigte ihnen an, daß der Abendverzehr bereitet war; doch winkte man sie wieder weg. Oga hatte gehofft, die Männer würden bald kommen; wenn sie zu lange auf sich warten ließen, würden sich die Frauen von Bruns Clan erst spät zu den anderen gesellen können, die sich jetzt schon um die Geschichtenerzählerinnen – gewöhnlich waren es die älteren Frauen – versammelten.

Oga kehrte zum Gemeinschaftsfeuer vor der Höhle zurück.

»Sie möchten noch nichts essen«, bedeutete sie den anderen enttäuscht.

Ovra blickte auf und wies auf die Männer, die es sich anders überlegt hatten und sich dem Feuer näherten.

»Schau, dort kommen sie doch«, machte Ovra. »Hoffentlich sitzen sie nicht zu lange über dem Verzehr.«

»Und Brun kommt auch. Die Versammlung der Clan-Führer ist wohl beendet«, warf Ebra ein. »Aber ich sehe den Mog-ur nicht.«

»Er ist mit den anderen Mog-urs in die Höhle gegangen. Wer weiß, wann sie herauskommen werden. Müssen wir denn auf ihn warten?« wollte Uka wissen.

»Ich halte etwas für ihn zurück«, warf Ayla mit rascher Handbewegung ein. »Er denkt nie ans Essen, wenn er sich auf eine Feier vorbereitet. Er ist es gewöhnt, den Verzehr fast kalt zu sich zu nehmen. Manchmal glaube ich, es schmeckt ihm so besser. Ich glaube nicht, daß er es uns zum Vorwurf machen wird, wenn wir nicht auf ihn warten.«

»Schaut, sie fangen schon an. Die ersten Geschichten werden wir versäumen.« Ona zeigte sich enttäuscht.

»Da ist nichts zu machen, Ona«, gab Aga zurück. »Wir können nichts ändern. Wir dürfen erst dann gehen, wenn die Männer fertig sind.«

»Viel werden wir nicht versäumen, Ona«, beschwichtigte Ika. »Es geht ja fast die ganze Nacht. Und später zeigen die Männer ihre Jagderlebnisse, wo wir zuschauen dürfen.«

»Ich sehe mir lieber das an, was die Frauen machen«, bedeutete Ona.

»Broud hat mir anvertraut, daß unser Clan die Mam-Mut-Jagd zeigen wird. Er glaubt fest, daß wir siegen werden. Brun hat ihm gestattet, den Tanz aufzuführen«, berichtete Oga eifrig und mit stolzfunkelnden Augen.

»Das wird alle packen, Ona. Ich weiß noch, wie Broud in den Mannesstand erhoben wurde und den Jagdtanz aufführte. Ich konnte eure Zeichensprache noch nicht verstehen, aber mir war ganz heiß geworden«, berichtete Ayla.

Nachdem der Verzehr aufgetragen war, warteten die Frauen mit brennender Ungeduld und spähten immer wieder mit sehnsüchtigen Blicken hinüber zu der Frauenschar, die sich am anderen Ende des großen Vorplatzes versammelt hatte.

»Ebra, geht und seht euch die Geschichten an«, machte Brun. »Wir Männer wollen uns beraten.«

Die Frauen nahmen ihre Säuglinge hoch und schubsten die Kinder hinüber zu der Frauengruppe, die sich im Kreis um eine alte Frau niedergelassen hatte, die gerade am Anfang einer neuen Geschichte war.

»... und die Mutter des großen Eiskindes...«

»Schnell«, drängte Ayla hastig. »Sie zeigt die Geschichte von Durc. Ich will nichts versäumen. Sie ist mir doch die liebste.«

»Das wissen alle, Ayla«, gab Ebra zurück.

Die Frauen von Bruns Clan suchten sich einen Platz und waren bald gefangen von der behenden Darstellung der alten Frau.

»Sie deutet es ein wenig anders«, machte Ayla nach einer Weile.

»Jeder Clan sieht die alten Geschichten ein wenig anders, und jeder Erzähler bringt sie auf seine eigene Art; aber es ist die gleiche Geschichte. Du bist nur an Dorv gewöhnt. Er ist ein Mann; er kann die Männer in den Geschichten besser erfassen und ihre Art ausdeuten. Eine Frau berichtet mehr über die Frauen und die Mütter; nicht allein über die Mutter des Eiskindes, sondern auch über die Traurigkeit der Mütter von Durc und den anderen Jungen, als diese den Clan verließen«, erklärte Uka mit ausladender Gebärde.

Ayla dachte daran, daß Uka ihren Sohn beim Erdbeben verloren hatte. Sie konnte die Trauer dieser Mutter, den Sohn verloren zu haben, sehr gut nachfühlen. Auch für Ayla gewann die Geschichte in dieser neu gedeuteten Weise eine weitere Bedeutung. Ein Schatten flog über ihr Gesicht. Mein Sohn heißt Durc. Werde auch ich ihn eines Tages verlieren? Ayla drückte ihr Kind an sich. Nein, das darf nicht sein. Schon einmal hätte ich ihn beinahe verloren. Aber jetzt ist die Gefahr gebannt.

Ein flüchtiger Luftzug fuhr Brun durch das Haar und kühlte ihm die schweißnasse Stirn, während er mit scharfem Blick die Entfernung zu dem Baumstumpf maß, der am äußeren Rand des großen freien Platzes vor der Höhle stand. Doch der kleine Windhauch neckte nur. Er war zu schwach, die lähmende Hitze der sengenden Nachmittagssonne zu lindern, die auf den staubigen Platz hinunterstach.

Brun stand so reglos wie die dicht gedrängt äugenden Zuschauer. Die Beine waren gespreizt. Die rechte Hand hielt locker die Steinschlinge. Die drei schweren gerundeten Steine, die in straff sitzende Tierhaut gehüllt waren und an geflochtenen Riemen unterschiedlicher Länge hingen, lagen auf der Erde. Um jeden Preis wollte Brun diesen Kampf gewinnen. Nicht nur um der Ehre willen, obwohl auch das wichtig war, sondern vor allem, weil er den anderen Clan-Führern zeigen wollte, daß er immer noch ein ernstzunehmender Bewerber um den höchsten Rang im Groß-Clan war.

Daß er Ayla zum Miething mitgebracht hatte, war seinem Ansehen schlecht bekommen. Er und sein Clan hatten sich an sie gewöhnt. Den anderen aber war sie zu befremdlich, als daß sie die Frau der Fremdlinge in so kurzer Zeit hätten annehmen können. Selbst Creb, der Große Mog-ur, mußte um seinen Platz kämpfen, und es war ihm noch nicht gelungen, die anderen Mog-urs davon zu überzeugen, daß Ayla eine Medizinfrau von Izas Stamm war. Lieber wollten sie auf den Zaubertrank verzichten, als ihr gestatten, ihn zu bereiten. Und da sich die anderen Clans weigerten, Ayla jenen Rang zuzugestehen, den Iza eingenommen hatte, bröckelte Bruns Macht als oberster Clan-Führer noch weiter ab.

Wenn er mit seinen Leuten nach Abschluß der Wettkämpfe nicht an erster Stelle lag, so würde Brun Rang und Ansehen verlieren, das stand fest. Doch selbst der Sieg war keine Gewähr dafür, daß sein Clan an der Spitze bleiben würde; zu vieles war da noch im Spiel. Der gastgebende Clan hatte immer einen Vorteil. Und gerade Norgs Clan war es, der Bruns Clan bei den Wettkämpfen am härtesten zusetzte. Sollte der Heim-Clan nur knapp geschlagen werden, so würde das Norg vielleicht dennoch genug beflügeln, um Brun den Rang noch abzulaufen. Norg sah das ganz klar und war Bruns erbarmungslosester Gegner.

Brun kniff die Augen zusammen, als er die Entfernung zum Baumstumpf maß. Die Umstehenden hielten den Atem an. Und schon zerstob die Starrheit seines Körpers in wirbelnder Bewegung, und die drei Steinkugeln schossen durch die Luft auf den Baumstumpf zu. Doch Brun wußte, schon als die Steinschlinge seiner Hand entflog, daß sein Wurf mißglückt war. Krachend schlugen die Steine gegen den Baumstumpf und sprangen wieder ab, ohne daß die Riemen sich um den Stumpf gewickelt hätten. Brun ging hin und hob die Steinschlinge auf, und Nouz trat an die Abwurfstelle. Wenn Nouz nun das Ziel ganz verfehlte, dann war Brun der Sieger. Trafen die Steine den Baumstumpf, so müßte noch einmal entschieden werden. Gelang es Nouz aber, seine Steinschlinge so abzuschwingen, daß sich die Riemen mit den Steinen um den Baumstumpf wickelten, so gehörte ihm der erste Platz.

Unbewegten Gesichts nahm Brun bei den Zuschauern Aufstellung. Er widerstand der Versuchung, sein Amulett zu umfassen, schickte statt dessen nur ein heimliches Flehen zu seinem Totem. Nouz hingegen griff ganz unverhohlen zu dem Beutelchen an seinem Hals, schloß kurz die Augen und blickte starr zum Baumstumpf. Mit einer kraftvollen Drehung schleuderte er die Steinschlinge ab. Nur lang geübte Beherrschtheit seiner selbst ließ Brun die Enttäuschung hinunterschlucken, als er sah, wie sich die Steine um den Baumstumpf wickelten. Nouz hatte gesiegt, und Brun wußte, daß sein Ansehen noch stärker ins Wanken geraten war.

Brun blieb auf seinem Platz, während man drei Tierhäute auf das Kampffeld brachte. Die eine wurde an den madenzerfressenen Stamm eines mächtigen Baumes gebunden, dessen Wipfel abgebrochen war und der jetzt nur noch ein wenig höher stand als die Männer. Die zweite Haut wurde über einen moosbewachsenen Stamm gebreitet, der am Waldrand lag, und mit Steinen beschwert; die dritte legte man einfach auf die Erde aus und legte an den Enden ebenfalls schwere Steine drauf. Zu allen drei Häuten waren es die gleichen Schritte. Genau vierhundert zu jeder.

Jeder Clan wählte einen Mann, der in diesem Wettkampf anzutreten hatte, und die Kämpfer reihten sich unweit der auf dem Boden ausgebreiteten Haut in der Rangordnung ihrer Clans auf. Andere Männer, die scharf zugespitzte Speere aus Eiben- und Birkenholz trugen, liefen zu den übrigen Häuten.

Zuerst traten zwei junge Männer aus denranguntersten Clans vor. Jeder hielt einen Speer, und so warteten sie gespannt Seite an Seite, die Augen unverwandt auf Norg gerichtet. Auf sein Zeichen stürmten sie zu dem alten, verkrüppelten Baumstamm und rammten ihre Speere in die Haut. Sie zielten dabei auf jene Stelle, wo das Herz des Tieres gesessen hätte, dem die Haut einmal gehört hatte. Dann rissen sie ihrem Clans-Mann, der neben dem Zielplatz wartete, einen zweiten Speer aus der Hand und jagten zu dem umgestürzten Stamm, trieben den zweiten Speer in das Holz. Der eine der Männer war bereits etwas voraus, als es galt, mit dem dritten Speer loszulaufen; keuchend rannte dieser zu dem Fell, das auf der Erde ausgebreitet war, stieß den Speer tief hinein, so nahe der Mitte wie möglich, und warf dann triumphierend die Arme hoch.

Nach der ersten Runde waren noch fünf Männer übrig. Drei traten zu dem zweiten Umlauf an. Derjenige, der als letzter ankam, durfte dann noch einmal gegen die übrigen beiden Kämpfer antreten. Dann wurden die beiden Männer, die Zweite gewesen waren, miteinander in den Kampf geschickt, so daß für den Endkampf nur noch drei blieben. Zu diesem Endkampf traten schließlich Broud, Voord und Gorn an, ein Mann aus Norgs Clan.

Gorn hatte vier Rennen bestreiten müssen, um sich seinen Platz im Endkampf zu erringen, während die anderen beiden nach nur zwei Runden noch ziemlich frisch aussahen. Nur dank eines unbezwingbaren Willens zum Sieg hatte Gorn es geschafft, in den Endkampf zu kommen, und er hatte sich damit die Bewunderung aller erobert.

Als die drei Männer sich aufstellten, trat Brun auf den Kampfplatz hinaus.

»Norg«, sagte er. »In meinen Augen sollten wir mit dem letzten Rennen noch warten. Es wäre gerechter, Gorn etwas Ruhe zu gönnen.«

Beifälliges Brummen kam aus der Menge, und Bruns Stern leuchtete wieder ein wenig heller. Brouds Gesicht jedoch verfinsterte sich. Mit diesem Vorschlag hatte Brun ihn um den Vorteil gebracht, den er im Kampf mit einem bereits ermüdeten Mann gehabt hätte.

Schnell hatte Brun das Vor- und Nachteilige gegeneinander abgewogen. Sollte Broud den Kampf verlieren, so stand zu erwarten, daß sein Clan den obersten Rang einbüßen würde; sollte Broud jedoch gewinnen, so würde dieser Gerechtigkeitssinn Bruns des Clan-Führers Ansehen erhöhen, und Brouds Sieg könnte niemals in Frage gestellt werden. Keiner konnte dann im nachhinein behaupten, daß Gorn vielleicht gesiegt hätte, wenn er frischer gewesen wäre.

Die Sonne stand schon tief, als die Menge sich wieder um den Kampfplatz versammelte. Spannung flammte wieder auf. Die drei jungen Wettkämpfer, frisch ausgeruht jetzt, gingen auf dem Platz umher, spannten ihre Arme, wogen die Speere in den Händen, umfaßten sie und stießen sie probeweise in die Luft. Goov lief mit zwei Männern der anderen Clans zu dem alten gespaltenen Baum; Crug begab sich zu dem umgestürzten Stamm. Broud, Gorn und Voord reihten sich nebeneinander auf und warteten, den Blick auf Norg gerichtet, auf das Zeichen. Der Führer des Heim-Clans hob den Arm. Dann zog er ihn blitzartig abwärts, und die drei jungen Männer stoben davon.

Voord übernahm sofort die Führung, dicht gefolgt von Broud, während Gorn sich an Brouds Fersen heftete. Voord griff schon nach seinem zweiten Speer, als Broud den ersten in den alten Baum rammte. Gorns Füße hetzten Broud vorwärts auf den Weg zu dem umgestürzten Stamm. Immer noch lag Voorn an erster Stelle. Schon stieß er seinen Speer in das Holz des gestürzten Baumes, als Broud keuchend heranflog. Doch Voord traf einen verborgenen Knorren, und der Speer fiel ihm zu Boden. Bis er ihn wieder aufgehoben und von neuem zugestoßen hatte, war er sowohl von Broud als auch von Gorn überholt worden. Hastig riß er seinen Speer an sich und verfolgte die beiden. Doch er hatte das Rennen schon verloren.

Broud und Gorn sausten mit fliegenden Füßen und hämmernden Herzen dem Ziel entgegen. Gorn holte auf und mit letzter Kraft schob sich der junge Mann an Broud vorbei. Doch als dieser seinen Gegner von hinten sah, der ihn den Staub seiner wirbelnden Füße schlucken ließ, wurde Broud erst recht wütend. Er meinte, sein Brustkorb müßte bersten, als er noch schneller vorwärts stürmte. Einen Herzschlag vor Broud erreichte Gorn das ausgebreitete Fell. Doch wie er den Arm hob, schoß Broud unter ihm hindurch und rammte im rasenden Lauf den Speer tief in den Boden. Ein Atemzug noch – und Gorns Speer zitterte auch darin. Zu spät.

Als Broud zum Stehen kam, umdrängten ihn sogleich die Jäger seines Clans. Brun betrachtete das Bild mit stolzglühenden Blicken. Sein Herz raste fast so wie das von Broud. Von

Anfang bis zum Ende des Rennens hatte er mit dem Sohn seiner Gefährtin gezittert. Einige qualvolle Augenblicke lang, die für ihn eine Ewigkeit währten, war er sicher gewesen, es wäre alles verloren. Doch Broud hatte alles gegeben und hatte den Sieg doch noch errungen, wodurch die Stellung des Clans und seines Führers wieder ein wenig gefestigt war.

Ich werde wohl alt, schoß es Brun durch den Kopf. Ich habe den Kampf mit der Wurfschlinge verloren. Aber Broud hat nicht versagt. Er hat gesiegt. Vielleicht ist es an der Zeit, den Clan seiner Führung zu übergeben. Ich könnte ihn zum Clan-Führer machen. Ich könnte es hier und jetzt verkünden. Ich werde um den ersten Rang kämpfen und ihn mit der Ehre heimwärts ziehen lassen. Mit diesem Rennen hat er sich als fähig erwiesen. Ja, das werde ich tun. Ich will es ihm gleich offenbaren.

Brun wartete, bis um Broud ein minderes Gedränge war, dann ging er auf den jungen Mann zu, das strahlende Gesicht Brouds vor Augen, wenn er ihm eröffnete, welch große Ehre er ihm zuteil werden lassen wollte. Es war die höchste Gabe, die er dem Sohn seiner Gefährtin übergeben konnte.

»Brun!« Broud gewahrte den Clan-Führer und riß das Wort an sich. »Warum hast du das Rennen hinausgezögert, Brun?« schalt er zornig. »Beinahe hätte ich verloren. Leicht hätte ich ihn schlagen können, hättest du ihm nicht Ruhe gegönnt. Ist es dir denn gleich, ob unser Clan an oberster Stelle steht oder unten? Oder macht es dir nichts aus, weil du weißt, daß du beim nächsten Miething zu alt sein wirst? Wenn ich Clan-Führer werden soll, so könntest du ruhig dafür Sorge tragen, daß ich auf jenem Platz anfange, auf dem auch du angefangen hast.«

Entsetzt wich Brun zurück, wie vor den Kopf geschlagen von Brouds giftigen Schmähungen. Widerstreitende Gefühle tobten in ihm. Du bist blind, Broud, dachte er. Wirst du jemals sehend werden? Der Clan steht an der Spitze. Wenn es in meiner Macht liegt, wird er auch dort bleiben. Was aber wird geschehen, wenn du Clan-Führer wirst, Broud? Wird dieser Clan dann weiter erster sein?

Das Feuer des Stolzes in seinen Augen flackerte und erlosch. Eine große Traurigkeit breitete sich über sein Herz.

Doch auch die zeigte er nicht nach außen, auch die ließ er nicht überhandnehmen.

Mag sein, daß er noch zu jung ist, hielt Brun sich vor. Mag sein, daß er noch Zeit braucht und Erfahrung. Habe ich ihm denn erklärt, was mich trieb, den Kampf zu verschieben?

»Broud«, begann er mit ruhiger Gebärde, »wäre Gorn müde gewesen, wäre dann dein Sieg so hervorragend? Hättest du es verwunden, wenn die anderen Clans Zweifel gezeigt hätten an deiner Fähigkeit, ihn zu besiegen, wenn er frisch gewesen wäre? So ist doch klar und deutlich, daß du gesiegt hast. Du hast gut gekämpft, Sohn meiner Gefährtin.«

Trotz seiner Bitterkeit achtete Broud diesen Mann noch immer höher als alle anderen. Und in diesem Augenblick hatte er wie nach seiner ersten Jagd das Gefühl, daß er für solches Lob von Brun alles geben würde.

»Das habe ich nicht gesehen, Brun. Du hast recht. So wissen alle, daß ich gesiegt habe. So wissen alle, daß ich besser bin als Gorn.«

Die Jäger anderer Clans umringten Broud, als er zur Höhle zurückkehrte. Brun blickte ihm nach, und sein Auge fiel auf Gorn, der, begleitet von seinen Clan-Leuten, ebenfalls zur Höhle schritt. Ein älterer Mann klopfte ihm aufmunternd auf die Schulter.

Norgs Zweiter im Clan darf stolz sein auf den Sohn seiner Gefährtin, dachte Brun. Broud mag den Kampf gewonnen haben, aber ich bin nicht sicher in meinem Herzen, daß er auch der bessere Mann ist. Brun hatte seine Bekümmerung nur niedergezwungen, ausgelöscht hatte er sie nicht. Und wenn er auch versuchte, sie noch tiefer zu vergraben, enden würde der Schmerz nicht. Broud war noch immer der Sohn seiner Gefährtin, der Sohn seines Herzens.

»Die Männer von Norgs Clan sind tapfere Jäger«, stellte Droog anerkennend fest. »Es war schlau, dem Nashorn auf seinem Weg zum Wasserloch eine Grube zu graben und sie mit Ästen und Buschwerk zu verdecken. Auch wir könnten dies einmal versuchen. Es war mutig, das Nashorn zurückzutreiben, als es ausbrechen wollte. Ein solches Tier kann wilder und bösartiger sein als das Mam-Mut. Norgs Jäger haben das gut dargestellt.«

»Aber sie waren nicht so gut wie wir mit unserer Mam-Mut-Jagd. Darin sind sich alle einig«, warf Crug ein. »Dennoch hat es Gorn verdient, für das Fest des Bären erwählt zu werden. Fast jeder entscheidende Kampf wurde zwischen ihm und Broud ausgetragen. Ich fürchtete schon, wir würden diesmal nicht gewinnen. Norgs Clan ist uns dicht auf den Fersen. Wen siehst du als den dritten Erwählten an, Grod?«

»Voord hat sich gut geschlagen, aber ich hätte Nouz gewählt«, gab Grod zurück. »Und wenn ich recht gesehen habe, so hätte auch Brun Nouz vorgezogen.«

»Die Wahl war schwer, aber Voord hat die Ehrung verdient«, schloß Droog.

»Goov werden wir nun nicht mehr viel zu Gesicht bekommen«, bemerkte Crug. »Die Gehilfen ziehen sich bis zum Fest mit den Mog-urs zurück. Die Frauen werden hoffentlich nicht weniger kochen, nur weil Broud und Goov nicht mit uns essen. Ich will kräftig zulangen, denn bald gibt es bis zum Fest nichts mehr.«

»Steckte ich in Brouds Haut, so hätte ich wohl gar nicht den Wunsch zu essen«, bedeutete Droog. »Es ist eine große Ehre, für das Fest des Bären erwählt zu werden. Aber Broud wird allen Mut brauchen.«

Das erste Licht des neuen Tages fiel in eine leere Höhle. Die Frauen waren schon am großen Feuer bei der Arbeit, und die übrigen Clan-Leute konnten vor Aufregung nicht mehr schlafen. Schon seit Tagen waren die Vorbereitungen für das große Fest im Gange, doch das Schwierigste stand noch bevor.

Fast zu greifen war die allgemeine Erregung, fast unerträglich die Anspannung aller Sinne. Jetzt, da die Wettkämpfe abgeschlossen waren, hatten die Männer nichts mehr zu tun, und Rastlosigkeit bemächtigte sich ihrer. Ihre Unrast übertrug sich auch auf die älteren Jungen und die Kinder, und bald brachte ein fürchterlich wimmelndes Durcheinander ruhelos umherstreifender Männer und wild herumjagender Kinder die Frauen, die alle Hände voll zu tun hatten, an den Rand der Verzweiflung.

Für kurze Zeit legte sich dieses Tohuwabohu, als die Frauen auf heißen Steinen gebackene Hirsefladen herumreichten. Die ungewürzten, schlicht schmeckenden Kuchen wurden mit feierlichem Ernst verzehrt. Nur an diesem einen Tag alle sieben Jahre gab es sie, und nichts anderes durften die Clan-Leute bis zum großen Festverzehr zu sich nehmen. Diese Fladen stillten nicht den Hunger, sie reizten die Eßlust. Doch am späten Vormittag, als angenehmer Geruch von den Feuern aufstieg und die Mägen zu knurren begannen, nahmen fahrige Unrast und tiefe Erregung von neuem zu.

Creb hatte weder Ayla noch Uba angewiesen, sich auf die Feier vorzubereiten, die später abgehalten werden sollte, und beide waren sicher, daß die Mog-urs sie nicht annehmbar gefunden hatten. Sie waren nicht die einzigen, die wünschten, Iza wäre soweit bei Kräften gewesen, daß sie mit ihnen zum Miething hätte ziehen können. Creb hatte all sein Ansehen und sein gewaltiges Kündertum eingesetzt, um die alten Zauberer zu überzeugen, daß der Zaubertrank auch von Ayla oder Uba anzunehmen sei; doch so sehr auch die Mog-urs auf die Feier versessen waren, so sehr es sie nach den Ur-Fernen verlangte, in die der Trank sie bringen würde; sie lehnten ab. Ayla war ihnen zu fremd und Uba zu jung. Sie weigerten sich, Ayla als Medizinfrau von Izas Stamm anzusehen. Die heilige Feier zu Ehren des Großen Höhlenbären betraf nicht nur die Clans, die zum Miething gekommen waren; ihre Folgen – gut oder böse – würden den gesamten Groß-Clan betreffen, und die Mog-urs waren nicht bereit, die schwere Gefahr auf sich zu nehmen, Unheil über alle Clans zu bringen, nur, weil sie Ayla erlaubten, den Zaubertrank zu bereiten.

Daß diese heilige Handlung nun nicht vollzogen werden sollte, minderte das Ansehen Bruns und seines Clans um ein Beträchtliches. So ruhmreich Bruns Männer auch aus den Wettkämpfen hervorgegangen waren, es würde nichts nutzen, da er Ayla als Clan-Frau anerkannt und dies vor allen dargetan hatte.

Nicht lange, nachdem die Hirsekuchen verzehrt waren, fanden sich die Clan-Führer in der Nähe des Höhleneingangs zusammen. Ruhig und gelassen warteten sie, bis das Augenmerk aller Groß-Clan-Leute auf sie gerichtet war. Wie die Wellenkreise eines ins Wasser geworfenen Steins breitete sich Stille aus. Hastig nahmen die Männer die Plätze ein, die ihnen durch Eigenrang sowie Stammesrang vorgegeben waren. Die Frauen legten ihre Arbeit aus den Händen, winkten den Kindern und suchten sich mit ihnen ebenfalls ihre Plätze. Gleich würde das Fest des Bären beginnen.

Der erste Schlag des glatten, harten Schlegels auf die schüsselförmige Holztrommel zerschlug wie ein Donnerknall die erwartungsvolle Stille. Dann tönten die Schläge gleichmäßig und verhallten weiter. Begleitet wurden sie von den Speerschäften, die auf den Boden gestoßen wurden und eine gedämpft grollende Tonfläche schufen. Ein mit Stöcken auf einer langen, hohlen Bambusröhre gehauener Gegenschlag durchsetzte in scheinbar willkürlich durchsetzten Klangmustern den kräftigen, gleichbleibenden Schlag der Holztrommel, bei deren fünftem Donnern jedoch die helle, hohe, wildhämmernde Baumröhre den Gleichtakt suchte. Wieder und wieder wurde so von neuem eine Schlagspannung geschaffen, die sich zu einer tönenden Raserei steigerte, bis die Schläge wieder in sich zusammenfielen.

Mit einem letzten gemeinsamen Schlag trat plötzlich völlige Stille ein. Wie von Zauberhand herbeigeholt, standen in schweren Bärenfellen die Mog-urs Schulter an Schulter vor dem Pfahlverhau des Höhlenbären. Neun an der Zahl. Der Große Mog-ur stand einsam vor ihnen, er war der zehnte. In den Köpfen der Erdlinge, die atemlos verharrten, dröhnte noch das gewaltige Schlagen der Speere und Trommeln nach. An einem dünnen Seil hielt der Große Mog-ur eine flache ovale Scheibe aus Holz. Und als er sie immer schneller durch die Luft wirbelte, steigerte sich ein kaum vernehmbares Sirren zu einem gewaltigen Donnern. Den Erdlingen ringsum sträubten sich die Haare bei diesem Getön. Sie vernahmen die Stimme des Geistes des Höhlenbären, der alle anderen Geister warnte, dieser Feier, die allein dem Höhlenbären geweiht war, zu nahe zu kommen. Die Geister ihrer Totems würden ihnen hier keinen Beistand leisten können; sie hatten sich ganz unter den Schutz des Großen Geistes aller Clans zu begeben.

Ein hohes, dünnes Trillern durchschnitt das grollende Dröhnen der kreisenden Klapper; beim Klang dieser hohen, klagenden Töne erfaßte selbst die Furchtlosesten ein Schaudern, während die Klapper sich immer langsamer drehte und ihr donnerndes Sausen verstummte. Wie ein körperloser Geist zog sich der wimmernde, wabernde Klangfaden bis zum Morgenhimmel hinauf. Ayla, die in der vordersten Reihe stand, konnte erkennen, daß diese Töne aus dem Ding kamen, das einer der Mog-urs an den Mund gedrückt hielt.

Die aus dem Röhrenknochen eines Vogelbeins gefertigte Flöte hatte keine Löcher für die Töne; ihre Verschiedenartigkeit wurde durch Öffnen und Schließen des unteren Endlochs erreicht. Die Hände eines begabten Flötners konnten dem Vogelknochen fünf verschiedene Töne entlocken.

Für die junge Frau, genau wie für alle anderen, war es Zauberkraft, die diese fremden Klänge ertönen ließ. Nur für diese Feier klangen sie auf Geheiß des heiligen Mannes aus der Welt der Geister herüber. So, wie die kreisende Klapper das Brüllen des lebenden Höhlenbären nachahmte, so stieg aus der Flöte die Geisterstimme des mächtigen Tieres auf.

Selbst der Zauberer, der den Vogelknochen blies, empfand die Klänge als außerweltlich, obwohl er die Flöte selbst gemacht hatte. Das Spiel auf der Flöte war streng gehütetes Geheimnis des Zauberers seines Clans, ein Geheimnis, das diesem Zauberer bis zum Auftauchen Crebs stets den höchsten Rang unter den Mog-urs aller Clans gesichert hatte. Und der zauberkundige Flötner war es auch, der sich der Anerkennung Aylas am heftigsten widersetzte.

Der mächtige Höhlenbär trottete unruhig in seinem Pfahlverhau auf und nieder. Man hatte ihn nicht gefüttert, und er war es nicht gewöhnt, ohne Nahrung gelassen zu werden. Auch Wasser hatte man ihm an diesem Tag nicht gegeben, und er war durstig. Die schweißdünstende Menge der Erdlinge, die nach Spannung und Erregung roch, das ungewöhnliche Dröhnen der schalenförmigen Holztrommeln, das Sirren und Donnern der Klapper und der hohe Klageton der Flöte, dies alles beunruhigte das Tier aufs höchste.

Als er den Großen Mog-ur sah, der sich hinkend seiner Bleibe näherte, stellte er sich auf seine Hinterbeine und brüllte aus heißem Rachen seinen Hunger heraus. Erschreckt fuhr Creb zusammen, faßte sich jedoch rasch und verbarg seine Unsicherheit hinter einem, bei ihm nicht ungewöhnlich wirkenden, schwankenden Schritt. Sein Gesicht, das wie die der übrigen Zauberer geschwärzt war, verriet nichts von der Angst in seinem Herzen, als er den Kopf nach hinten neigte, um zu dem gewaltigen Tier aufzublicken. Creb trug eine kleine Schale mit Wasser. Ihrer Form und der elfenbeinhellen Farbe nach war sie einstmals die Schädeldecke eines Erdlings gewesen. Er stellte die Schale vorsichtig zwischen die Pfähle des Verhaus und trat langsam, mit dem Gesicht zum Bären gewandt, zurück.

Während das Tier das Wasser in sich hineinschlabberte, umschlossen einundzwanzig junge Jäger, jeder mit einem neuen Speer in den Händen, den Pfahlverhau. Die Führer der sieben Clans, von deren Männern keiner zum Kampf mit dem Bären erwählt worden war, hatten je drei ihrer besten Jäger für die Feier ausgesucht. Jetzt liefen Broud, Gorn und Voord aus der Höhle und nahmen vor dem mit Riemen fest gesicherten Auslaß des Verhaus Aufstellung. Abgesehen von kurzen Lendenschurzen waren sie nackt, und ihre Körper waren mit roten und schwarzen Zeichen bemalt.

Das bißchen Wasser hatte den Durst des mächtigen Bären nicht im geringsten stillen können. Und als er die Männer rings um seine Bleibe bemerkte, hoffte er natürlich auf mehr. Er hockte sich auf die Hinterbeine und patschte die Vorderpranken zusammen. Als darauf nichts geschah, trottete er zu dem nächststehenden Mann hinüber und stieß seine Schnauze zwischen den dicken Pfählen hindurch.

Mit einem schrillen Ton brach das dünne Wimmern der Flöte ab. Creb holte die Schale aus dem Verhau und nahm wieder seinen Platz vor der Reihe der Zauberer ein. Auf ein Geheimzeichen, das keiner der Umstehenden wahrnehmen konnte, hoben die Mog-urs an, nach der uralten Weise heiliger Zeichen, vereint zu künden: »Nimm das Wasser zum Zeichen unseres Dankes, allmächtiger Beschützer. Dein Clan hat nicht vergessen, was du ihn gelehrt hast. Die Höhle ist unser Heim. Sie schützt uns vor Schnee und Kältnis. Auch wir rasten still, nähren uns von dem Vorrat der Erntezeit und wärmen uns mit Pelzen. Du bist einer von uns gewesen, hast unter uns gelebt und hast gesehen, daß wir deinen Wegen folgen.«

Die Zauberer mit ihren schwarzen Gesichtern und den weitfaltigen Umhängen aus Bärenfell schienen zu schweben, als sie mit gemessenen Gebärden dem Schutzgeist ihrer Clans ihre Verehrung bezeugten.

»Dich verehren wir am meisten und vor allen anderen Geistern. Wir bitten dich, in deiner Welt für uns zu sprechen, von der Tapferkeit unserer Männer und der Fügsamkeit unserer Frauen zu künden. Wir bitten dich, uns einen Platz zu geben, wenn wir einst in das Jenseitige zurückkehren. Schütze uns vor dem Bösen. Denn wir sind dein. Allmächtiger Höhlenbär, wir sind der Clan des Bären. Ehre sei mit dir, Größter aller Geister, und auch mit den Erdlingen dein Wohlgefallen.«

Als die Mog-urs zum ersten Mal im Angesicht des mächtigen Tieres ihre Zeichen machten und ihn somit beim Namen riefen, stießen die einundzwanzig Männer ihre Speere zwischen den Pfählen des Verhaus hindurch und bohrten sie dem allmächtigen Geschöpf in das zottige Fell. Nicht alle drangen bis ins Fleisch, doch es schmerzte, was das Tier in wilde Wut brachte. Sein zorniges Gebrüll zerfetzte die Stille. Erschrocken sprangen die Erdlinge zurück.

Etwa zur gleichen Zeit begannen Broud, Gorn und Voord, die Riemen zu zerschneiden, die den Auslaß des Verhaus hielten. Sie kletterten an den Pfählen empor, bis sie die Spitzen der Stämme erreichten. Broud war zuerst oben, doch Gorn war es, dem es gelang, den kurzen, dicken Holzklotz zu fassen, den man früher dort oben bereitgelegt hatte. Der Höhlenbär, der vor Schmerzen hin- und herraste, riß sein dolchzähneartiges Maul auf und brüllte markerschütternd; aus kleinen, blutunterlaufenen Augen sie anblickend, tapste er auf die Männer zu. Sein gewaltiger Kopf reichte bis zu den höchsten Pfahlspitzen des Verhaus. Das Riesentier erreichte die Öffnung und drückte gegen den Auslaß. Krachend stürzten die Pfähle zu Boden. Der Verhau war offen. Der Höhlenbär war frei.

Die speerbewaffneten Jäger stürzten herbei, um zwischen

dem gefährlich gereizten Tier und den bleichgesichtigen Zuschauern einen schützenden Wall zu bilden. Frauen kämpften gegen das würgende Verlangen, aufs schnellste die Flucht zu ergreifen, und drückten ihre Säuglinge fester an sich, während die älteren Kinder sich mit schreckgeweiteten Augen an die Beine und Hüften der Mütter klammerten. Die Männer umfaßten fester ihre Speere. Aber keiner unter den Clan-Leuten rührte sich vom Fleck.

Als der angestachelte Bär mißtrauisch durch die klaffende Stelle in seinem Verhau hinaustapste, sprangen Broud, Gorn und Voord, die auf dem mit Bedacht abgeflachten Pfahlenden gelauert hatten, auf das überraschte Tier hinunter. Broud stand auf seinen Schultern, beugte sich vornüber, packte das Fell am Kopf und riß ihn nach hinten. Voord war dem Bären inzwischen in den Rücken gesprungen, grub dort seine Hände in die Zotteln und zog mit aller Kraft abwärts, so daß sich die wabbelige Fetthaut um den Hals des Tieres straffte. Dann schlug er ihm mit der Axt auf die schwarzglänzende empfindliche Schnauze, so daß das Tier vor Schreck und Schmerz das riesige Maul weit aufriß; Gorn, der rittlings auf des Bären Schultern hockte, rammte ihm eilig den Holzklotz breitseits in den geifernden Rachen. Als Broud losließ, klappte der Bär die Kiefer zu und klemmte den Keil fest zwischen seinen Zähnen und der Backenwand ein. Er röchelte und keuchte, als er das Maul zu öffnen versuchte – vergebens, das Maul blieb zu.

Mit schweren Pranken schlug er dann wie rasend nach den Männern, die in seinem Fell hingen. Scharfe Krallen, die früher nur totes Fleisch und Äpfel geholt hatten, gruben sich in den Oberschenkel Gorns und rissen ihn herab. Mächtige Arme drückten den Erdling, der vor Schmerzen wie von Sinnen schrie, an die rotfleckige Bärenbrust, und das Leiden des jungen Jägers hatte plötzlich ein schnelles Ende, als ihm mit einem trockenen Krachen das Rückgrat brach. Ein nichtendenwollender Klageschrei stieg aus der Frauengruppe auf, als das Höhlentier den zerfetzten und zerknickten Körper Gorns wegschleuderte.

Mit gesenktem Kopf rannte der Bär gegen den speerbewaffneten Wall junger Männer, die sogleich einen Ring um ihn schlossen. Mit einem furchtbaren Schlag seiner Krallenpranke hatte er sich eine Lücke gemacht, als er drei Männer zu Boden fegte und einem vierten das Bein bis auf die Knochen aufriß. Wie ein Wurm krümmte sich der Mann zusammen vor Schmerz, der ihn so heftig durchfuhr, daß ihm kein Schrei über die Lippen kam. Schnell sprangen die anderen über ihn hinweg und suchten dem rasenden Bären so nahe zu kommen, daß sie ihn mit ihren Speeren durchbohren konnten.

Voller Entsetzen umklammerte Ayla ihren Sohn. Eine tiefe Angst, daß der Bär sich auch auf sie stürzen würde, lähmte ihre Beine. Doch als der Jäger zusammenbrach und sein Blut die Erde überschwemmte, vergaß sie alle Angst. Hastig drückte sie Uba ihr Kind in den Arm und stürzte sich in das Getümmel. Flink drängte sie sich zwischen den todesmutig kämpfenden Männern hindurch und schleifte den Jäger weg von dem wilden Gestampf und Geschrei und Gestöhn. Schnell drückte sie den Blutfluß ab und band einen Riemen fest um die aufgerissene Stelle. Ayla fing schon an, dem Jäger mit dem Tragfell ihres Kindes das Blut abzuwischen, als zwei andere Medizinfrauen ihrem Beispiel folgten. Furchtsam dem Kampfgemenge ausweichend, eilten sie Ayla zu Hilfe. Zu dritt trugen sie den verwundeten Mann in die Höhle, und während sie verzweifelt um sein Leben rangen, erlag der Bär schließlich doch den stärkeren Speeren der anderen Jäger.

Kaum war der Höhlenbär bezwungen, da riß sich Gorns Gefährtin aus den Armen jener, die sich bemühten, sie zu trösten, und rannte zum Leichnam ihres Gefährten; warf sich über ihn und grub ihr Gesicht in seine haarige Brust. Sie kniete sich nieder und beschwor ihn beharrlich, doch endlich bitte aufzustehen. Ihre Mutter und Norgs Gefährtin versuchten sanft, sie fortzuziehen, als die Mog-urs sich der Gruppe näherten. Der Große Mog-ur neigte sich zu der Frau hinunter und berührte behutsam ihren Kopf, so daß sie zu ihm aufblikken mußte.

»Klage nicht um ihn«, bedeuteten ihr seine milden Gebärden. »Gorn ist die höchste aller Ehren zuteil geworden. Er wurde erwählt, den Großen Höhlenbären in die Welt der Geister zu begleiten. Der Geist des Höhlenbären erwählt nur die Besten, die Tapfersten, mit ihm zu wandeln. Der Festverzehr zu Ehren des Großen Höhlenbären wird auch der Gorns zu Ehren sein. Sein Mut und Siegeswille werden fortleben in Geschichten, und bei den zukünftigen Miethings des Groß-Clans wird stets von ihm berichtet werden. So, wie der Höhlenbär zurückkehrt, so wird auch der Geist Gorns zurückkehren. Er wird auf dich warten, damit ihr gemeinsam wiederkehren und euch vereinen könnt, aber du mußt tapfer sein wie er. Lösche deinen Schmerz, Frau, und teile die Freude deines Gefährten an seinem Hingang in die nächste Welt. Heute nacht werden die Mog-urs ihm besondere Ehre widerfahren lassen, so daß seine Tapferkeit von allen geteilt werden und auf den Clan übergehen wird.«

Die junge Frau mühte sich, ihren Schmerz zu bezwingen, sich so tapfer zu zeigen, wie der ehrfurchtgebietende heilige Mann ihr gebot. Sie wollte dem Geist ihres Gefährten keine Schande machen. Der schieffüßige Zauberer mit dem Narbengesicht, den alle fürchteten, schien ihr plötzlich nicht mehr gar so schrecklich. Mit einem dankbaren Blick stand sie auf und schritt, sich mühsam aufrecht haltend, zurück an ihren Platz.

Nachdem Gorns Gefährtin dort angelangt war, begannen die Clan-Führer-Frauen und die Gefährtinnen der Stammeszweiten den Bären flinkhändig zu häuten. Das Bärenblut wurde in geweihten Schüsseln aufgefangen und von den Zaubergehilfen herumgereicht. Männer, Frauen und Kinder, alle tranken sie den warmen Lebenssaft des Höhlenbären, selbst den Säuglingen wurde er eingeflößt. Ayla und die beiden anderen Medizinfrauen wurden aus der Höhle gerufen, um aus den geweihten Schalen zu trinken, und auch der verwundete Jäger erhielt seinen Teil. So hatten sie alle durch das Blut des Höhlenbären bezeugt, daß sie zum einzigen Groß-Clan gehörten, zum Clan des Bären. Sie waren von seinem Blut, und er hatte es ihnen gegeben.

Emsig arbeiteten die Frauen, während Männer und Kinder zusahen. Sorgfältig wurde das Fett des Tieres von der Haut geschabt. Wenn es ausgelassen war, hatte es Zauberkraft und würde unter die Mog-urs verteilt werden. Der Kopf wurde nicht vom Fell getrennt, und während das Fleisch in die mit heißen Steinen ausgelegten Gruben hinuntergelassen wurde, hängten die Gehilfen der Mog-urs das Fell des Bären auf Pfählen vor der Höhle auf. Von hier aus konnte der allmächtige Höhlenbär mit leeren Augen die Festlichkeiten verfolgen. Er war der Ehrengast bei dem Festverzehr, der aus ihm bereitet wurde. Danach trugen die Mog-urs Gorns Leiche feierlich und gemessenen Schrittes in die Tiefen der Höhle. Als sie verschwunden waren, gab Brun das Zeichen, und die Menge zerstreute sich. Der Geist des Höhlenbären war nach uraltem Gesetz auf seinen Weg geschickt worden.

23

»Wie hat sie es nur gemacht? Keine der anderen wagte es, auch nur in die Nähe des Bären zu kommen, geschweige denn, den Jäger zu holen; sie aber zeigte keine Furcht.« Der Mog-ur des Clans, dem der verwundete Mann angehörte, machte keinen Hehl aus seinem Erstaunen. »Es war beinahe so, als sei sie sicher, daß der Große Höhlenbär ihr nichts antun würde. Es war wie an jenem ersten Tag. Ich glaube, daß der Große Mog-ur recht hat. Der Höhlenbär hat sie angenommen. Sie ist eine Frau unseres Clans. Unsere Medizinfrau sagt, sie hätte sein Leben gerettet. Sie ist nicht nur gut unterwiesen worden, sie ist auch besonders begabt, was ihr von Geburt aus gegeben ist. Ich anerkenne, daß sie von Izas Stamm ist.«

Die Mog-urs hockten in einer Grotte tief unten im Berg. Steinlampen, es waren dies flache Schalen, mit Bärenfett gefüllt, das von einem Docht aus getrocknetem Moos aufgesogen wurde, warfen Lichtpfützen auf Boden und Wände. Der Schein der schwachen Flammen brach sich glitzernd im Kristallgestein des Felsens und im Wasserglanz der tropfenden Steine, die von der Decke herabhingen und ihren Gegenstücken, den Steinzapfen, entgegenstrebten, die aus dem Boden emporwuchsen. Manchen Zapfen und Steintropfen war es gelungen, sich zu vereinigen; sie standen nun wie hohe Säulen, die sich zur Mitte hin verjüngten, vom Boden bis zur gewölbten Decke.

»Ja, die junge Frau hat bei allen Verwunderung geweckt, als sie an jenem ersten Tag keine Furcht vor dem Höhlenbären zeigte«, bedeutete ein anderer Zaubermann. »Aber wenn wir uns einig sind, ist dann noch Zeit für sie, sich vorzubereiten?«

»Es ist noch Zeit«, gab der Große Mog-ur zurück, »wenn wir uns eilen.«

»Sie wurde den Fremdlingen geboren. Wie kann sie da eine Frau des Clans sein?« vermeinte der flötende Mog-ur mit heftigen Widergebärden. »Die Fremdlinge gehören dem Clan nicht an. Nie werden sie ihm angehören. Du hast uns mitgeteilt, daß sie die Totemzeichen des Clans schon trug, als sie zu euch kam. Dies aber sind nicht die Zeichen eines Frauentotems. Wie kannst du sicher sein, daß es die Zeichen des Clans sind? Die Frauen des Clans haben niemals ein Totem des Höhlenlöwen.«

»Ich habe nie verkündet, daß sie damit geboren wurde«, entgegnete der Große Mog-ur ruhig. »Willst du etwa sagen, daß ein Höhlenlöwe nicht auch eine Frau erwählen kann? Ein Höhlenlöwe kann erwählen, wen er will. Sie war dem Tode nahe, als sie gefunden wurde; Iza hat sie ins Leben zurückgeführt. Glaubst du, ein Kind könnte einem Höhlenlöwen entrinnen, stünde es nicht unter dem mächtigen Schutz seines Geistes? Er gab ihr sein Zeichen mit, damit es keinen Zweifel geben könnte. Die Zeichen auf ihrem Bein sind die Zeichen des Clans. Keiner kann das von der Hand weisen. Warum sollte sie mit den Zeichen des Clan-Totems gezeichnet sein, wenn es ihr nicht bestimmt gewesen wäre, eine Frau des Clans zu werden? Ich weiß nicht, wie es kommt. Es steht mir nicht zu, den Willen der Geister zu erkunden. Mit der gnädigen Hilfe des Höhlenbären vermag ich manches Mal, das zu deuten, was sie tun und wollen. Kann einer von euch mehr? Ich will nur sagen, daß sie eingeweiht ist; Iza hat ihr das Geheimnis der Wurzeln in ihrem roten Beutel anvertraut, und Iza hätte es ihr nicht geoffenbart, wäre sie nicht ihre Tochter. Wir brauchen auf die heilige Feier nicht zu verzichten. Ihr müßt entscheiden, aber tut es schnell.«

»Du hast uns gesagt, daß dein Clan glaubt, das Glück stünde ihr zur Seite«, warf Norgs Mog-ur ein.

»Ja, es ist so, als brächte sie das Glück dahin, wo sie ist. Seit wir sie gefunden haben, war das Glück stets mit uns.«

»Sie hat uns auch an diesem Tag das Glück gebracht. Unser junger Jäger wird sein Leben behalten«, teilte der Mog-ur vom Clan des Verwundeten mit. »Ich bin bereit, sie als Medizinfrau anzunehmen. Es wäre höchst jammervoll, müßten wir auf Izas Trank verzichten.«

Mehrere Zauberer brummten zustimmend.

»Und du?« wandte sich der Große Mog-ur an den Zweiten der Zauberer. »Fürchtest du immer noch, daß es dem Großen Höhlenbären mißfallen wird, wenn Ayla den Zaubertrank bereitet?«

Alle blickten jetzt auf ihn. Wenn dieser mächtige Zauberer sich noch immer dagegen stellte, konnte er genug andere Mog-urs auf seine Seite ziehen. Selbst wenn er sich weigerte, an der Feier teilzunehmen, obwohl die anderen bereit waren, den Trank von Ayla anzunehmen, reichte das aus. Alle mußten sich einig sein; eine Spaltung unter ihnen durfte es nicht geben. Er senkte den Blick, während er sich die Frage durch den Kopf gehen ließ. Dann sah er die Männer an, einen nach dem anderen.

»Es ist ungewiß, ob es dem Großen Höhlenbären mißfallen wird oder nicht. Mir ist nicht wohl dabei. Es ist etwas an dieser Frau, das mir nicht geheuer ist. Aber klar ist, daß keiner die hohe Feier missen will, und es scheint, daß sie die einzige ist, die den Trank bereiten kann. Fast würde ich Izas eigene Tochter vorziehen, trotz ihrer Jugend. Doch wenn ihr alle euch einig seid, werde ich es dabei bewenden lassen. Mir ist nicht wohl dabei, ich möchte es betonen, aber euch im Wege stehen möchte ich auch nicht.«

Der Große Mog-ur schickte fragende Blicke in die Runde und sah allseits zustimmende Gebärden. Mit einem Seufzer der Erleichterung stemmte er sich an seinem Stock hoch und hinkte eilig aus der Grotte. Von Steinlampen geführt, humpelte er durch mehrere Gänge, die sich zu Kammern erweiterten und sich dann verjüngten. Auf die Steinlampen folgten Kienspäne, als er sich den Wohnkreisen der Clans näherte.

Ayla saß neben dem verwundeten jungen Mann in der vorderen Höhle. Durc schlief in ihren Armen. Uba hockte an ihrer Seite. Die Gefährtin des Verwundeten war auch da, die sorgenvollen Augen auf den Jäger gerichtet.

»Ayla, schnell, du mußt dich bereit machen. Es bleibt wenig Zeit«, gab Creb ihr mit hastiger Hand zu verstehen. »Du mußt dich eilen! Aber laß keine Handreichung aus. Komm sofort, wenn du bereit bist. Uba, bring Durc zu Oga. Sie soll sich um ihn kümmern. Ayla hat jetzt keine Zeit dazu.«

Entgeistert starrten sie beide den Zauberer an. Ayla brauchte einen Augenblick, bis ihr klar war, was er ihr soeben mitgeteilt hatte. Dann neigte sie zustimmend den Kopf. Hurtig rannte sie zur Feuerstelle in der zweiten Höhle, um sich einen anderen Überwurf zu holen.

Der Große Mog-ur wandte sich der jungen Frau zu, die mit Kümmernis über ihren schlafenden Gefährten wachte.

»Der Große Mog-ur möchte gerne wissen, wie es um den jungen Mann bestellt ist.«

»Ayla sagte, er wird leben und wieder gehen können. Aber sein Bein wird nicht ganz heil werden.«

Die Frau verwendete andere Zeichen, als sie sprach. Ayla und Uba hatten leichte Schwierigkeiten gehabt, sich mit ihr zu verständigen. Creb jedoch hatte mehr Übung mit den verschieden abgewandelten Zeichensprachen der anderen Clans.

»Der Große Mog-ur würde gern das Totem dieses Mannes wissen.«

»Es ist der Steinbock«, antwortete sie.

»Dieser Mann ist so sicheren Fußes wie der Steinbock?«

»Bisher schon«, gab sie zurück. »Aber heute war er nicht so wendig. Was soll nun aus ihm werden? Was geschieht, wenn er nie wieder richtig gehen kann? Wie soll er denn noch jagen? Wie soll er mich ernähren? Was kann ein Mann denn anderes tun, wenn er nicht jagen kann?«

Die junge Frau rang verzweifelt die Hände.

»Der junge Jäger wird leben. Ist nicht das das Höchste?« fragte der Große Mog-ur mit ruhiger Gebärde.

»Ja. Aber er ist stolz. Wenn er nicht jagen kann, wird er sich wünschen, man hätte ihm das Leben nicht erhalten. Er war ein guter Jäger. Eines Tages wäre er sogar Zweiter im Clan geworden. Nun wird er nie an Rang gewinnen. Er wird an Rang verlieren. Was wird er tun, wenn er an Wert verliert?«

»Frau!« bedeutete ihr der Große Mog-ur mit strenger Gebärde. »Kein Mann verliert an Wert, wenn er ein Erwählter des Großen Höhlenbären ist. Um ein Haar wäre er es gewesen, der mit ihm in die nächste Welt hinübergehen sollte. Der Geist des Höhlenbären trifft seine Wahl nicht leichten Sinnes. Der Große Höhlenbär befand es für ihn, ihn hier zurückzulassen; jedoch er zeichnete ihn. Dein Gefährte wurde geehrt. Jetzt kann er den Großen Höhlenbären auch als sein Totem begreifen; seine Narben werden die Zeichen seines neuen Schutzgeistes sein. Er kann sie mit Stolz tragen. Immer wird er fähig sein, dich zu ernähren. Der Große Mog-ur wird mit deinem Clan-Führer sprechen. Deinem Gefährten kommt von jeder Jagd ein Anteil zu. Und es mag sein, daß er wieder gehen wird; es mag sein, daß er wieder jagen wird. Vielleicht wird er nicht so sprunghaft sein wie der Steinbock; er wird vielleicht sich eher wie ein Bär bewegen können. Aber das steht nicht dagegen, auf die Jagd zu gehen. Du solltest stolz auf ihn sein, Frau.«

»Er ist ein Erwählter des Großen Höhlenbären?« fragten die Hände der Frau. »Der Höhlenbär ist sein Totem?« Ehrfurcht stand in ihren Augen.

»Beide, der Höhlenbär und der Steinbock. Er hat beide Totems«, gab der Große Mog-ur zurück. Er gewahrte die leichte Wölbung unter ihrem Überwurf. »Hat die Frau schon Kinder?«

»Nein, aber ich trage neues Leben in mir. Ich wünsche, daß es ein Sohn wird.«

»Du bist eine gute Frau, eine gute Gefährtin. Bleibe bei ihm, wenn er erwacht, dann bedeute ihm, was der Große Mog-ur gesagt hat.«

Die junge Frau senkte den Kopf. Sie hatte verstanden.

Nach der Schneeschmelze wurde der kleine Fluß in der Nähe der Gastgeberhöhle zu einem brodelnden Strudelwasser, das Bäume entwurzelte und Felsbrocken aus den Bergen riß, die es in rasender Sturzflut ins Tal führte. Selbst in ruhigerer Stimmung zeigte der Fluß, der sich schäumend mitten durch breites Schwemmland wälzte, die milchig-trübe grünliche Farbe des Gletscherwassers.

Ayla und Uba hatten das Gebiet um die Höhle schon kurz nach ihrer Ankunft erkundet, um die reinigenden Pflanzen zu finden, mit denen sie sich waschen mußten, falls eine von ihnen aufgerufen wurde, an der heiligen Feier teilzunehmen.

Ayla hatte das Herz bis zum Hals geschlagen, als sie aus der Höhle gestürzt war, um die Pflanzen zusammen mit den Wurzeln auszugraben. Wieder zurückgekehrt, flatterte ihr Magen unruhig, während sie auf kochendes Wasser wartete, um den mitgebrachten Farn auszulaugen.

Die neue Kunde, daß ihr nun doch gestattet war, an der heiligen Feier teilzunehmen, verbreitete sich wie ein Lauffeuer unter den Clan-Leuten. Nun, nachdem die Mog-urs sie für würdig befunden hatten, sahen alle die Frau, die den Fremdlingen geboren war, mit neuen Augen, und Aylas Ansehen stieg gewaltig. Hiermit war bestätigt, daß sie in der Tat Izas Tochter war, und sie galt nun als ranghöchste Medizinfrau. Der Führer jenes Clans, in dem Verwandte von Zoug lebten, überdachte seinen ablehnenden Bescheid, sie aufzunehmen, noch einmal. Vielleicht hatte Zougs Empfehlung doch etwas Gutes. Vielleicht würde einer seiner Männer sie nehmen, wenn auch nur als zweite Frau.

Ayla aber war viel zu aufgeregt, um auf die beifälligen Gebärden der Clan-Leute ringsum zu achten. Eigentlich hatte sie entsetzliche Angst. Ich kann es nicht! schrie es in ihr, als sie zum Fluß lief. Die Zeit ist zu kurz, und ich kann mich nicht richtig vorbereiten. Was ist, wenn ich etwas übersehe? Wenn ich einen Fehler mache? Dann werde ich Schande über Creb bringen. Schande über Brun. Schande über den ganzen Clan.

Das Wasser war eisig, doch es beruhigte sie. Ayla sah dem Kommenden schon gelassener entgegen, als sie sich auf einem Felsbrocken niedersetzte und ihr langes, blondes Haar entwirrte, das in einer leichten Brise langsam trocknete. Tröstlich war ihr der Anblick der feuerglühenden Berggipfel, die allmählich mit den bläulich violetten Schleiern der Nacht verhüllt wurden. Ihr Haar war noch feucht, als sie sich ihr Amulett wieder über den Kopf streifte und den frischen Überwurf anlegte. Geräte und Werkzeuge stopfte sie in die

Falten des Gewandes, nahm den anderen Überwurf unter den Arm und rannte zur Höhle zurück. Unterwegs kam sie an Uba vorüber, die Durc in den Armen hielt, und nickte ihr kurz zu.

Die Frauen arbeiteten wie besessen, ständig durch die Kinder gestört, die völlig außer sich waren. Das blutige Bärengemetzel hatte ihr Innerstes aufgewühlt; auch waren sie es nicht gewöhnt, hungern zu müssen, und die Essensdüfte, die ihnen von überall in die Nase stiegen, steigerten den Hunger zur Gier. Und da ihre Mütter so beschäftigt waren, konnten sie ihrer Erregung und ihrer Ungeduld in einer Weise Luft machen, wie ihnen das sonst niemals gestattet worden wäre. Einige der Jungen hatten die zerschnittenen Riemen vom Pfahlverhau des Bären aufgehoben und sich als Ehrenzeichen um die Arme gebunden. Andere, die nicht so flink gewesen waren, versuchten, sie ihnen abzujagen, und die ganze Kindermeute rannte brüllend um die Feuer herum. Als sie dieses Treibens müde wurden, fingen sie an, die Mädchen zu ärgern, die auf ihre kleineren Geschwister achtgeben mußten, bis die Mädchen schließlich auf die Jungen losgingen, sie zu verprügeln, oder zu ihren Müttern rannten, um sich zu beschweren.

Die Kinder waren nicht die einzigen, denen der Hunger allmählich zur Qual wurde. Der Ruch des in riesigen Mengen zubereiteten Verzehrs reizte jedermanns Eßlust. Und alles wartete eigentlich nur mit nur mühsam beherrschter Ungeduld auf den großen Festverzehr und die nachfolgende Feier. Wurzeln und Knollen köchelten leise in den über den Feuer hängenden Tierhautbehältnissen. Wilder Spargel, Lilienwurzeln, wilde Zwiebeln, Hülsenfrüchte, kleine Kürbisse und Pilze waren wohlschmeckende Beilagen. Mit einer Soße aus heißem Bärenfett, Kräutern und Salz würden Lattich, große Kletten und Löwenzahn aufgetragen werden.

Der eine Clan glänzte mit einem besonders gewürzten Verzehr aus Zwiebeln, Pilzen und kleinen grünen Erbsen. Ein anderer hatte eine seltene Art von Fichtenzapfen mitgebracht. Übers Feuer gehalten, sprangen aus den Zapfen große schmackhafte Nüsse heraus.

Norgs Clan röstete Kastanien, die an den tiefer liegenden

Hängen gesammelt worden waren, und machte dazu eine nußartig schmeckende dicke Soße aus zerstampften Buchekkern, getrockneten Getreidekörnern und kleinen süß-sauren Äpfeln, die in Scheiben geschnitten wurden. In der näheren Umgebung der Höhle gab es nirgends mehr Blaubeeren und schon gar nicht Preiselbeeren. Alle waren sie in die Sammelkörbe der Frauen gewandert.

Tagelang hatten die Frauen von Bruns Clan sich abgemüht, die mitgebrachten, getrockneten Eicheln aufzubrechen und zu zerstampfen. Das Feinzerstampfte wurde in flache Löcher im Flußsand vergraben und mit viel Wasser übergossen, damit ihm die Bitterkeit entzogen würde. Der Brei wurde dann zu flachen Kuchen gebacken und diese wiederum in süßen Ahornsaft getaucht, bis sie völlig durchtränkt waren, und schließlich in der Sonne getrocknet.

Uba, die den Frauen half und dabei ständig ein Auge auf Durc hatte, konnte es nicht fassen, daß dies alles gegessen wurde.

Von den Feuern stieg der Rauch so schwadendick in die stille, sternschimmernde Nacht auf, daß er in feinen Wolken den Himmel verhüllte. Der Mond war neu und hielt sein Antlitz der Erde abgewandt. Der Schein der Feuer erhellte den breiten Vorplatz der Höhle, doch die Wälder, die ihn umstanden, blickten dunkel und drohend.

Man hatte den Verzehr jetzt von den Feuern genommen. Er brauchte nur noch warmgehalten zu werden. Fast alle Frauen hatten sich in die Höhle zurückgezogen. Sie legten frische Umhänge an und ruhten sich noch etwas aus.

Doch selbst die müdeste Frau hielt es nicht lange in der Höhle aus. Bald füllte sich der Vorplatz wieder mit einer erwartungsvollen Menge, die ungeduldig der Dinge harrte, die da kommen sollten. Tiefe Stille breitete sich aus, als die zehn Zaubermänner und ihre Gehilfen nacheinander aus der Höhle schritten. Dann hob ein allgemeines Zurechtrücken an, als jeder sich seinen Platz suchte. Diesmal ging es nicht nach Rang. Wichtig war nur, daß jeder vor oder hinter oder an der richtigen Seite bestimmter anderer Leute sich befand.

Als es wieder still wurde, entzündete man am Eingang zur Höhle ein großes Feuer. Dann wurden die Steine entfernt, die die Kochgruben bedeckten. Den Gefährtinnen der Führer sowohl des rangobersten als auch des gastgebenden Clans wurde die Ehre zuteil, das Fleisch herauszuheben. Bruns Brust schwoll an vor Stolz und Befriedigung, als er Ebra vortreten sah.

Der Entscheid war endlich mit der Anerkennung Aylas durch die Mog-urs gefallen. Brun und sein Clan behaupteten den ersten Platz sicherer als je zuvor. So wenig es die Leute zunächst hatten glauben wollen, die hochgewachsene Frau mit dem sonnenhellen Haar war eine Frau des Groß-Clans und eine Medizinfrau von Izas angesehenem Stamm. Bruns hartnäckiges Behaupten, daß dem so wäre, hatte sich als richtig erwiesen. Es war der Wille des Großen Höhlenbären. Hätte Brun auch nur einen Herzschlag lang geschwankt, so wäre sein Ansehen nicht mehr so groß gewesen, seine Überlegenheit nicht so deutlich.

Das Bärenfleisch wurde mit gegabelten Ästen von den Keulen gerissen, und die anderen Frauen halfen mit. Platten aus Holz und Bein wurden beladen, große Schüsseln mit dem vielfältigsten Verzehr gefüllt. Broud und Voord traten vor den Großen Mog-ur.

»Mit diesem Festverzehr zu Ehren des Großen Höhlenbären soll auch Gorn geehrt werden, den unser Schutzgeist ausersehen hat, daß er ihn begleite. Während er nämlich unter den Leuten von Norgs Clan weilte, sah der Große Höhlenbär, daß diese nicht vergessen haben, was er sie gelehrt hat. Gorn wurde ihm anvertraut, und er sah in ihm einen würdigen Begleiter. Broud und Voord, weil ihr mutig, kräftig und ausdauernd wart, hat man euch erwählt, dem Großen Geist die Tapferkeit der Männer seines Clans vorzuführen. Er stellte euch mit seiner gewaltigen Kraft auf eine schlimme Probe, und was er sah, gefiel ihm. Ihr habt wohlgetan, und euer sei die Ehre, ihm den letzten Verzehr zu bringen, den er mit seinem Clan teilen wird, ehe er in die Welt der Geister zurückkehrt. Möge der Geist des Höhlenbären bei uns sein auf allen unseren Wegen für und für.«

Die beiden jungen Jäger schritten die Reihen der Frauen ab, die neben den hochbeladenen Platten und vollgefüllten Behältnissen standen, und ließen sich in ihre Gefäße von allem geben außer vom Fleisch. Dem Bären, der hier im Pfahlverhau gelebt hatte, war niemals Fleisch gegeben worden. Die Platten stellten sie vor der auf Pfählen aufgespannten Bärenhaut ab.

Danach fuhr der Große Mog-ur mit kurzer Handbewegung fort: »Ihr habt von seinem Blut getrunken. Nun eßt von seinem Fleisch und werdet eins mit dem Geist des Höhlenbären.«

Das war das Zeichen zum Beginn des Festverzehrs. Broud und Voord erhielten die ersten und besten Stücke vom Fleisch. Und ihnen schlossen sich in langer Reihe die anderen Clan-Leute an.

»Ayla, du ißt ja gar nichts. Du weißt doch, daß alles Fleisch in dieser Nacht gegessen werden muß.«

»Ich weiß es, Ebra. Aber ich bin nicht hungrig.«

»Ayla flattert das Herz«, warf Uba mit kurzer Geste ein, während sie genüßlich kaute. »Ich bin froh, daß ich nicht erwählt wurde. Dann könnte ich auch nichts essen.«

»Iß wenigstens etwas Fleisch. Das mußt du tun. Hast du Brühe für Durc? Er soll ein wenig davon haben. Das macht ihn eins mit dem Groß-Clan.«

»Ich habe ihm schon etwas gegeben, aber viel wollte er nicht. Oga hat ihn gerade genährt«, erwiderte Ayla und wandte sich an Brouds Gefährtin: »Oga, ist Grev noch hungrig? Meine Brüste sind so voll, daß sie schmerzen.«

»Ich hätte gewartet, aber sie waren beide hungrig, Ayla. Du kannst sie morgen anlegen.«

»Da werde ich genug haben für zwei und mehr«, meinte Ayla. »In der Nacht werden sie nichts wollen. Da werden sie fest schlafen. Der Daturatrank ist bereit. Wenn sie das nächstemal hungrig werden, dann gib ihnen den Trank zuerst. Sie schlafen dann schnell. Uba wird dir zeigen, wieviel es sein muß. Ich komme erst nach der Feier zurück.«

»Bleib nicht zu lange, Ayla. Unser Tanz fängt an, sobald die Männer in die Höhle gegangen sind. Einige Medizinfrauen verstehen mit Trommeln besonders gut zu schlagen. Beim Miething des Groß-Clans ist der Frauentanz immer wundersam«, bedeutete Ebra.

»Mit den Schlägeln kann ich noch nicht gut hantieren. Iza

hat mich ein wenig darin unterwiesen und die Medizinfrau von Norgs Clan auch«, erklärte Ayla zaghaft.

»Du bist noch nicht lange Medizinfrau, Ayla, und Iza hat sich mehr Zeit genommen, dich in den heilenden Zauber einzuweisen als in den Gebrauch schüsselförmiger Trommeln. Doch auch die Klänge besitzen Zauberkraft«, gab Ovra zu verstehen. »Medizinfrauen müssen so vieles wissen.«

»Ich wünschte, Iza wäre hier«, machte Ebra traurig. »Es ist gut, daß sie dich endlich angenommen haben, Ayla, aber Iza fehlt mir doch. Es ist alles so sonderbar ohne sie.«

»Ich wünschte auch, sie wäre hier«, gab Ayla zurück. »Mir hat das Herz geblutet, daß wir sie zurücklassen mußten. Sie ist so krank. Sie muß viel Wärme und Ruhe haben.«

»Wenn ihre Zeit gekommen ist, in das Jenseitige hinüberzugehen, dann wird sie eben gehen. Wen die Geister rufen, den kann niemand aufhalten«, stellte Ebra mit gefaßter Gebärde fest.

Ayla fröstelte, obwohl die Nacht warm war, und ein plötzlicher Anflug dunklen Vorahnens strich über sie hin wie ein Rabenvogel, der in die Kältnis fliegt.

Der Große Mog-ur gab ihr ein Zeichen, und Ayla sprang auf, die das dunkle Gefühl nicht abschütteln konnte, als sie zur Höhle lief.

Izas Schale, innen weiß angelaufen von langem Gebrauch, stand auf ihrem Schlafpelz, wo sie sie bereitgestellt hatte. Sie holte den rotgefärbten Beutel aus ihrer Medizintasche und leerte ihn aus. Im Schein des Kienspans besah sie mit scharfem Auge die Wurzeln. Obwohl Iza ihr viele Male dargelegt hatte, wie die rechte Menge zu schätzen sei, war sich Ayla noch immer nicht im klaren darüber, wieviel sie für die zehn Mog-urs nehmen sollte. Die Stärke des Tranks hing nicht nur von der Zahl der Wurzeln ab, sondern auch von ihrer Größe und dem Grad ihres Alters.

Nie hatte sie Iza bei der Zubereitung helfen können. Der Trank war, wie ihr die Medizinfrau inständig dargetan hatte, zu heilig, zu kostbar, um nur zum Üben bereitet zu werden. Medizinfrau-Töchter lernten es dadurch, daß sie zusahen, wie er gemacht wurde. Und dann wußten sie es wieder, wie sie es schon vorher gewußt hatten. Doch Ayla war nicht in den Clan hineingeboren worden. Sie hatte es jetzt schwerer. Zögernd suchte sie mehrere Wurzeln heraus, legte dann noch eine dazu, um sicher zu sein, daß der Zauber wirken würde. Dann ging sie zu der Stelle gleich beim Eingang, wo ein Gefäß mit frischem Wasser stand. Dort, hatte Creb ihr befohlen, sollte sie warten. Reglos verfolgte sie den Beginn der heiligen Feier.

Dem Klang der schüsselförmigen Holztrommeln folgte das dumpfe Stoßen der Speerschäfte und der abgehackte Donnerton der langen, hohlen Röhren. Gehilfen gingen mit den Daturatrank-Schalen unter den Männern umher, und bald bewegten sich alle im Einklang mit dem schwerfälligen Getön. Die Frauen hielten sich im Hintergrund; ihre Zeit kam später. Ayla stand zitternd an ihrem Platz, den Umhang lose um ihren Körper, und wartete. Der Tanz der Männer wurde wilder, und sie fragte sich, wie lange sie noch würde warten müssen.

Sie fuhr zusammen, als eine Hand ihre Schulter berührte. Sie hatte nicht bemerkt, daß die Mog-urs aus der Tiefe der Höhle gekommen waren. Erleichtert atmete sie auf, als sie Creb erkannte. Auf leisen Sohlen schritten die Zauberer aus der Höhle und stellten sich halbkreisförmig vor der aufgespannten Bärenhaut auf. Der Große Mog-ur stand vor ihnen, und von ihrem Ausguck aus hatte Ayla den flüchtigen Eindruck, daß der Höhlenbär, der mit aufgerissenem Maul hoch aufgerichtet an den Pfählen hing, gleich den verkrüppelten alten Mann angreifen würde. Doch das gewaltige Tier, das weit über den Großen Mog-ur leeräugig hinwegblickte, war nur noch ein Trugbild von Kraft und Wildheit.

Sie sah, wie der Große Zauberer den Gehilfen, die die hölzernen und beinernen Klangkörper bedienten, ein Zeichen gab. Beim nächsten gewaltigen Zusammenschlag brachen sie ab. Die Männer hielten in ihrem Tanz inne und blickten auf und waren verwundert, dort die Mog-urs zu sehen, wo eben noch alles leer gewesen war. Doch auch das plötzliche Erscheinen der Zauberer war Trug, und Ayla wußte jetzt, wie die Täuschung vollbracht wurde.

Der Mog-ur wartete, ließ Spannung sich aufbauen, bis er fast mit seinem Körper spürte, daß aller Aufmerksamkeit auf die mächtige Gestalt des Höhlenbären gerichtet war, der im Feuerschein zu glühen schien. Sein Zeichen war kaum wahrzunehmen, und er blickte mit Absicht in die andere Richtung, als er es gab. Doch es war das Zeichen, auf das Ayla gewartet hatte. Sie ließ ihren Umhang von den Schultern gleiten, füllte die Schale mit Wasser und umfaßte die Wurzeln in ihrer Hand fester. Noch einmal holte sie tief Atem, dann schritt sie langsam dem Einäugigen entgegen.

Ein Aufseufzen höchster Verwunderung ging durch den Kreis der Männer, als Ayla ins Licht trat. In ihren Umhang gekleidet, dessen lose fallende Falten und Taschen ihren Körper verhüllten, hatte sie ausgesehen wie eine der ihren. Ohne die Hülle des weit fallenden Gewandes jedoch zeigte sich, daß ihr Körper ganz anders war als die Körper der Clan-Frauen. Er war nicht rundlich und erdschwer wie bei diesen; er war schlank und schmal. Ihre Arme und Beine waren lang und gerade. Und nicht einmal die roten und schwarzen Kreise und Linien, die ihren nackten Leib bedeckten, konnten ihr Anderssein verbergen.

Noch seltsamer aber war ihr hoher Wuchs. Wenn sie, wie üblich, mit gekrümmtem Rücken und leicht vornübergebeugt dahinschlurfte oder zu Füßen eines Mannes hockte, war dies nicht weiter aufgefallen. Als sie jedoch den Zauberern gegenüberstand, war es offenkundig geworden: Ayla war weit höher gewachsen als selbst der größte Mann im Clan.

Mit einer fließenden Folge feingeführter Gesten rief der Große Mog-ur den Schutz des Großen Bären herab, der noch in ihrer Nähe weilte. Dann schob Ayla die harten, ausgedörrten Wurzeln in ihren Mund. Es fiel ihr schwer, sie zu kauen, da ihr die großen Zähne und die kräftigen Kiefer der Clan-Leute fehlten. So sehr Iza sie auch davor gewarnt hatte, die Säfte zu schlucken, die sich in ihrer Mundhöhle bildeten, sie konnte nicht verhindern, daß etwas davon in ihre Kehle geriet und geschluckt wurde. Auch wußte sie nicht, nach welcher Zeit die Wurzeln weich waren; aber sie hatte das Gefühl, als müßte sie kauen ohne Unterlaß. Als sie endlich die letzte Wurzel ausspie, fühlte sie sich leicht benommen. Sie rührte so lange, bis das Flüssige in der uralten heiligen Schale wäßrig-weiß wurde; dann reichte sie die Schale Goov.

Die Gehilfen hatten dabei gestanden und gewartet, während sie die Wurzeln kaute. Jeder hielt ein Gefäß mit Daturasud in den Händen. Goov reichte die Schale mit der weißen Flüssigkeit an den Großen Mog-ur weiter, hob dann sein Gefäß vom Boden auf und übergab es Ayla auf die gleiche Weise, wie die anderen Gehilfen ihre Schalen den Medizinfrauen ihrer Clans reichten. Es war ein gerechter Austausch.

Der Große Mog-ur schlürfte aus der heiligen Schale.

»Der Trank ist stark«, bedeutete er Goov, so daß es niemand merkte. »Gib weniger.«

Goov nickte, nahm die Schale und ging mit ihr hinüber zu dem Mog-ur, dem der zweite Rang zukam.

Ayla und die anderen Medizinfrauen trugen ihre Schalen zu den wartenden Frauen und reichten sie ihnen. Ayla schlürfte den letzten Rest aus ihrer Schale; doch schon spürte die junge Medizinfrau sich von einem befremdlichen Gefühl des Entferntseins überschwemmt, so als hätte sich ein Teil von ihr gelöst und sähe nun all dem, was ringsum vorging, aus der Entfernung zu. Einige der älteren Medizinfrauen griffen zu den schüsselförmigen Holztrommeln und begannen, den bemessenen Ton für den Tanz der Frauen zu schlagen. Wie gebannt starrte Ayla auf die wirbelnden Stöcke, während sie der klaren, genauen Schlagfolge lauschte. Die Medizinfrau von Norgs Clan schob ihr eine rundliche Holztrommel zu. Mit zaghafter Hand paßte sie den Schlägel der allgemeinen Schlagfolge an und ging nach einer Weile ganz in ihr auf.

So versunken war Ayla, daß sie nichts von dem bemerkte, was um sie herum vorging. Als sie einmal kurz aufblickte, waren die Männer fort, und die Frauen wanden und drehten sich und sprangen in einem wilden, rasenden Tanz. Schnell stellte sie die Trommel beiseite und sah, wie sie umstürzte und sich ein paarmal drehte, ehe sie ruhig liegen blieb. Die bauchige Form des Klangholzes weckte eine Erinnerung in ihr. Sie erinnerte an Izas Schale, das kostbare uralte Gefäß, das ihr anvertraut worden war. Und dann sah sie sich, wie sie mit ihrem Finger das weißwäßrige Flüssige gerührt hatte. Wo ist Izas Schale? ging ihr durch den Kopf. Was ist mit ihr geschehen? Wo ist sie nur? Sie kam einfach nicht los von den Gedanken, die sie bedrängten und verfolgten.

Izas Gesicht tauchte vor ihr auf, und Tränen sprangen ihr in die Augen. Izas Schale! Ich habe Izas Schale verloren. Die wunderschöne, alte Schale, von ihrer Mutter übergeben, weitergereicht von der Mutter ihrer Mutter und davor immer weiter, immer weiter. Und wieder tauchte Iza auf, und noch eine Iza hinter ihr und noch eine; eine endlos lange Reihe von Medizinfrauen führte hinter Iza in die uralten, dunkelkalten nebelhaften Zeiten. Und jede dieser Frauen hielt eine kostbare weiße Schale in den Händen. Langsam löste sich dieses Bild vor Aylas Augen auf. Und etwas schwebte auf sie zu, wurde größer und größer: die Schale, die plötzlich an ihrem Kopf zersprang und in zwei Teile brach. Nein! Nein! schrie es in ihr. Hellloderndes Entsetzen verbrannte ihre Sinne. Izas Schale! Wo war Izas Schale?

Sie stolperte und lief von den Frauen fort und rannte zur Höhle; wühlte zwischen Beinschalen und Holzschüsseln und suchte nach Izas Schale. Der Höhleneingang hinter dem zuckenden Lichtschein lockte, zog sie an, und sie torkelte hinüber. Und mit einemmal war ihr der Weg versperrt. Sie war gefangen, gefangen in der Umarmung eines riesigen rauhhaarigen Geschöpfes, das auf sie nieder blickte mit unförmigem Kopf, einem riesigen aufgerissenen Maul und toten starren Augen. Ayla schlug die Hände vors Gesicht, wich zurück und floh in wilden Sprüngen zur lockenden Höhle.

Als sie durch die Öffnung wankte, fiel ihr Blick auf etwas Weißes nahe der Stelle, wo sie auf das Zeichen des Großen Mog-urs gewartet hatte. Sie sank auf die Knie und sah Izas Schale, die sie aufhob und an sich drückte wie ein kleines Kind. Milchigweiß schwappte es noch auf dem Grund. Sie haben nicht alles getrunken, schoß es ihr durch den Kopf. Ich habe zuviel gemacht. Was soll ich damit nur tun? Ich kann es doch nicht fortgießen. Iza hat gesagt, daß ich es nicht darf. Ja, deshalb konnte sie mir nicht zeigen, wie der Trank zubereitet wird; ich habe zuviel gemacht, weil sie es mir nicht zeigen konnte. Ich habe es falsch gemacht. Was ist, wenn einer das sieht? Dann glauben sie, daß ich gar keine richtige Medizinfrau bin. Keine Frau des Clans. Dann treiben sie uns vielleicht fort. Was soll ich tun? Was soll ich denn nur tun?

Ich werde es trinken. Ja, das will ich tun. Wenn ich es trinke, wird keiner es sehen. Und alles ist wie vorher. Ayla hob die Schale an ihre Lippen und leerte sie.

Als würde sie durch Flauschiges gehen, machte sich Ayla auf den Weg in die zweite Höhle. Man mußte die kostbare Schale an einem sicheren Ort verbergen.

So sehr war ihr jedes Gefühl für Raum und Zeit abhanden gekommen, daß sie nicht merkte, wie ihr die Schale innerhalb von Crebs Wohnkreis einfach aus den Händen fiel. Ein Geschmack lag in ihrem Mund nach uraltem, wildem Wald; nach glitschigem, feuchtem Lehm, muffig faulendem Holz, himmelhochaufragenden, großblättrigen Bäumen, die regennaß tropften, riesigen, fleischigen Pilzen. Die Wände der Höhle weiteten sich, schwangen hoch und zurück, schwanden in immer weitere Fernen. Ayla fühlte sich wie ein Käfer, der mühsam auf dem Boden dahinkroch. Winzige Dinge sprangen ihr überscharf ins Auge. Ihr Blick folgte ängstlich den Kratern eines Fußabdrucks, gewahrte jeden kleinen Kieselstein, der sich lösen konnte und ihr den Kopf zerschmettern. Aus den Augenwinkeln erhaschte sie eine Spinne, die an einem Faden emporkletterte, der im Schein eines Kienspans rötlich glänzte.

Das Licht bannte sie. Sie starrte in die flackernde, tanzende Flamme und sah den schwarzen Rauch, der in Kringeln zur dunklen Decke emporstieg. Sie trat näher an den Lichtstock heran, sah wieder einen und folgte dem winkenden Flammenfinger. Doch als sie ihn erreichte, lockte schon der nächste und dann wieder einer und dann wieder. Immer tiefer wurde sie in die Höhle hineingezogen. Es fiel ihr nicht auf, als die Flammenfinger den kleineren Flämmchen von Steinlampen wichen, die weit auseinanderlagen, und sie wurde nicht bemerkt, als sie an einer großen Grotte vorübertappte, in der die Männer tief in sich versunken hockten. Keiner spürte ihre Gegenwart, als sie an der kleineren Grotte vorüberkam, wo die älteren Jungen, geführt von den Gehilfen der Zaubermänner in gleiche Versenkung geglitten waren wie die erwachsenen Männer.

Mit einer Zielstrebigkeit, von der nichts sie abbringen konnte, wanderte Ayla von einem kleinen Flämmchen zum nächsten. Die Lichter führten sie durch Stollen, Gänge, kleine Grotten, Felsnischen und Höhlen. Sie stolperte auf dem holprigen Boden und suchte Halt an der feuchten Felswand, die sich drehte. Und wieder gelangte sie in einen Gang. Am anderen Ende leuchtete rosiges Licht. Endlos war er und wollte kein Ende nehmen; weiter und weiter führte er sie. Häufig schien ihr, als sähe sie sich selbst aus großer Ferne, wie sie durch den lichtertrüben Gang wankte. Ihr Geist wurde in immer weitere Fernen gezogen, in ein tiefes, schwarzes Nichts, doch sie hatte Angst vor der unermeßlichen Weite des Nichts und kämpfte hart, ihm zu entkommen.

Endlich kam sie dem hinteren Lichtschein nahe und erblickte mehrere Gestalten, die in einem Kreis beieinander hockten. Ganz tief aus ihrem Hirn drang eine Mahnung zur Vorsicht zu ihr, und Ayla hielt an, ohne der letzten lockenden Flamme zu achten, und verbarg sich hinter einer steinernen Säule.

Es waren die Mog-urs, zehn an der Zahl, die in ihrer Grotte zusammensaßen und sich tief versenkt hatten in den Ursprung ihres Seins. Sie hatten die Feier eröffnet, die alle Männer aller Clans einigte, doch es dann aber den Gehilfen überlassen, sie fortzuführen, und hatten sich allein in den heiligsten Bereich zurückgezogen, um jene Feier abzuhalten, die nur für sie bestimmt war.

Jeder der Männer, sein Bärenfell um den Körper, hockte hinter dem Schädel eines Höhlenbären. Und auch aus den Nischen in den Felswänden blickten Bärenschädel auf den magischen Kreis herunter. In der Mitte befand sich etwas Behaartes, das Ayla auf den ersten Blick nicht recht erkannte. Doch als sie dann sah, was es war, gerann ihr das Blut in den Adern, und um ihre Kehle legte sich ein steinerner Ring: In der Mitte lag Gorns vom Rumpf getrenntes Haupt.

Starr vor Entsetzen sah sie zu, wie der Mog-ur von Norgs Clan nach dem Kopf griff, ihn umdrehte und mit einem Stein die große Öffnung erweiterte und das schwabbelige rosiggraue Hirn des Jägers bloßlegte. Mit gewaltigen Gebärden besprach der Zauberer den Kopf, griff dann in die Öffnung und zog ein Stück des Hirns heraus, hielt es in der Hand, während der nächste Mog-ur den Arm nach dem Kopf ausstreckte. Und jeder der Zauberer griff in den toten Kopf hinein und holte sich seinen Teil vom Gehirn des Mannes heraus, den der Höhlenbär zerbrochen hatte.

Ein wirbelnder Schwindel trieb Ayla an den Rand der tiefsten Leere. Sie schluckte und würgte und klammerte sich verzweifelt an den Rand des Abgrunds, auf dessen unterstem Boden das Nichts lag, doch als sie sehen mußte, wie die großen heiligen Männer der Clans die Hände zum Mund führten und Gorns Hirn verzehrten, ließ Ayla los.

Stumme Schreie stießen aus ihr hervor, die sie selbst nicht hören konnte. Sie konnte nicht sehen, und sie konnte nicht fühlen, aber sie wußte es. Sie war nicht in einen alles auslöschenden Schlaf gesunken. Das Nichts war voller Grauen in seiner öden, schwarzen Leere. Angst packte sie. Wie rasend kämpfte sie darum zurückzukehren, schrie lautlos um Hilfe und fiel nur noch tiefer hinunter. Schneller und schneller stürzte sie in eine tiefe, schwarze Unendlichkeit.

Doch plötzlich ließ die rasende Fahrt nach. Sie spürte ein Prickeln in ihrem Hirn, in ihrem Geist und eine Kraft, die sie langsam zurückholte, heraus aus dem Abgrund der Unendlichkeit. Sie nahm Gefühle wahr, die ihr fremd waren, Gefühle, die nicht zu ihr gehörten. Am stärksten war die Liebe, doch sie war vermischt mit einem tiefen Zorn und großer Furcht; und dann spürte sie die Wißbegierde. Und hell entsetzt gewahrte sie, daß der Große Mog-ur mitten in ihrem Kopf saß. Mit ihrem Denken fühlte sie seine Gedanken; mit ihren Gefühlen empfand sie sein Gefühl. Seine Anwesenheit in ihr hatte etwas Körperliches, als wenn er sie berührte.

Der Große Mog-ur konnte nämlich nicht nur die Erinnerung teilen und beherrschen, er konnte die Verbindung aufrechterhalten, während sich die anderen im Geist vom Vergangenen in das Gegenwärtige bewegten. Den Männern seines Clans war eine reichere, erfülltere geistige Gemeinschaft vergönnt als allen anderen. Doch mit dem geistmächtigen Mog-urs konnte er sich übersinnlich verbinden, schon von Anfang an. Durch Creb, den Großen Mog-ur, fanden sich alle

Zauberer in einer Vereinigung zusammen, die weit enger und weit erfüllender war als jede körperliche: es war die geistige Berührung.

Ayla konnte nicht wissen, daß durch die Schädigung des Gehirns, die der Krüppel bei seiner Geburt erlitten hatte, nur seine körperlichen Fähigkeiten beeinträchtigt waren, der Sitz der Geisteskräfte aber heil geblieben war. Doch dieser Mann war der letzte seiner Art. In ihm hatte der Weg, die die Natur dem Clan bestimmt hatte, ein Ende gefunden. Weiter konnte er ohne einen artverändernden Umschwung nicht führen. Doch wie das mächtige Geschöpf, das sie verehrten, und viele andere Wesen, die in ihrer Umwelt lebten, waren die Erdlinge nicht gemacht, Veränderungen zu überleben.

Jene Erdlingsart, die für ihre Schwachen und Kranken sorgte, ihre Toten begrub und ein mächtiges Totem verehrte, diese Erdlinge mit dem gewaltigen Hirn, die nur clanmäßig leben konnten und sich in Hunderten von tausend Jahren fast nicht weiterentwickelt hatten, waren geboren und dazu bestimmt, damit jenen Weg zu gehen, den auch das wollhaarige Mammut und der mächtige Höhlenbär nehmen mußten. Sie wußten es nicht, doch ihre Tage waren gezählt. Sie waren dem Aussterben nahe. Und in Creb hatten sie das Ende des Wegs erreicht.

Ayla spürte so etwas wie den rauschhaften Puls eines fremden Blutstroms, der ihren eigenen überdröhnte. Der mächtige Geist des großen Zauberers erforschte die verschlungenen Bahnen ihres fremden Geistes auf der Suche nach Gemeinsamem. Er fand Pfade der Ähnlichkeit; und dort, wo es keine gab, suchte er nach anderen Möglichkeiten der Verklammerung und stellte Verbindungen her, wo nur schattenhafte Anlage vorhanden war.

Mit bestürzender Klarheit begriff Ayla plötzlich, daß Creb es gewesen war, der sie aus dem Nichts geholt hatte; aber mehr noch – er verhinderte, daß die anderen Mog-urs, die ebenfalls mit ihm verbunden waren, ihre Anwesenheit spürten. Sie konnte nur undeutlich seine Verbindung mit ihnen wahrnehmen, nicht aber sie selbst. Auch sie spürten, daß er Verbindung mit jemand – oder etwas – anderem aufgenommen hatte, aber niemals hätten sie sich vorstellen können, daß es Ayla war.

Und so wie sie jetzt erfaßte, daß der Große Mog-ur sie vor dem Schlimmsten gerettet hatte und immer noch schützte, so erspürte sie jetzt die tiefe Ehrfurcht, mit der die Mog-urs jene Handlung vollbracht hatten, über die sie selbst so entsetzt gewesen war. Sie hatten sich vereinigt. Die Mog-urs hatten den Mut und die Tapferkeit des jungen Mannes, der nun an der Seite des Geistes des Höhlenbären wandelte, in sich aufgenommen. Und da sie die Mog-urs waren, mit einem besonderen Geist ausgestattet, konnten sie diesen Mut und diese Tapferkeit an alle weitergeben, die zum Groß-Clan gehörten. Nicht nur an jene Clans, die sich zum Miething hier eingefunden hatten, sondern auch an jene, die in weiten Fernen waren, zu fern, um an diesem Treffen teilnehmen zu können.

Hier lag der Ursprung von Crebs Zorn und Furcht. Dem uralten Überlieferten zufolge durften nur Männer an den heiligen Feiern des Groß-Clans teilhaben. Wurde eine Frau Zeugin einer solchen Feier, und sei es nur einer kleinen, so bedeutete dieses den Untergang für den Clan. Doch heute hielt man keine kleine Feier ab. Dies hier war eine Feier von hoher Bedeutung für alle Clans. Und Ayla war eine Frau. Und sie war dabei.

Und sie war noch nicht einmal eine Frau des Groß-Clans. Das wußte der Mog-ur jetzt mit Sicherheit. Von dem Augenblick an, als er ihrer gewahr geworden war, wußte er, daß sie nicht zum Groß-Clan gehörte. Ebenso blitzartig hatte er die Folgen ihres Hierseins erfaßt, aber da war es schon zu spät gewesen. Dies, was daraus folgte, war nicht mehr abzuwenden; und auch das wußte er. Doch ihre Verfehlung war so schwer, daß Creb nicht wußte, was er mit ihr tun sollte; selbst ein Todesfluch war dem nicht angemessen. Doch ehe er einen Entschluß faßte, wollte er mehr von ihr wissen und durch sie mehr über die Fremdlinge erfahren.

Es überraschte ihn, daß er ihren Hilfeschrei wahrnahm. Die Fremdlinge waren anders, aber es mußte auch Ähnlichkeiten geben. Er meinte, es um des Clans willen wissen zu müssen, und er besaß einen Wissensdurst, der größer war als bei den anderen seiner Art. Immer hatte sie seine Neugier gereizt; er wollte wissen, wodurch sie anders war. Also beschloß er, einen Versuch zu wagen.

Und nun führte der mächtige heilige Mann sie alle zurück zu ihren Anfängen – die neun Männer, deren Geist dem seinen gleich war und die ihm bereitwillig folgten, und – getrennt von ihnen – die junge Frau, deren Geist dem seinen zwar ähnlich war, aber doch auch anders.

Und wieder schmeckte Ayla den wilden urtümlichen Wald, spürte, wie es auf der Zunge und auf der Haut und in der Nase anders wurde, warm und pelzig. Ihr war das nicht so klar wie den anderen – ihr war dies alles neu, dieses Gefühl, in der Morgenröte des Lebens zu stehen. Ihre Erinnerungen daran waren unbewußt und verschwommen. Doch die Anfänge waren die gleichen, spürte der Große Mog-ur. Sie fühlte das Einssein ihrer eigenen Körperteilchen und spürte es, als sie sich in den warmen, nährenden Wassern teilten und auseinanderentwickelten. Sie wuchsen und teilten sich und wandelten sich, und Bewegung bekam Sinn. Wieder eine Wandlung, und sachte pulsendes Leben erhärtete sich, gab Form und Gestalt.

Wieder eine Wandlung, und sie erfuhr den Schmerz des ersten Atemzugs in einem neuen luftigen Element. Und noch eine Wandlung, und sie fühlte saftige, lehmige Erde und sah das Grün junger Bäume und gewaltige Ungeheuer, vor denen man sich vergraben mußte. Und dann wandelte sie sich selbst in Hitze und Trockenheit und Dürre, die sie zurücktrieben an den Rand des Wassers, bis zu den Spuren eines fehlenden Glieds, das sich im Wasser verlor, das ihre Gestalt vergrößerte und ihr ihren Pelz nahm und ihren Umriß veränderte und Verwandte zurückließ, die zu einer früheren Form zurückkehrten, aber dennoch Luft atmeten und mit Milch gesäugt wurden.

Und dann ging sie aufrecht auf zwei hinteren Beinen, und die vorderen konnte sie als Werkzeug gebrauchen, und ihre Augen sahen einen ferneren Horizont, und in ihrem Kopf bildete das Hirn sich weiter aus. Sie war dabei, sich vom Mog-ur zu trennen, schlug einen anderen Weg ein; und doch liefen die Pfade nicht so weit auseinander, als daß er dem ihren nicht mit dem seinen, der beinahe gleichlaufend führte, auf der Spur bleiben konnte. Jetzt brach er die Verbindung mit den anderen Erdlingen ab. Sie konnten ihren Weg auch ohne ihn fortsetzen.

Nur diese beiden blieben verbunden, der alte Zauberer, der zum Groß-Clan gehörte, und die junge Frau, die eine von den Fremdlingen war. Creb führte jetzt nicht mehr, doch er folgte ihrer Spur, und sie folgte der seinen. Sie sah, wie warmes Land von Eis überzogen wurde, von einem Eis, das noch dicker und kälter war als das Eis ihrer eigenen Zeit. Es war ein Land, das weit, weit entfernt war, tief im Gebiet nach Sonnenuntergang, nicht fern von den weiten Wassern, die unendlich viel größer waren als das Wasser, das ihr Halbinselland umschloß.

Sie sah eine Höhle, die Bleibe eines Ahn-Elters des Großen Mog-urs, eines Vorfahren also, der aussah wie er. Es war ein nebelhaftes Bild, über die Kluft hinweg erspäht, die ihre Arten voneinander trennte. Die Höhle befand sich in einer steilen Wand, zu deren Füßen ein Fluß rauschte und eine weite Ebene sich dehnte. Hoch oben auf dem Fels erhob sich deutlich sichtbar eine Felsnadel; eine lange, leicht abgeflachte Säule, die über den Abgrund geneigt war, als wäre sie im Umsturz erstarrt. Der Stein war von einem anderen Ort, aus anderem Gestein als der Fels. Tobende Wasser und die sich immer weiter umschichtende Erde hatten ihn dort auf den Fels gepflanzt, in dem die Höhle sich befand. Das Bild verschwamm, doch die Erinnerung blieb bei ihr.

Einen Herzschlag lang fühlte sie überwältigenden Schmerz. Dann war sie allein. Der Mog-ur konnte ihr nicht mehr folgen. Sie fand ihren eigenen Weg zurück zu sich selbst und dann ein wenig weiter, noch über sich selbst hinaus. Flüchtig erhaschte sie noch einmal einen Blick auf die Höhle, dann folgten rasch aufeinander verwirrende Bilder von Landschaften, die nicht das Vielfältige der Natur darstellten, sondern Starrheit oder Gleichmaß. Hohe, kantige Gebilde aus gegossenem Stein ragten aus der Erde auf, und lange, gleichmäßig geschnittene Bänder durchzogen das Land, auf denen glänzend bunte Tiere mit großer Schnelligkeit dahinjagten. Riesige Donnervögel schwebten ohne Flügelschlag unter dem Himmel. Dann neue Bilder, so befremdlich, daß sie Ayla nicht erfassen konnte. In ihrem hastigen Bemühen, das Gegenwärtige zu erreichen, schoß sie doch etwas über ihre Vorstellung hinaus und glitt in eine Zeit hinein, wo vielleicht doch noch eine neue Wandlung gekommen wäre. Dann aber war ihr Geist klar, und sie spähte hinter einer Säule hervor auf die zehn Männer, die im Kreis in einer Grotte hockten.

Der Große Mog-ur blickte sie an, und sie sah in seinem tiefbraunen Auge den Schmerz wieder, den sie empfunden hatte. Er hatte neue Wege in ihren Geist geschlagen, Wege, die es ihr erlaubt hatten vorauszublicken; doch in seinen eigenen Geist konnte er keine neuen Wege schlagen. Und während sie über das Jetzt hinausgeblickt hatte, war ihm nur eine Ahnung des Zukünftigen gekommen, einer Zukunft, die ihr gehören würde, aber nicht ihm. Und das ließ ihn erzittern vor Furcht.

Gegenständliches denken konnte Creb nur in höchst beschränktem Maße. Und mit großer Anstrengung gelang es ihm, bis knapp über zwanzig zu zählen. Die Fähigkeit vorauszublicken, war ihm nicht gegeben. Sein Geist, das spürte er, war weit machtvoller als der ihre. Doch seine Möglichkeit, ihn zu gebrauchen, war von anderer Art. Er konnte in seine und Aylas Anfänge zurückkehren. Er konnte sich klarer und weiter erinnern als jeder andere des Groß-Clans. Er selbst konnte sie in die Erinnerung zwingen. Doch in ihr spürte er die Lebenskraft einer neuen Art, die sich entwickelt hatte.

»Geh!« Ayla fuhr zusammen bei dem scharfen Befehl, bestürzt, daß er so laut gesprochen hatte. Dann sah sie, daß er gar nicht gesprochen hatte. Sie hatte den Befehl gespürt, nicht gehört. »Geh fort aus der Höhle! Schnell! Geh jetzt!«

Wie gehetzt sprang sie aus ihrem Versteck und rannte den Gang hinunter. Einige der kleinen Flammen in den Steinlampen waren erloschen, andere flackerten nur noch schwach. Kein Laut kam aus den Grotten, wo die Männer und die Jungen jetzt schliefen. Sie kam zu den Fackeln und stürzte aus der Höhle hinaus.

Es war finster, aber der erste schwache Schimmer des neuen Tages zeigte sich. Aylas Geist war klarer. Nichts Berauschendes war mehr in ihr. Doch sie war bis ins Innerste erschöpft. Sie sah die Frauen, die schlaff und ausgeleert auf dem Boden lagen, und legte sich neben Uba nieder. Sie war immer noch nackt, aber sie empfand die Morgenkühle so wenig wie die anderen nackten schlafenden Frauen.

Als der Große Mog-ur, der ihr müden Schrittes gefolgt war, die Öffnung der Höhle erreichte, lag sie schon in tiefem traumlosem Schlaf. Creb humpelte zu ihr hin und blickte hinunter auf ihr zerzaustes sonnenhelles Haar, und eine schwere Last senkte sich auf sein Herz. Er hätte sie nicht gehen lassen sollen. Er hätte sie vor die Männer bringen und sie auf der Stelle töten sollen. Doch was hätte das geholfen? Das Unglück, das durch ihre Anwesenheit bei der Feier heraufbeschworen worden war, hätte damit nicht abgewendet werden können. Was hätte es geholfen, sie zu töten? Ayla war nur eine ihrer Art, und diese war es, an der sein Herz hing.

24

Goov trat aus der Höhle, blinzelte in die Morgensonne, rieb sich die Augen und streckte sich. Er sah den Großen Mog-ur, der zusammengesunken auf einem Baumstumpf hockte und zur Erde starrte. So viele Lampen und Fackeln sind erloschen, dachte er, daß einer sich in der Finsternis da drinnen verirren könnte. Ich will den Mog-ur fragen, ob ich die Lampen füllen und neue Fackeln aufstellen soll und ging auf den Zauberer zu. Jäh hielt er an, als er das eingefallene Gesicht des alten Mannes sah und die Trostlosigkeit spürte, die in dessen Haltung lag. Ich will ihn nicht stören, dachte er. Ich gehe einfach und tue es.

Der Mog-ur spürte die Last der langen Tage, dachte Goov, als er mit einer Blase voll Bärenfett, frischen Dochten und neuen Fackeln in die Höhle eilte. Immer wieder übersehe ich, wie betagt er ist. Die lange Wanderung hierher hat ihn müde gemacht, und die Feiern zehren an seinen Kräften. Und noch liegt der lange Heimweg vor uns. Seltsam, ging es dem jungen Gehilfen durch den Kopf, als alten Mann habe ich ihn mir nie vorgestellt.

Einige andere Männer kamen aus der Höhle, rieben sich die Augen und schauten auf die nackten Frauen, die noch schlafend auf der Erde lagen. Die ersten erwachten, rannten fort und holten ihre Überwürfe und weckten dann die anderen.

»Ayla!« rief Uba und schüttelte die junge Frau. »Ayla! Aufwachen!«

»Mpff«, murmelte Ayla und wälzte sich auf die andere Seite.

»Ayla! Ayla!« rief Uba wieder und schüttelte sie fester. »Ebra, ich kann sie nicht wach bekommen.«

»Ayla«, sagte die andere Frau lauter und schüttelte Ayla grob.

Ayla schlug die Augen auf, versuchte mit wirren Gesten eine Antwort zu geben, schloß die Augen wieder und rollte sich fest zusammen.

»Ayla! Ayla!« rief Ebra wieder.

Noch einmal öffnete die junge Frau die Augen.

»Geh in die Höhle und schlaf dich aus, Ayla. Hier kannst du nicht bleiben. Die Männer werden wach«, befahl Ebra mit bestimmter Gebärde.

Die junge Frau torkelte zur Höhle. Gleich darauf kam sie zurück, hellwach jetzt, aber mit kreidebleichem Gesicht.

»Was ist?« fragte Uba mit erschreckter Gebärde. »Du siehst aus, als wäre dir ein Geist begegnet.«

»Uba! Ach Uba! Die Schale.« Ayla warf sich zu Boden und schlug die Hände vors Gesicht.

»Die Schale? Was für eine Schale, Ayla? Ich verstehe nicht.«

»Sie ist zersprungen«, bedeutete Ayla mit verzweifelter Geste.

»Zersprungen?« fragte Ebra. »Wie kommt es, daß eine zersprungene Schale dich so traurig macht? Du kannst eine neue fertigen.«

»Nein. Keine wie diese. Es ist Izas Schale. Die Schale, die sie von ihrer Mutter bekommen hat.«

»Mutter Schale? Mutters heilige Schale?« fragte Uba mit entsetzten Gebärden.

Das trockene, spröde Holz hatte nach so langer Zeit ständigen Gebrauchs alle Spannkraft verloren. Ein feiner Riß, der unter der weißen Schicht in ihrem Inneren verborgen geblieben war, hatte sich gebildet. Und als Ayla in der Nacht die Schale auf den Steinboden der Höhle hatte fallen lassen, war sie in zwei Teile zersprungen.

Ayla gewahrte nicht, daß Creb aufblickte, als sie aus der Höhle rannte. Als er sah, daß die heilige Schale zersprungen war, schien ihm das wie ein unheilvolles Zeichen des Verhängnisses. Es paßt, dachte er. Nie wieder wird die Zauberkraft dieser Wurzeln Anwendung finden. Nie wieder werde ich die Kraft dieser Wurzeln bei einer Feier gebrauchen, und ich werde Goov nicht lehren, wie sie früher angewendet wurde. Die Clans werden sie vergessen. Schwer stützte sich der alte Krüppel auf seinen Stab und zog sich hoch, geplagt von grimmigen Schmerzen in den Gliedern. Lange genug habe ich in kalten Höhlen gesessen. Es ist an der Zeit, daß Goov mich ablöst. Vielleicht wird er bald bereit sein müssen. Wer weiß, wie lange ich noch lebe?

Brun spürte, daß sich der alte Zauberer tief gewandelt hatte. Er glaubte, des Mog-urs Niedergeschlagenheit rühre von der Aufregung der vergangenen Nacht, zumal dies ja sein letztes Miething sein würde. Dennoch war Brun beklommen zumute, wenn er den langen Marsch zurück zur heimischen Höhle vor sich sah. Wie würde Creb ihn überstehen? Er war gewiß, daß der alte Mann sie zwingen würde, langsamer zu gehen. Brun beschloß, seine Männer noch auf eine letzte Jagd zu führen, um dann das frische Fleisch gegen haltbarere Nahrung aus den Vorräten von Norgs Clan einzutauschen; sie würde ihnen auf dem langen Weg zur Höhle reichen.

Nach der erfolgreichen Jagd hatte es Brun eilig aufzubrechen. Einige Clans waren bereits abgezogen. Nun, da die Festlichkeiten vorüber waren, kehrten seine Gedanken zur heimischen Höhle und den Erdlingen zurück, die dort warteten. Doch der Clan-Führer war guter Dinge. Niemals war seine Stellung stärker erschüttert gewesen; das machte den Sieg um so kostbarer. Er war zufrieden mit sich, zufrieden mit seinem Clan, zufrieden mit Ayla. Sie war eine gute Medizinfrau, und er hatte es gespürt. Wenn das Leben eines Menschen in Gefahr war, dann sah sie nichts anderes mehr, genau wie Iza. Brun wußte, daß der Mog-ur seine ganze Macht eingesetzt hatte, die anderen Zauberer zu überzeugen; Ayla selbst jedoch hatte es bewiesen, als sie das Leben des jungen Jägers gerettet hatte.

Der Mog-ur machte niemals eine Andeutung über Aylas heimlichen Besuch in der Grotte weit in der Tiefe des Berges. Nur einmal ließ es sich nicht vermeiden: Ayla packte. Am folgenden Morgen wollten sie aufbrechen. Creb humpelte herein. Er war ihr aus dem Weg gegangen, und das schmerzte die junge Frau, die sehr an ihm hing. Er hielt an, als er sie sah, und wollte sich zum Gehen wenden. Doch sie hinderte ihn daran, lief zu ihm hin und hockte sich ihm zu Füßen. Er blickte auf ihren gesenkten Kopf, stieß einen Seufzer aus und klopfte ihr auf die Schulter. Ayla hob den Kopf und war entsetzt, als sie sah, wie sehr Creb in den letzten Tagen verfallen war. Die Narbe und der Hautlappen, der seine leere Augenhöhle bedeckte, waren runzlig geworden und das Gesicht unter den schweren Brauenwülsten fast eingefallen. Der graue Bart hing ihm schlaff herunter, und die niedrige Stirn wirkte noch länger unter dem schütteren Haar. Und es war tiefer Schmerz, der sein einst leuchtend braunes Auge verdunkelte, der sie mitten ins Herz traf. Was hatte sie ihm nur angetan? Oh, wäre sie doch nie bei den Mog-urs gewesen, wünschte sie sich. Die Qual, die sie darob um Creb durchmachte, wenn sie sah, wie sein Körper von Schmerzen gepeinigt wurde, war nichts im Vergleich mit der Qual, die ihr der Schmerz in des Mog-urs Herz machte.

»Was ist, Ayla?« fragte er kurz.

»Mog-ur, ich... ich...« Sie geriet ins Stocken und sprach mit hastigen Händen weiter. »Ach, Creb, ich kann es nicht ertragen, dich so voller Schmerz zu sehen. Was kann ich tun? Ich will zu Brun gehen, wenn du es wünschst. Ich will alles tun, was du mir befiehlst. Nur sag mir, was ich tun soll.«

Was kannst du denn tun, kleine Ayla? dachte er. Kannst du etwas daran ändern, daß du so bist, wie du bist? Kannst du den Schaden, den du angerichtet hast, ungeschehen machen? Die Leute des Clans werden untergehen, nur du und die Leute deiner Art werden bleiben. Wir sind eine uralte Art. Wir haben uns an Brauch und an das Überlieferte gehalten, wir haben die Geister und den Großen Höhlenbären geehrt, aber für uns ist es vorbei. Das Ende ist da. Vielleicht hat es so sein sollen. Vielleicht warst nicht du es, Ayla, sondern die Leute deiner Art. Bist du uns darum gebracht worden, es mich wissen zu lassen? Die Erde, die wir zurücklassen, ist vielfältig, grausam und schön; sie hat uns alles gegeben, was wir brauchten. Und jetzt nimmt sie uns zu sich.

Creb schaute zu Ayla herab.

»Es gibt nur eins, was du tun kannst, Ayla«, gab der Mog-ur mit langsamer Geste zurück, und sein Auge wurde kalt. »Du darfst nie wieder davon sprechen.«

Hochaufgerichtet stand er auf seinem gesunden Bein und mühte sich, seinen Körper nicht allzusehr auf den Stock zu stützen. Dann wandte er sich mit steifer Würde von Ayla ab und hinkte aus der Höhle.

»Broud!«

Der junge Mann ging hinüber zu dem anderen Erdling, der ihn gegrüßt hatte. Die Frauen von Bruns Clan beeilten sich, den Morgenverzehr zu bereiten. Sobald alle gegessen hatten, wollten sie aufbrechen. Die Männer nutzten die Gelegenheit, noch einen letzten Gruß mit den Leuten zu tauschen, die sie nun so lange nicht wiedersehen würden. Manche von ihnen würden sie überhaupt nicht wiedersehen.

»Du hast gut gekämpft diesmal, Broud, und beim nächsten Treffen wirst du Clan-Führer sein.«

»Beim nächsten Miething werdet ihr vielleicht ebenso gut kämpfen«, gab Broud mit freundlicher Gebärde zurück. »Wir hatten das Glück auf unserer Seite.«

»Ja, ihr habt das Glück auf eurer Seite. Euer Clan ist der oberste, euer Mog-ur ist der höchste, selbst eure Medizinfrau steht an erster Stelle. Ja, ihr müßt das Glück auf eurer Seite haben, weil Ayla bei euch ist. Nicht viele Medizinfrauen gibt es, die sich furchtlos einem Höhlenbären entgegenstellen, um einen Jäger zu retten.«

Brouds Miene verdunkelte sich. Dann aber erspähte er Voord und lief zu ihm hinüber.

»Voord!« rief er und machte eine Geste des Grußes. »Du

hast gut gekämpft diesmal. Es hat mich gefreut, als du vor Nouz erwähnt wurdest. Er war gut, aber du warst besser.«

»Aber du hattest es verdient, als erster erwählt zu werden, Broud. Dein ganzer Clan verdient den ersten Platz. Selbst eure Medizinfrau ist die beste, auch wenn ich zu Anfang Zweifel verspürte. Sie wird dir eine gute Medizinfrau sein, wenn du Clan-Führer bist. Ich wünsche nur, sie wächst nicht noch höher. Mir wird seltsam zumute, wenn ich zu einer Frau die Augen heben muß.«

»Ja, die Frau ist zu hoch gewachsen«, gab Broud mit steifer Gebärde zurück.

»Aber so schlimm ist das nicht, wenn sie eine gute Medizinfrau ist.«

Broud brachte nur mit Mühe etwas Bejahendes zustande. Dann entbot er noch einen Gruß und ging davon.

Ayla, Ayla, immer nur Ayla, ich habe genug von dieser Ayla, dachte er, während er über den freien Platz schritt.

»Broud«, rief ein Erdling, der ihm entgegenkam. »Ich wollte vor eurem Aufbruch noch mit dir sprechen«, bedeutete der Mann. »In meinem Clan ist eine Frau mit einem Mädchen, das mißgestaltet ist wie der Sohn eurer Medizinfrau. Ich habe bei Brun angefragt, und er hat sich bereit gezeigt, sie aufzunehmen, aber er wünschte, daß ich auch dich frage. Du wirst wohl bald der Clan-Führer sein. Die Mutter hat gelobt, ihre Tochter zu einer guten Frau zu erziehen, die es würdig ist, dem ersten Clan anzugehören und die Gefährtin des Sohnes der Medizinfrau zu werden. Hast du Einwendungen, Broud?«

»Nein«, entgegnete Broud mit kurzer unwirscher Geste und machte auf der Ferse kehrt. Wäre er nicht so wütend gewesen, so hätte er vielleicht Einwendungen erhoben. Aber er hatte keine Lust, sich auf ein neuerliches Lobgerede über Ayla einzulassen.

Als er zur Höhle stampfte, sah er zwei Frauen in eifriger Unterhaltung. Er wußte, er hätte wegblicken sollen, doch er hielt die Augen weiter geradeaus gerichtet und tat so, als sähe er die beiden nicht.

»... Ich wollte meinen Augen nicht trauen. Sie eine Frau des Clans? Und als ich ihr Kind sah... Aber wie sie so furchtlos an den Höhlenbärenverhau herangetreten ist? Gerade so, als hätte sie zu Norgs Clan gehört. Sie zeigte keine Furcht. Ich hätte das nicht gewagt.«

»Ich habe eine Weile mit ihr beisammen gesessen. Sie beträgt sich ohne Fehl. Nur einen Gefährten wird sie wohl niemals finden. Sie ist so hoch gewachsen. Kein Mann will eine Gefährtin, zu der er die Augen heben muß. Auch wenn sie eine Medizinfrau von höchstem Ansehen ist.«

»Einer der Clans hat sie im Auge, aber es war keine Zeit zur Beratung. Sie wollen einen Läufer schicken, wenn sie sich entschieden haben, sie aufzunehmen.«

»Aber leben sie nicht in einer neuen Höhle? Ayla hat sie gefunden. Sie ist groß...«

Broud stampfte an den beiden Frauen vorüber und mußte sich sehr beherrschen, die beiden Nichtstuerinnen nicht zu schelten. Doch sie gehörten nicht zu Bruns Clan, und es war nicht ratsam, Frauen eines anderen Clans zurechtzuweisen, ohne vorher die Erlaubnis ihrer Gefährten oder des Clan-Führers eingeholt zu haben.

»Unsere Medizinfrau hat mich wissen lassen, daß sie hohes Geschick besitzt«, bedeutete Norg gerade, als Broud in die Höhle trat.

»Sie ist Izas Tochter«, gab Brun zurück. »Und Iza hat ihr gute Unterweisung gegeben.«

»Es ist ein Jammer, daß Iza nicht kommen konnte. Sie ist krank, ja?«

»Ja, und darum will ich schnell fort. Wir haben einen langen Weg vor uns. Dies war eines der besten Miethings. Es wird lange in uns lebendig bleiben«, bedeutete Brun.

Broud wandte den Männern den Rücken zu. Ayla, Ayla, Ayla. Alles dreht sich hier um Ayla. Als hätte keiner außer ihr auf diesem Miething etwas getan. War sie denn Ersterwählter? Wer stand hoch oben auf dem Kopf des Bären, während sie sicher und geschützt auf der Erde weilte? Ist es so eine große Tat, daß sie dem Jäger das Leben rettete? Er wird wohl nie wieder laufen können. Sie ist häßlich, und sie ist zu hoch gewachsen, und ihr Sohn ist eine Mißgeburt, und die Leute hier sollten wissen, wie aufsässig sie daheim ist.

Gerade in diesem Augenblick lief Ayla mit mehreren Bündeln vorüber. Brouds Blick sprühte so brennenden Haß, daß sie zusammenzuckte. Was habe ich getan? schoß es ihr durch den Kopf. Seit wir hier sind, habe ich Broud kaum zu Gesicht bekommen.

Broud war ein ausgewachsener, kräftig gebauter Mann, doch die Bedrohung, die von ihm ausging, war schlimmer, als von ihm geschlagen zu werden. Er war der Sohn der Gefährtin des Clan-Führers; dazu bestimmt, selbst eines Tages ein solcher zu werden. Ähnliches ging ihm durch den Sinn, während er zusah, wie Ayla ihre Bündel vor der Höhle niederlegte.

Nach dem Verzehr packten die Frauen flink die wenigen Geräte, die sie noch gebraucht hatten, zusammen. Brun hatte es eilig aufzubrechen. Ayla tauschte noch einige Grüße mit den anderen Medizinfrauen und Norgs Gefährtin, dann hüllte sie ihren Sohn in das Tragfell und hastete an ihren Platz an der Spitze der Frauengruppe von Bruns Clan. Brun gab das Zeichen, und schon zogen sie über den großen freien Platz vor der Höhle davon. Vor der ersten Wegbiegung hielt Brun an, und sie alle wandten sich noch einmal zur Höhle zurück. Norg und sein ganzer Clan standen auf dem großen Vorplatz.

»Möge der Geist des Großen Höhlenbären euch begleiten«, wünschte Norg.

Brun gab den Gruß zurück, und dann nahm man den Heimweg unter die Füße.

Es kam so, wie Brun vorausgesehen hatte – der Heimweg wurde Creb beschwerlich. Nicht mehr beschwingt von Vorfreude, niedergedrückt von dem dumpfen düsteren Wissen, das er für sich alleine behielt, verlangte jeder Humpelschritt dem alten Mann Mühe und Anstrengung ab. Bruns Unbehagen vertiefte sich; niemals hatte er den alten Zauberer so mutlos gesehen. Häufig blieb dieser zurück, so daß Brun einen Jäger ausschicken mußte, ihn zu suchen, während der Zug wartete. Der Clan-Führer schlug eine gemächlichere Gangart ein, weil er hoffte, das würde es Creb leichter machen. Doch der war wie ausgebrannt. Den wenigen abendlichen Feiern, die auf Bruns Betreiben abgehalten wurden, fehlte die Kraft. Der Mog-ur wirkte widerwillig, seine Gesten schienen steif, als wäre er mit dem Herzen nicht dabei. Auch fiel es Brun auf, daß Creb und Ayla auf Abstand hielten, und wenn auch Ayla keine Mühe hatte, das Tempo mitzuhalten, so hatte doch ihr Schritt seine federnde Leichtigkeit verloren. Irgend etwas ist zwischen den beiden, mutmaßte er.

Seit der Mitte des Vormittags waren sie durch hohes dichtstehendes Gras gelaufen. Brun warf einen Blick nach rückwärts. Creb war nirgends zu sehen. Er wollte einen der Männer ein Zeichen geben, doch dann hatte er einen Einfall. Er lief nach hinten zu Ayla.

»Kehr um und such den Mog-ur«, bedeutete er ihr.

Sie sah ihn erstaunt an, dann bejahte sie mit kurzer Geste seinen Befehl. Sie gab Durc an Uba weiter und eilte den schmalen Graspfad zurück. Weit hinten entdeckte sie Creb. Langsam, schwer auf seinen Stock gestützt, humpelte er heran mit schmerzverzerrtem Gesicht. Ayla wußte, daß schier unerträgliche Schmerzen ihn seit Tagen peinigten, doch jedes ihrer Angebote, ihm zu helfen, hatte er abgelehnt. Nach den ersten Zurückweisungen hielt sie sich zurück, doch das Herz blutete ihr um ihn. Creb blieb stehen, als er sie sah.

»Was willst du?« fragte er barsch.

»Brun hat mich geschickt.«

Creb knurrte nur und setzte sich wieder in Bewegung. Ayla blieb hinter ihm. Sie beobachtete seine mühsamen, schmerzgehemmten Bewegungen, bis sie es nicht mehr ertragen konnte. Sie lief an ihm vorbei und ließ sich ihm zu Füßen fallen, so daß er anhalten mußte. Lange Zeit blickte Creb starr auf die junge Frau hinunter, ehe er ihr einen leichten Schlag auf die Schulter gab.

»Will der Mog-ur mich nicht wissen lassen, warum er zürnt?«

»Ich zürne nicht, Ayla.«

»Warum erlaubst du mir dann nicht, dir zu helfen?« fragte sie mit flehenden Händen. »Nie zuvor hast du es mir verweigert.« Ayla bemühte sich, ihre Fassung zu bewahren. »Ich bin eine Medizinfrau. Ich habe gelernt, jenen zu helfen, die Schmerzen leiden. Zu helfen ist meine Aufgabe. Es schmerzt mich, den Mog-ur leiden zu sehen... Ach, Creb, erlaube mir, daß ich dir helfe. Spürst du nicht, daß mein Herz dir gehört?

Du bist für mich wie der Gefährte meiner Mutter. Du hast mir Nahrung und Schutz gegeben, du bist für mich eingetreten, dir verdanke ich mein Leben. Es ist mir verborgen, warum du mich aus deinem Herzen verstoßen hast. Aber ich habe dich nicht verstoßen. Mein Herz gehört immer noch dir.«

Tränen hoffnungsloser Verzweiflung strömten ihr über das Gesicht.

Wie kommt es, daß ihre Augen sich immer mit Wasser füllen, wenn sie glaubt, daß ich ihr mein Herz verschlossen habe? Und wie kommt es, daß ich beim Anblick ihrer schwachen Augen immer das Verlangen spüre, etwas für sie zu tun? Haben alle, die zu den Fremdlingen gehören, diese Schwäche? Es ist richtig, nie zuvor habe ich mich gegen ihre Hilfe gestemmt. Warum sollte es jetzt anders sein? Sie gehörte nicht zum Clan, auch wenn die anderen sie als Clan-Glied aufgenommen haben. Sie wurde den Fremdlingen geboren, und sie wird bis ans Ende ihrer Tage zu ihnen gehören. Sie weiß es selbst nicht. Sie glaubt, sie ist eine Frau des Clans, und sie glaubt, daß sie eine Medizinfrau ist. O ja, sie ist eine Medizinfrau. Mag sein, daß sie nicht von Izas Stamm ist, aber sie ist eine Medizinfrau, und sie hat sich geplagt, eine Frau des Clans zu werden, so schwierig es für sie auch manchmal war. Wie schwer mag es ihr wohl geworden sein? Viele Male haben sich ihre Augen mit Wasser gefüllt, aber wie viele Male hat sie darum gekämpft, das Wasser zurückzudrängen? Immer wenn sie glaubt, daß mein Herz sich ihr verschlossen hat, kann sie es nicht zurückhalten. Kann sie das so heftig schmerzen? Würde mir das Herz weh tun, wenn ich wüßte, sie hätte sich von mir abgewandt? O ja, es würde weh tun. Wenn sie die gleiche Wärme in ihrem Herzen spürt wie ich, kann sie dann so anders sein?

Creb bemühte sich, sie als Fremde zu sehen, als eine Frau, die zu den Fremdlingen gehörte. Aber sie blieb Ayla, das Kind der Gefährtin, die er niemals gehabt hatte.

»Machen wir schnell, Ayla. Brun wartet. Trockne dir die Augen. Wenn wir rasten, bereitest du mir einen Weidenrindentrank, Medizinfrau«, bedeutete er ihr.

Ein Lächeln huschte über ihr Gesicht. Ayla sprang auf und nahm wieder ihren Platz hinter ihm ein. Nach einigen Schritten lief sie an seine verkrüppelte Seite. Er blieb kurz stehen, neigte dann den Kopf und stützte sich auf sie.

Brun merkte sogleich die Veränderung zum Guten und begann mit dem Geschwindschritt. Dennoch kamen sie bei weitem nicht so rasch vorwärts, wie er es gerne gehabt hätte. Eine Wolke der Schwermut schien den alten Zauberer einzuhüllen, aber er raffte seine Kraft noch einmal zusammen. Brun war froh, daß er den Einfall gehabt hatte, Ayla zu ihm zu schicken.

Creb ließ sich von Ayla helfen, aber die Kluft, die sich zwischen ihnen aufgetan hatte, konnte er nicht überwinden. Er konnte die Erinnerung an die Unterschiedlichkeit ihrer Bestimmung nicht aus seinem Gedächtnis verbannen. Zwischen ihm und Ayla stand eine Wand, durch die die unbefangene Wärme früherer Tage nicht mehr hindurchdringen konnte.

Die Tage waren noch heiß und stickig, doch die Nächte wurden schon kühl. Beim ersten Anblick der schneebedeckten Gipfel weit gegen Sonnenuntergang erfaßte Hochstimmung die Clan-Leute; als aber die Entfernung sich im Gleichmaß der Tage nicht zu vermindern schien, verfielen sie wieder in müde Gleichgültigkeit. Dennoch nahm die Entfernung natürlich ab, wenn auch kaum merklich. Allmählich gaben die blauen Tiefen von Spalten und Klüften den Gletschern festere Form, und die verwischten violetten Schatten unter den eisglitzernden Spitzen nahmen Gestalt an. Felsvorsprünge, Schluchten und Grate waren auszumachen.

Sie gingen bis nach Einbruch der Dunkelheit, ehe sie das letzte Mal in den Steppen Rast machten, und alle waren am folgenden Tag schon beim ersten Licht auf den Beinen. Die Steppe verschmolz mit grünem Hügelland, und der Anblick des grasenden Nashorns weckte in ihnen ein Gefühl von Vertrautheit. Ihr Schritt wurde schneller, als sie zu einem Pfad gelangten, der sich durch die Hügel aufwärts wand. Sie umrundeten den vertrauten Grat und sahen ihre Höhle, und ihre Herzen schlugen schneller. Sie waren daheim.

Aba und Zoug rannten ihnen entgegen. Aba hieß ihre Tochter und Droog mit heller Freude willkommen, drückte die älteren Kinder an sich und nahm dann Groob in die

Arme. Zoug grüßte Ayla mit freudiger Gebärde, während er zuerst zu Grod und Uka eilte, dann zu Ovra und Goov.

»Wo ist Dorv?« fragten Ikas Hände.

»Er wandelt jetzt in der Welt der Geister«, gab Zoug zurück. »Sein Augenlicht verdunkelte sich immer stärker. Er konnte nicht mehr sehen. Ich glaube, er hat aufgegeben und wollte nicht mehr auf eure Heimkehr warten. Als die Geister ihn riefen, ging er mit ihnen. Wir haben ihn begraben und an der Stelle ein Zeichen gesetzt, damit der Mog-ur ihn finden kann, um die Totenfeier abzuhalten.«

Mit plötzlicher Angst sah Ayla sich um.

»Wo ist Iza?«

»Iza ist sehr krank, Ayla«, bedeutete ihr Aba. »Seit dem letzten neuen Mond hat sie ihr Lager nicht mehr verlassen.«

»Iza! Nein!« schrie Ayla und stürzte schon zur Höhle.

Sie schleuderte ihre Bündel zu Boden, als sie Crebs Wohnkreis erreichte, und lief zu der Frau, die auf ihren Fellen lag.

»Iza! Iza!« rief sie.

Die alte Medizinfrau schlug die Augen auf.

»Ayla!« ihre rauhe Stimme war kaum vernehmbar. »Die Geister haben mir meinen Wunsch erfüllt«, bedeutete sie mit schwacher Gebärde. »Du bist zurück.«

Iza streckte die Arme aus. Ayla umschlang sie und spürte den ausgezehrten, zerbrechlichen Körper. Izas Haar war schneeweiß geworden. Die Haut ihres Gesichts war welk und spröde wie vertrocknetes Laub. Die Wangen waren eingefallen, die Augen lagen tief in den Höhlen. Sie sah aus, als wäre sie tausend Jahre alt. Doch in Wirklichkeit hatten sie gerade den sechsundzwanzigsten Sommer gesehen.

Ayla konnte sie durch den Tränenstrom, der ihr aus den Augen floß, kaum erkennen.

»Warum bin ich mit fortgezogen? Ich hätte hierbleiben und dich pflegen sollen. Ich wußte, daß du krank bist. Warum nur bin ich fortgezogen und habe dich allein gelassen?«

»Nein, nein, Ayla«, wehrte Iza mit ruhiger Gebärde ab. »Du solltest dich nicht quälen. Du kannst nicht ändern, was bestimmt ist. Als du fortzogst, spürte ich, daß ich sterben werde. Du hättest mir nicht helfen können. Nur einmal wollte ich dich noch sehen, ehe ich fortgehe.«

»Du darfst nicht sterben! Ich lasse dich nicht sterben. Ich pflege dich. Ich mache dich heil«, versicherte Ayla mit wilden Gebärden.

»Ayla, Ayla. Es gibt Dinge, die selbst die beste Medizinfrau nicht tun kann.«

Die Anstrengung löste einen schlimmen Husten aus. Ayla hielt Izas Kopf, bis der Anfall sich legte. Sie schob der Frau ihren Pelz unter Kopf und Schultern, so daß sie höher lag und leichter atmen konnte. Dann durchwühlte sie Kräuter und das Feinzerstoßene neben Izas Lager.

»Wo ist der Alant? Ich kann keine Alantwurzel finden.«

»Es ist keine mehr da«, bedeutete Iza schwach. Der Husten hatte sie erschöpft. »Ich habe viel davon genommen und konnte nicht ausziehen, mehr zu suchen. Aba wollte mir welchen bringen, aber sie brachte Sonnenblumen.«

»Ich hätte nicht fortgehen dürfen«, wiederholte Ayla mit klagender Gebärde.

Dann rannte sie aus der Höhle. Am Eingang stieß sie auf Uba, die Durc trug, und auf Creb.

»Iza ist krank«, teilte sie hastig mit. »Und sie hat keinen Alant mehr. Ich hole welchen. In der Feuerstätte brennt kein Feuer, Uba. Ach, warum bin ich fortgezogen? Ich hätte hierbleiben sollen, bei ihr.«

Aylas kummervolles Gesicht, schmutzig vom langen Weg, war von Tränenspuren durchzogen. Sie rannte den Hang hinunter, während Creb und Uba in die Höhle eilten.

Ayla watete durch den Bach und hetzte zu der Wiese, wo die Pflanzen wuchsen. Mit bloßen Händen grub sie die Wurzeln aus und riß sie aus der Erde. Am Bach machte sie halt, wusch die Wurzeln, dann flog sie zur Höhle zurück.

Uba hatte ein Feuer entzündet, aber das Wasser, das sie zum Erhitzen über das Feuer gehängt hatte, war noch lau. Creb stand an Izas Lager und rief mit inbrünstigen Gebärden, in die er sein ganzes Herz hineinlegte, die Geister an, ihre Lebenskraft zu stärken und Iza noch nicht mit fortzunehmen.

Uba hatte Durc auf eine Matte gelegt. Er fing gerade an zu kriechen und zog sich auf allen vieren hoch. Ungelenk krabbelte er zu seiner Mutter, die gerade die Wurzeln in kleine Stücke schnitt. Sie schob ihn weg, als er an ihre Brust wollte.

Ayla hatte kein Auge für ihren Sohn, der zu schreien anfing, während sie die Wurzeln in das Wasser gab und ungeduldig darauf wartete, daß es endlich zu kochen anfing.

»Laß mich Durc sehen«, bat Iza. »Er ist ja mächtig gewachsen.«

Uba hob ihn auf und brachte ihn ihrer Mutter. Sie setzte den Kleinen auf Izas Schoß, doch der wollte sich nicht von einer alten Frau hätscheln lassen, an die er sich nicht erinnerte, und wollte wieder herunter.

»Er ist kräftig und heil«, stellte Iza befriedigt fest. »Und er kann seinen Kopf mit Leichtigkeit tragen.«

»Er hat auch schon eine Gefährtin«, berichtete Uba mit eifriger Hand. »Ein kleines Mädchen, das ihm versprochen ist.«

»Eine Gefährtin? Was ist das für ein Clan, der ihm ein Mädchen versprechen wollte? So jung noch und bei seiner Mißgestalt!« erkundigte sich Iza.

Uba berichtete mit ausführlichen Gebärden von dem Zusammentreffen mit der unglückseligen Frau.

»Nach dem nächsten Miething«, bedeutete Uba, »soll das Mädchen hierher kommen, auch wenn es noch keine Frau ist. Ebra hat versprochen, daß sie mit ihr an Bruns Feuer sitzen kann, bis beide so alt sind, daß sie zusammengegeben werden können.«

»Wie ist der Name des Mädchens?«

»Sie heißt Ura«, antwortete Izas Tochter.

»Der Name gefällt mir. Er hat einen guten Klang.«

Iza legte den Kopf nach hinten, um eine Weile sich auszuruhen. »Was ist mit Ayla?« fragte sie dann mit schwacher Hand. »Hat sie einen Gefährten gefunden?«

»Der Clan, in dem Zougs Verwandte leben, hat sie im Auge. Anfangs wollten sie nicht. Aber als Ayla als Medizinfrau angenommen wurde, ließen sie uns wissen, daß sie noch beraten wollen. Mag sein, daß sie Ayla nehmen; aber ich glaube nicht, daß sie Durc haben wollen.«

Iza neigte den Kopf, dann schloß sie die Augen.

Ayla zerstampfte Fleisch, um für Iza Brühe daraus zu kochen. Immer wieder sah sie nach dem Wasser, in dem die Wurzeln kochten, prüfte Farbe und Geschmack. Ihre Geduld wurde auf eine harte Probe gestellt. Durc kroch wimmernd zu ihr herauf, doch wieder schob sie ihn weg.

»Gib ihn mir, Uba«, bedeutete Creb.

Eine Weile beruhigte sich der Kleine, als er auf Crebs Schoß saß. Der lange graue Bart beeindruckte ihn sehr. Doch bald hatte auch das keinen Reiz mehr. Er rieb sich die Augen und strampelte so lange, bis Creb ihn freigab. Sogleich kroch er wieder zu seiner Mutter. Er war müde und hungrig. Ayla stand am Feuer und schien es nicht einmal zu bemerken, als der quengelige Kleine versuchte, sich an ihren Beinen hochzuziehen. Creb stemmte sich hoch, ließ dann seinen Stab fallen und gab Uba zu verstehen, daß sie ihm den Jungen in den Arm legen sollte. Schwer hinkend und ohne seinen Stock schlurfte er zu Brouds Feuerstelle hinüber und legte Durc in Ogas Schoß.

»Durc ist hungrig, und Ayla hat damit zu tun, Medizin für Iza zu machen. Willst du ihn nähren, Oga?«

Oga bejahte und nahm Durc an die Brust. Broud sah mit finsterer Miene zu. Doch ein Blick des Mog-urs ließ ihn seinen Zorn eilig verbergen. Sein Haß gegen Ayla schloß den Mann, der ihr Schutz und Nahrung gab, nicht ein. Broud fürchtete den Mog-ur zu sehr, um ihn zu hassen. Doch sehr früh schon hatte er entdeckt, daß sich der große Zauberer selten in das tägliche Leben des Clans mischte. Niemals hatte der Mog-ur versucht, Broud daran zu hindern, das Mädchen in Zucht zu nehmen, das an seinem Feuer saß. Doch Broud verspürte auch kein Verlangen, sich mit dem Zauberer auf ein offenes Auseinandersetzen einzulassen.

Der alte Mann schlurfte zurück zu seinem Wohnkreis und suchte in den Bündeln, die dort herumlagen, nach der Blase mit dem ausgelassenen Bärenfett, die er mitgebracht hatte. Uba sah ihn und kam schnell hinzu, um ihm zu helfen. Creb nahm die Blase mit dem Bärenfett mit in seine kleine Höhle. Obwohl er spürte, daß es hoffnungslos war, wollte er die ganze Kraft seiner Zauberkunst einsetzen, um Ayla in ihrem Bemühen, Iza am Leben zu halten, beizustehen.

Endlich hatten die Wurzeln lange genug gekocht. Ayla schöpfte einen Becher von dem Sud heraus und wartete jetzt geduldig, bis der Trank abkühlte. Die warme Brühe, die Ayla der alten Medizinfrau eingeflößt hatte, regte deren Lebensgeister ein wenig an! Iza hatte kaum etwas zu sich genommen, seit sie der Husten niedergeworfen hatte. Der Verzehr, den die anderen ihr gebracht hatten, war häufig unberührt geblieben. Es war ein trauriger, einsamer Sommer für Iza gewesen. Die anderen drei Alten hatten sich bemüht, ihr zu helfen und sie zu pflegen, als sie sahen, daß Iza immer schwächer wurde; aber sie hatten keine Ahnung gehabt, wie sie es anfangen sollten.

Iza hatte sich von ihrem Lager erhoben, als Dorvs Ende sich näherte, doch der alte Mann, der älteste des Clans, verfiel rasch, und sie hatte kaum etwas tun können. Sein Tod hatte tiefe Schatten über die noch Lebenden geworfen. Die Höhle schien leer ohne ihn, und alle spürten deutlich, daß auch sie dem Jenseitigen nahe waren. Sein Tod war der erste im Clan seit dem Erdbeben gewesen.

Ayla hockte neben Iza und blies in die Flüssigkeit in dem Beinbecher. Ab und zu kostete sie, um zu prüfen, ob der Trank schon kühl genug war. Alle ihre Sinne waren so fest auf Iza gerichtet, daß sie nicht sah, wie Creb Durc fortbrachte und danach in seine kleine Höhle ging. Sie spürte auch nicht, daß Brun sie beobachtete. Sie vernahm das leise Rasseln von Izas Atem und wußte, daß diese im Sterben lag, aber sie weigerte sich, es zu glauben. Alles, alles würde sie tun, um ihre Mutter am Leben zu erhalten. Die Vorstellung, daß Iza plötzlich nicht mehr da sein würde, war furchtbar.

Wenn auch Uba spürte, wie ernst die Krankheit ihrer Mutter war, so entging ihr doch nicht, daß Brun an Crebs Feuer getreten war. Es war nicht üblich, daß ein Mann die Feuerstätte eines anderen aufsuchte, wenn dieser nicht da war, und Bruns Anwesenheit machte Uba unruhig. Sie huschte davon, um die Bündel aufzuheben, die rings um die Feuerstätte verstreut lagen, und blickte immer wieder von Brun zu Ayla und zu ihrer Mutter. Sie wußte nicht, was sie tun sollte. Keiner beachtete Bruns Besuch, keiner grüßte ihn. Wie sollte sie sich verhalten?

Brun blickte reglos auf die drei Frauen – die alte Medizinfrau, die junge Medizinfrau, die keine Ähnlichkeiten mit den Clan-Leuten aufwies und doch ihre ranghöchste Heilkundige war, und Uba, die Tochter Izas, die eines Tages auch Medizinfrau sein würde. Brun war seiner Schwester stets innig zugeneigt gewesen. Niemals hätte er den Mann gewählt, der ihr zum Gefährten bestimmt worden war; Brun hatte ihn nie gemocht, ein Großtuer, der seinen verkrüppelten Bruder mit Spott verfolgt hatte. Iza hatte keine Wahl gehabt, aber sie hatte ihre Last mit Würde getragen. Sie war eine gute Frau, eine gute Medizinfrau. Sie würde dem Clan sehr fehlen.

Izas Tochter wird erwachsen, ging es ihm durch den Sinn, während er sie betrachtete. Bald wird Uba eine Frau sein. Dann braucht sie einen Gefährten, einen guten Gefährten, der zu ihr paßt. Aber wer ist noch da außer Vorn? Auch Ona brauchte bald einen Gefährten, und mit Vorn kann ich sie nicht zusammengeben, sie sind Geschwister. Sie muß warten, bis Borg ein Mann ist. Wird Borg für Uba ein guter Gefährte sein? Droogs Hand hat ihm gutgetan, und er zeigt sich Uba gern von der besten Seite. Vielleicht ist er von ihr angezogen. Brun beschloß, diese Fragen später noch einmal zu überdenken.

Der Wurzeltrank war abgekühlt. Ayla weckte die alte Frau, die eingeschlafen war. Mit sanfter Hand hielt sie ihr den Kopf, während sie den Becher an Izas Lippen hielt.

Ich glaube nicht, daß du sie diesmal aufhalten kannst, Ayla, dachte Brun, während er die gebrechliche Frau sah. Wie ist sie nur so schnell alt geworden? Sie war die jüngste, jetzt sieht sie älter aus als Creb. Ich weiß noch, wie sie mir meinen gebrochenen Arm richtete. Sie war nicht viel älter als Ayla, als diese Bracs Arm richtete. Aber sie war eine Frau und hatte schon einen Gefährten. Sie hat den Arm gut geheilt. Er hat mich nie geschmerzt, nur in den letzten Tagen hat er ein wenig gezwickt. Auch ich werde alt. Bald werden die Tage der Jagd für mich vorbei sein, und ich werde Broud die Führung übergeben müssen.

Ist er reif dafür? Er ist tapfer. Alle haben mir bedeutet, welch ein Glück mir gegeben ist. Ja, das Glück war auf meiner Seite. Ich fürchtete, der Große Höhlenbär würde ihn erwählen, ihn zu begleiten. Es wäre eine hohe Ehre gewesen, aber es hätte mir schweren Schmerz bereitet. Gorn war ein guter Mann. Das war schwer für Norgs Clan. Es ist immer schwer, wenn der Große Höhlenbär seine Wahl trifft. Der Sohn meiner Gefährtin wandelt noch in dieser Welt. Und er ist furchtlos. Mag sein, daß er allzu furchtlos ist. Wagemut ist gut, aber ein Clan-Führer muß Weitblick haben. Er muß seine Männer im Auge behalten. Er muß dafür sorgen, daß die Jagd gut ist, aber er darf seine Männer nicht leichtsinnig in Gefahr bringen. Vielleicht sollte ich ihn die nächste Jagd anführen lassen. Das wird ihn erfahrener machen. Er muß lernen, daß ein Clan-Führer mehr braucht als Wagemut.

Aber wie kommt es, daß Ayla sein Blut so stark in Wallung bringt? Wie aber kommt es, daß er sich erniedrigt, indem er sich mit ihr auseinandersetzt? Sie mag anders aussehen, aber sie ist eine Frau. Tapfer und mutig für eine Frau und von großer innerer Kraft. Ob Zougs Verwandte sie nehmen werden? Es wäre leer ohne sie, jetzt, da ich mich an sie gewöhnt habe. Und sie ist eine gute Medizinfrau, eine Zierde für jeden Clan. Ich will sehen, daß die anderen sie würdigen. Nicht einmal ihr Sohn, der Sohn, dem sie in die nächste Welt folgen wollte, kann sie von Iza ablenken. Nicht viele gibt es, die einem Höhlenbären entgegentreten würden, um das Leben eines Mannes zu retten. Auch sie kann furchtlos sein, und sie hat gelernt, sich zu bezwingen. Sie hat sich gut betragen, so wie es sich für eine Frau gehört. Alle hatten nur Lob für sie.

»Brun«, rief Iza mit schwacher Stimme. »Uba, bring dem Clan-Führer einen warmen Trunk«, bedeutete sie ihrer Tochter und bemühte sich, aufrechter zu sitzen. Sie war noch immer die Hüterin von Crebs Feuer. »Ayla, bring ein Fell für Brun, damit er sich setzen kann. Es schmerzt mich, daß ich dir nicht selbst dienen kann, Brun.«

»Iza, bleib ruhig. Ich bin nicht gekommen, um mich bedienen zu lassen. Ich wollte nach dir sehen«, erklärte Brun mit beschwichtigenden Gesten, als er sich neben ihrem Lager niederließ.

»Wie lange hast du dort gestanden?« wollte Iza wissen.

»Nicht lange. Ayla hatte zu tun. Ich wollte sie nicht stören und dich auch nicht. Alle haben sie auf dem Miething nach dir gefragt.«

»War es ein gutes Treffen?«

»Unser Clan ist immer noch der erste. Die Jäger haben Mut

und Tapferkeit gezeigt. Broud war der Ersterwählte beim Fest des Bären. Auch Ayla hat dem Clan Ehre gemacht. Sie hat viel Lob bekommen.«

»Lob? Wer braucht Lob? Allzuviel Lob weckt den Neid der Geister. Aber es ist gut, daß sie dem Clan Ehre gemacht hat.«

»Das hat sie getan. Sie wurde angenommen. Sie zeigte gutes Betragen. Sie ist deine Tochter, Iza. Wie kann einer da weniger erwarten?«

»Ja, sie ist meine Tochter. So wie Uba meine Tochter ist. Das Glück war mir gut gesinnt. Die Geister gaben mir zwei Töchter, und beide werden gute Medizinfrauen werden. Ayla kann Uba all das lehren, was sie noch nicht weiß.«

»Nein!« unterbrach Ayla mit heftiger Hand. »Du wirst Uba lehren. Du wirst wieder heil. Wir sind wieder da und werden dich pflegen. Du wirst wieder auf die Beine kommen, warte nur. Du mußt gesund werden, Iza.«

»Ayla. Kind. Die Geister erwarten mich. Ich muß mit ihnen gehen. Sie haben mir meinen letzten Wunsch erfüllt. Ich durfte euch noch einmal sehen, bevor ich gehe. Aber ich kann sie nicht länger warten lassen.«

Die heiße Brühe und der Wurzeltrank hatten die letzten Kräfte der Frau aufleben lassen. Ihr Körper entbrannte fieberheiß in einem letzten Versuch, die Krankheit abzuwehren, die die Frau ausgezehrt hatte. Die blitzenden Augen und das Rot, das das Fieber ihr in die Wangen trieb, verliehen ihr ein trügerisches Aussehen von Gesundheit. Doch zugleich ging von Izas Gesicht ein Leuchten aus, das von innen her zu kommen schien. Es war nicht die Glut des Lebens. Es war das, was die Clan-Leute das Geisterleuchten nannten, und Brun hatte es schon bei anderen gesehen. Dies war die emporsteigende Lebenskraft, die sich anschickte, den Körper zu verlassen.

Oga behielt Durc bis spät in den Abend an Brouds Feuerstätte. Lange nachdem die Sonne untergegangen war, brachte sie das schlummernde Kind zurück. Uba legte den Kleinen auf Aylas Fell. Tiefe Bangnis und ein Gefühl der Verlorenheit quälten das junge Mädchen. Sie hatte keinen, an den sie sich wenden konnte. Sie wollte Ayla in ihren verzweifelten Bemühungen, Izas Leben zu retten, nicht stören, und sie wollte ihre Mutter nicht stören. Creb war nur aus seiner Zauberhöhle gekommen, um Izas Körper mit ockerroten Symbolen zu zeichnen. Gleich danach war er wieder verschwunden und ließ sich nicht mehr blicken.

Uba hatte alles ausgepackt und einen Verzehr bereitet, den keiner anrührte. Als sie alles wieder fortgeräumt hatte, hockte sie sich still neben das schlafende Kind und wünschte, sie hätte etwas zu tun. Zwar konnte das die Angst in ihrem Herzen nicht vertreiben, aber es war besser, als untätig dazusitzen und zusehen zu müssen, wie Iza langsam starb. Schließlich legte sie sich auf Aylas Fell und kuschelte sich an das kleine Kind.

Ayla gönnte sich keinen Augenblick Ruhe. Unermüdlich kümmerte sie sich um Iza und versuchte mit allen Mitteln, die ihr einfielen, das Sterben aufzuhalten. Nicht einen Lidschlag lang ließ sie Iza aus den Augen, voller Angst, die Frau könnte ihr entgleiten, wenn sie nicht hinsah. Sie war nicht die einzige, die diese Nacht durchwachte. Nur die kleinen Kinder schliefen. An jeder Feuerstätte in der dunklen Höhle hockten Männer und Frauen reglos da und starrten in die rote Glut oder lagen mit offenen Augen auf ihren Fellen.

Der Himmel draußen war von Wolken verhangen, die die Sterne verhüllten. Die Düsternis der Höhle verschmolz am Eingang mit tiefer Finsternis. In der Stille des frühen Morgens, als noch kein Licht den Himmel erhellte, fuhr Ayla mit einem Ruck aus kurzem Schlaf auf.

»Ayla«, flüsterte Iza heiser.

»Was ist, Iza?« fragte die junge Frau.

Die Augen der Medizinfrau glänzten im Licht des Feuers.

»Ich will dir etwas sagen, ehe ich gehe«, bedeutete Iza und ließ die Hände sinken. Es machte ihr Mühe, sie zu bewegen.

»Laß, Iza. Du sollst ruhen. Bei Sonnenaufgang wirst du kräftiger sein.«

»Nein, Kind. Ich muß es jetzt tun. Bei Sonnenaufgang bin ich nicht mehr hier.«

»Doch, doch! Du mußt bleiben. Du darfst nicht fortgehen«, flehten Aylas Hände.

»Ayla, ich gehe. Du mußt es annehmen. Laß mich es dir danken. Ich bin nicht mehr lange hier.«

Wieder gönnte sich Iza etwas Ruhe, während Ayla in starrer Verzweiflung wartete.

»Ayla, du warst meinem Herzen immer am nächsten. Ich weiß nicht, wie es kommt, aber so ist es. Ich wollte dich bei mir behalten. Ich wollte, daß du beim Clan bleibst. Aber bald werde ich nicht mehr da sein. Creb wird mir folgen, und auch Brun ist betagt. Nach ihm wird Broud der Clan-Führer. Ayla, du kannst nicht bleiben, wenn Broud der Clan-Führer wird. Er wird einen Weg finden, dir Böses zu tun.«

Wieder rasselte Izas Atem. Mit geschlossenen Augen rang sie nach Luft und fuhr fort:

»Ayla, meine Tochter, du seltsames, eigenwilliges Kind. Stets hast du dich bemüht, allen alles recht zu machen. Ich habe dich gelehrt, eine Medizinfrau zu werden, damit du im Clan genug Ansehen genießt, selbst wenn du niemals einen Gefährten finden solltest. Aber du bist eine Frau. Du brauchst einen Gefährten. Einen Mann, der zu dir gehört. Du stammst nicht aus dem Clan, Ayla. Du wurdest den Fremdlingen geboren. Du gehörst zu ihnen. Du mußt fortgehen, Kind, deine eigenen Leute suchen.«

»Fortgehen?« bedeutete Ayla verwirrt. »Wohin soll ich gehen, Iza? Ich kenne die Fremdlinge nicht. Ich weiß nicht, wo ich sie suchen soll.«

»Viele von ihnen leben in den Gebieten im Inneren des Landes, dort wo der Schnee viel länger liegenbleibt als bei uns und wo die warmen Tage von kurzer Dauer sind. Meine Mutter berichtete mir, daß der Mann, den ihre Mutter heilte, von dort gekommen war.« Wieder brach Iza ab, zwang sich dann fortzufahren. »Du kannst hier nicht bleiben, Ayla. Geh fort und suche sie, Kind. Suche deine eigenen Leute. Suche die Fremdlinge! Suche nach deinen eigenen Gefährten!«

Izas Hände fielen plötzlich herunter, und ihre Augen klappten zu. Ihr Atem ging flach. Mit Mühe holte sie noch einmal tief Luft und schlug noch einmal die Augen auf.

»Laß Uba wissen, daß ich ihr nahe bin, Ayla. Aber du warst mein erstes Kind, die Tochter meines Herzens. Du warst mir immer am nächsten.«

Die Hände sanken ihr auf die Brust. Ihr Atem ging in einen Seufzer über und stand still.

»Iza! Iza!« schrie Ayla. »Mutter, geh nicht fort. Laß mich nicht allein. Geh nicht fort.«

Uba erwachte bei Aylas Klagegeschrei und rannte zu ihr.

»Mutter! Nein! Meine Mutter ist von mir gegangen. Meine Mutter ist tot.«

Das junge Mädchen und die junge Frau blickten einander stumm an.

»Sie hat mir aufgetragen, dich wissen zu lassen, daß sie dir immer nahe war, Uba«, bedeutete Ayla.

Ihre Augen waren trocken. Noch immer hatte sie nicht erfaßt, daß Iza tot war. Creb schlurfte herein. Er war aus seiner Höhle gekommen, noch ehe Ayla geschrien hatte. Mit einem tiefen Aufschluchzen streckte Ayla nach beiden die Arme aus und zog sie in verzweifelter Umklammerung an sich.

25

»Oga, willst du Durc wieder nähren?«

Die Geste des Einarmigen war klar, trotz des strampelnden Kindes, das er hielt. Ayla sollte ihn selbst nähren, dachte die junge Frau. Es ist nicht gut für sie, wenn sie dem Kind so lange nicht die Brust gibt. Die Trauer über Izas Tod und die Verwirrung über Aylas Verhalten spiegelten sich deutlich in Crebs Gesicht ab. Sie konnte nicht ablehnen.

»Gewiß«, bedeutete Oga und nahm Durc in ihre Arme.

Creb humpelte zurück in seinen Wohnkreis. Er sah, daß Ayla sich noch immer nicht von der Stelle gerührt hatte, obwohl Ebra und Uka Izas Leiche fortgetragen hatten, um sie für das Begräbnis zu richten. Aylas Haar war zerzaust, ihr Gesicht noch immer verschmutzt vom Staub der langen Wanderung und von Tränen. Sie trug denselben fleckigen Überwurf, den sie bei der Heimkehr angehabt hatte. Creb hatte ihr ihren Sohn in den Schoß gelegt, als er zu schreien angefangen hatte, doch sie hatte weder Auge noch Ohr für ihn. Eine Frau hätte vielleicht gewußt, daß das Geschrei eines hungrigen Säuglings schließlich selbst den tiefsten Schmerz durchdringen kann. Doch Creb wußte wenig von Müttern und Kindern. Er wußte, daß die Frauen ihre Säuglinge oft einer anderen Mutter zum Nähren gaben, und er konnte das Kind nicht einfach hungern lassen, solange andere Frauen da waren, die ihm Nahrung geben konnten. Er hatte Durc zu Aga und zu Ika gebracht. Doch sie hatten nur noch wenig Milch. Grev hingegen war noch klein, und Oga schien noch immer ausreichend nähren zu können. Deshalb hatte Creb ihr den Kleinen nun schon mehrmals anvertraut. Ayla spürte den Schmerz in ihren harten Brüsten nicht. Der Schmerz in ihrem Herzen war gewaltiger.

Der Mog-ur nahm seinen Stab und hinkte tiefer in die Höhle hinein. Männer und Frauen hatten Steine zusammengetragen und sie in einer ungenutzten Ecke der großen Höhle aufgehäuft. Sie hatten aus dem harten Erdboden eine flache Grube ausgehoben. Iza war eine Medizinfrau von höchstem Rang gewesen. Ihr gebührte ein Grab im Inneren der Höhle. Die Schutzgeister, die über sie wachten, würden so stets in der Nähe des Clans weilen, und sie selbst konnte von ihrem Heim in der anderen Welt nach ihnen schauen. Außerdem wurde damit sichergestellt, daß nicht aasige Tiere die Gebeine verstreuten.

Der Zauberer streute roten Ockerstaub in das Oval der Grube und heiligte mit stummer Gebärde das Stück Erde, das Iza aufnehmen würde. Dann humpelte er hinüber zu der Stelle, wo Izas Leichnam unter einem weichen Fell lag. Er zog die Decke zurück und enthüllte ihren nackten, grauen Körper. Arme und Beine hatte man ihr abgebogen und mit rotgefärbter Sehne zusammengebunden. Der Zauberer erflehte mit einer kurzen Gebärde den Schutz der Geister, dann ließ er sich neben ihr nieder und rieb die kalte Haut mit einer Salbe aus rotem Ocker und Bärenfett ein. Zusammengekrümmt wie ein ungeborenes Kind und rot wie vom Blut der Geburt würde Iza so, wie sie in diese Welt gekommen war, in die andere Welt hinübergeschickt werden.

Nie zuvor war es ihm schwerer gefallen, diese Aufgabe zu erfüllen. Iza war Creb mehr als eine Schwester gewesen. Sie hatte ihn besser gekannt als jeder andere. Sie wußte von dem Schmerz, den er ohne Klage ertrug, von der Schmäh, die er ob seiner Verkrüppelung ausgestanden hatte. Sie hatte mit ihrem Herzen seine Sanftmut und seine Empfindsamkeit begriffen, und sie war beglückt gewesen, seine Größe zu sehen, seine Macht, seinen Willen, alle Widrigkeiten zu überwinden. Sie hatte für ihn gesorgt und seine Schmerzen gelindert. Mit ihr hatte er die Freuden des Zusammenlebens mit einer Familie erfahren. Obwohl er sie nie auf so vertraute Art berührt hatte wie jetzt, da er ihren kalten Körper salbte, war sie ihm eine echte Gefährtin gewesen. Ihr Tod vernichtete ihn.

Als Creb an sein Feuer zurückkehrte, war sein Gesicht so grau wie Izas toter Körper. Ayla hockte noch immer neben Izas Lager und starrte aus leeren Augen vor sich hin; doch sie rührte sich, als Creb anfing, Izas Sachen durchzusehen.

»Was machst du?« fragte sie, als wollte sie die Dinge schützen, die Iza einmal gehört hatten.

»Ich suche Izas Schalen und Geräte. Das Werkzeug, das sie in diesem Leben gebrauchte, soll mit ihr begraben werden, damit ihr Geist mit ihm in die nächste Welt gehen kann«, erklärte Creb bereitwillig.

»Ich hole es«, bedeutete Ayla und schob Creb zur Seite.

Sie suchte die Holzschalen und Beinbecher zusammen, die Iza benutzt hatte, um ihre Heiltränke zu bereiten und die Mengen abzumessen; sie fand den runden Handstein und die flache Steinplatte, mit denen Iza Körner gemahlen oder zerstoßen hatte; sie holte Izas Eßgerät heraus, einiges Werkzeug, die Medizintasche. Alles legte sie auf Izas Lager. Dann starrte sie auf das armselige Häufchen, das Izas Leben und Arbeit verkörperte.

»Das ist nicht Izas Werkzeug«, erklärte sie mit zorniger Hand, stand auf und lief schnurstracks aus der Höhle.

Creb sah ihr nach und schüttelte den Kopf. Dann sammelte er Izas Gerätschaft zusammen.

Ayla durchwatete den Bach und rannte zu einer Wiese, wo sie mit Iza zusammen gewesen war. Vor einer Gruppe leuchtender Malven auf langen, schlanken Stengeln blieb sie stehen und pflückte einen ganzen Armvoll. Dann sammelte sie die vielblütige Schafgarbe, die Iza für heilende Pflaster und schmerzlindernde Aufgüsse verwendet hatte. Sie lief durch die Wälder und Wiesen und raffte noch mehr von den Pflanzen zusammen, die Iza immer gebraucht hatte, um Kranken und Verletzten zu helfen: weißblättige Disteln mit runden, blaßgelben Blumen, leuchtend gelbes Goldkraut, Traubenhyazinthen, die von einem so tiefen Blau waren, daß sie beinahe schwarz wirkten.

Sie wählte nur jene Pflanzen aus, die auch schön waren, Blüten von leuchtenden Farben und lieblichem Duft besaßen, und die Tränen rannen ihr wieder über das Gesicht, als sie am Wiesenrain stehenblieb, die Blumen im Arm, und jener Tage gedachte, als sie und Iza hier nebeneinander durch das hohe Gras gestreift waren und Pflanzen gesammelt hatten. Ihre Arme waren so voll, daß sie Mühe hatte, alle Blumen zu tragen. Ein paar Blüten fielen zu Boden, und sie bückte sich, sie aufzuheben und entdeckte die verschlungenen Zweige eines Busches mit kleinen Blüten. Beinahe hätte sie gelächelt bei dem Einfall, der ihr kam.

Sie kramte in einer Falte ihres Überwurfs, zog ein Flintsteinmesser heraus und schnitt einen Zweig des Gesträuchs ab. In der warmen Sonne eines frühen Herbstes hockte Ayla am Rand der Wiese und wand die Stengel der farbenfrohen Blüten um das Netzwerk von Ästchen, bis der ganze Zweig überwuchert schien von bunten Blüten.

Die Clan-Leute rissen die Augen auf, als Ayla mit ihrem Blumengesteck in die Höhle trat. Ohne anzuhalten ging sie nach hinten und legte den Blumenzweig neben die Tote, die seitlich in der flachen Grube lag, umgeben von einem Kreis von Steinen.

»Das war Izas Werkzeug«, erklärte Ayla mit trotziger Geste.

Der alte Zauberer nickte vor sich hin. Sie hat recht, dachte er, das war Izas Werkzeug. Sie kannte sie alle. Ihr Leben lang arbeitete sie mit ihnen. Es wird sie vielleicht erwärmen, sie in der Welt der Geister bei sich zu haben. Ob dort wohl auch Blumen wachsen? Die Clan-Leute legten Izas Geräte und die Blumen mit ins Grab und schichteten dann Steine über den toten Körper, während der Mog-ur den Geist des Höhlenbären und den Geist von Izas Totem, der Steppenantilope, anrief, daß sie Izas Geist sicher in die nächste Welt geleiteten.

»Warte!« unterbrach ihn Ayla plötzlich mit hastiger Hand. »Ich habe etwas übersehen.«

Sie lief zur Feuerstätte zurück und suchte ihren Medizinbeutel heraus. Vorsichtig entnahm sie ihm die beiden Hälften der alten heiligen Schale. Sie hetzte zurück und legte die Stücke neben Iza in das Grab.

»Sie wird sie vielleicht mit sich nehmen wollen, jetzt, wo sie nicht mehr gebraucht werden kann.«

Der Mog-ur gab sein Zeichen der Zustimmung. So war es richtig. Richtiger als irgendeiner ahnte.

Nachdem der letzte Stein aufgeschichtet war, legten die Frauen Holz auf und um das Steingrab. Mit einer glühenden Kohle vom Höhlenfeuer wurde das Kochfeuer für Izas Leichenmahl entzündet. Die Speisen wurden auf dem Grab gekocht, und das Feuer würde sieben Tage lang brennen. Durch seine Hitze würde alle Feuchtigkeit aus dem Körper der Toten gesogen; er würde austrocknen und völlig geruchlos werden.

Als die Flammen hochschlugen, hob der Mog-ur zu einer letzten Klage an. So gewaltig waren seine Gesten und Gebärden, daß die Clan-Leute tief im Innersten angerührt wurden. Er berichtete den Geistern von der Liebe der Clan-Leute zu ihrer Medizinfrau, die für sie gesorgt hatte, die über sie gewacht und ihnen durch Krankheit und Schmerz hindurchgeholfen hatte. Es waren die althergebrachten Handformeln, mit denen er zu den Geistern sprach, nahezu die gleichen wie bei jedem Begräbnis, wenn auch manche nur bei den Totenfeiern der Männer gebraucht wurden. Doch sie waren nicht einfach leer gedeutet; durch den tiefen Schmerz des heiligen Mannes erhielten sie einen tieferen Sinn.

Trocknen Auges blickte Ayla über die tanzenden Flammen hinweg auf die gemessenen Bewegungen des einarmigen Mannes und spürte die heftige Bewegung seiner Gefühle in ihrem eigenen Herzen. Der Mog-ur drückte ihren Schmerz aus; es war, als wäre er in sie hineingeschlüpft und spräche durch ihr Hirn, fühlte durch ihr Herz. Sie war nicht die einzige, die seinen Schmerz wie ihren eigenen empfand. Ebra begann schrill zu klagen, und die anderen Frauen folgten ihr. Uba, die Durc in den Armen hielt, spürte, wie ein dünnes Jammern in ihrer Kehle emporstieg, und stimmte in das Klagegetön der anderen mit ein. Ayla starrte leeren Blicks in die

Flammen, zu tief getroffen in ihrem Kummer, um ihm noch Ausdruck geben zu können. Nicht einmal Tränen konnte sie weinen.

Ebra mußte Ayla schließlich kräftig schütteln, ehe diese aus ihrer kummervollen Versunkenheit erwachte. Aus verständnislosen Augen sah sie die Gefährtin des Clan-Führers an.

»Ayla, iß etwas. Das ist der letzte Festverzehr, den wir mit Iza teilen.«

Ayla nahm die Holzplatte mit dem Essen, schob sich ein bißchen Fleisch in den Mund und hätte sich beinahe erbrochen, als sie ihn hinunterwürgen wollte. Hastig sprang sie auf und stürzte aus der Höhle. Blind stolperte sie durch Gebüsch und Gestrüpp. Zunächst führten ihre Füße sie einen vertrauten Pfad entlang zu einer hochgelegenen Wiese und einer kleinen Höhle, die ihr schon oft Zuflucht und Sicherheit geboten hatte. Doch sie bog vom Weg ab, denn seit sie Brun diesen Ort gezeigt hatte, war ihr, als gehörte er ihr nicht mehr, und die Erinnerungen, die er barg, waren allzu schmerzlich. Statt dessen kletterte sie auf die Anhöhe des Felsvorsprungs, der die Höhle des Clans vor den rauhen Winden schützte, die tobend den Berg hinunterrasten, wenn die Tage kürzer wurden und Schnee und Kältnis kamen.

Von Windstößen geschüttelt fiel Ayla oben auf die Knie, und erst hier, allein mit ihrem unsäglichen Kummer, gab sie in jammervoll klagendem Singsang ihrem Schmerz nach, während sie sich unablässig hin und her wiegte. Creb humpelte aus der Höhle, um nach ihr zu sehen, sah dunkel ihre zusammengekauerte Gestalt hoch oben vor den in den Glanz der untergehenden Sonne eingetauchten Wolken und hörte das dünne, ferne Klagelied. So tief sein eigener Schmerz war, es war ihm unbegreiflich, daß sie in ihrem Elend den Trost der Erdlingsgemeinschaft zurückwies und sich statt dessen in sich selbst zurückzog. Sein sonst so scharfes Einfühlungsvermögen war stumpf vom eigenen Gram. Er spürte nicht, daß sie an mehr litt als an Kummer allein.

Schuldgefühle peinigten Ayla. Sie machte sich Izas Tod zum Vorwurf. Sie hatte die kranke Frau alleingelassen, um mit dem Clan fortzuziehen. Sie war eine Medizinfrau, die eine Kranke, eine Frau, an der ihr Herz hing, in einer Zeit der Not im Stich gelassen hatte. Sie fühlte sich schuldig an der schweren Krankheit, die Iza sich geholt hatte, als sie im strömenden Regen durch die Wälder gegangen war, um jene wundersame Wurzel zu suchen, die Ayla das Kind erhalten sollte, das sie sich so brennend wünschte. Sie fühlte sich schuldig für den Schmerz, den sie Creb zugefügt hatte, als sie den lockenden Lichtern tief in die Höhle von Norgs Clan gefolgt war.

Ayla war in eine tiefe Niedergeschlagenheit gesunken, aus der Iza ihr hätte heraushelfen können, wenn sie da gewesen wäre. Ayla, die Medizinfrau, für die Schmerz zu lindern und Leben zu erhalten oberstes Gebot war, hatte zum ersten Mal erlebt, daß ein Kranker, den sie pflegte, ihr unter den Händen gestorben war. Als die Dunkelheit kam, kehrte sie in die Höhle zurück.

Rastlos wälzte sich Ayla auf ihrem Lager und konnte keinen Schlaf finden. Sie merkte nicht einmal, daß es der Schmerz ihrer aufgeschwollenen Brüste war und das Fieber, das in ihr raste, die sie wachhielten. Zu tief hatte sie sich nach innen gekehrt, einzig ihren Gram und ihre Schuld vor Augen.

Sie war schon tort, als Creb erwachte, wieder zum Felsen hinaufgestiegen. Creb konnte sie aus der Ferne sehen und behielt sie voller Sorge und Beunruhigung im Auge. Daß sie schwach war und Fieber hatte, konnte er nicht sehen.

»Soll ich sie holen?« fragte Brun, ebenso bestürzt wie Creb über Aylas Verhalten.

»Mir scheint, sie will allein sein. Vielleicht sollten wir sie lassen«, gab Creb zurück.

Unruhe quälte ihn, als er sie nicht mehr sah, und als sie bei Sonnenuntergang noch nicht zurückgekehrt war, bat er Brun, nach ihr Ausschau zu halten. Er bereute es tief, daß er Brun nicht früher hatte ausziehen lassen, als er sah, wie der Clan-Führer sie auf seinen Armen zur Höhle zurückbrachte.

Uba und Ebra pflegten die Medizinfrau. Ihr Körper brannte bald im Fieber, bald schlotterte er vor Frost. Laut schrie sie auf, wenn jemand ihre Brüste nur leicht berührte.

»Ihr Milch wird versiegen«, bedeutete Ebra dem jungen

Mädchen. »Auch Durc kann da jetzt nicht mehr helfen. Es ist zu spät.«

»Aber Durc ist noch so klein. Er kann noch nicht entwöhnt werden. Was geschieht mit ihm? Was geschieht mit Ayla?«

Es wäre vielleicht nicht zu spät gewesen, wenn Iza noch am Leben oder Ayla bei Bewußtsein gewesen wäre. Selbst Uba hatte eine Ahnung davon, daß es Mittel gab, die geholfen, Tränke, die gewirkt hätten; aber sie war jung und unsicher, und Ebra war so bestimmt. Als das Fieber endlich abklang, hatte Ayla keine Milch mehr. Sie konnte ihren eigenen Sohn nicht mehr nähren.

»Ich nehme diesen Mißgeburtigen nicht an mein Feuer, Oga! Er wird nicht der Bruder meiner Söhne!«

Broud war hochrot vor Zorn und schüttelte die Fäuste. Oga hockte zusammengeduckt zu seinen Füßen.

»Broud! Er ist klein. Er muß gesäugt werden. Aga und Ika haben nicht mehr genug Milch. Es wäre nichts geholfen, wenn sie ihn bei sich aufnähmen. Ich habe genug. Ich habe immer zu viel Milch. Wenn er nicht genährt wird, verhungert er. Dann muß er sterben.«

»Soll er doch sterben. Es hätte ihm gar nicht gestattet werden dürfen zu leben. An dieses Feuer kommt er nicht.«

Oga starrte den Mann an, der ihr Gefährte war. Sie hatte nicht geglaubt, daß er sich weigern würde, Aylas Kind aufzunehmen. Sie hatte sich zwar gedacht, daß er schimpfen und wüten würde; aber sie war sicher gewesen, daß er am Ende doch bereit wäre nachzugeben. So grausam konnte man doch nicht sein! Er konnte es doch ein kleines Kind nicht entgelten lassen, wenn er dessen Mutter haßte!

»Broud, Ayla hat Bracs Leben gerettet. Wie kannst du ihren Sohn sterben lassen?«

»Hat sie nicht genug dafür bekommen, daß sie sein Leben bewahrt hat? Ihr wurde das Leben geschenkt. Sie bekam sogar die Erlaubnis zu jagen. Ich schulde ihr nichts.«

»Nein, das Leben wurde ihr nicht geschenkt. Sie wurde zum Tode verflucht. Sie kehrte aus der Welt der Geister zurück, weil ihr Totem es wünschte, weil es sie schützte«, erwiderte Oga mit heftiger Gebärde.

»Wäre der richtige Fluch über sie verhängt worden, so

wäre sie nicht wieder zurückgekehrt und hätte diesen Mißgeburtigen nie zur Welt gebracht. Wenn ihr Totem so mächtig ist, wie kommt es dann, daß ihre Milch versiegt? Alle fürchteten, daß ihrem Kind Unheil drohen würde. Gibt es schlimmeres Unheil, als die Milch der leiblichen Mutter entbehren zu müssen? Und nun willst du diesen Unglückswurm an dieses Feuer bringen? Das erlaube ich nicht, Oga. Nicht an dieses Feuer! Schluß, aus!«

Oga straffte den Rücken und blickte mit ruhiger Entschlossenheit zu Broud auf.

»Nein, Broud, nicht Schluß, aus«, bedeutete Oga. Sie hatte keine Angst mehr. Ungläubige Bestürzung breitete sich auf Brouds Gesicht aus. »Du kannst es ablehnen, Durc an deinem Feuer aufzunehmen; das ist dein Recht. Dagegen kann ich nichts tun. Aber du kannst mir nicht verbieten, ihn zu nähren. Das ist das Recht der Frauen. Eine Frau kann jeden Säugling nähren, und kein Mann kann es ihr verbieten. Ayla hat meinem Sohn das Leben bewahrt. Ich werde den ihren nicht sterben lassen. Durc wird meinen Söhnen ein Bruder sein, ob es dir recht ist oder nicht.«

Broud war wie vor den Kopf geschlagen. Nie zuvor hatte sich Oga aufsässig oder ungehorsam gezeigt. Er wollte seinen Augen kaum trauen. Seine Bestürzung wandelte sich in Wut.

»Wie kannst du es wagen, mir die Stirn zu bieten, Frau. Ich werde dich von diesem Feuer verstoßen«, tobte er mit wilden Gebärden.

»Dann nehme ich meine Söhne und gehe, Broud. Ich werde einen anderen Mann bitten, mich aufzunehmen. Mag sein, daß der Mog-ur mir gestatten wird, an seinem Feuer zu leben, wenn kein anderer Mann mich haben will. Aber ich werde Aylas Kind nähren.«

Broud erwiderte mit einem harten Faustschlag, der sie zu Boden streckte. Voll unbändiger Wut wollte er sich erneut auf sie stürzen, dann aber machte er mit einem Ruck kehrt. Kochend vor Zorn stampfte er zu Bruns Feuerstätte hinüber.

»Erst führte sie Iza den Weg des Ungehorsams, nun reißt sie auch meine Gefährtin mit«, begann Broud mit erregter Gebärde, sobald er in Bruns Wohnkreis getreten war. »Ich habe Oga wissen lassen, daß ich Aylas Sohn nicht aufnehme. Diese Mißgeburt soll nicht Bruder meiner Söhne werden. Soll ich dir sagen, was sie mir entgegnet hat? Sie will ihn dennoch nähren. Ich könnte sie nicht daran hindern. Er würde ihrer Söhne Bruder werden, ob es mir recht sei oder nicht. Kannst du das glauben? Von Oga? Meiner Gefährtin?«

»Es ist so, wie sie dir bedeutet hat, Broud«, erwiderte Brun mit beherrschter Ruhe. »Du kannst sie nicht daran hindern, ihn zu nähren. Welches Kind eine Frau säugt, ist nicht Männersache, war niemals Männersache. Ein Mann muß sich um wichtigere Dinge kümmern.«

Brun war gar nicht erfreut über Brouds wilden Ausbruch. Es machte Broud klein, daß er sich von Dingen, die reine Frauensachen waren, so in Hitze bringen ließ. Und welche andere Frau hätte Durc nähren können? Der Kleine gehörte zum Clan, und die Clan-Leute sorgten für die ihren. Selbst die Frau, die früher von einem anderen Clan gekommen war und niemals ein Kind hervorgebracht hatte, war nach dem Tod ihres Gefährten nicht dem Hunger ausgesetzt worden. Sie mochte eine Last gewesen sein, aber solange der Clan zu essen hatte, wurde auch ihr Nährendes gegeben.

Broud konnte es ablehnen, Durc an seinem Feuer aufzunehmen. Denn damit hätte er sich verpflichtet, ihn zu nähren und ihn auf den Mannesstand vorzubereiten. Brun hatte erwartet, daß Broud dazu nicht bereit sein würde. Denn jeder wußte, welche Gefühle er Ayla und ihrem Sohn entgegenbrachte. Aber warum stemmte er sich dagegen, daß seine Gefährtin den Jungen säugte? Sie gehörten doch alle einem Clan an.

»Du meinst also, daß Oga sich mir gegenüber Ungehorsam ohne Bestrafung erlauben darf?« wütete Broud.

»Was erhitzt du dich so, Broud? Willst du, daß das Kind stirbt?« fragte Brun. Broud errötete bei der scharfen Frage. »Er gehört zum Clan, Broud. Sein Kopf ist mißgestaltet, aber sein Geist scheint heil. Er wird zu einem Jäger heranwachsen. Und dies ist sein Clan. Selbst eine Gefährtin ist schon gefunden für ihn. Du hast dein Einverständnis kundgetan. Wie kommt es, daß dein Blut zu sieden anfängt, nur weil deine Gefährtin das Kind einer anderen Frau zu nähren bereit ist?

Ist es noch immer Ayla, die dir den klaren Blick verwehrt? Du bist ein Mann, Broud. Was immer auch du ihr befiehlst, sie muß gehorchen. Und sie gehorcht dir ja auch. Warum trittst du mit einer Frau in Wettstreit? Du machst dich klein und schwach. Oder täusche ich mich? Bist du auch wirklich ein Mann, Broud? Bist du Manns genug, diesen Clan zu führen?«

»Ich will einfach nicht, daß eine Mißgeburt der Bruder meiner Söhne wird«, wich Broud aus. Die Drohung, die Bruns letzte Gesten bargen, war ihm nicht entgangen.

»Broud, gibt es einen Jäger, der nicht das Leben eines anderen gerettet hätte? Gibt es einen Mann, der nicht einen Teil des Geistes aller Männer in sich trägt? Gibt es einen Mann, der nicht Bruder aller Brüder ist? Was macht es, ob Durc schon jetzt der Bruder deiner Söhne wird oder später, wenn sie alle groß geworden sind? Was hast du denn für Einwände?«

Darauf hatte Broud keine Erwiderung, die für den Clan-Führer annehmbar gewesen wäre. Seinen alles verzehrenden Haß gegen Ayla konnte er nicht offenlegen. Damit hätte er gezeigt, daß er seine Gefühle immer noch nicht in der Gewalt hatte; damit hätte er gezeigt, daß er nicht Manns genug war, eines Tages doch Clan-Führer zu werden. Er bereute es, zu Brun gekommen zu sein. Ich hätte es eigentlich wissen müssen, dachte er. Er hat sich immer auf ihre Seite gestellt. So stolz war er auf mich nach den Kampfspielen beim Miething. Und nun zweifelt er wieder an mir – das habe ich wieder Ayla zu verdanken.

»Nun, es ist mir gleich, ob Oga ihn nährt«, erklärte Broud mit kurzer Geste. »Aber ich will ihn nicht an meinem Feuer haben.« In diesem Punkt würde er nicht nachgeben. »Du magst glauben, daß sein Geist heil ist, Brun. Ich bin nicht so sicher. Ich will nicht die Last auf mich nehmen, ihn auf den Mannesstand vorzubereiten. Ich bezweifle, daß je ein Jäger aus ihm werden wird.«

»Wie du willst, Broud. Ich habe mich verpflichtet, ihn unter meinen Schutz zu nehmen. Ich habe diese Entscheidung schon getroffen, ehe ich ihn annahm. Aber ich habe ihn angenommen. Durc ist ein Glied dieses Clans und wird ein Jäger werden. Dafür werde ich sorgen.«

Broud wollte zu seinem Wohnkreis zurückkehren, doch da gewahrte er Creb, der Durc wieder zu Oga brachte. Er kehrte um und rannte aus der Höhle. Erst als er wußte, daß Brun ihn nicht mehr sehen konnte, ließ er seiner Wut freien Lauf. Alles kommt von diesem alten Krüppel, schoß es ihm durch den Kopf, und sogleich bemühte er sich, diesen Gedanken aus seinem Hirn zu löschen, weil er Angst hatte, irgendwie könnte der Zauberer wittern, was er dachte.

Broud fürchtete die Geister, mehr vielleicht als jeder andere Mann des Clans, und er fürchtete jene, die in so vertrauter Beziehung zu ihnen standen. Was konnte auch ein Jäger ausrichten gegen eine Schar körperloser Wesen, die Unheil und Krankheit und Tod säen konnten? Was konnte einer gegen einen Mann ausrichten, der die Macht besaß, diese Wesen jederzeit herbeizurufen? Auf dem Miething hatten die jungen Männer manche Nacht damit zugebracht, sich gegenseitig Angst zu machen mit Geschichten von erzürnten Mogurs, die Schrecken und Unheil auf ihre Clan-Leute herabbeschworen hatten. Geschichten von Speeren, die sich im Kampf mit einem wilden Tier im letzten Augenblick verzogen hatten und abgeglitten waren, von schrecklichen Krankheiten, die Schmerz und Leid brachten, Geschichten von Jägern, die von gehörnten Tieren aufgespießt oder von reißenden Tieren zerfleischt worden waren. All diese Schrecklichkeiten wurden wütenden Mog-urs zur Last gelegt. Und der Große Mog-ur, Creb, war der mächtigste Zauberer von allen.

Obwohl es eine Zeit gegeben hatte, da der junge Mann den Zauberer mehr mit Spott denn mit Ehrfurcht betrachtet hatte, empfand er jetzt eine tiefe Furcht vor diesem Mann mit dem mißgestalteten Körper und dem schrecklichen Gesicht. Broud hatte vor den jungen Männern der anderen Clans damit geprahlt, daß er den Großen Mog-ur nicht fürchtete. Doch all die wilden Geschichten, die im Schein des Feuers dargeboten worden waren, hatten ihre Wirkung hinterlassen. Die Ehrfurcht aller Clans vor dem alten Hinkemann, der nicht jagen konnte, hatte auch Brouds Furcht vor seiner Macht wachsen lassen.

Wenn er in Tagträumen in jene Zeit hineinwanderte, wo er Clan-Führer sein würde, sah er stets Goov als seinen Mog-ur.

Goov war ihm als beinahe Gleichaltriger und als Jagdgefährte zu vertraut, als daß er ihn im gleichen düsteren Licht hätte sehen können wie den alten Zauberer. Er war sicher, daß es ihm gelingen würde, ihn mit Schmeicheln oder auch Drohen dazu zu bewegen, daß er sich seinen Entscheidungen anschloß. Bei dem alten Großen Mog-ur hätte er einen solchen Versuch niemals gewagt.

Als Broud durch die Wälder, die um die Höhle lagen, streifte, faßte er einen felsenharten Entschluß. Niemals wieder würde er dem Clan-Führer Anlaß geben, an ihm zu zweifeln. Niemals wieder würde er die Stellung als Clan-Führer, die ihm bestimmt war, in Gefahr bringen. Aber wenn ich der Clan-Führer bin, dann werde ich bestimmen, dachte er. Sie hat Brun gegen mich aufgehetzt, sogar Oga, meine Gefährtin. Aber wenn ich Clan-Führer bin, dann soll Brun sich ruhig auf ihre Seite stellen. Er kann sie dann nicht mehr beschützen. Alles, was sie mir angetan hat, werde ich ihr zurückgeben. Es wird ein Tag kommen, an dem sie wünschen wird, diesem Clan niemals begegnet zu sein. Und der Tag kommt bald.

Broud war nicht der einzige, der dem alten Krüppel grollte. Creb war von tiefem Groll erfüllt gegen sich selbst. Er gab sich die Schuld daran, daß Ayla nicht mehr nähren konnte. Daß es seine ängstliche Sorge um sie gewesen war, die dieses Unglück herbeigeführt hatte, änderte nichts. Er hatte keine Ahnung gehabt, daß die Milch einer Mutter vertrocknete, wenn sie ihr Kind nicht säugte. Nun wußte er es, aber es war zu spät.

Wie hatte ihr nur dieses schreckliche Unglück widerfahren können? Kam es daher, daß der Strahl des Unheils auf ihrem Kind lag? Creb suchte nach Gründen, und während er tief in seinem von Schuld gequälten Herzen kramte, begann er, an sich selbst zu zweifeln. Bewegte ihn wirklich Sorge, oder trieb es ihn, sie zu verletzen, so wie sie ihn verletzt hatte, ohne es gewahr zu werden? War er seines großen Totems würdig? Hatte der Große Mog-ur sich herabgelassen zu so niedriger Rache? Wenn einer wie er dem Groß-Clan als höchster heiliger Mann galt, dann verdiente der Clan vielleicht wirklich den Untergang. Crebs Wissen, daß seine Art aussterben würde, sein Schmerz über Izas Tod und seine Schuld an dem Kummer, den er Ayla gebracht hatte, überschwemmten ihn mit großer Schwermut.

Ayla gab Creb keine Schuld; die gab sie sich selbst. Zusehen zu müssen, wie andere Frauen ihren Sohn säugten, ging über ihre Kräfte. Oga, Aga und Ika waren zu ihr gekommen, um sie wissen zu lassen, daß sie Durc nähren würden, und sie war dankbar dafür, meist aber war es Uba, die Durc zu einer der Frauen hinübertrug und blieb, bis er satt war. Ayla schien es, als wäre sie durch die Weigerung ihrer Brüste von einem Teil des Lebens ihres Sohnes ausgeschlossen. Sie trauerte immer noch um Iza und konnte auch bei Creb keinen Trost finden. Er hatte sich so tief in sich selbst zurückgezogen, daß sie ihn nicht erreichen konnte. Doch jeden Abend, wenn sie mit Durc im Arm auf ihrem Lager sich ausstreckte, war sie Broud dankbar, weil er sich geweigert hatte, ihren Sohn an seinem Feuer aufzunehmen, der ihr dadurch nicht ganz verlorenging.

Als die Tage merklich kühler wurden, griff Ayla wieder zu ihrer Schleuder. Sie bot ihr den Vorwand, allein umherzustreifen. Im letzten Sommer hatte sie so selten gejagt, daß sie ein wenig ungelenk geworden war; doch mit etwas Übung kamen Handfertigkeit und Zielgefühl schnell wieder. An den meisten Tagen zog sie schon in aller Frühe los und kehrte erst spät zurück. Durc ließ sie dann in Ubas Händen. Mit Bedauern dachte sie daran, daß bald schon der erste Schnee fallen würde. Sich zu bewegen tat ihr gut, aber es zeigte sich eine Schwierigkeit. Seit sie zur Frau geworden war, hatte sie kaum gejagt. Nun aber störten sie die vollen Brüste, wenn sie rannte und sprang. Und nach Art der Männer, die einen Lendenschurz um ihr Geschlecht gebunden hatten, schnürte sie sich einfach einen breiten Streifen weicher Haut um die Brüste, der sie hielt und schützte, und so konnte sie sich frei bewegen. Die Seitenblicke der anderen Frauen beachtete sie nicht.

Wenn auch das Schleudern ihren Körper kräftigte und ihren Geist beschäftigte, solange sie draußen in den Wäldern war, trug sie dennoch ihre Last an Kummer und Schmerz. Uba schien es, als hätte sich Crebs Feuerstätte verfinstert.

Creb und Ayla waren wie von düsteren Wolken undurchdringlicher Traurigkeit umhüllt. Nur Durc brachte ein wenig Licht in das Dunkel. Mit seiner Freundlichkeit konnte er selbst Creb aus seinem Trübsinn reißen.

Ayla war früh ausgezogen, und Uba war hinten in der Höhle, wo sie etwas suchte. Oga hatte soeben Durc zurückgebracht, und Creb hatte ein Auge auf den Kleinen, der satt war und zufrieden, aber noch nicht schläfrig. Auf allen vieren kroch er zu dem alten Mann hin und zog sich auf wackligen Beinchen an ihm hoch.

»Bald wirst du laufen können«, bedeutete ihm Creb. »Noch vor der Schneeschmelze wirst du durch diese Höhle springen.«

Der Mog-ur bohrte ihm einen Finger in das runde Bäuchlein, um seinen Gesten Nachdruck zu verleihen. Durcs Mundwinkel verzogen sich, und er gab Töne von sich, die Creb nur noch von Ayla – und das war schon sehr lange her – gehört hatte. Durc lachte. Creb stupste noch einmal in den kleinen Bauch, und Durc krümmte sich wieder vor Lachen, verlor das Gleichgewicht und fiel um. Creb half ihm wieder auf die Beine und sah sich nun das Kind mit neuen Augen an.

Durcs Beine waren gebogen, aber längst nicht so stark wie die der anderen kleinen Kinder des Clans; und wenn sie auch stämmig waren, so konnte Creb doch sehen, daß die Knochen länger und dünner waren. Ich glaube, Durcs Beine werden grade werden wie die von Ayla, wenn er größer wird, und er wird einen hohen Wuchs bekommen. Und auch sein Hals, der so dünn und gebrechlich war, ist wie Aylas Hals. Nur sein Kopf ist anders. Die hohe Stirn ist die von Ayla. Creb drehte den Kleinen, um ihn von der Seite zu beäugen. Ja, es ist ihre Stirn, aber die Brauen und die Augen sind die unseren, und auch sein Hinterkopf ist mehr der unsere.

Ayla hatte sich nicht getäuscht. Es ist nicht mißgestaltet. Er ist ein Mischling, eine Mischung aus ihr und dem Clan. Kann es sein, daß es immer so ist? Vermischen sich die Geister? Wird der Keim des Lebens durch ein Gemengsel von männlichen und weiblichen Totemgeistern gelegt? Creb schüttelte den Kopf. Er wußte es nicht, aber es machte ihn nachdenklich. Oft dachte er in dem kalten, langen Winter an Durc. Er spürte, daß Durc wichtig war. Nicht wichtig für heute – wichtig für später. Aber wodurch ihm dieser Wert gegeben war, konnte er nicht ergründen.

26

»Aber ich bin nicht wie du, Ayla. Ich kann nicht jagen. Wohin soll ich gehen, wenn es dunkel wird?« Ubas Gesten zeigten ihre Verzweiflung. »Ayla, ich habe Angst.«

Ayla blickte in das geängstigte Gesicht und wünschte, sie könnte Uba begleiten. Sie war noch so jung, und die Vorstellung, fern des Schutzes und der Wärme des Clans leben zu müssen, erfüllte sie mit Schrecken. Doch der Geist ihres Totems hatte zum ersten Mal gekämpft. Sie mußte fort. Sie hatte keine Wahl. Sie hatte das erste Mal die Tage.

»Weißt du noch die kleine Höhle, wo ich mich versteckt hielt, als Durc geboren wurde? Geh dorthin, Uba. Da ist es sicherer als draußen im Freien. Jeden Tag vor Sonnenuntergang komme ich zu dir und bringe dir Verzehr. Es sind nur wenige blutende Tage, Uba. Nimm eine Schlafdecke mit und eine Kohle, um Feuer zu machen. Wasser gibt es in der Nähe. Es ist einsam, besonders in der Nacht. Aber du bist sicher dort. Schau, du bist jetzt eine Frau! Bald wird dir ein Gefährte gegeben werden, und dann wird vielleicht nicht viel Zeit vergehen, ehe du ein Kind kriegst«, tröstete Ayla mit behutsamer Hand.

»Wen wird Brun für mich wählen? Was glaubst du, Ayla?«

»Wen wünschst du dir denn zum Gefährten, Uba?«

»Vorn ist der einzige Mann, der keine Gefährtin hat. Aber sicher wird auch Borg bald ein Mann sein. Borg würde ich mögen. Aber Ona ist jetzt eine Frau, und sie kann nicht Vorns Gefährtin werden. Wenn Brun nicht beschließt, sie einem der Männer als zweite Frau zu geben, ist für sie nur Borg da. Und dann wird wohl Vorn mein Gefährte werden.«

Ayla glaubte das auch.

»Glaubst du, Vorn wird dir als Gefährte lieb sein?«

»Er tut so, als sähe er mich nicht, aber manches Mal schaut er mich an. Mag sein, daß er so übel nicht wäre.«

»Broud sieht ihn gern. Er wird wohl eines Tages Stammeszweiter. Das wird auch deinen Söhnen Ansehen verleihen. Ich konnte Vorn nicht gut leiden, als er jünger war, aber es ist so, wie du meinst. Er ist so übel nicht. Sogar zu Durc ist er freundlich, wenn Broud nicht in der Nähe ist.«

»Alle außer Broud sind freundlich zu Durc«, bedeutete Uba. »Alle mögen ihn leiden.«

»An jedem Feuer ist er daheim. Er ist so daran gewöhnt, zum Nähren herumgereicht zu werden, daß er alle Frauen Mutter nennt«, seufzte Ayla, und ihr Gesicht verdunkelte sich flüchtig. Doch gleich hellte es sich wieder auf. »Weißt du noch, wie er schnurstracks an Grods Feuerstätte gelaufen ist, als wäre es sein Heim?«

»Ja, ich sehe es noch. Er ist einfach an Uka vorbeigelaufen, grüßte sie nur und nannte sie Mutter, und dann ging er zu Grod und kletterte auf sein Knie.«

»Nie zuvor habe ich Grod so erstaunt gesehen«, bedeutete Ayla. »Dann kletterte Durc doch wieder herunter und rannte zu Grods Speeren. Ich wartete darauf, daß Grod zornig werden würde, aber er konnte wohl dem dreisten Kleinen nicht widerstehen.«

»Ich glaube, Durc hätte den schweren Speer aus der Höhle geschleppt, wenn Grod ihn gelassen hätte.«

»Den kleinen Speer, den Grod ihm gemacht hat, nimmt er sogar zum Schlafen mit.« Ayla lächelte. »Du weißt, Grod ist ein zurückgezogener Mann. Ich war verwundert, als er an jenem Tag herüberkam. Er grüßte mich nur kurz, dann ging er gleich zu Druc und drückte ihm den Speer in die Hände.«

»Es ist ein Jammer, daß Ovra nie Kinder bekommen hat. Ich glaube, Grod würde es froh machen, wenn die Tochter seiner Gefährtin ein Kind hätte«, bedeutete ihr Uba mitleidig. »Vielleicht hat Grod deinen Durc deshalb in sein Herz geschlossen. Brun hat Durc auch gern, das sehe ich ihm an, und Zoug zeigt ihm schon jetzt, wie er mit der Schleuder umgehen muß. Die Männer tun so, als wären sie alle die Gefährten seiner Mutter. Außer Broud.« Uba machte eine kurze Pause.

»Vielleicht ist es so, Ayla. Dorv hat immer behauptet, die Totems aller Männer hätten sich vereint, deinen Höhlenlöwen zu bezwingen.«

Ayla ging darauf nicht ein.

»Ich glaube, du mußt jetzt gehen, Uba. Ich begleite dich. Es regnet nicht mehr, und die Erdbeeren sind reif. Ich weiß oben am Pfad einen Platz, wo sie wachsen. Und später komme ich zu dir hinauf.«

Goov malte das Zeichen von Vorns Totem über das Zeichen von Ubas Totem, um so Vorns Überlegenheit als Mann zum Ausdruck zu bringen.

»Nimmst du diese Frau als Gefährtin an?« fragten Crebs ernste Gebärden.

Vorn berührte Ubas Schulter, und die folgte ihm in die Höhle. Danach hielt Creb die gleiche Feier für Borg und Ona, und auch dieses Paar zog sich an seine neue Feuerstätte zurück. Die sommergrün belaubten Bäume raschelten im leichten Wind, als die kleine Versammlung sich auflöste, Ayla hob Durc vom Boden auf, um ihn in die Höhle zu tragen, doch er wehrte sich. Er wollte hinunter.

»Gut, Durc«, gab Ayla nach, »du kannst laufen. Aber komm mit hinein.«

Während sie den Morgenverzehr bereitete, machte Durc sich auf den Weg zu der neuen Feuerstätte, an der jetzt Uba und Vorn lebten. Ayla lief ihm nach und holte ihn zurück.

»Durc will Uba sehen«, wehrte sich das Kind.

»Du kannst jetzt nicht, Durc. Eine Weile kann keiner zu Uba gehen. Aber wenn du ein gutes Kind bist, nehme ich dich mit auf die Jagd.«

»Durc ist ein gutes Kind. Warum kann Durc nicht zu Uba?« wollte der Kleine wissen. »Warum kommt Uba nicht und ißt mit uns?«

»Sie gehört nicht mehr zu uns, Durc. Sie ist jetzt Vorns Gefährtin.«

Uba fehlte ihnen. Die Spannung zwischen Ayla und Creb wurde dadurch noch viel deutlicher. Keiner von beiden vermochte sich aus seinen Schuldgefühlen zu befreien und zum anderen hinzufinden. Oft, wenn Ayla den alten Zauberer in seiner Schwermut versunken sah, überkam sie das Verlangen, zu ihm zu gehen, ihm die Arme um den Hals zu legen und ihn zu umschlingen wie damals, als sie noch ein kleines Mädchen gewesen war. Doch sie tat es nicht. Sie wollte sich ihm nicht aufdrängen.

Creb fehlte ihre warme Nähe, wenn er auch nicht wußte, daß das ihm das Herz noch schwerer machte. Und oft, wenn er den Schmerz in Aylas Gesicht sah, während eine andere Frau ihren Sohn nährte, fühlte er sich getrieben, zu ihr zu gehen. Wäre Iza am Leben gewesen, so hätte sie einen Weg gefunden, die beiden wieder zueinander zu bringen. So aber wurden sie einander immer fremder; jeder sehnte sich nach der Wärme des anderen, und keiner wußte, wie er die Kluft überwinden sollte.

Bei ihrem ersten Morgenverzehr ohne Uba fühlten sie sich beide befangen.

»Möchtest du mehr, Creb?« fragte Ayla.

»Nein. Ich habe genug«, gab er zurück.

Sie räumte auf, während Durc mit beiden Händen und einem Muschellöffel nochmals in die Schüssel tauchte. Obwohl er erst zwei Sommer erlebt hatte, war er nun der Milch fast ganz entwöhnt. Ab und zu wanderte er noch zu Oga hinüber – oder auch zu Ika, die jetzt wieder ein Kleines hatte – um sich nähren zu lassen, aber mehr der Wärme und Nähe wegen. Im allgemeinen wurden die älteren Kinder entwöhnt, sobald ein neues Kind kam, doch bei Durc machte Ika eine Ausnahme. Er schien genau zu spüren, wie weit er gehen durfte. Nie saugte er so viel, daß für ihr Kleines nichts mehr übrig war, kuschelte sich nur ein Weilchen an sie, als wollte er zeigen, daß dies sein Recht war.

»Du nimmst den Jungen mit?« erkundigte sich Creb.

»Ja.« Sie wischte dem Kind die Hände und das Gesicht ab. »Ich habe versprochen, ihn mit auf die Jagd zu nehmen. Ich werde wohl nicht viel jagen können mit ihm an der Hand, aber ich muß auch frische Kräuter haben, und es ist ein warmer Tag.«

Creb brummte.

»Du solltest auch an die Luft gehen, Creb«, fügte Ayla mit aufmunternder Hand hinzu. »Die Luft würde dir guttun.«

»Ja, ja. Ich will hinausgehen, Ayla. Später.«

Flüchtig dachte sie daran, ihn aus der Höhle zu locken, indem sie ihm eine Wanderung am Bach vorschlug, wie sie sie früher so oft gemeinsam unternommen hatten. Doch er hatte sich schon wieder in sich selbst zurückgezogen. Sie nahm Durc an die Hand und eilte hinaus. Creb blickte erst auf, als er spürte, daß sie fort war. Er griff zu seinem Stab, fand es dann aber beschwerlich, sich zu erheben, und ließ den Stab wieder sinken.

Aylas Gedanken waren bei ihm, als sie sich mit Durc auf ihrer Hüfte, den Sammelkorb auf dem Rücken, auf den Weg machte. Sie wußte, daß Crebs geistige Kräfte nachließen. Häufiger als früher war er mit seinen Gedanken gar nicht da, und oft kam es vor, daß er Fragen wiederholte, die sie ihm schon beantwortet hatte. Selten verließ er die Höhle. Auch Helligkeit und Wärme konnten ihn nicht locken. Und wenn er sich versenkte, um innere Einkehr zu halten, schlief er häufig im Sitzen ein.

Als die Höhle außer Sicht war, wurde Aylas Schritt freier. Sie ließ Durc herunter, als sie zu einer Lichtung kamen, und begann, verschiedene Kräuter zu pflücken. Der Kleine sah ihr eine Weile zu, packte dann eine Handvoll Gras und Luzerne und riß das Büschel mit den Wurzeln aus der Erde und brachte es ihr.

»Du bist mir eine große Hilfe, Durc«, lobte sie, während sie ihm das Büschel abnahm und es in ihren Korb legte.

»Durc holt mehr«, gab der Junge zurück und lief schon wieder los.

Sie hockte sich nieder und sah zu, wie ihr Sohn sich mühte, ein noch größeres Büschel Gras aus der Erde zu rupfen. Plötzlich gaben die Wurzeln nach, und er fiel nach hinten. Sein Gesicht verzog sich, als wollte er schreien, doch Ayla lief zu ihm und hob ihn auf und warf ihn hoch in die Luft und fing ihn wieder. Durc jauchzte vor Wonne. Sie stellte ihn auf die Erde und tat so, als wollte sie ihn fangen.

»Ich krieg' dich schon«, warnte sie mit vergnüglicher Hand.

Durc trappelte auf seinen stämmigen Beinchen davon, so schnell er konnte. Sie ließ ihm einen Vorsprung, dann kroch sie ihm auf allen vieren nach, packte ihn und zog ihn zu sich herunter. Lachend drückte sie Durc und kitzelte ihn, um wieder sein Lachen zu hören.

Ayla lachte mit ihrem Sohn nur, wenn sie allein waren, und Durc fand schnell heraus, daß außer seiner Mutter keiner viel Sinn für sein Lachen hatte.

Er strampelte, um sich aus ihrer Umarmung zu befreien. Nur wenn er an ihrer Seite einschlief, blieb er gern länger in ihren Armen. Sie wischte sich eine Träne aus dem Auge. Weinen wie sie konnte Durc nicht. Er hatte die großen, braunen, tief unter den Brauenwülsten liegenden Augen der Clan-Leute.

»Ma-Ma«, sagte Durc. Er nannte sie oft so, wenn sie allein waren. »Jagst du jetzt?« fragte er mit ungeduldiger Hand.

Verschiedentlich schon, wenn sie Durc mitgenommen hatte, hatte sie versucht, ihm zu zeigen, wie er eine Schleuder halten mußte. Sie hatte ihm eine machen wollen, aber Zoug war ihr zuvorgekommen. Der alte Mann ging nicht mehr auf die Jagd mit der Schleuder, aber er fand Gefallen daran, den Jungen im Schleudern zu unterweisen. Obwohl Durc noch klein war, sah Ayla schon jetzt, daß er ihr Geschick im Umgang mit der Waffe besaß, und er war auf seine kleine Schleuder so stolz wie auf seinen kurzen Speer.

Er sonnte sich gern in der freundlichen Aufmerksamkeit der anderen, wenn er mit der Schleuder am Gürtel und dem Speer in der Hand durch die Gegend trabte. Als Durc entdeckte, daß gebietendes Gehabe kleinen Mädchen gegenüber beifällig gesehen und sogar den Frauen gegenüber mit Nachsicht geduldet wurde, zögerte er nicht, dies bei jeder Gelegenheit zu zeigen – außer Ayla gegenüber.

Durc spürte, daß seine Mutter anders war. Nur sie lachte mit ihm; nur sie spielte das Lautspiel mit ihm, nur sie hatte das feine, weiche Haar, das wie die Sonne so hell war. Sie war höher gewachsen als jeder Mann, und sie ging als einzige unter den Frauen auf die Jagd. Sie war etwas Besonderes. Sie war eine Frau und doch keine Frau, ein Mann und doch kein Mann.

Ayla drückte Durc die kleine Schleuder in die Hände, hielt die ihren darüber und versuchte, ihm zu zeigen, wie es ging. Auch Zoug hatte das schon mit ihm geübt, und langsam bekam der Junge ein Gefühl dafür. Dann zog Ayla ihre eigene Schleuder aus dem Gürtel, suchte ein paar Kieselsteine und schoß sie ab. Als sie kleine Steine auf größere Felsbrocken legte und sie mit der Schleuder herunterschoß, fand Durc das höchst belustigend. Er schleppte ihr eine Handvoll neuer Steine heran, um sie das noch einmal tun zu sehen. Nach einer Weile aber verlor er die Lust dazu, und sie begannen wieder, nach Kräutern zu suchen, während Durc hinter ihr her kam. Da entdeckten sie rotsüße Erdbeeren und setzten sich ins Gras und pflückten sie.

»Du siehst selbst wie eine Erdbeere aus, mein Sohn«, bedeutete Ayla dem Kind lachend. Sie nahm ihn hoch und trug ihn zum Bach und wusch ihm den roten Saft vom Gesicht. Dann suchte sie ein großes Blatt, rollte es zusammen wie den Trichter einer Blüte und füllte das Gefäß mit Wasser, das sie Durc zu trinken gab. Durc gähnte und rieb sich die Augen. Sie breitete das Tragfell im Schatten einer großen Eiche aus und legte sich neben ihn, bis er einschlief.

In der warmen Stille des Nachmittags saß Ayla an den alten Baum gelehnt und verfolgte mit den Augen die Schmetterlinge, wie sie sich mit gefalteten Flügeln auf den Blumen niederließen, lauschte dem Summen der Fliegen und dem Gezwitscher der Vögel. Mit ihren Gedanken war sie beim heutigen Morgen.

Ich wünsche ihr, daß es Uba wohl ergeht mit Vorn, dachte sie. Ich wünsche, daß er gut zu ihr ist. Am Feuer ist es so leer ohne sie, auch wenn sie nicht fern ist. Ich wünsche ihr, daß sie bald ein Kind kriegt. Das würde ihr große Freude bringen.

Aber ich? Es ist keiner von jenem Clan gekommen, um mich zu holen. Mag sein, daß sie unsere Höhle nicht finden können. Aber ich glaube, so gern wollten sie mich gar nicht haben. Eigentlich bin ich froh darüber. Ich möchte nicht einen Mann zum Gefährten haben, den ich nie gesehen habe. Und ich möchte auch keinen der Männer, die mir vertraut sind. Sie wollen mich ja auch nicht haben. Ich bin zu hoch gewachsen. Selbst Droog reicht mir kaum über die Schulter. Broud macht das wütend. Er kann es nicht verknusen, eine Frau zu sehen, die höher gewachsen ist als er. Aber seit wir von dem Miething des Groß-Clans zurückgekehrt sind, hat er mich in Ruhe gelassen. Wie kommt es aber, daß ich stets zusammenzucke, wenn er mich ansieht? Ayla dachte auch an die anderen Clan-Leute. Brun spürt die Bürde des Alters. Ebra hat in letzter Zeit oft Mittel für seinen Muskelschmerz geholt. Bald wird er Broud zum Clan-Führer machen. Ich spüre es. Und Goov wird der Mog-ur. Ich glaube, Creb will gar nicht mehr der Mog-ur sein, seit der Nacht, als ich in der Grotte war. Wie kam es, daß ich dort hinging? Ich weiß nicht einmal mehr, wie ich dahin gekommen bin. Es wäre mir wohler, ich wäre nie mitgezogen zu Norgs Höhle. Wäre ich hiergeblieben, dann hätte ich Iza vielleicht noch ein wenig länger am Leben halten können. Sie fehlt mir sehr. Und ich habe nie einen Gefährten gefunden, aber Durc eine Gefährtin, und er ist noch ein Kind.

Seltsam, daß sie dieser Ura das Leben gegeben haben. Man könnte meinen, als wäre es ihr bestimmt gewesen, Durcs Gefährtin zu werden. Männer der Fremdlinge, hat Oda berichtet. Wer sind die Fremdlinge? Iza hat mir gesagt, daß ich ihnen geboren wurde. Wie kommt es, daß ich nichts davon weiß? Was ist meiner eigenen Mutter zugestoßen? Was ihrem Gefährten? Hatte ich Geschwister? Ayla verspürte ein Flattern in ihrer Magengrube, und plötzlich sträubten sich ihr die Haare, als ihr einfiel, was Iza ihr in jener Nacht geraten hatte, als sie gestorben war. Sie hatte es weggeschoben gehabt, es war zu schmerzlich, an Izas Tod zu denken.

Iza riet mir fortzugehen. Sie riet mir, meine eigenen Leute, meinen eigenen Gefährten zu suchen. Broud würde einen Weg finden, mir Böses anzutun, wenn ich bliebe. Im Landesinneren leben sie, die Fremdlinge, dort, wo der Schnee lange die Erde bedeckt und die warmen Tage von kurzer Dauer sind.

Wie aber kann ich von hier fortgehen? Dies ist meine Bleibe. Ich kann Creb nicht verlassen, und Durc braucht mich. Und wenn ich die Fremdlinge nicht finde? Oder wenn ich sie fände und sie wollten mich nicht haben? Keiner will eine häßliche Frau. Wie soll ich wissen, daß ich einen Gefährten finde, selbst wenn ich die Fremdlinge aufspüren sollte?

Creb ist alt und müde. Was wird aus mir werden, wenn auch er nicht mehr da ist? Ich kann nicht allein mit Durc leben. Einer der Männer muß mich dann zu sich nehmen. Aber wer? Broud! Er wird dann Clan-Führer sein. Wenn kein anderer mich aufnehmen will, muß er es tun. Und wenn ich mit Broud leben muß? Er will mich auch nicht haben, aber er weiß, daß es mir verhaßt wäre, mit ihm zu leben. Und nur deshalb würde er mich an seinem Feuer aufnehmen. Ich könnte es nicht ertragen, in Brouds Wohnkreis zu leben; lieber mit einem fremden Mann von einem anderen Clan, aber da will mich ja auch niemand haben.

Soll ich fortgehen? Durc könnte ich mitnehmen. Aber wenn ich dann die Fremdlinge nicht finde? Und wenn mir etwas zustößt? Wer würde Durc dann beschützen? Er wäre ganz allein, so allein wie ich es war vor Zeiten. Nein, ich kann Durc nicht von hier fortbringen. Er ist ein Kind des Clans, auch wenn etwas von mir in ihm wohnt.

Aber ohne Durc könnte ich niemals fortgehen. Lieber will ich mit Broud leben. Ich muß bleiben. Es gibt keinen anderen Ausweg. Ich bleibe und lebe an Brouds Feuer, wenn ich muß.

Ayla blickte auf ihren schlafenden Sohn und kämpfte darum, ihr Schicksal anzunehmen. Eine Fliege landete auf Durcs Nase. Sein Gesicht zuckte. Im Schlaf rieb er sich die Nase, dann wurde er wieder ruhig.

Ich weiß ja gar nicht, wohin ich gehen soll. Im Landesinneren? Welche Richtung soll ich nehmen? Hier, von der Höhle aus, ist überall das Innere des Landes. Es könnte sein, daß ich bis ans Ende meiner Tage umherirren und niemanden finden würde. Und die Fremdlinge könnten so schlecht sein wie Broud. Oda hat erzählt, daß jene Männer sie mit Gewalt genommen haben. Ayla blickte zum Himmel.

Die Sonne steht tief. Ich muß zurück. Sie beugte sich zu ihrem Sohn und weckte Durc. Während sie langsam zur Höhle zurückging, versuchte sie, die Gedanken an die Fremdlinge aus ihrem Hirn zu verbannen. Doch wie dünne Nebelfäden, die sich nicht auflösen wollten, blieben sie dort hängen und ließen sich nicht verdrängen.

»Hast du viel zu tun, Ayla?« fragte Uba mit scheuer Gebärde. Auf ihrem Gesicht lag ein Leuchten, und Ayla glaubte zu wissen warum.

»Nein, komm nur«, forderte sie Uba auf.

»Wo ist Durc?« wollte Uba wissen, während Ayla das Feuer schürte und ein paar Kochsteine hineinlegte, um Wasser heiß zu machen.

»Draußen. Mit Grev. Oga schaut nach ihnen. Die beiden sind immer zusammen«, gab sie zur Antwort.

»Ja, sie sind wie Brüder, beinahe wie zwei, die zusammen geboren sind.«

»Aber zwei, die zusammen geboren sind«, schränkte Ayla ein, »sehen oftmals gleich aus. Diese beiden nicht. Und zwei zu nähren ist schon schwer. Ich bin froh, daß Oga Durc mitnähren konnte.«

»Ich hoffe, daß auch meine Brüste Quellen werden«, gab Uba mit lebhafter Hand zurück. »Ich glaube, ich werde ein Kind kriegen, Ayla.«

»Das ahnte ich, Uba. Seit du mit Vorn zusammengegeben wurdest, hat dein Totem nicht mehr gekämpft, ja?«

»Nein. Ich glaube, Vorns Totem hat lange schon gewartet. Es muß sehr stark gewesen sein.«

»Hast du es ihn schon wissen lassen?«

»Ich wollte warten, bis ich ganz sicher bin, aber er hat es herausgefunden. Er ist voller Freude«, gab Uba mit stolzer Gebärde zu verstehen.

»Ist er dir ein guter Gefährte, Uba?«

»Oh, ja, Ayla, das ist er. Als er sah, daß ich ein Kind bekomme, hat er mir anvertraut, daß er lange auf mich gewartet hat. Er hat schon um mich gefragt, bevor ich zur Frau geworden bin.«

»Wie schön, Uba«, machte Ayla und fügte aber nicht hinzu, daß er ja außer der jungen Medizinfrau gar keine andere Frau hätte nehmen können. Und warum hätte er mich nehmen sollen? dachte Ayla. Welcher Mann will schon eine große, häßliche Frau nehmen, wenn er Uba haben kann, die wohlgestaltet ist und von Izas Stamm? Was ist mit mir? Ich hatte nie Lust, Vorns Gefährtin zu werden. Ich habe wohl noch immer Angst davor, was aus mir werden wird, wenn Creb nicht mehr hier ist. Ich muß ihn gut pflegen, damit er noch lange bei uns bleibt. Aber oft sieht es so aus, als wollte er es gar nicht mehr. Kaum, daß er noch die Höhle verläßt.

Wenn er sich nicht bewegt, wird er sie bald nicht mehr verlassen können.

»Was denkst du gerade, Ayla? Du bist oft so in dich gekehrt.«

»Ich war bei Creb. Ich sorge mich um ihn.«

»Er ist sehr betagt. Er hat mehr Sommer gesehen als Mutter, und sie ist vor ihm fortgegangen. Mein Herz schreit immer noch nach ihr, Ayla. Ich fürchte den Tag, an dem Creb in die nächste Welt hinübergeht.«

»Ich auch, Uba«, bedeutete Ayla bedrückt.

Ayla war rastlos. Sie ging häufig zur Jagd, und wenn sie in der Höhle blieb, so schaffte und arbeitete sie unermüdlich. Untätigkeit konnte sie nicht aushalten. Sie sah den Vorrat an heilenden Kräutern durch und ordnete ihn neu. Sie durchstreifte die Wälder und Wiesen nach frischen Pflanzen, um den Bestand zu ergänzen. Sie flocht neue Körbe und Matten, fertigte hölzerne Schalen und Platten, Gefäße aus Rohhaut oder Birkenrinde, machte neue Überwürfe, enthaarte Häute und Felle, die die Jäger mitbrachten, und verarbeitete sie zu Nützlichem für den Winter. Sie putzte Blasen und Mägen, um sie als Behältnisse zu verwenden. Sie fertigte aus Holzpfählen und starken Schnüren ein neues Kochgestell, an dem Gefäße über das Feuer gehängt werden konnten. In flache Steine, die als Lampen dienen sollten, schlug sie Gruben, so daß mehr Fett hineingegeben werden konnte, und sie sammelte Moos und machte neue Dochte. Sie schlug neue Messer, Schaber, Sägen und Äxte und suchte am Wasser nach brauchbaren Muscheln. Sie zog mit den Jägern aus, um das Fleisch zu dörren, sie sammelte Früchte, Samen, Nüsse und Grünzeug mit den Frauen, sie worfelte Getreidekörner und zermalmte sie besonders fein, so daß Creb und Durc sie leichter kauen konnten. Und noch immer war ihr die Arbeit nicht genug.

Sie fing an, Creb zu verwöhnen wie nie zuvor, hätschelte ihn wie ein Kind. Sie bereitete ihm besondere Speisen, um seinen Gaumen anzureizen, sie braute ihm stärkende Getränke und bestand darauf, daß er mit ihr öfters in die Sonnenluft ging. Aylas Fürsorge schien ihm gutzutun; manches von seiner früheren Kraft und Zuversicht gewann er zurück. Und dennoch fehlte etwas. Die unbefangene Nähe ihrer früheren gemeinsamen Wanderungen war für immer dahin. Meist schritten sie stumm und ohne irgend etwas zu deuten Seite an Seite am Bach entlang.

Nicht nur Creb wurde alt. An dem Tag, als Brun vom Grat aus den Jägern nachblickte, bis sie nur noch winzige Punkte in der weiten Steppe waren, fiel es Ayla plötzlich auf: Wie sehr hatte sich auch der Clan-Führer verändert! Sein Bart war nicht mehr grau gesprenkelt, er war weiß wie sein Haar, und tiefe Falten durchzogen sein Gesicht. Sein harter, straffer Körper war schwammig und aufgequollen, die Haut war schlaff geworden.

Langsam schlurfte Brun zur Höhle zurück und bewegte sich dann den ganzen Tag nicht von seiner Feuerstätte weg. Noch einmal zog er bei der nächsten Jagd mit seinen Männern aus. Als er danach wieder zurückblieb, verharrte Grod an seiner Seite, noch immer der treue Gefährte.

Eines Tages, als die Luft schon kühler wurde, kam Durc in die Höhle gerannt.

»Ma-Ma! Ma-Ma! Ein Mann. Es kommt ein Mann.«

Ayla eilte zusammen mit den anderen zum Höhleneingang, nach ihm Ausschau zu halten, der da den Pfad von der Küste heraufkam.

»Ayla, glaubst du, er kommt deinetwegen?« fragte Uba mit aufgeregten Gebärden.

»Ich weiß es nicht, Uba.«

Ayla zitterte. Sie hoffte, der Mann käme vom Clan, mit dem Zoug verwandt war und hatte doch wieder Angst davor.

Als der Mann die Höhle erreichte, zog er sich mit Brun an dessen Feuerstätte zurück. Nicht lange danach sah Ayla die Gefährtin des Clan-Führers auf sich zukommen.

»Brun wünscht dich zu sehen, Ayla«, bedeutete ihr Ebra.

Ayla schlug das Herz bis zum Hals und die Knie zitterten ihr so heftig, daß sie fürchtete, den kurzen Weg bis zu Bruns Wohnkreis nicht schaffen zu können. Erleichtert kauerte sie zu Bruns Füßen nieder. Er berührte ihre Schulter.

»Das ist Vond, Ayla«, stellte er den Mann vor. »Er ist von

weither gekommen, von Norgs Höhle, um dich zu sehen. Seine Mutter ist krank. Die Medizinfrau des Clans kann ihr nicht helfen. Er hat die Hoffnung, daß du einen Zauber weißt, der hilft.«

Ayla hatte sich auf dem Miething des Groß-Clans einen Ruf als Medizinfrau von hohem Können und Wissen geschaffen. Der Mann war also um ihrer Kunst willen gekommen, nicht um ihrer selbst willen. Aylas Erleichterung übertraf ihre Enttäuschung.

Vond blieb nur zwei Tage, doch er brachte Neues von seinem Clan. Der junge Jäger, der beim Fest des Bären verletzt worden war, hatte bei Norgs Clan überwintert. Und bald nach der Schneeschmelze war er zu seinem eigenen Clan aufgebrochen. Die Wunde an seinem Bein war gut verheilt; nur ein leichtes Hinken war zurückgeblieben. Seine Gefährtin hatte ihm einen heilen Sohn geboren, der den Namen Creb bekommen hatte.

Ayla stellte dem Mann vielerlei Fragen über die Krankheit seiner Mutter und packte dann einen Beutel mit verschiedenen Zaubermitteln zusammen. Sie trug Vond auf, es der Medizinfrau seines Clans zu übergeben und dieser genau ihre Anweisungen zu übermitteln. Sie wußte nicht, ob sie mehr Wirkung zeigen würden, aber da er nun einmal von so weit hergekommen war, würde sie ihr Bestes versuchen.

Nachdem Vond wieder fortgezogen war, konnte Brun nicht umhin, sich Aylas wegen Gedanken zu machen. Bisher hatte er jeden Entscheid aufgeschoben, weil er noch immer gehofft hatte, ein anderer Clan könnte sich bereit zeigen, sie aufzunehmen. Doch wenn Norgs Läufer ihre Höhle finden konnte, dann hätten das auch andere fertig gebracht, wenn sie es gewollt hätten. Nach so langer Zeit war nichts mehr zu erwarten. Er mußte also zusehen, daß Ayla in ihrem eigenen Clan einen Gefährten fand, der sie beschützte, wenn Creb nicht mehr war.

Aber bald würde Broud die Führung des Clans übernehmen. Und als Clan-Führer wäre es dann an ihm, Ayla aufzunehmen. Doch solange der Mog-ur noch lebte, brauchte nichts überstürzt zu werden. Brun beschloß, Broud selbst den Entscheid in dieser Frage zu überlassen. Es sieht so aus, als hätte er seine hitzköpfige Abneigung gegen sie endlich bezwungen, dachte Brun. Er läßt sie seit langem in Ruhe. Es sieht so aus, als wäre er endlich fähig, die Führung zu übernehmen. Dennoch blieb ein Schatten von Zweifel in seinem Herzen.

Die warmen Tage gingen zu Ende, und der Clan schickte sich allmählich in die ruhigere, aber kältere Jahreszeit. Ubas Trächtigkeit war bisher ganz ohne Beschwerden verlaufen. Doch plötzlich spürte sie kein Leben mehr in ihrem Leib. Und als sie sah, daß sie blutete, lief sie zu Ayla.

»Wie lange spürst du schon, daß sich nichts mehr in dir regt, Uba?« fragte Ayla besorgt.

»Seit vielen Tagen schon, Ayla. Was soll ich tun? Vorn war so voller Freude. Ich will mein Kind doch nicht verlieren. Was kann geschehen sein? Der Geburtstag ist so nahe. Bald kommt die Schneeschmelze.«

»Ich weiß es nicht, Uba. Bist du gefallen? Hast du etwas Schweres getragen?«

»Ich glaube nicht.«

»Geh wieder an dein Feuer, Uba, und leg dich hin. Ich bringe dir einen Trank. Ich wünschte, es wäre noch nicht so kalt. Dann würde ich die wundersame Wurzel suchen, die Iza mir brachte, als ich auf Durc warten mußte. Aber der Schnee liegt zu hoch. Da komme ich nicht mehr weit. Ich will sehen, ob ich auf ein Mittel komme. Denk auch du noch nach, Uba. Du weißt beinahe alles, was Iza wußte.«

»Ich habe bereits nachgedacht, Ayla, aber ich weiß nichts, was ein Kind wieder weckt, wenn es aufgehört hat, sich zu rühren.«

In den folgenden Tagen lag Uba niedergedrückt auf ihrem Lager und wartete, die Hände auf ihren Leib gepreßt, verzweifelt darauf, daß sich das Kind wieder rühren würde. Doch im Innersten ihres Herzens wußte sie, daß alles umsonst sei.

Ovra wachte ständig bei Uba. Sie hatte diese Qualen selbst schon oft erlebt, so daß sie besser als jede andere Ubas Schmerz und Kummer fühlen konnte. Goovs Gefährtin hatte niemals ein Kind ganz austragen können und war mit den Jahren der Kinderlosigkeit immer stiller und verschlossener geworden. Mancher Mann hätte eine solche Gefährtin verstoßen oder sich eine zweite Frau genommen. Doch Goov war seiner Gefährtin in tiefer Neigung verbunden. Er wollte ihren Gram nicht noch vertiefen und sich eine zweite Gefährtin nehmen, die ihm Kinder gebären konnte. Seit einiger Zeit gab Ayla Ovra den geheimen Trank, der ihr Totem so stärkte, daß es nicht mehr bezwungen werden konnte. Es war allzu kummervoll für eine Frau, immer wieder trächtig zu werden und dann ihr ungeborenes Kind verlieren zu müssen. Ayla enthüllte Ovra nicht, was es mit dem Mittel auf sich hatte, doch diese ahnte es, als sie sah, daß sie plötzlich nicht mehr trächtig wurde. Doch war es besser so.

An einem kalten, trüben Morgen in jener Zeit, als die Tage schon wieder länger wurden, schaute sich Ayla Izas Tochter an und traf einen Entscheid.

»Uba«, rief sie leise. Die junge Frau schlug die von dunklen Ringen umschatteten Augen auf. »Du mußt jetzt das Mutterkorn nehmen, damit dein Leib sich zusammenzieht und das Kind ausstößt. Es gibt kein Mittel, das dein Kind retten kann, Uba. Und wenn es nicht abgetrieben wird, mußt auch du sterben. Du bist jung. Du kannst wieder ein Kind kriegen.«

Uba blickte auf Ayla, dann auf Ovra und wieder zurück zu Ayla.

»Ja, ich habe es geahnt«, gab sie mit mutloser Gebärde zurück. »Mein Kind ist tot.«

Als endlich alles vorbei war, wickelte Ayla die Totgeburt hastig in die Felldecke, auf der Uba gelegen hatte.

»Es war ein Junge«, bedeutete sie Uba.

»Kann ich ihn sehen?« bat die erschöpfte junge Frau.

»Es ist besser, du siehst ihn nicht, Uba. Das macht den Schmerz nur schlimmer. Ruh dich aus. Ich bringe ihn fort. Du bist zu schwach zum Aufstehen.«

Auch Brun erklärte Ayla, daß Uba zu schwach war und daß sie selbst das tote Kind fortbringen würde. Sie enthüllte ihm nicht, daß Uba nicht einen, sondern zwei Söhne geboren hatte, deren Körper miteinander verwachsen waren. Nur Ovra hatte das jammervolle Mißratene gesehen, das kaum als Erdling zu erkennen war.

»Willst du heute nacht bei Uba schlafen, Durc?«

»Nein!« gab der Junge mit heftiger Gebärde zurück. »Durc schläft bei Ma-Ma.«

»Das ist gut so, Ayla. Ich habe es geahnt. Er war ja den ganzen Tag bei mir«, bedeutete Uba. »Woher hat er diesen Namen, mit dem er dich nennt?«

»Es ist ein Name, den er nur für mich hat«, gab Ayla zurück und wandte den Kopf ab. Vom ersten Tag ihres Zusammenlebens mit dem Clan hatte sich ihr das Mißfallen der Leute an Lauten und Tönen, die sie als überflüssig empfanden, so fest eingeprägt, daß sie fast immer das Gefühl hatte, etwas Verbotenes zu tun, wenn sie mit ihrem Sohn das Lautspiel spielte. Uba drängte sie nicht, obwohl sie spürte, daß Ayla etwas verbarg.

Ayla schaute Izas Tochter an. »Manchmal, wenn ich mit Durc allein ausziehe, machen wir zusammen Töne mit dem Mund«, bekannte Ayla. »Er hat diese Laute für mich ausgesucht. Er kann viele Laute von sich geben.«

»Daran ist doch nichts Schlechtes«, bedeutete Uba. »Unsere Sprache kann er ja deuten. Ach, wenn diese Wurzeln doch nicht so übel verfault wären«, fügte sie verdrießlich hinzu. »Das wird ein karger Festverzehr. Nur Dörrfleisch und Rauchfisch und halb verfaultes Grünzeug. Wenn Brun ein wenig länger warten würde, gäbe es wenigstens noch ein paar frische Triebe und Kräuter.«

»Brun allein hat das nicht so bestimmt«, klärte Ayla sie auf. »Creb hat ihn wissen lassen, daß die beste Zeit dann ist, wenn nach dem Tag, an dem Tag und Nacht gleich lang sind, wieder ein volles Mondgesicht am Himmel steht.«

»Wie weiß er denn, wann Tag und Nacht gleich sind?« fragte Uba verwundert. »Diese verregneten, trüben Tage sehen mir alle gleich kurz aus.«

»Ich glaube, er schaut genau, wann die Sonne aufgeht und wann sie untergeht. Sogar wenn es regnet, ist das oft gut zu sehen, und wir haben genug klare Nächte gehabt, wo das Mondgesicht sich zeigte. Creb weiß solche Dinge.«

»Ich wünschte, Creb würde Goov nicht zum Mog-ur machen«, bedeutete Uba seufzend.

»Mir geht es ebenso«, gab Ayla mit bekümmerter Geste zurück. »Auch so sitzt er oft viel zu lange untätig herum. Was will er tun, wenn er keine Feiern mehr abhalten kann? Dieser Festverzehr wird mir gewiß nicht schmecken.«

»Ja, es wird mich schon hart ankommen, wenn Brun nicht mehr der Clan-Führer ist und Creb nicht mehr der Mog-ur. Aber Vorn sagt, es ist Zeit, daß die jüngeren Männer die Führung übernehmen. Er findet, Broud hat lange genug gewartet.«

»Sicher ist es so, wie er sagt«, stimmte Ayla zu. »Vorn hat Broud immer mit Bewunderung angesehen.«

»Er ist gut zu mir, Ayla. Er zürnte mir nicht, als ich das Kind verlor. Und er scheint auch dich zu mögen. Er trug mir auf, dich zu bitten, Durc bei uns schlafen zu lassen. Ich glaube, er spürt, wie gern ich ihn bei mir habe«, berichtete Uba mit eifrigen Händen. »Selbst Broud hat sich dir gegenüber nicht mehr so zornig und finster gezeigt wie in früheren Jahren.«

»Ja, er hat mich in Ruhe gelassen«, nickte Ayla.

Von der Bangnis, die sich jedesmal in ihr Herz schlich, wenn Broud sie anblickte, sprach sie nicht.

Lange blieb Creb in jener Nacht mit Goov zusammen in der Wohnstätte der Geister. Ayla, die schon am Morgen mit einem Gefühl der Beklommenheit erwacht war, spürte, wie die Angst ihr das Herz immer fester zusammenpreßte. Ihr war, als rückten die Wände der Höhle immer enger zusammen, und ihr Mund war wie ausgedörrt. Vom Nachtverzehr würgte sie nur ein paar Bissen hinunter, dann sprang sie plötzlich auf und stürzte zum Eingang der Höhle. Sie blickte hinauf zum tiefhängenden, düsteren Wolkenhimmel, aus dem prasselnd der Regen fiel, der kleine Kuhlen in die schlammige Erde höhlte. Durc kroch zu ihrem Lager und schlief schon, als sie ans Feuer zurückkehrte.

Ayla nahm ihn in die Arme und spürte den Schlag seines kleinen mutigen Herzens, doch zu ihr wollte der Schlaf nicht kommen. Mit wachen Augen lag sie da und starrte auf die schattenhaften Gebilde der grauen Felswand. Sie war noch nicht eingeschlafen, als Creb kam, doch sie rührte sich nicht, lauschte reglos dem müden Schlurfen seiner Füße und glitt in einen Traum.

Schreiend fuhr sie hoch.

»Ayla! Ayla!« rief Creb, und schüttelte sie, um sie aus ihrem Traum zu reißen. »Was ist, Kind?« Ängstliche Besorgnis lag in seiner Gebärde.

»Ach, Creb«, stieß Ayla schluchzend hervor und schlang die Arme um seinen Hals. »Ich hatte diesen Traum, diesen Traum, der mir schon lange nicht mehr erschienen ist.«

Creb legte seinen Arm um sie und spürte das Zittern in ihrem Körper.

»Was ist, Ma-Ma?« Mit furchtsam aufgerissenen Augen setzte Durc sich auf. Nie zuvor hatte er seine Mutter schreien gehört. Ayla nahm ihn in den Arm.

»Was war es für ein Traum?« fragte Creb. »Der von dem Höhlenlöwen?«

»Nein, der andere! Der Traum, den ich immer nur ganz undeutlich vor mir habe, wenn ich erwache. Der Traum vor dem Höhlenlöwen.« Sie begann, wieder zu zittern. »Creb, warum kommt der Traum gerade jetzt? Ich glaubte, ich würde nie wieder böse Träume haben.«

Creb nahm sie wieder in den Arm und tröstete sie. Ayla schmiegte sich an ihn. Beiden wurde plötzlich bewußt, wie lange es her war, seit sie solche Nähe gespürt hatten, und Durc zwischen sich hielten sie einander fest.

»Ach, Creb, wie oft wollte ich meine Arme um dich legen. Ich glaubte, du wolltest mich nicht in deiner Nähe haben; ich fürchtete, du würdest mich wegstoßen wie früher, wenn ich aufsässig war. Immer wollte ich es dich wissen lassen, Creb, wie nahe du meinem Herzen bist.«

»Ayla, selbst in jenen Tagen mußte ich mich zwingen, dich wegzustoßen. Ich mußte etwas tun, sonst hätte Brun eingegriffen. Niemals konnte ich dir zürnen, weil mein Herz immer bei dir war. Ich glaubte, du wärst voll Kummer darüber, daß deine Brüste sich Durc verweigerten. Ich glaubte, du hättest dich von mir abgewendet, weil es meine Schuld war.«

»Es war nicht deine Schuld, Creb. Es war meine eigene.«

»Aber ich hätte wissen müssen, daß ein Kind bei seiner Mutter saugen muß, wenn ihre Milch nicht versiegen soll. Doch alles sah mir danach aus, als wolltest du mit deinem Schmerz alleine bleiben.«

»Wie hättest du es denn wissen sollen? Keiner der Männer weiß es. Und es hat ihm nichts geschadet. Er ist groß und kräftig.«

»Aber es hat dir weh getan, Ayla.«

»Ma-Ma!« klagte Durc.

»Wie kommt es, daß er dich bei diesem Namen nennt, Ayla?« fragte Creb.

Sie errötete. »Durc und ich machen manchmal im Spiel Töne und Laute. Er hat sie einfach für mich ausgesucht.«

Creb verstand und wandte sich dann voll zu Ayla.

»Die anderen Frauen nennt er Mutter. Er brauchte wohl einen besonderen Namen für dich. Du hast auch viele Laute gemacht, früher, als du zu uns kamst, Ayla. Ich glaube, deine Leute sprechen in Lauten.«

»Meine Leute sind die Clan-Leute, Creb. Ich bin eine Frau des Clans.«

»Nein, Ayla«, gab Creb betont zurück. »Du gehörst nicht zum Clan. Du bist eine Frau der Fremdlinge.«

»Das sagte mir auch Iza in der Nacht, als sie von uns ging.«

Crebs Gesicht zeigte Überraschung.

»Iza war eine scharfblickende Frau, Ayla. Ich sah das erst in der Nacht, als du uns in die Höhle folgtest.«

»Ich wollte gar nicht in die Höhle, Creb. Ich weiß nicht, wie ich dorthin gekommen bin. Ich weiß nicht, was dich so tief verletzt hat, aber ich glaubte, du hättest dich von mir abgewandt, weil ich in die Höhle gekommen bin.«

»Nein, Ayla, ich habe mich nicht von dir abgewandt. Niemals.«

Creb blickte Ayla nach, als sie zum Feuer ging und für Durc, der Hunger hatte, etwas holte. Warum sie uns wohl geschickt wurde, dachte er. Sie wurde den Fremdlingen geboren, und der Höhlenlöwe hat sie immer beschützt. Warum hat er sie hierher geführt? Warum nicht zurück zu den Fremdlingen? Und warum ließ er es zu, daß er bezwungen wurde, so daß sie ein Kind bekam, wenn er dann zuließ, daß sich ihre Brust verweigerte? Alle glauben, es wäre ein Zeichen dafür, daß Unheil über dem Jungen liegt, aber er ist gesund und kräftig, und alle bringen ihm Zuneigung entgegen. Mag sein, daß Dorv es richtig sah. Mag sein, daß die Totems aller Männer sich mit ihrem Höhlenlöwen vermischten. Es ist ja so, wie sie von Anfang an gesagt hat, er ist nicht mißgestaltet. Er ist eine Mischung. Er kann sogar Laute hervorbringen wie sie, die Fremdlinge. Er ist ein Teil von Ayla und ein Teil vom Clan.

Creb wurde es plötzlich eiskalt, und die Haare sträubten sich ihm. Ein Teil von Ayla und ein Teil vom Clan! Wurde sie uns darum geschickt? Um ihres Sohnes willen? Der Clan ist dem Untergang geweiht. Er wird vergehen. Nur die Leute ihrer Art werden weiterleben. Ich weiß es. Ich spüre es. Aber was ist mit Durc? Er hat etwas von den Fremdlingen. Er wird fortleben, aber er hat auch etwas vom Clan. Und Ura sieht aus wie Durc, und sie wurde nicht lange nach dem Zusammenstoß mit den Fremdlingen geboren. Sind ihre Totems so mächtig, daß sie das Totem einer Frau in so kurzer Zeit bezwingen können? Es könnte wohl sein. Wenn ihre Frauen das Totem des Höhlenlöwen haben, dann müssen sie auch so mächtig sein. Ist auch Ura eine Mischung? Und wenn es Durc und Ura gibt, dann muß es auch andere geben. Kinder aus der Vermischung der Geister. Kinder, die das Feuer des Clans weitergeben werden. Nicht viele vielleicht, aber genug.

Mag sein, daß unterzugehen dem Clan schon bestimmt war, ehe Ayla die heilige Feier sah. Mag sein, daß sie nur dorthin geführt wurde, um es mir zu zeigen. Wir werden nicht mehr sein, aber solange es Kinder wie Durc und Ura gibt, werden wir nicht sterben. Ist wohl Durc das Vermögen mitgegeben, sich zu erinnern? Wäre er nur älter, alt genug für eine Feier. Aber sei's drum. Durc hat mehr als die Erinnerung, er hat den Clan. Ayla, mein Kind, Kind meines Herzens, das Glück ist mit dir, und du hast es uns gebracht. Jetzt weiß ich, warum du gekommen bist – nicht um uns den Tod zu bringen, sondern um uns ein Überleben zu ermöglichen. In anderer Gestalt werden wir weiterleben.

Ayla brachte ihrem Sohn ein Stück kaltes Fleisch. Creb

schien tief versunken, doch er blickte sie an, als sie sich setzte.

»Creb«, begann sie versonnen, »manchmal glaube ich, daß Durc nicht allein mein Sohn ist. Seit er von Feuer zu Feuer wanderte, ißt er in jedem Wohnkreis. Jeder füttert ihn. Er ist wie ein junger Höhlenbär, als wäre er der Sohn des ganzen Clans.«

Ayla spürte die Welle tiefer Traurigkeit, die Creb erfaßt hatte.

Er blickte sie an.

»Durc ist der Sohn des ganzen Clans, Ayla. Er ist der einzige Sohn des Clans.«

Das erste Licht des neuen Tags schimmerte durch den Eingang der Höhle. Ayla lag wach und blickte auf ihren Sohn, der neben ihr schlief, während es draußen langsam heller wurde. Sie konnte Creb auf seinem Lager sehen, und sein regelmäßiges Atmen verriet ihr, daß er noch schlief. Seit sie sich mit Creb ausgesprochen hatte, war ihr, als wäre eine schwere Last von ihrem Herzen genommen worden. Doch die Beklommenheit, das ängstliche Flattern in der Magengrube, das sie den ganzen vergangenen Tag gequält hatte, war in der Nacht noch schlimmer geworden. Sie hatte das Gefühl, als müßte sie ersticken, wenn sie noch einen Herzschlag länger in der Höhle blieb. Leise stand sie auf, zog sich etwas über und huschte lautlos zum Eingang.

Sobald sie im Freien stand, holte sie tief Luft. Ihre Erleichterung war so groß, daß nicht einmal der eisige Regen, der ihr den Umhang durchnäßte, ihr etwas ausmachte. Mühsam quälte sie sich durch den Schlamm vor der Höhle zum Bach.

Mit ihren Fußhüllen hatte sie wenig Halt in dem rotbraunen Morast. Halb rutschte, halb fiel sie zu dem Gewässer hinunter. Das Haar klebte ihr in Strähnen am Kopf. Lange Zeit stand sie am Ufer des Baches, der sich gurgelnd aus der eisigen Umklammerung des Winters zu befreien suchte, und starrte in die dunklen Wirbel, die so lange an Eisschollen rissen, bis sie sich lösten und von der Strömung fortgespült wurden.

Die Zähne klapperten ihr, als sie sich den glitschigen Hang wieder emporschaffte. Und wie sie hoch sah, bemerkte sie, daß der graue Himmel sich jenseits des Grats ein wenig aufhellte. Und als sie den Höhleneingang erreichte, war ihr, als müßte sie eine unsichtbare Sperre überwinden, einzutreten, und kaum war sie drinnen, da drückte ihr schon wieder diese merkwürdige Beklommenheit das Herz zusammen.

»Ayla, du bist naß bis auf die Haut. Warum bist du bei diesem Regen hinausgegangen?« machte Creb vorwurfsvoll. Er nahm einen Holzscheit und legte ihn ins Feuer. »Nimm den Umhang ab und setz dich hierher.«

Sie zog sich etwas anderes an und hockte sich neben Creb an die wärmenden Flammen. Mit Erleichterung spürte sie, daß die Stille zwischen ihnen nichts Drückendes mehr hatte.

»Es hat mir so wohlgetan, daß wir in der Nacht miteinander gesprochen haben, Creb. Ich war unten am Bach. Das Eis bricht. Die Sonne kommt. Bald können wir wieder unsere Wanderungen machen.«

»Ja, Ayla, die Sonne kommt. Wenn du willst, machen wir wieder Wanderungen. Wenn der Sommer da ist.«

Ayla spürte, wie ein kalter Hauch sie streifte. Sie hatte das herzzerbrechende Gefühl, daß es nie wieder zu einer Wanderung mit Creb kommen würde, und sie spürte, daß auch Creb dies wußte. Sie streckte die Arme nach ihm aus, und sie hielten einander fest, als wäre es zum letzten Mal.

Zu Mitte des Vormittags hin fiel der Regen dünner, und am Nachmittag versiegte er ganz. Eine bleiche, matte Sonne brach durch die Wolkendecke, doch sie war zu schwach und konnte die Erde weder trocknen noch wärmen.

Trotz des bedrückenden Wetters und des Wissens, daß der Festverzehr kärglich ausfallen würde, waren die Clan-Leute voll erwartungsvoller Erregung, als die Zeit für die Feierlichkeit näher rückte. Ein Wechsel an der Spitze des Clans kam selten genug vor. Zur gleichen Zeit sollten sie aber auch einen neuen Mog-ur bekommen. Das war noch nie dagewesen.

Oga, für die die Feier genau wie für Ebra und Brac, den zukünftigen Nachfolger Brouds, besondere Bedeutung besaß, war rastlos und angespannt. Jeden Augenblick sprang sie auf und lief zum Feuer, um nach dem Verzehr zu sehen. Ebra mühte sich, sie zu beruhigen, doch die Gefährtin des Clan-

Führers war selbst aufgeregt. Aylas einzige Aufgabe bei der Feier war, den Daturatrank für die Männer zu bereiten; doch Creb hatte sie angewiesen, den Trank nicht aus den Wurzeln zu machen.

Als es dunkel wurde, schwebten nur noch einige Wolkenfetzen am Himmel, die hin und wieder das volle Mondgesicht verschleierten, das die kahle, leblose Landschaft erhellte. Drinnen in der Höhle hatten die Leute in dem Raum hinter der letzten Feuerstätte mit Fackeln einen Kreis ausgesteckt, in dessen Mitte ein hohes Feuer loderte.

Ayla hockte allein auf ihrem Fell und starrte in die Flammen, die in der kleinen Feuerstätte neben ihr züngelten. Immer noch fühlte sie sich von der merkwürdigen Beklommenheit bedrängt. Sie stand auf, um nach draußen zu gehen, bis die Feierlichkeiten begannen, doch da sah sie Bruns Zeichen und blieb. Als jeder seinen Platz eingenommen hatte, trat der Mog-ur, gefolgt von Goov, aus der Zauberstätte.

Als der heilige Mann zum letzten Mal die Geister beschwor, sich zu ihnen zu gesellen, war es, als entzündete sich am Abend seines Lebens noch einmal das alte Feuer in ihm. In den althergebrachten Handformeln und Gebärden lag eine Kraft und eine mächtige Eindringlichkeit wie seit langem nicht mehr. So wie jener Zauberer auf dem Miething seiner magischen Flöte die wundersamen Töne entlockt hatte, so entlockte Creb den Herzen jener, die um ihn geschart waren, Gefühle von selten empfundener Tiefe und Kraft. Goov wirkte bleich neben ihm. Der junge Mann war ein guter Mog-ur, aber mit dem Großen Mog-ur konnte er es nicht aufnehmen. Der mächtigste Zauberer, den der Groß-Clan je gekannt hatte, leitete seine letzte Feier. Als er an Goov übergab, war Ayla nicht die einzige, die weinte. Die Clan-Leute, denen Tränen nicht gegeben waren, weinten auch – mit ihren Herzen.

Aylas Gedanken begannen zu wandern, als Goov mit klarer Gebärde Brun die Macht als Clan-Führer aus den Händen nahm und sie an Broud weitergab. Ihre Augen ruhten auf Creb, und sie sah sich wieder als kleines Mädchen auf seinem Schoß sitzen. Sie erinnerte sich, mit welcher Geduld er sich bemüht hatte, sie die Handsprache des Clans zu lehren, und verspürte noch einmal einen Nachhall der jauchzenden Freude, die sie empfunden hatte, als sie endlich begriffen hatte. Ayla griff an ihr Amulett und fühlte die winzige Narbe an ihrem Hals, die er ihr bei jener besonderen Feier eingeritzt hatte, als die Ahn-Geister aus tiefster Vergangenheit ihr gestattet hatten, auf die Jagd zu gehen. Und sie verging fast vor Schmerz bei der Erinnerung an ihr verbotenes Tun während des Miethings tief unten im Berg. Dann sah sie wieder Crebs Blick voller Wärme und Traurigkeit am Abend zuvor und sah die Hand, die Zeichen formte, die ihr bekannt erschienen, und deren Bedeutung ihr dennoch verborgen geblieben war.

Ayla konnte bei dem Festverzehr kaum etwas essen. Die Männer begaben sich danach in die kleine Höhle, um das heilige Fest zu beschließen, und Ayla reichte den Daturatrank herum, den sie von Goov, dem neuen Mog-ur, entgegennahm. Doch als der Frauentanz folgte, war sie nicht mit dem Herzen dabei. Und sie nahm so wenig von dem Zaubertrank, daß die Wirkung in ihrem Kopfe rasch verflog. Früh kehrte sie in Crebs Wohnstätte zurück und schlief schon, als der frühere Mog-ur aus der kleinen Höhle kam. Ein kleines Weilchen blieb er an Aylas Lager stehen und betrachtete sie und ihren Sohn, ehe er zu seiner eigenen Schlafstatt hinkte.

»Ma-Ma, gehst du jagen? Ich will mit.« Durc weckte Ayla am anderen Morgen. Kaum jemand in der Höhle regte sich, nur ihr Sohn war richtig wach.

»Nach dem Morgenverzehr, Durc. Bleib hier«, bedeutete ihm Ayla.

Doch nach dem Morgenverzehr entdeckte Durc, daß auch Grev schon auf war. Er vergaß die Jagd und rannte zu Brouds Feuerstätte hinüber. Voll zärtlicher Wärme sah Ayla ihm nach, und ein Lächeln erhellte ihr Gesicht. Es erlosch jedoch, als sie gewahrte, wie Broud ihren Sohn anblickte. Das Herz zog sich in ihr zusammen. Die beiden Jungen stürmten hinaus ins Freie. Plötzlich spürte sie diese merkwürdige Beklommenheit mit solcher Macht, daß sie meinte, der Magen würde sich ihr umdrehen, wenn sie nicht augenblicklich die Höhle verließ. Sie sprang auf und stürzte zum Eingang. Mit hämmerndem Herzen holte sie wieder und wieder Luft.

»Ayla!«

Sie fuhr zusammen. Dann drehte sie sich um, senkte den Kopf und blickte auf den neuen Clan-Führer hinunter.

»Ich grüße den Clan-Führer«, machte sie, wie es sich gehörte.

Selten kam es vor, daß sie Broud von Angesicht zu Angesicht gegenüberstand. Sie war viel höher gewachsen als selbst der größte Mann im Clan, und Broud gehörte nicht zu den größten. Er reichte ihr kaum bis zur Schulter. Sie wußte, daß es ihn wurmte, zu ihr aufblicken zu müssen.

»Bleib in der Nähe, Ayla. Wir alle werden uns in Kürze hier draußen versammeln.«

Ayla neigte gehorsam den Kopf.

Es dauerte eine Weile, bis alle Clan-Leute sich eingefunden hatten. Die Sonne schien vom Himmel, und sie waren froh, daß Broud trotz des durchweichten Bodens bestimmt hatte, die Versammlung im Freien abzuhalten. Sie mußten warten, ehe Broud, seiner neuen Würde voll bewußt, an den Platz schritt, den früher Brun eingenommen hatte.

»Ihr alle wißt, daß ich ab heute euer neuer Clan-Führer bin«, hob Broud mit stolzer Geste an. »Da nun der Clan einen neuen Führer und einen neuen Mog-ur hat, ist die Zeit gekommen, noch andere Veränderungen vorzunehmen. Ihr sollt wissen, daß von diesem Tag an Vorn der Stammeszweite ist.«

Die Leute nahmen es gelassen auf. Sie hatten es erwartet. Brun fand, Broud hätte warten sollen, bis Vorn ein wenig reifer war, ehe er ihn in einen Rang erhob, der Vorn über erfahrenere Jäger stellte, aber alle hatten ja gewußt, daß es so kommen würde. Mag sein, daß es gut ist, es gleich zu tun, dachte Brun.

»Und es gibt noch anderes, was zu ändern ist«, fuhr Broud fort. »Es gibt eine Frau in diesem Clan, die keinen Gefährten hat.« Ayla spürte, wie ihr das Blut ins Gesicht stieg. »Sie braucht einen Ernährer. Ich will keinem meiner Jäger die Last aufbürden. Ich bin jetzt der Clan-Führer. Mir obliegt es, für sie Sorge zu tragen. Ich werde Ayla an mein Feuer nehmen, als zweite Frau.«

Ayla hatte es erwartet, jedoch kam es wie ein Keulenschlag für sie.

Es wird sie nicht froh machen, dachte Brun, aber Broud tut das Rechte. Stolz blickte Brun auf den Sohn seiner Gefährtin. Broud ist reif, die Führung zu übernehmen.

»Diese Frau hat auch ein mißgestaltetes Kind«, machte Broud und zeigte auf Durc. »Ihr alle sollt wissen, daß von diesem Tage an keine mißgestalteten Kinder mehr in diesem Clan aufgenommen werden. Keiner soll glauben, es sei Feindseligkeit von meiner Seite, wenn das nächste mißgestaltete Kind nicht aufgenommen wird. Bringt sie aber ein heiles, wohlgestaltetes Kind zur Welt, so werden wir es annehmen.«

Creb stand nicht weit vom Eingang der Höhle und sah, wie Ayla erbleichte und den Kopf senkte, um ihr Gesicht zu verbergen. Du kannst sicher sein, daß ich keine Kinder mehr haben werde, Broud, dachte sie. Nicht, wenn Izas Zauber auch bei mir seine Wirkung tut. Dein Geschlecht wirst du nicht mehr in meinen Leib versenken und dort keinen Lebenskeim mehr pflanzen. Ich werde keine Kinder gebären, die sterben müssen, nur weil du sie als mißgestaltet ansiehst.

»Ich habe es zuvor schon kundgetan«, fuhr Broud fort, »und darum sollte es keinen überraschen: An meiner Feuerstätte dulde ich kein mißgeburtiges Kind.«

Aylas Kopf fuhr hoch. Was sollte das bedeuten? Wenn sie in seinen Wohnkreis zöge, dann käme doch auch Durc mit ihr?

»Vorn ist bereit, Durc an seinem Feuer aufzunehmen«, gab Broud weiterhin bekannt. »Seine Gefährtin ist dem Jungen zugetan trotz seiner Mißgestalt. Er wird gut versorgt werden.«

Dieser Eröffnung folgten bestürztes Brummen und verwirrte Gebärden. Gewöhnlich gehörten Kinder zu ihren Müttern, bis sie erwachsen waren. Wie konnte Broud Ayla aufnehmen und ihren Sohn ablehnen?

Ayla lief zu Broud und warf sich ihm zu Füßen. Er tippte ihr auf die Schulter.

»Ich bin noch nicht am Ende, Frau. Es zeigt Mißachtung, den Clan-Führer zu unterbrechen, aber diesmal will ich es übersehen. Du magst sprechen.«

»Broud, du kannst mir Durc doch nicht fortnehmen. Er ist

mein Sohn. Dort, wo eine Mutter hingeht, gehen auch ihre Kinder hin«, beschwor sie ihn mit flehenden Händen.

Bruns Miene war finster. Fort war aller Stolz auf den neuen Clan-Führer.

»Willst du, Frau, mir befehlen, was ich tun kann und was nicht?« schalt Broud mit höhnischem Gesicht.

Er war zufrieden mit sich. Lange hatte er dies vorbereitet, und Ayla verhielt sich genau, wie er erwartet hatte.

»Du bist keine Mutter. Oga ist Durc mehr Mutter als du. Wer hat ihn denn genährt? Du nicht. Er weiß nicht einmal, wer seine Mutter ist. Jede Frau des Clans ist ihm mehr Mutter als du. Kann es da von Gewicht sein, wessen Feuer er teilt? Es liegt doch klar auf der Hand, daß ihm ein Wohnkreis soviel bedeutet wie der andere. Er nährt sich an jedermanns Feuer«, machte Broud abschätzig weiter.

Ayla hob bittend die Hände.

»Gewiß, ich konnte ihn nicht nähren, aber du weißt, daß er mein Sohn ist, Broud. Jede Nacht schläft er bei mir.«

»Nun, er wird nicht mehr jede Nacht mit dir schlafen. Kannst du bestreiten, daß Vorns Gefährtin ihm Mutter ist? Ich habe Goov – dem Mog-ur – schon aufgetragen, die Feier der Zusammengabe nach dieser Versammlung abzuhalten. Wozu warten? Du wirst dich bei Sonnenuntergang an meine Feuerstätte begeben. Und Durc wird sich an Vorns Feuer begaben. Kehre jetzt an deinen Platz zurück.«

Broud ließ den Blick über die Gesichter der Clan-Leute schweifen und sah Creb, der unweit der Höhle auf seinen Stab gestützt stand. Der alte Mann schaute finster drein.

Doch noch finsterer war Bruns Gesicht, als er sah, wie Ayla an ihren Platz wankte. Mit Macht bekämpfte er einen schwarzen Zorn. Er wollte und durfte nicht eingreifen. Aber nicht nur Zorn spiegelte sich in Bruns Augen; auch Schmerz, der sein Herz aufwühlte, zeigte sich in ihnen. Der Sohn meiner Gefährtin, dachte er, den ich großgezogen und zum Führer dieses Clans erhoben habe, er mißbraucht den Rang, um Rache zu üben. Rache an einer Frau für eine Schmach, die sie ihm nie angetan hat, ihm nur als Bild im Kopf erscheint. Wie kommt es nur, daß ich das früher nicht gesehen habe? Wie kommt es nur, daß ich so blind ihm gegenüber war? Jetzt sehe ich klar, warum er Vorn so bald schon zum Zweiten im Clan erhoben hat. Broud hat das alles mit ihm vorbereitet. Er hat sich das seit langem vorgenommen, Ayla dieses Weh anzutun. Broud! Wie kann es dir Freude bringen, eine Mutter von ihrem Kind zu trennen? Ist dein Herz aus Stein, Sohn meiner Gefährtin? Nichts ist Ayla von ihrem Sohn geblieben, als daß sie des Nachts ihr Lager mit ihm teilen kann. Und auch das willst du ihr nehmen?

»Ich bin noch nicht am Ende«, verkündete Broud mit großer Geste, um das Augenmerk der bestürzten Leute wieder auf sich zu ziehen. »Ich bin nicht der einzige, der in einen neuen Rang erhoben wurde. Wir haben auch einen anderen Mog-ur. Und es sollte für jeden klar sein, daß mit dieser Stellung auch ein besonderes Recht verbunden ist. Ich habe beschlossen, daß Goov von heute an seine Feuerstätte an jenem Platz haben wird, die dem Mog-ur des Clans zusteht. Creb wird weiter hinten in die Höhle ziehen.«

Brun warf einen Blick auf Goov. Hatte er auch dazu seine Hand gegeben? Doch Goovs Gesicht zeigte nur Verwirrung.

»Ich will nicht den Wohnkreis von Creb übernehmen«, wehrte dieser ab. »Dort ist er, seit wir in diese Höhle eingezogen sind.«

Das Unbehagen der Clan-Leute nahm zu.

»Ich habe beschlossen, daß du dich dort niederlassen wirst«, entgegnete Broud, zornig über Goovs ablehnendes Verhalten.

Als er nämlich den finsteren Blick des alten Mannes gesehen hatte, der dort vor der Höhle auf seinen Stab gestützt stand, war ihm plötzlich klar geworden, daß Creb nicht mehr der Große Mog-ur war. Was hatte er von diesem mißgestalteten, alten Krüppel noch zu fürchten? Blitzartig war ihm der Einfall gekommen, Goov dieses Angebot zu machen, und eigentlich hatte er erwartet, daß Goov genauso eifrig zugreifen würde wie Vorn zugegriffen hatte, als ihm mit einem höheren Rang gewunken wurde. Er hatte geglaubt, damit würde er sich des neuen Mog-urs versichern. Goovs Ergebenheit und Achtung seinem alten Lehrer gegenüber hatte er jedoch nicht in Betracht gezogen.

Brun gelang es nicht mehr, sich länger zurückzuhalten.

Gerade wollte er mit mächtiger Hand dazwischenfahren, als Ayla ihm zuvorkam.

»Broud!« schrie sie von ihrem Platz aus. Und mit einem Ruck fuhr dessen Kopf herum zu der Frau, die es wagte, sich gegen ihn zu stellen. »Das kannst du nicht tun«, klagte sie ihn erregt an. »Du kannst doch Creb nicht von seiner Feuerstätte vertreiben!« Voller Zorn ging sie auf Broud zu. »Er braucht einen geschützten Platz. Hinten in der Höhle bläst der Wind viel zu scharf. Und du weißt, wie sehr er leidet, wenn es kalt wird.« Ayla hatte völlig vergessen, daß sie eine fügsame, dem Manne ergebene Clan-Frau zu sein hatte. Jetzt war sie nur noch die Medizinfrau, die das Wohl eines Kranken im Auge hatte. »Du machst das nur, um mich zu treffen. Und du willst Creb weh tun, weil er mich in Schutz genommen hat. Mit mir kannst du tun, was du willst, Broud, aber laß Creb in Ruhe!«

Sie stand jetzt unmittelbar vor dem neuen Clan-Führer und überragte ihn um mehr als eine Haupteslänge, als sie mit ihren Händen vor seinem Gesicht herumwütete.

»Wer hat dir überhaupt erlaubt zu sprechen, Frau!« tobte Broud. Seine wildgewordene Faust holte zum Schlag aus. Doch Ayla sah sie heransausen und duckte sich zur Seite. Einen Augenblick lang war Broud völlig verdutzt, als er merkte, daß die strafende Hand ohne Wirkung blieb. Doch dann wich die Verblüffung blinder Wut.

»Broud!« Bruns Gebrüll ließ ihn innehalten. Zu sehr war er daran gewöhnt, dieser Stimme zu gehorchen.

»Das hier ist die Feuerstätte des Mog-urs, Broud, und sie wird seine Feuerstätte bleiben bis ans Ende seiner Tage. Er hat diesem Clan lange und gut gedient. Dieser Platz steht ihm zu. Was bist du nur für ein Clan-Führer? Was bist du nur für ein Mann? Was bist du für einer, daß du deine Stellung mißbrauchst, um an einer Frau dich zu rächen? An einer Frau, die dir niemals etwas angetan hat, Broud, die dir nichts antun konnte, selbst wenn sie es gewollt hätte! Du bist kein Clan-Führer!« donnerte Brun.

Broud zog den Kopf ein, wie er es immer tat, wenn ihn Brun zurechtwies, doch dann riß er den Kopf hoch und warf sich in die Brust.

»Du bist jetzt nicht mehr Clan-Führer, Brun! Nein, du hast hier nichts mehr zu befehlen!« Broud hatte sich gefaßt und aus dem Einfluß befreit, den Brun auf ihn ausgeübt hatte. »Ich bin jetzt der Clan-Führer. Merke dir das. Ich treffe die Entscheidungen. Stets hast du dich auf ihre Seite gestellt, sie stets geschützt. Aber jetzt ist Schluß damit!« Brouds Gesicht brannte vor Wut. »Sie wird das tun, was ich befehle, sonst verfluche ich sie. Du hast mit eigenen Augen ihre Aufsässigkeit gesehen. Und dennoch trittst du für sie ein. Ich habe es satt mit ihr. Man sollte sie verfluchen. Und ich werde sie verfluchen. Na, was tust du jetzt, Brun?«

Mit einer drohenden Gebärde wandte sich Broud an den neuen Mog-ur. »Goov! Verfluche sie! Verfluche sie auf der Stelle! Belege sie mit dem Todesfluch! Keiner wird diesem eurem Clan-Führer befehlen können, was er zu tun hat, und schon überhaupt nicht diese häßliche Frau.« Überlegen lächelnd machte Broud zu Brun: »Siehst du nun?« und wies Goov an: »Geh und verfluche sie, Mog-ur!«

Von dem Augenblick an, wo Ayla sich in den Angriff auf Broud gestürzt hatte, hatte Creb versucht, ihr Augenmerk auf sich zu ziehen, und wollte sie warnen. Ihm war es gleich, wo er seine Feuerstätte hatte, ob vorn oder hinten in der Höhle. Dunkle Ahnungen hatten sich in ihm schon geregt, als Broud verkündete, er würde Ayla als zweite Frau in seinen Wohnkreis nehmen. So wie Creb diesen Hinterhältling kannte, war nicht zu glauben, daß dieser damit eine Wohltat im Sinne haben würde. Doch auf den wahnwitzigen Befehl danach war er nicht vorbereitet gewesen, und als er sah, wie Broud den neuen Mog-ur hieß, Ayla zum Tode zu verfluchen, war aller Kampfeswille aus ihm gewichen. Er wollte einfach nichts mehr sehen. So oder so. Bald würde ja alles zu Ende gehen. Creb wandte sich ab und humpelte zerbrochen in die Höhle. Ayla sah ihm nach, wie er im Innern des Berges verschwand.

Doch nicht nur Creb war tief betroffen. Der ganze Clan war äußerst aufgewühlt. Einige hatten es nicht ausgehalten und wie betäubt den Kopf gesenkt, andere wie gebannt und ohne Glauben auf die Auseinandersetzung gestarrt, die sich niemand hätte träumen lassen.

Brouds Entscheid, Ayla von ihrem Sohn zu trennen, war als sehr befremdlich aufgenommen worden. Auch waren sie bestürzt gewesen, daß Broud verfügte, Creb von seiner Feuerstätte zu vertreiben, aber auch über Aylas Angriff auf den neuen Clan-Führer. Aber wie vom Donner waren sie gerührt, als Brun gegen den Mann gewettert hatte, den er noch kurz vorher zum Führer gemacht, und einfach nicht zu glauben war schließlich Brouds Befehl gewesen, Ayla zum Tode zu verfluchen.

Ayla zitterte so heftig, daß sie auf das Beben der Erde unter ihren Füßen erst aufmerksam wurde, als sie sah, wie den Umstehenden die Füße weggerissen wurden und sie zu Boden stürzten. In ihrem Gesicht stand die gleiche Überraschung wie auf den Gesichtern der anderen. Doch sie wurde rasch zu Furcht und dann zu nacktem Entsetzen. Und dann hörte auch sie das ferne, wütende Grollen aus den Tiefen der Erde.

»Durc!« schrie sie und sah, wie Uba ihn packte, dann über ihn stürzte, als wollte sie seinen kleinen Körper mit ihrem eigenen schützen. Ayla rannte auf sie zu. Doch plötzlich machte sie kehrt und schrie mit schrecklicher Stimme: »Creb! Er ist noch in der Höhle.«

Stolpernd und kriechend mühte sie sich den schwankenden Hang hinauf zur großen keilförmigen Öffnung. Ein riesiger Stein sprang die Steilwand hinunter, in der sich der Eingang befand und schlug, von einem Baum behindert, donnernd neben Ayla zu Boden, die nichts hörte und nichts sah, nur blindlings nach oben strebte.

Der Boden unter ihren Füßen sackte plötzlich ab und bäumte sich gleich wieder auf. Ayla stürzte, rappelte sich hoch und sah, wie die Höhlendecke zerbrach. Scharfgezackte Felsbrocken regneten herunter und zersprangen, als sie aufschlugen. Rings um Ayla herum kollerten und sausten Steine und Felsbrocken die Wand herunter, rollten weiter über den Hang und klatschten mit tödlicher Wucht in den eisigen Bach. Wie ein Blitz durchzuckte ein riesiger Riß den Felsgrat; das mächtige Gestein bröckelte, zerbröselte, schwankte und versank in der Tiefe.

Drinnen in der Höhle hagelte es felsige Splitter, Steine und

Schmutz, und die Wände und die Decke dröhnten unter dem gewaltigen Weh der Erde. Draußen schwankten die himmelhohen Bäume wie ungelenke Riesen in einem rauschhaften Tanz und splitternackte Bäume wurden vom Beben geschüttelt. Der Einriß in der Wand barst ohrenbetäubend zu einem gähnenden Spalt auseinander, aus dem sich ein wilder Gesteinsschwall ergoß. Das entsetzliche Donnern aus den Tiefen der Erde und das Schrappen und Krachen von Fels und Stein zertönten alles Schreien nach Hilfe.

Doch schließlich verebbte das Beben. Noch ein paar Steine kollerten hurtig den Hang herab, sprangen, hüpften, rollten aus. Noch zitternd vor Angst und Erregung begannen die Clan-Leute, sich abzutasten, standen vorsichtig auf und irrten wie benommen umher. Dann schauten sie sich um, sahen Brun und versammelten sich um ihn. Er war ihr Führer gewesen, der Fels, der unerschütterlich stand. Er war ihre einzige Sicherheit. Er sollte die Führung wieder übernehmen.

Doch Brun tat nichts dergleichen. Niemals in der langen Zeit, da er den Clan geführt hatte, glaubte er so wenig Scharfblick gezeigt zu haben wie an dem Tag, an dem er Broud zum neuen Oberhaupt des Clans gemacht hatte. Jetzt aber sah er, wie blind er gegen die Schwächen seines Sohnes gewesen war. Selbst dessen Stärken, seine Unerschrockenheit und sein Wagemut, entsprangen doch mehr jener Kälte des Herzens und jener mangelnden Selbstbeherrschung. Doch das war es nicht, weshalb Brun sich weigerte zu handeln. Broud war jetzt der Clan-Führer; für Brun war es zu spät, hier einzuspringen und einen anderen Mann auf die Führung vorzubereiten, obwohl er wußte, daß der Clan es ihm gestattet hätte. Broud hatte verkündet, daß er der Führer wäre. Gut, Broud. Dann führe, dachte Brun. Ganz gleich, was dieser von nun an entscheiden würde oder nicht, Brun würde nichts mehr dagegensetzen.

Als die Clan-Leute merkten, daß Brun nicht bereit sein war, sie zu führen, wandten sie sich schließlich Broud zu. Denn sie waren einen starken Mann gewöhnt, und Brun war ein starker Mann gewesen. Auf seine unerschütterliche Ruhe und seinen klaren Blick war sicher Verlaß gewesen. Sie waren nicht fähig, selbst zu handeln und selbst zu entscheiden. Sogar Broud erwartete, daß Brun die Führung wieder übernehmen würde. Auch er brauchte jemanden, auf den er sich stützen konnte. Doch als er schließlich sah, daß nun die Last auf seinen Schultern liegen würde, mühte er sich ab, sie ohne Straucheln auch zu tragen.

»Wer fehlt? Wer ist verletzt? Seid ihr alle heil?« fragte er mit besorgter Hand die Leute.

Ein Seufzer der Erleichterung ging durch die kleine Schar. Familien fanden sich zusammen, und es schien, als fehlte keiner. Kaum einer war verletzt. Manche hatten Schrammen und Kratzer. Das Beben der Erde war noch glimpflich abgegangen.

»Wo ist Ayla?« fragte Uba angsterfüllt.

»Hier«, rief die junge Frau, die eben den Hang herunterrutschte.

»Ma-Ma!« schrie Durc und riß sich von Uba los.

Ayla rannte ihm entgegen, schloß ihn fest in ihre Arme und trug ihn zurück zu den anderen.

»Bist du verletzt, Uba?« fragte sie besorgt.

»Nein, nein, nichts Schlimmes.«

»Und wo ist Creb?« Da fiel es Ayla wieder ein. Hastig drückte sie ihren Sohn Uba in die Arme und flog schon wieder den Hang hinauf.

»Ayla! Wo willst du hin? Geh nicht in die Höhle! Es kann von neuem kommen!«

Doch Ayla sah die Warnung nicht und hätte ihrer auch nicht geachtet. Sie stürzte in die Höhle und rannte zu Crebs Feuerstätte. Noch immer rutschte Geröll nach, und Steine und Staub flossen aus armdicken Rissen aus den Felswänden und von der Decke herab. Crebs Feuerstätte hatte kaum Schaden genommen, doch er selbst war nicht dort. Ayla hastete um große Felsbrocken herum von Wohnkreis zu Wohnkreis. Manche waren gänzlich zerstört, bei anderen schien noch einiges zu retten. Creb war nirgends. An dem schmalen Spalt, der in die Zauberstätte führte, zögerte sie. Dann ging sie hinein. Doch man sah nichts. Ein Kienspan wäre nötig. Doch vorher wollte sie noch hinten in der Höhle suchen.

Ein dünner Regen staubiger Kiesel rieselte auf Ayla herab,

und schnell sprang sie zur Seite. Zackige Felsbrocken sausten herunter, bohrten sich neben Ayla in den Boden. Sie suchte in den Nischen der Wände, lief tastend durch den Raum und spähte in die tiefen Schatten hinter Vorratsgefäßen und Felsbrocken.

Sie fand Creb neben Izas Grab. Er lag seitlich da, die Beine angezogen. Ein schwerer Felsen hatte sein weißes Haupt zermalmt. Ayla schrie auf und kniete neben ihm nieder, und ihre Augen begannen überzufließen.

»Creb, ach Creb. Warum bist du in die Höhle gegangen?« fragten ihre Hände und klagten. Auf ihren Knien wiegte sie sich und rief immer wieder seinen Namen. Dann stand sie auf. Tränen rannen ihr über das Gesicht und machten sie blind, als Ayla in der zerstörten Höhle stand und den Tod des alten Zauberers beklagte, der ihr wie ein Vater gewesen war.

»Er ist tot«, bedeutete Ayla, als sie aus der Höhle trat.

Broud starrte sie so fassungslos an wie die anderen, und ihn packte dann eine tiefe Furcht. Sie war es doch gewesen, die die Höhle entdeckte; sie war es doch gewesen, die das Wohlwollen der Geister besessen hatte. Und als er sie verfluchte, hatten die Geister die Erde erzittern lassen und die Höhle zerstört. Zürnten sie ihm dafür, daß er ihre Verfluchung befohlen hatte? Was würde geschehen, wenn der Clan vermeinte, daß er dieses Unglück heraufbeschworen hatte? Bis ins Innerste erzitterte er angesichts dieses bösen Vorzeichens und bebte vor dem Zorn der Geister, den er entfacht hatte. Er wollte nicht der Schuldige sein. Und wälzte die Schuld auf Ayla, als könnte er dadurch den Unmut der Clan-Leute und den Zorn der Geister von sich abwenden.

»Sie hat es getan! Ihre Schuld ist es!« zeigte er mit heftiger Hand auf Ayla. »Sie hat die Geister erzürnt. Sie hat sich gegen Brauch und Überlieferung gestellt. Ihr alle habt es gesehen. Sie war aufsässig und mißachtete den Clan-Führer. Dafür muß sie verflucht werden. Dann erst wird uns die Gunst der Geister wieder gehören. Dann erst werden sie uns wieder zu einer neuen Höhle führen, die noch besser ist. Ja, das werden sie tun. Ich weiß es. Verfluche sie, Goov! Verfluche sie zum Tode! Jetzt, auf der Stelle!«

Die Köpfe aller wandten sich zu Brun. Doch der blickte noch immer stur vor sich hin, das Gesicht verschlossen, die Fäuste geballt. Er wollte nichts tun, er wollte nicht eingreifen, so viel Kraft es ihn auch kostete, sich da rauszuhalten. Unsicher blickten die Clan-Leute einander an. Dann wanderten ihre Blicke zu Goov und schließlich zu Broud. Goovs Augen konnten nicht glauben und sahen fragend zu Broud. Wie konnte er Ayla die Schuld geben? Wenn jemand schuldig war, dann Broud.

»Ich bin der Clan-Führer, Goov. Du bist der Mog-ur. Ich befehle dir, sie zu verfluchen. Verfluche sie zum Tode.«

Langsam, als müßte er seine Füße aus dem Boden reißen, wandte Goov sich ab. Von dem Feuer, das man angezündet hatte, als Ayla noch in der Höhle war, nahm er einen harzigen Fichtenzweig, stieg langsam den Hang hinauf und trat durch den halbverschütteten Eingang in die Höhle. Vorsichtig bahnte er sich einen Weg zwischen Felsbrocken und Geröll und wußte wohl, daß ein weiteres Beben der Erde ihn verschlingen könnte, und wünschte, es möge geschehen, ehe er das tat, was zu tun ihm befohlen worden war. Er tappte im unruhigen Feuerschein in die kleine Höhle hinein, ordnete die heiligen Gebeine des Höhlenbären in zwei gleichlaufenden Reihen an. Den letzten Knochen steckte er so durch den offenen Schädel des Höhlenbären, daß er die linke Augenhöhle durchdrang. Dann beschwor er jene Namen, die nur die Mog-urs kannten, die schrecklichen Namen der bösen Geister, denen so die Macht gegeben wurde, ihr böses Treiben zu beginnen.

Ayla stand noch immer vor der Höhle, als er mit Augen, die sie nicht sahen, an ihr vorüberschritt.

»Ich bin der Mog-ur. Du bist der Clan-Führer. Du hast befohlen, Ayla zum Tode zu verfluchen. Es ist getan«, bedeutete Goov.

Dann wandte er Broud den Rücken.

Zuerst wollte es keiner glauben. Zu schnell war alles gegangen. So durfte man doch nicht verfahren! Brun hätte sich erst mit den Männern beraten, hätte den Clan auf das ganze vorbereitet. Aber Brun, der hätte das niemals getan, sie jetzt zum Tode zu verfluchen. Was hatte sie verschuldet? Gewiß, sie war dem Clan-Führer entgegengetreten, und das war nicht recht. Doch genügte das, sie zum Tode zu verfluchen? Sie hatte sich nur um Creb gesorgt. Und was hatte Broud ihr angetan? Erst hatte er Ayla das Kind genommen und dann den alten Zauberer aus dem Wohnkreis gejagt, nur um sich an ihr zu rächen. Und jetzt – nach dem Beben – jetzt war kein Wohnkreis mehr heil. Warum hatte Broud das getan? Warum war Ayla verflucht? Die Geister hatten sie stets mit Wohlwollen betrachtet. Sie hatte ihnen allen das Glück gebracht, bis Broud verkündete, daß sie zu verfluchen sei, bis er dem Mog-ur befahl, dies auf der Stelle zu tun. Broud hatte Unglück über alle gebracht. Was würde jetzt aus ihnen werden? Erst hatte Broud die Totems erzürnt und dann die bösen Geister freigesetzt. Und der alte Mog-ur war tot, er konnte ihnen jetzt nicht mehr helfen.

Ayla war so versunken in ihren Schmerz, daß sie den Widerstreit der Gefühle im Herzen der Erdlinge, die sie umstrudelten, nicht wahrnahm. Sie sah, wie Broud den Befehl gab, sie zu verfluchen. Sie sah, wie Goov ihm mitteilte, daß es getan war. Doch ihr Hirn, von Schmerz betäubt, nahm nichts von all dem auf. Als Ayla endlich das Ganze begriff, war ihr, als bebte die Erde von neuem.

Verflucht? Zum Tode verflucht? Was habe ich denn getan? zitterte ihr Hirn. Und was ist eigentlich geschehen? Wie aus weiter Ferne betrachtete Ayla die Clan-Leute und sah, daß deren Augen ein Schleier umhüllte, der sie blind machte, Ayla wiederzuerkennen.

Ayla stand wie erstarrt, bis auch Ubas Augen sich verschleierten, und sie laut um die Mutter des Jungen zu klagen begann, den sie in ihren Armen hielt. Durc! Mein Kind, mein Sohn! Ich bin verflucht, erkannte Ayla. Ich werde ihn nie wiedersehen. Was wird nur aus ihm. Nur Uba ist noch da. Sie wird ihn zu sich nehmen, aber was kann sie ausrichten gegen Broud? Broud ist voller Haß gegen ihn, weil er mein Sohn ist. Verzweifelt sah Ayla sich um, und ihr Blick fiel auf Brun. Brun! Nur Brun kann ihn beschützen.

Ayla stürzte zu dem, der bis zum Vortag den Clan geführt hatte. Sie warf sich Brun zu Füßen und senkte den Kopf. Doch dann begriff sie, daß auch er ihr niemals auf die Schulter tippen würde. Und als sie aufsah, blickte er über ihren Kopf hinweg auf das Feuer, das hinter ihr brannte. Wenn er nur wollte, konnten seine Augen sie sehen. Er kann mich ja sehen, dachte Ayla. Ich weiß es doch. Creb wußte noch alles, was ich gesagt hatte. Und Iza auch.

»Brun, ich, du glaubst, ich wäre tot, eine Hülle, in die der böse Geist gefahren ist. Sieh bitte nicht weg. Ich flehe dich an. Es ging mir alles viel zu schnell. Ich werde gehen, Brun, ich gelobe es, aber ich habe Angst um Durc. Broud haßt ihn, wie du weißt. Was wird jetzt aus ihm werden, wo Broud der Clan-Führer ist? Durc gehört zum Clan, Brun. Du hast ihn angenommen. Ich bitte dich, Brun, beschütze Durc. Nur du vermagst es. Laß nicht zu, daß Broud ihm Böses tut.«

Langsam wandte Brun der bettelnden Frau den Rücken zu, wandte den Blick ab. Doch sie sah einen Schimmer des Einverständnisses in seinen Augen und ein kaum wahrnehmbares Neigen seines Kopfes. Das reichte ihr. Er würde Durc beschützen. Er hatte es dem Geist der Mutter des Jungen gelobt.

Ayla stand auf und eilte zur Höhle. Erst als sie Brun gelobt hatte fortzugehen, war ihr dieser Entschluß gekommen. Der Schmerz über Crebs Tod mußte noch etwas warten, sie würde ihn später herauslassen, wenn es nicht mehr um ihr Überleben ging. Vielleicht würde sie in die Welt der Geister gehen, vielleicht aber auch nicht. Wer würde es wissen können. Keinesfalls aber würde sie unvorbereitet sein.

Als sie vorher voller Angst um Creb in die Höhle gestürzt war, hatte sie keine Augen für die Spuren der Zerstörung gehabt. Jetzt aber, als sie stehenblieb und sich umsah, schien ihr plötzlich alles fremd. Wie gut, daß die Clan-Leute alle im Freien gewesen waren, als die Erde gebebt hatte. Sie holte noch einmal tief Luft und lief zu Crebs Wohnkreis hinüber.

Ayla wälzte einen Felsbrocken von ihrem Lager, schüttelte ihren Fellumhang aus und begann, ihre Sachen zu richten. Ihre Medizintasche, die Schleuder, Fußhüllen, Wadenwikkel, Handhüllen, einen pelzgefütterten Umhang, eine Mütze; dazu ihren Trinkbecher, ihre Schale, einen kleinen Wasserbehälter, Werkzeug. Hinten in der Höhle holte sie sich etliche Teigfladen, Dörrfleisch, Früchte und Fett. Sie wühlte alles durch und fand in Birkenrinde verpackte Ahornsüße, Nüsse, getrocknete Früchte, zerstampfte Getreidekörner, Rauchfisch und einige getrocknete Gemüsepflanzen. Dann schüttelte sie Staub und Steine aus ihrem Sammelkorb und machte sich ans Packen.

Als sie Durcs Tragfell entdeckte, drückte sie es an ihr Gesicht, und die Tränen rannen ihr aus den Augen. Sie brauchte es eigentlich nicht. Dennoch packte sie das Tragfell ein.

Ganz zuletzt beschloß sie, den Unterschlupf aus Tierhaut mitzunehmen, den sie stets bei sich hatte, wenn sie die Männer auf die Jagd begleitete. Es war nicht ihrer, er hatte Creb gehört. Aber Creb war tot, und er hatte den Unterschlupf nie gebraucht. Sie glaubte nicht, daß er ihr grollen würde, wenn sie die Tierhaut und die Stangen mitnahm.

Ayla legte den Unterschlupf obenauf in ihren Korb und schulterte dann die schwere Bürde und verschnürte die Riemen, die den Korb fest an ihrem Körper hielten. Wieder sprangen ihr die Tränen in die Augen, als sie in der Mitte des Wohnkreises stand, der so lange ihr Heim gewesen war. Sie würde ihn nie wiedersehen. Bilder der Erinnerung flogen ihr durch den Kopf, und zuletzt dachte sie noch einmal an Creb. Ich wünschte, ich wüßte, was dir so tiefen Schmerz bereitet hat, Creb. Mag sein, daß ich es eines Tages erkennen werde. Es war gut, daß wir noch miteinander gesprochen haben, ehe du fortgegangen bist. Du wirst immer bei mir sein, genau wie Iza, genau wie der Clan des Bären.

Dann schritt Ayla aus der Höhle.

Keiner sah sie an, aber alle wußten es, als sie wieder auftauchte. An dem Teich vor der Höhle machte Ayla halt, um ihr Wasserbehältnis zu füllen. Und wieder erinnerte sie ein Bild. Und bevor sie das Gefäß eintauchte und damit den stillen Spiegel kräuselte, lehnte sich Ayla über das Wasser und sah sich an. So häßlich war sie eigentlich nicht. Doch ihr Augenmerk galt nicht ihrem eigenen Gesicht, vielmehr wollte sie wissen, wie die aussahen, zu denen sie zu gehen hatte, die Fremdlinge.

Als sie aufstand, sah sie Durc, der strampelnd und schlagend versuchte, sich aus Ubas Armen zu befreien. Mit einem Ruck riß er sich los und rannte hinüber zu Ayla.

Ayla zögerte einen Herzschlag lang, dann breitete sie ihre Arme aus, hob ihn hoch und drückte ihn fest an sich und kämpfte gegen die Tränen. Dann setzte sie ihn wieder ab und hockte sich vor ihn nieder.

»Lieber Durc«, bedeutete sie und sah ihm in die dunklen Augen, »ich gehe nun fort. Man hat es mich geheißen.« Doch da kam Uba auf sie zu. Sie mußte Durc dem Geist entreißen. Noch einmal drückte Ayla ihren Sohn an sich.

»Mein Herz gehört dir, Durc. Für immer.« Dann hob sie ihn hoch und gab ihn Uba. »Gib acht auf meinen Sohn, Uba«, flehte sie.

Broud sah das alles und wurde immer wilder. Die Frau war tot, sie war ein Geist. Warum benahm sie sich nicht so wie ein Geist? Wie kam es, daß manche seiner Leute sie nicht so behandelten wie einen Geist?

»Dort ist ein Geist«, verkündete er mit zornigen Händen. »Sie ist tot. Wißt ihr nicht, daß sie für uns gestorben ist?«

Ayla ging geradewegs auf Broud zu und pflanzte sich vor ihm auf. Auch ihm machte es Mühe, sie nicht zu sehen. Er versuchte, so zu tun, als wäre sie nicht vorhanden, doch sie blickte ihm geradewegs ins Gesicht und hockte nicht zu seinen Füßen, wie sich das für eine Frau gehörte.

»Ich bin nicht tot, Broud«, gab sie trotzig zurück. »Und ich werde auch nicht sterben. Du kannst nicht machen, daß ich sterbe. Du kannst mich zwingen fortzugehen, du kannst mir meinen Sohn nehmen, aber du kannst nicht machen, daß ich sterbe.«

Wut und Furcht stritten in Broud. Er schwang die Faust hoch und hielt erschrocken inne. Es ist eine schlimme List, dachte er. Es ist eine List dieses Geistes. Denn sie ist tot. Sie wurde verflucht.

»Schlag mich doch, Broud! Schlag mich und nimm Kenntnis von diesem Geist. Schlag mich und sieh, daß ich nicht gestorben bin.«

Broud wandte sich Brun zu, um den hartnäckigen Geist nicht länger ertragen zu müssen. Er senkte den schlagbereiten Arm, doch gelang es ihm nicht, die Bewegung natürlich aussehen zu lassen. Broud hatte sie nicht angerührt, doch er befürchtete, daß schon durch sein Schlagenwollen ihre Körperhaftigkeit bestätigt worden sei und wollte das Unheil auf Brun abwälzen.

»Glaube ja nicht, daß es mir verborgen war, Brun. Du hast diesem Geist Erwiderung getan, als er mit dir sprach, ehe er in die Höhle ging. Es ist ein Geist. Du wirst Unheil über uns bringen, Brun«, erklärte er mit anklagender Gebärde.

»Nur über mich selbst, Broud«, gab Brun zurück. »Doch wann hast du gesehen, daß sie mit mir sprach? Wie kommt es, daß du einen Geist schlagen wolltest? Du bist noch immer blind, Broud. Du selbst hast ihre Wesenhaftigkeit bestätigt. Sie ist noch da, Broud. Und sie hat dich bezwungen. Sie war mehr Mann als du.«

Bruns Lob überraschte Ayla, die plötzlich gewahr wurde, wie Durc schon wieder mit Uba kämpfte und sich losreißen wollte. Sie konnte es nicht länger mit ansehen. Schnell machte sich Ayla auf den Weg. Als sie an Brun vorüberkam, neigte sie den Kopf und hob die Hand zum Dank. Oben am zersplitterten Grat drehte sie sich langsam um und blickte noch einmal zurück. Sie sah, wie Brun die Hand hob, als wollte er sich das Auge reiben; doch war es wohl eher ein Zeichen, jenes Zeichen, das Norg ihnen nachgesandt hatte, als sie nach dem Miething sich auf den Heimweg machten.